FÜR EIN PAAR LEIC

Für Anton und Anita

Ulrich P. Bruckner

FÜR EIN PAAR LEICHEN MEHR

Der Italo-Western von seinen Anfängen bis heute

Stark erweiterte und aktualisierte Neuausgabe des Standardwerkes

SCHWARZKOPF & SCHWARZKOPF

INHALT

Clint Eastwood in »Per qualche dollaro in più«

VORWORT

Seit der Erstveröffentlichung des Buches »Für ein paar Leichen mehr« sind nun schon wieder einige Jahre ins Land gezogen. In dieser Zeit hat sich auch das Genre des Italo-Western ungebremster Beliebtheit erfreut. Einige TV-Sender wie ARD haben sogar eigene Italo-Western-Reihen ausgestrahlt. Auch auf DVD sind mittlerweile einige wichtige und sehr gesuchte Genre-Vertreter wie beispielsweise die Western von zwei großen Sergios (Leone und Sollima) in liebevoll gestalteten Collector's Editions als DVD erschienen.

Endlich kann man diese Klassiker in einer nie zuvor gesehenen Qualität und erstmals ungekürzt genießen. Leider hat das Genre in diesen Jahren auch einige der bekanntesten und besten Darsteller verloren. Zu den Verstorbenen zählen einige Leone-Stars wie James Coburn und Jason Robards und weitere Stars des Genres wie Anthony Steffen, David Bailey, Cris Huerta, Chen Lee, Mike Marshall, Carl Möhner, Ivan Rassimov und einige andere. In ihren Filmen werden sie jedoch weiterleben.

In der Neuauflage meines Buches konnten viele neue Erkenntnisse berücksichtigt werden und es gibt nun auch ein Filmtitelverzeichnis.

Auf Grund der großen Datenfülle habe ich nun auch einige Filme, die eigentlich keine Western sind, weggelassen. Dafür habe ich zahlreiche neue Kritiken zu den wichtigen Filmen zusammengetragen und auch einen weiteren Film detailliert besprochen, nämlich den Enzo-Girolami-Kultfilm »Quella sporca storia nel West« (»Django – die Totengräber warten schon«), der mittlerweile auch in Deutschland erstmals ungekürzt auf DVD vorliegt. Die Sammler unter Ihnen werden sich über einige sehr rare Fotos freuen, welche mir in der Zwischenzeit zur Verfügung gestellt wurden. Ein besonderer Dank geht an meine Frau Anita, ohne deren großzügige Unterstützung ich auf verlorenem Posten gewesen wäre. Bedanken möchte ich mich auch sehr bei Wolfgang Luley und Daniel Maier, die mir mit vielen Informationen und Korrekturen zur Seite gestanden sind.

Ulrich P. Bruckner
Fügen, im September 2006

Henry Fonda und Charles Bronson in »C'era una volta il West«

DER ITALO-WESTERN – EIN RÜCKBLICK

Genau 44 Jahre ist es nun schon her, seit im früheren Jugoslawien die erste Klappe für den großen deutschen Karl-May-Western »Der Schatz im Silbersee« fiel. Zuerst hatte niemand an die Möglichkeit eines weltweiten Erfolges geglaubt, als sich damals deutsche Filmleute dazu entschlossen, dem amerikanischen Film auf einem Terrain zu begegnen, das er seit Jahrzehnten allein und uneingeschränkt beherrschte.

Und dennoch wurde aus jener Planung am Anfang der sechziger Jahre der »europäische Western« geboren. Es sollte sich sogar herausstellen, dass er sehr wohl imstande war, den Produkten dieses beliebten Filmgenres aus Hollywood den Rang abzulaufen und ihm ein neues Gesicht zu verleihen.

Der »deutsche Western« verharrte zwar ausschließlich bei den idealistisch-romantischen Karl-May-Verfilmungen und beschränkte sich auf die Verherrlichung von Tapferkeit, Mannestreue und Blutsbrüderschaft seiner populären Helden Winnetou, Old Shatterhand, Old Surehand und Old Firehand als Gestalten von Märchen-Western, die bei ihren Betrachtern mehr das Gemüt als den Sinn für Realität ansprachen.

Trotzdem waren es die ersten Karl-May-Filme, die eine Lawine ins Rollen brachten. Denn in einem anderen großen europäischen Filmland, in Italien, erkannten die Produzenten, Autoren und Regisseure sehr schnell, dass man hier auf eine Goldader gestoßen war. Man durfte nur nicht den Fehler begehen, »amerikanische« Western zu kopieren. Das Einzige, was zu fehlen schien, waren die weiten Prärien, die Felsschluchten der Rocky Mountains und die Sandwüsten Mexikos – das alles fand man in Südspanien, so wie die Deutschen Winnetous Jagdgründe im damaligen Jugoslawien gefunden hatten.

Und nach einigen Koproduktions-Beteiligungen an deutschen Western entschieden sich die

Klaus Kinski in »Per qualche dollaro in più«

Italiener, selber mit eigenen Produktionen in diesem lukrativen Geschäft mitzumischen. Zuerst entstanden einfache Imitationen von amerikanischen Filmen wie »Dinamite Jack« (»Dynamit Jack«, 1963, Jean Bastia), »Gringo« (»Drei gegen Sacramento«, 1963, Ricardo Blasco) und »I tre spietati« (»Abrechnung in Vera Cruz«, 1963, Joaquín Luis Romero Marchent), bis dann Sergio Leone mit »Per un pugno di dollari« (»Für eine Handvoll Dollar«) im Jahr 1964 neue Maßstäbe setzte und dessen Film alle weiteren Filme dieses Genres beeinflusste. Auch heute noch, mehr als vier Jahrzehnte nach Leones erstem Film, sind es jene Filme, die sowohl künstlerisch als auch wirtschaftlich zu den absoluten Spitzenfilmen dieses Genres zu zählen sind. Der Grund für diesen sensationellen Erfolg ist wohl in zwei Umständen zu sehen.

Zum Ersten war der amerikanische Western in den späten fünfziger Jahren zweifellos in eine kritische Situation geraten, als sich nämlich die großen Western-Regisseure wie John Ford, Henry Hathaway, John Sturges, Howard Hawks oder Fred Zinnemann von diesem Genre abwandten, weil dessen Thematik sich vom reinen Actionfilm zu einer Form der Humanitätsdarstellung gewandelt hatte. Aus den alten, raubeinigen Westernhelden waren alternde, verbrauchte Männer geworden, die Bösewichte waren müde und stellten keine wirkliche Bedrohung dar. Zudem waren fürs programmhungrige Fernsehen kilometerlange Western-Serien produziert worden, bis schließlich auch der letzte Western-Fan das Interesse an diesem Genre verlor.

Der zweite Grund für den unglaublichen Erfolg dieser neuen Film-Welle war sicherlich die Tatsache, dass die Macher dieser Filme eine klare, aus der Tradition der Sandalen-Filme entwickelte Konzeption mit in ihre Studios brachten. Aus all den Erfahrungen, die sie mit den unzähligen Kostümfilmen gemacht hatten, leiteten sie viele konstruktive Ideen ab, die das Western-Genre von Grund auf erneuerten. Aus den abgewirtschafteten US-Prärien wurden wüstenartige Grenzorte im amerikanischen Südwesten, aus dem sich so manche neue dramaturgische Problemstellungen ergaben: Gringos gegen Mexikaner, Grenzbanden des Nordens gegen Revolutionäre des Südens, Gold- und Waffenschmuggel, Ausbeutung, Armenelend und Familienhass. Die Regisseure aus Rom, Madrid oder Barcelona entkleideten den Western jedweder Pathetik. Sie führten ihn in

jene Atmosphäre aufrichtiger Realität zurück, aus der heraus er einmal entstanden war, und blieben konsequent bei dieser Zielrichtung, auch auf die Gefahr hin, der bewussten Grausamkeit, ja des Sadismus bezichtigt zu werden. Ihre Gesetzlosen handelten, wie eben Gesetzlose handeln. Ihre Kopfgeldjäger liebten die Dollarprämien mehr als das eigene Leben. Ihre Sheriffs waren ebenso korrupt und bestechlich wie die Bürgermeister und angesehenen Leute der Stadt.

Der wichtigste und einflussreichste Italo-Western war »Per un pugno di dollari« (»Für eine Handvoll Dollar«), der im Sommer 1964 gedreht wurde. Unter der Regie des damals noch vollkommen unbekannten Sergio Leone spielte der amerikanische Fernsehstar Clint Eastwood und begründete damit eine ganz neue Art von Western. Eastwood war es satt, immer an die ziemlich einfallslosen Handlungsvorgaben seiner Fernsehserie gebunden zu sein und Leone war daran interessiert, das Western-Genre für die James-Bond-Generation aufzumöbeln und ihm ein neues Gesicht zu verleihen. In späteren Interviews sagte er, er hätte damals mit seinen ersten Western darauf abgezielt, die Bilder aus der Zeit der Stummfilme mit einem Neo-Realismus zu verbinden. Er wollte den Western auch von all den labernden Charakteren und Frauen säubern, die eigentlich nur die Handlung verlangsamten und sich stattdessen auf die wichtigen Elemente wie schnelle Action und kurze prägnante Dialoge konzentrieren. Und noch etwas war es, was man damals im Film im Gegensatz zum Fernsehen noch zeigen konnte: harte Gewalt. Das europäische Kino war damals immer etwas abenteuerlustiger, was Action anging, und als Leone seinen ersten Western drehte, integrierte er viele brutale Schießereien, Faustkämpfe und nackte

Lee Van Cleef in »Per qualche dollaro in piü«

9

Gewalt (Tod durch Schusswaffen, Macheten, Maschinengewehre und Verbrennen) in die Geschichte.

Mit Eastwood fand Leone seinen perfekten Anti-Helden für seine Western-Fantasien. Eastwood als »der Mann ohne Namen« sah nicht aus wie all die anderen Western-Helden, die vor ihm kamen. Er trug einen mexikanischen Poncho, rauchte dauernd seine Toscani-Zigarillos, ritt auf einem Maulesel und war der schnellste Schütze, den der Wilde Westen je gesehen hatte. Er war der ultimativ »coole« Revolverheld, der in ein kleines Kaff ritt, das von zwei rivalisierenden Banden beherrscht wurde und sich dadurch bereicherte, beide Fraktionen gegeneinander auszuspielen. Die Bösewichter wurden von Italienern, Spaniern und Deutschen gespielt, die Nebendarsteller kamen aus Österreich und den USA – wirklich eine internationale Produktion im wahrsten Sinn des Wortes. Um dies anfänglich vor seinem Publikum zu verbergen, verwendeten viele Beteiligte aus Besetzung und Crew amerikanisch klingende Pseudonyme. Die Musik wurde von Ennio Morricone beigesteuert, der einen völlig neuartig klingenden Sound schuf, der genau zu dem passte, was sich auf der Leinwand abspielte – Peitschenknallen, Pfeifen, Maultrommeln, elektrische Gitarren und wilde Trompetensoli. Nachdem die Dialoge in »Per un pugno di dollari« (»Für eine Handvoll Dollar«) ziemlich dünn gestreut waren, übernahm die Musik Ennio Morricones die Aufgabe, alle emotionalen Lücken zu schließen.

Bereits in »Per un pugno di dollari« (»Für eine Handvoll Dollar«) waren alle Italo-Western-Merkmale vollständig versammelt. Die ausgedörrten Steppen rund um Almería, die weißgewaschenen Adobe-Bauten, bösartige bärtige Banditen, eine hilflose Frau in Gefahr und, was am wichtigsten war, der einsame Held, der niemanden braucht und aus dem Nichts auftaucht. Beständig wird der Fremde aufgefordert, die Stadt zu verlassen und ebenso beständig ignoriert er diese Ratschläge und wird in die daraus erfolgenden Blutbäder verwickelt, die er meistens als Einziger lebend verlässt. In den zahlreichen »Per un pugno di dollari«-Kopien findet sich der Held meistens als Gegenspieler im Duell mit dem Hauptbösewicht und dessen Kumpanen in einer verlassenen, windverblasenen mexikanischen Straße wieder. Da gibt es die alles einnehmende Stille, unterbrochen nur von Schritten

Tomás Milian und Richard Wyler in »The bounty killer«

und Sporenklimpern, wenn sich diese Feinde ein unglaubliches Duell liefern. Lange Szenen mit Nahaufnahmen von Gesichtern verstärken den statischen, bedrohlichen Augenblick vor dem Tod, wenn ein Schweißtropfen oder ein nervöser Abzugsfinger die Wichtigkeit eines Teils eines Dialogs annehmen kann. Dann plötzlich, im Bruchteil einer Sekunde, werden die Revolver gezogen, Kugeln fliegen durch die Luft und die Bösewichte liegen tot im Wüstensand. Fliegen summen um die Leichen, der Held spuckt in den Sand und betrachtet die durchlöcherten Körper mit Verachtung und erlaubt sich selber einen Hauch von Befriedigung.

Niemand machte es besser als Eastwood, aber mit dem Erfolg von »Un pugno di dollari« (»Für eine Handvoll Dollar«) folgten unzählige Imitatoren. Die offensichtlichsten waren sicherlich die »Stranger«-Filme mit Tony Anthony in der Hauptrolle. Die meisten der frühen Italo-Western verwendeten das Szenario des »einsamen Revolverhelden«, welcher in einer Vielzahl von Städten auftaucht (Geisterstädte, wachsende Städte, Goldgräberstädte, korrupte Städte) und sich mit den dort ansässigen Bösewichten herumstreitet – Banditen, korrupte Bankiers, Viehbarone, Gesetzlose oder Diebe. Die Produzenten realisierten ziemlich schnell, dass jeder Revolverheld seine Eigenheiten und Tricks haben sollte und die Dinge begannen wirklich interessant zu werden.

Ein anderer wichtiger Held dieser frühen Epoche des Italo-Western war Ringo, gespielt vom italienischen Matinee-Idol Giuliano Gemma. Im Gegensatz zu Eastwoods stillem Revolverhelden hatte Ringo immer einen guten Spruch auf der Lippe. Regisseur Duccio Tessari verzichtete darauf, Sergio Leones Stil zu kopieren, obwohl er einer der Koautoren von »Un pugno di dollari« (»Für eine Handvoll Dollar«) war. Stattdessen versuchte er sich mehr an die amerikanischen Vorbilder zu halten. Aus seinem ersten Versuch wurde »Una pistola per Ringo« (»Eine Pistole für Ringo«), ein spannungsgeladener, gut konstruierter Western, der Welten von Leones Vision und dessen Wüstenlandschaften entfernt war (obwohl auch in Südspanien gedreht). Tessari adaptierte das klassische Hawk'sche Besetzungsszenario (eine Banditenbande versteckt sich auf einer Ranch nach einem verpfuschten Raubzug und nimmt eine unschuldige Familie als Geisel) und schickt seinen jungen, schönen, sprücheklopfenden Helden Ringo in die Höhle des Lö-

wen um die Geiseln zu retten. Der große Erfolg dieses Films führte zu einem unmittelbaren Nachfolgefilm, »Il ritorno di Ringo« (»Ringo kommt zurück«), einer Western-Version von Homers Odysseus, ein viel düsterer und komplexerer Film als der Vorgänger. Giuliano Gemma wurde mit diesen beiden Filmen zum italienischen Superstar des Actionkinos, obwohl er bereits zuvor in einigen kleineren Italo-Western zu sehen war. Diese lyrischen Western waren bei weitem nicht so brutal und gewalttätig wie die Filme von Leone und ließen sich sehr stark von den Hollywood-Western beeinflussen – »Il ritorno di Ringo« (»Ringo kommt zurück«) enthielt Referenzen an Howard Hawks, John Ford und John Sturges.

Während Ringo Ehre und das Vertrauen pries und alle anderen versuchten, »Per un pugno di dollari« (»Für eine Handvoll Dollar«) zu kopieren, erweiterte Leone die Formel des einsamen Revolverhelden in seinem nächsten Western. Mit »Per qualche dollaro in più« (»Für ein paar Dollar mehr«) versuchte man durch die Verdoppelung der Helden auch die Action zu verdoppeln und hoffte damit auf eine Verdoppelung des Publikums. Auf Grund der Tatsache, dass Frauen in seinen Filmen keine Rolle spielten (mit »C'era una volta il West« [»Spiel mir das Lied vom Tod«] sollte sich das dann schlagartig ändern), gab es für Leone nur eine Möglichkeit, eine Art von Beziehung in seine Filme zu integrieren, nämlich die Einführung eines Partners. In seiner Fortsetzung zu »Per un pugno di dollari« (»Für eine Handvoll Dollar«) machte er den vormals zum Statisten degradierten Darsteller Lee Van Cleef zum Partner von Eastwood – in der Rolle des Colonel Mor-

Clint Eastwood in einer Drehpause von »Per qualche dollaro in più«

Anthony Steffen in »Perché uccidi ancora«

timer, eines gealterten, schwarz gekleideten professionellen Kopfgeldjägers. Diese Konstellation war einer der wichtigsten und einflussreichsten Momente in diesem Filmgenre. Sogar in den siebziger Jahren machten Regisseure noch Filme über alte Männer, die sich mit einem Grünschnabel zusammentun. Lee Van Cleef baute einen Großteil seiner späteren Karriere auf diesem Schema auf. In vielen seiner Italo-Western tat er sich mit einem jüngeren Mann zusammen einschließlich »Da uomo a uomo« (»Von Mann zu Mann«) und »I giorni dell'ira« (»Der Tod ritt dienstags«). Einer der merkwürdigsten Aspekte des Italo-Western ist die Art und Weise, in der zwei komplett unterschiedliche Darsteller zusammengewürfelt wurden, um größere Zuschauermassen in die Kinos zu locken. Sobald ein Duo gut zusammenpasste und Leute ins Kino zog, konnte man davon ausgehen, dass es zu Fortsetzungen kommen würde. Diese Mixturen von verschiedenen Arten von Schauspielern eröffneten auch ganz neue Möglichkeiten, die Filme zu vermarkten. Als »I giorni dell'ira« (»Der Tod ritt dienstags«) in Deutschland in die Kinos kam, wurde Giuliano Gemma als Star

Lee Van Cleef in »La resa dei conti«

herausgestellt, in den USA war es natürlich Lee Van Cleef. Über die Jahre kam es dann zu Teamarbeit von Kopfgeldjägern, um Banditen zu jagen, von Gesetzlosen, um Kopfgeldjäger zu töten, von Indianern, um Weißen zu helfen usw. Mit der Zeit erweiterte sich das Team und es kam zu diversen Variationen von »The Magnificent Seven« (»Die glorreichen Sieben«). Sehr oft fand man kleinere Gruppen von Spezialisten in ihrem jeweiligen Gebiet (Messerwerfer, Explosionsexperten, Strategisten, etc.), die sich zusammentaten, um scheinbar unlösbare Probleme und Hindernisse zu meistern wie in »Oggi a me ... domani a te« (»Heute ich – morgen du«), »Ammazzali tutti e torna solo« (»Töte sie alle und kehr allein zurück«) oder »Un esercito di 5 uomini« (»Die fünf Gefürchteten«).

Die Sub-Handlung von »Per qualche dollaro in più« (»Für ein paar Dollar mehr«) zeigt Colonel Mortimers Suche nach dem Mörder seiner Schwester. Während des gesamten Films wird dieses Motiv vor den Zuschauern verborgen – nur einige kurze Rückblenden sowie ein kurzer Dialog am Ende des Films verraten, dass Indio für den Tod von Mortimers Schwester verantwortlich ist.

Vergeltung war sicherlich das beliebteste Motiv für die Italo-Western-Helden. Rache wurde in alle möglichen Szenarios gewoben (Szenario des einsamen Revolverhelden, politische Western) und erzählte meistens vom Helden auf der Suche nach demjenigen, der seine/n Frau/Mutter/ Vater/Schwester/Bruder/Sohn/Tochter/Freund/ Geschäftspartner/ganze Familie/ganzen Stamm oder gesamte Stadtbevölkerung umgebracht hat. Andere Rache-Variationen enthielten Helden, die verraten wurden oder die zum Krüppel wurden wie z.B. »Bandidos«. Zu den besten Rachewestern gehören sicherlich »Per qualche dollaro in più« (»Für ein paar Dollar mehr«), »Un fiume di dollari« (»Eine Flut von Dollars«), »Django«, »Navajo Joe«, »Da uomo a uomo« (»Von Mann zu Mann«) und natürlich »C'era una volta il West« (»Spiel mir das Lied vom Tod«), obwohl diese nur eine sehr kleine Auswahl darstellen.

Sergio Corbucci schuf »Django« 1966 als Versuch, den ultimativen Anti-Helden einzuführen. Er bemühte sich, die komplette Antithese zu Sergio Leones Western zu schaffen, obwohl die Filmhandlung sich sehr stark an »Per un pugno di dollari« (»Für eine Handvoll Dollar«) anlehnte: keine Sonne, kein Sand, nur Schlamm, Regen und

Blut. Die Darsteller waren in abgerissene Fetzen gekleidet, die Stadt (Elios Studios bei Rom) glich einem Ruinenfeld und der Held wurde vor der Endabrechnung zum Krüppel geprügelt. Franco Nero spielte Django und wurde damit zum internationalen Star, es waren jedoch die markanten Kleider und Waffen, an die sich das Publikum am besten erinnerte. Django trug immer noch die Kleidung eines Nordstaatensoldaten – den langen, schwarzen Mantel, die fingerlosen Handschuhe und einen Schal wie ein Totengräber. Hinter sich zog er einen Sarg durch den Schlamm, worin sich seine Lieblingswaffe befand – ein Maschinengewehr. Der unglaubliche Erfolg dieses Films zog natürlich eine Unmenge von Imitatoren an – die meisten davon benutzten nur den Namen Django und hatten sonst relativ wenig oder gar nichts mit Sergio Corbuccis Original zu tun. Nur die Filme »Preparati la bara« (»Django und die Bande der Gehenkten«) von Ferdinando Baldi sowie »Django il bastardo« (»Django und die Bande der Bluthunde«) von Sergio Garrone waren zumindest in der Darstellung des Titelcharakters und der Atmosphäre einigermaßen nahe am Original. 1968 erschien ein weiterer Seriencharakter auf der Leinwand, Sartana. Hier handelte es sich um einen etwas lockereren Helden als Django, der immer einen coolen Spruch über die Lippen brachte, wenn er gerade wieder jemanden ins Jenseits schickte. Die Sartana-Reihe war jedoch konstanter, und der Charakter wurde vier Mal vom Italiener Gianni Garko gespielt.

Im Jahre 1966 realisierten auch einige italienische Filmproduzenten, dass sich in diesem beliebten Filmgenre auch sehr gut politische Botschaften verpacken ließen, während man gleichzeitig ein paar Millionen Lire Gewinn einstreichen konnte. Als Erster versuchte sich Damiano Damiani in diesem Subgenre mit dem Streifen »Quien sabe?« (»Töte Amigo«), in dem es um eine Geschichte um Gier und Rache während der mexikanischen Revolution ging. Die weiteren Filme dieser Subgattung brachten dann etwas mehr Humor in die Geschichten. Sergio Corbucci steuerte mit dem überlegenen »Il mercenario« (»Mercenario – der Gefürchtete«, 1968) sowie dem in manchen Teilen langatmigen »Vamos a matar compañeros« (»Laßt uns töten, Compañeros«, 1970) wieder zwei der besten Filme bei. Qualitativ gleichwertig war auch die Revolutions-Trilogie von Sergio Sollima, vor allem die ersten beiden Filme der Reihe, »La resa

Lee Van Cleef in »Da uomo a uomo«

dei conti« (»Der Gehetzte der Sierra Madre«, 1966) und »Faccia a faccia« (»Von Angesicht zu Angesicht«, 1967), in denen der Kubaner Tomás Milian als mexikanischer Bandit glänzte. Sollimas politische Figuren waren Gesetzeshüter, Banditen, Gymnasialprofessoren und Eisenbahnmagnaten, und es kam sehr oft zu Spannungen zwischen den diversen Kulturen und Ignoranz, Ehrlichkeit und Lügen. Sehr oft kam es zu Partnerschaften zwischen einem mexikanischen Bauern und einem Fremden, der häufig die Gestalt eines europäischen Söldners annahm. In einigen der ausgefalleneren Filme kommt es auch vor, dass sich der Mexikaner mit einem englischen Doktor, einem holländischen Ölsucher, einem russischen Prinzen oder einem italienischen Shakespeare'schen Schauspieler zusammentut. Die Beziehung zwischen diesen beiden extremen Gegensätzen sollte die Gegensätzlichkeit der kapitalistischen Kräfte und der relativen Armut der Dritten Welt darstellen, die Filme waren jedoch oftmals nicht viel mehr als eine Aneinanderreihung von Kampf- und Actionszenen.

Eine Szene aus dem Film »Un par de asesinos«

Tony Musante und Giovanna Ralli in »Il mercenario«

Mit dem Erfolg der Filme stiegen auch die Budgets und einige Filme wie Sergio Leones »Il buono, il brutto, il cattivo« (»Zwei glorreiche Halunken«, 1966) wurden teilweise sogar von United Artists mitfinanziert, bevor der erste Dollar-Film in Amerika in die Kinos kam. United Artists hatte sich die Rechte an den Dollar-Filmen gesichert und zusammen mit den James-Bond-Filmen gelang es der Firma, zum erfolgreichsten Studio der 60er Jahre aufzusteigen. Im Jahr 1968, als »Il buono, il brutto, il cattivo« (»Zwei glorreiche Halunken«) in den USA anlief, machte das Studio

über $ 20 Millionen Profit, eine Rekordsumme zur damaligen Zeit. »Il buono, il brutto, il cattivo« (»Zwei glorreiche Halunken«) ist sicherlich auch heute noch der aufwändigste Film, der diesem Filmgenre je entsprungen ist, speziell was die Darstellung des amerikanischen Bürgerkriegs angeht. Im Jahr 1968 finanzierte Paramount dann Leones Meisterwerk »C'era una volta il West« (»Spiel mir das Lied vom Tod«) mit seiner Traumbesetzung – Claudia Cardinale, Henry Fonda, Jason Robards und Charles Bronson in der besten Rolle seines Lebens. Mit diesem Film gelang Leone die Symbiose zwischen hartem Italo-Western und dem klassischen amerikanischen Western – nicht nur in Bezug auf Erzählstil und Darsteller, sondern auch in Bezug auf die gewählten Drehorte, die diesmal das als Ford-County bekannte Monument Valley in Utah beinhalteten. Leone wurde es ermöglicht, Szenen des Eisenbahnbaus in Richtung Westen, eine boomende Pionierstadt und viele andere aus amerikanischen Western bekannte Versatzstücke in dieses epische Werk einzufügen. Ein paar Jahre später schuf er dann mit »Giù la testa« (»Todesmelodie«, 1971) einen in der mexikanischen Revolution angesiedelten Spätwestern, in dem er wieder einige seiner schon

Toshiro Mifune und Charles Bronson in »Soleil rouge«

lange verehrten Lieblingsschauspieler, die er sich früher nicht leisten konnte, verpflichtete – James Coburn und Rod Steiger. Leider gelang es diesem Spätwestern Leones nicht, an die früheren Erfolge anzuknüpfen und er wurde auch von den Filmkritikern nicht so gut aufgenommen. Insgesamt gesehen gehört jedoch auch dieser Film zu den Spitzenfilmen des Genres und wiederum steuerte Ennio Morricone einen wunderbaren Soundtrack bei.

In der zweiten Hälfte der sechziger Jahre brachte der riesige Erfolg des Italo-Western mit sich, dass die Konkurrenz immer härter wurde und sich die Filmemacher immer neuere, verrücktere Konzepte ausdenken mussten. Da gab es epileptische Revolvermänner, einarmige Kopfgeldjäger, scharf schießende Priester, scharf schießende Gärtner, Revolvermänner, die unter Amnesie litten, Albino-Revolverhelden, blinde Scharfschützen, taube Revolverhelden und homosexuelle Söldner, alle schwer bewaffnet mit allem, was töten konnte, angefangen von Messern bis zu Maschinengewehren. Da gab es Horror-Western, Thriller-Western und sogar Musical-Western wie der ziemlich misslungene Rita Pavone/Terence Hill-Western »Little Rita nel West« (»Blaue Bohnen für ein Halleluja«) aus dem Jahre 1967 vom Altmeister Ferdinando Baldi. Wesentlich interessanter waren da schon die Zirkus-Western von Giuseppe Colizzi und Gianfranco Parolini. Der beste Film von Colizzi ist zweifelsohne der 1968 entstandene »I quattro dell'Ave Maria« (»Vier für ein Ave Maria«) mit Terence Hill und Bud Spencer und einem hervorragenden Eli Wallach. Parolini kreierte einen neuen Serien-Charakter namens Sabata in dem gleichnamigen Film – eine Paraderolle für Lee Van Cleef, der von da ab als Bond des Wilden Westens geführt wurde. Leider ließ der Fortsetzungsfilm bis auf die ersten zehn Minuten viel zu wünschen übrig. In den siebziger Jahren kamen dann auch noch Kung Fu-Elemente zum Mix wie in »Il mio nome è Shangai Joe« (»Der Mann mit der Kugelpeitsche«) oder »Che botte, ragazzi!« (»Zwei durch Dick und Dünn«), beide mit Klaus Kinski. Auch Samurais ließen nicht lange auf sich warten, wie man im Film »Soleil rouge« (»Rivalen unter roter Sonne«) mit eigenen Augen sehen konnte, sogar mit Japans bekanntestem Film-Export, Toshiro Mifune, der bereits als Vorbild von Sergio Leones »Mann ohne Namen« als Akira Kurusawas Yojimbo bekannt war.

Anfang der Siebziger wurde es trotz all der Variationen, die in das Genre eingebaut wurden, schwierig, Zuschauer in die Kinos zu locken. Aus diesem Grund überlegten sich die Produzenten, wie man wohl eine frische Brise in den inzwischen schon etwas verstaubten Western bringen konnte. Enzo Barboni, ein ehemaliger Kameramann vieler erfolgreicher Italo-Western, nahm die beiden Darsteller Terence Hill und Bud Spencer und schuf mit dem Film »Lo chiamavano Trinità« (»Die rechte und die linke Hand des Teufels«) wohl einen der erfolgreichsten Italo-Western überhaupt, jedoch in einem Westen, in dem es kaum Verletzte und keine Toten mehr gab. Angelehnt an die amerikanischen Komödien von Komikerteams wie Stan Laurel und Oliver Hardy gelang ihm damit das Kunststück, aus dem Hill/Spencer-Team das erfolgreichste Komikerteam Italiens zu machen. Der Fortsetzungsfilm »Continuavano a chiamarlo Trinità« (»Vier Fäuste für ein Halleluja«) übertraf seinen Vorgänger sogar noch in Bezug auf die Einspielergebnisse und spielte sogar noch mehr Geld ein als Sergio Leones Dollar-Filme. Zum Erfolgsmix gehörten furzende Babys, rülpsende Western-Helden, sexy Mormonentöchter und überstilisierte Faustkämpfe, die direkt den italienischen Comicstrips der damaligen Zeit entstammten. Selbstverständlich dauerte es nicht sehr lange, bis die ersten Imitationen auftauchten, leider fast ausnahmslos ohne Kraft und Witz. Einzig und allein Tonino Valerii gelang mit »Il mio nome è Nessuno« (»Mein Name ist Nobody«) ein spätes Meisterwerk – eine Symbiose des harten Italo-Western und der Komödien von Enzo Barboni auf die Leinwand zu bannen. Der Hauptcharakter Nobody, dargestellt von Terence Hill, könnte direkt aus Enzo Barbonis Filmen stammen und sein Idol Jack Beauregard ist ein alterndes Spiegelbild des Frank aus Sergio Leones eigenem »C'era una volta il West« (»Spiel mir das Lied vom Tod«). Man könnte »Il mio nome è Nessuno« (»Mein Name ist Nobody«) auch ohne Weiteres als würdigen Abschluss des Italo-Western sehen, da danach fast nur noch unbedeutende Werke auf die Leinwand kamen. Die Ausnahme bildeten einige sehenswerte Spätwerke von Enzo G. Castellari (»Keoma«), Lucio Fulci (»I quattro dell'Apocalisse«, »Sello d'argento«), Michele Lupo (»California«) und Sergio Martino (»Mannaja«).

EINE HAND VOLL MOTIVE

Waren die ersten Italo-Western noch sehr stark von den US-Western beeinflusst und eigentlich nicht mehr als billigere Kopien von diesen Filmen, schaffte es Sergio Leone mit seinen Drehbuchkollegen, mit seinem Erstlingswestern »Per un pugno di dollari« (»Für eine Handvoll Dollar«) neue Maßstäbe zu setzen, auch was die Motive und Handlungsstränge zukünftiger Filme angehen sollte. Der beste Vergleich zwischen den bisherigen Western und diesem neuen, unglaublich bahnbrechenden Film stellen die beiden von derselben Produktionsgesellschaft JOLLY FILM (Rom) und deren Koproduktionspartner CONSTANTIN FILM (München) und OCEAN FILM (Madrid) dar. War der Film »Le pistole non discutono« (»Die letzten Zwei vom Rio Bravo«) mit dem aus zahlreichen US-Western bekannten amerikanischen Darsteller Rod Cameron als Hauptfilm konzipiert, so gab man dem Film des »Newcomers« Sergio Leone wenig Chancen auf Erfolg, steckte jedoch eine im wahrsten Sinne des Wortes Hand voll Dollar in dieses Projekt, das vom Hauptfilm noch übrig blieb. Auch dieselben Kulissen bei Colmenar de Viejo unweit von Madrid wurden dafür zur Verfügung gestellt. Niemand konnte damals ahnen, dass es jener Film sein würde, der die gesamte italienische Filmindustrie umkrempeln und ihr neues Leben verschaffen würde. Was war also so neu an diesem Film, der für derartiges Aufsehen sorgte?

Sicherlich die Tatsache, dass der Held des Films, dargestellt vom amerikanischen Fernsehdarsteller Clint Eastwood, nur auf eines Wert legte: amerikanische Dollars. Nur monetäre Anreize sind es, die diese Person zu irgendetwas bewegen können. Daneben war das wichtigste Motiv dieses Genres das der Rache.

Die meisten Italo-Western lassen sich in eine der folgenden Erzählstrukturen einteilen:

- Rache für ein ermordetes Familienmitglied (Vater, Mutter, Schwester ...).
- Kopfgeldjäger jagen gesuchte Verbrecher für Geld.
- Ehrlicher Sheriff stellt sich gegen die Stadt, die von einem korrupten Geschäftsmann kontrolliert wird.
- Ein Bauer führt eine Gruppe von Revolutionären gegen einige tyrannisierende Regierungsbeamte oder die gesamte Regierung.
- Legendärer Revolverheld sucht Ruhe, Frieden und einen Ort, wo er sich zur Ruhe setzen kann, wird jedoch von einem jungen ehrgeizigen Revolverhelden erkannt, der den Ruhm ernten möchte, ihn erschossen zu haben.
- Jüngling trifft auf berühmten Revolverhelden, der ihm alle Tricks beibringt und muss ihn am Ende töten.
- Europäischer oder russischer Söldner reist nach Mexiko, um dort im Dienste der Revolutionäre Geld zu verdienen.
- Asiatische Reisende nutzen ihre einzigartigen kämpferischen Fähigkeiten, um das Böse zu bekämpfen.
- Einem Mann oder einer Gruppe von Gefängnisinsassen, die zum Tode verurteilt sind, wird die Möglichkeit gegeben, an einer riskanten, lebensgefährlichen Aktion teilzunehmen und sich damit zu rehabilitieren.

Die oben genannten Erzählstrukturen können natürlich auch miteinander kombiniert werden, um wieder Variationen zu kreieren.

Christopher Frayling hat in seinem Buch »Italo-Westerns – Cowboys and Europeans from Karl May to Sergio Leone« folgende drei Filmabläufe herausgeschält, in die sich viele der wichtigeren Italo-Western relativ leicht integrieren lassen.

Franco Nero und Tony Musante in »Il mercenario«

»Diener zweier Herren«-Handlung (1964–1967)

Der Held reitet in eine heruntergekommene Stadt an der US-mexikanischen Grenze.

Der Held kommt aus einer anderen Kultur als die hier meist lebenden Mexikaner. Üblicherweise übt er den Beruf eines Kopfgeldjägers aus.

Der Held verfügt über außergewöhnliche Fähigkeiten mit der Waffe – seine Technik überschattet bei weitem die seiner Gegner.

Die Gesellschaft ist in Sippen aufgeteilt: Eine ist normalerweise mexikanisch, die andere ist nordamerikanisch; ihre ökonomischen Kräfte basieren meistens auf Waffenschmuggel, Alkoholschmuggel, Gold oder Ausbeutung der Bauern. Diese Gruppen sind nicht durch Werte getrennt, sondern nur durch ihre eigenen Interessen.

Der Held verkauft seine Dienste zuerst der einen Sippe und dann der anderen. Die Handlung entwickelt sich daraufhin wie eine mathematische Formel.

Neben den dominierenden Sippen besteht die Gemeinde normalerweise aus Bauern, Priestern, Huren, Bartendern und natürlich dem örtlichen Totengräber. Die Sippen sind stärker als die anderen Gruppen in der Gesellschaft. Die Anführer der Sippen bewundern die Fertigkeit des Helden und versuchen ihn zu »kaufen« (ohne Erfolg).

Der Held spielt die eine Sippe gegen die andere aus. Die Sippe nimmt einen Freund des Helden als Geisel (weiblich oder männlich).

Der Held sieht zu, wie sich die beiden Sippen gegenseitig umbringen und tritt dann selbst in einen Kampf mit der stärkeren Sippe ein, wobei er gefangen genommen und brutalst misshandelt wird. Es gelingt ihm jedoch zu entkommen und für eine endgültige Auseinandersetzung bereit zu sein.

Der Held besiegt den Hauptbösewicht in einem ausführlichen Schlusskampf.

Die Gesellschaft ist immer noch nicht in Sicherheit, aber der Held reitet fort, da es für ihn hier keine Geschäfte mehr zu machen gibt.

Der Held gibt sein Geld nicht aus: Er behandelt es wie einen Preis, als etwas, was man sich nehmen muss, bevor es der Nächste tut.

»Die Übergangs«-Handlung (1966–1968)

Eine der beiden Sippen besteht aus Mexikanern, die Gold gestohlen haben und sich nicht entscheiden können, ob sie es für die Revolution verwenden, oder es für ihre eigenen Zwecke auf die Seite legen sollen. Der Held (natürlich ein »Gringo«) will das Gold, basierend auf der »Diener zweier

Lasst uns töten, Companeros

Franco Nero in »Vamos a matar compañeros«

Herren«-Handlung, natürlich für sich selbst und bekommt es auch meistens.

Aber die dominanten Faktoren sind nun zerrissen zwischen Eigeninteressen und höheren Werten. Die Loyalitäts-Veränderungen passieren innerhalb eines klar definierten historischen Zusammenhangs, wie z.B. dem amerikanischen Bürgerkrieg (der normalerweise auf Grund höherer Filmbudgets sehr detailliert dargestellt wurde); frühere Italo-Western fühlen sich merkwürdig leer an (normalerweise nur verlassene Geisterstädte). Der historische Zusammenhang bietet einen Hintergrund, nach dem die Hauptcharaktere eingeschätzt werden können (Der Blonde in »Il buono, il brutto, il cattivo« (»Zwei glorreiche Halunken«) zu Tuco: »Ich habe noch nie so viele Männer so lausig sterben sehen.«

Wieder eine neue Betonung des Wertegefühls. Die Cliquen kommen und gehen aus diesem historischen Zusammenhang an verschiedenen Stellen der Handlung. Das legte wahrscheinlich das Grundgerüst für die späteren teuren »Zapata«-Typ-Western.

»Die Zapata-Western«-Handlung (1967–1971)

Es gibt zwei Helden – einen europäischen (aus Polen, Schweden, Irland) oder amerikanischen Waffenhändler/Söldner und einen armen mexikanischen Banditen.

Der lakonische, »coole« Stil des »Gringo« steht in starkem Kontrast zu der flamboyanten, gesprächslustigen Art des Banditen.

Der »Gringo« – ein Spezialist irgendwelcher Waffen – bietet dem Mexikaner seine Dienste an, in der Hoffnung, Gold zu finden oder einen Anschlag durchzuführen, für den er bereits bezahlt wurde. Er steht deshalb »außerhalb« der Werte der armen Bauern. Die Gesellschaft ist polarisiert in korrupte Regierungsbeamte und brutale Armeeoffiziere auf der einen und unterdrückte, ungebildete Bauern auf der anderen Seite.

Der mexikanische Bandit wird durch Kontakt mit einer Gruppe von Aktivisten und durch die Zuschreibung der Heldenrolle durch die Bauern zum Revolutionär (eine Rolle, der er sich verpflichtet fühlt). Der »Gringo« versucht nach wie vor die Partnerschaft mit dem Revolutionär aufrechtzuerhalten und bietet ihm technische Hilfe an (Gewehre, Explosionsmittel), in der Hoffnung das Gold zu finden oder das Attentat durchzuführen.

Der Mexikaner, der jetzt von den unterdrückten Bauern als Retter behandelt wird, versucht den »Gringo« zu überreden, sich auch der Revolution anzuschließen. Die Motive des »Gringos« bleiben zynisch, aber der Mexikaner beginnt ihn trotzdem langsam zu mögen (auf eine misstrauische Weise). Die »Helden« schließen sich für kurze Zeit zusammen (bilden eine Gruppe), um gegen einen überlebensgroßen Feind zu kämpfen, der versucht, die chaotische Situation in Mexiko auszunutzen, um an viel Geld zu kommen.

Die Helden besiegen diesen Feind – üblicherweise während eines kunstvollen Showdowns, in das auch der »Gringo« involviert ist.

Der Mexikaner führt einen erfolgreichen Guerilla-Krieg gegen die korrupte mexikanische Regierung. Daraus wird klar, dass dieser Guerilla-Krieg wieder neuere und bessere gegenrevolutionäre Truppen auf den Plan schickt, die kleine revolutionäre Zelle zu zerstören.

Verschiedene Schlussvarianten

(Früh) Die Motive des »Gringos« bleiben immer zynisch, aber die beiden »Helden« gehen getrennte Wege – mit gegenseitigem Respekt und keinem bösen Blut.

(Früh) Die Motive des »Gringos« bleiben immer zynisch, und er wird am Ende von dem Mexikaner in einem finalen Showdown getötet, da er realisiert, dass keine »Sinneswandlung« möglich ist.

(Spät) Der Gringo wird zur Sache der Revolution bekehrt, schließt sich dem Mexikaner an und ist bereit, sich den massiven gegenrevolutionären Truppen zu stellen und in einem finalen Kampf sein Leben zu lassen.

James Coburn in »Giù la testa«

REVOLVERHELDEN, KOPFGELDJÄGER & BANDITEN

Die besten Italo-Western aller Zeiten

Um dem Leser einen guten Überblick des Italo-Western-Genres zu geben, wurden die nun folgenden Filme nach deutschen Startdaten unter Verwendung des Originalfilmtitels geordnet. Am Anfang jedes Filmjahres befindet sich eine Übersichtsliste mit allen im jeweiligen Jahr in den Kinos gezeigten Italo-Western, von denen die hier ausführlich besprochenen Filme graugedruckt sind.

Diese Besprechungen enthalten detaillierte Inhaltsangaben, eigene Kommentare sowie Film-Kritiken der damaligen Zeit aus den Zeitschriften *Filmecho/Filmwoche, Filmkritik, Film* sowie *Film-Dienst*. Auf Grund des Umfangs dieses Buches wurden in dem anschließenden Kapitel nur die Entstehungsjahre, Uraufführungsdaten sowie Besetzungslisten aufgeführt. Die restlichen Stabangaben kann der interessierte Leser dem Kapitel mit der Gesamtauflistung aller Italo-Western ab Seite 554 entnehmen.

In jener Gesamtübersicht finden sich auch alle anderen jemals gedrehten Italo-Western, die nicht in der Aufstellung der besten Filme enthalten sind, mit Kurzannotationen und Stabangaben.

Szene aus »C'era una volta il West«

DAS FILMJAHR 1964

ITALO-WESTERN-FILMSTARTS IN DEUTSCHEN KINOS 1964

* Il segno del coyote (Mit Colt und Maske) – Regie: Mario Caiano – BRD-Start: 28.3.1964
* Tres hombres buenos (Die drei Unerbittlichen) – Regie: Joaquín Luis Romero Marchent – BRD-Start: 28.3.1964
* Gringo (Drei gegen Sacramento) – Regie: Ricardo Blasco – BRD-Start: 1.5.1964
* Zorro contro Maciste (Zorro gegen Maciste) – Regie: Umberto Lenzi – BRD-Start: 24.7.1964
* I tre spietati (Abrechnung in Veracruz) – Regie: Joaquín Luis Romero Marchent – BRD-Start: 21.10.1964
* Le pistole non discutono (Die letzten Zwei vom Rio Bravo) – Regie: Mario Caiano – BRD-Start: 23.10.1964

Eine Szene aus dem Film »Le pistole non discutono« mit Horst Frank, gedreht in den Sanddünen der Cabo De Gata

LE PISTOLE NON DISCUTONO

Die letzten Zwei vom Rio Bravo (Regie: Mario Caiano)

Italien / Spanien / Deutschland 1964
Erstaufführung in Italien: 21. August 1964
Deutscher Start: 23. Oktober 1964

Besetzung: *Rod Cameron (Pat Garrett), Angel Aranda (George Clayton), Horst Frank (Billy Clayton), Dick Palmer [Mimmo Palmara] (Santero), Kay Fischer (Helen), Vivi Bach (Agnes Goddard), Andrew Ray [Andrea Aureli] (Manuel), Hans Nielsen (Reverend), Joe Kamel [José Canalejas], Judy Robbins [Giulia Rubini] (Martha Coogan), Joseph Martin [José Manuel Martín], Luis Duran (Mike Goddard)*

Inhalt: Während Pat Garrett (Rod Cameron) in Rivertown seine junge hübsche Frau heiratet, rauben die Brüder Billy (Horst Frank) und George Clayton (Angel Aranda) die Bank des kleinen Städtchens aus. Garrett verfolgt sie über die Grenze nach Mexiko, erwischt sie nach langer Suche und versucht nun, die Räuber und ihre Beute sicher zurück in die USA zu bringen. Der ältere Billy kommt um, als er sich mexikanischen Banditen anschließen will, die auch vorhaben, Pat Garret das Geld abzujagen. Durch die Abenteuer wird sein Bruder George geläutert und ruft zur Unterstützung des Sheriffs die US-Kavallerie herbei.

Film: Diese frühe italienisch-spanisch-deutsche Koproduktion ist filmhistorisch interessant, da es sich bei diesem Film um den A-Film des Film-Pakets mit »Per un pugno di dollari« (»Für eine Handvoll Dollar«) handelt, der ebenfalls von denselben Produzenten finanziert wurde. Wie bei

Rod Cameron und Angel Aranda

vielen anderen frühen Italo-Western ist es leider ein mühsamer und großteils fehlgeschlagener Versuch, die amerikanischen Vorbilder zu kopieren. Einzig und allein die schöne Farbfotografie von Massimo Dallamano und Julio Ortas der wunderschönen spanischen Landschaften sowie die gute Musik von Ennio Morricone wissen zu überzeugen. Sie waren ja dann auch maßgeblich daran beteiligt, Leones ersten Western zu einem Welterfolg zu machen.

Presse: »Keine Stunde ist der Sheriff verheiratet, da zerreißen Schüsse den Frieden des Städtchens im Wilden Westen und beenden Menschenleben. Zwei Brüder rauben die Bank aus und verschwinden über die Grenze nach Mexiko, wo sie vor dem amerikanischen Gesetz sicher sind. Der Sheriff aber versucht, die Banditen den Richtern auszuliefern, selbst wenn er damit gegen die mexikanischen Gesetze verstößt. In abenteuerlicher Flucht quält er sich und seine Gefangenen durch das Tal des Todes, nicht nur vom Tode durch Verdursten, sondern auch noch durch Banditen bedroht. Ein Ausbruch des kaltschnäuzigeren der Brüder bringt diesem den Tod, während der andere, durch die Leiden der Flucht geläutert, vom Sheriff in die Arme eines Farmermädchens entlassen wird. – Es steckt etwas von ›Zwölf Uhr mittags‹ (FD 2376) in diesem deutschen Western,

der in Rod Cameron einen prächtigen Sheriff herausstellen kann, mutig, kühn, tapfer und jeder Situation gewachsen. Obwohl er Heiratsurlaub hat, stellt er sich seiner Pflicht, während seine Hilfssheriffs froh sind, dass die Banditen die Landesgrenze überschritten haben. Aber das ist schon nahezu alles, was auf die positive Seite der Bilanz zu zählen ist. Obwohl die ständige Rivalität zwischen dem Sheriff und den Gefangenen voll starker innerer Dramatik ist, spürt man davon streckenweise allzu wenig. Dafür meint die Regie, zu äußeren Effekten (Zweikampf zwischen Sheriff und Banditen mit überraschendem Ausgang, Überfall durch andere Banditen) Zuflucht nehmen zu müssen. Hinzu kommt in einigen Szenen eine Härte, die möglicherweise einigen Besuchern entgegenkommt, für Jugendliche aber keine vertretbare Kost ist. Nicht nur am amerikanischen Vorbild gemessen, ist die Ausbeute mager.« *Wilhelm Bettecken,*
Film-Dienst FD 13 127

»Drei europäische Produzenten verschrieben sich dem im Pulverdampf unzähliger Colt-Schießereien ergrauten Westernhelden Rod Cameron als Sheriff, gaben ihm Deutschlands Filmbösewicht Horst Frank zum Gegner und verlegten die Handlung in die Umgebung von Madrid mit ihren öden Felswüsteneien. Der farbenfrohe Edelwestern kann sich mit Hollywood-Produkten gleichen Genres messen, zumal auch die schwermütige musikalische Untermalung milieugerecht Atmosphäre und Kolorit im südlichen Texas widerspiegelt. Hier verfolgt unser Hüter des Gesetzes ein flüchtiges Bankräuber-Bruderpaar über die Grenze nach Mexiko hinein und bringt die Banditen gegen alle Widerstände in die Staaten zurück. Eine fesselnde Abenteuer-Story, bei der die hinreißend fotografierte Landschaft mitspielt, romantisch und erregend zugleich.« *Ernst Bohlius,*
Filmecho/Filmwoche Heft 102, 1964

Paradebösewicht Horst Frank

DAS FILMJAHR 1965

ITALO-WESTERN-FILMSTARTS IN DEUTSCHEN KINOS 1965

* Buffalo Bill, l'eroe del Far West (Das war Buffalo Bill) – Regie: Mario Costa – BRD-Start: 22.1.1965
* I sette del Texas (Die Sieben aus Texas) – Regie: Joaquín Luis Romero Marchent – BRD-Start: 29.1.1965
* Per un pugno di dollari (Für eine Handvoll Dollar) – Regie: Sergio Leone – BRD-Start: 5.3.1965
* Jim il primo (Das letzte Gewehr) – Regie: Sergio Bergonzelli – BRD-Start: 9.3.1965
* I due violenti (Das Gesetz der Zwei) – Regie: Primo Zeglio – BRD-Start: 23.4.1965
* Gli eroi di Fort Worth (Vergeltung am Wichita-Pass) – Regie: Alberto De Martino – BRD-Start: 21.5.1965
* Cavalca e uccidi (Gesetz der Bravados) – Regie: José Luis Borau – BRD-Start: 3.6.1965
* 5000 dollari sull'asso (Die Gejagten der Sierra Nevada) – Regie: Alfonso Balcázar – BRD-Start: 11.6.1965
* Aventuras del Oeste (Die letzte Kugel traf den Besten) –
Regie: Joaquín Luis Romero Marchent – BRD-Start: 9.7.1965
* Cuatro balazos (Der Rächer von Golden Hill) – Regie: Agustín Navarro – BRD-Start: 6.8.1965
* El Zorro cabalga otra vez (Zorros grausamer Schwur) – Regie: Ricardo Blasco – BRD-Start: 3.9.1965
* L'uomo della valle maledetta (Der Rancher vom Colorado-River) – Regie: Siro Marcellini – BRD-Start: 3.9.1965
* Minnesota Clay (Minnesota Clay) – Regie: Sergio Corbucci – BRD-Start: 7.9.1965
* Tierra de fuego (Vergeltung in Catano) – Regie: Jaime Jesus Balcázar, Mark Stevens – BRD-Start: 1.10.1965
* La strada per Fort Alamo (Der Ritt nach Alamo) – Regie: Mario Bava – BRD-Start: 8.10.1965
* Oeste Nevada Joe (Nevada Joe) – Regie: Ignacio F. Iquino – BRD-Start: 30.12.1965

Drehpause während »Per un pugno di dollari«

PER UN PUGNO DI DOLLARI

Für eine Handvoll Dollar (Regie: Sergio Leone)

Italien / Spanien / Deutschland 1964
Erstaufführung in Italien: 12. September 1964
Deutscher Start: 5. März 1965

Besetzung: *Clint Eastwood (Joe, der Mann ohne Namen), Marianne Koch (Marisol), Gian Maria Volonté (Ramón Rojo), Wolfgang Lukschy (John Baxter, der Sheriff), Sieghardt Rupp (Esteban Rojo), Josef Egger (Piripero, der Totengräber), Antonio Prieto (Benito Rojo), José Calvo (Silvanito), Margarita Lozano (Consuela Baxter), Daniel Martin (Julián), Benito Stefanelli (Rubio), Carol Brown [Bruno Carotenuto](Antonio Baxter), Mario Brega (Chico), Aldo Sambrell (Rojo-Bandenmitglied), Fredy Arco (Jesús), Lorenzo Robledo (blonder Baxter Bandit), Raf Baldassarre, Luis Barboo, Frank Braña, José Canalejas, Juan Cortés, Antonio Molino Rojo, Antonio Moreno, Manuel Peña, Julio Pérez Tabernero, José Riesgo, Johannes Siedel, Umberto Spadaro, Fernando Sánchez Polack, Antonio Vico*

Inhalt: In Nordmexiko stehen zwei Häuser einzeln unweit eines Dorfes. Der Mann ohne Namen (Clint Eastwood), auf einem gesattelten Maulesel reitend, hält an, um an einem Brunnen zu trinken, wobei er Zeuge einer Gewalttätigkeit wird. Ein Kind nähert sich behutsam dem Gebäude, in dem die Mutter, Marisol (Marianne Koch), eingeschlossen ist, als zwei Unholde herauskommen und es mit Schüssen vertreiben. Der Kleine flüchtet sich in die Arme des Vaters (Daniel Martin), der auf der Eingangsschwelle steht, und die beiden belästigen auch ihn.

Der Fremde ohne Namen reitet in ein Städtchen. Auf dem Hauptplatz treiben drei amerikanische Revolvermänner ihr Spiel mit ihm und jagen ihn mit Schüssen davon. In der Taverne, die sich in der Mitte des Platzes befindet, informiert ihn der Besitzer Silvanito über die Machtverhältnisse im Dorf. Auf der einen Seite die Baxters, Amerikaner, die mit Waffen handeln, und auf der anderen, am entgegengesetzten Ende des Platzes, die Rojos, Mexikaner, die sich auf die Spirituosenbranche spezialisiert haben. Unter dem Fenster des Hauses der Rojos bietet sich der

Mann ohne Namen als Leibwächter an. Um seine Geschicklichkeit zu beweisen, überquert er den Platz, bestellt beim Totengräber drei Särge, fordert die amerikanischen Pistolenhelden, die ihn verhöhnt hatten, zum Duell auf und erschießt sie. Er kehrt zum Totengräber zurück und korrigiert seine Order: »Gratuliere zum guten Geschäft, wir brauchen vier!« In dem Haus der Mexikaner erhält der Mann ohne Namen, der nunmehr in die Bande aufgenommen worden ist, Instruktionen von Don Benito, dem ältesten der drei Rojo-Brüder, als zufällig Marisol auftaucht, die von Ramon Rojo entführt und zu seiner Geliebten gemacht wurde.

Eine Abteilung des mexikanischen Heeres kommt als Geleit für eine Postkutsche in die Stadt. Der Mann ohne Namen hebt einen Vorhang, um in die Kutsche hineinzugucken, aber eine aus dem Fahrzeug auf ihn gerichtete Pistole veranlasst ihn, von seinem Vorhaben abzulassen. Im Morgengrauen des folgenden Tages beobachten der Mann ohne Namen und Silvanito vom Fenster des Wirtshauses aus den Abzug der Soldaten und beschließen argwöhnisch, ihnen zu folgen. Am Ufer des Rio Bravo, in der Nähe der amerikanischen Grenze, erleben die beiden von einem Felsen aus die Begegnung zwischen der mexikanischen Kolonne und einem Trupp der amerikanischen Kavallerie, der eine Ladung Waffen gegen das in der Postkutsche transportierte Gold tauschen soll. Diese Yankees sind aber niemand anders als Esteban Rojo und seine Männer, in blauen Uniformen. Der Vorhang eines Wagens hebt sich und es erscheint Ramon (Gian Maria Volonté), der blutrünstigste der mexikanischen Brüder, bewaffnet mit einem Maschinengewehr. Er hinterlässt keinen Überlebenden. Die Leichen der vorher umgebrachten echten amerikanischen Soldaten werden auf dem Gelände verteilt, um eine Schlacht zwischen den beiden Gruppierungen vorzutäuschen.

Im Hause der Rojos wird der Fremde ohne Namen Ramon vorgestellt, der ankündigt, er habe die Baxters zum Abendessen eingeladen, um in dem Städtchen eine friedliche Atmosphäre herzustellen. Als der Mann ohne Namen, der

24

sich schon ohne Arbeit sieht, da es keine Feinde mehr zu beseitigen gibt, dies hört, beschließt er zu kündigen und gibt Don Benito seinen Lohn zurück. In der Taverne bereiten sich der Mann ohne Namen und Silvanito vor, um zum Fluss zu gehen, ausgerüstet mit zwei leeren Särgen. Am Abend begeben sich die Baxters misstrauisch zum Essen in das Haus der Rivalen. Der Mann ohne Namen und Silvanito bringen zwei Leichen mexikanischer Soldaten, die sie vom Ort des Massakers geholt haben, zum Friedhof, wo sie sie mit den Rücken an Grabsteine lehnen, damit es so aussieht, als lebten sie noch.

John Baxter kehrt mit seiner Frau vom Essen bei den Rojos nach Hause zurück; der Abend ist, nach dem Gespräch der beiden zu urteilen, in scheinheilig-freundlicher Atmosphäre verlaufen. Der Mann ohne Namen erwartet sie und teilt ihnen mit, dass sich zwei überlebende Soldaten des Gemetzels verwundet auf dem Friedhof befänden und lässt sich fünfhundert Dollar für diese Information auszahlen. Weitere fünfhundert Dollar erhält er von Rojo für dieselbe Information. Die beiden Clans, durch die Falschmeldung in Alarm versetzt, eilen zum Friedhof, wo sich eine

Schießerei entfesselt. Die Mexikaner gewinnen die Oberhand: Sie erschießen nicht nur die beiden für lebend gehaltenen Soldaten, sondern nehmen auch einen Baxter-Sohn gefangen. In der Zwischenzeit (als Parallel-Montage gezeigt) inspiziert der Mann ohne Namen ungestört den Keller der Rojos. Er findet das geraubte Gold in einem Fass und schlägt Marisol mit einem Fausthieb nieder, um sie gegen Belohnung den Baxters zu übergeben, die sie gegen den Gefangenen der Mexikaner austauschen.

Am nächsten Tag sitzt der Mann ohne Namen auf der Veranda des Wirtshauses und beobachtet den Austausch der Gefangenen. Die beiden Geiseln reiten langsam über den Platz, um zum jeweiligen Clan zurückzukehren. Alles verläuft planmäßig, bis Jesús, Marias Sohn, aus dem Wirtshaus stürzt; der Vater versucht vergebens, ihn festzuhalten. Die Frau hält an, steigt ab und wirft sich in die Arme ihrer Familienangehörigen. Ein Pistolero der Rojos nähert sich, um den Ehemann zu töten, doch Silvanito verhindert das, indem er sein Gewehr auf den Angreifer richtet. Der Mann ohne Namen rettet die Situation, indem er Marisol auffordert, zu den Rojos zurückzukehren.

Sergio Leone inszeniert eine Szene mit Clint Eastwood und Margarita Lozano

25

Am Abend feiern die Mexikaner ein Bankett, der Mann ohne Namen vertreibt sich die Zeit, indem er mit einer Pistole auf eine spanische Rüstung schießt; Ramon, mit einem Gewehr ausgerüstet, beteiligt sich an dem Spiel, dann verabschiedet er Marisol mit einem hochmütigen Kuss, und die Frau wird in ihre Behausung außerhalb des Dorfes geführt. Ins Dorf zurückgekehrt, steigt der Mann ohne Namen durchs Fenster in sein Zimmer und findet dort Ramon und die anderen vor, die die Täuschung entdeckt haben. Im Keller foltern sie ihn, um herauszufinden, wo Marisol versteckt ist, aber er redet nicht. Sie lassen ihn bewusstlos auf dem Boden liegen. Als zwei Mexikaner zurückkehren, um ihre Gewalttätigkeiten fortzusetzen, lässt der Mann ohne Namen ein Weinfass herunterrollen und streckt sie damit nieder. Auf allen vieren kriechend gelangt er nach draußen und wartet hinter einer Ecke.

Als die anderen, herbeigerufen durch den Krach, sich nähern, entfesselt er einen Brand. Die wütenden Mexikaner suchen ihn im gesamten Dorf und schlagen Silvanito nieder, nur weil er sein Freund ist. Der Mann ohne Namen ist in einem Sarg des Totengräbers versteckt, der ihn aus dem Dorf schafft. Die Rojos, im Glauben, der Entflohene befände sich bei den Baxters, erstürmen deren Haus. Sie schlagen eine Bresche mit Dynamit und rollen Ölfässer hindurch, um alles in Brand zu setzen. Die Amerikaner kommen einzeln mit erhobenen Händen heraus und werden von den Rojos erschossen, die sich vor dem Eingang postiert haben. Der Mann ohne Namen betrachtet das Schauspiel in einem Sarg verborgen vom Leichenwagen aus. Wir sehen in einer verlassenen Mine wieder, während er sich im Zielschießen übt, wobei ihm eine Metallplatte als Ziel dient; die Wunden der Folter beginnen zu vernarben. Er hämmert zwei Metallscheiben aufeinander, schießt erneut und entdeckt, dass die Projektile das Metall nicht mehr durchschlagen. Er schneidet gerade ein quadratisches Blechstück zurecht, als der Totengräber erscheint und ihm eine den Mexikanern gestohlene Dynamitstange gibt; er teilt dem Mann außerdem mit, dass Silvanito von diesen gefangen gehalten wird.

Der Österreicher Sieghardt Rupp als Esteban Rojo

Der Österreicher Josef Egger als Totengräber

Gian Maria Volonté als Ramón Rojo

Don Benito, Ramon und zwei ihrer Männer foltern Silvanito, der an einem Balken vor dem Wirtshaus an den Händen aufgehängt ist, als man hinten im Dorf eine Explosion hört. Aus einer Rauchwolke tritt der Mann ohne Namen heraus, der langsam vorwärtsgeht und seine Feinde auffordert, auf sein Herz zu zielen. Ramons Schüsse werfen ihn aber nur um. Der Held steht jedes Mal unverwundet wieder auf. Als das Gewehr des Mexikaners leer ist, hebt der Mann ohne Namen den Poncho hoch, zeigt die Metallplatte, die die Projektile abgehalten hat und wirft sie weg. Er zieht seine Pistole, tötet Don Benito und die beiden Helfer, zerfetzt das Seil, an dem Silvanito aufgehängt ist und fordert dann Ramon zum Duell heraus: Pistole gegen Gewehr. Die beiden Gegner müssen die Waffe vom Boden aufheben, neu laden und das Feuer eröffnen. Der Mann ohne Namen ist schneller. Schließlich schießt Silvanito Esteban Rojo nieder, der in einem Fenster auf der Lauer liegt. Während der Held fortschreitet, nimmt der Totengräber bei den Leichen Maß.

»Für eine Handvoll Dollar« & der Durchbruch des Italo-Western

Die italienische Filmindustrie ist auch früher schon in Krisen gewesen, aber rückblickend war wohl keine so schwer wie die im Jahr 1963. Seit Mitte der fünfziger Jahre waren die Kartenverkäufe um mehr als 20 % gesunken und nach den beiden Megaflops »The Last Days of Sodom and Gomorrah« (»Sodom und Gomorrah«) und »Cleopatra« verließen auch die Amerikaner die italienischen Studios, die zuvor ziemlich viel Geld in die italienische Filmindustrie steckten. Erschwerend kam noch hinzu, dass sie auch ihren eigenen Output verringerten, so dass die italienischen Kinos einen akuten Mangel an neuen Filmen hatten.

Der Akira-Kurosawa-Film »Yojimbo« (»Yojimbo – der Leibwächter«) sollte nicht nur die italienische Filmindustrie retten, sondern auch die einzigartige Karriere von Sergio Leone begründen. Gleich nachdem er dieses japanische Meisterwerk gesehen hatte, spielte er mit dem Gedanken, die Geschichte vom einsamen Samurai in den Wilden Westen zu transportieren. Was vorher schon John Sturges mit »The Magnificent Seven« (»Die glorreichen Sieben«), basierend auf dem Kurosawa-Film »Shichinin no samurai« (»Die sieben Samurai«) gelungen war, sollte nun auch ihm

gelingen, war seine Meinung. Leone verlor keine Zeit und kontaktierte gleich seine Regie-Kollegen Duccio Tessari und Sergio Corbucci sowie Drehbuchautor Sergio Donati und Kameramann Tonino Delli Colli – sie sollten sich unbedingt diesen Film ansehen. Donati, der schon mehrmals falsche Tips von Leone erhalten hatte, verzichtete darauf. Aber Tessari, dessen Karriere ebenso einen Stillstand erreicht hatte, teilte Leones Enthusiasmus.

In nur fünf Tagen schaffte es Leone, zusammen mit Duccio Tessari, ein Exposé mit dem Titel »Il magnifico straniero« zu erstellen, das sich sehr stark an das Original von »Yojimbo« (»Yojimbo – der Leibwächter«) hielt, nur die Schauplätze und die Dialoge wurden verändert. Aus dem provinziellen Japan wurde ein mexikanisch-amerikanisches Grenzstädtchen mit einem spanischen Wertesystem. Aus dem einsamen Samurai, der mit den Achseln zuckte, an einem Stück Holz kaute und schnell sein Schwert zog, wurde ein mysteriöser Fremder, der seinen Hut tief im Gesicht trug, einen Zigarillo im Mundwinkel hatte und schnell mit dem Colt war. Zwei Szenen wurden hinzugefügt: das Massaker am Rio Bravo Canyon und eine Schießerei auf dem Friedhof, wo zwei tote Soldaten als Köder hinterlegt wurden. Auch Einflüsse von Sergio Leones katholischer Erziehung sind zu erkennen. Der Mann ohne Namen reitet auf dem ausgedörrten Esel in das Städtchen San Miguel wie bei Jesus' Ankunft in Jerusalem; seine »Kreuzigung« auf dem hölzernen Schild außerhalb der Kantine; seine Anteilnahme am »letzten Abendmahl« der Rojo-Bande; sein Tod und seine Wiederauferstehung inmitten von Kreuzen, Friedhöfen und Särgen. Leone hat den Mann ohne Namen oft als Reinkarnation des Erzengels Gabriel bezeichnet – einen tötenden Engel, dessen Geschichte willentlich einer Parabel gleicht. Es gab auch wichtige Referenzen zur »Commedia dell'arte« wie die Betonung des Essens und Trinkens, die Verspottung des Todes oder die grotesken Gesichter der Banditen. Und es gab zahlreiche Referenzen zu amerikanischen Western. Besonders auffallend sind Zitate aus »Shane« (»Mein großer Freund Shane«, 1952), »Warlock« (»Der Mann mit den goldenen Colts«, 1959), »My Darling Clementine« (»Faustrecht der Prärie«, 1946), »Rio Bravo« (1959), »Western Union« (»Western Union – Der Überfall der Ogalalla«, 1941), »Winchester 73« (1950) und »The Man Who Shot Liberty Valance« (»Der Mann, der Liberty Valance erschoss«, 1962). Leones Stadt San Miguel wird von zwei brutalen Familien regiert, den Rojos und den Baxters. Es ist charakteristisch für Leone, dass er eine Version der heiligen Familie (Julio, Marisol und der kleine Jesus) ins Zentrum der Handlung stellt, eine weitere Veränderung gegenüber Kurosawas »Yojimbo« (»Yojimbo – der Leibwächter«). Der einzige Moment, in dem der Mann ohne Namen auf eine Vergangenheit hinweist und einen Hauch von Selbstlosigkeit verbreitet, ist, als er von Marisol gefragt wird: »Warum tun Sie das für uns?« Er antwortet: »Weil ich mal jemanden kannte wie Sie und damals war niemand da um zu helfen.« Am Verhalten des Mannes ohne Namen gegenüber der »heiligen Familie« kann man sehen, dass er im Herzen doch ein guter Mann ist. Wie man auch das absolut Böse in den Rojos sieht, wenn sie den kleinen Jesus mit Revolverschüssen vor die Beine erschrecken. Am Ende ist die »heilige Familie« jedoch trotzdem gezwungen, sich einen neuen Ort zu suchen, um dort in Frieden leben

Clint mit zwei toten Soldaten

28

zu können. San Miguel ist kein Ort um Kinder großzuziehen. Leone versäumte es auch nicht, viel mehr schwarzen Humor in die Handlung zu bringen, als es Kurosawa in seinem Film getan hatte. Eine der ersten Szenen des Films verdeutlicht dies am besten:

Der Mann ohne Namen wird von einigen Leuten der Baxters beleidigt und sie schießen seinem Maultier zwischen die Beine, sodass er gezwungen wird, sich an einem Pfosten festzuhalten, um nicht in den heißen Wüstensand zu fallen. Wenig später geht er zum Haus der Rojos und bietet seine Dienste an und betont, dass er nicht billig ist. Dann entschließt er sich, die Baxters zu einem Kampf zu provozieren. Auf dem Weg zu dessen Haus kommt er beim Totengräber Piripiero vorbei, dem er befiehlt: »Mach mal drei von deinen Kommoden einstiegsbereit.« Bei den Baxters wird er von denselben Männern begrüßt, die ihm vorher den herzlichen Empfang bereitet haben: »Sag mal, Kleiner, du scheinst uns vorhin nicht richtig verstanden zu haben – du sollst machen, dass du hier wegkommst! Oder ist dir dein Maulesel durchgegangen, und die schlan-

ken Füßchen verweigern ihren Dienst? Könnte ja sein, nicht?« Der Fremde: »Ja, darüber wollte ich gerade mit euch sprechen. Mein Freund Alfons ist nämlich beleidigt.« Mann der Baxters: »Wer ist das?« Der Fremde: »Alfons ist mein Maulesel. Ihr habt ihm vorhin mächtig zwischen die Stelzen geballert, und so was kann er auf den Tod nicht ausstehen. Tja, nun sitzt er in der Ecke und schmollt.« Einer von Baxters Banditen: »Hey, er will uns verscheißern, Jungs.« Der Fremde, der

Marianne Koch in einer Drehpause

Kurz vor dem Massaker am Rio Bravo, geflmt bei Aldea del Fresno

den Kopf schüttelt: »Hm, würd ich mir nie erlauben. Ich hab versucht, auf Alfons einzureden. Ich hab ihm gesagt, dass das ein Scherz war, aber er hasst solche Scherze. Er verlangt, dass sich die Frösche bei ihm entschuldigen, hat er gesagt.« Die Banditen lachen, bis der Fremde seinen Poncho zurückschlägt. Der Fremde: »Und ich wiederum hasse es, wenn man über Alfons lacht.« Das letzte Lachen verstummt. Der Fremde: »Alfons ist ein

»Wenn ein Mann mit einer Pistole auf einen Mann mit einer Winchester trifft, ist der mit der Pistole ein toter Mann.«

sehr empfindliches Tierchen. Er ist intelligenter als ihr, und er riecht auch bei weitem nicht so streng. Also, was ist? Entschuldigt ihr euch bei Alfons oder soll ich euch für immer die Kopfschmerzen nehmen, Antwort?!« Auf virtuose Weise schickt er die vier Banditen mit vier gezielten Schüssen ins Jenseits. Nach einem kurzen Dialog mit John Baxter kommt der Fremde wieder beim Totengräber vorbei, dem er mitteilt: »Gratuliere zum guten Geschäft – wir brauchen vier!« (Särge natürlich.)

Ende Februar war das Drehbuch dann fertig und Leone machte sich an die Arbeit, einen Produzenten zu finden. Nach vielen fehlgeschlagenen Versuchen traf er schließlich auf Giorgio Papi und Arrigo Colombo, die mit ihrer Firma Jolly Film gerade den Western »Gringo« (»Drei gegen Sacramento«) mit dem US-Darsteller Richard Harrison in der Hauptrolle produziert hatten. Chef-Kameramann dieses Films war Massimo Dallamano unter seinem Pseudonym Jack Dalmas, die Musik stammte von keinem anderen als Ennio Morricone (unter seinem Pseudonym Dan Savio). Obwohl Leone diesen Film nicht

Schlussabrechnung mit der Rojo-Bande, gefilmt in der Western-Stadt bei Hoyo de Manzanares

ausstehen konnte, entschloss er sich dazu, seine Kurosawa-Adaption für die beiden zu drehen, die etwas Geld, genauer gesagt um die $ 200.000, aus ihrem anderen Western »Le pistole non discutono« (»Die letzten Zwei vom Rio Bravo«) übrig hatten, dessen Budget nicht ganz aufgebraucht wurde. Leone musste auch dieselben Drehorte, Bauten und Kostüme des vorhergehenden Films verwenden. Leone hatte nichts dagegen, die zerfallene Westernstadt bei Madrid, genauer gesagt, an einem Ort namens Hojo de Manzanares bei Colmenar de Viejo, zu verwenden und bat sogar die dortigen Besitzer, die Stadt nicht zu restaurieren. Er wollte genau diesen Effekt einer heruntergekommenen Stadt, in der fast niemand mehr lebte. Als weiterer Drehort war das »Casa de Campo« in Madrid vorgesehen, ein Museum mit diversen ländlichen Häusern, Vorgärten etc. Man verwendete es als das Rojo-Anwesen. Die Wüsten- und Steppenszenen entstanden im Süden Spaniens in den Wüsten der Sierra Alhamilla bei Almería.

Der Set-Designer sollte urspünglich auch vom Parallelfilm übernommen werden, Alberto Roc-

cianti. Da kam eines Tages Carlo Simi in die Büros der Jolly Film, der zur Zeit gerade die Wohnung des Produzenten Colombos redekorierte, und sah einige Set-Designs von Roccianti auf Leones Tisch. Sofort äußerte er sich negativ dazu und zeichnete kurz einige Vorschläge auf, die Leone gleich überzeugten, dass dies sein zukünftiger Set-Designer sein würde. Er sollte in Zukunft für alle Sets, Kostüme und Props in allen Leone-Filmen verantwortlich sein. Kameramann Massimo Dallamano war einer der ersten italienischen Leute in seinem Fach, die das neue Techniscope-Verfahren verstanden, welches für zahlreiche Western verwendet wurde. Ein weiterer wichtiger Mitarbeiter wurde Franco Giraldi, der als Second-Unit-Regisseur fungierte. Als Hauptdarsteller des Films musste natürlich wieder ein Amerikaner her, die Produzenten empfahlen ihren bereits unter Vertrag stehenden Richard Harrison, Leone jedoch lehnte ab. Er hätte gerne einen der »glorreichen Sieben« verpflichtet, James Coburn oder Charles Bronson. Coburn verlangte zu viel Geld und Bronson hielt das Drehbuch für eines der schlechtesten, das er in seinem Leben gesehen

Ramons Schüsse treffen immer ihr Ziel

Ramon hat in Joe seinen Meister gefunden

Viel Arbeit für den Totengräber

Marisol mit ihrem Kind Jesus, dargestellt von Fredy Arco

hatte. Laut Leones Freund Sergio Donati erwog Leone auch, Cliff Robertson zu besetzen, der leider auch viel zu teuer war. Zu diesem Zeitpunkt erhielt gerade Claudia Sartori, eine Angestellte der William Morris Agency in Rom, einen 16-mm-Film der 91. Episode (»Incident of the Black Sheep«) der erfolgreichen CBS-Western-Serie »Rawhide« (»Tausend Meilen Staub«) mit einem jungen Darsteller namens Clint Eastwood. Leone sah sich den Film auf einer Moviola-Maschine an und war nicht sehr begeistert von Eastwoods Darstellung, willigte dann aber auf das Zureden von Claudia Sartori und den beiden Produzenten ein, die so zu einem billigen Hauptdarsteller kamen. Auch Eastwood war von der Idee eines italienisch-deutsch-spanischen Western nicht sehr angetan, willigte aber dann doch ein, diesen Film für eine Gage von nur $ 15.000 zu machen. Es ist heute schwer nachzuvollziehen, wer für die Wandlung von Eastwoods Figur eines glatt rasierten Cowboys in einen bedrohlich wirkenden, unrasierten und in einen Poncho gekleideten Revolverhelden zuständig war. Leone behauptete, er wäre es gewesen, glaubt man Eastwood, dann sei er es gewesen, der die Requisiten mitgebracht hatte. Fest steht nur, dass der Revolvergurt samt den hölzernen Revolvergriffen mit Schlangenbeschlägen aus »Rawhide« (»Tausend Meilen Staub«) stammten. Die weiteren Darsteller kamen aus Italien (Gian Maria Volonté, Mario Brega, Antonio Prieto, Margarita Lozano, Bruno Carotenuto, Benito Stefanelli, Daniel Martin), aus Spanien (Fredy Arco, José Calvo, Aldo Sambrell, Raf Baldassarre, Antonio Molino Rojo) sowie aus Deutschland und Österreich (Marianne Koch, Wolfgang Luckschy, Sieghardt Rupp, Josef Egger), um für die jeweiligen Koproduktionspartner wenigstens einige bekannte Gesichter zu haben.

Als die Dreharbeiten endlich begannen, zuerst in Rom, dann in Colmenar und danach in Almería, begann Sergio Leone endlich locker zu werden. Er tauchte am Set mit Cowboyhut und Westernstiefeln gekleidet auf und spielte den Darstellern die kleinsten Details vor und fing an, über Kleinigkeiten zu diskutieren. Das Drehbuch war in vier Sprachen vorhanden: Englisch, Italienisch, Deutsch und Spanisch. Laut Franco Giraldi war einer von Leones größten Beiträgen die Verschmelzung des römischen Schurken, eines sympathischen Bösewichts, mit dem aus zahlreichen US-Western bekannten glatten und stereotypen Western-Helden in eine neue einzigartige Figur. Tonino Valerii, als Head of Post-Production für Jolly Film, war der Erste, der das Rohmaterial zu sehen bekam, das von den diversen Drehorten nach Rom geschickt wurde. Er war sofort von der Darstellung Clint Eastwoods begeistert, die Produzenten schlossen sich dieser Meinung jedoch nicht an und zweifelten stark an Leones Fähigkeiten. Am Set tauchten täglich Probleme auf, da das versprochene Geld oft viel zu spät eintraf. Jeder Koproduktionspartner beschuldigte die anderen beiden und keiner wollte den Kopf hinhalten. Dies führte zu verlorenen Tagen, da die spanischen Darsteller und die Crew nicht erschienen oder die Sets nicht bereit waren. In der letzten Drehwoche brach dann der Geldfluss komplett ab, die beiden Produzenten Papi und Colombo wollten den Rest billig in Rom drehen. Leone überzeugte jedoch eine Crew von fünfzehn Leuten und drei Darsteller, noch dort zu bleiben und es gelang ihm sogar, einen lokalen Landbesitzer dazu zu bewegen, die Mannschaft auf Kredit

Marianne Koch als Marisol

Clint Eastwood mit dem Kantinenwirt, dargestellt vom Spanier José Calvó

Der Fremde ohne Namen

zu beherbergen und den nötigen Strom zu liefern, um den Film fertig stellen zu können.

Zurück in Rom, ging Leone gleich an die Arbeit, um den Film zusammen mit seinem Editor Roberto Cinquini zu schneiden und eine passende Musik hinzuzufügen. Von den beiden Produzenten wurde ihm Ennio Morricone empfohlen, der bereits für die beiden anderen Western »Gringo« (»Drei gegen Sacramento«) und »Le pistole non discutono« (»Die letzten Zwei vom Rio Bravo«) die Musik komponierte. Leone war jedoch von diesen Soundtracks wenig begeistert. Sie erinnerten ihn an billige Varianten von Dimitri Tiomkin. Zu seinem Erstaunen stimmte ihm Komponist Morricone sogar zu: »Die Produzenten baten mich, kostengünstige Musik im Stile Dimitri Tiomkins zu komponieren, also lieferte ich diese ab, ich habe schließlich eine Familie zu ernähren.« Es stellte sich heraus, dass beide zusammen in die Primarschule St. Juan Baptiste de la Salle gingen. Leone bat Morricone darum, eine ähnliche Musik wie die mexikanischen Balladen in »Rio Bravo« oder »The Alamo« (beide von Dimitri Tiomkin) zu komponieren, genannt »Deguello«. Damit wollte Morricone nichts zu tun haben, worauf ihn Leone bat, wenigstens

in einem ähnlichen Stil zu schreiben. Wie es der Zufall haben wollte, entdeckte Leone ein Stück, das Morricone zwei Jahre vorher für den amerikanischen Sänger Peter Tevis arrangiert hatte, einen alten Woody-Guthrie-Song mit dem Titel »Pastures of Plenty«. Das Arrangement enthielt neben der starken Stimme auch eine Anzahl von einzigartigen Soundeffekten wie Peitschenknallen, Glocken, Hämmer und eine Reihe von kurzen 16tel-Noten auf einer Flöte. Dazu kommt ein Teil, der auf einer Fender Stratocaster-Gitarre statt wie üblich einer spanischen Gitarre gespielt wurde, sowie ein männlicher Chor mit Streichorchester. Sergio Leone bat Morricone, die Master-Bänder zu finden, die Stimme von Peter Tevis wegzulassen und stattdessen die Melodie pfeifen zu lassen. Den Mann dafür fand man in dem damals 39-jährigen Alessandro Alessandroni, den Morricone bereits aus seiner Zeit kannte, als er noch in römischen Nachtclubs Trompete spielte. Er leitete die bekannte Vokal-Gruppe Cantori Moderni, die Morricone dann auch für alle choralischen Effekte einsetzte. Leone war vom Ergebnis begeistert, das war der Sound, nach dem er suchte.

Es ist kein Zufall, dass alle wichtigen Elemente von »Per un pugno di dollari« (»Für eine Handvoll Dollar«) Gegenstand zahlreicher Streitereien über den wahren Ursprung waren: das »Deguello«-Thema (Morricone gegen Tiomkin), das Aussehen des Mannes ohne Namen (Eastwood gegen Leone) und die Beziehung zu »Yojimbo« (»Yojimbo – der Leibwächter«, Kurosawa gegen Leone). Wenn dieser Film nicht so erfolgreich gewesen wäre, hätte sich wahrscheinlich niemand die Zeit genommen, darüber zu argumentieren. Man soll einst über Steven Spielberg gesagt haben, dass sein einziger Film, der nicht irgendwelche Rechtsstreitigkeiten in Bezug auf den Ursprung seiner Filme nach sich gezogen hätte, »1941« gewesen wäre, einer seiner größten Flops.

Sergio Leone war von den ersten kritischen Stimmen über seinen Erstlingswestern nicht sehr begeistert, da sie die »italienischen« Elemente ignorierten. Zuerst warfen sie ihm vor, die amerikanischen Western zu kopieren, später schrieben sie, er versuche eine Form des »kritischen Films« zu schaffen. In Wirklichkeit war dieser Film vollkommen revolutionär und brach mit allen Konventionen der bisherigen Western.

Einige dieser Konventionen waren von visueller Art, etwa das Schlussduell am Brunnen von

San Miguel. Als der Mann ohne Namen auf Ramon Rojo zuschreitet, ahnt man schon eine traditionelle, lineare Auseinandersetzung. Aber als der Wiederauferstandene (geschützt durch die Metallplatte unter seinem Poncho) von Seite zu Seite stolpert, zeigt Leone Nahaufnahmen der Gesichter der Rojo-Bande, eines nach dem anderen, einen Kreis formend. Und in seinen letzten Atemzügen sieht man mit Ramon Rojos Augen einige kreisförmige Bewegungen in Richtung Himmel, bevor er tot zusammenbricht. Anstatt also ein traditionelles Duell zu inszenieren, zeigt Leone ein kreisförmiges Ereignis, wie wenn man sich in einer Arena befinden würde. Das Duell in diesem Film stellte eine ganze Reihe von Konventionen auf den Kopf, z.B. die alte mexikanische Weisheit, dass »... wenn sich zwei Männer duellieren, und der eine hat einen Colt und der andere ein Gewehr, ist der mit dem Colt ein toter Mann ...«, die Ramon Rojo verkündet. Ramon verliert das Duell, weil es länger dauert, ein Gewehr zu laden als einen Revolver.

Weitere bahnbrechende visuelle und akustische Erneuerungen konnte man im Bereich der Parallelmontage begutachten. Während der Kampf auf dem Friedhof stattfindet, sieht man den Fremden ohne Namen im Keller der Rojos mit seinem Revolvergriff auf verschiedene Holzfässer klopfen – und all das im Rhythmus der Schüsse – vier Schüsse, viermal klopfen.

Natürlich sieht man dem Film trotzdem seine budgetären Beschränkungen an. Die Bevölkerung von San Miguel ist nur zweimal zu sehen, die Nachtaufnahmen sind sehr leicht als »Day-for-Night«-Effekt zu erkennen, die Farbabgleichung lässt manchmal zu wünschen übrig, es sind keine Einschusslöcher zu erkennen (besonders auffallend beim Massaker am Rio Bravo). Dies war wahrscheinlich auch einer der Gründe, wieso Leone und die Produzenten anfangs große Schwierigkeiten hatten, den Film richtig zu vermarkten. Vor diesem Film entstanden bereits mehr als 25 Western und die letzten liefen nicht besonders erfolgreich. Zunächst wurde dem Film ein kommerziellerer Titel verpasst. Aus »Un magnifico straniero« wurde »Per un pugno di dollari« (»Für eine Handvoll Dollar«), die bevorzugte Art, wie der Held des Films sich bezahlen ließ. Als Nächstes wurde Luigi Lardini beauftragt, eine einprägsame, visuell einzigartige Titel-Sequenz zu kreieren. Er verwendete dazu verschiedene Action-Sequenzen, die gegen einen schwarzen, roten und weißen Hintergrund rotoscopiert wurden. Dazu passend Morricones Musik in voller Lautstärke. Als Letztes folgte das Plakat, das von Sandro Simeoni entworfen wurde. Es zeigt einen Revolverhelden in rotem Hemd, der auf dem Boden kniet und einen Bösewicht erschießt. Niemand konnte diesen Film jetzt noch aufhalten.

Marisol mit ihrem Beschützer

Presse: »War man nach den bisherigen deutschen Western-Versuchen der Meinung, man sollte diese Domäne lieber weiter Hollywood und den amerikanischen Professionals auf diesem Gebiet überlassen, so beweist diese deutsch-spanisch-italienische Koproduktion nachdrücklich, dass auch die ›Greenhorns‹ der alten Welt einen blendenden Western machen können, so nur die richtigen Köpfe – vor und hinter der Kamera! – an der Arbeit sind. ›Für eine Handvoll Dollar‹ sollten sich mit diesem Meister-Western ganze Säcke voll von dieser valuta-harten Münze einhandeln lassen. Denn er hat thematisch, optisch und darstellerisch alle Vorzüge dieses Genres und noch ein paar scharfe Schüsse mehr in der Büchse der Regieeinfälle.

Keiner war cooler: Clint Eastwood

Der Handlungsfaden ist – wie bei allen großen dramaturgischen und dramatischen Würfen – fast simpel. Ein kleines mexikanisches Nest, beherrscht von zwei feindlichen Familien – sprich: zwei Schmuggler- und Gansterbanden par excellence! – wird zum Schauplatz und Massengrab ihrer tödlichen Duelle, als eines Tages ein Mann namens Texas-Joe dort aufkreuzt und beide Banden geschickt gegeneinander ausspielt. Er verdingt sich bei der einen Bande als ›Pistolero‹, spielt bei der anderen seine Doppelagenten-Rolle und befreit eine Frau mit Mann und Sohn aus ihrem Geiseldasein. Das wird ihm zum Verhängnis. Er wird gefangen und gefoltert, doch gelingt es ihm, in einem Leichenwagen aus dem Ort zu entkommen – nicht ohne noch mit einem erneut entfachten Inferno zwischen den beiden Banden Abschied zu nehmen. In einem Versteck heilt er seine Wunden, bis er zu dem letzten tödlichen Duell bereit ist. Es beendet endgültig die Terrorherrschaft der Gangsterbanden in dem kleinen mexikanischen Grenzort.

Die Regie von Sergio Leone ist von eiskalter Konsequenz und knallharter Optik. Die Entfesselung der Bandenschlachten mit dem makabren Einfall von schwärzestem Humor, dass sich der Kugelregen auf zwei tote Soldaten konzentriert, die auf einem Grab des Friedhofs blessiert und anscheinend ohnmächtig liegen, ist von tödlicher Logik. Die Folterung des Helden ist rauester Realismus, seine Schlussabrechnung ist ein künstlerisches und mörderisches Mosaikspiel, ein ›12 Uhr mittags‹ im Planquadrat der absoluten Vernichtung. Die überragende Meisterleistung des Filmes aber ist die bis in die kleinste Charakterregung durchgezeichnete und durchgeführte Figur des Helden. Man fand in dem amerikanischen Fernsehstar Clint Eastwood eine Idealbesetzung für die Rolle. Er ist die Inkarnation des Anti-Helden. Wenn er in dem umständlichen Kleidungsstück von Poncho – man hat immer Angst, dieses einengende Wams könnte ihn im entscheidenden Augenblick an allen Ecken und Falten hindern, schnell zu ziehen – lässig durch die bleihaltige Gegend reitet oder auf seinen Gegner zuschlendert, dann zerrt diese passive Zeitlupenaufnahme unheimlich an den Nerven des Zuschauers. Es ist dasselbe prickelnde Gefühl, als wenn jemand einen Ballon aufbläst – und man wartet immer atemloser darauf, dass er mit jedem neuen Pusten knallend platzt.

Ausgezeichnet gewählt sind aber auch die Typen der Bandenführer – da hat die Kamera von Jack Dalmas was zu sehen und kann große Augen – sprich: Großaufnahmen – machen. Die deutschen Darsteller – darunter Marianne Koch und Wolfgang Lukschy – machen in dieser Edelkomparserie von schuftiger Männlichkeit gar keine so schlechte Figur. Bis zum Totengräber (Josef Egger) hinunter gibt es prachtvolle Chargenleistungen.«
Bert Markus,
Filmecho/Filmwoche Heft 19, 1965

»Dieser Film – ein Remake von Kurosawas »Yojimbo« (1960) – ist nicht uninteressant, schon deshalb nicht, weil es sich um den ersten europäischen Western handelt, der nicht nur zum Lachen ist, vor allem aber, weil eine gute Geschichte gefährlich vertan und leichtfertig trivialisiert wird.

Der in seiner Spekulation programmatische Vorspann ist dem Titel des ersten Bond-Films nachempfunden: vor blutrotem Hintergrund kämpfende und reitende Schatten, Schüsse dazu und eine überlaute Musik. (Eine Analyse solcher Vorspanne und auch ihrer Musik ist überfällig.) In ein kleines mexikanisches Dorf reitet ein Fremder und wird schon im ersten Augenblick Zeuge einer brutalen Szene: Ein paar Kerle vertreiben einen kleinen Jungen mit Revolverschüssen und verprügeln seinen Vater, der ihm zu Hilfe eilt. Joe aber handelt nicht, wie ein Westerner in seiner Lage gehandelt hätte: Er macht nicht die Sache der Schwachen zu der seinen, er wartet ab. Er ist gekommen, um seinen Schnitt zu machen. Zwei

Banden, die das Dorf beherrschen, liegen sich in den Haaren – es geht um den Marktanteil am einträglichen Schmuggelgeschäft. Joe führt sich ein, indem er vier Mitglieder der einen provoziert und auf offener Straße umlegt und sich danach der anderen als Revolvermann anbietet. Aber er behält dabei vor allem sein eigenes Geschäft im Auge. Gegen gute Bezahlung und anfangs mit gutem Erfolg spielt er die eine Bande gegen die andere aus.

Weil aber Ramon, der Boss der mächtigeren Gruppe, eine hübsche Mexikanerin gegen ihren Willen gefangen hält, geht Joe aus sich heraus und mischt sich weiter ein, als ihm gut tut. Ramon und seine Leute bekommen ihn zu fassen und richten ihn schauderhaft her. Aber es gelingt Joe, sich aus der Klemme herauszumorden und nach einem gewissenhaften Konditionstraining auch noch die letzten Bösewichter aus dem Weg zu räumen.

›Yojimbo‹ ist nie in der Bundesrepublik gezeigt worden, wahrscheinlich auch deshalb nicht, weil Kurosawas Film ungewöhnlich grausam ist. Das Surrogat aber darf gezeigt werden, weil seine Grausamkeiten über das inzwischen marktgän-

gige Maß nicht hinausgehen. Welcher Film verrohender wirken muss, braucht nicht diskutiert zu werden. Die halben Krassheiten in Leones Film sind schlimm, weil sie ordinär sind und ohne Sinn. Leone bietet seinen Joe als positiven Helden an, obwohl er alles andere ist als das. Man kann ahnen, was Kurosawa mit dieser Geschichte gemeint hat: Ein Mann kommt in eine Stadt, in der zwei Großunternehmen sich bis aufs Blut bekämpfen. Er akzeptiert die Spielregeln eines brutalen Kapitalismus und macht deshalb seinen Schnitt.

Bei Leone ist nur die Konstellation geblieben, vage, ungenau, misszuverstehen. Joe, der imgrunde viel gemeiner ist, als die Banditen es sind, die er niedermacht, bekommt ein mythisches Mäntelchen umgehängt. Er darf eine Frau heraushauen, edel dreinblicken und einen großen und einsamen Kampf kämpfen. Nicht ums Geld, sondern um höhere Werte. Er beseitigt nicht lästige Konkurrenten, um das Geschäft zu monopolisieren, sondern säubert die Stadt von Gelichter. So soll man es verstehen.

Das Programmheft: ›Die Einwohner der kleinen Stadt San Miguel dürfen nach dem Sieg von

Sergio Leone mit einer Hand voll Dollar

Marisol mit ihrem Beschützer

Joe aufatmen – die Terrorherrschaft der Gangsterbande ist beendet.‹ Der Zweck heiligt das Mittel; es ist zynisch gemordet worden, aber sozusagen in höherem Auftrag. Das macht diesen Film übel: Hier wird die offene Gewalt nicht verurteilt, sondern sanktioniert, indem die merkantilen Motive unter der Hand gegen die archaischen Western-Tugenden eingewechselt werden.

Eine gewisse Düsternis hat auch das Plagiat, aber es ist dafür gesorgt, dass sie nicht überhand nimmt. Ein lustiger Alter taucht auf, der sein Geld mit Sargzimmern verdient, und ein netter Wirt, der auch unter der Folter Joes Versteck nicht verrät und gleich zu Anfang gute Worte findet, als er Joe rät, doch am besten wieder abzuhauen. Es gibt ein paar rührselige Mutter-und-Kind-Einlagen, und gestorben wird zwar häufig, aber rasch und schmerzlos. Selbst in den schlechtesten amerikanischen Serienwestern sah man selten so viele so schnell umpurzeln und den Regisseur eine solche Freude daran haben. Die Schießszenen werden mit Lust und Ausdauer eingeleitet (deshalb hat man wohl auch diesem Film ›inszenatorische Verve‹ nachgesagt), aber billig ausgeführt.

Man sieht ein mäßiges Talent an einer guten, aber riskanten Geschichte scheitern. Leone hat sich an Kurosawa übernommen. Das wäre der Aufregung nicht wert, wenn sein Film nicht gerade deshalb so fatal ausgefallen wäre, weil es manche Ähnlichkeiten mit dem Vorbild aufweist. Dass dieser Film bei uns gezeigt wird und nicht ›Yojimbo‹, sagt genug über den Stand der Dinge hierzulande.«
Uwe Nettelbeck,
Filmkritik 4/1965

»Sergio Leone, in Italien auch unter dem Pseudonym Bob Robertson bekannt geworden, bezeugt mit diesem Film, dass er sich über Thriller-Effekte im Western fleißig Gedanken gemacht hat. Was er in dieser deutsch-spanisch-italienischen Gemeinschaftsproduktion an optischen Gags und dramaturgischen Tricks, an standardisierten Verhaltensweisen und auserlesenen Genre-Physiognomien zusammengetragen hat, sichert einen Konsum-Western par excellence, freilich noch lange keine geistige und künstlerische Erfüllung der heute so geschätzten Gattung. Ebenso geringe Eigenständigkeit, wie sie der Gestaltung eignet, kennzeichnet auch die Story vom einsamen Fremden, der in ein abgelegenes neu-mexikanisches Dorf kommt, das von zwei befehdeten Gangsterfamilien terrorisiert wird. Der schießfertige Fremde tut so, als wolle er an den unsauberen Geschäften beider Gruppen partizipieren, indem er eine gegen die andere ausspielt und sich von jeder reichlich bezahlen lässt; doch offenbart der Schluss, dass er ›Ungerechtigkeit nicht ausstehen‹ kann und von Anfang an nichts anderes im Schilde führte, als den blutdurstigen Gaunern den Garaus zu machen. Es ist die handwerkliche Fertigkeit der Inszenierung, die dem Film ein reichliches Spannungssoll sichert. Die Kopie großer Vorbilder ist – was die emotionale Wirksamkeit angeht – beachtlich gelungen.

Man könnte an Hand dieses Films geradezu eine Anthologie der Western-Gags verfassen: von der Atmosphäre der scheinbar toten Stadt über den Fuzzy-Humor (hier in Gestalt Josef Eggers als Sargtischler) bis zur Auseinandersetzung zwischen den Rivalen. Die südländische Abkunft lässt sich in der Akzentsetzung nicht verleugnen. Einerseits provozieren Kameraführung und Musik häufig ein dem Western unangemessenes Pathos, während andererseits Grausamkeiten bis hin zum Sadismus mit einer Genüsslichkeit ins Bild gebracht werden, die an amerikanischen Vorbildern selten zu beobachten war.

Die steile Spannungskurve steht überdies nicht in Kontakt zu einer – wie auch immer gearteten – geistigen Fundierung des Stoffes. Der Kampf gegen das Unrecht wird durch die mangelnde psychologische Begründung wie durch die fragwürdige Sympathisierung mit den kaltherzigen Methoden des Helden seines ethischen Belanges entkleidet; eine Lokalisierung und Datierung der Handlung, die das Geschehen zumindest historisch glaubhaft hätte machen können und auf die amerikanische Western auch bei erfundenen Stoffen großen Wert legen, findet nicht statt.

Nicht zuletzt dadurch erfährt hier der Typ eines durch und durch zwielichtigen Wildwest-Helden eine offenkundig mythische Überhöhung. Während der Western in seinen besten Beispielen stets zur Reflexion über die Verhaltensweisen der Hauptbeteiligten Anlass gab, überspielt diese routinierte Western-Kopie jeden Ansatz zur Nachdenklichkeit durch drastische Action-Elemente und massive Gefühlsdrücker.«
Franz Everschor,
Film-Dienst FD 13 307

DAS FILMJAHR 1966

ITALO-WESTERN-FILMSTARTS IN DEUTSCHEN KINOS 1966

* Viva Maria (Viva Maria) – Regie: Louis Malle – BRD-Start: 27.1.1966
* La cieca di Sorrento (Auf Zorros Spuren) – Regie: Nick Nostro – BRD-Start: 28.1.1966
* Sansone e il tesoro degli Incas (Samson und der Schatz der Inkas) – Regie: Piero Pierotti – BRD-Start: 1.2.1966
* Un dollaro bucato (Ein Loch im Dollar) – Regie: Giorgio Ferroni – BRD-Start: 16.3.1966
* Per qualche dollaro in più (Für ein paar Dollar mehr) – Regie: Sergio Leone – BRD-Start: 25.3.1966
* Sfida a Rio Bravo (Schnelle Colts für Jeannie Lee) – Regie: Tulio Demicheli – BRD-Start: 9.4.1966
* Il ranch degli spietati (Oklahoma John – Der Sheriff von Rio Rojo) –
Regie: Jaime Jesus Balcázar, Roberto Bianchi Montero – BRD-Start: 6.5.1966
* Solo contro tutti (Der Sohn von Jesse James) – Regie: Antonio del Amo Algara – BRD-Start: 6.6.1966
* Gli uomini dal passo pesante (Die Trampler) – Regie: Alfredo Antonini, Mario Sequi – BRD-Start: 24.6.1966
* 7 pistole per i Mac Gregor (Die 7 Pistolen des McGregor) – Regie: Franco Giraldi – BRD-Start: 5.8.1966
* 100.000 dollari per Lassiter (100.000 Dollar für einen Colt) –
Regie: Joaquín Luis Romero Marchent – BRD-Start: 26.8.1966
* Adiós gringo (Adios Gringo) – Regie: Giorgio C. Stegani – BRD-Start: 26.8.1966
* Uno straniero a Sacramento (Kopfgeld für Ringo) – Regie: Sergio Bergonzelli – BRD-Start: 26.8.1966
* Una pistola per Ringo (Eine Pistole für Ringo) – Regie: Duccio Tessari – BRD-Start: 2.9.1966
* Per un pugno di canzoni (Lass die Finger von der Puppe) – Regie: José Luis Merino – BRD-Start: 9.9.1966
* Llanto por un bandido (Cordoba) – Regie: Carlos Saura – BRD-Start: 16.9.1966
* All'ombra di una Colt (Pistoleros) – Regie: Giovanni Grimaldi – BRD-Start: 7.10.1966
* 100.000 dollari per Ringo (100.000 Dollar für Ringo) – Regie: Alberto De Martino – BRD-Start: 21.10.1966
* La colt è la mia legge (Stirb aufrecht, Gringo!) – Regie: Alfonso Brescia – BRD-Start: 21.10. 1966
* Il ritorno di Ringo (Ringo kommt zurück) – Regie: Duccio Tessari – BRD-Start: 28.10.1966
* Django (Django) – Regie: Sergio Corbucci – BRD-Start: 2.11.1966
* Ringo del Nebraska (Nebraska-Jim) – Regie: Antonio Román, Mario Bava – BRD-Start: 6.12.1966
* Johnny Oro (Ringo mit den goldenen Pistolen) – Regie: Sergio Corbucci – BRD-Start: 20.12.1966

Eine Szene aus »Per qualche dollaro in più«, gefilmt in der Westernstadt bei Hoyo de Manzanares

UN DOLLARO BUCATO

Ein Loch im Dollar (Regie: Giorgio Ferroni)

Italien / Frankreich 1965
Erstaufführung in Italien: 8. August 1965
Deutscher Start: 16. März 1966

Besetzung: *Montgomery Wood [Giuliano Gemma] (Gary O'Hara), Ida Galli (Judy O'Hara), Pierre Cressoy (McCory), Massimo Righi (Brad), Benito Stefanelli (James), Tullio Altamura (Peter), Franco Fantasia (Sheriff Anderson), Giuseppe Addobbati (Donaldson), Franco Lantieri (Slim), Nazzareno Zamperla (Phil O'Hara), Andrea Scotti, Nello Pazzafini, Luigi Tosi, Alfredo Rizzo, Sal Borgese, Pietro Ceccarelli*

Inhalt: In Nordamerika ist der blutige Bürgerkrieg zu Ende. Präsident Lincoln hat verfügt, dass die internierten Soldaten der Südstaaten in allen Ehren unter Rückgabe ihrer Handwaffen entlassen werden. Unter den so freiwerdenden Südstaatenoffizieren befinden sich auch die beiden Brüder Gary O'Hara (Giuliano Gemma) und Phil O'Hara (Nazzareno Zamperla), beide ausgezeichnete Pistolenschützen und ehrenwerte Männer. Beide sind daher schockiert, als sie feststellen, dass an ihren Pistolen die Läufe abgesägt worden sind, wodurch jede Treffsicherheit verloren geht. Sie zeigen wenig Sinn für diese Missachtung und beweisen den Nordstaaten-Offizieren mit anderen Pistolen, dass sie Meisterschützen sind. Der jüngere Bruder Phil entscheidet sich, nicht in den besiegten Süden zurückzukehren, sondern sein Glück im fernen Westen zu suchen – während der ältere Gary O'Hara nach Virginia zurückkehrt, wo seine Frau Judy (Ida Galli) auf ihn wartet. Bevor sie sich trennen, verrät Phil seinem Bruder Gary den Platz, wo er zu Hause einen kleinen Notgroschen versteckt hat, bevor er in den Krieg zog und bittet Gary, nach Belieben davon Gebrauch zu machen.

Gary O'Hara kehrt nach Virginia zurück, aber schon nach kurzer Zeit stellt er fest, dass es in dem besiegten Süden unmöglich ist, für sich und seine Familie einen Lebensunterhalt zu finden, und er entschließt sich, ebenfalls nach Westen zu gehen und sich seinem Bruder Phil anzuschließen. Er

hinterlässt seiner Frau Judy das restliche Geld und behält für sich lediglich einen Silberdollar als Talisman. Er verspricht Judy, sie nachkommen zu lassen, sobald er Arbeit findet und ihr das nötige Geld für die Reise schicken kann. Auf dem Weg nach Westen sucht Gary verzweifelt nach Arbeit. Er hat inzwischen sein Pferd verloren und ist völlig abgerissen. In der kleinen Stadt Yellowstone bietet McCory (Pierre Cressoy), ein reicher Grundstückseigentümer, Gary schließlich einen gefährlichen Job an. Er soll einen Pistolero, einen gewissen Black Eye, stellen und zum Sheriff bringen; dafür soll er eine schöne Stange Geld bekommen. Da er finanziell am Ende ist, nimmt Gary den Auftrag an. Als Gary den Banditen Black Eye in einem Saloon stellt, schießt dieser ohne Warnung auf Gary. Im Augenblick des Schusses erkennen beide sich wieder; Black Eye ist Garys Bruder Phil. Sie sind McCory in eine raffinierte Falle gegangen; denn nachdem Phil unwissentlich seinen Bruder Gary niedergeschossen hatte,

39

wird Phil von den anwesenden Handlangern Mc-Corys zusammengeschossen und getötet. Auch von Gary nimmt man an, dass er tot ist. Er gibt kein Lebenszeichen mehr von sich. McCory und seine Leute halten ein fremdes Pferdefuhrwerk an und lassen die beiden Toten aufladen; sie sollen außerhalb des Ortes verscharrt werden. Dabei stellt sich heraus, dass Gary O'Hara nur scheintot ist. Der Silberdollar, den er als Talisman bei sich trug, hat die Gewalt des Geschosses gemindert und ihn nur leicht verletzt.

Nach seiner Genesung kehrt Gary O'Hara in die Stadt zurück. Er hat sein Äußeres so verändert, dass er von McCory und seinen Männern nicht erkannt wird. Gary kann es nicht fassen, dass sein Bruder Phil als Black Eye ein Bandit und Gesetzloser gewesen sein soll. Er findet Auskunft und Unterstützung bei Farmern, die von dem mächtigen McCory tyrannisiert werden, der sich

mit allen Mitteln auch deren Land aneignen will. Er erfährt, dass sein Bruder auf einem einsamen Gehöft, dem Ödhof, gelebt und die Farmer in ihrem Kampf gegen McCory unterstützt hatte. Kurz vor seinem unglückseligen Tod soll er sich den Farmern gegenüber geäußert haben, dass er nunmehr die Beweise in der Hand habe, um McCory und seine Freunde unschädlich machen zu können.

Gary O'Hara beschließt, diesen Ödhof aufzusuchen. Er entdeckt, dass sich hier die Banditen des McCory eingenistet haben und beschließt, Mitglied der Bande zu werden, um eine Gelegenheit zu haben, nach den Beweisen zu suchen, von denen sein Bruder Phil gesprochen hatte. Ein jüngeres Mitglied der Bande, ein früherer Südstaatensoldat, erkennt Gary als den ehemaligen Südstaaten-Kapitän O'Hara wieder, verrät ihn aber nicht. Als die Bande von McCory beauf-

Giuliano Gemma als Gary O'Hara

tragt wird, einen Goldtransport zu überfallen, bittet O'Hara den früheren Südstaatensoldaten, seine Farmer-Freunde zu verständigen, damit der Goldtransport gewarnt wird. Der Plan misslingt. Der junge Südstaatler wird von den übrigen Bandenmitgliedern getötet; Gary O'Hara wird von der Überzahl überwältigt, misshandelt und gefesselt. Der Überfall auf den Goldtransport geht vonstatten. In der Zwischenzeit ist Judy, Garys Frau, auf der Suche nach Gary in den Ort Yellowstone gekommen. Hier wird ihr von McCory und seinen Gangstern eröffnet, dass ihr Mann seinerzeit getötet worden ist. Als sie sich weigert, im Saloon von McCory zu arbeiten, wird sie auf den Ödhof gebracht, wo ein Bandit versucht, ihr Gewalt anzutun. Unter Aufbringung seiner letzten Kräfte gelingt es Gary, sich seiner Fesseln zu entledigen und seine Frau vor dem Schlimmsten zu bewahren. Gary ist nunmehr klar geworden, dass auch der Sheriff des Ortes mit McCory unter einer Decke steckt. Es gelingt ihm durch eine List, beide gegeneinander auszuspielen. Der Sheriff wird getötet. Gary findet schließlich im Ödhof in einem Versteck den Beweis, von dem sein Bruder Phil gesprochen hatte: einen Steckbrief, aus dem hervorgeht, dass McCory und der Sheriff gesuchte Mörder sind. Deshalb musste sein Bruder Phil sterben. In seinem letzten Kampf mit McCory, der vergeblich versucht, Gary mit der abgesägten Pistole zu töten, gelingt es diesem, McCory zu überwältigen und ihn der verdienten Strafe zuzuführen. Gary O'Hara und seiner Frau Judy wird in Yellowstone die Möglichkeit gegeben, ein neues Leben anzufangen.

Film: Bei diesem Film handelt es sich um den ersten von drei Western, die Giorgio Ferroni mit dem Matinee-Idol Giuliano Gemma gedreht hat. Alle drei Filme zeichnen sich in Bezug auf Handlung, Inszenierung, Landschaften und Musik durch relativ starke Beeinflussung durch den amerikanischen Edelwestern aus. Während die typischen Italo-Western der damaligen Zeit fast ausnahmslos an der amerikanisch-mexikanischen Grenze spielten, führten diese von Ferroni inszenierten Western seinen Helden immer in nördlich gelegene Staaten der USA. Seine drei Filme entstanden auch nicht wie viele seiner Kollegen in Spanien, sondern wurden alle in der näheren Umgebung von Rom in einer relativ grünen und fruchtbaren Landschaft gedreht, die ohne Weiteres für die Staaten des mittleren Westens herhalten kann. Ein weiteres gemeinsames Merkmal der drei von Ferroni inszenierten Western ist die Tatsache, dass die Handlungen aller drei Filme jeweils während oder kurz nach Beendigung des amerikanischen Bürgerkrieges angesiedelt sind. Trotz der Unterschiede zu den gewohnten Elementen der damaligen Italo-Western sind Ferronis Filme äußerst unterhaltsam und kurzweilig. Für die Musik aller Giorgio-Ferroni-Filme zeichnete übrigens Komponist Gianni Ferrio verantwortlich (beim zweiten Film »Per pochi dollari ancora« [»Tampeko«] unter Mithilfe von Ennio Morricone, der den Titelsong komponierte).

Presse: »Ob Western heutzutage aus Hollywood oder Europa stammen, lässt sich ohne Vorspann kaum noch feststellen. In diesem Genre hat die alte Welt gleichgezogen, ja sogar das althergebrachte Schema mit den von vornherein verteilten Rollen durchbrochen.

Hier haben dunkle Ehrenmänner zwei Brüder aufeinander gehetzt. Der eine wird ein Opfer des Missverständnisses, dem anderen rettet ein Dollar das Leben. Bis er endlich den Drahtzieher und dessen Helfershelfer entlarvt hat, müssen viele brave Männer und Schurken ins Gras beißen. Die Colts halten reiche Ernte unter Gerechten und Ungerechten.

Erst kurz vor dem dramatischen Schluss entpuppt sich der Sheriff als Spießgeselle der Verbrecher. Giuliano Gemma ist ein Rächer, wie er im (Western-)Buch steht, zäh wie eine Katze, treffsicher und immer ein wenig früher die Hand am Drücker als die anderen. Ida Galli ist seine ebenso attraktive wie tapfere Lebensgefährtin. Das Publikum ist bis zum Schluss gefesselt.«

Ernst Bohlius
Filmecho/Filmwoche Heft 26, 1966

PER QUALCHE DOLLARO IN PIÙ

Für ein paar Dollar mehr (Regie: Sergio Leone)

Italien / Deutschland / Spanien 1965
Erstaufführung in Italien: 18. Dezember 1965
Deutscher Start: 25. März 1966

Besetzung: *Clint Eastwood (Monco der Kopfgeld-jäger), Lee Van Cleef (Colonel Douglas Morti-mer), Gian Maria Volonté (El Indio), Luigi Pis-tilli (Groggy), Josef Egger (Alter Prophet), Mario Brega (Niño), Mara Krupp (Mary, die Frau des Hoteliers), Klaus Kinski (Wild der Bucklige), Aldo Sambrell (Cuchillo), Benito Stefanelli (Luke), Roberto Camerdiel (Stationsangestellter), Diana Rabito (Mädchen in der Badewanne), Lorenzo Robledo (Tomaso der Verräter), Dante Maggio (Indios Zellengenosse), Rosemary Dexter (Mor-timers Schwester), Diana Faenza (Tomasos Frau), Ricardo Palacios (Saloonwirt in Tucumcari), Carlo Simi (Bankmanager von El Paso), Werner Abrolat (Bandit in Indios Bande), Peter Lee Lawrence, Karl Hirenbach (Mortimers Schwager), Kurt Zips (Saloonwirt in El Paso), Antonio Ruiz (Junge in El Paso), Francesca Leone (Baby), Tomás Blanco, Pa-nos Papadopulos, Luis Rodríguez, Giovanni Tar-allo, Mario Meniconi, Sergio Mendizábal, Román Ariznavarreta, Frank Braña, José Canalejas, José Marco Davó, Eduardo García, Jesús Guzmán, Rafael López Somoza, Antonio Molino Rojo, José Félix Montoya, Guilermo Méndez, Enrique Na-varro, Aldo Ricci, Enrique Santiago, José Terrón*

Inhalt: In einem Zug unterbricht Colonel Mor-timer (Lee Van Cleef) seine Bibellektüre und verkündet einem lästigen Reisegenossen seine Absicht, in Tucumcari auszusteigen. Der andere wirft ein, dass der Zug an dem kleinen Bahnhof

10.000 Dollar für den Kopf von »El Indio«

nicht hält, aber Mortimer betätigt die Notbremse, und der Maschinist hält genau im gewünschten Ort.

Mortimer steigt mit dem Pferd aus dem Güterwaggon aus; sein gebieterisches Aussehen, betont durch den großen Colt, der aus dem Gürtel ragt, genügt, die Proteste des Kontrolleurs zum Verstummen zu bringen. Neben dem Fahrkartenschalter hängt ein Steckbrief, aus dem hervorgeht, dass ein Kopfgeld von 1000 Dollar auf Guy Calloway ausgesetzt ist. Mortimer nimmt ihn ab und steckt ihn in die Tasche.

Guy Calloway befindet sich in einem Zimmer des Saloons, eine Frau ist bei ihm. Mortimer schiebt das Plakat unter der Tür hindurch, und sofort durchbohren vier Kugeln, die der Bandit abgeschossen hat, das Holz. Mortimer tritt die Tür ein und findet die Frau in der Badewanne sitzend vor; Calloway flüchtet über den Balkon. Mortimer geht auf die Straße und breitet die am Sattel befestigte Waffensammlung aus und tötet das Pferd des Flüchtigen, der sich aufrappelt und zu schießen beginnt, jedoch ohne Glück. Mortimer ergreift eine Pistole, nähert sich in

Ruhe, zielt und trifft den Banditen mitten in die Stirn.

Mortimer holt das Kopfgeld im Büro des Sheriffs ab und bemerkt das Plakat für Baby »Red« Cavanagh. Der Sheriff teilt ihm mit, dass bereits ein anderer Kopfgeldjäger, nämlich Monco, die Spur des Banditen in White Rocks verfolgt. In White Rocks betritt Monco der Kopfgeldjäger (Clint Eastwood) den vollen Saloon, in dem »Red« Poker spielt. Er mischt sich in das Spiel ein, teilt die Karten nur an sich selbst und den Banditen aus und gewinnt. »Um was haben wir gespielt?«, fragt der andere. »Um deine Haut.« Der Kopfgeldjäger entwaffnet den Gegner und beginnt ihn zu verprügeln, als drei Freunde des Banditen, gewarnt von einem ruchlosen Sheriff, auf der Schwelle des Lokals erscheinen; Monco dreht sich plötzlich um und tötet sie; schließlich streckt er »Red« nieder, der über den Boden gekrochen war und eine Pistole erreicht hatte. Er lässt sich vom korrupten Sheriff das Kopfgeld auszahlen und nimmt ihm den Stern ab, den er zwei Passanten gibt: »Sucht euch einen neuen Sheriff.«

Clint Eastwood und Antonio Ruiz

Lee Van Cleef als Colonel Douglas Mortimer

Rückblende: Mortimers Schwester mit ihrem Bräutigam, gespielt von Peter Lee Lawrence

43

Eines Nachts in Mexiko überfallen ein paar Männer ein Gefängnis und befreien El Indio (Gian Maria Volonté), der sich mit einer Umarmung von seinem Zellengenossen verabschiedet und diesen dabei erschießt. Er tötet kaltblütig auch den Gefängnisdirektor, während seine Kumpane die Wachen umlegen. Sie verschonen nur einen, damit er den Vorfall weitererzählen kann. Auf Indios Kopf wird eine Prämie von zehntausend Dollar ausgesetzt. Die beiden Kopfgeldjäger nehmen die Fährte auf.

In der Höhle der Räuber, einer entweihten Kirche, rächt sich Indio an dem Mann, der seine Verhaftung veranlasst hat. Er lässt zuerst dessen Frau und Kind von einem seiner Schergen töten und zwingt den Armen dann zu einem Duell mit der Pistole nach ungewöhnlichen Regeln: Die Kontrahenten dürfen erst die Waffen ziehen, nachdem das Spielwerk in Indios Taschenuhr seine Melodie zu Ende gespielt hat. Nach dem leichten Sieg ruht sich der Bandit aus und raucht einen Joint.

In der Bank von Tucumcari informiert sich Mortimer beim Direktor über die sicherste und nicht zu knackende Bank in der Gegend. Der Direktor antwortet ihm, es sei die von El Paso und nur ein Verrückter könne davon träumen, sie zu überfallen. Monco kommt nach El Paso. Ein mexikanischer Junge nennt ihm gegen ein paar Münzen das Hotel, in dem Mortimer abgestiegen ist. Monco nimmt ein Zimmer im Hotel gegenüber und lässt einen Gast ausquartieren. In der entweihten Kirche, zu der auch Groggys Männer (Luigi Pistilli) gekommen sind, steigt Indio auf die Kanzel und erzählt, dass ein Tischler, sein Zellengenosse, ihm gesagt habe, dass der Geldschrank der Bank von El Paso als Holzschrank getarnt im Büro des Direktors stehe. Mortimer stellt sich bei der Bank als potentieller Kunde vor; der Direktor zeigt ihm die Schutzmaßnahmen, die das Gebäude überfallsicher machen. Vier Männer von Indio, als Kundschafter entsandt, kommen in die Stadt; der Junge vom ersten Mal warnt Monco und erhält ein wenig Geld dafür.

Im Saloon provoziert Mortimer einen der vier, den buckligen »Wild« (Klaus Kinski), indem er ein Streichholz an dessen Buckel entzündet; der begnügt sich damit, es auszublasen. Mortimer setzt ihm weiter zu, indem er die Zigarette des Banditen zum Pfeifenanzünden benutzt. Auch dieses Mal kann Wild sich beherrschen und verlässt das Lokal mit seinen Kumpanen. Die Ange-

CLINT EASTWOOD - der härteste Mann des Westens - setzt seinen einsamen und erbarmungslosen Weg fort!

mit Klaus Kinski · Lee Van Cleef · Josef Egger · Gian Maria Volonté · Panos Papadopulos · Werner Abrolat · Kurt Zips · Mario Brega u.v.a.

Regie: SERGIO LEONE

EIN FARBFILM der PEA/ CONSTANTIN/ GONZALES-FILM im Verleih: Constantin-Film

Für ein paar Dollar mehr

Erstaufführungs-Werberatschlag

Kopfgeldjäger »par excellence«

Zwei Generationen von Kopfgeldjägern

stellten kommen aus der Bank, und der Wachmann beginnt seinen Dienst. Die Gesetzlosen zählen die Sekunden, die die Wachen brauchen, um die Seiten des Gebäudes abzugehen. Mortimer beobachtet die Banditen von seinem Fenster aus mit einem Fernrohr und wird seinerseits durch Moncos Fernglas vom gegenüberliegenden Fenster aus beobachtet. Mortimer studiert die Jahrgänge der Lokalzeitung und entnimmt einem Foto, dass sein mysteriöses Gegenüber ein bekannter Kopfgeldjäger ist. Monco begibt sich zu einem alten Männlein, »dem Propheten« (Josef Egger), der vom Lärm und dem Rauch der Züge besessen ist, die einen Meter von seinem Haus entfernt vorbeifahren. Der Alte informiert ihn über Mortimers Vergangenheit: Er ist ein ehemaliger Oberst der Armee der Konföderierten, der zum Kopfgeldjäger geworden ist. Schlechte Zeiten für gute Leute.

Ein Chinese tritt in Mortimers Zimmer, nimmt den Koffer und trägt ihn nach unten: Der verblüffte und neugierige Colonel folgt ihm und begegnet auf der Straße dem Auftraggeber für diese merkwürdige Szene, Monco, der sich des Rivalen entledigen will und ihm befiehlt, die Stadt zu verlassen. Zwischen den beiden beginnt eine

halbernste Herausforderung, die von den mexikanischen Jungen mit Bewunderung verfolgt wird: Sie treten sich erst auf die Füße und lassen dann die Hüte mit Pistolenschüssen in die Luft fliegen. Nachdem das gegenseitige Misstrauen überwunden ist, reden die beiden im Zimmer des Colonels miteinander. Sie beschließen, sich das Kopfgeld zu teilen und entwickeln eine gemeinsame Strategie gegen Indio: Monco soll, um in dessen Bande aufgenommen zu werden, zunächst Sancho Perez befreien, einen alten Outlaw, der gerade im Gefängnis von Alamogordo sitzt. Der Oberst hört oft die Musik eines Spielwerks an, das in seine Taschenuhr eingebaut ist, will dem Verbündeten aber nicht den Grund für diese Gewohnheit offenbaren. In seiner Zufluchtsstätte raucht Indio eine Marihuana-Zigarette und hört dieselbe Melodie, die von einer Taschenuhr gespielt wird, welche genau der des Obersten gleicht und erinnert sich an die Umstände, unter denen er sie in Besitz genommen hat.

Rückblende: *An einem regnerischen Abend hören zwei Jungverheiratete auf dem Bett liegend die Melodie der Spieluhr; der in das Zimmer gedrungene Räuber tötet den Mann und reißt der Frau das Nachthemd vom Leib.*

45

Im Gefängnis von Alamogordo sprengt Monco eine Außenwand in die Luft und flieht mit Sancho Perez. In der Höhle der Räuber nimmt Indio den Neuankömmling in die Bande auf und gibt Anweisungen für den nächsten Tag: Monco und drei andere Männer sollen sich an einem Ablenkungsmanöver beteiligen und die Bank von Santa Cruz überfallen, um die Männer des Sheriffs von El Paso wegzulocken. Im Lager fordert Monco seine Reisegenossen heraus und tötet sie. Indio und seine Männer machen sich auf den Weg nach El Paso. Im Telegrafenamt von Santa Cruz zwingt Monco den Angestellten, einen alten Mann, der sich gerade zwei Spiegeleier brät, die falsche Nachricht vom Überfall nach El Paso zu übermitteln, dann fesselt und knebelt er ihn. In El Paso machen sich der Sheriff und seine Männer, nachdem sie die Falschmeldung gehört haben, auf den Weg nach Santa Cruz. Mortimer beobachtet sie vom Fenster aus.

Indios Bande reist nach El Paso; Monco gelingt es, ungesehen den Gesetzlosen vorauszureiten. In El Paso macht der Colonel die Waffen fertig, und Monco postiert sich zwischen den Häusern vor

dem Eingang zur Bank. Die Angestellten kommen heraus, und der Wachmann des Direktors isst ein großes Butterbrot. Die Mexikaner kommen in die Stadt, einige zu Pferd, andere in einem geschlossenen Wagen. Der Wagen verschwindet sehr schnell. Plötzlich hört man eine Explosion; eine Mauer der Bank ist gesprengt worden. Indio tötet den Wachmann, dann wird der Tresor auf den Wagen geladen. Den beiden verblüfften Freunden bleibt nichts anderes übrig, als sich auf die Verfolgungsjagd zu machen. Bei einer Rast wirft Monco Mortimer vor, für den Misserfolg verantwortlich zu sein und beschließt, das Unternehmen fortzuführen. Der Colonel schießt ohne Warnung auf den Verbündeten und fügt ihm eine Streifwunde am Hals zu, so dass Indio nicht allzu viel Verdacht schöpft, da Monco so tun soll, als sei er der einzige Überlebende der Expedition nach Santa Cruz, der wie durch ein Wunder einer Attacke der Wachmänner entgangen sei.

Monco kommt zum Lager der Banditen und zeigt, dass er seinen Part gut durchhält. Groggy, der einige Zweifel an der Wahrhaftigkeit seiner Erzählung anbringt, antwortet ihm mit einem

Leone mit Lee Van Cleef

Sergio Leone zeigt vor, wie es gemacht wird

Leone mit Clint und Lee

46

Faustschlag. Indio sieht die Verletzung und glaubt ihm. In der Nähe des Dorfes Agua Caliente beschließen die Banditen, das Talent des neuen Pistoleros auf die Probe zu stellen und lassen ihn allein in das ungastliche Dorf reiten. Plötzlich, am Ende der Straße, nehmen drei bedrohlich aussehende Typen Aufstellung. In einem Garten an der Seite eines Hauses versucht ein Junge vergebens, die Zweige eines Apfelbaums zu erreichen: Monco kommt ihm zu Hilfe, indem er die Früchte mit Pistolenschüssen herunterholt. Mortimer erscheint auf dem Balkon des Gasthofs und beteiligt sich am Zielschießen. Angesichts dieses beeindruckenden Geschicklichkeitsbeweises machen sich die drei wie der Blitz aus dem Staub. Im Lokal erkennt »Wild« im Colonel jenen unverschämten Pfeifenraucher vom Saloon in El Paso und fordert ihn zum Duell heraus. Mortimer überrascht den Gegner, indem er aus der Jacke einen handlichen Derringer zieht und ihn mitten in die Stirn trifft. Dann bietet er Indio seine Kenntnisse in Sachen Tresor gegen einen ansehnlichen Betrag an. Mit Hilfe von Schwefelsäure öffnet Mortimer den Safe, ohne die Banknoten zu beschädigen. Indio verschließt den Safe und stellt ihn in eine Baracke. In der Nacht seilt sich Monco vom Dach aus in die Baracke hinab und findet Mortimer vor, der, nachdem er die Geldscheine in zwei Doppelsäcken verstaut hat, den Tresor wieder so versiegelt, dass er aussieht, als sei er unberührt. Monco verlässt die Baracke wieder über das Dach, und als er auf die Erde gelangt, fühlt er Indios Schultern unter den Füßen. Er hat kaum Zeit, die Säcke ungesehen in die Zweige eines Baumes zu werfen.

Die beiden Kopfgeldjäger werden von den Mexikanern bis aufs Blut gepeinigt, Indio lässt sie jedoch im Schutz der Dunkelheit entkommen. Er heckt einen teuflischen Plan aus: Er möchte, dass die beiden Kopfgeldjäger und seine eigenen Männer sich gegenseitig umlegen. Dann bräuchte er die Beute mit niemandem zu teilen.

Während es draußen zur Schießerei kommt, bei der die beiden Verbündeten leicht die Oberhand gewinnen, bleibt Indio sitzen und spielt mit einer Schabe. Dann öffnet er die Uhr, und die Musik lässt ihn an jene Nacht denken.

Rückblende: *Nachdem Indio den Mann getötet hat, vergewaltigt er die Frau, die, während sie unter dem Banditen liegt, diesem die Pistole aus dem Gürtel zieht und sich mit einem Schuss in die Seite tötet.*

Von draußen ist Mortimers Herausforderung zu hören. Groggy läuft heraus, und der Colonel trifft ihn im Gehen, wird jedoch selbst durch einen Schuss von Indio entwaffnet, der ihn zu einem unredlichen Duell herausfordert (»Wenn die Melodie von der Spieluhr aufgehört hat, kannst du deine Knarre aufheben und vergiss nicht zu schießen – wenn es dir gelingt.«). Monco greift ein, indem er mit dem Gewehr auf den Banditen zielend dem Colonel seinen Revolvergurt zuwirft, um das Gleichgewicht zwischen den beiden Gegnern wiederherzustellen. Sie ziehen die Pistole: Mortimer ist schneller. Der Colonel nimmt die andere Uhr, die der Bandit bei sich trug, an sich: Die Frau auf dem Bild in der Uhr war seine Schwester, die sich in jener Nacht selbst getötet hatte. Mortimer verzichtet auf die Prämie und verabschiedet sich vom Verbündeten, der die wertvollen Leichen der Vogelfreien auf einen Wagen lädt. Die Rechnung geht jedoch nicht auf, einer fehlt – Groggy, der versucht, den Held meuchlings zu erschießen. Dieser dreht sich rechtzeitig um und eröffnet das Feuer. Nachdem er die Doppelsäcke mit dem Geld vom Baum geholt hat, entfernt er sich mit dem Wagen voller Leichen.

Film: Auf Grund des unwahrscheinlichen Erfolges von »Per un pugno di dollari« (»Für eine Handvoll Dollar«) war es Sergio Leone möglich, für seinen nächsten Western ein wesentlich höheres Budget zu erhalten, was sich in erster Linie in einer noch besseren Besetzung und vor allem einer epischeren Geschichte niederschlug. Wieder spielte Clint Eastwood einen einsamen Revolverhelden, diesmal als profithungrigen Kopfgeldjäger auf der Suche nach einer Verbrecherbande. Ihm zur Seite steht Lee Van Cleef als ruhiger, erfahrener Colonel Mortimer, der ebenfalls auf der Suche nach einem bestimmten Verbrecher und dessen Bande ist, allerdings aus einem anderen Grund. Diese Rolle sollte für Lee Van Cleef den Anfang einer langen, äußerst erfolgreichen Karriere im europäischen Filmgeschäft darstellen. Als Bösewicht sehen wir hier wieder den Italiener Gian Maria Volonté, dessen Rolle als Banditenboss Indio für immer unvergessen bleiben wird. Leone gelang es auch, Klaus Kinski als irrsinnigen buckligen Westernbösewicht zu etablieren, nachdem er bereits in dem Harald-Reinl-Film »Winnetou II« erste Westernversuche unternehmen durfte. Spielte sich der Großteil des ersten Leone-Westerns noch an einem Drehort ab, so gelang es Leone mit diesem Film, seine epische Geschichte mit einer Vielzahl von Drehorten anzureichern, die für den Zuschauer ein Fest für das Auge darstellen. Begleitet von einer der besten Filmmusiken Ennio Morricones spielt sich hier eine komplexe Rachegeschichte ab, in der sich Leone auch erstmals der Rückblenden bedient, für die er später so bekannt werden sollte. Dieser Film stellt in jeder Hinsicht einen Fortschritt gegenüber seinem ersten Werk dar und der Zuschauer merkt, dass hier nicht mit Mitteln gespart wurde.

Dem Zuschauer werden vor allem die diversen Duellszenen in Erinnerung bleiben sowie die brutalen Gewalttaten von Gian Maria Volonté (der z.B. im ersten Drittel des Films eine ganze Familie samt Frau und Kind auslöscht) in der Rolle des Joint-rauchenden Indio. In diesem Film tauchen erstmals auch Bond-mäßige Gimmicks wie die Satteltasche von Colonel Mortimer auf, die ein ganzes Waffenarsenal enthält. Leone beginnt auch den Trend, einen gewissen Waffenfetischismus zu betreiben, indem er seine Helden diverse außergewöhnliche Waffen benutzen lässt,

um die Verbrecher in die ewigen Jagdgründe zu schicken.

Presse: »Dem erfolgreichen, von epigonenhaften Motiven nicht freien ersten Westernfilm des Italieners Sergio Leone ist jetzt Werk zwei gefolgt. Nach ›Für eine Handvoll Dollar‹ wird diesmal für ein paar Dollar mehr getötet. Freilich handelt es sich keineswegs um eine Fortsetzung der ersten Geschichte. Im Mittelpunkt stehen zwei Typen, die für gutes Geld anderen kaltblütig nach dem Leben trachten. Getrost kann man Leone bescheinigen, dass es ihm an makabrem Einfallsreichtum nicht mangelt, und dass er seine Story mit Raffinesse in Szene zu setzen weiß. Wem es Spaß macht mitzuerleben, wie eine Bande von vierzehn ausgesprochen miesen Räubern nach und nach gelassen von zwei Super-Schützen mit freilich gleichfalls fieser Visage kunstvoll kaltgemacht werden, zahlt sein Eintrittsgeld nicht umsonst. Selten ist Rohheit und Brutalität auf der Leinwand so raffiniert artistisch verbrämt worden.« *Hans Jürgen Weber, Filmecho/ Filmwoche Heft 29–30, 1966*

Ohne Gnade: Lee Van Cleef

»Die Gangster halten Kriegsrat in einer verlassenen Kirche. Zwischen Pferdesätteln steht verloren eine Putte. Schwarzlockige Gauner laben sich an kaltem Fleisch. Aus einem Haarbüschel heben sich elegisch Klaus Kinskis edel-finstere Züge. Barocke Architektur, Bilderbuchschurken und Wildwest-Requisiten gruppieren sich zu einem prächtig italienischen Bild. Diese Szene ist nicht als einzige unamerikanisch in Sergio Leones Western, aber sie ist die einzige, die auffällt. Man ist nicht gehalten, sich an pathetischen Landschaftsbildern zu ergötzen, man wird nicht mit der amerikanischen Spielart von Sentimentalität, der »rauen«, belästigt, man wird auch nicht mit versteckter Ideologie versorgt, man erhält das alles nicht, was den Western als amerikanische Spezialität ausweist, stattdessen sieht man ein grandioses Ritual des Schießens.

Die Revolverhelden übertreffen sich gegenseitig an Langsamkeit. Lee Van Cleef trägt sein Schießeisen quer vorm Bauch. In einer Satteltasche hat er eine ganze Kollektion von Flinten, darunter ein lustiges Ding, das immer erst aus seinen Einzelteilen zusammengeschraubt werden muss – auch das dient dazu, die umständlichen Vorbereitungen auszukosten, zum feierlichen Akt aufzuwerten. Er schmaucht gemütlich sein Pfeifchen, er ist ein Spezialist, ein Eigenbrötler, Typ des Raritätensammlers, und so betreibt er auch sein Geschäft: Stück für Stück die Gangster erlegend, wie ein Großwildjäger auf der Jagd nach seltenen Tieren. Clint Eastwood stakst gemächlich daher, lässt den einen Arm steif herunterbaumeln, den Kopf hält er abwartend schräg, die Augen sind zugekniffen, die Mundwinkel ziehen sich etwas schmerzlich herab, der struppige Bart macht das Gesicht verwaschen, ausdruckslos. Es gibt wohl keinen Westernhelden mit so wenig ausgeprägten Gesichtszügen. Sergio Leone kann darauf verzichten, denn er appelliert nicht an optische Heldenklischees, er definiert seine Personen durch Schießkünste. Wenn Clint Eastwood mit verhangenem Gesicht in den Kampf schreitet, hat er in seine Lässigkeit alles hineingelegt, was andere Schützen als Ablenkungsmanöver inszenieren. Mit anderen Worten: selbst das Palavern vor dem Griff zum Revolver, das Reizen und Provozieren, ist in Aktion überführt.

Die Schießballette garniert eine Handlung. Sie ist säuberlich ausgeführt, sie motiviert die Aktionen hinreichend. Monco (Clint Eastwood), ein lulatschiger Mensch, halb Cowboy, halb Waldläufer, und Colonel Mortimer (Lee Van Cleef), ein markiger, älterer Herr, verdienen sich ihr Geld als Kopfgeld-Jäger. Sie reisen durch die Lande, suchen Gangster, auf deren Kopf eine Belohnung ausgesetzt ist, spüren sie auf und kassieren das Honorar. Und dann geraten die beiden Berufskiller auf die gleiche Fährte, Konkurrenzneid flammt auf, nach einem scherzhaften Duell verbünden sie sich gegen einen gewissen Indio und seine Mordbande. Einer macht scheinbar gemeinsame Sache mit den Gangstern. Die aus dieser Situation sich ergebenden Möglichkeiten werden nun durchgespielt: Misstrauen zwischen den Partnern, Rangkämpfe in der Gang und dann als großes Schlussduell der Kampf des Colonel gegen den Gangsterchef Indio.

Das Anschleichen, Abtasten, das Einkreisen, das feierlich-gespannte Zeremoniell der Vorbereitungen, das Hochtreiben der Spannung bis zur Unerträglichkeit und die Entladung im befreienden Kugelhagel, hat den Charakter einer sexuellen Ersatzhandlung. Die Lust am Vollzug des einen Vorganges lässt auch bei vielfacher Wiederholung nicht nach, im Gegenteil, sie steigert sich zum Zwang. Während der gewöhnliche Western erotische Attraktionen auf Rollenträger verteilt – herbe Männlichkeit einerseits, kameradschaft-

liche oder verworfene Weiblichkeit andererseits –, die dann auch sozial, und sei es klischeehaft, fixiert werden müssen, inszeniert Sergio Leone die Erotik des Kugelabtauschs. Damit entgeht er dem Zwang, die Klischees der Gattung verarbeiten zu müssen und mit den Amerikanern in Konkurrenz zu treten. Er liefert pure Aktion. Den Mustern des Western unterlegt er die Struktur erotischer Handlungen, vielleicht entdeckt er nur, was immer für den Western galt – man müsste das untersuchen – den Revolverkampf als Liebesakt.«   *Werner Kließ,*
Film 06/1966: Das Ritual des Schießens

»Colonel Mortimer dürfte der eleganteste Desperado-Killer sein, den der Wilde Westen bisher verewigt hat. Als ehemaligen Offizier zeichnet ihn eine kaum erreichbare Schießkunst aus, die ihn zum meisterhaften Kopfjäger zwischen San Diego und San Antonio gemacht hat. Nur einer kann mit ihm konkurrieren, Monco. Er hat auch schon die 10.000 Dollar im Visier, die auf den Kopf des über alle Grenzen gefürchteten Bandenführers stehen, um den sich deshalb bis zum brancheritinell vorbereiteten Ende alles dreht: Indio, dessen teuflisch lachende Fratze von den

Der wilde Klaus

49

Plakaten der Sheriffs starrt. Mortimer und Monco waren schlau genug, die sich gegenseitig bewiesene virtuose Zielsicherheit nicht weiter zum eigenen Schaden zu benutzen, sondern sich als Prämienrivalen gegen Indio zusammenzutun. Am Rio Grande del Norte spitzt sich der Kampf des Dreiecks zu, nachdem es Monco gelungen ist, in Indios Bande zum Schein mitzumachen, und Indio die reichste Bank in El Paso um ihren größten Schrank erleichtert hat. Dem waghalsigen Mortimer gelingt es sogar, vor den Augen des getäuschten Indio den erbeuteten Tresor so fachmännisch zu öffnen, dass den Scheinen nichts passiert. Nach manchen derart beängstigenden Zwischenspielen muss letztlich doch der Richtige dran glauben. – Der Weg des italienischen Regisseurs Sergio Leone ging vom unkünstlerischen Kolossalfilm (›Der Koloss von Rhodos‹, FD 10858; ›Sodom und Gomorrha‹, FD 11 735) zur künstlerisch beachtlichen Westernkopie harten südeuropäischen Zuschnitts (›Für eine Handvoll Dollar‹, FD 13307). Diese Geschichte ist nicht ganz neu, wäre jedoch als Western-Action-Parodie ein prächtiger Wurf, wenn nicht aus Vergnügen am traditionellen Musterspiel der Westernjagd die Ironie oft mit auf der Strecke bliebe. Auch wird nicht schon dadurch am Heldenstatus gerüttelt, dass Mortimer einmal durch eigenes Verschulden in eine Situation gerät, wo er machtlos auf die Hilfe seines Rivalen angewiesen ist, um gegenüber Indio nicht der Zweite zu sein. Vor allem aber ist der riesige Bedarf an Leichen nicht gerade ein Beweis für die Güte der pointierten Geschichte. Man zählt bereits während der ersten Filmrolle ein volles Dutzend, zu Beginn des zweiten Sechstels folgen dann weitere zuhauf, so dass statt Spaß an der versuchten Ironie bald Verdruss erwächst. Viele Typen am Rande sind zwar sorgsam ausgesucht, aber so übertrieben auf Abschaum maskiert, dass sie mit dem oft frappierend gut getroffenen Westernmilieu (trotz viel Bretter- und Pappkulisse) nicht mehr harmonieren. Hier bleibt besonders Klaus Kinski mit zuckender Gruselgrimasse, Perückenmähne und dick ausgestopftem Glöckner-Buckel in negativer Erinnerung. Dagegen überrascht das künstlerische Gespür Leones für sichere Handlungs- und Schauspielerführung, nicht selten in poesievollen Szenen, wo er sich geschickt der Farbkamera bedient und die treffsicheren musikalischen Akzente funktionell einzupassen versteht.«

Leo Schönecker,
Film-Dienst FD 13 989

»Hast du mal Feuer, Klaus?«

»Das Neueste über ›Für ein paar Dollar mehr‹. Diese Erfolgs-Telegramme sprechen für sich: Das fast für unmöglich Gehaltene ist eingetroffen, ›Für ein paar Dollar mehr‹ wirklich noch größer, noch spannender, noch erfolgreicher als seine Dollar-Vorgänger – Wenn das so weitergeht, erleben wir eine Renaissance des Westerns. Und das von Italien aus – Publikum restlos begeistert – heutigen Montag noch stolze Sonntagskasse – Was Constantin bringt, kommt an, ist in diesem Falle pure Tiefstapelei – Das ist eine Autobombe für alle gehobenen Aktions-Theater. (Karlsruhe)

›Für ein paar Dollar mehr‹ der Sensationserfolg in München – geschäftlich noch viel besser als sein Vorgänger, ›Für eine Handvoll Dollar‹ – selbst in der Der 6. Woche noch überragende Besucherzahlen – ein echter Constantin-Erfolg, wie man ihn sich nicht besser wünschen kann. (Universum München) Der Western, der alle Publikumsschichten begeistert!«

Constantin-Film

Supercool: Clint Eastwood

50

GLI UOMINI DAL PASSO PESANTE

Die Trampler (Regie: Alfredo Antonini, Mario Sequi)

Italien / Frankreich 1965
Erstaufführung in Italien: 31. Dezember 1965
Deutscher Start: 24. Juni 1966

Besetzung: *Gordon Scott (Lon Cordeen), Joseph Cotten (Temple Cordeen), James Mitchum (Hoby Cordeen), Ilaria Occhini (Janet Wickett), Franco Nero (Charlie Garvey), Emil Jordan [Claudio Gora](Fred Wickett), Muriel Franklin (Alice Cordeen), Carrol Brown [Carla Calò](Mutter Cordeen), Dario Michaelis (Bert Cordeen), Roman Barret [Romano Puppo] (Payne Cordeen), Ivan Andrews [Ivan G. Scratuglia](Adrian Cordeen), Emma Vanoni (Bess Cordeen), Edith Peters (Emmy), Aldo Cecconi (Jim Hennessy), Franco Balducci, George Lycan, Alfred Raichlin, Harry Gerard, Giovanni Cianfriglia*

Inhalt: Das Ende des amerikanischen Bürgerkrieges bringt keinen Frieden nach Texas, sondern nur eine neue Zeit der Anarchie. Die hartnäckigen Rebellen aus dem Süden können ihre Niederlage nicht verwinden. Das einzige wirkliche Gesetz ist der Revolver, und er dient dazu, Nordstaatler fernzuhalten. Viehbarone bauen ihre eigenen Privatarmeen auf und kontrollieren weite Landstriche durch Lynch und erbarmungslosen Mord. Die riesigen Herden streunen wild umher, und es gibt für das viehreiche Texas keine Möglichkeit, das Fleisch gegen dringend benötigtes Yankee-Gold nach dem hungrigen Norden zu schaffen.

Einer der mächtigsten dieser Weideland-Beherrscher ist der hasserfüllte, unbeugsame Temple Cordeen (Joseph Cotten), der seine Familie wie ein Feudalherrscher regiert und den größten Teil Nord-Texas' mit Hilfe seiner revolverschwingenden Söhne und Vettern kontrolliert. Als Cordeens von ihm unabhängiger Sohn Lon (Gordon Scott) endlich nach Hause zurückkehrt, findet er statt des erhofften Friedens Mord: Seines Vaters Männer lynchen einen Fotografen aus den Nordstaaten. Bevor Lon eingreifen kann, wird er von seinem Vetter Longfellow Wiley, einem sadistischen Killer, niedergeschlagen. Als er danach

versucht, Janet Wicket (Ilaria Occhini), der Tochter des Opfers, zu helfen, weist sie ihn zurück, da er den blutbesudelten Namen Cordeen trägt. Auf der väterlichen Ranch findet Lon die Cordeens in zwei Parteien gespalten. Auf der einen Seite steht sein Vater, hinter ihm drei seiner Söhne und eine Truppe bösartiger Vettern; auf der anderen Seite stehen seine Mutter und zwei Schwestern, die dem dauernden Blutvergießen ein Ende machen möchten. Der jüngste Sohn, Hoby (James Mitchum), bewegt sich unentschlossen zwischen den beiden Lagern. Lon, wütend darüber, dass es ihm nicht gelungen ist, den Lynchmord zu verhindern, reagiert seinen Zorn an Longfellow Wiley ab, den er in einem harten Kampf fürchterlich zusammenschlägt.

Mrs. Cordeen bedrängt Lon, wieder zu gehen, ehe der Familienkonflikt mit Blutvergießen endet. Aber bevor er dazu eine Chance hat, zwingt

Gordon Scott als Lon Cordeen

sein Vater ihn, gemeinsam mit Hoby Charley Garvey (Franco Nero) zu töten, den unerwünschten Freier seiner Schwester Bess. Lon warnt Garvey durch Bess, aber der sture Garvey weigert sich zu fliehen. So bereitet Lon alles vor, dass Garvey die Stadt verlassen kann, nachdem er Bess geheiratet hat. Gleich nach der Hochzeit werden sie von einer Bande seiner Vettern angegriffen, und Lon ist gezwungen, Pete Wiley in Notwehr zu erschießen. Lon und Hoby verlassen die Stadt mit dem jungen Paar und entscheiden sich, außerhalb Cordeens Reich ihre eigene Ranch zu errichten. Während Lon und Garvey eine Hütte bauen und aus dem herrenlosen Viehbestand eine Herde zusammenstellen, reitet Hoby weg, um einen Mann namens Jim Hennessy zu suchen, der angeblich einen Viehtrail nach Norden zur Eisenbahn in

GORDON   JOSEPH   JAMES
SCOTT · COTTEN · MITCHUM

GLI UOMINI
DAL PASSO PESANTE

ILARIA OCCHINI · FRANK NERO · EMIL JORDAN
EMY CORDEEN · GEORGE LYCAN · FRANKLIN MURRIEL · CARROL BROWN · FRANCO BALDUCCI
DARIO MICHAELIS · ROMAN BARRETT · EDITH PETERS · IVAN ANDREWS
UN FILM DI ALBERT BAND · DIRETTO DA ANTHONY WILEYS · TRATTO DAL ROMANZO "GUNS OF NORTH TEXAS" DI WILL COOK
PRODUZIONE A. MANCORI · A. M. CRETHIEN · MUSICA DI A. F. LAVAGNINO · DISTRIBUZIONE M.C.M.

Plakat zur italienischen Erstaufführung

Kansas kennt. Vor Cordeens Hass gibt es kein Entkommen. Longfellow Wiley erscheint mit einer Bande von Revolvermännern und greift die Hütte an. In dem Kampf werden Wileys Männer getötet, und er selbst wird bei dem Versuch zerrissen, eine Dynamitladung zu zünden.

Lon will nicht glauben, dass sein Vater selbst die Mörder zu ihm geschickt hat. Deshalb kehrt er zurück, um ihm Auge in Auge gegenüberzustehen. Auf dem Weg rettet er eine Postkutsche vor einer Verbrecherbande. Dabei trifft er Janet Wickett wieder, die jetzt auf legalem Wege versucht, ihres Vaters Tod zu rächen.

Zu Hause muss Lon erfahren, dass seine Mutter tot ist. Ohne Zweifel hat die Tatsache sie getötet, dass ihr Mann eine Bande ausgesandt hat, um seinen eigenen Sohn und seine Tochter ermorden zu lassen. Lon entscheidet sich, seine jüngere Schwester Alice mitzunehmen. Lon und Alice kehren zur Garvey-Ranch zurück und warten auf Hoby. Er kommt als völlig veränderter Mann zurück, bitter, böse und verhärtet nach dem Verlust seines Armes. Die fünf brechen auf, um sich mit Hennessy auf dem Viehtrail nach Norden zu vereinen.

Während des Trails verliebt sich Hennessy in Alice und bittet sie, seine Frau zu werden. Sie bleibt bei ihm, während die anderen vier mit ihrem durch den Viehverkauf verdienten Geld in Garveys Haus nahe der Cordeen-Ranch ziehen.

Janet Wickett kehrt ebenfalls zurück. Sie sucht einen Zeugen, der gegen Cordeen aussagen soll. Da kommt der Rancher zu ihr ins Hotel und zeigt ihr ein Dokument, aus dem hervorgeht, dass er, Cordeen, rechtmäßig gehandelt habe. Ihre Geduld ist nun zu Ende. Sie versucht, ihn zu erschießen, als er die Straße überquert, aber Lon gelingt es, sie daran zu hindern. Von der Straße aus hat es den Anschein, als ob Lon geschossen habe, und die Cordeen-Bande schießt zurück.

Hoby kommt zu dieser Schießerei hinzu und stachelt seinen Vater auf, den Kampf zu einer reinen Cordeen-Angelegenheit zu machen. Der alte Mann ist einverstanden. Lon weiß, dass er niemals auf sein eigen Fleisch und Blut schießen könnte. Hoby jedoch ist dieses Gefühl fremd. Er schießt auf seinen ältesten Bruder Paine. Völlig von Sinnen führt er sein Vernichtungswerk fort und tötet seine zwei anderen Brüder, bevor ihn selbst das Schicksal ereilt.

Die Cordeen-Sippe ist nun beinahe ausgelöscht. Der Vater hat sein Leben durch seinen eigenen Hass zerstört: Sein Verstand verwirrt sich. Lon und Janet nehmen ihn mit zurück auf die Ranch. Die Fehde ist beendet. Die beiden jungen Menschen können neu und in Frieden beginnen. Die Ära der Trampler, der Unterdrücker, ist vorüber.

Film: Joseph Cotten spielt in diesem Film eine ähnliche Rolle wie später nochmals im Corbucci-Western »I crudeli« (»Die Grausamen«). Robert Mitchums Sohn James ist nach »Massacro al Grande Canyon« (»Keinen Cent für Ringos Kopf«) hier in seinem zweiten und letzten Italo-Western zu sehen. Seine Rolle des Hoby ist die tragischste. Er steht zwischen dem guten Bruder Lon, seiner Mutter, seinen beiden Schwestern auf der einen Seite und seinem Vater, den drei anderen Brüdern und diversen Vettern auf der anderen Seite. Als er in der Fremde einen Arm verliert, kommt ihm auch seine Humanität abhanden. Der »verlorene Sohn« Lon wird vom Ex-Tarzan-Darsteller Gordon Scott dargestellt, wie bei Mitchum war es der zweite (der erste war »Buffalo Bill, l'eroe del Far West« [»Das war Buffalo Bill«]) und auch letzte Italo-Western. Dieser Film ist wie auch »Massacro al Grande Canyon« (»Keinen Cent für Ringos Kopf«) und einige andere europäische Frühwestern noch sehr deutlich an die US-Western angelehnt. Diese Familien- und Rachegeschichte, die in der Zeit nach dem Bürgerkrieg in den besiegten Südstaaten spielt, erinnert mit deren Verlauf und Ausgang sehr an eine griechische Tragödie. Formal und inhaltlich ist dieser Film weit über dem Durchschnitt, jedoch leider trotzdem nur in Insider-Kreisen bekannt. Inszeniert von Albert Band alias Alfredo Antonioni und Mario Sequi. Franco Nero, der in einer Nebenrolle zu sehen ist, wurde erst kurz darauf mit »Django« weltberühmt.

Presse: »Ein ungewöhnlicher Western, Vater-und-Sohn-Konflikt in wahrhaft antiken Ausmaßen; Südstaatler-Ressentiments nach dem Bürgerkrieg spielen mit hinein und die Frage, ob man vermeintlichem Unrecht mit brutaler Gewalt begegnen darf. Auf der Seite der alten ›Ordnung‹ Joseph Cotten als unversöhnlicher texanischer Großgrundbesitzer und Tyrann der Cordeen-Sippe, bei der Frau und Töchter noch vom Tisch der Männer in die oberen Stockwerke verbannt sind, und die mit Mord und Totschlag auf ihrem angemaßten ›Recht‹ bestehen.

Die neue Zeit vertreten Gordon Scott und der seinem Vater sehr ähnliche James Mitchum als Cordeen-Söhne Lon und Hoby. Wie Mutter und Schwestern tun sie alles, das Blutvergießen zu beenden. Gesetz und Ordnung sollen herrschen, aber bis es so weit kommt, geraten beide Parteien hart aneinander. Freunde, Verwandte und Nachbarn werden mit hineingezogen, junge hübsche Frauen greifen zur Pistole, und zum Schluss ist der männliche Teil der Cordeens bis auf Lon und seinen Vater ausgelöscht. Doch der Geist des alten Mannes hat sich verwirrt. Die Familientragödie steigert sich bis zur letzten blutigen Konsequenz. Die üblichen Banditen bleiben eine Randerscheinung. Die zerklüftete, wildromantische Landschaft spielt und singt mit.

Es ist die Atmosphäre des Herrenhauses, nicht des Saloons und der Schießhelden. Ein guter Western, der nachdenklich stimmt und dennoch bis zum letzten Meter fesselt.«

Ernst Bohlius, Filmecho /
Filmwoche Heft 57–58, 1966

Joseph Cotten als Temple Cordeen

James Mitchum als Hoby Cordeen

7 PISTOLE PER I MacGREGOR

Die sieben Pistolen des MacGregor (Regie: Franco Giraldi)

Italien / Spanien 1966
Erstaufführung in Italien: 2. Februar 1966
Deutscher Start: 5. August 1966

Besetzung: *Robert Woods (Gregor MacGregor), Manolo Zarzo (David MacGregor), Fernando Sancho (Miguel), Agata Flori (Rosita Carson), Leo Anchoriz (Santillana), Perla Cristal (Perla), Nick Anderson [Nazzareno Zamperla] (Peter MacGregor), Paul Carter [Paolo Magalotti] (Kenneth MacGregor), Albert Waterman [Alberto Dell' Acqua] (Dick MacGregor), Julio Perez Tabernero (Mark MacGregor), Saturnino Cerra (Johnny MacGregor), Jorge Rigaud (Alastair MacGregor), Harry Cotton (Harold MacGregor), Anna Maria Noé (Mutter MacGregor), Margherita Horowitz (Annie MacGregor), Chris Huerta (Crawford), Antonio Molino Rojo, Rafael Bardem*

Inhalt: Die MacGregors gehören zu jenen Familien, die zäh, verbissen und voll unvorstellbarer Tapferkeit das Land urbar machten und für das Gesetz ihr Leben geben. Die sieben Söhne (Robert Woods, Manolo Zarzo, Nick Anderson, Paul Carter, Albert Waterman, Julio Perez Tabernero, Saturnino Cerra), mit denen der alte MacGregor (George Rigaud) sein Land bewirtschaftet und seinen hart errungenen Besitz schützt, wissen, wofür sie kämpfen und schuften. Sie sind hart und entschlossen, ihre Arbeit und ihren Erfolg zu verteidigen, koste es, was es wolle. Der Gefahren, die die Arbeit bedrohen, sind viele. Eine der größten Gefahren jedoch ist die brutale Gesetzlosigkeit einer Bande von Außenseitern unter dem Kommando des berüchtigten und gefürchteten Alfonso Santillana (Fernando Sancho), dessen Terror nicht einmal vor zögernden und zaudernden Sheriffs Halt macht.

Gregor MacGregor (Robert Woods) inmitten der Bande von Miguel (Fernando Sancho)

Die sieben Brüder MacGregor kümmern sich nicht um die Angst der anderen, wie sie aber auch nicht gewillt sind, nur einen Deut ihres Besitzes freiwillig der Bande Santillanas zu überlassen. Als sie deshalb auf einem ihrer Viehtransporte überfallen werden, gibt es kein Pardon. Die sieben Revolver der MacGregors leisten ganze Arbeit. Aber was nutzen die Revolver und der Mut, wenn der Sheriff und seine Leute aus Angst vor Santillana in völlig unerwarteter Weise in den Kampf eingreifen. Die Brüder MacGregor können es nicht fassen, dass das Recht, das der Sheriff zu vertreten und zu verwalten hat, nicht auf ihrer Seite ist. Sie, die Überfallenen, die sich dem Terror widersetzten, werden festgenommen und inhaftiert. Sie wären, so klagt sie der korrupte Sheriff an, die Banditen und Revolverhelden. Aber das Gefängnis, das dem vereinten Willen und der siebenfachen List der Brüder MacGregor widerstehen kann, gibt es noch nicht. Sie können entfliehen und beschließen, den Terror zu brechen. Ihr Wille, mit Santillana abzurechnen, wird nur noch fester, als sie auf ihrer Flucht an einer ausgeplünderten und niedergebrannten Farm vorbeikommen. Auch hier hat Santillana gewütet. Die einzige Überlebende ist das schöne, stolze Mädchen Rosita (Agata Flori). Auch sie klagt hart und unerbittlich die Gesetzlosigkeit an, der sich kaum noch jemand entgegenzusetzen wagt. Der Plan der Brüder MacGregor ist lebensgefährlich, aber er ist die einzige Möglichkeit, Santillana zu vernichten und den Terror der Banditen und der Ungesetzlichkeit zu brechen. Einer der Brüder, Gregor (Robert Woods), wird Mitglied der Santillana-Bande. Rosita bleibt in seiner Nähe und hält die Verbindung zu den anderen MacGregors.

Von nun an erleiden die Banditen eine Niederlage nach der anderen. Wo sie auftauchen, wo sie mit Brutalität und Schrecken einfallen, immer stehen ihnen unerschrockene und vorbereitete Gegner gegenüber. Das gefährliche Spiel der MacGregors, die Unternehmungen der Bande zu verraten und so diesen immer neue Verluste zu bereiten, wird durch einen Zufall entdeckt und der Gegenschlag Santillanas ist von kaum überbietbarer Grausamkeit. Der Bandit lässt die Brüder, die er in eine raffinierte Falle gelockt hat, unmenschlich martern und foltern, aber er bricht nicht deren Widerstand. Noch einmal gelingt es den MacGregors, zu fliehen und sich vor ihren Verfolgern in einer verlassenen Farm zu verschan-

zen. Dann beginnt der aussichtslose Kampf bis zur letzten Patrone.

Film: Franco Giraldis vier Western gehören zu den wenigen, die nahe an den Stil und das epische Flair der Leone-Filme kamen. Dies ist sicherlich auch auf die Tatsache zurückzuführen, dass Giraldi als Leones Assistant Director an dessen erstem Western mitarbeitete. Fast alle seiner Western beginnen mit einem possenhaften, humorvollen Grundton und gleiten dann sanft in Tragödien von epischen Proportionen. »7 pistole per i MacGregor« (»Die sieben Pistolen des MacGregor«) ist einer jener Western, die trotz ihrer Spektakularität und teurem Aussehen in sehr kurzer Zeit abgedreht wurden.

Der Film, begleitet von einem schönen Ennio Morricone Score, wechselt zwischen extrem komischen Szenen, die man beinahe als Mini-Sketche betrachten könnte, und Szenen brutalster Gewalt ab. Ein Beispiel dafür ist die Folterung eines verdächtigten Verräters, der von den Banditen an Seilen durch zwei Feuerstellen gezogen wird, bis er schließlich stirbt. Eine weitere brutale Szene ist die Auspeitschungsszene von Gregor MacGregor (Robert Woods), als er von den Banditen entlarvt wird. Es gibt auch einen großartigen Eisenbahnüberfall sowie zahlreiche stilisierte Duelle. Dieser Film lancierte die Karriere des amerikanischen Darstellers Robert Woods. Seine Brüder wurden zum Großteil von jungen Stuntmen gespielt, die danach auch noch in anderen Italo-Western Beschäftigung fanden.

Presse: »Die Renaissance des amerikanischen Western findet im Abendland statt. Diese Feststellung ist einmal fällig, wenn man sieht, mit welcher Liebe und Leidenschaft die europäischen Produzenten sich dieses klassischen Kintopps annehmen und ihn mit neuen Formen, Farben und Einfällen ausstatten. Diese italienisch-spanische Koproduktion lässt die Lust spüren, mit der hier altes Filmland neu gepflügt und zu einer Groteske umgeackert wird, die den Besucher förmlich überrennt.

Dabei ist die eigentliche Handlung dramaturgisch so wenig wichtig wie in einer Operette oder einem Musical, in denen die zündenden Melodien den Vorrang haben. Hier sind es die zündenden Dynamitpatronen, die als Feuerwerk durch die Luft fliegen, denn mehr als einmal produzieren sich die schottischen Sieben als wahre

Robert Woods und Agata Flora

Meister der Pyrotechnik. Den schändlichen Banditen und Pferdedieben, die dort im Westen ihr Unwesen treiben, ist aber auch nur mit den härtesten Gegenmitteln beizukommen. Das erfahren die sieben Söhne der MacGregors am eigenen Leibe, als sie die Banditen im Feuer rösten wollen. Doch wie die Alten aus allen Rohren schießen, so catchen sich die Jungen mit Händen und Füßen wieder in die Freiheit. Für zarte Nerven ist der harte Film freilich nichts, denn hier erfolgt das Sterben serienmäßig. Aber gekonnt.«

Bert Markus, Filmecho/
Filmwoche Heft 65–66, 1966

»Die Geschichte ist vor prächtiger Landschaftskulisse spannend und einfallsreich inszeniert. Der Film weiß seine (nicht immer ganz stilreinen) Wildwest-Requisiten abwechslungsreich zu nutzen. Die sieben raubeinigen und rauflustigen jungen Gregors sind ebenso prächtige Typen wie die alten Mitglieder der Großfamilie: einer steht für den anderen ein. Aber die ausgedehnten Schlägereien und Kampfszenen des Geschehens sind in einem übertriebenen Maß erfüllt mit Schlag- und Schießbegeisterung, so dass das Töten-Müssen aus Notwehr in den Hintergrund tritt. Die Regie setzt zwar in geschickter Auflockerung humorvolle Akzente, doch bleibt die ungehemmte Schießfreudigkeit das vordringliche Merkmal des temperamentvollen Films. In Verbindung mit einigen erotisch platten Dialogen und mehreren zu grausamen Szenen ist er darum für Jugendliche ungeeignet.«

Wolfgang Zieher,
Film-Dienst FD 14 213

UNIDIS
Una co-produzione
Produzione D.S.
JOLLY FILM
Estela Film

ROBERT WOOD
IN UN FILM DIRETTO DA
FRANK GRAFIELD

7 PISTOLE PER I MAC GREGOR

FERNANDO SANCHO · AGATHA FLORY · LEO ANCHORIZ

PERLA CRISTAL · MANOLO ZARZO · NICK ANDERSON · PAUL CARTER · ALBERT WATERMAN

TECHNICOLOR · TECHNISCOPE

UNA PISTOLA PER RINGO

Eine Pistole für Ringo (Regie: Duccio Tessari)

Italien / Spanien 1964
Erstaufführung in Italien: 12. Mai 1965
Deutscher Start: 2. September 1966

Besetzung: *Montgomery Wood [Giuliano Gemma] (Ringo), Fernando Sancho (Sancho), Hally Hammond [Lorella De Luca] (Ruby Brown), Susan Scott [Nieves Navarro] (Dolores), Antonio Casas (Clyde Brown), Pajarito [Manuel Muñiz] (Timoteo), Nazzareno Zamperla (einer von Sanchos Bande), George Martin (Sheriff Dan), José Halufi, José Manuel Martin, Juan Casaravilla, Pablito Alonso, Paco Sanz*

Inhalt: Die Grenze von Mexiko und den Vereinigten Staaten ist ein von Räubern und gesetzlosen Banden beherrschtes Gebiet. Es gibt keine zivile Existenz, und die Bevölkerung ist von ständigen Überfällen eingeschüchtert, deren Anführer Sancho (Fernando Sancho) ist, ein harter Mexikaner. Er begeht Gewalttaten am laufenden Band, ein Sheriff bemüht sich vergebens, ihm Einhalt zu gebieten. Die Lage wird beängstigend. Verzweifelt wendet sich der Sheriff (George Martin) an Ringo (Giuliano Gemma), einen sympathischen, skrupellosen Pistolenschützen. Nur Ringo kann Sancho stoppen.

Sanchos Banditen-Gruppe überquert den Rio Bravo. Seine Frau Dolores (Nieves Navarro) begleitet ihn. Die Bande überfällt die kleine Stadt Quemado, besetzt die Bank und erledigt alle, die sich zu verteidigen versuchen. Mit dem Inhalt des gesprengten Tresors zieht die Horde weiter.

Auf der Flucht wird der wilde Mexikaner vom Sheriff an der Schulter verletzt, der die Verfolgung organisiert, aber nicht verhindern kann, dass sich die Banditen auf einer durch eine Hügelkette

Giuliano Gemma als Ringo und Fernando Sancho als Sancho

gesicherten Farm festsetzen. Auf der Farm leben Major Clyde (Antonio Casas) und seine Tochter Ruby (Hally Hammond), die Verlobte des Sheriffs. Trotzdem der Sheriff und seine Männer das Versteck Sanchos umstellt haben, wagt er nicht anzugreifen, weil Sancho gedroht hat, jeden Tag zwei Geiseln zu töten, falls man ihn und seine Leute nicht zur mexikanischen Grenze fliehen lässt.

In dieser Situation wendet sich der Sheriff an den Pistolenschützen Ringo, schlägt ihm vor, durch eine List in die Farm einzudringen und verspricht ihm 30 Prozent des von Sancho in der Bank erbeuteten Geldes. Ringo geht darauf ein. Es gelingt ihm, nicht nur in die Höhle des Löwen einzudringen, sondern sogar das Vertrauen Sanchos und seiner Kumpane zu gewinnen. Raffiniert erreicht er die Zusage für einen noch höheren Anteil des geraubten Geldes, als ihm vom Sheriff versprochen wurde, wenn er der Sancho-Bande einen Fluchtweg öffnet. Sancho nimmt seine Bedingungen an, und Ringo entwickelt seinen Plan, wie die Banditen die Grenze erreichen können. In Wirklichkeit gehen sie ihm in die Falle, denn mit List gelingt es Ringo, nicht nur einen Teil der Sancho-Bande auszuschalten, sondern auch mit dem Sheriff Verbindung zu halten und den Geiseln zur Flucht zu verhelfen.

Als das beim Morgengrauen vor sich gehen soll und er sich selbst aus dem Staube machen will, wird er von den noch verbliebenen Sancho-Männern überrascht und gestellt. In einem mörderischen Zweikampf Mann gegen Mann verhilft ihm seine akrobatische Geschicklichkeit zum Sieg. Sancho ist der Letzte, den er in einem aufregenden Duell zur Strecke bringt. Als der Sheriff mit seinen Männern und seiner Verlobten

Ruby eintrifft, findet er den getöteten Banditen und die Börse mit dem Geld. Es fehlen 30 Prozent. Ringo hat sie als Prämie für seine gefährliche Mission bereits einkassiert.

Film: Trotz vieler humorvoller Elemente enthält dieser erste Ringo-Film auch zahlreiche brutale Szenen wie beinahe alle Werke des Italo-Western. Der Hauptcharakter mit dem Spitznamen Angel Face, dargestellt von einem jungen Giuliano Gemma unter dem Pseudonym Montgomery Wood, ist perfekt. Er liebt es, Weisheiten von sich zu geben, trinkt nur Milch und ist unglaublich schnell mit dem Colt. Die Drehbuchautoren schienen sich bei der Erstellung dieser Geschichte ziemlich an William Wylers klassisches Gangsterdrama »The desperate hours« (»An einem Tag wie jeder andere«) angelehnt zu haben, in der es ebenso um die Besetzung eines Hauses durch Gangster ging.

Die Rolle des Ringo wurde für Giuliano Gemma zum Grundstein einer langen, erfolgreichen Karriere als Western-Star des italienischen Films. Auch seine Co-Stars Fernando Sancho als Sancho, Nieves Navarro als Dolores, George Martin als Sheriff sowie Antonio Casas als Major Clyde wurden sehr gut gewählt. Dies war einer der ersten Italo-Western, in denen Fernando Sancho seinen typisch mexikanischen Banditen spielte, den er noch in unzähligen weiteren Filmen darstellen sollte.

Übrigens kann man in diesem Film auch Regisseur Duccio Tessari in der Rolle eines mexikanischen Banditen sehen. Wie bei Leones Western stammt auch die Musik zu diesem Film vom Meister seines Fachs Ennio Morricone, der hier einen eher romantischen, den amerikanischen Filmen

Verfolgungsjagd unter spanischer Sonne

Tag der Abrechnung

nachempfundenen Filmscore ablieferte, der auch vereinzelte mexikanische Themen aufwies. Auch dieser Film wurde in diversen Gegenden Südspaniens gedreht, als Drehort für die Farm wurde eine Hacienda in El Romeral, westlich von San José ausgewählt. Die im Film zu sehende Windmühle kann man auch heute noch zwischen San José und Morron de los Genoveses sehen.

Presse: »Der italienische Regisseur und Autor Duccio Tessari, der in den letzten Jahren schon durch mehrere interessante Filme von sich reden machte (darunter ›In Ketten zum Schafott‹), fesselt hier von A bis Z die Aufmerksamkeit des Zuschauers durch eine gut gebaute, psychologisch differenzierte und dramatische Banditengeschichte. Im Kampf gegen eine mexikanische Räuberbande sucht sich der Sheriff eines Rio-Bravo-nahen Städtchens die Unterstützung eines Gunmans mit Einfallsreichtum, Prinzipien, Skrupellosigkeit und von absoluter Käuflichkeit: Ringo, genannt ›Engelsgesicht‹. Nach tagelangem harten, leichenreichen Hin und Her, einem im Pfeifen der Pistolenkugeln untergehenden Weihnachtsfest, einer makabren Amour zwischen einem Oberst a. D. und einer Räuberbraut, einer rauen Prügelei, etwas Erotik und einem großen Finale zieht Ringo, seine Belohnung im Beutel, einsam von dannen. Ringo, der zwiespältige Held der Schlacht, Mann zwischen Geldgier, Brutalität und liebeleerem Leben. Ein Outsider in einem europäischen Western außer der Reihe!«
Hans Jürgen Weber, Filmecho/
Filmwoche Heft 87–88, 1966

»Den Liebhabern der amerikanischen Originalerzeugnisse des Genres mag dieser europäische Aufguss bitter im Magen liegen. Wer indes ohne festgelegten Geschmack dieses Spektakel konsumiert, um spannend unterhalten zu werden, wird kaum enttäuscht werden. Die Handlung ist exakt auf Aktion hin gebaut. Was an hartem Handwerk lange Zeit Domäne der Amerikaner war, nämlich das geschickte und dennoch durchsichtige Konstruieren der Story sowie das gekonnte Inszenieren der Kampfszenen, das gelang perfekt. Natürlich erkennt der Westernfreund die amerikanischen Schulbeispiele; doch das kann nur den stören, für den Westernfilme amerikanisches Nationalgut sind. Interessant ist die Gestalt des Helden: ein junger Bursche, der nur Milch trinkt (›um in Form zu bleiben‹), der sich dadurch tarnen kann, dass er mit Kindern Steinchen hüpft, der durch die Berechnung eines Abprallers um die Ecke schießt, der ohne jede Gefühlsregung den Situationen gewachsen ist. Er ist weder Verbrecher noch Wohltäter, sondern kalt und korrekt, sein Geschäft berechnender Alleskönner. Man könnte auch sagen, ein Mechanismus zwecks Ausrottung von Bösewichtern.«
Peter Hasenberg,
Film-Dienst FD 14 311

Giuliano Gemma als Ringo mit Pajarito

ALL'OMBRA DI UNA COLT

Pistoleros (Regie: Giovanni Grimaldi)

Italien / Spanien 1965
Erstaufführung in Italien: 10. Dezember 1965
Deutscher Start: 7. Oktober 1966

Besetzung: *Stephen Forsyth (Steve), Conrado San Martín (Duke), Anne Sherman [Anna Maria Polani] (Susan), Graham Sooty (Buck), Helga Liné (Fabienne), Franco Ressel (Jackson), Aldo Sambrell (Ramirez), José Calvo (Sheriff), Andrea Scotti (Oliver), Xan das Bolas, Franco Lantieri (Burns)*

Inhalt: Steve (Stephen Forsyth) und Duke (Conrado San Martín), zwei gefürchtete Pistoleros, wie in Mexiko die ehrbaren Pistolenhelden genannt werden, die sich ihr Leben mit der Pistole verdie-

Hartes Duell mit hohem Fall

nen, befinden sich auf dem Wege nach Casa Grande, um den Ort von der berüchtigten Ramirez-Bande zu befreien. Für Steve, den jüngeren der beiden Freunde, ist es der letzte Auftrag: Er beabsichtigt, die Tochter von Duke zu heiraten, sich eine kleine Farm zu kaufen und das gefährliche Leben aufzugeben. Doch trotz aller Freundschaft ist Duke keinesfalls gewillt, ihm seine hübsche Tochter Susan (Anne Sherman) zur Frau zu geben. Duke selbst verlor seine Frau durch eine Kugel, die eigentlich ihm galt, und er will dieses Los seiner Tochter ersparen: Sie darf keinen Pistolero heiraten. Deshalb ist er so unerbittlich hart gegen seinen Freund Steve, so hart, dass er ihm sogar mit dem Tode droht, falls er seine Tochter rauben sollte. Bei der kugelreichen Auseinandersetzung mit der Ramirez-Bande wird Duke so schwer verwundet, dass er gezwungen ist, sich an Ort und Stelle gesund pflegen zu lassen. Er bittet Steve, seine Freundin Fabienne (Helga Line) zu benachrichtigen und zu ihm nach Casa Grande zu schicken. Als Steve sie endlich in einem zweifelhaften Etablissement antrifft, versucht Dukes Freundin Fabienne, die den jüngeren Steve heimlich liebt, ihn zur gemeinsamen Flucht vor Duke zu überreden. Doch Steve lehnt dieses Ansinnen natürlich ab, da er trotz Dukes Drohung gewillt ist, Susan zu heiraten. Während Fabienne zu Duke fährt und ihm aus Rache über die Abfuhr über Steve und Susan berichtet, reiten die beiden in den nächstbesten Ort, um sich dort nach einer geeigneten Farm umzusehen. Steve bringt sehr bald in Erfahrung, dass Providence – wie die kleine Stadt heißt – von zwei skrupellosen Geschäftemachern beherrscht wird: von Jackson (Franco Ressel) und dem einarmigen Burns (Franco Lantieri), zwei »sauberen« Kompagnons, denen praktisch alles in dieser Stadt gehört – das einzige Etablissement, die Bank, die nahen Silberminen und fast alle Farmen und Ländereien. Nachdem Steve notgedrungen sein Geld auf der Jackson & Burns Bank hinterlegt hat, bekommt er von einem dem Whiskey mehr denn Jackson und Burns ergebenen alten Mann den Tip, dass ein gewisser Williams seine Farm zu verkaufen sucht, jedoch von den beiden Gangstern erpresst wird, weit unter Preis zu verkaufen. Steve wird mit dem geradlinigen Williams rasch handelseinig. Als er am nächsten Tag jedoch das Geld auf der Bank wieder abholen will, um damit die Farm zu bezahlen, wird er von Burns' Komplizen überrumpelt und seines Geldes beraubt.

Doch noch am selben Abend gelingt es ihm, die Bande beim Pokern zu überraschen und sich sein Geld auf Heller und Pfennig zurückzuholen. Am Pokertisch trifft er wider Erwarten auch Fabienne, die von Duke inzwischen den Auftrag bekam, Steves Aufenthaltsort auszukundschaften, und die sich zu diesem Zweck von Jackson als Attraktion seines Etablissements hat anstellen lassen.

Bevor Steve und Susan noch am gleichen Abend auf ihre Farm reiten, lassen sie sich vom Friedensrichter des kleinen Ortes trauen. Doch statt vom alten Williams – der inzwischen von Jacksons Bandenmitgliedern ermordet wurde – werden sie vom Sheriff erwartet, der von Jackson und Burns den Auftrag erhielt, das angeblich gestohlene Geld zurückzufordern. Und noch eine andere Überraschung erwartet die beiden, diesmal jedoch eine angenehme. Der allein stehende alte Williams, der stets damit rechnen musste, von Jacksons Bande umgelegt zu werden, hatte längst dem Sheriff die Farm vererbt, der sie nun wiederum offiziell an Steve weitergibt, allerdings unter der Voraussetzung, von ihm das Geld zurückzuerhalten, um nicht bei den beiden Gangstern noch mehr in Ungnade zu fallen. Aus Rache über den dreisten Poker-Überfall geht Jackson auf Fabiennes Angebot ein, die damit gleich zwei Fliegen mit einer Klappe zu schlagen beabsichtigt – jemanden zu beschaffen, der Steve aus dem Wege räumt. Sie benachrichtigt auftragsgemäß Duke, und kurz darauf treffen sich alle drei wie zufällig in einer Bar. Im Verlauf des eiskalten Gespräches klärt Steve seinen Freund über die in Liebes- wie in Gelddingen untreue Fabienne auf, doch auch das ändert nichts an Dukes Entschluss, seinen einstigen Freund und jetzigen Schwiegersohn – wie angedroht – zum Duell zu fordern. Im Morgengrauen verlässt Steve heimlich die Farm, um sich mit Duke zu treffen, doch der Alte, der ihm bereits den Farm-Tip gab und der von dem

Stephen Forsyth bedroht Conrado San Martin

Conrado San Martin

geplanten Duell Wind bekam, verständigt Susan und bringt sie in die Stadt, in der Jackson und Burns mit ihren Gefolgsleuten bereits ebenfalls auf Steve lauern. Während es noch den Anschein hat, als würden sich die beiden duellieren, haben Steve und Duke längst die Lage erkannt: Vereint

Stephen Forsyth und Conrado San Martin in Action

und vom Sheriff und seinen wenigen Getreuen unterstützt, rotten sie in einer wilden Schießerei die gesamte Jackson-Bande einschließlich ihres Bosses aus, wobei auch Fabienne ein Opfer ihrer Falschheit und Hinterlist wird, während der angeschossene Burns vom Sheriff in Haft genommen werden kann.

Erst nachdem die Stadt von den Gangstern befreit ist, bemerkt Duke durch einen Zufall, dass in Steves Colt nur in jeder zweiten Kammer eine Patrone steckt – Steve wollte aus Fairnessgründen seinem Schwiegervater und nicht nur altem, sondern auch an Jahren älterem Freund eine größere Chance beim Duell geben. Doch Duke quittiert diese Entdeckung, die seine Pistolero-Ehre befleckt, mit harten Faustschlägen. Die inzwischen herbeigeeilte Susan erreicht zu guter Letzt aber doch noch die Verzeihung und den nachträglichen Segen ihres Vaters, der sich mit seinem Freund endgültig aussöhnt.

Film: Dies ist ein früher italienisch-spanischer Western, der sehr effektiv in der Gegend außerhalb von Madrid bei Hoyo de Manzanares entstand. Auch wenn die Story der beiden Freunde, die zu Gegnern werden, nicht sehr originell ist, vermag Regisseur Grimaldi, der überwiegend im Komödienfach (z. B. »Il Bello, il brutto, il cretino«) arbeitete, aber auch bei »Starblack« (»Django, schwarzer Gott des Todes«) Regie führte, dem Sujet einige interessante Elemente abzugewinnen: Vor allem der Beginn erinnert an »Die glorreichen Sieben« und ist von beachtlicher Qualität. Am Ende kann der Ältere nicht verhindern, dass der Jüngere gegen seinen Willen seine Tochter bekommt. In einer Nebenrolle kann Aldo Sambrell glänzen, der wunderbare Score ist von einem der Meister des Genres, Nico Fidenco.

Presse: »Sie schießen sich durchs Leben. Doch eines Tages findet der jüngere der Pistolenmänner, dass es an der Zeit ist aufzuhören. Mit dem Geld vom letzten Auftrag und der Tochter des Kameraden möchte er seinen Traum vom friedlichen Leben auf einer eigenen Farm verwirklichen. Der Begleiter, dem er als Revolverkompagnon, nicht aber als Schwiegersohn willkommen ist, gibt ihm am Ende des Films eine gehörige Tracht Prügel, verzichtet aber auf das angekündigte ›Loch zwischen den Augen‹. – Ein europäischer Western, zünftig inszeniert.« *E. Länger,*
Filmecho/Filmwoche Heft 86, 1966

IL RITORNO DI RINGO

Ringo kommt zurück (Regie: Duccio Tessari)

Italien / Spanien 1965
Erstaufführung in Italien: 8. Dezember 1965
Deutscher Start: 28. Oktober 1966

Besetzung: *Montgomery Wood [Giuliano Gemma] (Montgomery Brown, genannt Ringo), Fernando Sancho (Esteban Fuentes), George Martin (Paco Fuentes), Hally Hammond [Lorella De Luca] (Hally Fitzgerald-Brown), Nieves Navarro (Rosita), Antonio Casas (Sheriff Carson), Pajarito [Manuel Muñiz] (Miosotis), Monica Sugranes (Elisabeth Brown), Victor Bayo, Tunet Vila, Juan Torres, José Halufi*

Inhalt: Im Grenzgebiet von Mimbres ist der Teufel los. Paco Fuentes (George Martin), ein brutaler mexikanischer Bandit, hat mit seinen Kumpanen die kleine Stadt besetzt und den Besitz des Hauptmannes Montgomery Brown alias Ringo (Giuliano Gemma) annektiert, seit in der Nähe Gold gefunden wurde. Jeder Widerstand ist erbarmungslos gebrochen und der Sheriff (Antonio Casas) zum unschädlichen Trunkenbold degradiert worden. Und nun trägt sich der Banditenchef mit dem Gedanken, durch eine Heirat mit Hally Brown (Hally Hammond), Ringos Frau, seinen Triumph auszukosten. Das alles erfährt der aus dem Bürgerkrieg zurückkommende Hauptmann Montgomery Brown, bekannt als Ringo und gefürchtet als schnellster Pistolenschütze des Westens, noch vor den Toren seiner Heimatstadt. Seinem Wutausbruch folgt der Entschluss zur Rache.

Ringo verkleidet sich, begibt sich heimlich in die Stadt, besucht den Saloon und fragt als Fremder nach Arbeit. Niemand erkennt ihn. Weder der Sheriff, früher ein ausgezeichneter Pistolenschütze und jetzt unter der Knute von Paco Fuentes dem Alkohol ergeben, noch Miosotis (Pajarito), ein mürrischer Gärtner und Freund der Familie.

Beide verhelfen Ringo zu einer Unterkunft. Dort macht er sich ungestört mit der verteufelten Situation vertraut, beobachtet die Umwelt und wartet auf die Gunst der Stunde, um mit dem Banditen Paco abzurechnen. Als er jedoch seine Frau in Gesellschaft des Mexikaners entdeckt und ein hinzukommendes kleines Mädchen als seine Tochter erkennt, zögert er und ändert seinen Plan. Jetzt will Ringo mehr wissen, alles wissen! Er schleicht nachts in sein eigenes Haus, in dem jetzt Frau und Tochter mit Paco Fuentes wohnen. Von Paco in einem Versteck aufgespürt, greift er noch rechtzeitig genug nach ein paar Wertgegenständen, um sich als Dieb auszuweisen. Und als Dieb wird er auch von dem Mexikaner behandelt. Er stößt ihm ein Messer in die rechte Hand!

Kurz darauf wird Ringo von seiner Frau aufgesucht. Sie nimmt ihm jeden Zweifel an ihrer ehelichen Treue. Beglückt schlägt Ringo vor, mit ihr und der kleinen Tochter zu fliehen und ein neues Leben zu beginnen. Aber Hally hat ein stolzeres Konzept. Sie beschwört ihn, den Terror zu brechen und den Kampf gegen Fuentes und seine Gefolgsmänner mit allen Mitteln aufzunehmen.

Inzwischen inszeniert der Bandit einen makaberen Schwindel. Um Hallys Einverständnis zur Heirat zu erreichen, lässt er einen Sarg, bedeckt mit der amerikanischen Flagge, vorfahren und erklärt den Hauptmann Montgomery Brown, alias Ringo, offiziell für tot.

Weil die rechte Hand, die ihm der Bandit verstümmelte, zum Schießen untauglich geworden ist, hat Ringo die Linke für die Stunde der Abrechnung fit gemacht. Er zieht seine Hauptmannsuniform an und stellt seine Gegner, als sie gerade die Hochzeit seiner vermeintlichen Witwe mit Paco Fuentes zu feiern beginnen.

In einem grandiosen Kampf, unterstützt von wenigen seiner Getreuen, darunter dem Sheriff, der sich rechtzeitig daran erinnert, dass er einen Stern auf der Brust trägt, überwältigt er die Banditen und ihren Boss. Dann holt er sich Frau und Tochter und sein Heim zurück. Die Stadt Mimbres kann wieder aufatmen.

Film: In der einzigen echten Fortsetzung des ersten Ringo-Films sehen wir wieder Giuliano Gem-ma in der Hauptrolle. Doch auch Tessaris neuer Western war eigentlich keine Fortsetzung im eigentlichen Sinn, da der von Giuliano Gemma dargestellte Charakter eine vollkommen eigenständige Figur war, die nichts mit dem Charakter des ersten Ringo-Films zu tun hatte.

Im ersten Film war er ein eher sorgloser, zynischer Abenteurer und in diesem ist er ein Veteran des Bürgerkriegs, ein Mann, der viel durchgemacht hatte und jetzt endlich nach Hause zu seiner Familie zurückkehren wollte.

Dieser Film ist um einiges ernster und melancholischer als der erste und stellt eine wahre Meisterleistung von Duccio Tessari dar. Nach diesem Film sollte es ihm nie wieder gelingen, solch enorme Stimmungen und Gefühle in einer Leone-ähnlichen Art auf die Leinwand zu bringen. Natürlich ist auch in diesem Film wieder das übliche Maß an Gewalt zu sehen, z.B. in einer Szene, in der man Ringos Hand mit einem Messer durchbohrt, da er für einen Dieb gehalten wird.

Übrigens war dies auch der erste Italo-Western, der klassische Mythen in die Handlungsstränge

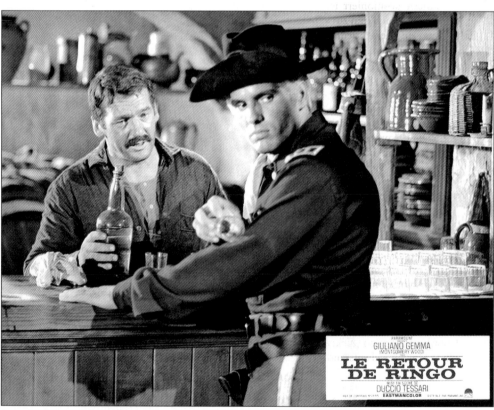

Ungewohnt: Ein blonder Titelheld am Anfang des Films

George Martin und Lorella De Luca

Fernando Sancho und George Martin

transportierte, in diesem Fall Homers »Odysseus«. Mit diesem Streifen gelang es Tessari, der übrigens wieder in der kleinen Rolle eines mexikanischen Banditen zu sehen ist, seine wahren Talente als Regisseur bei der Inszenierung diverser Szenen hervorzubringen. Als Beispiel sei die Szene genannt, in der die Kamera hinter Ringos Schultern positioniert ist und langsam hochfährt um dem Publikum zu zeigen, wo man sich befindet – auf dem Friedhof in der Nähe des Grabes seines Vaters –, und das alles begleitet von einer wunderschönen melancholischen Ennio-Morricone-Melodie.

Auch die Szene, in der Ringo in der Nacht sein altes Haus betritt und sich zum ersten Mal seiner Frau zeigt, ist unglaublich romantisch. Ein Großteil der Besetzung wurde direkt aus dem ersten Film übernommen, inklusive Fernando Sancho als böser Mexikaner. Die schönen und abwechslungsreichen Landschaften wurden wiederum im Süden Spaniens gefunden.

Presse: »Eine oft gefilmte Western-Situation: Eine kleine Stadt wird von Banditen terrorisiert. Der Retter ist diesmal der Erbe eines Patrizierbesitzers, von dem man annimmt, er sei als Hauptmann der Südstaatler im Bürgerkrieg gefallen. Weshalb er gar so lange als Landstreicher auftritt und in dieser Verkleidung Prügel und Demütigungen hinnimmt, wird nie ganz klar, macht aber seine Demaskierung umso effektvoller. Dass der Film nicht in Hollywood entstand, merkt man an vielen Einzelheiten. Der Regisseur Duccio Tessari fällt durch sorgsame Schauspielerführung und überraschende Einstellungen (Kamera: Francisco Marin) auf; er gefällt sich aber in Grausamkeiten und zerdehnt die abschließenden Kampfszenen. Sein Hauptdarsteller Giuliano Gemma wahrt den guten Ruf, der ihm aus ähnlichen Filmen vorangeht.«

Georg Herzberg,
Filmecho/Filmwoche Heft 98, 1966

»Die Handlung ist spannend gemacht, enträt allerdings oft der Logik und psychologischen Glaubwürdigkeit. Ungehemmt verfällt der Film bei entsprechendem Anlass dem Brutalen und Metzelfreudigen. Einige Effekte sind auf rohesten Nervenkitzel angelegt. Nervenstrapazierend ist auch die üppige Geräuschkulisse. Neben der pathetisch-aufdringlichen Musik gibt es ein fatales, ›symbolisch‹ gemeintes Sturmgeheul, das in der zweiten Filmhälfte praktisch zum nimmermüden Hauptdarsteller wird. Sehr gut die Fotografie, höchst gelungen die Typenauslese (Gärtner!), aber überflüssig die eingequirlte Rührseligkeit. Geschmacklosigkeit greift um sich, wenn die stark verwendete religiöse Staffage gegen kommerzielle Liebesnest-Atmosphäre abgesetzt wird. Was des Hauptmanns Selbstjustiz anbelangt, so wird sie – wie in allen ›Ringo‹-Filmen – mit der Entmachtung des legalen Rechts motiviert.«

Günther Bastian,
Film-Dienst FD 14 443

DJANGO

Django (Regie: Sergio Corbucci)

Italien / Spanien 1966
Erstaufführung in Italien: 6. April 1966
Deutscher Start: 2. November 1966

Besetzung: *Franco Nero (Django), Loredana Nusciak (Maria), Eduardo Fajardo (Major Jackson), José Bódalo (General Hugo Rodriguez), Ángel Álvarez (Nataniele), Luciano Rossi (Mann an der Bar), Paul Koslo (Pistolero), Rafael Albaicín (einer von Rodriguez' Männern), Jimmy Douglas [Gino Pernice](Jonathan), Luciano Rossi (Miguel), José Canalejas, Simón Arriaga, Erik Schippers, Giovanni Ivan Scratuglia*

Inhalt: Im Grenzgebiet zwischen den Vereinigten Staaten und Mexiko bekämpfen sich zwei Banditen-Gruppen. Die Bande der »roten Kapuzenmänner« terrorisiert die mexikanische Grenzbevölkerung und wird von dem sadisti-

schen Rassenfanatiker Major Jackson (Eduardo Fajardo) befehligt. Die andere Bande steht unter dem Kommando des nicht weniger grausamen, blutdürstigen und geldgierigen mexikanischen Rebellengenerals Hugo Rodriguez (José Bódalo). Brennpunkt der Kämpfe ist eine kleine, fast schon ganz verlassene Ansiedlung, in der nur noch der Saloon-Besitzer Nataniele (Ángel Álvarez) und seine vier »Damen« ausgeharrt haben. Sie verkaufen ihre Gunst immer an die Banditen, die gerade Herren des Ortes sind. Dorthin kommt eines Tages ein Fremder, der sich Django (Franco Nero) nennt. Er schleppt einen Sarg hinter sich her und wird von Maria (Loredana Nusciak) begleitet, einer jungen Frau, die er soeben aus den Klauen einiger Banditen befreit hat, denen sie entfliehen wollte. Argwöhnisch wird das Paar von Nataniele und den Mädchen empfangen, aber da Django bezahlt, erhalten sie Unterkunft und Essen. Major Jackson kassiert von Nataniele regelmäßig eine Schutzgebühr, aber diesmal kommt er mit vier von seinen Spießgesellen vergeblich; der Saloon-Wirt hat das Geld nicht beisammen. In den entstehenden Streit greift Django ein. Im Handumdrehen sind Jacksons vier Begleiter tot. Der Major muss sich unter Verwünschungen und Racheschwüren zurückziehen.

Wenig später hat er seine gesamte Truppe aufgeboten. Unheimlich mit roten Kapuzen vermummt, reiten etwa vierzig Mann in das Dorf ein. Ruhig erwartet Django sie mitten auf dem Dorfplatz vor dem Saloon hinter einem gefällten Baumstamm, auf seinem Sarg sitzend. Als die Kerle nahe genug heran sind, holt er aus dem Sarg ein Maschinengewehr hervor und mäht die Angreifer nieder. Abermals kann sich Jackson nur mit Mühe von dem mit Leichen übersäten Kampfplatz retten.

Nun dringt General Hugo mit seinen Leuten in den Ort ein. Er und Django sind sich nicht unbekannt, und auch Maria ist dem Rebellenführer keine Fremde. Bald fließt im Saloon der Wein in Strömen. Django führt General Hugo sein Maschinengewehr vor und verrät dem begeisterten Freischärler, dass er noch mehrere solcher Waffen besorgen könne. Dann könnten Hugo und seine

Django und sein berühmtes Maschinengewehr

Eduardo Fajardo als Major Jackson

Männer siegreich nach Mexiko zurückkehren und dort die Macht übernehmen. Man müsse nur Gold beschaffen. Hugo weiß, dass in einem befestigten Grenzlager der mexikanischen Armee viel Gold aufbewahrt wird, auch das Gold Jacksons, seines Todfeindes. Um in die Festung einzudringen, wendet man eine Kriegslist an: Weil Nataniele gewöhnlich einmal in der Woche mit seinen Mädchen in die Festung fährt, benutzt man dessen Pferdekarren. Im Lager begrüßen die Soldaten die vertraute »Mädchenfuhre«, da wird die Plane abgeworfen und das Maschinengewehr rattert los. Mit einem Haufen erbeuteten Goldes kehren Django, General Hugo, Nataniele und einige der mexikanischen Rebellen zurück. Ohnmächtig hatte Major Jackson im Lager die Entführung des Goldschatzes beobachtet; noch wütender ist nun sein Hass auf Django.

Der aber glaubt, dass jetzt seine große Stunde gekommen ist, ihm geht es nur um das Gold. Er täuscht die Wachen, verbirgt die Goldkörner in seinem Sarg und flieht, begleitet von Maria, mit dem Pferdekarren. Aber der Wagen kippt bei der Überquerung einer primitiv gebauten Brücke um. Der Sarg mit seiner Goldladung versinkt im Treibsand. Nur mit Mühe kann Maria Django retten, aber da sind die Verfolger, Hugo und seine Männer, heran und nehmen grausame Rache an Django. Maria wird schwer verletzt, Django bleibt mit Händen, die von Kolbenstößen und Huftritten gebrochen sind, in der Wüsteneinöde zurück.

Auf dem Rückweg gelangt Hugos Bande in einer Felsenschlucht in den Hinterhalt Jacksons und mexikanischer Soldaten. Der General und alle seine Getreuen fallen im Kugelhagel.

Django kehrt mit Maria in seinen Armen in die Siedlung zurück. Der einsam dort noch hausende Nataniele versorgt ihn und Maria. Als Jackson mit fünf Begleitern kommt, kann der Wirt dem Banditenführer gerade noch Djangos Aufforderung übermitteln, zum letzten Duell auf den Friedhof zu kommen. Dann wird er von Jackson niedergeknallt.

Auf dem Friedhof aber kann endlich auch Django an seinem Todfeind Rache nehmen. Obwohl seine Hände keinen Revolver mehr halten können, schickt er Jackson und seine Kerle in den Tod. Dann kehrt er als letzter Überlebender in die Siedlung zurück.

Film: Dank Sergio Corbucci wurde das Jahr 1966 zu einem wichtigen Jahr in der Geschichte des italienischen Western. Damals inszenierte der schon Western-erfahrene Corbucci sein erstes Meisterwerk »Django«, das nicht nur ein Meilenstein in der Geschichte dieses Genres darstellte, sondern auch einen Weltstar aus Franco Nero machte, mit dem er noch unzählige Filme drehte. Corbucci soll einmal gesagt haben: »John Ford hat John Wayne, Sergio Leone hat Clint Eastwood und ich habe Franco Nero.« Dies war zum damaligen Zeitpunkt sicherlich der brutalste Western, der je gedreht wurde. Speziell die Szene, in der einem Mann das Ohr abgeschnitten wird, gehörte zu den krassesten Szenen, die das Kino je gesehen hatte – und wurde 26 Jahre später dann auch von dem Regie-Wunderkind Quentin Tarantino in »Reservoir Dogs« übernommen. Obwohl zwischen Leones »Per un pugno di dollari« (»Für eine Handvoll Dollar«) und »Django« einige Ähnlichkeiten in der Handlung bestehen, unterscheiden sich die beiden Filme klar. Corbucci tendiert dazu, einen düsteren und unheilvollen Western zu schaffen, während Leones Western zwar brutal sind, jedoch in sonniger Landschaft spielt. Corbucci dazu: »Mein Held Django hat viel Sinn für Humor. Er bewegt sich in einem Westen aus Schmutz und Regen, schleift einen Sarg hinter sich her, darin ein Maschinengewehr. Franco Nero war zum ersten Mal im Italo-Western ein neuer Typ: kalt, nicht lächelnd – mit einem Geheimnis. ›Django‹ ist ein schwarzer Western. Seine Grausamkeit hat mir den Ruf eines neuen Barbaren und Sadisten eingebracht.« Die Stadt in »Django« (Elios Film Studios) ist unheimlich schlammig und dreckig und der darüberliegende Himmel fortwährend von dunklen Wolken verhangen – fast wie in einem gotischen Horrorfilm. Die Hängebrücke außerhalb der Stadt wirkt wie ein Symbol für die beiden Seiten – Leben und Tod. Der Haupt- und Titelcharakter ist ebenfalls finster, spricht nur wenig in kurzen düsteren Sätzen. Im Vergleich zu den üblichen Helden kennt er keine Zurückhaltung, wenn es darum geht, Leute zu töten oder Gold zu stehlen. Er ist der verkörperte Antiheld, komplett ohne Skrupel und das komplette Gegenteil von Sergio Leones Mann ohne Namen. Die Bösen sind noch böser als sonst, verrückte Rassenfanatiker. Allen voran der von Eduardo Fajardo dargestellte Major Jackson und sein mexikanisches Pendant General Hugo Rodriguez, dargestellt von José Bódalo. Klar, dass in dieser dunklen und bösen Welt die Brutalität surrealistische Dimensionen annimmt. Außer in der Szene mit dem abgeschnittenen Ohr kann man dies in der Szene begutachten, in der Django zuerst beide Hände zertrümmert werden, über die anschließend noch die Banditen mit ihren Pferden drüberreiten. Trotz seiner kaputten Hände ist es Django im berühmten Ende des Films auf dem Friedhof möglich, seine letzten Feinde unschädlich zu machen. Die Musik zu diesem Film stammt von Luis Enriquez Bacalov, der ein sehr melodiöses Titelthema schuf, dessen von Rocky Roberts gesungene Version dann auch zum Hit wurde. Der Film wurde zum Großteil in der Umgebung von Rom und in den Elios Film Studios gedreht mit ein paar kurzen Einstellungen, die in der Umgebung von Madrid entstanden.

FRANCO NERO
in
DJANGO
DER ERSTE
DER ECHTE
DER BESTE

Django in »Action«

Presse: »Hier scheint jeder der drei Drehbuchautoren todeswütiger als der andere gewesen zu sein, denn die Leichenberge wachsen ständig. An Blutrünstigkeit kann es die europäische Westernproduktion mit dem amerikanischen Ahnherrn nicht nur aufnehmen, sondern stellt ihn bei weitem in den Schatten. Django ist ein Einzelgänger. Er zieht mit einem Sarg, den er an einem Strick mühsam hinter sich her schleift, längs der amerikanischen und mexikanischen Grenze, bis er es endlich geschafft hat, zwischen zwei konkurrierenden Gangsterbanden zu stehen, die dieses traurige Gebiet noch trostloser und liebloser machen. So sieht es wenigstens die Kamera (Enzo Barboni), für die im Widerspruch zu dem sonnig-heißen Mexiko die ganze Gegend nur aus einem schmierigen Lehmbrei im stetigen Ockerton besteht. Dieser Django also dezimiert mit seinem Sarg, in dem sich ein aus vielen Rohren schießendes MG befindet, planmäßig die Gangster hüben und drüben.

Dramaturgischer Mittelpunkt für das blutige Geschehen ist ein einsamer Saloon, in dem eine Schar von Damen sich für die Flintenhelden zum Ausgleichssport bereithält. Franco Nero spielt den Django mit der stoischen Gekünsteltheit des passiven Helden, während José Bodalo einen mexikanischen Rebellengeneral mit südländischem Getöse und Eduardo Fajardo einen sadistischen Rassisten mit grimmiger Brutalität verkörpert. Loredana Nusciak stellt eine getretene Frau mit gequältem Heiligenblick dar. Was an der Handlung und wen der Darsteller man auch nimmt – alles ist zu übertrieben und hochgespielt.«

Bert Markus,
Filmecho/Filmwoche Heft 89, 1966

»›Django‹ von Sergio Corbucci ist nach den Western Leones der Höhepunkt der italienischen Westernwelle. Hier sind die Zentralthemen des amerikanischen Western, besonders der Anthony Manns, auf ihre Essenz reduziert. Ein dubioser, bis zum Schluss undurchschaubarer Held will sich in den Besitz einer großen Menge Goldes bringen; er rächt sich an einem fanatischen, rassenhetzerischen Major, der vermutlich in den Wirren des Krieges seine Frau erschossen hat, nur weil sie Mexikanerin war (auf ihrem Grabeskreuz postiert er seine Pistole zum Showdown); und er begegnet einer etwas zweifelhaften Frau, mit der er später vermutlich zusammenleben wird. Gestrichen wurde vollständig: die verquere Religiosität, die den ›adult western‹ Ende der vierziger und während der fünfziger Jahre oft so verdarb; die folkloristische Lyrik, in die sich ihres legendenhaften Charakters wegen die rückgewandte Utopie rettete; die Naturverherrlichung, die den Gesang auf das ›wide open country‹ nicht laut genug anstimmen konnte; vor allem aber das pseudophilosophische Geplausche, mit dem die Protagonisten oft die Zeit zwischen zwei Aktionen zu füllen hatten und mit dem sie ihre Taten nachträglich rechtfertigten.

Die reine Aktion dominiert; der italienische Western ist, wie einige seiner Regisseure in einem Symposion in der Zeitschrift ›L'Europeo‹ bekundeten, nichts anderes als eine dramaturgisch bis ins letzte ausgeklügelte Abfolge von Showdowns. Die historische Situation wird zwar präzisiert und bildet auch den ›Aufhänger‹ für die folgenden Auseinandersetzungen, aber sie ist nicht mehr als die Exposition im klassischen Drama. Nur wird hier jeder Anflug tatsächlicher Tragik vermieden. Die Personen kämpfen nicht mit Schicksalsmächten, sondern haben – wie z.B. Kirk Douglas in Raoul Walshs ›Along the Great Divide‹ – einen selbstgewählten Auftrag zu erfüllen. Die italienischen Western-Regisseure setzen imgrunde nur fort, was Anthony Mann, der mit dem Militär nie viel anfangen konnte und auch die typischen Westerner-Tugenden durch puritanisch-frühbürgerliche ersetzte, in seinen Filmen begann: die historisch verbrämte Darstellung der kapitalistischen Tauschwelt.

Django ist – wie der von Gary Cooper verkörperte ›Man of the West‹ – ein Held mit zweifelhafter Vergangenheit. Coopers einzige Triebfeder ist der Wunsch, das Geld in seinen Besitz zu bringen. Dass er damit der Gemeinde, in der er lebt, die neue ›Lehrerin‹ kaufen will, sagt weniger über seinen Ehrenkodex als über das Bewusstsein der Dorfbewohner aus, die glauben, dass Geld der größte Anreiz für die potentielle Lehrerin sein muss. In ›Django‹ wird auf ein ethisches Motiv verzichtet, der Held will sich selbst bereichern. Dazu versucht er sogar, seinen langjährigen Freund zu bestehlen, der ihm und dem er einst das Leben gerettet hat. (Das Zerbrechen der Freundschaft findet sich auch in Manns ›Man of the West‹ und Brooks' ›The Last Hunt‹ sowie dessen ›Professionals‹.) Das bedeutet: Sobald der folkloristische oder militaristische Zierat vom Western abfällt, tritt der wahre Charakter der Helden in nudo hervor.

Das Schlussduell auf dem Friedhof

Wichtig wird dann nicht mehr die ›Gesinnung‹ oder die ›Ideologie‹ des Westerners, sondern seine pure Selbstbestätigung, sein Überleben. Darum auch die ballettartige Handhabung des Colts. Dass Django dem Ehrenkodex des Duells nicht gehorcht, sondern mit einem Schnellfeuergeschütz die Angreifer reihenweise niedermäht, ist, wie die Ermordung von einem halben Dutzend Gegnern gleichzeitig, keine Angelegenheit eines fehlenden moralischen Bewusstseins, sondern der Hang zum bloßen Überleben. Corbucci betont noch die manieristische Grundhaltung, mit der er die Stereotypen des Westerns einsetzt. Er rekonstruiert nicht ein Dorf, um atmosphärische Dichte zu erzeugen oder den Zuschauer durch sentimental-geladene Einstellungen zur Identifikation anzuhalten. Die Spannung der einzelnen Sequenzen kulminiert jeweils in einer Schießorgie, wie man sie sonst nur in Dokumentarfilmen über den Zweiten Weltkrieg sah. Bei einer Reinigung von den Beiläufigkeiten mussten selbstverständlich die Standard-Themen des Genres deutlich erkennbar werden. In den genau abgezirkelten Bewegungen von Handlung und Personen tritt uns ein ›entideologisierter‹ Westerner entgegen. Entideologisiert insofern, als er seine wahren Absichten nicht mehr zu kaschieren versucht, sondern sie noch betont. – Die Freiwillige Selbstkontrolle hat an mehreren Stellen geschnitten, vermutlich weil sie die berüchtigte ›verrohende Wirkung‹ befürchtete. Da Corbucci aber die Brutalität der Geschehnisse und Personen nirgends übertüncht, sondern als solche darstellt, sind diese Spekulationen abwegig. Man kann zwar den letzten Wert eines Films wie ›Django‹ füglich bezweifeln, man sollte nur nicht ignorieren, dass hier nur fortgeführt wird und in ›reinerer‹ Form praktiziert wird, was schon immer dem Genre immanent war. Schließlich ist ›Django‹ nur ein Schritt zu einem ›realistischeren‹ Western, denn seine ästhetische Struktur wird für den Betrachter immer durchsichtig. Damit haben wir auch das Paradoxon am italienischen Western: Er mag wegen seiner kommerziellen Einträglichkeit genau wie die amerikanische ›Schwarze Serie‹ von 1940 bis 1953 ein gewisses Zeitgefühl treffen; aber je deutlicher er seine Herkunft betont, desto mehr wird er eine eigenständige Existenz erreichen. Auch im amerikanischen Western gibt es tausende schlechter Beispiele für das Genre, warum soll das für den italienischen nicht gelten? Das hindert aber nicht, die besten Exemplare der neuen Spielart zu schätzen. Die Kunst der Manieristen ist nicht vorab abschätzig zu beurteilen.«

Franz Schöler,
Film 2/1967: Quintessenzen – hart serviert

»Ein Western der ›harten Welle‹, wie sie mit ›Für eine Handvoll Dollar‹ (FD 13307) und ›Für ein paar Dollar mehr‹ (FD 13989) in italienischen Ateliers begonnen hat und der USA-Produktion auf dem Weltmarkt Konkurrenz macht. Im Mittelpunkt steht der einsame, mehr oder weniger zwielichtige Unbekannte, dessen Bild zwischen Zuneigung und Abscheu schwankt. Er übertritt mit derselben Selbstverständlichkeit die Gesetze, wie er im nächsten Augenblick wieder dafür eintritt, so wie er sein strahlendes Heldentum zunächst mit schmutziger und zerlumpter Kleidung tarnt.

Er scheint keine Furcht, aber auch keine andere menschliche Regung zu kennen. Seine gelassene Haltung steht in seltsamem Gegensatz zu dem Tempo und der Dichte der Handlung. Die karge Landschaft Zentralspaniens unterstreicht die eigentümliche Atmosphäre. Unbehagen an dem sonst gut gebauten Western aus einer europäischen Filmfabrik verursachen seine starken Grausamkeiten.«

Wilhelm Bettecken,
Film-Dienst FD 14 393

JOHNNY ORO

Ringo mit den goldenen Pistolen (Regie: Sergio Corbucci)

Italien 1965
Erstaufführung in Italien: 15. Juli 1966
Deutscher Start: 20. Dezember 1966

Besetzung: *Mark Damon (Johnny Oro, in der deutschen Fassung Ringo), Valeria Fabrizi (Margie), Franco De Rosa (Juanito Perez), Giulia Rubini (Jane Norton), Loris Loddi (Stan Norton), Andrea Aureli (Gilmore), Pippo Starnazza (Matt), Ettore Manni (Sheriff), Nino Vingelli, John Bartha, Vittorio Bonos, Bruno Scipioni, Silvana Bacci, Giulio Maculani, Giovanni Cianfriglia, Evaristo Signorini, Lucio De Santis, Ivan Basta, Francesco Figlia, Amerigo Castrichella*

Inhalt: In einer mexikanischen Kirche nahe der texanischen Grenze wird Paco, einer der berüchtigten Perez-Brüder, mit Manuela Rodriguez getraut. Die Perez-Bande terrorisiert die Gegend seit Jahren, hat aber in dem Einzelgänger Ringo (Mark Damon), einem treffsicheren Revolvermann, einen unversöhnlichen Gegner. Ringo gilt als »Kopfgeldjäger« – wer immer vom Gesetz wegen begangener Straftaten verfolgt wird, muss mit Ringo rechnen. Und Ringo reizt die Abschussprämie, seine Kugeln verfehlen nie ihr Ziel. Die Trauung neigt sich ihrem Ende zu, da ertönen peitschende Revolverschüsse. Wieder einmal hat Ringo zugeschlagen und sich die Prämien für die Perez-Köpfe gesichert. Lediglich Juanito Perez (Franco De Rosa), der Jüngste der Familie, bleibt von Ringos goldener Pistole verschont – zu diesem Zeitpunkt ist auf seinen Kopf noch keine Prämie ausgesetzt.

Obwohl Ringo gegen Gangster und somit für das Gesetz kämpft, sehen ihn die Sheriffs der ganzen Umgebung ungern in ihrer Gemeinde; zu oft hat er ihnen durch sein voreiliges Handeln Scherereien bereitet. Der Alcalde von Barrancos fordert ihn deshalb unmissverständlich auf, die Stadt zu verlassen. Ringo landet in der Grenzstadt von Coldstone, wo ihn Sheriff Norton (Loris Loddi) nicht gerade freundlich begrüßt.

Mark Damon in der Rolle des Ringo

Ringos durstige Kehle führt ihn ohne Umwege in die Schankstube Gilmores (Andrea Aureli), einer zwielichtigen Figur. Hinter vorgehaltener Hand flüstert man sich zu, dass Gilmore wegen Waffenschmuggels mit den Brüdern Perez in Verbindung stehe.

Überrascht blickt Ringo auf den Eingang der Bar – Margie (Valeria Fabrizi), seine frühere Freundin, betritt den Raum und startet sogleich eine lustige Plänkelei mit Ringo. Matt (Pippo Starnazza), ein bewährter Gefängnisinsasse, gesellt sich dazu, aber er ist im Grunde genommen eine harmlose Natur. Unerklärliche Spannung macht sich breit, als neue Gäste eintreffen – drei Mexikaner mit einer Gitarre, offensichtlich unbewaffnet. Doch Ringo erkennt die Falle: In Wirklichkeit handelt es sich bei den drei Männern um Mitglieder der Perez-Bande, sie wollen die toten Brüder rächen! Bevor sie jedoch ihre versteckten Waffen schussbereit in den Händen halten, reagiert Ringo blitzschnell: Eine Explosion wie nach dem Wurf eines Molotow-Cocktails verwandelt die Szenerie in ein Chaos, Schmerzensschreie ertönen, niemand weiß genau, was eigentlich passiert ist. Außer Ringo ... In Vorahnung eines gegnerischen Hinterhalts hatte er sich, zur großen Verblüffung aller Anwesenden, in seiner Feldflasche ein tolles Gemix aus Wasser, Whiskey, Mostrich, Milch und Tobasco-Sauce zusammengebraut. Die Wirkung bekamen die drei Gangster zu spüren. Wieder einmal ist Kopfgeld fällig. In der Nähe von Barrancos nutzen Juanito Perez und seine Spießgesellen eine unübersichtliche Situation, Ringo zu erledigen. Doch der ist auf der Hut und demütigt den jüngsten Perez, indem er ihn auf sein Pferd zwingt und nach Coldstone reitet. Sheriff Norton macht Ringo klar, dass er ihn in Haft nehmen müsse wegen unerlaubten Waffenbesitzes. Der Prämienjäger legt seine goldene Pistole zur Seite und lässt sich widerstandslos in die Zelle führen, wo ihm Leidensgefährte Matt ausführlich von den Goldschätzen erzählt, die einst die Perez-Bande geraubt und versteckt hat. Ringo macht sich seine Gedanken.

Inzwischen fordert Juanito Perez vom Sheriff die Auslieferung Ringos, andernfalls werde er sich mit seinen Getreuen den Apachen anschließen und Coldstone dem Erdboden gleichmachen. Trotz der Gefahr für seine Gemeinde lehnt der Sheriff das Ansinnen ab: Das Gesetz verlangt, dass Ringo seine Haft verbüßt und dabei bleibt es! Als der vorgesehene Nachfolger für Norton, Sheriff

Bullet, in die Stadt reitet, stockt den Bewohnern Coldstones der Atem: Bullet ist tot – ermordet von Juanitos Leuten! Erregt fordern Gilmore und zahlreiche andere Bürger die Herausgabe Ringos, um die Stadt nicht weiter zu gefährden, aber Sheriff Norton bleibt hart: Er liefert den Häftling nicht aus.

Slim, einer der Einwohner, soll dem Gegner die bevorstehende Auslieferung Ringos ankündigen und dadurch das drohende Gemetzel abzuwenden versuchen. Ehe er jedoch zurückkehrt, wird die Lage kritisch – Panik greift um sich, Sheriff Norton sieht sich im Stich gelassen. Notgedrungen lässt er die beiden Häftlinge frei und stimmt der Bitte seines Sohnes Stan zu, zum Fort Traverse reiten zu dürfen, um Armeeunterstützung anzufordern.

Stan hat Pech, er fällt Juanitos angriffsfreudigen Revolverhelden in die Hände und wird als Geisel benutzt. Die Indianer stürmen heran, ihre Übermacht scheint erdrückend. Einen Augenblick hat Ringo nicht aufgepasst, da steht sein Todfeind Juanito vor ihm, Stan ist sein Faustpfand. Zynisch verspricht der Bandit dem unbeweglichen Ringo ein baldiges Wiedersehen mit den Perez-Brüdern. Es ist nur eine Frage von Sekunden, wann die tödlichen Schüsse fallen. Mit seiner scheinbaren Ergebenheit hat Ringo sein Gegenüber getäuscht – ein Trick, und Juanito brüllt vor Schmerz auf! Ringo bemächtigt sich wieder seiner goldenen Pistole und lässt mit jedem Schuss immer weniger Zweifel offen, welche Seite die pulvergeschwärzte Arena als Sieger verlassen wird. Der Sheriff bedankt sich bei dem kaltblütigen Schützen: In Coldstone wird immer Platz für ihn sein, außerhalb des Gefängnisses.

Film: Dieser eher ruhige Film von Sergio Corbucci mit Mark Damon in der Hauptrolle hat mit den Ringo-Filmen Duccio Tessaris nichts gemeinsam. Alles in allem ein sehr befriedigender, wenn auch nicht sehr spektakulärer Western von Sergio Corbucci, der dem amerikanischen Western-Muster näher ist als dem typischen italienischen. Einige Szenen beeindrucken wie z.B. das Anfangsduell sowie das Schlussduell zwischen Mark Damon und Franco Derosa: Juanito Perez (Derosa) tritt mit dem kleinen Sohn des Sheriffs als Geisel hervor und befiehlt Ringo (Damon) seinen Colt wegzuwerfen, bevor er anfängt auf Ringo zu schießen. Gerade bevor er den tödlichen letzten Schuss auf Ringo abfeuert, gelingt es diesem mit

Hilfe seines goldenen Zigarrenhalters Perez zu blenden und in einem Sekundenbruchteil nach seinem am Boden liegenden Colt zu hechten und Perez mit einem gezielten Schuss zu töten.

Eine Einstellung wird später in »Navajo Joe« wiederholt, und zwar die Ermordung Gilmores durch den geworfenen Tomahawk von Apachenhäuptling Sebastian. Die Darsteller sind nett anzusehen, besonders Mark Damon macht, ganz in Schwarz gekleidet, eine sehr gute Figur, wenn auch mit einem ziemlich ungewohnten Ansatz eines Oberlippenbartes. Die beiden Frauen im Film sind ebenfalls ein Lichtblick. Die Landschaften sind pittoresk, wiederholen sich jedoch ziemlich oft. Bis auf die mehrmals verwendeten Felsenlandschaften, die sich vermutlich außerhalb Roms befinden, findet der Großteil der Handlung in der Kulissenstadt der Elios Studios bei Rom statt. Die Musik von Carlo Savina geht leicht ins Ohr, besonders die wunderbaren Trompetensoli, die stark an Ennio Morricones »Dollar«-Kompositionen erinnern. Mark Damon spielte übrigens einen ähnlichen Charakter in dem von Romolo Girolami inszenierten Western »Johnny Yuma«.

Presse: »Diesmal spielt Ringo einen gewissermaßen lizenzierten Berufs-Killer: Er verdient sich die Kopfprämien, die diesseits und jenseits der mexikanisch-amerikanischen Grenze auf Banditen ausgesetzt werden. Das Geschäft scheint recht gut zu gehen. Als Gegenspieler hat er den letzten und gefährlichsten Spross einer Verbrecher-Dynastie und einen wackeren Sheriff, dem das Recht sogar über die Sicherheit der eigenen Familie geht. Das ergab eine Reihe spannender Einzelszenen; die Gesamtwirkung wird aber durch die Zerdehnung einer Straßenschlacht beeinträchtigt, in der sich die Leichen der bösen Angreifer zu Bergen stapeln, die vier Verteidiger aber mit insgesamt einem Streifschuss davonkommen. Merkwürdig flau ist die Farbfotografie; es ist wie immer für den Außenstehenden schwer zu sagen, ob es am Negativ liegt oder an der Kopie.«

Georg Herzberg,
Filmecho/Filmwoche Heft 2, 1967

»Die ›Ringo‹-Western haben neben ihrem Hang zu ausgekosteten Härten auch eine starke Neigung zu verwischten Rechtsauffassungen. Entweder wird der Privatjustiz das Wort geredet oder der für das Recht eintretende Held praktiziert im Mantel der Legalität moralisch defekte Übergriffe. Eine zwielichtige Figur ist auch der ›Ringo‹ dieses wiederum im texanisch-mexikanischen Grenzgebiet spielenden Films. Eine von Brüdern geführte Bande terrorisiert Land und Menschen. Der Schießkünstler Ringo dezimiert die verbrecherische Gruppe. Das Eintreten für das Recht ist für Ringo immer interessant, wenn ein Kopfgeld ausgesetzt ist. ›Abschlussprämie‹ ist auch fällig, als Ringo unter den führenden Brüdern der Bande ›aufräumt‹ und nur einen verschont, weil es für den noch keine Prämie gibt. Das wirft erstens ein fatales Schlaglicht auf die Rechtsgesinnung des Revolvermannes; zum anderen ist mit dieser ›Schonung‹ der dramaturgischen Notwendigkeit Genüge getan, Ringo einen rachedurstigen Gegner beizugesellen. Denn als Ringo vom Sheriff wegen unerlaubten Waffenbesitzes (!) in Haft genommen wird, verlangt der Geschonte unter massiven Drohungen Ringos Auslieferung. Doch der Sheriff wehrt das Ansinnen sogar ab, als die Bande unter Führung des Geschonten sich mit Indianern zum Sturm auf die Stadt verbündet. Als Gewalttaten das Schlimmste signalisieren, sieht auch der gesetzestreue Sheriff ein, dass ›Elastizität‹ besser ist als das Gesetz und lässt den Liebhaber von Kopfgeldprämien frei, der selbstverständlich nach genreüblichen Verwicklungen und Effekten die heikle Situation »bereinigt« und des bekehrten Sheriffs Dank und Anerkennung kassieren kann. – Das innere Wertgefüge der Figuren hat allenfalls den ›Reiz des Fragwürdigen‹. Verbunden ist das mit einer Reihe von Sequenzen, in denen ein niedriger Kurswert des Lebens demonstriert wird. Die Machart ist fast von reißerischer Perfektion und auch darstellerisch ist der Film sehr bemüht.«

Bas.,
Film-Dienst FD 14 474

Ettore Manni und Mark Damon

DAS FILMJAHR 1967

ITALO-WESTERN-FILMSTARTS IN DEUTSCHEN KINOS 1967

* L'uomo dalla pistola d'oro (Der Mann, der kam, um zu töten) – Regie: Alfonso Balcázar – BRD-Start: 11.1.1967

* Una bara per lo sceriffo (Eine Bahre für den Sheriff) – Regie: Mario Caiano – BRD-Start: 21.1.1967

* The bounty killer (Ohne Dollar keinen Sarg) – Regie: Eugenio Martín – BRD-Start: 9.2.1967

* Un fiume di dollari (Eine Flut von Dollars) – Regie: Carlo Lizzani – BRD-Start: 10.2.1967

* Texas, addio (Django, der Rächer) – Regie: Ferdinando Baldi – BRD-Start: 17.2.1867

* Arizona Colt (Arizona Colt) – Regie: Michele Lupo – BRD-Start: 24.2.1967

* Uccidi o muori (Für eine Handvoll Blei) – Regie: Tanio Boccia – BRD-Start: 10.3.1967

* Massacro al Grande Canyon (Keinen Cent für Ringos Kopf) – Regie: Sergio Corbucci – BRD-Start: 10.3.1967

* Un dollaro di fuoco (Keinen Dollar für dein Leben) – Regie: Nick Nostro – BRD-Start: 7.3.1967

* I quattro inesorabili (Die vier Geier der Sierra Nevada) – Regie: Primo Zeglio – BRD-Start: 14.4.1967

* Per il gusto di uccidere (Lanky Fellow – der einsame Rächer) – Regie: Tonino Valerii – BRD-Start: 25.4.1967

* Navajo Joe (Navajo Joe) – Regie: Sergio Corbucci – BRD-Start: 27.4.1967

* Wanted (Wanted – Für drei lumpige Dollar) – Regie: Giorgio Ferroni – BRD-Start: 27.4.1967

* Deguejo (Für Dollars ins Jenseits) – Regie: Giuseppe Vari – BRD-Start: 28.4.1967

* Se sei vivo spara (Töte, Django) – Regie: Giulio Questi – BRD-Start: 3.5.1967

* Johnny Yuma (Johnny Yuma) – Regie: Romolo Girolami – BRD-Start: 5.5.1967

* Le colt cantarono la morte e fu ... tempo di massacro (Django – sein Gesangbuch war der Colt) – Regie: L. Fulci – BRD-Start: 12.5.1967

* Per pochi dollari ancora (Tampeko) – Regie: Giorgio Ferroni – BRD-Start: 26.5.1967

* Dos pistolas gemelas (6 Kugeln für Gringo) – Regie: Rafael Romero Marchent – BRD-Start: 23.6.1967

* 2 once di piombo (Jonny Madoc) – Regie: Maurizio Lucidi – BRD-Start: 23.6.1967

* La resa dei conti (Der Gehetzte der Sierra Madre) – Regie: Sergio Sollima – BRD-Start: 27.6.1967

* Tre dollari di piombo (Für drei Dollar Blei) – Regie: Pino Mercanti – BRD-Start: 1.7.1967

* Perché uccidi ancora? (Jetzt sprechen die Pistolen) – Regie: Edoardo Mulargia, José Antonio De La Loma – BRD-Start: 7.7.1967

* Il magnifico straniero (Maledetto Gringo) – Regie: Herschel Daugherty, Justus Addiss – BRD-Start: 7.7.1967

* Johnny West il mancino (Johnny West und die verwegenen Drei) – Regie: Gianfranco Parolini – BRD-Start: 21.7.1967

* I lunghi giorni della vendetta (Der lange Tag der Rache) – Regie: Florestano Vancini – BRD-Start: 21.7.1967

* Requiescant (Mögen sie in Frieden ruh'n) – Regie: Carlo Lizzani – BRD-Start: 28.7.1967

* Mille dollari sul nero (Sartana) – Regie: Alberto Cardone – BRD-Start: 28.7.1967

* Le maledette pistole di Dallas (Die verdammten Pistolen von Dallas) – Regie: José María Zabalza, Pino Mercanti – BRD-Start: 15.8.1967

* 30 Winchester per El Diablo (30 Winchester für El Diabolo) – Regie: Gianfranco Baldanello – BRD-Start: 25.8.1967

* I 5 della vendetta (Die unerbittlichen Fünf) – Regie: Aldo Florio – BRD-Start: 25.8.1967

* El Cisco (El Cisco) – Regie: Sergio Bergonzelli – BRD-Start: 25.8.1967

* Un poker di pistole (Poker mit Pistolen) – Regie: Giuseppe Vari – BRD-Start: 14.9.1967

* Yankee (Yankee) – Regie: Tinto Brass – BRD-Start: 12.10.1967

* Un dollaro tra i denti (Ein Dollar zwischen den Zähnen) – Regie: Luigi Vanzi – BRD-Start: 13.10.1967

* L'uomo che viene da Canyon City (Die Todesminen von Canyon City) –
Regie: Alfonso Balcázar – BRD-Start: 19.10.1967

* Ballata per un pistolero (Rocco – der Einzelgänger von Alamo) – Regie: Alfio Caltabiano – BRD-Start: 3.11.1967

* West and Soda (Der wildeste Westen) – Regie: Bruno Bozzetto – BRD-Start: 1.12.1967

* Pecos è qui: prega e muori (Jonny Madoc rechnet ab) – Regie: Maurizio Lucidi – BRD-Start: 8.12.1967

* Il buono, il brutto, il cattivo (Zwei glorreiche Halunken) – Regie: Sergio Leone – BRD-Start: 15.12.1967

Dreharbeiten zum Film »Il buono, il brutto, il cattivo« in der Nähe von Contreras

UNA BARA PER LO SCERIFFO

Eine Bahre für den Sheriff (Regie: Mario Caiano)

Italien / Spanien 1965
Erstaufführung in Italien: 23. Dezember 1965
Deutscher Start: 21. Januar 1967

Besetzung: *Anthony Steffen [Antonio De Teffè] ((Joe Logan, genannt Texas-Joe), Eduardo Fajardo (Murder), Luciana Gilli (Mrs. Wilson), Arthur Kent [Arturo Dominici] (Rechtsanwalt Krueger), Bob Johnson, Maria Vico, Jesus Tordesillas, Fulvia Franco (Lulù Belle), Armando Calvo (Lupe Rojo), Jorge Rigaud (Wilson), Miguel Del Castillo, Santiago Rivero, Rafael Vaquero, Frank Braña*

Inhalt: Texas-Joe (Anthony Steffen) steckt seinen Sheriff-Stern in die Tasche. Mit dieser Handbewegung schiebt er alles weg, was ihn verpflichtet, das Gesetz in Texas zu hüten und zu wahren. Das Schicksal seiner Frau macht es ihm unmöglich, weiter Sheriff zu sein. Sie wurde überfallen, vergewaltigt und ermordet. Texas-Joe schwört all denen Blutrache, die beim Überfall auf die Postkutsche den Tod seiner Frau verschuldeten.

Fortan steht sein Leben im Zeichen der erbarmungslosen Jagd der Rojo-Bande. In Richmond gelingt es ihm, sich selbst als Mitglied in diese Bande einzuschleusen. Seine Bewährungsprobe unter Aufsicht der Banden-Bosse ist ein Duell mit dem besten Schützen aus Rojos Killer-Bande. Die größte List entscheidet hier die Frage des Siegers. Texas-Joe erledigt seinen Gegner kaltblütig und wird nunmehr als Bandit anerkannt.

Aber der Colt von Texas-Joe richtet sich gegen die Bande. Wer sich ihm von den Banditen allein in den Weg stellt, wird erschossen. Der Ex-Sheriff kennt keine Gnade. Als die Bande den Überfall auf die Ranch seines Freundes vorbereitet, warnt er diesen vor dem Angriff. Der Feuerüberfall auf die Ranch endet mit einer furchtbaren Niederlage der Bande, die für ihre vielen Toten keinen einzigen Dollar Beute machen kann.

Der Verrat ist klar. Der Verräter kann nur Texas-Joe sein. Das Feme-Urteil der Bande verlangt die Folter. Texas-Joe wird zusammengeschlagen, bis ihn eine Ohnmacht von den grausamen Marter-Qualen erlöst. Als Texas-Joe wieder bei

Sinnen ist, muss er mit gefesselten Händen zusehen, wie Murder die Tochter seines Freundes zu vergewaltigen versucht, um von ihr seinen richtigen Namen zu erfahren. Aber das junge Mädchen setzt lieber seine Ehre aufs Spiel, als dass es Texas-Joe verrät. Am Kaminfeuer gelingt es Texas-Joe, seine Handfessel zu durchbrennen. Er befreit die Tochter seines Freundes in einem Kampf auf Leben und Tod. Nur Murder rettet sich mit einem Sprung durch das Fenster vor der Rache von Texas-Joe. Aber seine Flucht ist vergebens. Im Saloon von Richmond ereilt auch ihn das Schicksal. Texas-Joes Rachedurst ist gestillt. Er greift zum Sheriff-Stern in seiner Tasche und wirft ihn in den Dorfbrunnen. Das Recht steht nicht mehr auf seiner Seite – aber noch heute lobt die Legende des Westens ihn als den Mann, dem die Liebe zu seiner Frau eigene Gesetze schrieb.

Film: Nach einigen eher dem amerikanischen Modell angelehnten Western wie »Il segno di Zorro« (»Zorro, der Mann mit den zwei Gesichtern«), »Il segno del Coyote« (»Mit Colt und Maske«) und dem Parallelprodukt zu Leones Erstlingswestern schuf Mario Caiano mit »Una bara per lo sceriffo« (»Eine Bahre für den Sheriff«) endlich einen typischen Italo-Western, der alle wichtigen Merkmale dieses Genres aufwies.

Ein von Anthony Steffen dargestellter eiskalter Rächer, der genüsslich eine Bande von Verbrechern niedermetzelt, die seine Frau auf dem Gewissen hatten. Dies stellte die erste Zusammenarbeit Caianos mit dem Südamerikaner De Teffé dar, danach folgten noch einige interessante Projekte wie »Ringo il volto della vendetta« (»Den Colt im Genick«) und »Il suo nome gridava vendetta« (»Django spricht das Nachtgebet«). Die tolle Musik von Francesco De Masi, dem neben Morricone und Nicolai wohl profiliertesten Komponisten dieses Genres, tut ein Übriges, um diesen Film über das Mittelmaß zu heben. Als Hauptbösewicht brilliert Eduardo Fajardo, der später im Film »Django« zu Ehren kommen sollte. Am meisten gefällt an diesem Film das ausgesprochen schnelle Tempo, das niemals Langeweile aufkommen lässt und die Action in toller spanischer Landschaft (meist außerhalb von Madrid) einfängt.

Presse: »Dieser italienisch-spanische Western ist wieder ein gutes Beispiel für die Perfektion, mit der die Mittelmeernationen die Mechanismen der verschiedenen Western-Kategorien beherrschen.

›Eine Bahre für den Sheriff‹ funktioniert nach dem Grundmuster des unvermutet auftauchenden Räubers. Er nennt sich Texas-Joe und wird als mysteriöse, aber sympathisch-nervenstarke und

Anthony Steffen als Joe Logan

äußerst schlagkräftige Gestalt eingeführt. Niemand weiß, wer er wirklich ist, woher er kommt und was er will. Also begegnet man ihm allseits mit Misstrauen. Vor allem eine in den Bergen hausende Banditen-Gruppe unter der Führung eines steckbrieflich gesuchten Gangsters.

Joe will von den Banditen in ihre Reihen aufgenommen werden: Dazu muss er eine sadistische Mutprobe absolvieren, die zu einem der dramatischen Höhepunkte des Films wird. Bald stellt sich jedoch heraus, dass Joe nur bei den Banditen eingedrungen ist, um sie auszurotten. In Wahrheit ist er ein Sheriff, der seine von den Gangstern vergewaltigte und ermordete Frau rächen will.

Besonders gelungen an diesem mit schönen Landschafts- und Reiteraufnahmen gespickten Film ist sein hervorragender Rhythmus, der niemals einen Moment der Langeweile aufkommen lässt. Zwar ist der Titel völlig beziehungslos, und es gibt auch einige Passagen, deren Logik nicht zwingend ist.

Dennoch ist dies ein Film, der durch gute Farbqualität, bestechende Darstellung vor allem des Hauptdarstellers Anthony Steffen und durch sein Tempo beeindruckt.« *Klaus U. Reinke*
Filmecho/Filmwoche Heft 10, 1967

Frank Braña beim Kartenspiel

Eduardo Fajardo erfährt sein verdientes Ende

THE BOUNTY KILLER

Ohne Dollar keinen Sarg (Regie: Eugenio Martín)

Italien / Spanien 1967
Erstaufführung in Italien: 4. November 1966
Deutscher Start: 9. Februar 1967

Besetzung: *Tomás Milian (José Gomez), Richard Wyler (Luke Chilson), Ella Karin (Eden), Mario Brega, Hugo Blanco, Luis Barboo, Manuel Zarzo, Frank Braña, Charo Bermejo, José Canalejas, Ricardo Canales, Saturno Cerra, Antonio Cintado, Gonzalo Esquiroz, Enzo Fiermonte, Lola Gaos, Tito García, Antonio Iranzo, Goyo Lebrero, Enrique Navarro, Ricardo Palacios, Augusto Pescarini, Fernando Sánchez Polack, Rafael Vaquero*

Inhalt: Luke Chilson (Richard Wyler) ist ein harter Bursche, dazu schnell und sicher mit dem Colt. Er verdient sein Geld auf eine ganz besondere Art: »tot oder lebendig« ist die Zauberformel, mit der er harte Dollars macht. Erbarmungslos jagt er Desperados, auf deren Kopf ein Preis steht – und er findet sie immer. Jetzt ist er auf der Spur eines Mannes namens José Gomez (Tomás Milian). Gomez wurde von seiner Bande mit Hilfe seiner Freundin Eden (Ella Karin) aus den Händen der Bewacher, die ihn ins Gefängnis bringen sollten, befreit. Es kam dabei zu einem blutigen Gemetzel – alle Wächter wurden getötet.

Als Gomez in New Charcos, seinem derzeitigen Unterschlupf, ankommt, wird er von Chilson bereits erwartet. Er läuft in einen geschickt vorbereiteten Hinterhalt und wird von Chilson entwaffnet und gefangen genommen. Ehe sie jedoch den Ort verlassen, kann Gomez seinen Bewacher Chilson überrumpeln, und es kommt zu einer wilden Schlägerei, die mit Hilfe des Dorfschmieds und dessen Schmiedezange schließlich zugunsten Gomez' entschieden wird.

Mit ausgesuchten Quälereien rächt Gomez sich an seinem Gefangenen. Doch als er ihn töten will, kann Eden, die der Folter entsetzt zusah, ihn davon abhalten. Sie versucht, Gomez für ein neues Leben zu gewinnen. Sie ist es leid, dauernd gehetzt und gejagt zu werden. Sie will verhindern, dass er immer wieder raubt, plündert und mordet und stellt ihn vor die Wahl, sich für sie oder die

Bande zu entscheiden. Doch Gomez will sein bisheriges Leben nicht aufgeben und plant bereits eine neue große Sache. Daraufhin befreit Eden den zusammengeschlagenen Chilson und bittet ihn, ihr zu helfen. Zusammen gelingt es ihnen, die Bande auseinander zu bringen. Gomez wird von Chilson in einem dramatischen, harten Kampf getötet. Luke Chilson verlässt die Stadt auf der Jagd nach einer neuen heißen Spur. Eden aber wird in New Charcos auf ihn warten. Sie weiß, er wird zu ihr zurückkommen.

Film: Dieser Film, einer der besten spanisch koproduzierten Western mit einem hervorragenden Score von Stelvio Cipriani, stellt Tomás Milians Italo-Western-Debüt dar, in dem er gleich eine seiner besten Rollen spielt, die jedoch nicht an seine Darstellungen in Sergio Sollimas Meisterwerken heranreicht. In einem Interview ließ der gebürtige Kubaner wissen, dass er mit viel Enthusiasmus an die Rolle des zynischen, rücksichtslosen Banditen José Gomez heranging. Er erzählte leidenschaftlich von der Produktion seiner Todesszene und über die Freiheit, die ihm Regisseur Eugenio Martín dabei gab: »Mach was immer du willst, du entscheidest, wie du stirbst ...« Und Tomás Milian lieferte eine der erinnerungswürdigsten Todesszenen eines Bösewichts in einem Italo-Western ab – nach zehn Wiederholungen. Milian war während dieses Films auch sein eigener Stuntman und führte zahlreiche gefährliche Szenen selbst durch, was zu zahlreichen blauen Flecken und Beulen führte, speziell im Faustkampf mit Richard Wyler. Wyler wurde in diesem Film von Milian glatt an die Wand gespielt – trotzdem war dies Wylers wichtigste Rolle in seiner Karriere als klassischer, standfester Revolverheld à la Hollywood. Was diesem Film das typische Italo-Western-Flair gibt, sind die heiße Atmosphäre, die rücksichtslosen und brutalen Protagonisten, die beinahe in Symbiose mit ihrer erbarmungslosen Umgebung leben. Dieser Film wurde von Eugenio Martín ausnahmslos in der Gegend um Almería gedreht und nutzt viele bekannte Drehorte, die später wieder zu sehen waren, wie z.B. die Rambla von Tabernas und das Poblado de las

Salinillas neben der Straße nach Gergal, umgeben von ausgetrockneten, nackten Hügeln.

Presse: »Der Titel sagt genug über die Gattung – ein neuer Kopfgeldjäger-Film italienisch-spanischer Provenienz. Was ihn jedoch von vielen anderen in Europa produzierten Western unterscheidet, gleichzeitig aber eine allgemeine Tendenz verdeutlicht, ist seine auffallende Brutalität. Es ist eine Geschichte nach dem Muster vom Rächer und den Gesetzlosen. Dem Häftling eines Polizeitransports steckt beim Halt in einer Herberge nahe der mexikanischen Grenze eine ›per Zufall‹ anwesende Dame einen Revolver zu. Der Bandenchef und ehemals artige Spielgefährte jener Dame erledigt Wirt, Kutscher und Polizei und macht sich anschließend auf den Weg in den einsamen Gasthof, den seine Retterin mit einem Vetter betreibt. Aber dort ist vor ihm bereits der Verbrecherjäger gegen bar eingetroffen. Er legt sich mit dem Flüchtenden an und mit seiner ganzen Bande, die eintrifft, um sich mit dem Boss nach Mexiko abzusetzen. Die vielen gegen den einen sind zwar nicht fair, aber erfolgreich. Sie überwältigen und fesseln ihn. Da aber der finstere Chef in der Ansiedlung allzu schrecklich wütet, wird es selbst der schönen Gespielin seiner Kindertage zu toll. Sie befreit den gefangenen Gangsterjäger und geht ihn um Hilfe an. Was ihm auf Anhieb nicht glückte, vollendet er nun stückweise. Er füllt die Schreckensbande Mann für Mann mit Blei. Perfektion und Pracht sind auch diesem italo-iberischen Western nicht abzustreiten. Aber sie werden durch Kälte und Zynismus in den Hintergrund gedrängt.«

Klaus U. Reinke
Filmecho/Filmwoche Heft 15, 1967

»Auch jetzt, nachdem sich längst herausgestellt hat, dass die italienischen Westernregisseure die amerikanischen Pseudonyme nicht mehr nötig haben, nachdem der Vorreiter des neuen Genres, Sergio Leone (›Für eine Handvoll Dollar‹), unter seinem eigentlichen Namen den Ruhm einheimst, schmücken sich italienische Westernregisseure und -darsteller weiterhin mit amerikanischen Namen. Und sie gehen dabei auffälliger vor als die Pioniere. Der Regisseur von ›Bounty Killer‹ nannte sich in den Vorankündigungen noch Eugenio Martín, im Vorspann hat er sich zu Gene

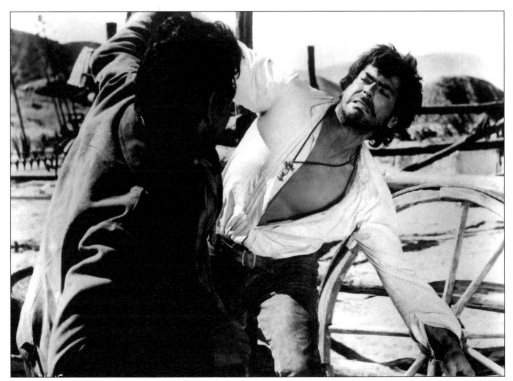

Richard Wyler schlägt sich mit Tomás Milian

Martin amerikanisiert. Am frechsten aber ist der Hauptdarsteller, er nennt sich Richard Wyler. Wer diesen Namen wählt, begeht ein Sakrileg, er vergreift sich an einem Heiligtum des amerikanischen Kinos. Diese Italiener stehlen mit den Namen auch die Kostüme der Amerikaner, sie benutzen ihre Requisiten und rauben ihnen sogar die Gebärden.

Mit Diebesgut behangen, stimmen sie ein Hohngelächter auf den amerikanischen Western an. Wer fragt hier noch nach Sinn, Anlass, Rechtfertigung! Der rituelle Charakter des Western, in den amerikanischen Mustern immer von einer ideologischen Schicht überzogen, stellt sich bloß dar. Notdürftig wird eine Front konstruiert: hier der Bandit, dort der Kopfjäger. Die Verbrechen des Banditen werden dadurch aufgehellt, dass er als Rächer der Armen gilt, die Gerechtigkeit des Gerechten wird dadurch verdunkelt, dass er für schnöden Mammon Menschen jagt. Am Schauplatz, einem Gasthaus an der amerikanisch-mexikanischen Grenze, entartet der Kampf bald zum Gemetzel. Die Bewohner, die zunächst den Banditen helfen, werden bald malträtiert, Frauen werden geprügelt, schließlich werden einige ermordet, bis sich dann, in der Endphase des Kampfes, die Banditen gegenseitig abschlachten. Einmal hat der Kopfjäger den Bandit in seiner Gewalt, dann hat der Bandit den Kopfjäger an einen Pfahl gefesselt. Leiderfüllt hebt der Geschundene sein Haupt. Ockerfarbener Glanz umgibt seine Stirn. Und wenn das Blatt sich dann gewendet hat, liegt der lockige Schurke im Staub. Er beißt nicht, wie es im amerikanischen Western heißen würde, ins Gras, er kriecht auf dem Bauch und frißt Staub. Biblische Metaphern sind hier, wie in keinem Bibel-Film, bildlich geworden. In der Morgensonne reiten die Revolverhelden in das friedliche Anwesen ein, leuchtende Todesboten, apokalytische Reiter, Sendboten des Jüngsten Gerichts.«   *Werner Kließ*
Film 03/1967

»Eine Sensation, als die ihn die Werbung ausgibt, ist dieser Film keineswegs. Was die Härte der Darstellung anbelangt, übertrifft er nur in Einzelheiten vergleichbare europäische Western. – In Atmosphäre und Inszenierungsstil kommt dieser Western am ehesten an die ›Dollar‹-Erfolge von Sergio Leone heran und so muss man ihn auch

Tomás Milian als Bandit José Gomez

80

zu den bisherigen Spitzenleistungen innerhalb des Genres in Europa zählen, wiewohl gegen die geistige Grundhaltung Vorbehalte anzumelden sind. Vor allem: Anders als im klassischen US-Western wird hier nicht mehr scharf zwischen Gut und Böse unterschieden, die handelnden Personen sind fast chemisch rein von jedweder ethischen Gesinnung. Es regiert das Prinzip des Stärkeren wie in der Tierwelt, Töten und Rauben sind menschliche Verrichtungen wie Essen und Schlafen. Das bringt für das Identifikationsbedürfnis des Zuschauers nicht geringe Konflikte mit sich; er schwankt beständig mit seiner Sympathie zwischen beiden negativen Helden, um schließlich dann mit dem Überlebenden den Sieg des Guten über das Böse zu akzeptieren, was freilich ein Trugschluss ist. Hierin gleichen sich die europäischen Western fast alle wie ein Ei dem anderen. Der Grund ist einleuchtend: Den Europäern fehlt notwendigerweise das amerikanische Geschichtsbewusstsein des Wilden Westens, das in jedem US-Western, mag er noch so durchschnittlich sein, zu spüren ist. Was für die Amerikaner – auch in fiktiven Western-Storys – ein bis in die Gegenwart hinein fortwirken-

des Bewusstsein der eigenen Geschichte ist, ist für Europäer ein bloßes Abenteuer, zu dem die amerikanische Kolonialzeit Dekor und Staffage abgibt. Der historische Hintergrund fehlt. Und so sind die europäischen Produktionen im Grunde Western aus der Retorte.

Eugenio Martíns Film ist keine Ausnahme, so geschickt er auch in Szene gesetzt ist. Hart, unerbittlich, grausam und kompromisslos steuert er auf sein Ziel zu: die blutige Auseinandersetzung der beiden Helden. In Einzelheiten wird der Realismus zuweilen stark übertrieben, namentlich in den Folterungsszenen und am Schluss beim Sterben Josés. Der Härte der Darstellung entspricht atmosphärisch exakt die Komposition des farbigen Bildes – Sequenzen von kühler Strenge, mit einem Minimum von Kulissenaufwand in stilisierter Kargheit. Originell auch die das Geschehen begleitende Musik, die hier wirklich eine dramaturgische Funktion hat und nicht bloße Untermalung ist.« *Alfred Paffenholz,*
Film-Dienst FD 14 558

Tomás Milian in »Action«

UN FIUME DI DOLLARI

Eine Flut von Dollars (Regie: Carlo Lizzani)

Italien 1966
Erstaufführung in Italien: 9. September 1966
Deutscher Start: 10. Februar 1967

Besetzung: *Thomas Hunter (Jerry Brewster), Henry Silva (Mendez), Nando Gazzolo (Ken Seagall), Nicoletta Machiavelli (Mary Ann), Gianna Serra (Hattie), Dan Duryea (Getz), Loris Loddi (Tim), Geoffrey Copleston (Horner), Paolo Magalotti (Stayne), Tiberio Mitri (Nordstaaten-Sergeant), Mirko Valentin (Sancho), Guglielmo Spoletini (Pedro), Guido Celano (Burger), Mauro Mannatrizio (Mitch der Soldat), Gianluigi Crescenzi (Carson), Vittorio Bonos, Sandro Dori, Piero Morgia, Fernando Ferraro*

Inhalt: Die beiden Südstaatenarmisten Ken Seagall (Nando Gazzolo) und Jerry Brewster (Thomas Hunter) haben sich in den letzten Tagen des amerikanischen Bürgerkrieges mit dem Wehrsold ihrer Kameraden aus dem Staub gemacht. Aber eine Kavalleriepatrouille nimmt die Verfolgung der Diebe auf. Da sie neben ihrem Armeewagen nur ein schnelles Pferd besitzen, kann nur einer von ihnen mit der Dollarbeute entfliehen.

Das Los fällt auf Ken Seagall. Brewster wird kurz darauf gestellt und zu fünf Jahren Gefängnis verurteilt. Nach Verbüßung seiner Strafe muss er erkennen, dass sein Partner, inzwischen ein schwerreicher und hartherziger Großgrundbesitzer, ihn betrog.

Als Seagall von der Entlassung seines früheren Komplizen hört, beauftragt er den Killer Mendez (Henry Silva), der mit einer größeren Zahl von Revolvermännern in seinen Diensten steht, Jerry Brewster aufzuspüren und zu ermorden. Dieses Vorhaben schlägt jedoch fehl.

Gegenspieler: Henry Silva und Thomas Hunter

Thomas Hunter schießt scharf

Thomas Hunter als Jerry Brewster

Jerry hat in einem Fremden namens Getz (Dan Duryea) einen Helfer gefunden. Getz überzeugt Seagall mit einer List davon, dass Brewster bei dem zurückliegenden Kampf mit Mendez' Leuten erschossen wurde und tritt pro forma in Seagalls Dienst. Währenddessen ruft Jerry Brewster die Bewohner der Stadt und alle Rancher, die unter der diktatorischen Herrschaft des rücksichtslosen Seagall zu leiden haben, zum Kampf gegen diesen Mann auf. Führer der Rancher wird der Saloonbesitzer Horner. Bei einem blutigen Treffen, in dessen Verlauf ein Dutzend von Seagalls Revolvermännern fallen, ist Mendez Jerrys Kaltblütigkeit aufgefallen. Er beschließt, diesen harten Burschen, den er nur unter dem Namen »Sam Houston« kennt, zu überwältigen und zu seinem Stellvertreter zu machen. Dieses Vorhaben gelingt und als Mendez wenig später in Seagalls Auftrag die Stadt überfällt, muss Jerry sich an diesem Unternehmen beteiligen.

Aber er hat Horner – wenn auch ohne praktischen Erfolg – zuvor warnen können. Mendez ist das jedoch nicht entgangen und als die Banditen nach dem gelungenen Überfall im Saloon ein Trinkgelage veranstalten, bezichtigt Mendez »Sam Houston« des Verrats. In diesem Augenblick erscheint auch Seagall, um von dem abtrünnigen »Gefolgsmann« Rechenschaft zu fordern. Als er »Houston« jedoch gegenübersteht, erkennt er in ihm seinen früheren Partner Jerry Brewster wieder. Er gibt Mendez den Befehl, Jerry auf der Stelle zu töten. Doch da greift der ebenfalls anwesende Getz ein, stößt Mendez beiseite und ermöglicht Jerry die Flucht. Wenig später kommt es auf Seagalls Ranch zur großen Abrechnung. Nachdem Mendez' eifersüchtige Geliebte Hattie versehentlich Seagalls Tochter Mary Ann erschossen hat, streckt Jerry den Killer Mendez nieder. Und dann folgt ein dramatisches Duell zwischen ihm und Seagall, das den einstigen Komplizen das Leben kostet. Nunmehr gibt sich Getz als Agent der amerikanischen Bundesregierung zu erkennen. Er konfisziert Seagalls illegalen Besitz und ernennt Jerry zum neuen Sheriff.

Film: Carlo Lizzani sagte, er habe diesen Film gedreht, um Dino De Laurentiis, der ihm in der Zeit der italienischen schwarzen Listen Arbeit gab, einen Gefallen zu tun und um sein leeres Bankkonto aufzufüllen. Trotzdem ist Lizzani mit diesem Film ein handwerklich guter Western gelungen. Obwohl sehr starke Einflüsse der US-

Thomas Hunter als Jerry Brewster

Western-Veteran Dan Duryea als Getz

Western erkennbar sind, hat auch dieser Film alle wesentlichen Italo-Western-Elemente: einen düsteren Helden, der Rache nimmt, hervorragende Musik von Ennio Morricone, schöne spanische Landschaften sowie zahlreiche brutale Episoden, für die dieses Filmgenre dann schließlich in Verruf kam. Speziell die Szene, in der sich Jerry (Tom Hunter in seiner besten Italo-Western-Rolle) von Getz (Dan Duryea) mit dem Messer die Haut mitsamt einer Tätowierung abziehen und dann ausbrennen lässt, bleibt in Erinnerung.

Schade, dass es für die beiden US-Veteranen Dan Duryea und Henry Silva der einzige Italo-Western blieb, die hier beide einen erinnerungswerten Eindruck hinterließen.

Presse: »Dieser wilde Western könnte aus der europäischen Dollar-Serie stammen, was seine Härte anbetrifft. Zwei Kumpel, die sich einst mit der Kriegskasse ihrer Einheit nach Beendigung des Bürgerkrieges in den Staaten davongemacht hatten, sind die späteren Kontrahenten in den leichenreichen Duellen. Der eine heimste nämlich die ›Flut von Dollars‹ ein, während der andere geschnappt und verurteilt wurde. Als jener wieder frei ist, muss er erfahren, dass sein Verräter auch noch seine Frau im Elend sterben ließ und seinen Sohn entführte. Das tierische Geheul der Verzweiflung und der Rache, das der Hereingelegte mehr als einmal ausstößt, lässt Schlimmes erwarten. Das trifft auch serienmäßig ein. In seinem Kampf gegen den ehemaligen Kumpel und seine Bande hilft dem einsamen Rächer in Stunden höchster Not immer ein geheimnisvoller Fremder, der mit Colt und Dynamit trefflich umzugehen weiß. Bis auf die reichlichen Spritzer aus der Tube der Sentimentalität, die Regisseur Carlo Lizzani stets prompt in die Hand nimmt, wenn der (übrigens prächtige) kleine Sohn des großen Rächers ins Bild kommt, hat der Film die übliche Western-Gangart und Spannung. In den Hauptrollen: der veredelte Hasardeur Tom Hunters, der schuftige Mestize Henry Silvas und Nicoletta Rangoni als edle Schwester des Lumpen, deren reines Mieder sich zum Schluss auch rot färbt.«

Bert Markus,
Filmecho / Filmwoche Heft 14, 1967

TEXAS, ADDIO

Django, der Rächer (Regie: Ferdinando Baldi)

Italien / Spanien 1966
Erstaufführung in Italien: 28. August 1966
Deutscher Start: 17. Februar 1967

Besetzung: *Franco Nero (Burt Sullivan, in der deutschen Fassung Django), José Suárez (Delgado), Hugo Blanco (Pedro), Livio Lorenzon (Alcalde Miguel), Cole Kitosch [Alberto Dell'Acqua] (Jim Sullivan), Elisa Montés (Mulattin), José Guardiola (McLeod), Gino Pernice (Bankangestellter), Giovanni Ivan Scratuglia (Dick), Luigi Pistilli, Antonella Murgia, Silvana Bacci (Barmädchen), Remo De Angelis, Mario Novelli*

Inhalt: Burt Sullivan (Franco Nero), genannt Django, ist Sheriff in Wide-Rock, einer kleinen Stadt an der Grenze von Texas nach Mexiko. Er ist ein guter, das Gesetz achtender Bürger. Eines Tages aber legt er seinen Sheriffstern ab und verlässt das Dorf, um in Mexiko einen gewissen Cisco Delgado (José Suárez) zu suchen, mit dem er eine alte Rechnung zu begleichen hat: Vor vielen Jahren hat Delgado Djangos Vater getötet.

Django wird auf der Reise von seinem jüngeren Bruder Jim (Cole Kitosch) begleitet. Jim ist erst achtzehn. Gemeinsam mit Django will er den Tod des Vaters rächen. Vergebens bittet Django ihn zurückzubleiben. Sobald die Brüder mexikanisches Gebiet betreten haben, merken sie, wie sehr hier Elend und Gesetzlosigkeit herrschen.

Über allem liegt der furchtbare Terror von Cisco Delgado, der durch Gewalttätigkeit und Plünderei ungeheuren Reichtum und große Macht erworben hat. Aber man sieht Delgado nie. Er ist vollkommen unnahbar und handelt immer nur durch Mittelspersonen, die er sich hörig gemacht hat.

Django und Jim müssen nicht lange warten, bis sie einige von Delgados Methoden kennen lernen. Mehr als einmal ist ihr Leben in Gefahr, und nur durch Djangos Entschlossenheit und Schnelligkeit werden sie immer gerettet. Einige Leute in diesem vom Terror heimgesuchten Land wollen Delgado vernichten und die Ordnung wieder herstellen. Aber es sind nicht genug, und sie haben nicht genug Einfluss auf die Bauern, die ihnen nicht folgen wollen.

Einer von ihnen, ein Anwalt, fragt Django, ob er helfen würde, aber Django sagt, dass er gekommen wäre, um eine private Angelegenheit zu erledigen und nicht, um an einem Aufstand teilzunehmen.

Ganz plötzlich haben Django und Jim keine Schwierigkeiten mehr. Delgado hat von ihrer Ankunft erfahren, und es scheint, dass er sie zu seiner »Höhle« kommen lassen will – auf ein prächtig eingerichtetes Gut.

Tatsächlich gehen sie dorthin, und nach fast 20 Jahren begegnen die Augen Djangos wieder denen von Delgado. Aber Django will ihn nicht töten. Er will nur, dass die Gerechtigkeit ihren

Franco Nero als Rächer

Livio Lorenzon als Alcalde Miguel

Franco Nero als Burt Sullivan

José Suárez als Delgado

Lauf nimmt. Er möchte Delgado mit nach Texas nehmen und ihn dort, am Ort der Tat, vor Gericht stellen lassen. Delgado versucht, Django zu bestechen. Er verspricht ihm viel Geld, wenn er ihn in Frieden ließe und mit Jim nach Texas zurückginge. Aber Django ist am Reichtum nicht interessiert. Er ist Sheriff und will dem Gesetz Genüge tun. Delgado wird wütend und sagt Django, dass Jim nur sein Halbbruder wäre; er selbst, Delgado, sei der Vater von Jim. Django kann das nicht glauben, aber er beginnt an allem, sogar an der Gerechtigkeit, zu zweifeln.

Delgado, jetzt sicher, die von Django drohende Gefahr überwunden zu haben, ist wieder voller Vertrauen. Er bereitet ein Fest zu Ehren der beiden Brüder vor. Während des Festes beobachtet er Jim und studiert genau seine Gesten und Manieren – und ist erfreut: Jim ist genau so, wie er sich seinen Sohn wünschen würde! Selbst als Jim mit Delgados Stellvertreter Pedro um ein hübsches Mädchen streitet, ergreift er für Jim Partei. Django hat den Schock und den Kummer, die durch Delgados Erzählung in ihm ausgelöst worden sind, endlich überwunden. Noch einmal fordert er Delgado auf, mit ihm nach Texas zurückzukehren. Delgado lacht ihn aus. Django ist ja in seiner Gewalt, aber er will ihn nicht töten, um sich nicht den Hass seines Sohnes Jim zuzuziehen. Nein, er will nur, dass Django an die Grenze von Texas zurückgebracht wird, während Jim bei ihm, Delgado, bleiben soll.

Und so geschieht es. Aber unterwegs werden Django und die ihn begleitenden Banditen überfallen. Django wird von einer Gruppe von Arbeitern, die der Grausamkeiten und Plündereien Delgados müde sind, befreit. Sie werden von dem Anwalt angeführt, der Django vor einiger Zeit

bat, ihren Kampf gegen Delgado zu unterstützen. Django ist jetzt dazu bereit, denn sein Kampf gilt ja dem gleichen Mann.

Ehe die Arbeiter das Gut Delgados erreichen, werden sie von Pedro und seiner Bande gestellt. In einer schrecklichen Schlacht, in der Django das Kommando übernimmt, werden Pedros Leute geschlagen. Django selbst dringt in Delgados »Höhle« ein – zur letzten persönlichen Begegnung. Pedro folgt ihm. Als sich Django und Delgado gegenüberstehen, stürzt Jim herein und wirft sich auf Pedro, der im Begriff ist, auf Django zu schießen. Die Kugel, die für Django bestimmt war, trifft Jim. Er stürzt tot zu Boden. Nie wird er Texas wiedersehen!

Als er seinen Bruder sterben sieht, geht Django auf Delgado los. Nach einem langen und grausamen Duell fällt Delgado, ins Herz getroffen. Im Sonnenuntergang, der den Horizont erleuchtet, reitet Django davon. Er hat sein Duell gewonnen, aber seinen Bruder verloren.

Film: Dies ist der erste Western von Ferdinando Baldi und vermutlich gleichzeitig sein bester. »Texas, addio« wurde ursprünglich als eine Art Quasi-Fortsetzung des ersten Django-Films konzipiert. Der Autor des Films, Franco Rossetti, war auch einer der Koautoren des echten Django-Films, ebenfalls mit Franco Nero in der Hauptrolle. Sein Aussehen in diesem Film gleicht sehr stark dem des Django-Charakters.

Äußerst gut konzipiert und durchgeführt gilt dieser Film als einer der besten der frühen Italo-Western-Phase. Franco Nero liefert eine harte und effektive Darstellung, die an die besten Eastwood-Momente erinnert. Wie der Held in »Per un pugno di dollari« (»Für eine Handvoll Dollar«)

Mann gegen Mann – möge der beste Mann überleben

Mit der Leiche seines Bruders dem Sonnenuntergang entgegen

gibt Franco Nero hier einige herbe und witzige Bemerkungen zum Besten, die das Tempo des Films bestimmen.

Der Film hat merkwürdigerweise mehr als nur ein paar Kleinigkeiten mit dem Film »Le colt cantarono la morte e fu tempo di massacro« (Django, sein Gesangbuch war der Colt) gemeinsam, der fast zur gleichen Zeit gedreht wurde, ebenfalls mit Franco Nero in der Hauptrolle. Beide Filme basieren auf Wiedererkennungen und versteckten Vätern, die am Ende enthüllt werden in der besten Tradition von klassischen Melodramen. Von Corbuccis »Django« hat der Film ein gewisses sadistisches Flair in seinen Gewaltszenen geerbt, wie in der Szene, in der der Alkalde (Livio Lorenzon) seine Leute anweist, einen Bauern nach dem anderen zu töten, dabei genüsslich aus seiner Flasche trinkt und dabei eine sadistische Miene zieht. Eine andere Szene ist die Brandmarkung eines armen alten Mannes, der sich weigert, sein Land an diesen Banditenboss zu verkaufen, worauf Delgado ihm mit seinem Revolver ins Gesicht schlägt und ihn tötet.

Die Musik von Anton Garcia Abril passt genau zur düsteren Stimmung des Films wie auch der Titelsong »Texas goodbye«, gesungen von Don Powell. Dieser Film entstand wie auch die beiden anderen erwähnten im näheren Umkreis von Rom.

Presse: »Dieses Mal ist Django, der Mann mit der langsamen Zunge und dem schnellen Colt, nicht allein. Gemeinsam mit seinem jungen Bruder zieht er nach Mexiko, um dort den Mörder seines Vaters aufzuspüren und ihn nach Texas vor ein ordentliches Gericht zu bringen. Im Verlauf der Handlung stellt sich heraus, dass Djangos junger Bruder in Wirklichkeit der Sohn des gesuchten Mörders ist, gezeugt so im Vorübergehen mit einer hübschen Dame.

Der Zuschauer spürt Trauer über den Tod einer noch anderen jungen Dame und vor allem über den Tod des kleinen Bruders. Über den Sattel des Pferdes gebunden, schleift Django den Mörder gen Texas.

Franco Nero spielt wieder den Django. So sehr Ferdinando Baldis Regie sich auch bemüht, es Django dem Ersten gleichzutun: Dieser Film erreicht im harten Handlungsfluss und im Einfallsreichtum der Story das Original nicht. Jim, den Jungen, spielt mit jünglingshafter Ausstrahlung zum Gefallen der Damen im Parkett Cole Kitosch.«
Bert Markus,
Filmecho/Filmwoche Heft 19, 1967

ARIZONA COLT

Arizona Colt (Regie: Michele Lupo)

Italien / Frankreich 1966
Erstaufführung in Italien: 27. August 1966
Deutscher Start: 24. Februar 1967

Besetzung: *Giuliano Gemma (Arizona Colt), Fernando Sancho (Torrez Gordon Watch), Corinne Marchand (Jane), Nello Pazzafini (Kay), Andrea Bosic (Pedro), Roberto Camardiel (Doppel-Whiskey), Gérard Lartigau (John), Mirko Ellis (Sheriff), Pietro Tordi (Priester), Rosalba Neri (Dolores), José Manuel Martín, Gianni Solaro, Valentino Macchi, Renato Chiantoni, Tom Felleghy, Emma Baron, Pietro Ceccarelli*

Inhalt: Im Grenzgebiet zwischen Arizona und Mexiko sitzen die Pistolen locker – Mörder, schießwütige Hasardeure und geldgierige Banditen sind die Mitglieder des Haufens, an dessen Spitze Torrez Gordon Watch (Fernando Sancho) Schrecken und Verwüstung über das Land bringt: geschändete Frauen, geplünderte Besitzungen und »schwarze Erde« als unverwechselbare Spur seines Weges hinter sich zurücklassend. Sein Ziel ist ein kleines Gefängnis an der Grenze; er gedenkt die inhaftierten Gefangenen im blutigen Handstreich zu befreien – eine willkommene und dringend nötige Möglichkeit, seiner halb ausgerotteten Bande neue Leute zuzuführen …

Der Kampf dauert nicht lange. Dann kann Gordon Watch mit seiner makabren Rekrutierung beginnen: Wer bereit ist, auf Gedeih und Verderb mit ihm zu ziehen, dem lässt er – um vor heimtückischen Verrätern in den eigenen Reihen sicher zu sein – ein »S« mit glühendem Eisen in den linken Arm brennen; dieses Zeichen kommt vor den Hütern des Gesetzes in diesem Landstrich einem Todesurteil gleich – Unwillige werden niederge-

Giuliano Gemma beim Pokerspiel

Giuliano Gemma und Corinne Marchand

Giuliano Gemma ist Arizona Colt

macht. Unter den Befreiten befindet sich Arizona Colt (Giuliano Gemma), ein Meisterschütze, zu jeder Tat bereit, wenn »die Kohle stimmt«. Nur ihm gelingt es, den Beitritt zur Bande Gordon Watchs zu verweigern, ohne dafür mit seinem eben der Freiheit wiedergegebenen Leben zu zahlen – und unangefochten begibt er sich in das kleine Grenzstädtchen Blackstone Hill.

Im Saloon des alten Pedro bemerkt er Kay, einen Vertrauensmann des Bandenführers Watch; eigentlich beauftragt, gewisse »Informationen« über die Stadtbank einzuholen, hat Kay im Augenblick nur Augen für Pedros jüngste Tochter Dolores. Doch als Dolores in der Nacht das Bandenzeichen auf dem Arm ihres Verführers entdeckt, bringt dieser sie auf bestialische Weise um. Ihre Leiche wird erst gefunden, als Kay Blackstone Hill schon weit hinter sich gelassen hat. Gordon und sein Haufen überfallen die Stadtbank. Die von Kay gelieferten Informationen schlagen gut zu Buche; die Beute übertrifft alle Erwartungen. Während der sich an den Überfall anschließenden Schießerei erkennt Pedro den Mörder seiner Tochter Dolores und bittet Arizona Colt, ihn zu töten. Der Preis: eine Hand voll Dollars und Pedros bildhübsche Tochter Jane – für eine Nacht.

Nach tagelanger Verfolgung gelingt es Arizona Colt, Kay zu stellen. Er tötet den Mörder, wird selbst schwer verwundet und Doppel-Whiskey, ein schrulliger ehemaliger Bandit, transportiert die beiden zurück nach Blackstone Hill.

Arizona Colt verlangt von Jane den ausgehandelten Lohn – aber Pedro und etliche Bewohner des Dorfes wissen dies zu verhindern. Verärgert über den Undank der Menschen zieht sich Arizona Colt mit Doppel-Whiskey in eine verfallene Kirche am Stadtrand zurück, seine Wunden zu

pflegen. Da erscheint Gordons Bande vor der Stadt: Man sucht Doppel-Whiskey, der mit einem Teil der Stadtbank-Beute das Weite gesucht hat; die Marodeure drohen, die Stadt niederzubrennen, wenn der Alte nicht von der völlig umzingelten Bürgerschaft ausgeliefert wird. Jane gelingt es, den Cordon zu durchbrechen. Sie sucht Arizona Colt auf, schwört ihm ihre Bereitschaft, die Schuld zu zahlen als Belohnung für die Rettung der Bürger.

Arizona Colt lehnt zunächst ab: Die Undankbarkeit der Bewohner von Blackstone Hill ist ihm keine Veranlassung, sein Leben abermals aufs Spiel zu setzen. Doch als Doppel-Whiskey ihm zusätzlich noch zwei Taschen des von ihm »veruntreuten« Diebesgutes anbietet, macht sich Arizona Colt fertig zum Kampf auf Leben und Tod. Mit verbundenen Händen tritt er auf dem Hauptplatz Gordon Watch gegenüber – verspottet und verhöhnt wegen der Verbände, die ihn nahezu kampfunfähig machen. Doch Arizona Colt hat geblufft: Die verbundenen Arme sind nichts als Maskerade und unter der Jacke hindurch erschießt er alle Bandenmitglieder bis auf Gordon, dem er nun in fairem Zweikampf gegenübertritt, um ihn zu töten.

Die Menge umjubelt den Retter der Stadt. Unter der Menschenmenge, die ihn umdrängt, erkennt der Meisterschütze Jane, die ihrem Geliebten unendlich dankbar ist.

Film: Hier handelt es sich um einen äußerst gelungenen, harten frühen Italo-Western von Michele Lupo, der zwei Jahre zuvor bereits eine relativ witzige Westernkomödie mit dem Komikerteam Franco Franchi und Ciccio Ingrassia in Szene setzte. In diesem, seinem einzigen harten Italo-

GIULIANO GEMMA
ARIZONA COLT
Ein Farbfilm

Arizona Colt: Särge pflastern seinen Weg

Western in der Blütezeit dieses Genres gelingt es ihm, eine spannende Geschichte zu erzählen, in der es äußerst wenig Raum für komische Einlagen gibt. Stattdessen porträtiert hier Giuliano Gemma einen seiner zynischsten Helden, der nur an einem interessiert ist: möglichst viel Profit aus einer Situation zu holen. Als Gegenspieler sehen wir wieder den Parademexikaner Fernando Sancho, der hier einen besonders bösen Banditen verkörpert. Auch Kameramann Guglielmo Mancori ist hier auf dem Höhepunkt seines Könnens angelangt und setzt die schönen spanischen Landschaften perfekt in Szene. Die spannende Handlung wird durch Francesco De Masis hervorragenden Score stimmungsvoll unterstützt. Wer harte, zynische Unterhaltung liebt, sollte sich diesen Film unbedingt ansehen.

Presse: »Härter geht's nicht! Dieser Slogan stimmt genau. Denn dies ist der härteste und grausamste Western europäischer Produktion – einer allmählich ärgererregenden Welle rü-

der Erzeugnisse, weil sie die Verwilderung der menschlichen Gefühle zum Idol ihrer Antihelden erhebt. Arizona Colt, Einzelgänger und Insasse eines Gefängnisses, wird von der Watch-Bande befreit, um mit den anderen Gefangenen zu Mitgliedern der Banditen gepresst zu werden.

Als Einziger hat er den Mut, die Gefolgschaft zu verweigern, gerät aber immer wieder mit Watch in Berührung – auch als er sich als Kopfgeldjäger anheuern lässt.

Er wird zerschlagen und zerschossen, zieht sich wie ein verwundetes Tier in die Einsamkeit zurück und leckt seine Wunden. Natürlich kommt der Tag der blutigen Abrechnung und er tötet, tötet, tötet ... Das alles hat nichts mehr mit Abenteuer-Romantik, Wild-Western-Idylle oder Karl-May-Color zu tun. Auch nicht mit schwarzem Humor, mit Persiflage, Action-Filmerei – oder wie sonst der Fachausdruck für abenteuerliche Fertigware heißen mag.«

Bert Markus,
Filmecho / Filmwoche Heft 20, 1967

PER IL GUSTO DI UCCIDERE

Lanky Fellow – der einsame Rächer (Regie: Tonino Valerii)

Italien / Spanien 1966
Erstaufführung in Italien: 6. August 1966
Deutscher Start: 25. April 1967

Besetzung: *Craig Hill (Lanky Fellow), George Martin (Gus Kenebeck), Peter Carter [Piero Lulli] (Collins), Fernando Sancho (Sanchez), Franco Ressel (Arons), Rada Rassimov (Isabel), George Wang (Machete), Diana Martin (Peggy), Graham Sooty (MacGregory), José Marco, Lorenzo Robledo, Sancho Garcia, Dario De Grassi, José Canalejas, Manuel Martin*

Inhalt: Sanchez (Fernando Sancho) und seine Bande haben einen von Soldaten eskortierten Geldtransport überfallen, der für die Bank von Omaha bestimmt war. In den Uniformen der gefallenen Soldaten reitet ein Teil von Sanchez' Leuten auf Omaha zu, angeblich um das Geld abzuliefern, in Wirklichkeit aber, um die Bank auszurauben.

Sanchez selbst reitet mit dem Rest seiner Männer weiter, um das bereits erbeutete Geld in Mexiko in Sicherheit zu bringen. Plötzlich bemerken sie, dass sie verfolgt werden. Lanky Fellow (Craig Hill), ein gefürchteter und verhasster Kopfgeldjäger, ist ihnen auf der Spur. Sanchez glaubt, leichtes Spiel zu haben, doch das erweist sich als tödlicher Irrtum. In einem rasenden Kugelwechsel erwischt es ihn und seine Leute.

Mit dem geretteten Geld von rund hunderttausend Dollar gelingt es Lanky, noch vor den als Soldaten verkleideten Banditen in Omaha zu sein. Dadurch geraten die Banditen in eine Falle und werden vernichtet. Für seine Hilfe verlangt Lanky zehn Prozent der geretteten Summe, denn »Geld kann man nie zu viel haben«, sagt er.

In der Bank trifft Lanky Fellow auf den Goldminenbesitzer Collins (Peter Carter). Er will in der Bank Gold lagern, das der Staat Texas von ihm gekauft hat. Da Collins von den Sicherungsmaßnahmen der Bank nicht überzeugt ist, macht er Lanky den Vorschlag, für eine Prämie von nochmals zehntausend Dollar das Gold zu bewachen. Als Sicherheit soll Lanky aber mit seinen schon gewonnenen zehntausend Dollar bürgen.

Craig Hill in der Rolle des Lanky Fellow – auf dem »El Paso«-Set, Südspanien

Lanky nimmt diesen riskanten Vorschlag an. In der kommenden Nacht soll das Gold von der Mine zur Bank transportiert werden. MacGregory (Graham Sooty), ein Bankangestellter, bekommt den Auftrag, den Transportwagen bis zu dieser Zeit fertig zu machen. Zu Hause trifft er auf unerwarteten Besuch: auf seinen Bruder Gus Kenebeck (George Martin). Kenebeck, ein skrupelloser Mörder und Verbrecher, hat von dem Gold Wind bekommen und versucht nun über seinen Bruder, der sich vor Jahren von ihm getrennt und einen anderen Namen angenommen hat, Näheres zu erfahren. MacGregory weigert sich, zum Verräter zu werden. Es kommt zu einem heftigen Streit. Als Kenebeck Gewalt anwendet, gibt der andere schließlich nach. Zur Sicherheit nimmt Kenebeck die Tochter seines Bruders als Geisel mit. Er glaubt an einen sicheren Erfolg, aber er hat die Rechnung ohne Lanky Fellow gemacht, der den Überfall auf den Transport vereiteln kann. Doch Kenebeck gibt noch nicht auf. Er will nun die Bank überfallen, aber er ist sich darüber im Klaren, dass er in Lanky Fellow einen höchst gefährlichen Gegner hat. Lanky bereitet alles zur Verteidigung der Bank vor. Er ist sicher, dass der Überfall in kürzester Zeit stattfinden

wird. Durch Zufall fällt ihm Machete (George Wang), ein Bandenmitglied Kenebecks, in die Hände. Von ihm erfährt Lanky, dass der Überfall bei Sonnenaufgang geplant ist.

Im letzten Moment hört Kenebeck von Machetes Verrat. Er versucht, seine Leute zu warnen, aber es ist zu spät. Sie dringen bereits in die Stadt ein, die einer Festung gleicht, und werden in furchtbarem Kampf aufgerieben und vernichtet. Als Einziger kann sich Kenebeck retten, doch ein Zusammentreffen mit Lanky ist unvermeidlich.

Die Stunde ist gekommen, um eine alte Rechnung zu begleichen: Kenebeck hat einst Lankys Bruder ermordet! Wenig später ist nicht nur das Gold gerettet, sondern auch der Bruder gerächt. Lanky Fellow hat wieder einmal ganze Arbeit geleistet.

Film: Tonino Valeriis erster Western »Per il gusto di uccidere« (»Lanky Fellow – der einsame Rächer«) führte 1966 den Amerikaner Craig Hill als neuen Westernhelden in Italien ein. Valerii greift dabei auf die bewährte Kopfgeldjäger-Geschichte zurück, die er klar strukturiert ohne viele Schnörkel erzählt. Als besonderen Gag lässt er Lanky Fellow ein Gewehr mit einem Zielfern-

Craig Hill in der Titelrolle des Lanky Fellow

rohr benutzen. Craig Hill macht sich relativ gut und konnte auf Grund seines Erfolges weitere Rollen in Italo-Western ergattern. Dieser Film bleibt jedoch zusammen mit dem ein Jahr später entstandenen »Lo voglio morto« (»Django – ich will ihn tot«) sein bester Film dieses Genres. Auch die weiteren Rollen sind mit Fernando Sancho, George Martin, Piero Lulli und George Wang sehr gut besetzt.

Der Film enthält einige sehr spannende Action-Szenen und auch wieder einen ordentlichen Anteil an der im Italo-Western üblichen Gewalt. Speziell das Schlussduell zwischen dem Kopfgeldjäger Lanky Fellow und seinem Gegenspieler ist erwähnenswert: Die Kugel des Kopfgeldjägers trifft den Bösewicht durch das Zielfernrohr und tötet ihn auf der Stelle.

Die gut ins Ohr gehende Musik in diesem Film, der in den schönen südspanischen Landschaften rund um Tabernas entstand (auch »Mini-Hollywood« wird wieder prominent benutzt), stammte diesmal von Nico Fidenco, der Titelsong »The Yankee Fellow« wurde von den Wilder Brothers gesungen.

Presse: »Ein Western der italienisch-spanischen Produktion, der die gleichen brutalen Züge trägt, wie sie die meisten der europäischen Imitationen angenommen haben. Die gleichen Züge tragen auch die Hauptdarsteller – der von Fernando Sancho wieder einmal verkörperte Schuft und Banditen-Boss und – so scheint es auf den ersten Blick – der Titelheld Lanky Fellow. Aber er sieht nur so aus wie Franco Nero (der Django) und heißt Craig Hill.

Der Inhalt des an die mexikanische Grenze verlagerten Films gleicht seinen Vorgängern wie ein Goldkorn dem anderen. Denn um die begehrten Nuggets geht es wieder einmal. In vielen Duellen und Gefechten sorgt Lanky, der einsame Rächer, dafür, dass sie letztlich in den richtigen Händen bleiben. Einmal mehr ist mit der Schlussauseinandersetzung ›Zwölf Uhr mittags‹ kopiert. Nur die Variante ist neu, dass Lanky seine Büchse mit dem Gegner tauscht und der Schuss nach hinten losgeht.« *Bert Markus, Filmecho/Filmwoche Heft 37, 1967*

»Lanky Fellow, im Besitz eines Gewehres mit Zielfernrohr und eines absolut moralfreien Gefühls, mordet für Geld. Wer immer mit Dollars winkt, darf seiner Dienste gewiss sein. So etwa Collins, der Lanky dingt, um 100.000 Dollar unbehelligt zur Bank zu bringen. Lanky macht kein Federlesen, präzis und ohne Gewissensregung schießt er Bandit um Bandit ab.

Als im Kino das Licht wieder angeht, kann, wer unbeirrt mitgezählt hat, 72 Leichen registrieren. Das ist fast mehr, als sich in Shakespeares gesamtem Werk feststellen lässt. – Etwas mehr Mühe als ihre meisten Kollegen des Italo-Western gaben sich Drehbuchautor Auz und Regisseur Valerii mit ihrer Geschichte, man kann ihr einen gewissen Handlungsfaden, eine gewisse Spannung nicht gut absprechen.

Auch beschränken sie sich bei der Brutalität auf ein Maß, das (vergleichsweise, versteht sich) fast als annehmbar zu bezeichnen wäre. Auf einem Gebiet hapert es freilich auch bei ihnen: das Menschenleben zählt nicht, der Film predigt wie seinesgleichen die totale Nichtachtung des Menschen, die sich in der Einstellung des ›Helden‹ manifestiert: für ihn bedeuten Dollars die Hauptsache, ein paar Morde mehr oder weniger spielen da keine Rolle mehr. Diese Einstellung bedingt Einwände gegen den Film.« *M.W., Film-Dienst FD 14712*

Regisseur Tonino Valerii auf dem »El Paso« Set bei Tabernas

NAVAJO JOE

An seinen Stiefeln klebte Blut (Regie: Sergio Corbucci)

Italien / Spanien 1966
Erstaufführung in Italien: 25. November 1966
Deutscher Start: 27. April 1967

Besetzung: *Burt Reynolds (Navajo Joe), Aldo Sambrell (Duncan), Nicoletta Machiavelli (Estella), Simón Arriaga (Monkey), Fernando Rey (Rattigan), Tanya Lopert (Maria), Chris Huerta (El Gordo), Franca Polesello (Barbara), Pierre Cressoy (Lynne), Lucia Modugno (Geraldine), Rafael Albaicín (Bandit), Nino Imparato (Chuck), Mario Lanfranchi (Clay), Álvaro de Luna (Sancho Ramirez), Ángel Ortiz (El Cojo), Lorenzo Robledo (Bandit), Lucio Rosato (Jeffrey), Valeria Sabel (Honor), Gianni di Stolfo (Sheriff Elmo Reagan), Ángel Álvarez (Oliver Blackwood)*

Inhalt: Mit seinen Komplizen überfällt der Bandit Mervin »Vee« Duncan (Aldo Sanbrell) ein Navajodorf und macht sämtliche Bewohner ohne Erbarmen nieder. Der Indianer Joe (Burt Reynolds) hat das Blutbad als Einziger überlebt und schwört Duncan und seinen Spießgesellen unerbittliche Rache. Joe heftet sich den Desperados an die Fersen und erdolcht schon kurz nach dem Überfall die ersten beiden Banditen. In Pyote, wo Duncan den Saloon verwüstet, bringt Joe drei weitere Komplizen des steckbrieflich gesuchten Banditen um. Kurz darauf überfallen die Desperados einen Eisenbahnzug, in dem sich eine größere Geldsendung befindet. Als Duncan die Waggons mit mehreren Bewachern zurücklässt, überwältigt Joe die Männer und fährt den Zug allein an seinen Bestimmungsort Esperanza.

Die Furcht vor Duncans erwartetem Überfall versetzt die Bewohner der Stadt in lähmendes Entsetzen. Keiner hat den Mut zum organisierten Widerstand. Da erklärt Joe sich bereit, den Kampf gegen die Banditen allein zu führen und fordert einen Dollar Kopfgeld pro Familie für jeden von ihm getöteten Desperado. Duncan hat

Nicoletta Machiavelli als Estella schießt auch scharf

Burt Reynolds ist Navajo Joe

Burt Reynolds wird gefoltert

unweit der Stadt sein Lager aufgeschlagen. Als Joe die von den Gesetzlosen entführte Estella (Nicoletta Machiavelli) befreit, wird er gefangen genommen und gefoltert. Duncan will von ihm wissen, wo sich das nach Esperanza gebrachte Geld befindet. Doch Joe schweigt. Wenig später kann Chuck Holloway (Nino Imparato) ihn aus Duncans Gewalt befreien.

Die Banditen ergreifen nunmehr von Esperanza Besitz und treiben eine große Zahl von Geiseln in der Kirche zusammen. Duncan droht sie zu ermorden, wenn man ihm das Geld nicht aushändigt. Da kommt ihm zu Ohren, dass sich die Dollars noch in den abgestellten Eisenbahnwaggons befinden. Die Banditen reiten zum Bahnhof und fahren mit dem Zug davon. Joe hat jedoch eine Dynamitladung an der Lokomotive angebracht. Bei der nachfolgenden Explosion werden alle Banditen bis auf Duncan und fünf seiner Komplizen getötet.

Joe weiß die sechs Überlebenden in sein verwüstetes Heimatdorf zu locken. Und dort vollendet er die Rache. Nachdem er Duncans Begleiter in einem Feuergefecht erschossen hat, stürzt er sich auf den verhassten Bandenchef und, nachdem er selber tödlich verwundet wird, tötet diesen mit einem gezielten Tomahawk-Wurf.

Film: Mit »Navajo Joe« drehte Sergio Corbucci im Jahr 1966 einen der wenigen Italo-Western, in de-

nen Indianer eine wesentliche Rolle spielten, hier sogar einer den Hauptcharakter des Films verkörperte. Der Amerikaner Burt Reynolds schlüpfte hier in die Rolle des dynamischen und actionbetonten Rächers Navajo Joe, die kein Darsteller der damaligen Zeit besser hätte verkörpern können. Dieser Corbucci-Western enthält eine der brutalsten Handlungen eines Italo-Western jener Jahre und viele grausame Szenen, in denen sogar Frauen skalpiert wurden. All dies wird von einem unter die Haut gehenden Filmscore Ennio Morricones unterstützt, der sich hier wieder einmal selbst übertroffen hat. Der Film, der von Dino De Laurentiis produziert wurde, entstand zum Teil in den Dinocittà Studios in Rom mit vielen schönen Außenaufnahmen an einer Vielzahl südspanischer Drehorte einschließlich Torremocha (Cáceres), Colmenar (Madrid), Guadix (Granada) und Tabernas (Almería), wo wiederum die von Sergio Leone erbaute Westernstadt (heute bekannt unter dem Namen »Mini Hollywood«) aus »Per qualche dollaro in più« (»Für ein paar Dollar mehr«) Verwendung fand. Leider entgeht dem geschulten Zuschauer nicht, dass einige Szenen, die in der Stadt spielen, aus diversen Drehorten zusammengeschnitten wurden.

Ursprünglich wollte Dino De Laurentiis für diesen Film Marlon Brando haben, der sich natürlich nie für einen Film mit falschen Indianern, gedreht in Europa, hergegeben hätte. Wenn es schon nicht Brando sein konnte, so sollte man doch wenigstens jemanden aussuchen, der wie ein junger Brando aussieht. Da erinnerte sich De Laurentiis an eine Folge von »Gunsmoke« (»Rauchende Colts«), in denen neben James Arness in einer kleinen Rolle auch Burt Reynolds zu sehen war. Er versäumte keine Zeit und engagierte Reynolds, der damals die Hoffnung hatte, wie sein Kollege Clint Eastwood mit dieser Rolle zum internationalen Star zu werden. Das hat er mit diesem Film sicherlich nicht geschafft, trotzdem machte Reynolds relativ erfolgreich Karriere beim Film. Und viele Jahre später gelang es ihm sogar in dem Film »City Heat« (»City Heat – Der Bulle und der Schnüffler«) mit seinem Freund Clint Eastwood als Co-Star aufzutreten.

»Navajo Joe« zeigt eine sorgfältig gestaltete psychologische Studie von verschiedenen Charakteren. Besonders interessant ist der von Aldo Sambrell dargestellte Anführer der Skalpjäger, dessen Hass auf die Indianer eine besondere Note verliehen wird, da er selbst ein Halbblut ist, beinahe ein böses Ebenbild des Titelcharakters. Auch hier findet sich der Held in einer Stadt voll von Feiglingen von allen verlassen. Die Einzigen, auf die er zählen kann, sind Einzelgänger wie er selbst.

Vom Beginn bis zum Ende des Films legt Corbucci einen Hauch des Geheimnisvollen über seinen Rächer, der nur in harten Action-Szenen in Nahaufnahmen gezeigt und sonst von der Kamera immer aus der Distanz aufgenommen wird. Der Symbolismus und der Mythos des Films werden auch wieder in der letzten Szene betont, die sich an einem magischen, beunruhigenden Platz, einem Indianerfriedhof, abspielt. Sicherlich eine der besten Szenen des gesamten Films, in der Navajo Joe von hinten tödlich getroffen wird, jedoch noch die Kraft aufbringt, den Mörder seines Stammes mit einem gezielten Tomahawk-Wurf in die ewigen Jagdgründe zu befördern. Trotz Burt Reynolds' Verachtung für diesen frühen Film bleibt »Navajo Joe« sicher zusammen mit »Deliverance« (»Beim Sterben ist jeder der erste«) eine seiner besten Rollen.

Presse: »Wieder ein europäischer Western der ›harten Welle‹, die einen ihrer Höhepunkte hat. Hier wird die Kopfgeldjäger-Fabel, mit der sich die meisten Filme dieses Genres gegnügen, ein bisschen erweitert. Zwar gibt es wieder eine Horde Banditen, die sich auf solche zwar gesetzliche,

aber schmierige Art und Weise ihren Unterhalt verdient. Außerdem ist sie damit beschäftigt, Indianer auszurotten. Erst ein freundliches Lächeln für die hübsche Squaw und dann postwendend eine Kugel hintendrein. Sofort tauchen mehr Reiter auf, und innerhalb kürzester Frist sind sämtliche Rothäute des Dorfes in die ›Ewigen Jagdgründe‹ geschickt. Gegenspieler dieser mordenden und brennenden Bande ist ein junger Indianer, der letzte seines Stammes, der Rächer seines Volkes. Unermüdlich umkreist er die Banditen und erledigt langsam, aber unausweichlich einen nach dem anderen.

Zuletzt muss der Chef mit einem Beil im gespaltenen Kopf daran glauben. Aber auch den Rächer trifft am Ende die tödliche Kugel. Dieses Massaker ist von Sergio Corbucci völlig unwirklich in Szene gesetzt worden, damit man es überhaupt ertragen kann. Es ist wie in den Comic Strips: Die Bösen sind ganz schrecklich böse, der Gute über die Maßen gut, und die Mädchen sind ungewöhnlich appetitlich. Am Ende muss der Edle natürlich geopfert werden, weil so Melancholie anhebt. Es sind gar keine richtigen Menschen, die hier vorgeführt werden, sondern nur eine Art Räuberpistole, bei der die Übertreibung ein rhetorisches Mittel ist.« *Klaus U. Reinke, Filmecho/Filmwoche Heft 38, 1967*

WANTED

Wanted! – für drei lumpige Dollar (Regie: Giorgio Ferroni)

Italien 1966
Erstaufführung in Italien: 22. März 1967
Deutscher Start: 27. April 1967

Besetzung: *Giuliano Gemma (Gary Ryan), Teresa Gimpera (Evelyn), German Cobos (Martin Heywood), Serge Marquand (Lloyd), Gia Sandri (Cheryl), Daniele Vargas (Gold), Carlo Hintermann (Richter Anderson), Benito Stefanelli (Billy Baker), Tullio Altamura (Ellis), Pietro Tordi (Collins), Franco Balducci (Cuzack), Furio Meniconi, Nello Pazafini, Rosella Carr, Marco Bogliani, Cole Kitosch [Alberto Dell'Acqua], Nino Vingelli, Pietro Capanna, Carlo Pisacane, Ivan Scratuglia*

Inhalt: Gary Ryan (Giuliano Gemma), ein berühmter Staatenreiter, wird von Bezirksrichter Anderson (Carlo Hintermann) zum Sheriff von Greenfield ernannt, um großen Gold- und Viehdiebstählen auf die Spur zu kommen. Bevor

Gary jedoch Greenfield erreicht, hat der dortige Bürgermeister, ein gewisser Mr. Gold (Daniele Vargas), bereits einen anderen Mann seiner Wahl zum Sheriff bestimmt. Dieser Mann ist Frank Lloyd (Serge Marquand), ein berüchtigter Mörder und Viehdieb, der nach außen hin als Gehilfe von Gold den Biedermann spielt.

Bürgermeister Gold und Lloyd müssen jedoch Gary als Sheriff anerkennen, da seine Ernennung vom Bezirksrichter Anderson stammt und früher erfolgt ist als die Wahl von Frank Lloyd. Bürgermeister Gold und Frank Lloyd beschließen jedoch sofort, sich des unbequemen Staatenreiters zu entledigen. Gary übernimmt die Sicherung eines großen Goldtransportes, auf den Bürgermeister Gold und Frank Lloyd einvernehmlich eine berüchtigte Bande ansetzen in der Hoffnung, sich nicht nur in den Besitz des Goldes zu bringen, sondern auch den unerwünschten Sheriff zu beseitigen. Gary ahnt die Gefahr. Mit Hilfe einiger Getreuen gelingt es ihm in einem tollen

Giuliano Gemma schussbereit

Giuliano Gemma als Gary Ryan

Giuliano Gemma liebt Pferde

Gefecht, die auf den Goldtransport und auf ihn angesetzte Bande zu vernichten und das Gold am Bestimmungsort abzuliefern. Diese Heldentat verbreitet sich mit Windeseile und kommt auch zu Ohren der Gangster Gold und Lloyd, ehe Gary nach Greenfield zurückkehrt. Man muss also einen zweiten Anschlag auf sein Leben planen. Ein notorischer Trunkenbold wird aufgestachelt, Gary unbewaffnet anzupöbeln. Als Gary sich ihn abschütteln will, fällt ein Schuss. Der Mann ist tot. Eine stadtbekannte Dame beschuldigt Gary der Täterschaft. Die Bürger, von Bürgermeister Gold und Lloyd aufgestachelt, werfen Gary ins Gefängnis und wollen ihm am nächsten Tag den Prozess machen. Der Ausgang ist gewiss. Im Gefängnis findet Gary unerwartete Hilfe von einem Mann namens Baker, der Gold und Lloyd des Viehdiebstahls bezichtigt. Es gelingt Gary zu entkommen. Lloyd schwingt sich erneut zum Sheriff auf und setzt sich auf die Fährte von Gary. Gold als Bürgermeister hetzt einen Steckbrief hinterher mit einem Kopfgeld von 5000 Dollar.

Gary muss Beweise finden, dass Bürgermeister Gold und Frank Lloyd die längst vermuteten und berüchtigten Viehdiebe und Mörder sind und das ganze Gebiet terrorisieren. Er wird an einen Schmied verwiesen, der an der mexikanischen Grenze in ständiger Furcht vor Gold und Lloyd lebt. Unter Zwang hat er für die beiden, insbesondere für Gold, Brandzeichen in so geschickter Weise gefertigt, dass diese die Brandzeichen der umliegenden Rancher, denen ständig Vieh abhanden kommt, überdecken. Gold und Lloyd ist daher kein Viehdiebstahl nachzuweisen, da die Brandzeichen in Ordnung sind. Es gelingt Gary, sich in den Besitz der Originale dieser Brandzeichen zu bringen; er wird jedoch dabei von Lloyd und seiner Gang überrascht und erneut als Gefangener zum Aufknüpfen nach Greenfield gebracht. Seine wenigen Getreuen können jedoch bei der Auseinandersetzung mit Lloyd entfliehen, die Brandzeichen mit sich nehmen und sie dem Bezirksrichter Anderson vorweisen. Dieser will Gary auf freien Fuß setzen und Gold und Lloyd anklagen lassen. Die stadtbekannte Zeugin der Anklage erinnert sich dabei plötzlich, dass es nicht Gary war, der den auf ihn angesetzten Trunkenbold erschossen hat, sondern Lloyd selbst, der ursprünglich vorgesehene Sheriff. Im Schlusskampf bringt Gary Lloyd zur Strecke und überantwortet ihn dem Bezirksrichter Anderson, damit dem Genüge getan werde. Auf den erneut angebotenen Sheriffstern allerdings verzichtet Gary.

Film: Hier handelt es sich um einen sehr actionreichen Gemma-Western, indem sich dieser als neuer Sheriff von Greenfield eines Mordverdachts erwehren muss. Nello Pazzafini ist in einer sehr schönen Nebenrolle als schlag- und tatkräftiger Priester, der dem Helden zur Seite steht, zu bewundern. Auch bekommt Gemma Hilfe vom Berufsspieler Martin Heywood (German Cobos). Wie man verschiedene Brandzeichen durch einen simplen Trick zu einem fremden Brandzeichen umändern kann, bekommt man hier augenfällig vorgeführt. Der Film gehört zur Giorgio-Ferroni-Trilogie (wie auch »Un dollaro bucato« (»Ein Loch im Dollar«) und »Per pochi dollari ancora« (»Tampeko«), in dem immer Giuliano Gemma die Hauptrolle übernahm.

Presse: »Der populäre italienische Western-Star Giuliano Gemma als Held klassischer Wildwest-Situationen: Gemma weiß daraus etwas zu machen! Er ist der unerschrockene Streiter für Recht und Gerechtigkeit gegen Korruption und Verbrechen. Er ist der einsame Outlaw, der als Mörder gejagt wird, obwohl er völlig unschuldig ist. Er steht schutzlosen Frauen und Kindern gegen skrupellose Viehdiebe bei. Er findet auch noch aus ausweglosen Situationen einen Ausweg. Er bringt im Einzelgang als faustgewaltiger Old Shatterhand ein ganzes Viehräuber-Camp zur Strecke. Auch mit dem Colt weiß er zielsicherer umzugehen als alle seine Widersacher. Und wenn die Leichen sich auf der Gegenseite auch häufen – Gemma und sein rauer Charme überleben! Man sieht ihm gerne zu. Man hat seine Freude an der Geschichte, die er mit rasantem Schwung durchzieht. Zumal der Regisseur, der sich Calvin J. Padget nennt, diesem nagelneuen Italo-Western auch seinerseits viel Sorgfalt angedeihen ließ und Spannung auf handwerklich präzise Art und Weise ohne modische Rückgriffe auf brutale Perversionen vorzüglich zu schaffen und zu steigern versteht.«   *Hans Jürgen Weber,*
Filmecho/Filmwoche Heft 38, 1967

SE SEI VIVO SPARA

Töte, Django (Regie: Giulio Questi)

Italien / Spanien 1967
Erstaufführung in Italien: 22. Januar 1967
Deutscher Start: 3. Mai 1967

Besetzung: *Tomás Milian (Django), Ray Love-lock (Evan), Piero Lulli (Oaks), Milo Quesada (Tembler), Roberto Camerdiel (Mr. Zorro), Marilù Tolo (Flory), Francisco Sanz (Hagerman), Patrizia Valturri (Elisabeth), Miguel Serrano, Ángel Silva, Sancho Gracia, Mirella Pamphili, Frank Braña*

Inhalt: Überfall auf einen Goldtransport der »Wells Fargo«. Eine Bande von Yankees und Mexika-nern metzelt die begleitende Militäreskorte bis auf den letzten Mann nieder. Als die Mexikaner, deren Anführer Django (Tomás Milian) ist, ihren Anteil an der Beute verlangen, ziehen Oaks (Piero Lulli), der Anführer der Yankees, und seine Leute die Waffen. Oaks will nicht mit den Mexikanern teilen. In der Wüste müssen sie sich ihr eigenes Grab schaufeln und werden exekutiert.

In der darauf folgenden Nacht finden zwei Indios in diesem Massengrab einen, der noch Lebenszeichen von sich gibt. Es gelingt ihnen, den tödlich verwundeten Django ins Leben zu-rückzuholen. Aus einem Beutel Gold, der aus dem Goldtransport stammt und den sie neben dem Grab gefunden haben, gießen sie Kugeln. Mit diesen Kugeln wird Django den Tod seiner Freunde rächen. In einem nahe gelegenen Dorf sind die Yankees eingetroffen, um sich mit Pfer-den und Proviant zu versorgen. Der Wirt Tembler (Milo Quesada) und der Kaufmann Hagerman (Francisco Sanz) erkennen den steckbrieflich gesuchten Oaks und beschließen, sich in den Be-sitz des Goldes zu setzen. Sie mobilisieren die Dorfbewohner, die nun eine gnadenlose Jagd auf die Banditen machen. Die Desperados werden überwältigt und auf dem Marktplatz aufgehängt. Als Django mit den beiden Indios, die bei ihm geblieben sind, dort eintrifft, kann er nur noch Oaks, der sich in einem Haus versteckt hält, in einem dramatischen Schusswechsel außer Ge-fecht setzen. Inzwischen hat der in der Nähe des Ortes ansässige Großgrundbesitzer Zorro (Ro-berto Camardiel), der mächtigste Mann an der mexikanischen Grenze, durch einen seiner Spi-one erfahren, dass sich Oaks mit seiner Bande und also auch das Gold im Ort befinden. Er versucht, von dem tödlich getroffenen Oaks das Versteck des Goldes zu erfahren. Vergeblich, denn Oaks stirbt an seiner Verwundung. Das Gold ist wäh-rend des Kampfes mit den Banditen von Tembler und Hagerman aus den Satteltaschen der Pferde der Banditen entwendet worden. Zwischen bei-den entbrennt jetzt ein erbitterter Streit um die Anteile an der Beute. Zorro ahnt, wer im Besitz des Goldes ist und nimmt Temblers Sohn Evan gefangen, um den Vater zu erpressen. Temblers schöne, aber habgierige Freundin Flory, die von Evan verachtet wird, sorgt dafür, dass der Vater ihn nicht aus der Gewalt Zorros freikauft. Zwar gelingt es Django, Evans bei Zorro auszulösen, aber die perversen Leibwächter Zorros vergrei-fen sich an dem Knaben und treiben ihn zum Selbstmord. Django kehrt mit dem toten Evan ins Dorf zurück. Wenig später überfällt die schwarze Leibgarde Zorros Temblers Gasthaus. Aber man findet das Gold nicht, da es Tembler im Sarg seines Sohnes versteckt hat.

Der Streit zwischen Tembler und Hagerman um die Anteile an dem Gold nimmt erbitterte Formen an. Hagerman bittet Django in sein Haus, um sich von ihm vor einem möglichen Angriff Temblers schützen zu lassen. In Hagermans Haus findet Django Elisabeth, die Frau des Kaufmanns, die von ihrem Mann eingesperrt wurde, weil sie angeblich geisteskrank sei. In Wirklichkeit rächt sich Hagerman auf diese Weise dafür, dass seine Frau ihn nicht liebt. Django verspricht Elisabeth, sie aus diesem Haus zu befreien, sobald seine Aufgabe erfüllt ist. Sie verbringen die Nacht zusammen. Am Morgen vermisst Django seine Pistole. Hagerman hat sie entwendet und in der Zwischenzeit Tembler erschossen. Mit sechs gol-denen Kugeln. So fällt der Verdacht auf Django, der nun von den Dorfbewohnern gesucht wird. Einer der Indianer, der ihnen über den Weg läuft, wird skalpiert.

Django wird von Zorros Leuten gefasst, ein-gekerkert und gefoltert – bis er gesteht, wo das

Gold zu finden ist. Flory, Temblers Freundin, hatte ihm, kurz bevor sie ebenfalls von Hagerman erschossen wurde, verraten, dass sich das Gold im Sarg von Evan auf dem Friedhof befindet.

Als Zorros Leute den Sarg öffnen, müssen sie feststellen, dass jemand vor ihnen da war und das Gold geraubt hat. Es war Hagerman, der durch einen Zufall hinter das Geheimnis gekommen war. Django wird in letzter Minute von dem überlebenden Indianer aus Zorros Keller gerettet. Mit einer Dynamitladung jagen sie Zorros Männer in die Luft. Zorro selbst wird von einer Kugel Djangos getroffen. Als Django wieder im Ort eintrifft, steht das Haus Hagermans in Flammen. Elisabeth hat es angezündet. Sie, Hagerman und das Gold bleiben in den Flammen. Djangos Mission ist erfüllt. Er verlässt die Stätte des Grauens. Er wollte das Böse bekämpfen, als Sühne für seine eigenen Verbrechen. Er hat gesühnt, nun reitet er davon. Niemand weiß wohin.

Film: Dieser Film ist ohne Zweifel der perverseste, sadistischste und irrsinnigste italienische Western, der jemals gedreht wurde und trifft sicherlich nicht jedermanns Geschmack. Giulio Questis einziger Western stellte mit diesem vollkommen atypischen Genrebeitrag gleichzeitig sein Regiedebüt dar, der zahlreiche Tabuthemen jener Tage aufgreift wie z.B. noch nie vorher gesehene Brutalität, Vergewaltigungen, Homosexualität, grausame Kinderquälereien, Vierteilungen und Perversionen jeglicher Art. Besonders im Gedächtnis haften bleiben die Szenen, als einige Männer mit ihren bloßen Händen goldene Kugeln aus einem noch lebenden Körper herausholen. Tomás Milian glänzt wieder einmal in einer außergewöhnlich leidenschaftlichen Rolle als Rächer seiner ermordeten Freunde. Sein Gegen-

Tomás Milian als Django

spieler wird dargestellt von Roberto Camerdiel in einer seiner erinnerungswürdigsten Rollen als böser, homosexueller Banditenboss Zorro. Über dem gesamten Film liegt eine gotische Stimmung wie etwa in der Szene, als die Männer in das abgelegene Dorf kommen, das von Brutalität regiert wird und in dem sogar Kinder und Frauen misshandelt werden. In diesem Film findet sich fast kein einziger normaler Charakter. Der Bandenboss namens Zorro umgibt sich mit einer Bande von ganz in Schwarz gekleideten Homosexuellen und hält sich sogar einen sprechenden Papagei. Der einzige halbwegs positive weibliche Charakter ist der einer verrückten Nymphomanin, sogar der Held selber ist ein untypischer Guter, der mit einer gewissen Abwesenheit die Vergewaltigung des jungen Evan mit ansieht.

Giulio Questi hat bewusst versucht, eine ganze Reihe von Tabus zu durchbrechen. Die Kamera erspart dem Publikum auch grausame Details nicht, wie etwa eine Reihe von Gehenkten, denen die Zunge aus dem Mund hängt, einige tote Pferde, die von Fliegen umsäumt sind, ein Gesicht, das von geschmolzenem Gold zerfressen wird. Die schockierendste Szene des Films ist sicherlich die detaillierte Skalpierung eines Indianers. Man sieht in der Nahaufnahme, wie sich ein Messer quer über die Stirn des Indianers bohrt, das Blut rinnt über sein Gesicht und seine Kopfhaut wird mit äußerster Brutalität, verbunden mit einem grauenhaften Soundeffekt, von seinem Kopf gerissen. Unheimlich brutal für die damalige Zeit, kein Wunder, dass der Film damals in Italien zuerst verboten wurde und dann in einer zensierten Fassung nochmals in die Kinos kam.

All diese Grausamkeiten wurden von Questi nicht zum Selbstzweck inszeniert, sondern als Kritik an der ausbeutenden, rassistischen Gesellschaftsklasse und der bigotten Bürger. Das Dorf der »Wahnsinnigen« ist eigentlich ein symbolischer Mikrokosmos, der unsere kapitalistische Gesellschaft widerspiegelt. Zorro und seine Gefolgsleute repräsentieren laut Questi die reaktionären Ideale, die im Schatten auflauern. Ein schockierendes Beispiel dafür ist die Szene, in der der junge verweichlichte Evan (Ray Lovelock in seiner ersten Rolle) von Zorros Leuten vergewaltigt wird und in der sich Zorro zweideutig zu Tomás Milians Charakter äußert.

Kurze Zeit nach dieser Vergewaltigung tötet sich der arme Evan selbst. Laut den Drehbuchautoren wäre der Film ursprünglich noch viel grausamer geworden, was die Filmemacher allerdings schon während der Dreharbeiten selber zensierten. Trotzdem war dies der einzige italienische Western, der im Ursprungsland durch richterliches Urteil drei Tage nach der Premiere aus den Kinos genommen werden musste. Laut Aussagen von Questi basiert dieser Film sehr stark auf eigenen Erlebnissen, die der Regisseur während der Partisanenkriege in den Bergen Italiens hatte und die er in das Gewand eines Western steckte. Man sollte nicht vergessen, auf die Kamera-Arbeit des talentierten Franco Delli Colli hinzuweisen, der in diesem Film unglaublich viel Kreativität walten lässt passend zum treibenden Rhythmus der Musik von Ivan Vandor, leider dessen einziger Beitrag zu diesem Genre. Regisseur Questi macht auch perfekten Gebrauch von den vorhandenen Drehplätzen, allen voran einem großen weiß-sandigen Baugelände außerhalb von Madrid und der bereits in zahlreichen Filmen verwendeten Westernstadt im spanischen Dorf Hoyo de Manzanares. Für Zorros Unterkunft wurde wiederum auf die bewährte Villa Mussolini bei Rom zurückgegriffen.

Presse: »Ein harter, ungewöhnlich grausamer Western. Die Bewohner eines Dorfes an der mexikanischen Grenze werden von Banditen terrorisiert, die sich in der Nähe eingenistet haben. Wer sich auflehnt, fällt unter ihren Kugeln. Sie selbst halten sich an den Indios schadlos und massakrieren sie. Bis der Titelheld kommt, ein Killer-Snob, der mit goldenen Kugeln aufräumt und für Ordnung sorgt. Dass eine von ihrem goldgierigen Mann gefangen gehaltene unschuldige Frau verbrennt, kann er aber ebenso wenig verhindern wie die gaffende Bevölkerung, die gar nicht so böse ist, dass bei dieser Gelegenheit auch ihr Gläubiger an seinem eigenen Golde erstickt. Regisseur Questi versucht, seinem melancholischen Gerechtigkeitsfanatiker durch seelische Tiefenlotung und Traumeinblendungen ein wenig mystischen Glanz zu verleihen. Indianische und altchristliche Bräuche zielen ebenfalls in diese Richtung.« *Ernst Bohlius,*
Filmecho/Filmwoche Heft 47–48, 1967

»Questi addiert die spezifischen Muster, die das Genre abweichend vom Hollywood-Western entwickelt hat, sinnvoll zu einer makabren Anthologie, in der die gängigen Kinogreuel mit dem Finger aufeinander zeigen. Dem heruntergekommenen Dorf irgendwo in der Wüste, in dem fast alle italienischen Western spielen, hat Questi auch noch jene negative Idyllik ausgetrieben, die es sonst charakterisiert: In seinem Dorf maltrieren sich sogar die Kinder, scheußliche, zahnlose Geschöpfe, die das Schlussgemetzel überleben – der Grabesfrieden, den Django mit dem Colt herstellt, ist trügerisch. Und das Motiv der Goldgier setzt hier nicht nur eine Handlung in Gang, sondern zieht sich zentral durch den ganzen Film: Eine Bande aus Mexikanern und Yankees überfällt einen Goldtransport, aber als es ans Teilen geht, machen die Yankees die Mexikaner nieder. Nur Django übersteht das Massaker, doch als er die Yankees einholt, ist nur noch deren Anführer Oaks am Leben – die anderen sind von den Dorfbewohnern bereits erschlagen, erschossen oder erhängt, des Goldes wegen.

Django erschießt Oaks, aber damit fängt die Geschichte erst an: Der Kaufmann, der Wirt und der Großgrundbesitzer des Dorfes, der sich eine homosexuelle Mörderbande hält, liefern sich ein erbittertes Gefecht um das Gold; Django paktiert mit allen und mit keinem und tötet, wo er kann, aber am Ende erringt auch er das Gold nicht – das fließt dem Kaufmann, als er es aus einem Wandkasten seines brennenden Hauses retten will, über den Kopf. Questis Mordszenen beginnen, wo solche Szenen auch im italienischen Western sonst enden. Was es heißt, einen zu hängen, das zeigt er, und die Dorfbewohner schneiden dem erst halbtoten Oaks Djangos goldene Kugeln in einer Halbnahen aus dem Leib. Zwar fehlen in Questis Film weder die Heroine noch der Humor, aber das Mädchen, mit dem Django schläft, ist wahnsinnig, und der Humor ist vergiftet: Der Papagei des Großgrundbesitzers quakt seinen Herrn sterbend in den Tod.« *Uwe Nettelbeck,*
Filmkritik 6/1967

»Der Eckelkamp-Verleih versucht, sich mit ›Töte Django‹ und ›Ohne Dollar keinen Sarg‹ an das lukrative Geschäft mit italienischen Western zu hängen. Übel nehmen kann man Hanns Eckelkamp diese Politik nicht; doch dürften manche Gesichter, die noch einstige ›Atlas‹-Staffeln vor Augen haben, etwas lang darüber geraten.

Ich bin der Ansicht, dass sich diese beiden Western nicht nur sehen lassen können, sondern innerhalb des harten Booms eine Art Sonderstellung einnehmen. ›Ohne Dollar keinen Sarg‹ vielleicht durch die Tatsache, dass hier ein Wes-

Tomás Milian in der Gewalt von goldgierigen Banditen

tern-Neuling, Tomás Milian, sein Debüt gibt: Milian wird, vielleicht nicht als Western-Akteur, jedenfalls aber als Schauspieler, seine Generations-Kollegen zweifellos in Kürze überflügelt haben. Hier ist ein weniger exzessiv und egozentrisch agierender, moderner James Dean nachgewachsen. Auch in ›Töte Django‹ ist Milian in der Hauptrolle zu sehen, hat allerdings hier (Regie: Giulio Questi) seltener die Möglichkeit, sein ganzes Talent zu entfalten. Er spielt (der Streifen hat mit der Django-Serie der Constantin nichts zu tun) einen jungen Mexikaner, der sich an einem Goldüberfall auf die US-Kavallerie beteiligt und von seinen Kumpanen, ›Yankees‹, nach dem gelungenen Coup samt seiner mexikanischen Gefährten ›umgelegt‹ wird.

Django ist jedoch nur verwundet, nimmt die Verfolgung der Banditen auf und gerät dabei in ein Dorf, in dem er feststellt, dass die Gesuchten bereits von den fried- und ordnungsliebenden Bürgern aufgeknüpft wurden. Das Gold befindet sich mittlerweile im Besitz der nach außen hin hochhonorigen, innerlich rettungslos versumpften Anführer der Bürger-Meute, und ein Banditen-Boss tut alles, um es ihnen abzunehmen (er schickt seine adrett schwarz und im Sex-Look gekleideten Männer los; er lässt sogar einen Friedhof umgraben). Die Bürger ihrerseits tun alles, um das Gold zu behalten: der eine opfert kurzerhand seinen Sohn, der andere holt seine Frau hervor, die er wegen Eifersucht für immer in einem Zimmer verbarrikadiert hatte, und bietet sie Milian an, damit dieser ihn und seinen Schatz

verteidigt. Leidige Zustände herrschen also, und Milian schafft mit seinen goldenen Kugeln halbwegs Ordnung in dem sinistren Kaff, gequält von Angstvisionen und Widerwillen.

Questi hat Ambitionen. Und zwar so ziemlich in jeder Richtung, wobei die, die er in Bezug auf die Fotografie entwickelte, am perfektesten realisiert wurden.

Er lässt sich von der Kamera unablässig die charakteristischen Details jeder Szene herausgreifen, entgeht dabei zwar nicht ganz der Gefahr des forciert Dekorativen, bringt es jedoch immer wieder fertig, dem Betrachter das Gefühl zu vermitteln, einem bösen, atemberaubend ausweglosen Alptraum beizuwohnen, in dem alle Maßstäbe von Gerechtigkeit und Moral und alle sonstigen Tugenden außer Kraft gesetzt sind. Ein oft faszinierender Fluss von scheinbar absichtslos, doch sehr präzis herausdestillierten Close-ups nimmt den Darstellern die Hauptarbeit ab. Sie werden zu Objekten, in die eine inquisitorische Kamera einzudringen versucht.

Vielleicht ist das alles etwas zu hoch gegriffen, aber ›Töte Django‹ scheint mir der Beweis dafür zu sein, dass auch im italienischen Western Regisseure am Werk sein können, die die Möglichkeiten des Genres zu nutzen verstehen, ohne es gleich aus den Angeln heben zu wollen. Questi jedenfalls ist es gelungen, so viel Persönliches in überzeugende Bilder und Gestalten umzusetzen, dass man sich seinen Namen merken sollte.«

Eckhart Schmidt,
Film 06/1967: Inquisition durch die Kamera

JOHNNY YUMA

Johnny Yuma (Regie: Romolo Girolami)

Italien 1966
Erstaufführung in Italien: 11. August 1966
Deutscher Start: 5. Mai 1967

Besetzung: *Mark Damon (Johnny Yuma), Lawrence Dobkin (Linus Jerome Carradine), Rosalba Neri (Samantha Felton), Luigi Vannucchi (Pedro), Gustavo D'Arpe (Pitt), Fidel Gonzales (Zorito), Dada Gallotti (Susan), Frank Liston [Franco Lantieri](Sancho), Leslie Daniels (Felton), Nando Poggi (Sugar), Gianni Solaro, Mirella Pamphili*

Inhalt: Thomas Felton (Leslie Daniel), ein reicher Landbesitzer, wird im Auftrag seiner jungen Frau Samantha (Rosalba Neri) ermordet, weil sie in den Besitz seines beachtlichen Vermögens kommen möchte. Nach Feltons Testament allerdings ist ein Neffe, Johnny Yuma (Mark Damon), Alleinerbe. Samantha will das Testament vernichten, findet es aber nicht.

Um sich den einzigen Zeugen ihres Verbrechens vom Halse zu schaffen, beauftragt sie ihren ehemaligen Geliebten, Carradine (Lawrence Dobkin), den lästigen Mitwisser umzubringen.

Weiterer Komplize ist ihr Bruder Pedro (Luigi Vannucchi). Carradine begibt sich nun nach Santamargo, um bei Samantha den Lohn für seine Tat zu kassieren. Johnny Yuma, der sich ebenfalls auf dem Wege nach Santamargo befindet, trifft mit Carradine zusammen. Beide geraten in eine Schießerei, bei der sie sich gegenseitig das Leben retten. Johnny erfährt von Carradine, dass dieser den Auftrag erhalten habe, ihn zu töten.

Da die beiden voreinander wenn auch keine Freundschaft, so doch Achtung empfinden, be-

Ein Hinterhalt in der Wüstenlandschaft bei Tabernas

Mark Damon als Johnny Yuma und Luigi Vannucchi als Pedro

Johnny Yuma wird bedroht

schließen sie, sich am nächsten Morgen zu duellieren. Johnny kehrt unterdessen heimlich zur Ranch zurück und entdeckt das Testament des Onkels. Darauf hat Samantha nur gewartet, aber Johnny entlarvt ihre verbrecherischen Pläne.

Am kommenden Morgen begibt sich Johnny zu dem Duell mit Carradine. Samantha versucht, ihre letzte Karte zu spielen, sie will sich jetzt beider Männer entledigen. Johnny und Carradine entgehen der tödlichen Falle und gemeinsam schaffen sie die von Samantha gedungenen Meuchelmörder, deren Anführer Pedro ist, aus dem Weg. Carradine eilt zur Ranch, um sich zu rächen, aber Samantha tötet ihn. Während er in den letzten Atemzügen liegt, gelingt es ihm, Samanthas Wasserbehälter mit zwei Schüssen zu durchlöchern, als sie mit ihrer Kutsche von der Ranch flüchtet. Johnny, auf dem Ritt nach neuen Abenteuern, findet später in der Wüste Samanthas von der glühenden Sonne verbrannte Leiche.

Film: »Johnny Yuma« von Romolo Girolami gehört sicher zu den besten Italo-Western der »goldenen Jahre« und kann ohne Probleme mit den Spitzenwestern von Corbucci, Tessari, Sollima, Colizzi, etc. mithalten. Von Kameramann Mario Capriotti in und um die Sierra Alhamilla bei Tabernas unter Verwendung einiger »echter« Bauten wie der Finca von El Romeral in San José (bekannt aus »Una pistola per Ringo [»Eine Pistole für Ringo«]) wunderschön in Szene gesetzt, glänzt dieser Film mit einem hervorragenden Mark Damon, der hier seine Paraderolle abliefert.

Auf Grund des hohen Gewaltanteils erhielt dieser Film zur Zeit der Erstauswertung in Italien einige sehr scharfe und negative Kritiken. Vor allem die Szenen, in denen Johnny Yuma (Mark Damon) wie ein Stier von Pedro (Luigi Vannucchi) verwundet und gepeinigt wird oder als Pedro den kleinen Jungen Pepe zu Tode prügelt, nur weil er Johnny Yumas Versteck nicht preisgeben will, seien hier als Beispiele genannt. Der Film enthält wahrscheinlich auch den besten Score von Komponistin Nora Orlandi, die mit ihrer Musik eine perfekte Stimmung schafft.

Presse: »Ein verführerischer Weibsteufel (Rodalba Neri) will den Titelhelden um sein Erbe bringen. Erst räumt sie den Ehegatten aus dem Weg und hetzt dann eine wahre Satansbrut von Revolverhelden auf den Stiefsohn. Doch der Tausendsassa wird mit dem Gelichter ebenso fertig wie mit der erbschleichenden Stiefmutter. Wo er erscheint, purzeln die Gegner und das schöne Geschlecht erschauert unter seinem stahlblauen Blick. Ein harter, farbenfroher Western aus Italien.« *Ernst Bohlius, Filmecho/Filmwoche Heft 43, 1967*

LE COLT CANTARONO LA MORTE E FU ... TEMPO DI MASSACRO

Django – Sein Gesangbuch war der Colt (Regie: Lucio Fulci)

Italien 1966
Erstaufführung in Italien: 10. August 1966
Deutscher Start: 12. Mai 1967

Besetzung: *Franco Nero (Tom Corbett, in der deutschen Fassung Django), George Hilton (Jeffrey »Slim« Corbett), Nino Castelnuovo (Jason Scott jr.), Rina Franchetti (Mercedes), John Mc-Douglas [Giuseppe Addobbati](Mr. Scott), Aysanoa Dunachagua (Souko), Lyn Shany [Linda Sini], Tom Felleghy, Franco Morici, Yu Tckang, Attilio Severini, Mario Dionisi, Romano Puppo, Roberto Alessandri*

Inhalt: In einer kleinen Goldgräbersiedlung an einem schmutzigen Fluss nahe der mexikanischen Grenze sucht Django (Franco Nero) nach dem wertvollen Edelmetall. Hier, inmitten einer Welt kameradschaftlicher Verbundenheit, erreicht ihn der Brief Carradines, eines alten Freundes, der ihn auf befremdende Weise auffordert, nach Hause zu kommen. In seinem heimatlichen Dorf hat sich viel geändert: Alles gehört dem herrschsüchtigen Scott, einschließlich dem Hof seines Bruders Jeffrey (George Hilton).

Django wird von dort mit drohenden Gesten weggejagt. Jeffrey selbst lebt mit einer alten Amme, völlig dem Alkohol verfallen, am Rande des Dorfes. Auf die Fragen Djangos, wieso sich alles geändert habe, weicht er – wie alle Dorfbewohner – aus; Jeffrey fordert Django sogar auf, sich aus allem herauszuhalten und wieder zu verschwinden.

DJANGO
Sein Gesangbuch war der Colt

Franco Nero in der Rolle des Tom Corbett

Franco Nero und George Hilton

Django wird Zeuge eines Überfalles, den der unberechenbare Scott Jr. (Nino Castelnuovo) auf die Familie der Carradines unternimmt. Fest entschlossen, den Geheimnissen auf die Spur zu kommen, überredet er den fast ständig betrunkenen Jeffrey, ihm den Weg zu Scotts Ranch zu zeigen. Gemeinsam schießen sie sich durch die zahlreichen Wachposten hindurch, mit denen Scott sein Land umstellt hat. Die Scotts feiern ein Fest mit ihren Freunden. Django allein wagt sich bis zu ihnen vor, aber in einem erbarmungslosen Peitschenduell schlägt ihn der junge Scott bis zur Besinnungslosigkeit blutig.

Bei seiner Rückkehr sieht Django, wie die alte Amme von Scotts Leuten erschossen wird. Jeffrey, der beim Überfall unverwundet bleibt, erwacht aus seiner Lethargie und erklärt sich bereit, Django in seinem Kampf zu helfen. Er warnt ihn noch ein letztes Mal und eröffnet ihm, dass der alte Scott (John McDouglas) sein Vater sei.

Auf dem Ritt zur Ranch sehen sich die beiden Pistoleros den Scotts gegenüber. Der alte Scott, der mit Django reden will, wird von seinem verbrecherischen Sohn hinterrücks erschossen. Die

Banditen fliehen und verschanzen sich in der Ranch. Mit seinem Colt begleicht Django alle Rechnungen.

Film: Im Jahr 1966 lieferte Lucio Fulci dieses dunkle, gotische Meisterwerk mit Franco Nero und George Hilton in den Hauptrollen ab, das sich inzwischen längst zum Kultfilm in diesem Genre gemausert hat, nicht zuletzt wegen seiner dramatischen, ästhetischen und psychoanalytischen Andeutungen, dieselben, die später auch seine erinnerungswürdigen Thriller und Horrorfilme charakterisierten. Lucio Fulci selber bezeichnete diesen Film als seinen künstlerischsten, eine psychoanalytische Geschichte im Gewand eines Western. Herausragend ist die Figur des psychopathischen, sadistischen Junior (dargestellt von einem außergewöhnlichen, ganz in Weiß gekleideten und Peitsche schwingenden Nino Castelnuovo), der ein direkter Nachkomme von Marquis De Sade sein könnte. Junior verbirgt sich hinter der Maske eines rüden Dandys, ist jedoch in Wirklichkeit ein zwiespältiger Charakter, dem man seine mentale Krankheit nicht gleich ansieht, die zu unglaublich brutalen Akten der Gewalt führen.

Die beiden Brüder Tom (Franco Nero) und Jeff (George Hilton in seiner ersten namhaften Western-Rolle) sind beinahe einer griechisch-shakespaerschen Tragödie entsprungen. Ersterer spielt den typischen Italo-Western-Helden, wie ihn Clint Eastwood kreiert hat, er trägt sogar eine ähnliche Schafswolljacke wie schon damals sein Vorbild in Leones erstem Western. Jeff erinnert sehr stark an den von Dean Martin dargestellten Dude in Howard Hawks Klassiker »Rio Bravo«. All diese Einflüsse verstärken zusätzlich die Bedeutung der Gewalt in diesem Film, die bereits in der Eröffnungsszene deutlich wird, in der Junior eine Hetzjagd auf einen Gefangenen veranstaltet, die direkt aus Schoedsacks und Pichels »Most Dangerous Game« entnommen scheint.

Das gute Drehbuch von Fernando Di Leo wird durch die schauspielerischen Meisterleistungen Franco Neros und George Hiltons unterstützt, die jede Nuance ihrer inneren Zerrissenheit und Unsicherheit über die bestehende Situation auf die Leinwand bringen.

Erstmals wird in einem Italo-Western auch das Thema der Homosexualität angeschnitten in der Vater-Sohn-Beziehung zwischen dem alten Scott und seinem Sohn Junior, welches schließlich zum Vatermord führt.

Einige Szenen stechen besonders heraus, z. B. die brutale Tötung eines jungen Mannes vor den Augen seiner Eltern, die sadistische Auspeitschung von Tom durch den wahnsinnigen Junior, oder die Kreuzigung eines Untergebenen von Junior, der sich gegen dessen Gewalt auflehnt.

Nicht zu vergessen, dass man hier einen der besten Faustkämpfe des gesamten Genres finden kann und zwar zwischen dem betrunkenen Jeff und Scotts Banditen. Am Ende des Films kommt es im wahrsten Sinne zu einem Massaker, wie schon der Originaltitel verspricht. Diese Szenen

George Hilton in der Rolle des Jeffrey Corbett

der Schlussabrechnung gehören zu den besten, die das Genre je hervorgebracht hat. Das Bemerkenswerte an diesem Film ist auch die Tatsache, dass es Lucio Fulci gelang, mit den aus anderen Western bekannten italienischen Drehorten eine derart ungewohnte Atmosphäre zu schaffen, die perfekt zur dunklen Stimmung des Films passt, so z.B. die Verwendung der Villa Mussolini oder der Gegend um Magliana, einem Stadtteil im Südwesten von Rom.

Presse: »Und dieses ist der dritte Streich. Django, der als Goldwäscher arbeitet, wird in seinen Heimatort gerufen. Er entdeckt dort, dass sein Bruder gar nicht sein Bruder ist, findet den richtigen Bruder und den dazugehörigen Vater: zwei Schurken, die das Dorf tyrannisieren. Zusammen mit Jeffrey, den er für seinen Bruder hielt, räumt Django unter den Banditen auf. Der chinesische Allzweckmann – er fungiert als Schmied, Schreiner, Klavierspieler und Leichenbestatter – darf im Akkord Tote begraben. Europa imitiert die Domäne der amerikanischen Filmindustrie, den Western, auf finanziell lukrative Weise. Die ›Django‹-Serie ist ein Beispiel für die Kopiertüchtigkeit, gerade sie aber macht auch deutlich, dass die Gemeinsamkeiten des Western hüben mit dem Western drüben nur äußerer Natur sind. Den US-Filmen, die aus dem Hollywood-Klischee ausbrechen (jüngstes Beispiel: ›Man nannte ihn Hombre‹), vermochte Europa bisher nichts entgegenzusetzen. Man bietet entweder den naiven Indianerfilm oder aber brutale Killer-Abenteuer im ›Django‹-Stil. Leichen gehören zum Western wie die Rosinen in den Kuchen – Töten als Gaudi betrieben ist jedoch eine Western-Novität aus der Alten Welt. In ›Django‹ darf selbst der positive

Werberatschlag

Franco Nero wird von Nino Castelnuevo ausgepeitscht

Franco Nero – sein Gesangbuch war der Colt

Held, Jeffrey, unverhohlen seinem Mörderappetit frönen. Django tritt neben dieser Saftgestalt, der die Sympathien der Zuschauer gehören, in den Hintergrund. Wenn sich die beiden ›Rächer‹ am Ende des Films wohlig aufseufzend nach getaner Arbeit zu Boden strecken, Jeffrey eine fliegende Taube anvisiert, den Colt dann aber sinken lässt und sich die Revolverakrobaten etwas schwermütig ansehen, tun sie's wohlberechnet – der Zensur wegen. Dieser Schnörkel des Mitleids, des Widerwillens vor so viel Blut rückt die Killerkumpane wieder ins Licht mitfühlender Menschlichkeit.« *Eduard Länger,*
Filmecho / Filmwoche Heft 41, 1967

»Anfangs stufte man die italienischen Western nach der Brutalität ein, jeder neue Film schien den letzten überbieten zu wollen. Nun ist die Grenze erreicht, wo die Lächerlichkeit beginnen müsste, stattdessen werden die Filme klarer, durchsichtiger. Es ist nun nicht mehr zu übersehen, was einigen schon anfangs auffiel: die italienischen Western sind schonungslose Darstellungen italienischer Verhältnisse, der Zustände in einem Staat, unter dessen Oberfläche ein rigoroser anarchischer Kapitalismus wütet. Der Großrancher im originalen Western leitet seinen Besitzanspruch aus seinem Recht oder aus alter familiärer Tradition ab, selbst wenn er zum Gesetzesbrecher wird, bleibt ihm das subjektive Gefühl des Rechts – wenn nicht, wird er schnell als asozial erkannt und ausgestoßen. Im italienischen Western gibt es keine Asozialen, weil die gesellschaftlichen Zustände chaotisch, in gewissem Sinne also alle asozial sind. Der Besitzer leitet seinen Anspruch von nirgendwoher, er begründet ihn erst gar nicht, und auch die Drehbuchschreiber machen sich nicht viel Mühe, ihn zu diskutieren: der Desperado in ›Django – sein Gesangbuch war der Colt‹ wird, damit seine Auflehnung nicht allzu mächtig werde, mit einem dramaturgischen Trick eingefangen: er erfährt, dass jener Mann im weißen Anzug, der die Gegend terrorisiert, sein Vater ist.

Die Auseinandersetzung wird zum Familiendrama, das schließlich drei Halbbrüder unter sich ausmachen: mit seinem Halbbruder mütterlicherseits zieht Django gegen seinen Halbbruder väterlicherseits, der, um sein Erbe bangend, den Vater bei der Versöhnungszeremonie hinterrücks erschoss. Ganz gegen die Gepflogenheiten des Genres wird neben dem ohnehin nicht sehr attraktiven Helden – ein verbissener, wortkarger Bursche (Franco Nero) – eine noch eindeutiger negative Figur aufgewertet: ohne den versoffenen Halbbruder mütterlicherseits wäre Django im Endkampf hoffnungslos verloren.

Um die Mitte des Films dringt Django in das Domizil des Großgrundbesitzers ein: im Garten feiert eine weißgekleidete Gesellschaft eine Cocktail-Party – man hört förmlich das Mittelmeer rauschen.« *Werner Kließ,*
Film 09/1967: Mittelmeeresrauschen

PER POCHI DOLLARI ANCORA

Tampeko (Regie: Giorgio Ferroni)

Italien / Frankreich / Spanien 1966
Erstaufführung in Italien: 7. Oktober 1966
Deutscher Start: 26. Mai 1967

Besetzung: *Montgomery Wood [Giuliano Gemma] (Gary Hammond), Dan Vadis (Riggs), Sophie Daumier (Connie), José Calvo (Sam), Ángel Del Pozo (Captain Lefevre), Andrea Bosic (Der Colonel), Benny Reeves [Benito Stefanelli] (Juko), Antonio Molino Rojo (Captain Taylor), Jacques Herlin (Verräter), Men Fury [Furio Meniconi] (Newman), Jacques Stany (Murdok), Nello Pazzafini (Sergeant Pitt), Jacques Sernas (Sanders), Alberto Cevenini, Lorenzo Robledo, Robert Alexander, William Spoletini, John Mathews [Giuseppe Mattei], Mimmo Poli, Leonardo Martin, Pierre Cressoy*

Inhalt: Der Schauplatz dieses Abenteuers ist das Land zwischen Colorado und New Mexico, kurz nach Ende des amerikanischen Bürgerkrieges. Eine Streife der Nordstaaten kehrt nach Camp Davis zurück. Sie ist durch Zusammenstöße mit Banditen stark reduziert. Doch sie bringt zwei Gefangene mit ins Lager. Der eine wird auf Befehl Captain Lefevres (Ángel Del Pozo) sofort erschossen, der andere kann seine Haut retten, indem er ein wichtiges Geheimnis preisgibt: 800 Konföderierte unter Führung von Major Sanders, die trotz des Waffenstillstandes noch weiterkämpfen, bereiten einen Angriff auf Fort Yuma vor. Sanders hat sich mit dem Banditenführer Riggs (Dan Vadis) verbündet, um gemeinsam die in Fort Yuma liegenden Geldreserven zu erbeuten. Der Überfall soll durch einen Angriff der Konföderierten eingeleitet werden. Durch den Stollen einer stillgelegten Mine wollen die Ban-

Giuliano Gemma als Gary Hammond

diten dann in das Fort eindringen. Diese Mitteilung veranlasst den Kommandanten von Camp Davis, sofort einen Boten nach Yuma zu senden. Doch keiner seiner Leute kennt das Territorium von Colorado. Unter den Gefangenen im Camp ist Gary (Giuliano Gemma), ein junger Offizier aus Colorado. Er erklärt sich bereit, Captain Lefevre und Sergeant Pitt zu führen, um seine Kameraden vor der Vernichtung durch diesen unsinnigen Angriff zu bewahren. Die drei Männer machen sich auf den gefährlichen Weg. Pitt, ein alter Haudegen, schließt sofort Freundschaft mit dem jungen und draufgängerischen Gary. Doch Lefevre ist zurückhaltend und misstrauisch. Nach einigen Zwischenfällen, die Gary durch seine Umsicht rechtzeitig zu Gunsten seiner Begleiter entscheiden kann, erreichen die drei Männer Alamosa. Doch Sanders und Riggs sind bereits von ihrer Ankunft informiert und locken sie in einen Hinterhalt. In Alamosa trifft Gary auf ein sehr süßes und kesses Tingeltangel-Mädchen namens Connie, das sich auf dem Wege nach Brighton befindet. Er bewahrt Connie vor Belästigungen fremder Männer, und es scheint, als seien sich die beiden nicht gerade unsympathisch. Doch ihre

Wege führen in entgegengesetzte Richtungen. In einer unübersichtlichen Schlucht erwarten Riggs' Männer Gary und seine Begleiter. Ein Kugelhagel empfängt sie. Gary kann sich durch seine Wachsamkeit noch rechtzeitig den Angreifern entziehen. Mit Pitt erreicht er in einem gewaltigen Sandsturm den Ausgang der Schlucht. Doch bevor sie in Sicherheit sind, wird Pitt durch eine Kugel von hinten getroffen. Der Einschuss macht Gary stutzig, denn die Banditen haben sich hoch über ihnen verschanzt. Während der Sandsturm seinen Höhepunkt erreicht, zwingt Gary den nachkommenden Lefevre, ihm die Botschaft auszuhändigen. Er fesselt ihn und setzt seinen Weg allein fort. Hat Gary nun sein Wort gebrochen oder ist Lefevre der wirkliche Verräter? Gary erreicht den Fluss und rettet die Fähre, auf der sich die Postkutsche mit Connie in Gefahr befindet. Mittlerweile wird Lefevre von einer Streife der Unionstruppen befreit, und er verfolgt Gary. Lefevre eröffnet sofort das Feuer auf Gary. Ein Kugelwechsel entsteht, doch Garys Munition ist bald zu Ende. Er versteckt die Botschaft in Connies Koffer. Da trifft ihn eine Kugel. Er fällt ins Wasser und wird abgetrieben. Sam, ein al-

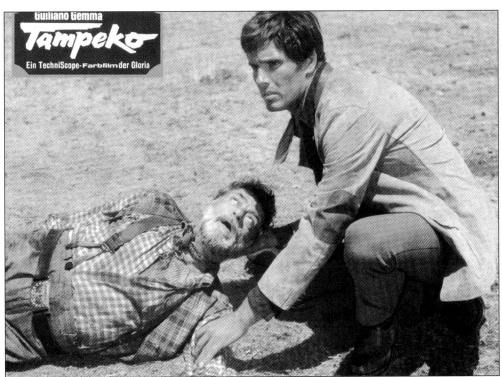

Der tote Sam (José Calvo) in den Armen von Gary Hammond (G. Gemma)

ter Goldgräber, findet Gary, er rettet und pflegt ihn. Als Erstes vertraut Gary seinem Retter die Botschaft an, die unbedingt nach Yuma gebracht werden muss. Zusammen machen sie sich auf nach Brighton, um Connie zu suchen. Doch Gary gerät erneut in einen Hinterhalt. Er wird bewusstlos geschlagen und in Riggs' Versteck gebracht, wo er mit dem Verräter Lefevre zusammentrifft. Nun ist Gary alles klar: Lefevre steckt mit Sanders unter einer Decke, und es ist seine Aufgabe, den Plan des Forts an den Major auszuliefern. Garys Verdacht, den er bereits beim Tode Pitts hatte, hat sich bestätigt.

Durch unmenschliche Foltern versuchen die Banditen nun von Gary das Versteck der Botschaft zu erfahren. Doch Gary schweigt. Er ist nur noch ein menschliches Wrack, als Connie ihn findet. Es gelingt ihr, Riggs zu überreden, Garys Leben zu schonen. Unter starker Bewachung wird Gary im Lager zurückgelassen, während Riggs Connie mit sich nimmt. Der nur scheinbar durch die Foltern erblindete Gary räumt nun unter seinen Bewachern auf. Inzwischen hat Sam die Festung Yuma erreicht und dem Kommandanten die Botschaft übergeben. Mit einer weißen Fahne reitet er dann den Konföderierten entgegen, um deren Angriff zu verhindern. Doch ein Schuss streckt ihn nieder, Sam stirbt in Garys Armen.

In dem Stollen, der zum Fort führt, liquidiert Gary in einem mörderischen Kampf den Banditenchef Riggs und Major Sanders. Captain Lefevre flieht ins Freie und zündet die Holzhütte an, in der Connie gefangen gehalten wird. Die letzten beiden Patronen muss Gary verbrauchen, um die Tür der Hütte zu sprengen, damit sich Connie retten kann. Garys Lage scheint aus-

sichtslos, denn Lefevre weiß, dass er nun keine Patrone mehr haben kann. Ein kleiner Revolver, ein Andenken an Sergeant Pitt, ist Garys Rettung. Lefevre stirbt. Gary trägt die vom Rauch benommene Connie von der brennenden Hütte fort. Als sie die Augen aufschlägt, sagt sie lächelnd: »Du bist doch ein ganz verfluchter Hund, Cowboy!«

Film: Gemma spielt einen gefangenen Südstaatler, der zusammen mit zwei Unions-Offizieren eine brutale Bande und Kollaborateure auf beiden Seiten jagt. Der Film spielt kurz nach dem Ende des Bürgerkriegs. Gemma kann schon zu Beginn glänzen, als er einen Corporal der Nordstaaten, der ihn provoziert, lächerlich macht, indem er eigentlich nur seinen Schlägen und Angriffen ausweicht. Aber er muss im Verlauf der Handlung auch wieder viel erdulden: Er wird brutal gefoltert und erblindet zeitweise. Wie »Wanted« wurde auch »Per pochi dollari ancora« (»Tampeko«) von Ferroni inszeniert, von Morricone wurde zwar die Titelmelodie kreiert, aber Morricone wurde nicht in den Credits genannt. Bei »Un dollaro bucato« (»Ein Loch im Dollar«) arbeiteten Ferroni und Gemma ein drittes Mal zusammen.

Presse: »Ein italienischer Western nach dem Schema: Junger Held, strahlend, im harten Alleingang gegen eine Welt von Feinden. Der Ausgang des Krieges Nord- gegen Südstaaten stellt den Rahmen der Handlung. Ein Haufen verblendeter Patrioten aus dem Süden will nichts aufgeben. Von Verbrechern mit Falschinformationen beliefert, wollen sie ein angeblich unbewaffnetes Fort des Nordens stürmen. Es wäre ihr sicherer Untergang. Während des Kampfes wollen die Gauner die Kriegskasse des Forts rauben. Von dem Plan erfährt ein gefangener Leutnant des Südens. Er macht sich auf, unschuldiges Leben zu retten und gerät in die missliche Situation, von den Feinden verfolgt und den Freunden verkannt zu werden. Dazwischen agiert eine leckere Blondine, der Preis für den Sieger. Der Handlungsverlauf ist einfach und geradlinig, ebenso der dramaturgische Aufbau. Er funktioniert nach dem Prinzip der Reihe. Held Gemma stolpert von einer schier ausweglosen Situation in die andere, befreit sich immer in dem Augenblick, als alles verloren schien und kommt so zum Endsieg. Eine routinierte Fließbandproduktion, die durch ihre Beherrschung der handwerklichen Mittel,

Der fast blinde Gary Hammond erhält Wasser von Sophie Daumier

Giuliano Gemma und Sophie Daumier

das Tempo und die überzeugenden Schauspieler zwei Stunden Spannung beschert.« *K. A. Stanke, Filmecho/Filmwoche Heft 45, 1967*

»Kritiker haben die europäischen Wildwestfilme sehr zutreffend synthetische Western genannt, Filme aus der Retorte, für die Amerikas Kolonialzeit Dekor und Staffage abgibt, denen aber notwendigerweise das Geschichtsbewusstsein des Wilden Westens fehlt. Das Motiv der Rache, eine charakteristische Verhaltensweise südeuropäischer Völker, ist nicht von ungefähr zum bestimmenden Element der europäischen Western geworden, die ihre amerikanischen Vorbilder an Härte und Brutalität weit übertreffen. Innerhalb der betont grausamen Welle der europäischen Western stellt der von Calvin J. Paget (Pseudonym für Giorgio Ferroni) inszenierte Farbfilm – Tampeko – eine interessante Variante dar, die vielleicht auf einen Umschwung in der geistigen Haltung der europäischen Westernproduktion schließen lässt. Was auffällt: Hier ist nicht nur ein erstaunlich guter Kavallerie-Western gelungen, der die Atmosphäre am Ende des amerikanischen Sezessionskriegs geschickt einfängt, sondern hier liegt auch eine positiv ausgerichtete Handlung

vor. Nicht das Rache-Motiv ist beherrschend, vielmehr das Rettungsmotiv. – Mit dieser Story knüpft Calvin J. Paget durchaus an die gute Western-Tradition an, in der das Gute den Sieg über das Böse davonträgt. Ja, Paget geht sogar noch einen Schritt weiter: Er zeigt gute und böse Charaktere auf beiden Seiten der Bürgerkriegsarmeen und verfährt damit objektiver und wahrhaftiger als mancher US-Western, der gerne schwarz-weiß malt. Dort sind mal die Nordstaatler die Guten und die Südstaatler die Bösen, mal ist es umgekehrt. So geschieht das Erstaunliche, dass hier ein europäischer Western vorliegt, der sich ernsthaft bemühte, die historische Situation des amerikanischen Bürgerkriegs genau zu treffen. Formal bleibt Pagets Film allerdings hinter einigen anderen europäischen Western zurück. Man spürt allzu deutlich den Routinier, der sich inzwischen im Genre auskennt und weiß, mit welchen Effekten er beim Publikum ›ankommt‹. Die Härten sind auf ein erträgliches Maß zurückgenommen, aber leichenreich sind die europäischen Western wohl allemal. Immerhin: ›Tampeko‹ zeichnet sich durch eine anständige Gesinnung aus – das sollte man festhalten.« *Alfred Paffenholz, Film-Dienst FD 14 848*

2 ONCE DI PIOMBO

Jonny Madoc (Regie: Maurizio Lucidi)

Italien 1966
Erstaufführung in Italien: 22. Dezember 1966
Deutscher Start: 23. Juni 1967

Besetzung: *Robert Woods (Pecos Martinez, in der deutschen Fassung Jonny Madoc), Norman Clark [Pier Paolo Capponi] (Joe Kline), Lucia Modugno (Mary), Peter Carsten (Steve), Luigi Casellato (Tedder), Cristina Josani (Ester), Giuliano Raffaelli (Dr. Berton), Morris Boone [Maurizio Boni] (Ned), Umi Raho (Morton), Max Dean [Massimo Righi], Renato Mambor, Corinne Fontaine, Gigi Montefiori, Dario De Grassi, Peter Martell [Pietro Martellanza], George Eastman*

Inhalt: Fünf Sheriffs hat Evaristo, der Totengräber von Huston, schon unter die Erde gebracht, denn in Huston kann sich kein Sheriff lange halten. Die Gesetze von Huston bestimmt der Colt – und die Bande von Joe Kline (Norman Clark)! Bis eines Tages Jonny Madoc (Robert Woods) auftaucht: ein großer, breitschultriger junger Mann, dessen vorstehende Backenknochen seine mexikanische Abstammung erkennen lassen. Als Junge musste er mitansehen, wie der mordlustige Joe Kline – damals Kavallerist der Nordstaatenarmee – seine Eltern und Geschwister erbarmungslos niederknallte. Nun ist Jonny Madoc gekommen, um Rache zu nehmen. In Tedders (Luigi Casellato) Saloon kommt es zum ersten Zusammenstoß. Burt und Alex, zwei Männer von Joe Klines Bande, pöbeln Jonny an, aber er zieht seinen Colt schneller und knallt beide nieder. Als vier andere Männer Klines Tedders Bedienung Ester (Cristina Josani) anfallen, schießt er auch sie nieder. Jetzt taucht Joe Kline selbst auf mit seiner ganzen Bande. Jonny Madoc wird von ihnen zusammengeschlagen und gefoltert. Kline hat bereits zum Fangschuss auf ihn angelegt, da kann Jonny sich noch einen Aufschub erkaufen: Er hat beobachtet, wie Tedder im Keller seines Saloons ein »Wein«-Fass mit 8.000 Dollar versteckt hat. Es ist der Gewinn eines dunklen Geschäfts, auf den auch Joe Kline Anspruch erhebt. Jonny sagt Kline, dass er das Versteck der Dollars kenne. Während Kline hinter dem Geld her ist, gelingt es Jonny, mit Esters Hilfe zu fliehen. Dabei wird er verwundet. Ester bringt ihn zu Dr. Berton, der Kline ebenfalls lieber tot als lebendig sehen würde, denn Kline verdankt er es, dass er an den Rollstuhl gefesselt ist. Der Doktor und seine Tochter Mary behandeln Jonny Madocs Verletzungen und raten ihm, das Dorf zu verlassen. Aber er muss mit Kline abrechnen. Unter dem Vorwand, der »Wein« sei das Entgelt für eine alte Schuld, bringt Tedder das Fass mit den versteckten 8.000 Dollar im Haus von Dr. Berton unter. Durch den spionierenden Evarito erfährt Kline davon. Mit

Robert Woods als Jonny Madoc

Jonny Madoc in Bedrängnis

Renato Mambor sieht verängstigt zu

V.l.n.r. Norman Clark (Pier Paolo Capponi),
Lucia Modugnio, George Eastman

seinen Männern dringt er in Dr. Bertons Haus ein und durchsucht es. Dr. Berton wird getötet. Mary wird von den Banditen als Geisel benutzt. Sie fordern von Jonny Madoc die 8.000 Dollar und bieten dafür das Leben von Mary. Jonny geht zum Schein auf ihren Vorschlag ein. Als die Banditen, fasziniert durch den Anblick des Geldes, das Mädchen einen Augenblick unbeobachtet lassen, eröffnet Jonny Madoc das Feuer. In einem letzten großen Showdown bleibt Joe Kline mit allen seinen Männern auf der Strecke. Während die verschüchterten Bewohner des Ortes zögernd aus ihren Häusern treten, besteigt Jonny Madoc sein Pferd und reitet langsam in Richtung der Berge davon.

Film: Robert Woods macht als Jonny Madoc (im Original: Pecos) eine blendende Figur, allerdings muss man sich zuerst an das Make-up gewöhnen, das ihm mexikanische Züge verleiht. Dieser harte Western von Maurizio Lucidi aus der Blütezeit des Genres machte damals Robert Woods zum Star, obwohl er schon vorher in einigen dieser Filme zu sehen war. Die Drehbuchautoren machten hier einmal einen Mexikaner zum schweigsamen Helden, was komplett gegen die bisherigen Italo-Western-Konventionen verstieß, waren doch die Mexikaner bisher immer nur als unterdrückte Bauern dargestellt worden. Erst einige Jahre später konnte man dann in unzähligen Revolutionswestern mexikanische Helden, meistens gespielt von Tomás Milian, aber auch von Eli Wallach, Rod Steiger und Tony Musante, sehen. Der Film bietet eine gute Rachegeschichte, die von Regisseur Lucidi und Kameramann Franco Villa mit sehr schönen Aufnahmen in

Szene gesetzt wurde. Die passende Musik dazu schuf Lallo Gori, von der übrigens ein kompletter Soundtrack längst fällig wäre. Der Film »2 once di piombo« (»Jonny Madoc«) war übrigens so erfolgreich, dass ein Jahr später mit »Pecos è qui: prega e muori« (»Jonny Madoc rechnet ab«) ein weiterer Film des gleichen Teams und wieder mit Robert Woods in derselben Rolle in die Kinos kam. Leider war jener als Abenteuer-Komödie um eine Goldsuche konzipiert und nur ein müder Abklatsch des Originals.

Presse: »Die Western-Produzenten vom Mittelmeer haben uns einen neuen rauen Helden erfunden: Jonny Madoc – ungekämmt und ein bisschen ungewaschen, wortkarg und bei gelegentlichen Äußerungen druckreife Weisheiten austeilend. So gut oder noch besser, als man harte Western-Helden im Kino amerikanischer Herkunft kennen lernen kann. Anlass für das Wiederauftauchen des totgeglaubten Helden ist ein Fässchen, angefüllt mit gestohlenem Geld. Es passiert, was nur zu gut bekannt ist. Die Bösewichter sterben mit Blei im Bauch, wofür sich deren Kollegen recht handfest revanchieren. Die schöne Mexikanerin befreit den grollend blickenden Helden, der nun erst recht zum Richter wird. Mit der ebenfalls hinreichend bekannten Brutalität werden fünfzehn Mann in die Ewigen Jagdgründe geschickt. Darunter auch der blonde Hüne Peter Carstens in der Funktion des Bandenchef-Stellvertreters und dummerweise auch der Totengräber. Wenn man will, ist diese Story oft mehr komisch in ihrer Blutrünstigkeit. In jedem Fall aber reichlich zähflüssig.« *Klaus U. Reinke, Filmecho/Filmwoche Heft 57–58, 1967*

LA RESA DEI CONTI

Der Gehetzte der Sierra Madre (Regie: Sergio Sollima)

Italien / Spanien 1966
Erstaufführung in Italien: 3. März 1967
Deutscher Start: 27. Juni 1967

Besetzung: *Lee Van Cleef (Jonathan Corbett), Tomás Milian (Cuchillo Sanchez), Luisa Rivelli (Lizzie), Fernando Sancho (Captain Segura), Nieves Navarro (Die Witwe), Roberto Camardiel (Jellicol), Tom Felleghy (Miller senior), Benito Stefanelli (Jess), Walter Barnes (Brokstone), Gérard Herter (Baron von Schulenberg), Lanfranco Ceccarelli (Jack), María Granada (Rosita), Nello Pazzafini (Hondo), Spartaco Conversi (Mitchell), Romano Puppo (Rocky), Calisto Calisti (Miller), Antonio Casas (Bruder Smith), José Torres (Nathan), Ángel del Pozo (Brokstons Schwiegersohn Chet Miller), Luis Barboo, Bernabe Barta Barri, Frank Braña, Luis Gaspar, Antonio Molino Rojo, Lorenzo Robledo, Fernando Sánchez Polack*

Inhalt: Die Sierra Madre, blutige Grenze zwischen Texas und Mexiko, ist das bevorzugte Jagdgebiet des gefürchteten Kopfgeldjägers Jonathan Corbett (Lee Van Cleef). Ihm ist es zu verdanken, dass das Land weitgehend von Strolchen und Banditen gesäubert ist. Der reiche Brokstone (Walter Barnes) will Corbett zu einer politischen Karriere überreden. Er sagt ihm auch seine finanzielle Unterstützung beim Wahlkampf zu. Der clevere Geschäftsmann Brokstone will, auch mit der Un-

terstützung des Barons von Schulenberg (Gérard Herter), eine Eisenbahnlinie von den Vereinigten Staaten nach Mexiko quer durch Texas bauen. Ihm fehlt nur noch ein Mann, ein harter Politiker, der das Projekt mit verwirklichen hilft. Er glaubt, dass Corbett dieser Mann ist. Doch der Kopfgeldjäger ist an der Politik nicht interessiert, bis seine Meinung durch ein schreckliches Ereignis geändert wird. Ein kleines Mädchen ist einem Sittlichkeitsverbrecher zum Opfer gefallen. Corbett ist wild entschlossen, den Mörder des Kindes bis ans Ende der Welt zu jagen. Er wird zum Hilfs-Sheriff ernannt. Der Stern, den er nun an seiner Weste trägt, soll ihm bei der Verfolgung des Verbrechers helfen.

Man erzählt sich, dass der mexikanische Herumtreiber Cuchillo Sanchez (Tomás Milian), der sich einem Mormonentreck angeschlossen hat, der Mörder sei. Corbett heftet sich an seine Fersen und findet ihn mit einem kleinen Mormonenmädchen an einem Busch. Corbett stellt Cuchillo, aber dieser weigert sich, das gemeine Verbrechen zuzugeben.

Es gelingt ihm zu entkommen. Die Jagd geht weiter. Brokstone hat Männer gedungen, die bei der Jagd helfen sollen. Außerdem hat er auf den Kopf des Flüchtigen eine Prämie von 1000 Pesos ausgesetzt. Während im ganzen Land fieberhaft nach dem Mexikaner gesucht wird, überrascht Brokstone seinen Schwiegersohn, wie dieser sich einem kleinen Mädchen nähert. Brokstone

Lee Van Cleef mit Walter Barnes

Jonathan Corbett auf der Suche nach Cuchillo Sanchez

sagt Shep, dem Mann seiner Tochter, den Mord an dem Kind auf den Kopf zu. Shep gibt das Verbrechen nicht zu, aber Brokstone weiß, dass Cuchillo seinen Schwiegersohn damals mit dem Mädchen beobachtet hat. Nun will er Cuchillo als Mörder hinstellen, um seiner Tochter die Schande zu ersparen, mit einem Kindesmörder verheiratet zu sein.

Die Verfolger, mit Brokstone, Baron von Schulenberg und Corbett an der Spitze, finden im unwegsamen Gelände der Sierra Madre schließlich den gesuchten Cuchillo. Es kommt zum dramatischen Zweikampf zwischen dem eigentlichen Mörder Shep und dem zu Unrecht Gehetzten. Cuchillo, der nur mit einem Messer bewaffnet ist, gelingt es, den Mörder zu töten. In einer anschließenden Aussprache mit Corbett kann er den Kopfgeldjäger von seiner Unschuld überzeugen. Brokstone ist empört, dass man seinen Schwiegersohn des Mordes bezichtigt. Jetzt muss alles ans Tageslicht kommen und seine Tochter wird als Frau eines Mörders verfemt sein! Es kommt zum Duell zwischen Jonathan Corbett und dem Baron von Schulenberg, aus dem natürlich Cor-

bett als Sieger hervorgeht. Wütend reitet Brokstone davon, um aus einem Hinterhalt auf Corbett, der nur einen Colt bei sich hat, zu schießen. Als Corbett sich schon verloren glaubt, wirft ihm Cuchillo ein Gewehr zu. Corbett tötet Brokstone. Cuchillo und der Kopfgeldjäger werden Freunde, trennen sich jedoch wieder.

Film: Sergio Sollima war in der glücklichen Lage, für seinen ersten Western neben dem Kubaner Tomás Milian auch den aus Leones Western zum Star gewordenen Lee Van Cleef zu gewinnen.

Der Film ist eine Art Thriller im Western-Kostüm, in dem der Beschuldigte in Wirklichkeit nicht der Schuldige ist und sich der Schuldige hinter einer Fassade von Respektabilität und Reichtum versteckt. Nach diesem Film gab es eine ganze Reihe von Western, in denen Männer auf der Flucht vor Gesetzeshütern waren, aus welchem Grund auch immer. Ursprünglich war laut Skript vorgesehen, dass der Gejagte ein alter mexikanischer Bauer und der Kopfgeldjäger ein junger Mann sein sollte und die Jagd mit dem Tod des Bauern enden würde. Regisseur Sollima änderte

Cuchillo in der Gewalt von Corbett

jedoch die Geschichte und entwickelte einen ech-ten Prototypen für viele Western, die noch fol-gen würden. Der Charakter des Cuchillo, dessen Name übrigens einem von Indios Männern aus »Per qualche dollaro in più« (»Für ein paar Dollar mehr«) entlehnt wurde, wurde zum Vorbild für viele weitere ähnliche Charaktere, die von Milian und anderen dargestellt werden sollten. Cuchillo funktionierte daher so gut, da sich die jungen Leu-te mit diesem Charakter identifizieren konnten. Auch die Nebendarsteller sind perfekt getroffen, so zum Beispiel die von Nieves Navarro gespiel-te sadistische und mannstolle Rancherin, die mit ihrer Truppe versteckt in den Bergen lebt. Unter den brutalen Menschenjägern ist auch der von Gé-rard Herter hervorragend dargestellte deutsche Offizier und Waffennarr Baron von Schulenberg, dessen interessante Rolle leider der Schere der deutschen Fassung komplett zum Opfer fiel. Gé-rard Herter spielte auch in weiteren Italo-Western immer ähnliche Rollen, so z.B. auch in Gianfran-co Parolinis »Indio Black, sai che ti dico: sei un gran figlio di …« (»Adios Sabata«) und in »Uno di più all'inferno« (»Django – Melodie in Blei«). Die dramatische Schlussszene erinnert sehr stark

an Schoedsacks »Most Dangerous Game« (»Graf Zaroff – Genie des Bösen«), in dem die Rolle des bösen Geschäftsmannes anstatt von Walter Barnes von Leslie Banks als Zaroff gespielt wurde. Der Film enthält zahlreiche erinnerungswürdige klassische Italo-Western-Elemente wie z.B. die Jagd durch die Kornfelder, die Anfangsszene mit Lee Van Cleef gegen die drei Verbrecher sowie natürlich besonders die Endabrechnung mit den außergewöhnlichen Duellszenen.

Unverzeihlich, dass die deutsche Fassung um mehr als 25 Minuten gekürzt wurde. Die wich-tigsten gekürzten Szenen sind ein Großteil der Szenen der Hochzeit von Brokstones Tochter, Lee Van Cleef im Schlafzimmer einer Frau, die Episode in einem Mönchskloster, diverse Un-terhaltungen zwischen Jonathan Corbett und dem österreichischen Baron von Schulenberg sowie große Teile der Schlussverfolgung und das komplette Duell zwischen Corbett und Schulen-berg.

Eine spannende Geschichte mit sehr guten Darstellern und hervorragenden Landschaftsauf-nahmen von Carlo Carlini sowie einem unglaub-lich guten Score von Ennio Morricone machen

Tomás Milian als Cuchillo Sanchez, genannt »die Stechmücke«

Tomás Milian bedroht Lee Van Cleef

Tomás Milian und María Granada

Baron von Schulenberg (Gérard Herter) und Jonathan Corbett (Lee Van Cleef)

diesen Film zu einem Klassiker des italienischen Western.

Presse: »Für ein Verbrechen, das in Wirklichkeit von einem ›Mann der guten Gesellschaft‹ begangen wurde, wird der mexikanische Herumtreiber Manuel Sanchez, genannt ›Cuchillo‹, im Grenzgebiet zwischen Texas und Mexiko wie Wild gejagt. Sein Jäger ist Jonathan Corbett, ein in der Sierra Madre gefürchteter Kopfgeldjäger, der für die Jagd nach dem ›Sittlichkeitsverbrecher‹ zum Hilfssheriff ernannt wurde.

Das Katz-und-Maus-Spiel der beiden, das Verfolger und Verfolgten wider Willen einander näher bringt und damit endet, dass Corbett für den Mexikaner eintritt und den wahren Schuldigen entlarvt, wurde von Regisseur Sergio Sollima ungemein spannend inszeniert. Allerdings standen sich in Lee Van Cleef – dem kernig-profilierten Sheriff – und Tomás Milian – dem pfiffig-temperamentvollen Cuchillo – zwei Darsteller von außergewöhnlichem Format gegenüber.«

Die letzte Abrechnung – Messer gegen Revolver

Hermine Fürstweger,
Filmecho/Filmwoche Heft 59–60, 1967

»Am Ende reiten Jäger und Gejagter einträchtig nebeneinander durch Mexikos Sandwüste der untergehenden Sonne entgegen – die Aufgabe ist vollbracht, wenn auch anders, als sie zu Anfang gestellt wurde. Ein neuer Zug in einem europäischen Western: der Held, der einem Racheengel gleich auszieht, um einen Verbrecher zu fangen, wandelt sich vom unerbittlichen Kopfgeldjäger zum humanen Menschen, der allmählich zu differenzieren weiß. Sergio Sollima hat einen erstaunlich guten, sorgfältig inszenierten Western gemacht, der die europäischen Fließbandproduktionen in diesem Genre bei weitem übertrifft. Hier wird nicht einfach geschossen und geprügelt, vielmehr bemüht sich Sollima, ein Menschenschicksal glaubhaft und überzeugend zu gestalten. Natürlich kann auch er nicht auf überdeutliche Brutalitäten verzichten – vor allem im ersten Drittel des Films –, doch insgesamt spult er seine Story geradlinig und mit psychologischem Geschick ab. Häufiger Schauplatzwechsel und kleine Begebenheiten am Rande, so ein Mormonentreck und mexikanische Folklore, geben dem Film zusätzlich Farbe und Spannung, da Sollima es ausgezeichnet versteht, diese Randereignisse als wesentliche Stationen in die Haupthandlung zu integrieren. Höhepunkt dieses atmosphärisch-dichten Farbwestern ist das Duell zwischen dem wirklichen und dem vermeintlichen Mörder – eine grandios komponierte Szenenfolge, die allerbeste Regieschule verrät. Sein Können beweist der Regisseur auch in der Führung der Darsteller: Lee Van Cleef verkörpert eindringlich den sich wandelnden Kopfjäger, Tomás Milian gibt in der Rolle des Flüchtlings eine nuancenreiche Studie, ähnlich jener in Eugenio Martins Western ›Ohne Dollar keinen Sarg‹ (FD 14558). Ein interessanter Darsteller, der bei aller Härte, die er an den Tag legen muss, auch stets sein komödiantisches Talent mitspielen lässt.«

Alfred Paffenholz,
Film-Dienst FD 14 820

PERCHÉ UCCIDI ANCORA?

Jetzt sprechen die Pistolen (Regie: Eduardo Mulargia, José Antonio De La Loma)

Italien / Spanien 1965
Erstaufführung in Italien: 4. Dezember 1965
Deutscher Start: 7. Juli 1967

Besetzung: *Anthony Steffen [Antonio De Teffè] (Steven McDougall), Ida Galli (Judy McDougall), Gemma Cuervo (Pilar Gómez), Aldo Berti, José Calvo (López), Hugo Blanco, José Torres, Franco Latini, Franco Pesce, Ignazio Leone, Lino Desmond, Willi Colombini, Stelio Candelli, Giovanni Ivan Scratuglia, Armando Guarnieri, Luis Induni*

Inhalt: Während einer blutigen Auseinandersetzung mit seinem Gegner McDougall wird der skrupellose Farmer López (José Calvo) an den Beinen verletzt, so dass er für den Rest seines Lebens an den Rollstuhl gekettet sein wird. So beginnt eine der unversöhnlichsten Sippenfehden, von denen man in Texas je erfahren hat.

Der alte López, dessen Zorn damit zur Weißglut angefacht wurde, schwört zusammen mit seinem Sohn Manuel und fünfzehn Männern, nicht eher zu ruhen, bis der Rivale aus dem Feld geschlagen ist. Bald schon spielt ihm der Zufall glückliche Karten zu: Die feindlichen Männer fallen ihm in die Hände und blind in ihrer Grausamkeit drücken alle siebzehn Desperados einschließlich López ihre Colts gleichzeitig auf den wehrlosen McDougall ab. Als Steven (Anthony Steffen), der Sohn des Opfers, von dem brutalen Mord erfährt, desertiert er von seiner Einheit, um in die Stadt zurückzukehren, wo er das Blut seines Vaters rächen will. Dort wird er bereits von einigen Männern der López-Bande empfangen,

Anthony Steffen als Steven McDougall

die ihn in eine Falle zu locken versuchen. Steven weiß, was die Stunde geschlagen hat. Doch um einen Ausweg ist er nie verlegen: Durch einen explosiven »Trick« mittels einer Dynamitladung kann er sich ihrer erwehren. Anschließend reitet er zu seiner Farm zurück, wo seine Schwester Judy und sein Onkel auf ihn warten.

López' Tochter Pilar, einst Stevens Geliebte, versucht indessen, den noch immer heimlich verehrten Mann zu überreden, die Stadt zu verlassen, weil sie bei der zahlenmäßigen Übermacht der Feinde keine Chance mehr für ihn sieht. Steven jedoch, stolz und felsenfest in seinen Entschlüssen, schlägt ihren Rat in den Wind. In der Morgendämmerung umzingeln Manuel und sechs seiner Männer Stevens Farm. Aber auch diesmal ist Steven schneller. Mit unglaublicher Präzision feuert er, was das Eisen hergibt – bis keiner der Pistoleros mehr am Leben ist. Lediglich Manuel gelingt es, sich durch Flucht aus der Affäre zu ziehen. Steven folgt seiner Spur bis zum Marktplatz des Städtchens, wo er ihn in einem fairen Duell niederstreckt. Als Siegestrophäe lädt er den Toten auf sein Pferd und reitet mit der Ladung zu López' Farm, wo er den leblosen Körper vor dessen Haustür zu Boden schleudert.

Der Gewaltakt hat gewirkt: López, jetzt noch wilder zur Rache entschlossen, lässt den berüchtigten Berufskiller Gringo kommen, der bald darauf mit seinem Bruder Tay und drei weiteren finsteren Gesellen auftaucht. Als Steven durch Tay und zwei von dessen Leuten im Saloon herausgefordert wird, rettet ihn wieder einmal seine sprichwörtliche Blitzreaktion: Er lässt die Pistole sprechen – und alle drei Banditen bleiben auf der Strecke. Kurz danach verlässt Steven die Stadt, weil er von der Ankunft Leutnant Driscolls erfahren hat, der ihn wegen Fahnenflucht verhaften soll. Als Gringo vernimmt, dass sein Bruder Tay ein Opfer Stevens wurde, beschließt er, Steven selbst auf dessen Farm aufzusuchen. Da er ihn dort nicht aufspürt, entführt er Stevens Schwester Judy zu López' Farm – in der Hoffnung, damit auch Steven herbeizulocken. López macht indessen Gringo bittere Vorwürfe, weil jeglicher Versuch, Steven »um die Ecke zu bringen«, fehlgeschlagen ist. Gringo, tödlich beleidigt, erschießt den alten Farmer, um gleich darauf sämtliche Dollars zusammenzuraffen, deren er habhaft werden kann. Als López' Tochter Pilar durch den ohrenbetäubenden Lärm erschreckt herbeieilt, um ihrem sterbenden Vater zu helfen, wird sie selbst durch einen Banditen Gringos schwer verwundet. Darauf reitet die Meute davon, als sei der Teufel hinter ihr her. Als Steven endlich das Versteck seiner Schwester herausfindet, reitet er zu López' Farm zurück. Dort berichtet ihm die sterbende Pilar, dass Gringo seine Schwester Judy mit sich genommen habe. Bevor sie für immer die Augen schließt, gesteht sie ihm mit einem letzten Kuss, wie sehr sie ihn immer noch liebe.

Steven, fest entschlossen, seine Schwester aus den Händen des kaltblütigen Verbrechers zu befreien, verfolgt Gringos Bande und tötet mehrere Männer. Das Gefecht erreicht seinen Höhepunkt, als Judy sich in einem günstigen Augenblick zu Boden fallen lässt – Gringo jedoch unbarmherzig auf sie anlegt. Soll Steven seiner Aufforderung, die Waffe niederzulegen, folgen? Judy selbst bereitet dieser entsetzlichen Situation ein Ende. In ihrer Verzweiflung schleudert sie einen Stein nach Gringo. Diese Sekunde genügt Steven, um blitzschnell seine bereits am Boden liegende Pistole hochzureißen und auf den Feind abzufeuern, bis das Magazin leergeschossen ist. Der Auftrag Stevens ist erfüllt; der Tod seines Vaters hat endlich Sühne gefunden.

Film: Obwohl dieser Film José Antonio de la Loma als Regisseur ausweist, war es in Wirklichkeit Edoardo Mulargia (unter dem Pseudonym Edward G. Muller), der diesen Rachewestern in Szene setzte (auf Grund von rechtlichen Vorschriften zur Abdeckung der Koproduktionskriterien).

Trotz der sonnigen südspanischen Landschaften zeichnet sich der Film durch eine dunkle, schwermütige Atmosphäre aus, die hervorragend zum Thema dieser Geschichte passt. Wir sehen hier Anthony Steffen (Antonio de Teffé) in seiner ersten richtigen Italo-Western-Rolle (frisch von Harald Reinls »Mohikaner«-Verfilmung kommend, die ebenfalls in und um die Wüstenlandschaften der Sierra Alhamilla entstand), und es gelingt ihm hervorragend, den Charakter des Steven darzustellen. Dies war für Steffen der Anfang einer sehr langen Karriere in diesem Filmgenre, in dem er meistens den einsamen, gefühlskalten Einzelgänger spielte. Mulargias Film führt hier alle kennzeichnenden Charakterzüge ein, die typisch wurden für den einsamen Revolverhelden, angefangen vom langsamen Gang, dem eiskalten Blick voll von Hass und Entschlossenheit bis hin zur Kleidung (ausgewaschene braune Hosen und

Wildlederjacke) und seiner einzigartigen Art zu schießen. Schenkt man Mulargia Glauben, so lernte Steffen damals seine Schießkünste während des Reitens und Kämpfens speziell für diesen Film. Auch Felice Di Stefanos großartige Musik trägt sehr stark zur Qualität bei. Er trifft mit jeder Note die intensive Vision dieser dunklen, hoffnungslosen, brutalen Welt, welche durch die blutige Fehde zwischen den beiden rivalisierenden Gruppierungen gekennzeichnet ist.

Eine der eindrucksvollsten Szenen ist am Anfang des Films, als der böse Lopez (hervorragend gespielt von José Calvo) seine Männer beauftragt, Stevens Vater mit jeweils einem Schuss zu töten, der an einem verendeten Baum inmitten der Wüste gefesselt ist. Eine weitere äußerst brutale Szene ist die Quälerei von Stevens Schwester (dargestellt von einer der bekanntesten Italo-Western-Darstellerinnen, Ida Galli), eine Szene, die Mulargia später in seinem Meisterwerk »La taglia è tua ... l'uomo l'ammazzo io« (dieser Film wurde leider nie in Deutschland gezeigt) noch steigert.

Presse: »... In der Unerbittlichkeit, mit der hier das Morden und Töten vorgeführt wird, erinnert diese von José Antonio de la Loma inszenierte farbige Schießballade an den europäischen Western ›Jonny Madoc‹. Inszenatorisch ist Lomas Film kaum interessanter und besser (störend vor allem die überbelichteten Szenen), aber in der Gesinnung lässt er gegenüber ›Jonny Madoc‹ wenigstens noch in der Gestalt eines furchtsamen Leichenbestatters und zweier Frauen den Gegenpol zur Welt des Verbrechens erkennen. Auch der Schluss demonstriert diese Einstellung: Steven unterstellt sich ohne Gegenwehr dem Gesetz. Freilich wird damit die Tendenz des Films – die Sympathieweckung für Blutrache und Selbstjustiz – nicht legalisiert. Mit diesem Film hat die europäische Westernproduktion vollends einen neuen ›Helden‹ hervorgebracht: den ›Kammerjäger‹, der das Banditen-›Ungeziefer‹ mit der Präzision eines hundertprozentig tödlich wirkenden Giftes ausrottet. Muss man noch sagen, wie weit sich eine solche Erscheinung von der Gattung Western entfernt hat? Die Reklame des Verleihs nennt den neuen ›Helden‹ ein Colt-Genie, dessen Spiel grausam, aber fair, dessen Ziel Rache sei. Solche Sprüche – das ist nur ein Beispiel aus dem Prospekt – sind unseriös, das ist unmenschlich. Mit der Umschreibung ›grausam, aber fair‹ lassen sich auch in der Wirklichkeit Verhaltensweisen entschuldigen, z. B. Kriege! Filme wie ›Jetzt sprechen die Pistolen‹ stumpfen das sittliche Empfinden der Menschen ab. Diese reagieren allmählich bei realen Ereignissen wie bei den fiktiven im Kino.«

pa,
Film-Dienst FD 14781

Anthony Steffen als Steven McDougall lädt seinen Colt   Anthony Steffen und Ida Galli

I LUNGHI GIORNI DELLA VENDETTA

Der lange Tag der Rache (Regie: Florestano Vancini)

Italien / Spanien 1966
Erstaufführung in Italien: 23. Februar 1967
Deutscher Start: 21. Juli 1967

Besetzung: *Giuliano Gemma (Ted Barnett), Francisco Rabal (Sheriff Douglas), Gabriella Giorgelli (Dulcie), Conrado San Martín (Mr. Cobb), Nieves Navarro (Dolly), Franco Cobianchi (General Porfirio), Pajarito [Manuel Muñiz], Teodoro Corrà, Giovanni Ivan Scratuglia, Milo Quesada, Pedro Basauri »Pedrucho«, Omán De Bengala, Carlos Hurtado, Carlos Otero, Jesús Puche*

Inhalt: Ted Barnett (Giuliano Gemma) ist das Opfer einer gemeinen Intrige. Er wurde für ein Verbrechen verurteilt, das er nicht begangen hat, und verbüßt nun seine Strafe in einem schmutzigen Gefängnis in Texas. Nach drei grauenhaften Jahren der Qual gelingt ihm endlich die Flucht.

Sein einziger Wunsch ist, Rache zu nehmen an all denen, die an seiner Verurteilung Schuld haben. An Gomez, der schönen Dolly (Nieves Navarro), die inzwischen zur Geliebten des Sheriffs Douglas (Francisco Rabal) wurde, an Sheriff Douglas selbst und vor allem an Mr. Cobb (Conrado San Martín), dem reichsten Landbesitzer des Distrikts. Auf seinem Wege nach Carltown trifft Ted auf Pajarito (Manuel Muñiz), einen sympathischen Quacksalber, der mit seiner Tochter Dulcie mit einem großen Karren mit der Aufschrift »Medicine-Show« von Ort zu Ort zieht. Diesen beiden schließt sich Ted an. Als er in Carltown ankommt, ist dort die Hölle los. Sein erster Racheakt gilt Gomez, dem er ein Geständnis abzwingt und den er tötet. Bei Dolly stößt Ted auf weitaus mehr Schwierigkeiten. Sie gibt vor, Ted nach wie vor zu lieben, allerdings mit dem Hintergedanken, ihn umso leichter an Douglas ausliefern zu können. Und Cobb, der reiche Rancher, hat sich mit ei-

Francisco Rabal als Sheriff Douglas und Nieves Navarro als Dolly

ner kleinen Armee von Pistolenhelden umgeben. Er ist noch immer uneingeschränkter Herrscher über Carltown. Sogar das Gesetz steht auf seiner Seite, denn Sheriff Douglas macht gemeinsame Sache mit ihm. Aber Ted würde schließlich auch bei einem ehrlichen Sheriff keine Chance haben, denn man macht ihn nach wie vor für die nicht von ihm begangenen Verbrechen verantwortlich. Nach seiner Flucht aus dem Gefängnis steht sogar ein Preis von 10.000 Dollar auf seinen Kopf. Aber Ted ist nicht der Mann, der vor Schwierigkeiten zurückschreckt. Mit Pajaritos Hilfe und Dulcies Unterstützung gelingt es ihm, einen nach dem anderen von Cobbs Männern zu beseitigen.

Doch das Blatt wendet sich, als Ted versucht, die Männer von »General Porfirio«, eine berüchtigte Banditengruppe, gegen Cobb zu hetzen: Seit einiger Zeit besteht bereits zwischen den beiden Gruppen ein verbotener Waffenhandel. Ted wird von Porfirios Leuten zusammengeschlagen und auf den Geleisen der Bahnlinie seinem Schicksal überlassen. Dulcie, die sich in Ted verliebt hat, findet ihn schließlich in seiner verzweifelten Lage und rettet ihn. Nach einigen weiteren harten Abenteuern wird Ted von den so genannten Vertretern des Gesetzes gefangen genommen. Das Urteil lautet: Tod durch Erhängen. In der Zwischenzeit hat Richter Kincaid jedoch Beweise für

Dulcie (Gabriella Giorgelli) in Bedrängnis

Teds Unschuld gesammelt. Die Hinrichtung kann in letzter Sekunde verhindert werden.

Aber Cobb kann es sich nicht leisten, Ted ein zweites Mal entkommen zu lassen, denn das würde sein eigenes Ende bedeuten. So entsteht nach Teds Freilassung ein heißes Feuergefecht, in dem nicht nur Cobbs Männer, sondern auch einige Helfer des Sheriffs auf der Strecke bleiben. Teds letzte Rache gilt nun dem Rancher Cobb. In einem harten Kampf gelingt es ihm, den verbrecherischen Gegenspieler zu töten. Doch dann bricht er erschöpft und schwer verwundet auf der staubigen Hauptstraße von Carltown zusammen. Dulcie pflegt ihn wieder gesund. Bis jetzt war Ted ein wilder Draufgänger und ein erfolgreicher Weiberheld. Wer weiß, ob er nun nicht endlich die Frau gefunden hat, die ihn vor den Traualtar bringen wird.

Film: Florestano Vancini, Autor solch sozialkritischer Filme wie »La lunga notte del '43« (in Deutschland nicht gelaufen) oder »La banda casaroli« (in Deutschland nicht gelaufen), schließt sich hier der Gruppe von intellektuellen Regisseuren an, die schließlich auch auf den Italo-Western-Zug aufgesprungen sind. Wahrscheinlich aus Scham, sich in diesem Genre zu betätigen, legte er sich für diesen Film das Pseudonym Stan Vance zu. Um die Kinozuschauer in den Film zu locken, versahen die Verleiher damals den Film in Italien mit dem Zusatz »Engelsgesicht« – ein Hinweis auf die erfolgreichen Ringo-Filme mit Giuliano Gemma, obwohl Gemma in diesem Film einen vollkommen anderen Charakter spielt. Ursprünglich war für die Rolle des Regisseurs auch der bereits in diesem Genre etablierte Duccio Tessari vorgesehen.

Dieser Film gehört zu jener Reihe von Italo-Western, die auf klassischen literarischen Werken basieren, in diesem Fall dem Roman »The Count of Monte Christo«. Der Film ist im Vergleich zu vielen anderen Giuliano-Gemma-Western ziemlich brutal. Vancinis Regie verleiht dem Film eine gewisse Originalität verbunden mit einigen zynischen Untertönen, was ihn ziemlich ungewöhnlich macht. Der Hauptcharakter ist eine totale Abkehr von Gemmas üblichen, ehrlichen, von Rache getriebenen, guten Helden. Hier stellt er trotz des einführenden Rachemotivs einen zynischen Helden dar, der alle, die ihm im Weg stehen, des Öfteren mit einem leichten Lächeln der Genugtuung ins Jenseits befördert. Der Held

DER LANGE TAG der Rache

Giuliano Gemma als Ted Barnett

ist hier nicht mehr von Zorn oder brennendem Durst nach Gerechtigkeit getrieben, sondern findet es amüsant, seine Massenschlachtereien mit ironischen und zynischen Bemerkungen zu kommentieren.

Auch die weiteren männlichen Charaktere sind ziemlich originell. Der Sheriff schleudert seinen Stern wie einen asiatischen Shuriken, um Heuschrecken zu beseitigen. Der städtische, rücksichtslose Geschäftsmann, der mit Waffen oder Sklaven handelt und alle beseitigt, die ihm bei seinen Geschäften in den Weg kommen. Ein liebenswerter Zahnarzt, der die schlechte Angewohnheit hat, seine Patienten zu töten, indem er ihnen den falschen Zahn zieht. Regisseur Vancini scheut sich nicht vor plakativen Gewaltdarstellungen: von durchschossenen Gesichtern, durchstochenen Zungen bis hin zu ultrabrutalen Schlägereien ist alles zu sehen. Das äußerst effektive Drehbuch stammt von Fernando Di Leo und Augusto Caminito, den zukünftigen Drehbuchautoren des kleinen Italo-Western-Meisterwerks »Ognuno per se« (»Das Gold von Sam Cooper«). Nicht zu vergessen ist der unglaublich melodische Score von Armando Trovajoli, leider sein einziges Werk in diesem Genre.

Presse: »Auch dieser italienische Western lässt erkennen, dass es den Autoren (und Herstellern) solcher Produkte primär um die Chance für brutale Einzelszenen geht. Das Blutige, das Grausame, das im Werbe-Jargon ›Harte‹ wird zum Selbstzweck und wichtiger genommen als die Handlung. Beispiel hierfür ist der Beginn dieses Films, der sehr ausführlich die unmenschliche Behandlung von Zwangsarbeitern zeigt. Man glaubt schon, es hier mit dem Hauptthema zu tun zu haben. Da gelingt einem Einzelnen die Flucht, und niemals wieder ist die Rede davon, warum und auf wessen Verantwortung den Gefangenen sogar das Wasser verweigert wurde.

Später häufen sich die Leichenberge; allein auf das Konto des Hauptdarstellers Giuliano Gemma kommen ein paar Dutzend Tote. Im Durcheinander einer Straßenschlacht verlieren dann der Regisseur und sein Cutter den roten Faden. Man kann nicht mehr erkennen, wer auf wessen Seite kämpft; man schießt und stirbt und schießt. Zum Schluss kann man sich nur noch wundern, woher alle die Menschen kommen, die ohne ersichtlichen Grund einen angezündeten Galgen umtanzen.« *Georg Herzberg,*
Filmecho/Filmwoche Heft 59–60, 1967

REQUIESCANT

Mögen sie in Frieden ruh'n (Regie: Carlo Lizzani)

Italien / Deutschland 1967
Erstaufführung in Italien: 10. März 1967
Deutscher Start: 28. Juli 1967

Besetzung: *Lou Castel (Requiescant), Mark Damon (Ferguson), Franco Citti (Burt), Ninetto Davoli (Der Trompeter), Jacques Stany (Klein), Pier Paolo Pasolini (Don Juan), Barbara Frey, Rossana Krisman [Rossana Martini], Carlo Palmucci, Lorenza Guerrieri, Mirella Maravidi, Vittorio Duse, Liz Barrett [Luisa Baratto], Ferrucio Viotti, Anna Carrer, Renato Terra, Nino Musco, Aldo Mariani, Pier Annibale Danovi, Massimo Sarchielli, Peter Jacob, Hermann Nehelsen, Ivan G. Scratuglia*

Inhalt: San Antonio, nahe der mexikanischen Grenze: zwei Gruppen bekämpfen einander seit Jahren – hier die alteingesessenen Besitzer des Landes, Mexikaner, dort Yankees, die nach und nach das Gebiet eroberten, das Land an sich rissen und Herren über weite Ländereien wurden.

John B. Ferguson (Mark Damon), ein grausamer und zynischer Rechner, der reichste und größte Grundbesitzer weit und breit, ist Anführer dieser Gruppe; er hat sich eine wilde Bande von Pistoleros angeheuert, die unter dem Kommando von Dean Light und seinem Freund Burt (Franco Citti) steht, mit denen er alle sich ihm widersetzenden Mexikaner terrorisiert.

Nun sollen sich die beiden Gruppen bei einem alten Indianertempel treffen, um endlich für immer Frieden zu schließen. Ferguson hat den Mexikanern versprochen, ihnen alles ihnen gehörige Land wiederzugeben und hat sogar Pläne und Verträge vorbereitet und unterzeichnet. Doch als die Mexikaner ankommen, wie vereinbart waffenlos, entpuppt sich die gute Absicht als mörderische Falle: Alle Mexikaner werden mit Hilfe eines im alten Tempel verborgen aufgestellten Maschinengewehres rücksichtslos niedergemäht, auch Frauen und Kinder – und die Leichen bleiben liegen, den Geiern ausgesetzt. Ein Wanderpriester kommt zufällig zur gleichen Zeit in diese Gegend; zufällig entdeckt er ein schwerverletztes Kind, einen etwa 6-jährigen

Buben, den er gesund pflegt und zusammen mit seiner gleichaltrigen Tochter aufzieht. Auf der Reise durch den Westen spielt ein Esser mehr oder weniger keine Rolle – und er kann einen Nachfolger gebrauchen. So erzieht er den Knaben zu einem gottesfürchtigen jungen Mann (Lou Castel), der aber überall zupacken kann, wenn Not am Manne ist. Die beiden Kinder werden erwachsen – doch Princy, das Mädchen, zieht es in die »große Welt«; sie läuft eines Tages davon, einer Gruppe von Spielern nach. Der junge Mann macht sich auf, sie wiederzufinden. Durch Zufall wird er in einen Überfall verwickelt und erschießt dabei zwei Banditen. Ihre Leichen segnet er ein und wünscht ihnen die ewige Ruhe, was ihm bald den Spitznamen »Requiescant« einbringt. Er begibt sich weiter auf die Suche nach Princy, die er schließlich in San Antonio wiederfindet, wo sie in einer üblen Spelunke als Animierdame im Auftrag Dean Lights arbeitet. Er geht zu dem Besitzer des Lokals, um ihre Freiheit zu fordern – der Besitzer ist niemand anderer als Ferguson, dem die ganze Stadt gehört. Nach einem Wettschießen mit Requiescant, der ihm weit überlegen ist, gibt Ferguson zum Schein das Mädchen frei – doch als Requiescant mit Princy den Ort verlassen will, tappt er in eine ihm von Fergusons Leuten gestellte Falle. Princy wird getötet, Requiescant als der Mörder hingestellt und von Fergusons Leuten grausam gefoltert.

Requiescant kann mit Hilfe der Frau Fergusons, die ihren Gatten tödlich hasst, entfliehen. Er lernt einen stummen alten Mann kennen, der ihn vor der Bande Fergusons verbirgt und ihm enthüllt, dass Requiescant der Sohn des Mexikanerführers ist, der seinerzeit mit seiner ganzen Gruppe von Ferguson ermordet wurde. Nun erkennt Requiescant alle Zusammenhänge und nimmt sich vor, seinen Vater und die anderen Ermordeten zu rächen und den Mexikanern zu ihrem Recht zu verhelfen.

Alle mexikanischen Arbeiter und Angestellten Fergusons verlassen ihre Arbeitsplätze und begeben sich zu dem alten indianischen Tempel, um die Gebeine der Ermordeten zu bestatten. Ferguson und seine Bande folgen ihnen, um sie zuerst gutwillig, dann mit Gewalt zurückzuholen. Doch damit sind sie in die gleiche Falle geraten, die Ferguson vor Jahren den Mexikanern gestellt hat: Ein Maschinengewehr mäht Fergusons Bande unerbittlich nieder und Requiescant rächt persönlich den Mord an seinem Vater. Die Mexikaner haben ihr Land und ihre Rechte wiedererhalten.

Film: Im Gegensatz zu seinem von den amerikanischen Western betonten Erstlingswerk »Un fiume di dollari« (»Eine Flut von Dollar«) nimmt sich Regisseur Carlo Lizzani hier des Revolutionsthemas an, welches Ende der sechziger Jahre zahlreichen Italo-Western als Vorlage diente. Die Figur des Freiheitskämpfers einer unterdrückten Gesellschaft wird in diesem Film von dem italienischen Kultregisseur Pier Paolo Pasolini in der Figur des Don Juan, eines kämpfenden Priesters, verkörpert. Pasolini, laut Regisseur auch am Drehbuch des Films maßgeblich beteiligt, spielt hier wie im richtigen Leben einen scharfen Kritiker der etablierten Gesellschaft. Diese Figur ist es, die dem Film und auch dem Hauptcharakter Requiescant den richtigen Drive zum Revolutionär gibt. Mark Damon, normalerweise der Held vom Dienst, spielt hier gegen sein Image den vampirmäßigen, blaß geschminken und ganz in Schwarz gekleideten Bösewicht Ferguson, der einen perfekten Kontrast zu Pasolinis Don Juan abgibt. Beide glauben nur an ihre eigene Wahrheit, der Revolutionär und Underdog Don Juan, der dazu gezwungen wurde, sich der Revolution anzuschließen und gegen Unterdrückung der Herrschenden zu kämpfen, und auf der anderen Seite der Aristokrat Ferguson, der sich nicht damit anfreunden kann, dass es eine Gleichheit zwischen der herrschenden und der beherrschten Klasse geben kann. Er ist ein typischer Südstaatler, der an die Sklaverei glaubt und Frauen als notwendiges Übel betrachtet, was seine latente Homosexualität durchscheinen lässt (»Frauen halten die Männer vom Denken ab, sie müssen bauen, erschaffen, kommandieren, sie können es sich nicht erlauben, abgelenkt zu werden«, »Frauen sind minderwertige Kreaturen, die nur dazu da

Lou Castel in der Titelrolle des Resquiescant

sind, Kinder zu bekommen ... deshalb habe ich geheiratet«). Zwischen diesen beiden Männern steht Requiescant als Sohn von zwei ermordeten Rebellen, deren Tod er im Laufe des Films rächen wird. Die beste Italo-Western-Rolle für Lou Castel, der ein Jahr vorher bereits in dem erstklassigen Revolutionswestern von Damiano Damiani »Quien sabe?« (»Töte, Amigo«) zu sehen war, allerdings als hochnäsiger, profitgieriger Amerikaner. In diesem Film zieht Lou Castel sämtliche Register seines schauspielerischen Könnens und transformiert seine Rolle vom ergebenen religiösen Mann bis hin zu einem Revolutionsführer, nachdem er mehr über seine Vergangenheit erfahren hat. Dies ist einer der besten Italo-Western überhaupt mit zahlreichen genretypischen Details und Eigenarten und einiger Gewalt. Speziell die Szene, in der sich die beiden Rivalen Requiescant und Ferguson betrunken im Schießen auf eine Kerze üben, die von einem Mädchen (Liz Barret) gehalten wird, oder das Duell zwischen Requiescant und einem von Fergusons Männern, in denen beide ihren Hals in der Schlinge haben, bleibt im Gedächtnis haften.

Eine andere eindrucksvolle Szene ist Requiescants Entdeckung der Skelette seiner ermordeten Eltern und der ermordeten Revolutionäre. Zahlreiche große Charakterdarsteller sind ebenfalls in diesem Film zu sehen, wie z.B. Franco Citti, Barbara Frey, Liz Barret und Ninetto Davoli. Der Film entstand ausnahmslos in der Gegend um Rom unter Verwendung der typischen Drehorte wie des Dorfes Helios an der Tiburtina-Straße, der bekannten und oft verwendeten Villa Mussolini und der Höhle von La Magliana. Weniger herausragend ist in diesem Film die Musik von Riz Ortolani, die leider nicht auf der Höhe seines Meisterwerks »Il giorni dell'ira« (»Der Tod ritt dienstags«) ist und von der einige Passagen, unter anderem die Saloon-Musik, sehr stark an die Musik aus »Old Shatterhand« erinnern.

Presse: »Ein Western-Abenteuer, dessen Schöpfer offensichtlich bestrebt waren, über die Schablone hinwegzukommen. Die Hauptfigur ist ein junger Mann, der nur widerstrebend zum Helden und zum Rächer seiner von einem bösen Yankee ermordeten und ausgebeuteten mexikanischen

mögen sie in frieden ruhen

LOU CASTEL   Galgen-Kid   PIER P. PASOLINI
MARK DAMON   BARBARA FREY

Mark Damon als Bösewicht Ferguson

128

Landsleute wird. Was an dem Film stört, ist seine primitive, ohne erklärende Übergänge arbeitende Dramaturgie. Einige besonders krasse Sprünge lassen mutmaßen, dass hier nachträglich jemand mit großer Schere gearbeitet hat. Der Film ist gut photographiert und vom Darstellerischen her um Niveau bemüht.« *Georg Herzberg,*
Filmecho/Filmwoche Heft 63, 1967

»Das ›Requiescant in pace‹, das er seinen toten Gegnern nachschickt, bringt dem Pflegesohn des Wanderpredigers Jeremias den Namen ein. Requiescant ist der reine Tor. Wie Parzival trägt er ein Narrenkostüm: den alten Predigerhut, den Colt an einem Strick zwischen den Knien und eine Bratpfanne, mit der er seinen Gaul zur Eile treibt. Doch neben seiner Unschuld besitzt er wie eine Wundergabe schon immer alle Fähigkeiten, sich in einer grausamen Welt zu behaupten. Bereits seine ersten beiden Schüsse treffen zwei Banditen. Die kindlich-fromme, problemlose Selbstverständlichkeit seines Tötens verliert allerdings zunehmend an Glaubwürdigkeit und erscheint letztlich als ein zynisches Unbeteiligtsein.

Lizzani, nach Florestano Vancini (›Stan Vance‹) und Giulio Questi der dritte Regisseur mit einem gewissen Namen, der es mit dem Italo-Western probiert, hat nur scheinbar eine individuell profilierte Gegenfigur gegen das gewohnte Kopfgeldjäger-Stereotyp entworfen. Hinter der religiösen Attitüde kommen Django, Ringo und Kumpane zum Vorschein. Ein akustisches Indiz: das gleiche charakteristische unangenehme Jaulen des Abschusses. Die genreübliche Brutalität fällt zunächst nicht so ins Auge. Es gibt nur eine Massenschlächterei, wie sie der Italo-Western in der Funktion des traditionellen Zwei-Personen-Showdown verwendet. Der Sadismus zeigt sich kultivierter, à la Cesare Borgia. Da wird erdrosselt, vergiftet, gefoltert und gleichzeitig von einem Kunstfreund skizziert. Requiescants rein persönliche Motive des Handelns (er sucht seine Pflegeschwester Princy) verknüpfen sich mit dem politischen Vorhaben der ansässigen Mexikaner, eine gerechte Friedensordnung an die Stelle des Gringo-Terrors zu setzen. Pier Paolo Pasolini erscheint in der Rolle des Anführers, des revolutionären Priesters Juan. Obwohl Pasolini am Drehbuch mitgearbeitet haben soll, ist jedoch nicht mehr als eine Bilderbuch-Erhebung daraus geworden.« *Helmut Regel,*
Filmkritik 11/1967

»Als schießender Vagabund zieht der Held durch die Lande auf der Suche nach der geliebten Frau, und wenn sein müder Gaul nicht so recht will, wird er mit einer Bratpfanne aufgemuntert. Der Colt baumelt an einer dicken Kordel, und die Tatsache, dass er ausgezeichnet schießen kann, merkt er rein zufällig; schließlich wuchs er in einer Predigerfamilie auf, und jedes Mal wenn er wieder einen Banditen erschossen hat, spricht er ein männlich knappes ›Requiescant in pace‹. Auf den ersten Blick besitzt er Züge des ›reinen Toren‹, nach einigen Szenen erweist er sich jedoch eher als Karikatur dieses literarischen Typs. Außerdem wird mit seiner Hilfe ironisch veranschaulicht, wie das Christentum des Predigers wenig sinnvoll ist, denn seine Ergebenheit ist machtlos gegenüber Verbrechern und veranlasst niemand, Missstände zu beseitigen. Das Christentum wird keineswegs generell kritisiert, nur jene Richtung oder jene Auffassung, welche alles ergeben hinnimmt. Im Gegensatz dazu predigt ein Geistlicher der unterdrückten bäurischen Bevölkerung den Aufstand und organisiert den Widerstand, um für die Bauern Freiheit und Land zu gewinnen.

Ein Western mit ernstzunehmender Aussage hinter dem spannenden Geschehen, das überaus realistisch verfilmt ist. Leider scheinen sich der deutsche Verleih und die Synchronisation wenig Mühe gegeben zu haben. Zwar wirkt die Grausamkeit in mancher Szene übertrieben, aber insgesamt kann man nicht sagen, dass hier die Brutalität oder etwa das Bordellmilieu geschäftlich-spekulativ ausgenutzt werden. Aber die Absicht, im Gewande des Western bestimmte gesellschaftliche Ideen und eine Art revolutionäres Christentum zu zeigen, wird stellenweise ein Opfer des Genres.

Unter Mangel an Einfällen leidet der Film nicht, eher an zu vielen; nicht immer passen Einzelheiten und Gags zur Absicht. Was bei einem anderen Western unbesehen hingenommen würde, fällt in diesem Fall wegen der Absicht auf. Manches schmeckt nach gefühligem Westernklischee und primitivem Faustrecht. Aber vielleicht wirkt das hier kritisch Vermerkte nur in unserer Gesellschaft so. Jedenfalls ist der Farbfilm als Western beachtenswert, allerdings nur für filmerfahrene Besucher, die sich auch durch das Beiwerk nicht von einer Differenzierung ablenken lassen.« *Christoph Wrembek,*
Film-Dienst FD 15 002

MILLE DOLLARI SUL NERO

Sartana (Regie: Alberto Cardone)

Italien / Deutschland 1966
Erstaufführung in Italien: 18. Dezember 1966
Deutscher Start: 28. Juli 1967

Besetzung: *Anthony Steffen [Antonio De Teffè]
(Johnny), Gianni Garko (Sartana), Erika Blanc
(Joschita), Franco Fantasia (Sheriff), Sieghardt
Rupp (Ralph), Daniela Igliozzi (Mary), Angeli-
ca Ott (Manuela), Olga Solbelli (La donna della
supplica), Sal Borgese (Mexikaner), Carla Calò
(Rhonda Liston), Carlo D'Angelo (Richter Wal-
dorf), Chris Howland (Doodle Kramer), Gianni
Solaro, Gaetano Scala, Ettore Arena, Mario Dio-
nisi, Roberto Miali (Jerry), Gino Marturano*

Inhalt: Das ist die blutige Geschichte zweier Brüder, die zu Todfeinden werden, weil das Land
an der Grenze zwischen Texas und Mexiko nur
Platz für einen von ihnen hat. Zwölf Jahre lang
saß der Texaner Johnny (Anthony Steffen) im
Zuchthaus. Wegen eines Mordes an dem Farmer Rogers; wegen eines Mordes, den er nicht
begangen hat. Nun kehrt er heim, um mit Hilfe
seines jüngeren Bruders Sartana (Gianni Garko)
den wahren Mörder zu suchen. Doch er findet
Sartana nicht zu Hause. Sartana ist seinen eigenen
Weg gegangen: den Weg eines gnadenlosen Killers, der die ganze Gegend terrorisiert; den Weg
eines skrupellosen Bandenführers, der sich mit
Gewalt holt, was er will. Auch Johnnys Jugend-
liebe Mary gehört zu Sartanas Opfern: Er hat sie
gezwungen, seine Frau zu werden. Ihren Bruder
Jerry, der durch ein schreckliches Erlebnis stumm
wurde, peinigt Sartana bis aufs Blut.

Johnny bleibt keine andere Wahl: Er stellt sich
gegen Sartana und seine Bande. Er befreit Jerry.
Und als Sartana Joschita, die Tochter des ermordeten Farmers, verschleppt, holt er das Mädchen
aus den Händen der Banditen. Den Preis dafür

Gianni Garko als Sartana, im Hintergrund Sieghardt Rupp

Chris Howland, Roberto Miali, Erika Blanc

Roberto Miali in der Gewalt von Sieghardt Rupp

bezahlt er selbst: Er wird Sartanas Gefangener. Im Verließ des Bandenverstecks erfährt er den Namen des Mannes, für den er zwölf Jahre lang umsonst gebüßt hat. Mary verrät ihn: Sartana. Doch das Gespräch wird belauscht. Johnnys Tod ist beschlossene Sache. Erst in einem mörderischen Kampf entkommt der Todeskandidat seinem Exekutionskommando. Nun kommt die Stunde der Vergeltung: Wo immer Sartana auftaucht, um sich auf erpresserische Weise zu bereichern, fährt Johnny dazwischen. Schließlich fordert er seinen Bruder zum letzten Duell. Sartana stürzt nach dem ersten Kugelwechsel.

Johnny zögert, seinen wehrlosen Bruder zu töten. Heimtückisch versucht Sartana, diese Schwäche zu seinen Gunsten zu nützen. Da knallt ein Schuss. Er kommt aus Marys Gewehr. Mit ihm rächt sie sich für alle Schmach, die Sartana ihr zugefügt hat; mit ihm rettet sie Johnny für das gemeinsame Leben mit Joschita. Und kaum jemand bemerkt, dass Jerry während des Kampfes plötzlich seine Sprache wiedergefunden hat.

Film: Wie der Film »7 dollari sul rosso« (»Django – die Geier stehen Schlange«) endet auch dieser zweite »Bibel«-Western mit einem Bibelspruch. Diesmal bedienen sich die beiden Kollaborateure Mario Siciliano und Alberto Cardone der Geschichte von Kain und Abel: zwei Brüder, die sich gegenseitig bekämpfen, der eine gut, der andere böse, dafür bestimmt, zu kämpfen und ihr eigen Fleisch und Blut zu töten. Den beiden Filmemachern gelingt in diesem zweiten Werk eine höhere Qualität in Bezug auf Regie und Stil.

Was diesem Film fehlt, ist jede Art von Humor (bis auf einige kurze Auftritte von dem Karl-May-erprobten Chris Howland, die möglicherweise

in der italienischen Fassung fehlen), was dem Film jedoch gut tut und ihn von zahlreichen anderen Werken dieser Periode unterscheidet und ihm eine dunkle, tragische Atmosphäre verleiht. Anthony Steffen wiederholt seine Rolle aus dem Vorgängerfilm als tiefgründig tragischer Charakter, der sogar einige Tränen vergießt, eine Art verzweifelte Version von Sergio Leones »Fremder ohne Namen«. Der Zuschauer weiß aus seinem Gesichtsausdruck, dass, was immer auch passiert, er am Ende als Verlierer dastehen wird. Gianni Garko andererseits spielt seine erste Italo-Western-Rolle als Sartana überlebensgroß. Garko, der an eine Western-Version des Caligula erinnert, lebt mit seinen Leuten in einer Art Aztekentempel, getrieben von wildem Zorn, der sich des Öfteren in einer Reihe von grausamen Blutbädern entlädt. In diesen Wutausbrüchen zeigt Garko einige wunderbar grausame Gesichtsausdrücke mit seinem ins Gesicht fallenden blonden strähnigen Haar und einem irrsinnigen Blick, der das Weiße im Auge freigibt und nicht wenig an Klaus Kinski erinnert. Merkwürdigerweise wird Gianni Garko in der Titelrolle eines Sartana berühmt werden, die absolut nichts mit dem Sartana dieses Films zu tun hat. Der Unterschied zwischen dem Sartana-Charakter in diesem Film und dem Sartana der echten Sartana-Filme könnte nicht größer sein. Die restliche Besetzung des Films ist fast identisch mit dem Vorgängerfilm (Carla Calò spielt die Mutter, Roberto Miali den Taubstummen und Erika Blanc das junge Mädchen in Bedrängnis). Speziell die Mutter der beiden ungleichen Söhne spielt eine der bösesten Frauenrollen überhaupt, eine richtige Hexe.

Auch dieser Film ist voll von Grausamkeiten und Gewalt wie der Erschießung von einigen

131

Frauen, einem von Pferden zu Tode getrampelten Mann und einigen anderen Szenen, die dem Film in Deutschland zu einer FSK 18 verhalfen. Der Filmtitel ist wieder ein Insider-Gag und bezieht sich auf die $ 1000 teure Perlenkette, die Sartana seiner Mutter um den Hals auf ihr schwarzes Kleid legt. Es wäre noch anzumerken, dass dieser Film möglicherweise für Margheritis späteres Werk »... e Dio disse a Caino« (»Satan der Rache«) Pate gestanden hat, das ebenfalls mit einem Bibelspruch endet.

Presse: »Bei dem Klangbild des Titels ist sicher an Satanas gedacht worden, denn der böse Bru-

Die beiden ungleichen Brüder

der wütet mit seiner Bande wie ein Teufel in den umliegenden Ortschaften. In seinem Bruder, der zehn Jahre – natürlich unschuldig – im Gefängnis saß und der nun zurückkehrt, entsteht ihm ein unerbittlicher Gegner, Kain und Abel im modernen Western-Gewand. Als dritte Seite des Dreiecks die Mutter, immer leicht blau und gleich verdorben. Man weiß inzwischen von den italienischen Neu-Western, dass sie in ihrer Grausamkeit kaum noch Grenzen kennen. Bei diesem Sartana schreibt das Drehbuch sogar vor, dass er so verrucht sein soll, dass es überhaupt nicht motiviert werden kann. Das kann kein Darsteller glaubhaft in Szene setzen. So entsteht denn auch mit vieler Krakeelerei mehr das Zerrbild eines perversen Teufels als ein wahrhaft abgrundtiefer Bösewicht. Wie sich später herausstellt, ist Sartana auch der Mörder des Farmers, für dessen Tod sein Bruder unschuldig hinter Gittern saß. Brüderlein hat obendrein Zuneigung zu einem Mägdelein gefaßt, das ausgerechnet die Tochter des Mannes ist, den er auf dem Gewissen haben soll. Zum Schluss, ganz zum Schluss, hat er einen toten Bruder auf dem Pferd und ein liebes Mädchen im Arm. Ein harter Film, ein harter Stoff, ein schlechtes Theater.« *Bert Markus, Filmecho/Filmwoche Heft 76, 1967*

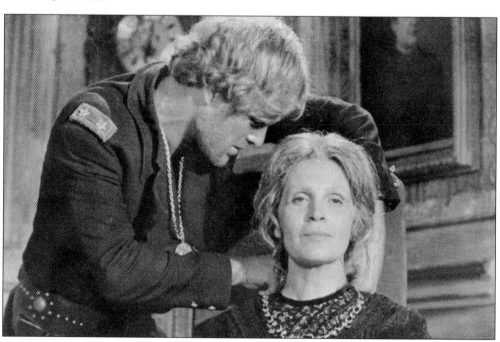
Gianni Garko und Carla Calò

YANKEE

Yankee (Regie: Tinto Brass)

Italien / Spanien 1965
Erstaufführung in Italien: 25. August 1966
Deutscher Start: 12. Oktober 1967

Besetzung: *Philippe Leroy (Yankee), Adolfo Celi (Gran Concho), Tomas Torres (Mexikaner), Mirella Martin, Jacques Herlin, Paco Sanz, Franco De Rosa, Pasquale Basile, Giorgio Bret Schneider, Tómas Milton, Antonio Basile, Renzo Peverello, Enriqueta Señalada, Cesar Ojinaga, Victor Israel, José Jalufi, Valentino Macchi*

Inhalt: In einem verfallenen Kloster auf einem felsigen Bergrücken an der Grenze zwischen Mexiko und den Vereinigten Staaten haust und regiert der große Concho (Adolfo Celi). Von hier aus terrorisiert er das ganze Land und beherrscht einen wichtigen Grenzübergang. Für die armselige Bevölkerung ist er der liebe Gott persönlich, er sclbst hält sich auch dafür.

Von seinem Stützpunkt aus schickt er seine Männer, steckbrieflich gesuchtes Gesindel, auf lohnende Raubzüge aus. Sein Informationsdienst klappt vorzüglich, denn Angst löst alle Zungen. Seine Männer schrecken vor keiner Grausamkeit zurück; ihre Sprache ist die der Colts, und diese Sprache ist erbarmungslos.

Da kommt eines Tages ein Fremder, ein Yankee (Philippe Leroy), in die Gegend, wortkarg und verschlossen. Doch sein Blick ist lauernd, sein Auftreten sicher und entschlossen. Die Art, wie er mit seinem Schießeisen umgeht, hätte eigentlich jeden warnen müssen. Aber der große Concho und seine Leute nehmen ihn nicht für voll, den Einzelgänger, der im Office des Sheriffs aufmerksam die Steckbriefe und die ausgesetzten Belohnungen studiert. Yankee sucht ein Treffen mit dem großen Concho, das zustande kommt, als Yankee sich in einen blutigen Spaß einmischt, den einige Concho-Männer mit einer jungen Frau veranstalten. Yankee schlägt dem großen Concho eine einmalige Partnerschaft vor; er wird alle Männer nach und nach erledigen und sich dann die ausgesetzten hohen Belohnungen mit ihm teilen. Die Antwort des großen Concho

kommt aus den Colts seiner Männer. Aber Yankee kennt alle Tricks. Es gelingt ihm immer wieder die Bande zu teilen und kleinere Gruppen aus dem Weg zu räumen. Selbst als er in die Hände des großen Concho fällt, dessen Geliebte Rosita (Mirella Martin) er als eine Art Geisel entführt hatte, findet er in der Bande des großen Concho den Mann, der Concho hasst und aus diesem Grunde Yankee zur Freiheit verhilft.

Die persönliche Auseinandersetzung ist unvermeidbar und nur eine Frage der Zeit. Die Stunde kommt, als Concho mit seinen Männern einen großen Goldtransport überfällt. Im Endkampf stehen sich schließlich der nüchterne, eiskalt auf seine Chance wartende Yankee und der überhebliche große Concho mit seiner sadistischen Lust am Schießen und Töten gegenüber. Der Sieg des Yankee ist fast zwangsläufig; ihm genügt ein Schuss, um Concho zu erledigen. Nun gehören Yankee die ausgesetzten Belohnungen, ein Geldpreis für jeden Schuss, für jedes Leben eines Verbrechers; so sagt es das Gesetz.

Film: Zu jener Zeit, als sich beinahe jeder italienische Regisseur mit dem Italo-Western beschäftigte, gelang sogar dem zügellosen zukünftigen Meister des erotischen Films, Tinto Brass, ein eigenständiger Italo-Western. Dieser Film mit der unverkennbaren Kreativität von Tinto Brass gilt als einer der originellsten Italo-Western, der jemals entstand. Ursprünglich wollte Tinto Brass die diversen Hauptfiguren des Films mit einer Hervorhebung von symbolischen Details einführen, wie z.B. den Sporen des Revolverhelden, dem nackten Fußknöchel der Frau etc. Dem Produzenten war dies dann jedoch etwas zu abstrakt, er brachte den Film im Schneideraum in die bekannte Form, um ihn etwas »normaler« zu machen. Trotz des Eingriffs des Produzenten in den Endschnitt des Films blieb der Großteil von Tinto Brass' Ideen erhalten. Was dem Zuschauer am meisten im Gedächtnis bleibt, sind wohl die wilden Kamera-Winkel, die extremen Dialoge voll von mexikanischem Slang, geschrieben von dem äußerst talentierten Gianfranco Fusco, und die anti-naturalistische Ausleuchtung.

Auch die Schauplätze des Films sind äußerst originell und die Charaktere scheinen direkt einem Comic-Heft entsprungen zu sein, angefangen von Philippe Leroy selbst, der als Yankee einen übergroßen Hut trägt. Wenn man sich diesen Film ansieht, glaubt man, dass Tinto Brass davon ausgeht, dass der Italo-Western aus dem

Philippe Leroy wird gefoltert

Comic-Heft entstanden ist. Sogar die Gewalt in diesem Film ist so übersteigert, dass es gar nicht mehr so bedrohlich wirkt wie in anderen Filmen. Einige Szenen lassen bereits Tinto Brass' Talent für die späteren erotischen Werke erahnen, etwa die Szene, wo Concho und seine Banditen die nackte Rosita an einem Pfahl gefesselt vorfinden oder die Szene, in der Rosita zum ersten Mal auftaucht und man nur ihre nackten Fußknöchel sieht. Adolfo Celi gibt eine hervorragende Darstellung als Concho, der sehr stark an die Rollen von Fernando Sancho erinnert. Die hervorragende Musik stammt vom Startrompeter Nini Rosso, der hier seinen einzigen Italo-Western-Score abliefert, nachdem er seine Trompetenkünste für diverse andere Komponisten zur Verfügung stellte. Zum Schluss sollte noch auf eine Szene hingewiesen werden, die später in Leones Meisterwerk abgewandelt wieder auftaucht, wo Adolfo Celi in der Rolle des Concho einem Bauer befiehlt, dessen Frau auf den Schultern zu tragen, die eine Schlinge um den Kopf hat.

Adolfo Celi als Gran Concho

Presse: »... Das alte Thema der italienischen Western. Ein einsamer Kämpfer ohne Herz und Gefühl, nur auf das Geld erpicht. Auf der anderen Seite der ebenso grausame Bandenführer mexikanischer Abstammung, der mit sadistischer Freude mordet und martert. Eine Schöne zeigt sich stark entblößt, büßt dafür mit dem Tode. Concho schießt sie eigenhändig in den Rücken. Nichts Neues an der italienischen Westernfront. Die Kamera versucht mit Gegenlichteinstellungen und von hoch oben und tief unten neue Gesichtspunkte zu gewinnen, kommt aber über einige Spielereien nicht hinaus.« *Dan., EFB 1967*

UN DOLLARO TRA I DENTI

Ein Dollar zwischen den Zähnen (Regie: Luigi Vanzi)

Italien / USA 1966
Erstaufführung in Italien: 13. Januar 1967
Deutscher Start: 13. Oktober 1967

Besetzung: *Tony Anthony (Der Fremde), Frank Wolff (Aguila), Gia Sandri (Maruka), Jolanda Modio (Chica), Enrico Cappellini, Raf Baldassarre, Antonio Marsina, Ivan Scratt [Ivan Giovanni Scratuglia], Arturo Corso, Ugo Carboni, Rossella Bergamonti, Aldo Berti, Loris Bazocchi, Salvatore Puntillo, Angela Minervini, Fortunato Arena*

Inhalt: In einer kleinen Stadt in Mexiko lauert der Tod. Aguila (Frank Wolff) und seine Bande haben die Bewohner vertrieben oder getötet. Sie warten auf Gold. Gold, das amerikanische Soldaten einem Regiment Mexikaner übergeben sollen. Doch die Banditen sind nicht allein in der Stadt. Ein Fremder (Tony Anthony) ist gekommen. Er muss zusehen, wie Aguila brutal die mexikanischen Soldaten niedermetzelt. Verklei-det übernehmen Aguilas Leute das Gold von den Amerikanern und der Fremde hilft ihnen, indem er vorgibt amerikanischer Offizier zu sein. Er verlangt als Lohn die Hälfte des Goldes. Aguila weigert sich, ihm seinen Anteil zu geben, doch nach einer Schießerei gelingt es dem Fremden, mit dem ganzen Gold zu entkommen.

Er will nicht mehr die Hälfte des Goldes, er will alles. Doch die Banditen fassen ihn und schlagen ihn brutal zusammen. Wieder gelingt es dem Fremden, das Gold in seinen Besitz zu bringen und gnadenlos jagt er seine Gegner. Sie können ihm nicht entkommen und einer nach dem anderen stirbt unter seiner Kugel.

Film: Dieser kleine Film, der direkt von Sergio Leones »Per un pugno di dollari« (»Für eine Handvoll Dollar«) beeinflusst wurde, markierte das Western-Debüt des Amerikaners Roger Petito alias Tony Anthony, der mit seinem »Fremden« einen unvergesslichen Charakter schuf, der noch in einigen weiteren Filmen zu sehen war. In dem

Jolanda Modio als Chica

Tony Anthony ist »Der Fremde«

von Luigi Vanzi gedrehten Film kommt es zu zahlreichen Gewaltdarstellungen wie dem sadistischen Ertränken eines Priesters durch einen Banditen, zum brutalen Auspeitschen des »Fremden« durch die sadistische Maruka (Gia Sandri), zum grausamen Verprügeln eines Mädchens und mehr. Tony Anthony ist eine Art Eastwood-Verschnitt, der jedoch wesentlich zynischer ist und zugleich wenig oder gar nichts von Fairness hält und sich lieber vor den Gegnern versteckt und ihnen in den Rücken schießt. Frank Wolff liefert hier eine seiner besten Rollen als Bösewicht Aguila ab, der seinen Unterboss immer fragt: »Wer bin ich, Marinero?«, worauf dieser antwortet: »Ein Mann voller Mitgefühl.« Die äußerst unterhaltsame Musik von Benedetto Ghiglia gibt diesem Film zusätzlichen Wert, speziell die einprägsame Titelmelodie. Dieser mit einem unglaublich niedrigen Budget gedrehte Film entstand größtenteils in Italien, im mexikanischen Dorf des Elios-Studios, obwohl nach Aussagen Tony Anthonys auch ein paar Tage in Almería gedreht wurde. Die finanziellen Mittel waren so gering, dass einige Szenen sogar auf einer Müllhalde in der Nähe des Flughafens gedreht wurden, so zum Beispiel alle Szenen, in denen der »Fremde«

Tony Anthony tötet Frank Wolff

von einem Hügel hinunterblickt. Dieser Film sollte ein Jahr später mit der Fortsetzung »Un uomo, un cavallo, una pistola« (»Texas-Jack«) in Bezug auf Budget, Handlung und Action noch übertroffen werden.

Presse: »Die Italiener haben dem Film ihre Handschrift aufgedrückt: Grausamkeit der Handlungsführung und Freude an folternder Härte. Wie immer ist die genormte Story an der amerikanisch-mexikanischen Grenze angesiedelt. Dort, wo eine Bande die Bevölkerung und die Ansiedlungen mordet und brandschatzt. Da taucht eines Tages ein Fremder, ein Einzelgänger, offenbar ein desertierter amerikanischer Offizier auf, und spielt der Bande eine von den USA dem Staat Mexiko zugedachte Goldsendung in die Hände. Als er seine vereinbarte Belohnung einkassieren will, wirft ihm der Gauner mit höhnischem Gelächter einen Dollar auf die Hutkrempe.

Nun wogt der Rachekampf hin und her. Der Fremde dezimiert mit seinem schnellen Colt die Bande, dann bekommt sie ihn in ihre Gewalt und foltert ihn fast zu Tode. Mit Hilfe eines Verräters aus den Reihen der Gauner kommt er frei und vollendet sein Werk der Vergeltung. Zum Schluss tötet er den Chef in einem gagbestückten Duell und schiebt dem Toten den besagten Dollar zwischen die Zähne. Das ist so unästhetisch wie die Grausamkeits-Passagen des ganzen Films. In der Rolle des Antihelden der bärtige Tony Anthony, von dem meistens nur sein Hut anstelle seines Gesichtes zu sehen ist.« *Bert Markus, Filmecho/Filmwoche Heft 87–88, 1967*

Banditenunterschlupf in der Kirche

BALLATA PER UN PISTOLERO

Rocco – der Einzelgänger von Alamo (Regie: Alfio Caltabiano)

Italien / Deutschland 1967
Erstaufführung in Italien: 19. April 1967
Deutscher Start: 3. November 1967

Besetzung: *Anthony Ghidra (Hud, in der deutschen Fassung Rocco), Angelo Infanti (Blackie), Anthony Freeman [Mario Novelli] (Chiuchi), Al Norton [Alfio Caltabiano] (El Bedoja), Dan May [Dante Maggio] (Knallfrosch), Monica Teuber (Maruja), Giovanni Ivan Scratuglia (Martinez), Nicola Balini (Explosion), Ellen Schwiers, Peter Jacob, Hermann Nehlsen, Lanfranco Ceccarelli*

Inhalt: Der Bandit Chiuchi (Anthony Freeman) und seine Bande halten die Hügel an der Straße nach Mallintown im Bezirk von Alamo besetzt, auf welcher die Postkutsche kommen muss. Aber auch Chiuchis älterer Halbbruder El Bedoja (Al Norton) wartet auf das Gefährt, das ihm reiche Beute verspricht. Auf der Straße lässt er die Kutsche anhalten, und seine beiden Kumpane eröffnen überraschend das Feuer auf die Bewacher. El Bedoja holt die beiden Passagiere aus der Kutsche und schießt auch sie als unliebsame Zeugen kaltblütig nieder. Chiuchi umstellt El Bedoja und seine Leute und schlägt ihm vor, die Beute zu teilen. Der raffinierte Verbrecher willigt ein, aber nur unter der Bedingung, dass Chiuchis Leute ihm beim Überfall auf die Bank von Mallintown helfen, um dort den sichersten Tresor im Wilden Westen zu knacken.

Der Plan wird auf der sandigen Landstraße aufgerollt. In den Saloon von Luxpury tritt Blackie (Angelo Infanti). Sein stechend harter Blick verrät den geübten Bounty-Killer: Er ist auf der Suche nach zwei Männern, deren Steckbriefe im Büro des Sheriffs hängen. Den ersten stört er bei seiner amourösen Lieblingsbeschäftigung: Er stöbert den hinter einem Paravent Versteckten auf und durchbohrt ihn mit einem Kavalleriesäbel, um nachher der liebeshungrigen Dame selbst Trost zu spenden. Unterdessen ist ein zweiter Fremdling (Anthony Ghidra) in den Saloon getreten, ein hochgewachsener, breitschultriger Mann, dem die Entschlossenheit im Gesicht geschrieben

steht. Martinez, ein kleiner Gauner, soll ihm den Weg zu El Bedoja zeigen, aber Martinez macht den Fehler, den Pistolen seiner Freunde mehr Glauben zu schenken als den Worten des Fremdlings: Martinez' Kumpane bezahlen den Irrtum mit ihrem Leben, während er selbst mit einer durchschossenen Hand fürs Erste noch einmal davonkommt. Der Fremdling ist niemand anders als Rocco, der schneller und sicherer schießt, als die meisten Leute nur zu denken vermögen. Zusammen mit Blackie hat er von Martinez erfahren, dass El Bedoja einen Überfall auf die Postkutsche nach Mallintown plante. Rocco liefert Martinez beim halb betrunkenen Sheriff ab, Blackie kassiert die Prämien für seine Opfer. Die Postkutsche fährt in Mallintown ein. Die Beglei-

Anthony Ghidra als Einzelgänger von Alamo

Angelo Infanti als Blackie

ter berichten dem Sheriff vom Überfall auf der Straße, doch hätten sie das Geld retten können. Die Kassette wird in den Tresor-Raum getragen, wo man pünktlich um zwei Uhr den Präsidenten der Bank erwartet. Genau um diese Zeit öffnet sich der Tresor automatisch. Um genau zwei Uhr greift aber auch Chiuchi mit seiner Bande die Stadt an und lockt die Männer des Sheriffs von der Bank weg. Von der anderen Seite her reitet El Bedoja mit seinen Männern vor die Bank, schießt sich den Weg zum Tresor frei und raubt zusammen mit seinen Gehilfen das Geld. Die Männer auf der Kutsche waren in Wirklichkeit El Bedojas Leute, die ihm den Weg zum Tresor öffnen sollten. Nach dem großen Massaker kommt Rocco nach Mallintown. Er findet die Getöteten auf der Straße in einer Reihe aufgebahrt. Rocco folgt den Spuren der Bande. Aber auch Blackie hat sich auf die Fährten der Verbrecher gesetzt, denn für die Köpfe El Bedojas und Chiuchis winken fette Prämien. El Bedoja hat sich von Chiuchi an einem Fluss getrennt. Chiuchi reitet mit dem Verwundeten zu einer einsam gelegenen Farm. Er zwingt dort die Farmersfrau, die Kugel aus dem Leib des Angeschossenen zu entfernen. Minuten später tritt Rocco in den Raum: Die Blutspur hat ihn auf die richtige Fährte gebracht. Nach kurzem Kampf überwältigt er die Gegner. Allein Chiuchi ist noch entkommen – da gerät Rocco in die Falle des verschlagenen Mexikaners. Der Kampf scheint für ihn ohne Chancen zu sein, bis Blackie auftaucht und Rocco das Leben rettet. Aber wiederum will Rocco die Verfolgung allein fortsetzen, ohne Blackies Hilfe.

Vor einer alten, stillgelegten Mine, in der sich El Bedoja mit seinen Leuten versteckt hält, trifft Rocco »Knallfrosch«, einen skurrilen Sonderling, der seine Arbeit mit Dynamit verrichtet. »Knallfrosch« ist einverstanden, die Zugänge zur Mine zu sprengen, falls Rocco ihm die Genugtuung einer Schlägerei mit Bull, einem groben Muskelprotz, bietet. In der nahen Taverne kommt es zur gewünschten Auseinandersetzung, an welcher sich im Handumdrehen alle Gäste beteiligen. Als jemand die Pistolen ziehen will, schießt der neuerdings aufgetauchte Blackie sie ihm aus den Händen. »Knallfrosch«, Rocco und Blackie verlassen gemeinsam das gastliche Lokal.

Bei den Vorbereitungen zur Sprengung wird Rocco von El Bedojas Leuten umstellt und in die Mine geschleppt. Er soll dort einen elenden Tod sterben, doch zuvor machen sich El Bedoja

und Chiuchi mit der von der Farm verschleppten Maruja und dem Geld aus dem Staube. Die sonst sichere Höhle scheint ihnen, da Rocco ihnen auf der Spur war, nicht mehr sicher genug zu sein. Wie El Bedojas Leute zur grausamen Hinrichtung von Rocco schreiten wollen, werden sie von ihm einzeln überwältigt. Draußen beginnen die Eingänge zusammenzustürzen, und nur zu deutlich wird nun den Banditen, dass sie, von El Bedoja verlassen, selbst in der tödlichen Falle sitzen.

Nach dem Tod der Banditen hat sich Rocco ins Freie retten können. Zusammen mit Blackie macht er sich an die Verfolgung El Bedojas. Dieser hat sich zusammen mit seinem Halbbruder Chiuchi in einem verlassenen Hof verschanzt und das Mädchen draußen als Geisel angebunden. Aber Blackie und Rocco sperren die Schusslinie zum Opfer, stecken die Hütte in Brand und zwingen die beiden zur Flucht. Chiuchi bricht unter den Kugeln zusammen, und El Bedojas letzte List misslingt. Ihn will Rocco lebend zurückbringen, denn er war es, der Rocco für zehn Jahre ins Gefängnis brachte, obwohl Rocco unschuldig war. Noch einmal versucht El Bedoja einen verzweifelten Ausbruch, aber die tödlichen Kugeln Roccos strecken ihn zu Boden.

Blackie beansprucht die Beute für sich und will, wenn es sein muss, sogar dafür kämpfen. Doch Rocco ist auch ihm überlegen: Er schießt ihm den Colt vom Gurt weg. Nun gibt sich Rocco ihm zu erkennen: Sie beide hatten den gleichen Lehrmeister – sie sind Söhne des gleichen Vaters.

Film: Anthony Ghidra in seinem ersten italienischen Western, vorher war er in »Unter Geiern« zu sehen. Der in Jugoslawien geborene Darsteller war eigentlich Shakespeare-Mime, übernahm jedoch noch vier weitere Male im Genre Rollen,

El Bedoja, gespielt von Regisseur Alfio Caltabiano, und seine Bande

darunter noch einmal in »L'ultimo killer« (»Rocco – ich leg' dich um«). Auch hier eine altbekannte Story: Zwei unterschiedliche Männer, der eine in die Jahre gekommener Revolvermann, der andere ein junger Heißsporn, verfolgen dasselbe Ziel bzw. denselben Verbrecher. Am Ende stellen sie fest, dass sie noch etwas anderes gemeinsam haben. Regisseur Alfio Caltabiano, der noch die beiden »Così Sia«-Filme inszenierte, wirkt hier auch als Schauspieler mit, er verkörpert den Bösen El Bedoja. Als Schauspieler war er außer in den drei Filmen, bei denen er Regie führte, noch in fünf weiteren Italo-Western zu sehen, darunter in »Keoma«. Wie auch in den beiden anderen »Rocco«-Filmen »L'ultimo killer« (»Rocco – ich leg' dich um«) (ebenfalls mit Anthony Ghidra in der Hauptrolle) und »Sugar Colt« (»Rocco – der Mann mit den zwei Gesichtern«) (mit Hunt Powers) heißt der Hauptcharakter nur in der deutschen Fassung »Rocco«. Hier handelte es sich wieder mal um eine Erfindung der deutschen Filmverleiher, um künstlich eine Serie zu kreieren.

Presse: »Die wild-westlichen Einzelgänger werden immer einzelgängerischer, das heißt, sie haben so große Fertigkeiten im Schießen und Reiten, dass es sie in der Realität schon gar nicht mehr geben kann. Dieser Rocco von Alamo ist ein Plusquamperfekt dieser filmischen Phantasie, denn – um mit dem Slogan des Verlages zu sprechen – er schießt ›schneller und sicherer, als die meisten Leute nur zu denken vermögen‹. Die Handlung dieser bundesdeutschen-italienischen Koproduktion ist wieder einmal im fernen Mexiko angesiedelt, wo der Bandenführer eine Bank im Distrikt von Alamo ausgeraubt hat und sich gegenwärtig in einer Mühle versteckt hält. Rocco, der mit ihm noch eine alte Rechnung zu begleichen hat, macht auf ihn Jagd. Ebenso ein Bounty-Killer, dem es um die fetten Prämien geht. Der neue Star heißt Anthony Ghidra und benimmt sich ganz so wie die alten Kämpen solcher Serienproduktionen.«   *Bert Markus,*
Filmecho/Filmwoche Heft 92, 1967

»Ein neuer Westernheld ist auf den Plan getreten und reitet und schießt sich mit Vehemenz auf der Stufenleiter zum Erfolg empor. Rocco ist sein Name und ihn umgibt wie die meisten Helden in den europäischen Western die Aura des Mythischen. Er ist ein perfekter Reiter, harter Schläger und sagenhaft schneller Schütze. Diese seine Eigenschaften, zu denen noch Mut, Askese und Gerechtigkeitsgefühl treten, setzt er für das eine Ziel ein, das er unbedingt erreichen will: Rache zu nehmen für persönlich erlittenes Unrecht, den Mann zu stellen, der ihn durch einen Trick 15 Jahre hinter Gitter brachte. Und Rocco findet diesen Banditen in Mexiko, wo er eine Bankräuberbande befehligt. Dass Rocco das blutige Handwerk nicht alleine zu besorgen braucht, dafür sorgt ein junger Gangsterkiller, ein Kopfgeldjäger, der sich ihm anschließt und ihm zweimal das Leben rettet. Er verfügt über die gleichen Eigenschaften wie Rocco – und am Ende stellt sich dann heraus, dass die beiden Männer, die schießen können wie ein ganzes Heer Soldaten, Brüder sind. Fortan werden sie zusammenbleiben – zu neuen Abenteuern reiten. – Es ist die alte Geschichte, die hier in dieser italienisch-deutschen Produktion zum x-ten Male aufgetischt wird. Alfio Caltabiano hat diese farbige, leichenreiche Schießballade nach bewährtem Muster inszeniert. Er hält auf Tempo und raschen Schauplatzwechsel, streut genügend Rauf- und Schießszenen ein, und auch die obligaten brutalen und sadistischen Szenen fehlen nicht. Auffallend allerdings, dass hier der Ton nicht so rüde und gossenhaft ist wie in zahlreichen anderen europäischen Western, wie überhaupt hier relativ wenig gesprochen, darum aber umso mehr geschossen und gestorben wird.«

Angelo Infanti als junger Revolverheld

pa, Film-Dienst FD 15 044

IL BUONO, IL BRUTTO, IL CATTIVO

Zwei glorreiche Halunken (Regie: Sergio Leone)

Italien 1966
Erstaufführung in Italien: 23. Dezember 1966
Deutscher Start: 15. Dezember 1967

Besetzung: *Clint Eastwood (Der Blonde, der Gute), Lee Van Cleef (Sentenza, der Böse), Eli Wallach (Tuco Benedito Pacifico Juan Maria Ramirez, der Brutale), Aldo Giuffrè (Offizier der Nordstaaten-Armee), Mario Brega (Corporal Wallace), Luigi Pistilli (Pater Pablito Ramirez), John Bartha (Sheriff), Rada Rassimov (Maria), Enzo Petito (Inhaber des Waffenladens), Antonio Casale (Jackson/Bill Carson), Livio Lorenzon (Baker), Al Mulock (Einarmiger Bandit), Benito Stefanelli (Mitglied in Sentenzas Bande), Angelo Novi (Mönch), Antonio Casas (Stevens), Aldo Sambrell (Mitglied in Sentenzas Bande), Antonio Molino Rojo (Hotel-Manager), Lorenzo Robledo (Clem), Chelo Alonso (Bakers Frau), Antonio Ruiz (Stevens jüngster Sohn), Claudio Scarchilli, Sandro Scarchilli, Sergio Mendizábal, Silvana Bacci, Frank Braña*

Inhalt: Drei Mörder betreten ein Wirtshaus. Detonationen. Tuco (Eli Wallach) springt aus dem Fenster und zertrümmert dabei die Glasscheibe: Mit der einen Hand ergreift er die Pistole, mit

Dreharbeiten auf dem »El Paso«-Set bei Tabernas

der anderen eine Hühnerkeule. Das Bild bleibt stehen, und es erscheint die Schrift »der Brutale«. Während Tuco wegreitet, sehen wir, dass die drei im Wirtshaus tot sind.

Ein Reiter, Sentenza (Lee Van Cleef), kommt in eine abgelegene mexikanische Farm und isst mit dem Familienoberhaupt zu Mittag. Er fragt ihn nach Neuigkeiten über den Gefreiten Carson, der vor einiger Zeit mit dem Tresor eines Regiments der Konföderierten durchgebrannt ist. Der Patron stellt ihn angstvoll zufrieden und bittet, ihn nicht zu töten; er bietet ihm das Doppelte seines Mörderlohns. Sentenza nimmt das Geld an, erschießt den Gutsbesitzer und seinen Sohn aber dennoch; dann geht er, die Witwe in Tränen aufgelöst zurücklassend. Der Auftraggeber für dieses Verbrechen, der wegen eines bösen Hustens das Bett hütet, zahlt Sentenza den Lohn aus. Dieser erklärt ihm, dass das Opfer ihm mehr gegeben habe und bringt ihn mit einem Kopfschuss um, wobei er durch ein Kissen schießt, um den Knall zu dämpfen. Das Bild bleibt stehen, und es erscheint der Titel »der Böse«.

In einer Felsenlandschaft stellen vier Kopfgeldjäger Tuco, auf dessen Kopf zweitausend Dollar ausgesetzt sind, eine Falle. Ein Blonder (Clint Eastwood) greift ein und streckt die vier Räuber in ehrlichem Zweikampf nieder. Nun wird Tuco gefesselt und quer über den Sattel gelegt in die Stadt gebracht, wo der Blonde ihn dem Sheriff ausliefert und die Prämie einstreicht. Tuco soll auf dem Dorfplatz gehängt werden, nachdem eine Amtsperson öffentlich die vielen Vergehen aufgezählt hat, deren er schuldig ist. Vom Dach eines Hauses aus zerfetzt der Blonde den Strick mit Gewehrschüssen und schießt den Anwesenden die Hüte vom Kopf, um dem Banditen die Flucht zu erleichtern. Die beiden treffen sich in einiger Entfernung vom Dorf und teilen sich die Prämie. In einem anderen Dorf wiederholen sie den Trick mit Erfolg. Sentenza, der auf der Durchreise ist, nimmt an dem Schauspiel Teil, während ein Südstaaten-Veteran ohne Beine (ein »halber Soldat«) ihm mitteilt, dass er sich an seine Frau Maria wenden müsse, wenn er Nachricht von Carson haben wolle. Der Blonde sieht, dass

Clint Eastwood ist der Gute

die Prämie auf seinen Komplizen nicht erhöht wird und lässt ihn gefesselt mitten in der Wüste zurück. Das Bild bleibt stehen, und es erscheint die Überschrift »der Gute«.

Sentenza, im Dunkel von Marias Zimmer auf die Rückkehr der Frau wartend, schlägt sie, als sie kommt, und erschreckt sie, um sie dazu zu bringen zu verraten, wo sich Carson zur Zeit aufhält. Tuco gelangt am Ende eines mühsamen Fußmarsches durch die Wüste in ein Dorf. Nachdem er seinen Durst an einer Tränke gestillt hat, bricht er in einen Laden ein und zwingt den alten Angestellten, ihm das gesamte Pistolensortiment zu zeigen. Nach langer sachkundiger Prüfung setzt er drei Teile verschiedener Waffen zusammen und probiert die neue Pistole auf dem Hof aus, wobei er eine außergewöhnliche Zielsicherheit unter Beweis stellt.

Die Truppen der Südstaatler durchqueren auf ihrem Rückzug eine kleine Stadt. In einem Hotel steigen drei von Tuco engagierte Mörder heimlich in das obere Stockwerk, wo der Blonde seine Pistole säubert. Der Blonde hört jedoch das Geräusch der Schritte und empfängt die Mexikaner mit drei wohlgezielten Schüssen.

Vergebliche Mühe, denn Tuco, der durchs Fenster hereingekommen ist, überrascht ihn von hinten und befiehlt ihm, sich an einem Deckenbalken zu erhängen. Der Blonde hat bereits den Strick um den Hals, als der Boden nach einem Kanonenschuss einstürzt. Tuco findet sich eine Etage tiefer wieder: Oben hängt die Schlinge noch am Balken, aber vom Blonden ist keine Spur zu sehen.

Sentenza gelangt in ein halb zerstörtes Fort, in dem einige Soldaten der Konföderierten Zuflucht gefunden haben, die, am Ende ihrer Kräfte, Maiskolben kochen. Sentenza fragt sie nach dem Schicksal von Bill Carson aus. Sie antworten ihm, dass er, wenn er nicht tot sei, in einem Gefangenenlager der Nordstaatler in Betterville gelandet sein müsse. Tuco, der ausgezogen ist, den Blonden zu verfolgen, erreicht das Biwak kurz nachdem es vom Rivalen verlassen worden ist – eine noch brennende halbe Zigarre ist das sichere Zeichen dafür, dass er da war. Der Blonde beginnt mit einem neuen Bundesgenossen, Shorty, eine Wiederholung der üblichen Rettungsaktionen knapp vor dem Gehängtwerden, aber Tuco überrascht ihn und zwingt ihn mit vorgehaltener Pistole, den Komplizen seinem Schicksal zu überlassen. Tuco kündigt seine Rache an: Der Blonde muss die Wüste zu Fuß durchqueren. Um die Qual zu erhöhen, wirft er dessen Hut weg und durchlöchert ihm die Wasserflasche mit Schüssen. Der Blonde stapft ermattet durch die Dünen, das Gesicht von den Strahlen der Sonne verbrannt, während Tuco ihn höhnisch begleitet, geschützt von einem Sonnenschirm. Bei einer Rast nimmt Tuco ein Fußbad in einem Bottich. Der Blonde kriecht von Durst geplagt näher, doch der andere stößt den Bottich grinsend um. Erschöpft lässt sich der Blonde von einer Düne herunterrollen. Er hat nicht mehr die Kraft aufzustehen: Tuco zielt mit der Pistole, um

Geschnittene Szene mit Eli Wallach

Clint Eastwood und Sergio Leone während der Dreharbeiten

ihn umzulegen, als der Lärm von Pferdehufen das Vorbeirasen einer Postkutsche ohne Kutscher ankündigt. Im Innern der Kutsche befinden sich die Leichen einiger konföderierter Soldaten, denen Tuco das Geld und die Wertgegenstände abnimmt. Einer dieser Soldaten, der noch mit dem Tode ringt, ist der berühmte Gefreite Carson, der gegen einen Schluck Wasser dem Mexikaner anvertraut, dass die Kasse des Regiments auf dem Friedhof von Sad Hill begraben ist. Bevor er den Namen des Grabes verrät, will er, dass Tuco ihm die Wasserflasche bringt. Tuco entfernt sich für einige Augenblicke, und als er zurückkehrt, bemerkt er, dass Carson tot ist und der Blonde ihm die wertvolle Mitteilung entlocken konnte. Nun kann Tuco den Blonden nicht mehr töten.

In der Uniform des Gefreiten Carson (einschließlich der schwarzen Augenbinde) dirigiert Tuco die Postkutsche an einen Ort, an dem der Freund ärztlich versorgt werden kann. An einer Sperre der Südstaatler sagt man ihm, dass sich die einzige Krankenstation in der Mission von San Antonio befindet.

Hier nehmen sich die Mönche des Blonden an. Um ihm den Namen des Grabes zu entreißen, täuscht ihn Tuco in Bezug auf seinen Gesundheitszustand und redet ihm ein, dass er nicht durchkommen werde. Doch der andere ist schlau genug, um nicht in die Falle zu gehen und wirft ihm eine Kaffeetasse an den Kopf. Der Blonde ist inzwischen wiederhergestellt. Bevor sie abreisen, trifft Tuco seinen Bruder, einen Mönch (Luigi Pistilli), der ihm seine traurige Banditenlaufbahn vorhält. Wieder auf dem Weg, begegnen die beiden, in Südstaatler-Uniform gekleidet, einem Kavallerie-Trupp. Tuco grüßt fröhlich und preist die Konföderation; zu spät bemerkt er, dass die grauen Uniformen in Wirklichkeit staubbedeckte blaue sind. Im Konzentrationslager Betterville zögert Tuco, der die Identität von Carson angenommen hat, mit der Antwort auf den Appell und handelt sich einen Schlag in den Magen vom bulligen Korporal Wallace (Mario Brega) ein. Außerdem weckt er den Verdacht des Sergeanten, der niemand anders ist als Sentenza, nun in der Rolle des ruchlosen Gefängniswärters.

Der Lagerkommandant, wegen eines brandigen Beins zur Untätigkeit gezwungen, tadelt diesen aufs Schärfste wegen seiner Gewalttaten und Diebstähle zum Nachteil der Gefangenen. In seiner Unterkunft empfängt Sentenza Tuco zum Essen, der nach Überwindung des anfänglichen

Misstrauens fröhlich kaut. Als er bemerkt, dass der Mexikaner Fragen zum Schicksal des echten Carson überhört, greift Sentenza zu überzeugenderen Mitteln: Er klemmt ihm die Finger in eine Tabakdose ein und lässt ihn vom Korporal foltern, während draußen das Gefangenenorchester mit voller Lautstärke spielen muss, um die Schreie des Mexikaners zu übertönen. Tuco gesteht schließlich den Namen des Friedhofs, auf dem der Schatz begraben liegt.

Nun ist der Blonde an der Reihe, aber Sentenza, der zweifelt, ihn durch Folter zum Sprechen zu bringen, begibt sich mit diesem zum Friedhof von Sad Hill: Es ist vereinbart, den Schatz zu teilen. Der Korporal begleitet Tuco zum Zug: Er soll den Gesetzlosen in der Stadt der Justiz übergeben und die Prämie kassieren. Der Blonde und Sentenza schlafen in einem Lager. Der Blonde, durch ein Knistern geweckt, eröffnet das Feuer und streckt einen in den Bäumen versteckten Mann nieder. Auf ein Zeichen von Sentenza hin kommen seine fünf Komplizen hervor, die sich den Schatzsuchern anschließen. Tuco und Korporal Wallace reisen aneinander gekettet auf einem Viehwaggon. Tuco bittet darum, aus dem Waggon herauspinkeln zu dürfen und nutzt die Gelegenheit, aus dem fahrenden Zug zu springen, wobei er seinen Wächter mitreißt. Dann schmettert er dessen Kopf gegen einen Stein und tötet ihn. Der Blonde und Sentenza gelangen in eine geschleifte Stadt, durch die eine Infanteriekolonne der Nordstaatler marschiert. Auch Tuco ist in der Stadt, er nimmt ein Schaumbad in einer Hotelsuite. Ein alter Feind, der ihn zufällig hat eintreten sehen, will ihn umlegen, aber der Mexikaner trifft ihn mit einer im Schaum versteckten Pistole. Der Blonde erkennt den unverwechselbaren Knall und geht hin, um die alten Bande neu zu knüpfen. Dank des guten Teamworks und des Qualms der Detonationen gewinnen die beiden Komplizen die Oberhand über Sentenzas Männer, aber der Bandenchef kann entkommen.

Auf einem Feldweg werden der Blonde und Tuco von einer Nordstaaten-Patrouille angehalten und in die Schützengräben in der Nähe eines Flusses geführt: Die Südstaatler befinden sich auf der anderen Seite. Ein Hauptmann, Freund des Whiskeys und Feind des Krieges (Carlo Giuffrè), beklagt die Gleichgültigkeit, mit der die Kommandos der beiden Heere Tausende von Soldaten massakrieren lassen, um eine Brücke zu erobern. Es beginnt die tägliche Schlacht, bei der die Artillerie die meisten Männer am Ufer dahinrafft, bevor diese die Brücke erreichen können, auf der ein sinnloser Kampf Mann gegen Mann stattfindet. Auch der Hauptmann wird schwer verwundet. Die beiden Abenteurer, die nur durch den Fluss vom Schatz getrennt sind, beschließen, den kürzesten Weg zu nehmen und nutzen mit der Einwilligung des Hauptmanns eine Kampfpause, um die Brücke zu verminen. Sie vertrauen sich gegenseitig den Namen des Friedhofs und des Grabes (eines gewissen Stanton) an und setzen die Zündschnur in Brand. Als er die Explosion hört, stirbt der Hauptmann erleichtert.

Nachdem sie die Nacht in Deckung vor dem Beschuss verbracht haben, finden Tuco und der Blonde beim Aufwachen alles verlassen vor: Nur die Leichen zeugen noch von der Schlacht des Vortages. Sie waten durch den Fluss. In einer kleinen, fast zerstörten Kirche kümmert sich der Blonde um einen Südstaaten-Artilleristen, der im Sterben liegt: Er deckt ihn mit dem Mantel zu und gibt ihm eine Zigarre. Tuco nutzt die Gelegenheit, um wegzureiten, doch der andere hält ihn mit einem Kanonenschuss auf. Der Mexikaner fällt vom Pferd und bemerkt, da er auf einem Grabstein landet, dass er sich auf dem riesigen Friedhof von Sad Hill befindet. Nach ermüdender Suche findet er das Grab von Stanton und beginnt, es

Eli Wallach als Tuco

mit den Händen auszuheben; der Blonde steht hinter ihm und wirft ihm einen Spaten zu. Es erscheint auch Sentenza, der mit der Pistole in der Hand auch auf den Blonden zielt und ihm befiehlt, ebenfalls zu graben. Sie finden aber nur ein Skelett.

Der Blonde hatte gelogen. Nun ritzt er den Namen des richtigen Grabes auf einen Stein und legt ihn in die Mitte einer steinigen Arena: Die drei bereiten sich am Rand des Kreises auf ein »Triell« vor. Sie beobachten sich eingehend, wägen ab und ziehen blitzschnell die Pistolen. Der Blonde tötet Sentenza, der in das offene Grab fällt, während Tuco feststellt, dass seine Pistole ungeladen ist: Der Komplize hat heimlich die Kugeln entfernt. Auf dem Stein in der Mitte des Kreises ist nichts eingeritzt, der Schatz befindet sich in dem namenlosen Grab neben Stantons. Tuco gräbt, findet die Säcke mit dem Gold, frohlockt, doch es erwartet ihn eine böse Überraschung. Er bekommt einen Strick um den Hals und muss auf einem knarrenden Holzkreuz ausharren, während der Blonde, nachdem er die Hälfte der Beute an den Fuß des Kreuzes gelegt hat, am Horizont ver-

schwindet. Er kehrt zurück und zerfetzt mit dem Gewehr im Arm den Strick, seine Treffsicherheit ist unfehlbar. Tuco fällt mit dem Gesicht in das Gold. Das Bild bleibt stehen, und es erscheint der Titel »der Brutale«; dann sind der »Gute« und der »Böse« dran (im Grab). Schließlich schleudert der Mexikaner dem sich entfernenden Komplizen einen kräftigen Fluch nach.

VERSCHOLLENE »SOCORRO«-SZENE AUS »ZWEI GLORREICHE HALUNKEN«

Diese Szene würde zwischen die Szene, in der Sentenza (Lee Van Cleef) das zerstörte Fort besucht und die Szene, in der Tuco (Eli Wallach) die Feuerstellen findet, die der Blonde (Clint Eastwood) hinterlassen hat, gehören. In der Mitte eines Platzes, der von typischen weißen Adobe-Bauten umgeben ist, hält jemand auf einem kleinen hölzernen Podest eine patriotische Ansprache über General Sibley und die tapferen Heldentaten der konföderierten Armee. Die Dorfbewohner haben sich um das Podest versammelt und applaudieren dem Sprecher. Man sieht den Blonden mit einem

Verschollene »Socorro«-Szene: Clint Eastwood mit Silvana Bacci

144

Verschollene »Socorro«-Szene, gedreht bei Las Hortichuelas

mexikanischen Mädchen im Bett (dargestellt von Silvana Bacci) eines Schlafzimmers; er wird gestört von dem immer lauter werdenden Lärm der Leute. Das Mädchen steht auf, schließt das Fenster und kommt zurück ins Bett. Der Raum ist jetzt dunkler und das Mädchen knöpft sein Korsett auf.

Der Sprecher draußen fragt nach Freiwilligen in der Menge. Tuco beobachtet diesen Rekrutierungsprozess durch ein Loch in einem Zaun. Fast alle der jüngeren Einwohner von Socorro melden sich als Freiwillige zur konföderierten Armee. Tuco wartet hinter dem Zaun, bis die neuen freiwilligen Rekruten singend und Fahnen schwingend Socorro verlassen. Als alle fort sind, betritt Tuco mit seinem Pferd den Platz und legt seinen Sombrero verkehrt auf das Podest. Er fängt an, eine bedrohliche Ansprache zu halten und befiehlt den verbleibenden Bürgern von Socorro, Geld in seinen Hut zu geben. Der Sprecher von vorhin kommt zurück und fragt Tuco nach dem Zweck dieser Sammlung. Tuco antwortet: »Sie ist für mich«, und greift sich dann den Mann und schüttelt ihn durch, dass einige Geldstücke in seinen Sombrero fallen. Türen öffnen sich plötzlich und verängstigte Bürger des Dorfes formen eine kleine Reihe, um Geld in Tucos Sombrero zu legen. Tuco betritt einen mexikanischen Saloon und fragt den ängstlichen Barkeeper nach einem großen Blonden, der unentwegt halb abgebrannte Zigarren raucht und fast immer schweigt. Der Barkeeper sagt ihm, dass ein Mann, auf den die Beschreibung passt, vor ein paar Tagen hier war, aber Socorro inzwischen verlassen habe, da dieser selbst nach jemandem suche. Tuco trinkt, während die Leute draußen fortfahren, Geld in seinen Sombrero zu legen. Der Blonde beobach-

tet die Leute durch einen schmalen Spalt in dem geschlossenen Fenster seines Raums. Er befiehlt dem mexikanischen Mädchen sich anzuziehen und den Raum zu verlassen, der sich im ersten Stock des mexikanischen Saloons befindet. Tuco trinkt immer noch, als plötzlich das mexikanische Mädchen – welches nur vom Barkeeper, jedoch nicht von Tuco gesehen wird – Richtung Tucos Sombrero geht. Der Barkeeper wird ein bisschen nervös und um Tuco abzulenken, offeriert er ihm eine neue Flasche exzellenten Brandy (»Den besten, den Sie im Umkreis von 50 Meilen finden können«). Der Platz ist nun leer gefegt, Tuco beendet seinen Drink und geht in Richtung seines Sombreros, den er mit Geld gefüllt anzutreffen hofft. Er findet jedoch kein Geld, sondern nur eine halb gerauchte Zigarre in seinem Sombrero. Er hebt die Zigarre auf, raucht und geht zum Saloon zurück. Er schreit den Barkeeper an, der sich total verängstigt in einer Ecke versteckt: »Du hast mir Lügen erzählt ... in deinem Alter.« Tuco befiehlt dem Barkeeper, die Hosen auszuziehen. Die Kamera fährt zurück und zeigt nur die schwingenden Saloon-Türen. Man hört Tuco sagen: »Ich sagte, du sollst die Hosen runterlassen!«, und dann hört man einen Schrei vom Barkeeper. Ob Tuco nur die Zigarre an seinem Hintern ausgemacht hat oder ihn vergewaltigt, kann man nicht erkennen. Tuco verlässt dann das Dorf auf seinem Pferd und findet danach wieder weitere Feuerstellen vor.

Film: Auf Grund des unglaublichen Erfolgs der ersten beiden »Dollar«-Filme wurde Sergio Leone gebeten, einen weiteren Western zu inszenieren. Daraus wurde schließlich der wesentlich höher

Lee Van Cleef als Sentenza

145

Eines der berühmtesten Duelle der Filmgeschichte

Fast den Hals in der Schlinge

budgetierte Klassiker »Il buono, il brutto, il cattivo« (»Zwei glorreiche Halunken«), dessen Budget vor allem aus einer epischeren Geschichte, die an unzähligen Drehorten mit einer noch besseren Besetzung und wesentlich mehr Aufwand spielte, resultierte. Clint Eastwood und Lee Van Cleef wurde der hervorragende amerikanische Charakterdarsteller Eli Wallach als mexikanischer Bandit Tuco Benedicto Pacifico Juan Maria Ramirez zur Seite gestellt, eine Rolle, die an seine Darstellung des mexikanischen Banditenbosses Calvera aus »The Magnificent Seven« (»Die glorreichen Sieben«) erinnern ließ. Dieser Film stellt die vollständige Entwicklung aller Ideen dar, die Sergio Leone bisher in seinen ersten beiden Filmen nur ansatzweise angesprochen hatte. Alle typischen Merkmale seiner ersten Western sind auch hier vertreten, jedoch wird zum Typ des zynischen Kopfgeldjägers in der Rolle des »Guten« und dem Typ des abgrundtief schlechten »Bösen« ebenjene dritte Person in der Rolle des »Brutalen« eingeführt, um die Palette der Charaktere zu erweitern. Dieser neue von Eli Wallach dargestellte Charakter wurde zum Prototyp unzähliger mexikanischer Charaktere, die ab jenem Zeitpunkt in diversen guten und schlechten Filmen dieses

Genres zu sehen waren. Die prominentesten Beispiele sind die von Tomás Milian dargestellten Figuren in Sergio Sollimas und Sergio Corbuccis Filmen, jedoch auch Leone selbst griff in seinem nächsten Film, dem Revolutionswestern »Giù la testa« (»Todesmelodie«) auf diesen Charakter zurück und stellte ihm wie gewohnt einen Gringo gegenüber. Der Film enthält zahlreiche klassische Szenen und spektakuläre Duelle, von denen das Schluss-Triell auf dem Friedhof sicherlich das berühmteste aller Zeiten bleiben wird. Die Gewalt wird in diesem Film so realistisch wie noch nie zuvor gezeigt, besonders was die Brutalität des amerikanischen Bürgerkrieges angeht. Das Zusammenspiel von Dialogen und Musik ist hier noch besser als in den vorhergehenden Filmen. Leone verstand es in Zusammenarbeit mit seinem Kollegen Ennio Morricone wie kein anderer Regisseur, mit der Musik die ganze Bandbreite der Stimmungen abzudecken, ohne dabei auf lange Dialoge zurückgreifen zu müssen. Zum ersten Mal thematisiert Leone hier auch den Traum eines Menschen, in diesem Fall den Traum des Nordstaaten-Captains, die Brücke in die Luft zu sprengen. Dass die Brücke schließlich einer Explosion zum Opfer fällt, hat jedoch weniger mit dem Traum des Captains als vielmehr mit der Tatsache zu tun, dass die beiden unfreiwilligen Kollegen, gespielt von Clint Eastwood und Eli Wallach, unbedingt auf die andere Seite des Flusses müssen, um dort einen verborgenen Goldschatz zu suchen. Dieses Leone-Meisterwerk verkörpert sicherlich am allerbesten alle Merkmale und Eigenheiten des typischen Italo-Western, wogegen »C'era una volta il West« (»Spiel mir das Lied vom Tod«) eher als eine Kombination von klassischem US-Western und dem italienischen Pendant angesehen werden kann.

Presse: »Sergio Leone, der ›Erfinder‹ des italienischen Western, der mit seinen ›Dollar‹-Serien den Markt auch bei uns im Handumdrehen eroberte, hat seinen neuesten Streich mit der bei ihm bekannten Perfektion und ausführlicher als bisher in Szene gesetzt. Es geht um 200.000 Dollar, um die sich drei skrupellose Burschen streiten, schlagen, schießen. Zwei von ihnen sind abgrundtief böse, der dritte ist brutal. Die Geschichte, die in der Zeit des amerikanischen Bürgerkriegs angesiedelt ist, endet bezeichnenderweise auf einem Friedhof. Der Findigste von den dreien verlässt ihn als letzter Überlebender, sein Pferd mit dicken Geldsäcken behängt. Mit unbestreitbarer Meisterschaft unterhält der 40-jährige Regisseur sein Publikum glänzend 160 Minuten lang mit dem Konzept des puren Kinos. Er verzichtet auf eine aufgesteckte Moral und setzt als Ausgangspunkt für eine Handlung, in der ein Höhepunkt den anderen jagt, wieder nichts als die nackte Geldgier. Leone verfährt nach dem Motto, dass im Kino erlaubt ist, was beim Publikum am besten ankommt. Trotzdem offeriert er seine Action-Schau von den schlechten Antrieben seiner Helden nicht als lobens- und nachahmenswertes Beispiel, sondern mit einem Schuss Ironie versetzt, so dass die dramaturgischen Mechanismen vom Zuschauer nicht übersehen werden können.« *Klaus U. Reinke,*
Filmecho / Filmwoche Heft 1–2, 1968

»Der italienische Regisseur Sergio Leone, der die europäische Westernproduktion ankurbelte (FD 13307 und 13999) und auf Anhieb Kassenerfolge erzielte, blieb auch mit seinem dritten Western im

Nur in einer Drehpause Freunde: Clint Eastwood, Eli Wallach & Lee Van Cleef

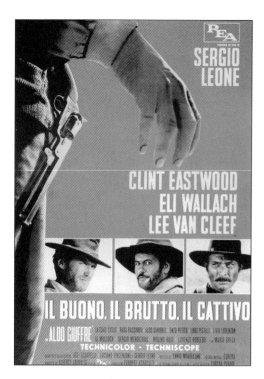

Leone und Eli Wallach am Grab von Sad Hill, gedreht bei Contreras

›Dollar‹-Milieu: Inmitten des im Südwesten des Landes tobenden amerikanischen Bürgerkriegs lässt Leone die abenteuerliche Geschichte einer Schatzsuche abrollen. Drei gefährliche Burschen, ebenso schießwütig wie schlagstark, kämpfen gegen- und miteinander um 200.000 Golddollars. Um in den Besitz des Geldes zu gelangen, ist ihnen jedes Mittel recht: dem mysteriösen Fremden Joe, dem mexikanischen Revolvermann Tuco und dem sadistischen Kriminellen Setenza. Halunken sind sie alle drei, die Geldgier allein bestimmt ihr Leben und ihr Handeln. Am Ende bleibt der Oberbösewicht Setenza tot auf der Strecke, dem brutalen Tuco wird ein Streich gespielt, und der ›gute‹ Joe reitet mit einem Teil der Dollar-Beute davon. – Die Story ist nicht originell, sie nimmt ein in europäischen Western beliebtes Thema mit nur geringer Abwandlung auf. Auch die Dramaturgie verläuft in den gewohnten Bahnen: die üblichen Massaker markieren die Höhepunkte des Films, der Mord und Totschlag, Brutalität und Sadismus als kurzweilige Unterhaltung präsentiert. Wie stets bei Leone, so ist auch hier eine handwerklich gekonnte Inszenierung zu sehen,

actionreich und spannend, wenn auch insgesamt etwas zu lang geraten. Was den Film von früheren unterscheidet, ist vor allem der augenfällige Hinweis auf eine Western-Action-Parodie. Gleich zu Beginn, wenn Leone seine Antihelden zum ersten Mal in Aktion zeigt, charakterisiert er sie ironisch mit einer einkopierten Schrift: Joe ist der ›Gute‹, Tuco der ›Brutale‹ und Setenza der ›Böse‹. Die parodistische Tendenz unterstreicht zudem die mit sicherem Gespür für Effekte verwendete Musik.

Trotzdem: die betont harte Gangart wird durch diese ironischen Tupfer nicht neutralisiert, es gibt immer noch Grausamkeiten und sadistische Einstellungen zuhauf, die von der routiniert geführten Kamera genüsslich ins Bild gerückt werden. Überdies herrscht im aufs Ganze gesehen sparsam verwendeten Dialog ein rüder und unflätiger Gossenton vor. Auch Leones dritter Western ist ein Konsum-Western, noch lange keine geistige und künstlerische Erfüllung der heute so geschätzten Gattung.«

Alfred Paffenholz,
Film-Dienst FD 15 133

DAS FILMJAHR 1968

ITALO-WESTERN-FILMSTARTS IN DEUTSCHEN KINOS 1968

* Un uomo, un cavallo, una pistola (Western Jack) – Regie: Luigi Vanzi – BRD-Start: 5.1.1968

* I giorni dell'ira (Der Tod ritt dienstags) – Regie: Tonino Valerii – BRD-Start: 12.1.1968

* **Per mille dollari al giorno (Für 1000 Dollar pro Tag) – Regie: Silvio Amadio – BRD-Start: 19.1.1968**

* 7 winchester per un massacro (Die Satansbrut des Colonel Blake) –
Regie: Enzo Girolami – BRD-Start: 19.1.1968

* **Un hombre y un Colt (Der Colt aus Gringos Hand) – Regie: Tulio Demicheli – BRD-Start: 23.1.1968**

* I crudeli (Die Grausamen) – Regie: Sergio Corbucci – BRD-Start: 14.2.1968

* L'ultimo killer (Rocco – ich leg' dich um) – Regie: Giuseppe Vari – BRD-Start: 23.2.1968

* 10.000 dollari per un massacro (10.000 blutige Dollar) – Regie: Romolo Girolami – BRD-Start: 8.3.1968

* Da uomo a uomo (Von Mann zu Mann) – Regie: Giulio Petroni – BRD-Start: 8.3.1968

* **El Rojo (El Rocho – der Töter) – Regie: Leopoldo Savona – BRD-Start: 15.3.1968**

* **Il figlio di Django (Der Sohn des Django) – Regie: Osvaldo Civirani – BRD-Start: 28.3.1968**

* **Gentleman Jo... uccidi! (Shamango) – Regie: Giorgio C. Stegani – BRD-Start: 29.3.1968**

* Per 100.000 dollari ti ammazzo (Django der Bastard) – Regie: Giovanni Fago – BRD-Start: 19.4.1968

* **Bill il taciturno (Django tötet leise) – Regie: Massimo Pupillo – BRD-Start: 3.5.1968**

* Sugar Colt (Rocco – der Mann mit den zwei Gesichtern) – Regie: Franco Giraldi – BRD-Start: 14.5.1968

* **La spietata Colt del Gringo (Die ganze Meute gegen mich) – Regie: José Luis Madrid – BRD-Start: 17.5.1968**

* **Ocaso de un pistolero (Blei ist sein Lohn) – Regie: R. R. Marchent – BRD-Start: 24.5.1968**

* I giorni della violenza (Sein Wechselgeld ist Blei) – Regie: Alfonso Brescia – BRD-Start: 31.5.1968

* Quien sabe? (Töte Amigo) – Regie: Damiano Damiani – BRD-Start: 7.6.1968

* Django spara per primo (Django – nur der Colt war sein Freund) –
Regie: Alberto De Martino – BRD-Start: 14.6.1968

* 7 donne per i MacGregor (Eine Kugel für MacGregor) – Regie: Franco Giraldi – BRD-Start: 14.6.1968

* Killer Kid (Chamaco) – Regie: Leopoldo Savona – BRD-Start: 20.6.1968

* Killer calibro 32 (Stirb oder töte) – Regie: Alfonso Brescia – BRD-Start: 20.6.1968

* **Ringo, il volto della vendetta (Den Colt im Genick) – Regie: Mario Caiano – BRD-Start: 20.6.1968**

* Un minuto per pregare, un istante per morire (Mehr tot als lebendig) –
Regie: Franco Giraldi – BRD-Start: 3.7.1968

* Preparati la bara! (Django und die Bande der Gehenkten) – Regie: Ferdinando Baldi – BRD-Start: 5.7.1968

* Odio per odio (Die gnadenlosen Zwei) – Regie: Domenico Paolella – BRD-Start: 12.7.1968

* Faccia a faccia (Von Angesicht zu Angesicht) – Regie: Sergio Sollima – BRD-Start: 19.7.1968

* Bandidos (Bandidos) – Regie: Massimo Dallamano – BRD-Start: 2.8.1968

* Ognuno per sé (Das Gold von Sam Cooper) – Regie: Giorgio Capitani – BRD-Start: 6.8.1968

* ... e per tetto un cielo di stelle (Amigos) – Regie: Giulio Petroni – BRD-Start: 30.8.1968

* Al di là della legge (Die letzte Rechnung zahlst Du selbst) – Regie: Giorgio C. Stegani – BRD-Start: 30.8.1968

* **Un treno per Durango (Der letzte Zug nach Durango) – Regie: Mario Caiano – BRD-Start: 6.9.1968**

* La bataille de San Sebastian (Die Hölle von San Sebastian) – Regie: Henri Verneuil – BRD-Start: 12.9.1968

ITALO-WESTERN-FILMSTARTS IN DEUTSCHEN KINOS 1968

* Vendetta per vendetta (Rache für Rache) – Regie: Mario Colucci – BRD-Start: 20.9.1968
* The Belle Starr story (Mein Körper für ein Pokerspiel) – Regie: Lina Wertmüller – BRD-Start: 11.10.1968
* L'uomo, l'orgoglio, la vendetta (Mit Django kam der Tod) – Regie: Luigi Bazzoni – BRD-Start: 11.10.1968
* Il tempo degli avvoltoi (Die Zeit der Geier) – Regie: Fernando Cicero – BRD-Start: 25.10.1968
* Sette donne per una strage (Frauen, die durch die Hölle gehen) – Regie: Rudolf Zehetgruber,
Gianfranco Parolini, Sidney W. Pink – BRD-Start: 1.11.1968
* Oggi a me... domani a te (Heute ich – Morgen du) – Regie: Tonino Cervi – BRD-Start: 19.11.1968
* Quella sporca storia nel West (Django – die Totengräber warten schon) –
Regie: Enzo Girolami – BRD-Start: 26.11.1968
* Il momento di uccidere (Django – Ein Sarg voll Blut) – Regie: Giuliano Carnimeo – BRD-Start: 28.11.1968
* Sette magnifiche pistole (Sancho – dich küsst der Tod) – Regie: Romolo Girolami – BRD-Start: 6.12.1968
* Una forca per un bastardo (Eine Kugel für den Bastard) – Regie: Amasi Damiani – BRD-Start: 13.12.1968
* Voltati ... ti uccido! (100.000 verdammte Dollar) – Regie: Alfonso Brescia – BRD-Start: 20.12.1968
* Uno sceriffo tutto d'oro (Töte, Ringo, töte) – Regie: Osvaldo Civirani – BRD-Start: 30.12.1968

Giuliano Gemma und Lee Van Cleef in »I giorni dell'ira«

UN UOMO, UN CAVALLO, UNA PISTOLA

Western Jack (Regie: Luigi Vanzi)

Italien / Deutschland 1967
Erstaufführung in Italien: 17. August 1967
Deutscher Start: 5. Januar 1968

Besetzung: *Tony Anthony (Black Jack, der Fremde), Daniele Vargas (Good Jim), Ettore Manni (Stafford), Marina Berti (Ethel), Marco Guglielmi (Prophet), Dan Vadis (El Plein), Jill Banner, Raf Baldassarre, Anthony Freeman [Mario Novelli], Renato Mambor, Franco Scala, Mario Dionisi, Arnaldo Mangolini, Roberto Chiappa, Filippo Antonelli, Fred Coplan, Silvana Bacci, Antonio Danesi, Mario Castrichelli, Fortunato Arena, Giuseppe Addobbati*

Inhalt: Sand, karges Wachstum, zerrissene Erde unter brennender Sonne. Träge reitet ein zäher Bursche die Pfade entlang. Irgendwoher kommend, anscheinend ohne Ziel. Plötzlich zerreißen Schüsse die Stille. Der Reiter, es ist Black Jack (Tony Anthony), schaut nach dem Geschehen. Im Holztrog einer Wasserstelle liegt ein toter Mann, beschwert mit einem Stein. Daneben ein langer grauer Reitermantel, in dem eine amtliche Legitimation steckt und den Toten als den Postinspektor ausweist.

Die Wasserstelle ist eine Falle. Zwei bärtige Kerle halten Jack die Kanonen vor, nehmen ihm die seine ab und zwingen ihn, zwei Gräber zu schaufeln. Eines für den Toten, das zweite unmissverständlich für ihn selber. Ihrer Sache be-

Tony Anthony als »der Fremde« reitet wieder

Tony Anthony in der Gewalt von Dan Vadis

Dan Vadis schießt scharf

Marina Berti hat Angst

reits ganz sicher, übersehen die Burschen, dass Black Jack den Revolver des Postinspektors unter dessen Kopf gesteckt hat. Als sie ihn zwingen, die Leiche in die Grube zu legen, schießt er durch die Beine hindurch seine Bewacher nieder. Als ein dritter Bandit vom Ausguck kommt, erledigt Jack auch diesen.

Black Jack reitet in die nächste Siedlung und wird Ohrenzeuge eines Verhörs des Posthalters durch die Bandenmitglieder, denen es um eine avisierte Postkutsche geht, in der ein Reisender viel Geld mit sich führen soll. Die Banditen planen, den Posthalter zu zwingen, die Postkutsche wie immer zu begrüßen und für Auswechselpferde zu sorgen. Black Jack greift nicht ein. Er kennt den Plan, und er macht sich den seinen. Ein schrulliger alter Prediger (Marco Guglielmi) und Jack passen nicht in das Konzept der Burschen von El Plein (Dan Vadis). Unmissverständlich schickt man sie in die Wüste. Jack aber ist zurück, als die Post ankommt und El Plein und seine Scharfschützen alle abknallen, die Kutscher, die Reiter und die beiden Fahrgäste. Ohne sich an dem Reisegut zu vergreifen, brausen die Banditen davon. Als eine Militärpatrouille unter Leutnant Staffort (Ettore Manni) kommt, ist alles vorbei.

Tony Anthony schießt scharf

Ein Dutzend Tote liegt im Schatten. Der Posthalter zetert. Black Jack weist sich mit den Papieren des Postinspektors als dieser aus, ohne den arroganten Leutnant zu beeindrucken. In der Nacht braust der eingeschüchterte Posthalter mit der Postkutsche davon. Black Jack hat dies erwartet. Er lag in der Kutsche. Als der trampende Prediger mitgenommen werden will und der Posthalter dies ablehnt, blufft Jack, indem er als Postinspektor Ross dessen Ausweis aus dem Wagenfenster hält und verlangt, dass der Prediger mitgenommen wird. So gelangen Jack und sein neuer Freund, der Prediger, auf geradem Wege in den derzeitigen Schlupfwinkel der Banditen. Black Jack ist zwar ein schlauer Fuchs, aber er hat El Plein in dieser Nacht doch unterschätzt. Der Posthalter – mit El Plein unter einer Decke – verriet natürlich die Tatsache, dass Jack im Indiodorf ist. Good Jim (Daniele Vargas), einer von Pleins Leuten, beobachtet Jack und lässt ihn durch einen guten Schuss, der ein Seil trennt, in den Hühnerstall fallen. Zusammengeschlagen, gefoltert und gefesselt, entdeckt Black Jack aber dennoch, dass eine genau nachgebaute zweite Postkutsche, mit ebenfalls sechs Schimmeln bespannt, versteckt steht. Die Beute, Gold eines auf der Flucht befindlichen Bankiers, ist, zu Platten gewalzt, unter der roten Verschalung der Postkutsche verborgen. El Pleins Leute sind im Goldrausch.

El Plein hat seinem Gefangenen Black Jack am anderen Morgen einen schaurig-schönen Tod zugedacht. An den Händen gefesselt, wird er mit einem langen Seil an die Postkutsche gebunden. Der verräterische Posthalter am Zügel soll ihn in wilder Fahrt zum Krüppel schleifen. Geifernd beobachtet El Plein das Schauspiel. Um es zu verlängern, schießt er, ein brillanter Schütze, das Seil durch. Jetzt soll ihn die schwere Kutsche überrollen. Black Jack schnellt wie ein Fisch immer im rechten Augenblick zur Seite. Das imponiert dem Bandenchef, lenkt aber gleichzeitig seine Aufmerksamkeit ab. So gelingt es Jack, mit einem Flaschenscherben die Fesseln zu durchschneiden, die aufgesessenen Banditen zu übertölpeln und in Deckung zu gehen. Die Panik und die Schüsse machen die Pferde des Postzuges wild und lassen sie durchgehen. Auch der Posthalter erkennt seine große Gelegenheit. Er braust mit der zweiten Postkutsche davon. Weil El Plein und seine Kerle glauben, Black Jack sei mit der ersten Postkutsche geflohen, verfolgen sie diese in wildem Ritt. Zu spät bemerken sie ihren Irrtum.

Im Dorf pflegt der Prediger die Wunden von Jack. Unbemerkt sind beide zurückgeblieben. Erst jetzt offenbart der schrullige, redegewandte Prediger, was sein sorgsam gehüteter Holzkoffer enthält. Das Erbstück seines Großvaters ist es, eine kurze Büchse mit vier Läufen und genügend Munition dafür. Zwar ist dieses Feuerrohr nur auf kurze Entfernung wirksam, dann aber eine grausame Waffe. Mit fliegenden Hufen rast der Posthalter mit der Goldkutsche durch die Nacht. Zu Hause angekommen, wird er schon von den Männern El Pleins erwartet. Als er endlich verraten hat, wo die Goldkutsche steht, muss er dennoch sterben. Derweil aber ist Black Jack mit dem Prediger eingetroffen. Es ist Nacht – und es wird die Nacht von Black Jack. Ruhig und überlegt geht er daran, El Plein und seine Männer zu erledigen. Mit List und Überlegenheit dezimiert er die Bande, Mann für Mann. Black Jack vergilt den Tod mit dem Tod. So ist es Brauch im rauen Wilden Westen. Listig assistiert ihm der Prediger, dessen Koffer auch Feuerwerksraketen birgt, mit denen er sonst die Primitiven vom Worte Gottes überzeugt. Als der Morgen graut, hat Black Jack sein Werk getan. Die Schurken, 10.000 Dollar stehen auf ihre Köpfe, liegen erledigt im Sand.

El Plein hat es im Totenschuppen am Friedhof erwischt, dort wo die Goldkutsche stand. Als Leutnant Stafford mit seinen Leuten wieder ins Dorf reitet, ist es still. Black Jack hat seinen Triumph. Pfiffig verzichtet er auf das Bündel der 10.000 Dollarnoten und schiebt sie dem Prediger zu. Das Streichholz für eine Friedenszigarre, die Leutnant Stafford spendiert, sorgt für ein letztes, spektakuläres Feuerwerk. Die Zündschnüre samt den Raketen des Predigers im Inneren der Kutsche glimmen und lassen die rote Kutsche in die Luft gehen. Grelles Gold kommt ans Licht. Der Leutnant hat seine späte Genugtuung. Black Jack reitet weiter, irgendwohin. Dem Prediger hat er schnell noch die Dollars abgenommen und sie geteilt. Das größere Bündel für sich, das kleinere für den Prediger. Die Sonne brennt und das Land ist weit.

Film: Nach dem Erfolg des Films »Un dollaro tra i denti« (»Ein Dollar zwischen den Zähnen«) schlüpft Tony Anthony in seinem zweiten Western für Regisseur Luigi Vanzi wieder in das Kostüm des »Strangers«. Diesmal wird die Rolle des Hauptbösewichts vom Bodybuilder Dan Vadis gespielt, der vorher schon in zahlreichen

Dan Vadis macht es sich auch beim Schießen gemütlich

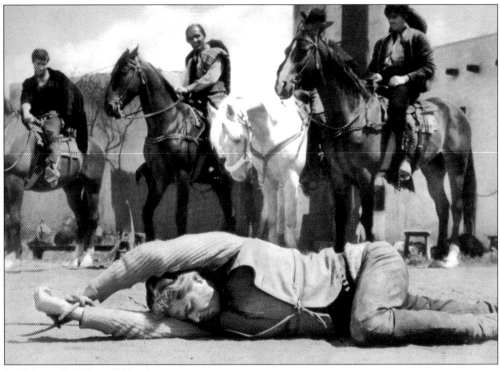

Tony Anthony soll zu Tode geschleift werden

Sandalen-Filmen zu sehen war. Obwohl diesem Film einiges an innovativem Schwung und Originalität des Ursprungswerks fehlt, ist er sehr unterhaltsam, vor allem auf Grund der guten zynischen Darstellung des Helden durch Tony Anthony. Wie üblich zeigt uns dieser Held ohne Scham alle möglichen linken Tricks, um seine Gegner zu beseitigen, wie z.B. den von Raf Baldassarre dargestellten Bösewicht, den er zuerst zum Hühnchenessen einlädt, bevor er ihn kaltblütig erschießt.

Auch dieser Film enthält wieder eine Ansammlung von brutalen Morden, Schüssen ins Gesicht, ausgesuchten Grausamkeiten und mehr als nur ein paar erotische Eindrücke. Die Figur des Inspektors ist eine seltsame Huldigung an Lee Van Cleefs Colonel Mortimer aus Sergio Leones zweitem Western, der jedoch schon nach ein paar Minuten das Zeitliche segnet. Stelvio Cipriani

hat für diesen Film eine wunderbare Musik komponiert, die sehr stark an die Morricone-Scores der ersten beiden »Dollar«-Filme erinnert. Dieser Film ist am Ende ein unterhaltsames Beispiel für einen Anti-Leone-Italo-Western.

Presse: »Harter Western italienischen Stils. Gnadenlos verfolgt der Titelheld das Raubgesindel, das einen Postkutschenüberfall und noch schlimmere Untaten auf dem Gewissen hat, lässt ein Mitglied der Bande nach dem anderen über die Klinge springen, nachdem er vorher selbst die Grausamkeit dieser Unholde ausgiebig kennen gelernt hat. Die aus dem südlichen Europa eingeführte rohe und ungezügelte Selbstjustiz nach eigenem Ermessen ist nicht gerade beispielhaft. Sonst: zünftiges Western-Milieu, Spannung und stimmungsvolle Farben.« *Ernst Bohlius, Filmecho/Filmwoche Heft 11, 1968*

I GIORNI DELL'IRA

Der Tod ritt dienstags (Regie: Tonino Valerii)

Italien / Deutschland 1967
Erstaufführung in Italien: 19. Dezember 1967
Deutscher Start: 12. Januar 1968

Besetzung: *Giuliano Gemma (Scott Mary), Lee Van Cleef (Frank Talby), Walter Rilla (Murph), Yvonne Sanson (Vivien Skill), Ennio Balbo (Bankier Turner), Andrea Bosic (Abel Murray), Christa Linder (Gwen, Tochter des Richters), Lukas Amman (Richter Cutchel), Pepe Calvo (Bill), Virginio Gazzolo (Waffenhändler), Benito Stefanelli (White), Karl-Otto Alberty (Sam Corbett), Anna Orso (Ellie), Giorgio Gargiullo, Franco Balducci, Eleanora Morana, Christian Consoli, Giorgio Disegni*

Inhalt: In der Zeit nach dem amerikanischen Bürgerkrieg lebt man in den Staaten vorsichtiger. Doch die friedliche Fassade täuscht. Immer und überall tauchen Männer auf, die die bürgerliche

Ordnung missachten und nach eigenen Gesetzen leben. An einem Dienstag reitet in eine kleine Stadt in Arizona ein Fremder (Lee Van Cleef), der in dem jungen, von allen verachteten Scott Mary (Giuliano Gemma), der als Bastard ohne Vater aufgewachsen ist, einen glühenden Bewunderer findet. Von Talby, so heißt der Fremde, von dem niemand weiß, wer er ist und wo er herkommt, lernt Scott folgende Regeln: 1. Bitte niemals um irgendetwas; 2. Traue niemandem; 3. Stelle dich nie zwischen eine Pistole und ihr Ziel; 4. Fausthiebe sind wie Pistolenschüsse; wenn du einen Fehler machst, bist du verloren; 5. Wenn du schießt, sei sicher, dass du tötest, sonst wirst du getötet.

Für Scott ist Talby, der ihn gewissermaßen von der Straße aufgelesen hat und der ihm sein Selbstvertrauen wiedergab, eine Art Halbgott. Blindlings folgt er ihm und lernt eifrig, mit dem Colt so umzugehen wie sein großes Vorbild. Und fast scheint es so, als ob Talby tatsächlich echte Zunei-

gung zu Scott empfindet. Doch Talby hat ganz andere Pläne. Er hat entdeckt, dass ein paar ehrbare Bürger der Stadt an einem Verbrechen beteiligt waren und will von ihnen das Geld, das damals erbeutet wurde. Zusammen mit Scott macht er sich daran, die ganze Stadt zu unterwerfen. Mit ihren Pistolen brechen sie jeden Widerstand. Von jetzt an sind sie selbst das Gesetz.

Als Talby sein Ziel erreicht hat und trotzdem weitermordet, erkennt Scott, welche Gefahr von diesem Mann ausgeht. Und als sein alter Freund Murphy, der als neuer Sheriff befiehlt, dass keiner mehr Waffen tragen darf, von Talby kaltblütig getötet wird, gehen Scott endgültig die Augen auf. Seine Hochachtung und Bewunderung schlagen in Hass um. Er fordert Talby, der sich inzwischen mit einer Leibwache versehen hat, zum Duell. Die ganze Stadt scheint wie ausgestorben, als sich die beiden Männer als Todfeinde gegenüberstehen. Scott, dem Murphy, seinen Tod ahnend, eine Waffe hinterließ, wie sie ihm Talby nie anvertraute, erkennt, dass die Regeln, die ihm Talby beibrachte, die grausamen Gesetze des Mordes sind. Scott ist dem Weg dieser Gesetze bereits zu

weit gefolgt, um sich ihnen im Augenblick der Erkenntnis entziehen zu können. Allein im Kampf auf Leben und Tod tötet er den Mann, der sein Vertrauen missbrauchte und zum Mörder seines Freundes wurde.

Film: Nach seinem erfolgreichen Erstlingswestern »Per il gusto di uccidere« (»Lanky Fellow – der einsame Rächer«) gelang es Tonino Valerii, für seinen zweiten Genrebeitrag mit Lee Van Cleef und Giuliano Gemma eine einzigartige Besetzung zu gewinnen. Der junge Giuliano Gemma spielt darin einen ziemlich ungewohnten Charakter namens Scott, der seinen Vater nie kannte und auf den die Bewohner in seiner Gemeinde herabsehen. Ihm gegenüber sehen wir den aus den Leone-Filmen bekannten Lee Van Cleef als alternden Revolverhelden, der sich des ausgestoßenen Scott nach anfänglichem Widerstand annimmt und ihn sein Handwerk mit dem Revolver lehrt. Diese Szenen sind unheimlich gefühlsbetont und lassen etwas Menschliches durch die zahlreichen blutigen Ereignisse hindurchschimmern. Gemmas Charakter Scott hat noch einen anderen Ersatz-

Lektion 2: Traue niemandem

156

vater, den von Walter Rilla gespielten alten Sheriff, der ihm als besonderes Geschenk den Colt des legendären Doc Holiday schenkt, mit dem er dann seine Handfertigkeit mit der Waffe lernt. Es ist die Ermordung dieses Mannes, die Scott am Ende des Films dazu bewegt, sich gegen seinen einstigen väterlichen Freund und Lehrmeister Frank Talby zu stellen und ihn zu töten.

Dieser Film von Valerii lässt das Talent dieses Regisseurs schon voll erkennen, am besten in den dramatischen Momenten und den zahlreichen gut choreografierten Actionszenen wie dem spektakulären Duell zu Pferd zwischen Frank Talby und einem seiner Widersacher. Ironisch auch, wie Scott Mary in der Schlussabrechnung mit Talby die von ihm gepredigten goldenen Regeln gegen ihn anwendet.

Die letzte Szene des Films ist besonders dramatisch, in der Scott Mary nach dem Schlussduell in schmerzhafter Wut über die Tatsache, seine beiden elterlichen Freunde verloren zu haben, seinen Colt in den Sand schmeißt. Die spannende und gut erzählte Geschichte wird unterstützt von Riz Ortolanis bestem Western-Score seiner Karriere und wunderschönen Landschaftsaufnahmen von Enzo Serafin, die bis auf ein paar kleine Szenen in Italien alle in Südspanien entstanden.

Presse: »Zum ersten Mal, seit es den italienischen Western gibt, sieht man hier zwei seiner prominentesten Stars, Giuliano Gemma und Lee Van Cleef, gemeinsam auf der Leinwand. Und vielleicht ist ihr Konkurrenzneid neben der einfallsreichen Inszenierung von Tonino Valerii wesentlicher Grund dafür, dass dies ein Film wurde, der die meisten seines Genres überragt. Erzählt wird die Geschichte vom verachteten, verschlampten Mann, der in dem kleinen Arizona-Städtchen so lange mit nichts anderem umgehen kann als einem Besen, bis ein Fremder auftaucht. Seine Vergangenheit liegt in mythischem Dunkel, aber es geht ihm der Ruf voraus, der beste Schütze im weiten Land zu sein. Der Mann mit dem Besen ist fasziniert und verdingt sich als sein Schüler. Er lernt das ABC des Westerners: Traue niemandem. Bitte nie jemanden um etwas. Stelle dich nie in die Schussrichtung. Einen Angeschossenen solltest du gleich töten, sonst wirst du getötet werden.

Lee Van Cleef in einer seiner besten Rollen

Lektion 5: Wenn du schießt, sei sicher, dass du tötest, sonst wirst du getötet!

Er ist ein gelehriger Schüler, merkt aber nicht, dass man in ihm einen Kumpan heranzüchten will, um gemeinsam die Stadt in die Hand zu bekommen.

Erst als der skrupellose Meisterschütze einen väterlichen Freund kaltblütig umbringt, schlägt Anhänglichkeit in Hass um.

Und der große Showdown erweist schließlich, dass der Schüler seinen Lehrmeister besiegt. Zwar behält in diesem Film, der – abweichend vom gängigen Muster – nicht den einzelnen, einsamen Helden kreiert, sondern ein Zweiergespann, das Gute nach altem Muster die Oberhand. Aber nur dank der größeren Fixigkeit mit dem Mordinstrument. Das ist spezifisch für den Italo-Western, der Action bevorzugt, nicht Ideologie.«

Klaus U. Reinke,
Filmecho/Filmwoche Heft 9, 1968

»Was den Film von anderen europäischen Western unterscheidet, ist der Einfall, das Klischee des einsamen und alleinigen Helden aufzubrechen zugunsten einer ökonomisch geschickt vorgenommenen Rollenverteilung in zwei Parts. In Tonino Valeriis handwerklich beachtlicher Inszenierung wetteifern Lee Van Cleef und Giuliano Gemma so offensichtlich miteinander, dass die beiden in ihrem Rollenfach längst festgelegten Stars zu einer packenden und überzeugenden Leistung finden, die mehr ist als bloße Routine. Hätte Regisseur Valerii, der bei Sergio Leone lernte, nicht auch den in europäischen Western üblichen Tribut in Brutalität entrichtet, sein Film wäre vielleicht ein großer Wurf geworden. Denn bis zu jener Szene, da Talby zu Scott sagt: »Jetzt gehört die Stadt uns!«, ist Valeriis Film überdurchschnittlich gut, psychologisch glaubhaft, sozialkritisch und – von ein paar blutigen Schlägereien abgesehen – gar nicht auf vordergründige Effekte angelegt. Diese Qualität hält Valerii leider nicht durch, in der zweiten Hälfte mehren sich die genreüblichen Mätzchen, selbstzweckhaft ausgespielte Grausamkeiten kommen ins Bild, die Leichen häufen sich und der Umschwung in der Gesinnung von Scott, dessen Begeisterung für den Gunfighter Talby in Hass umschlägt, überzeugt nicht mehr so recht.

Auch das für einen europäischen Wildwestfilm erstaunliche Vorkommnis, dass der zum Pistolero gewordene Junge am Schluss sein Schießeisen wegwirft, wirkt nicht gerade glaubhaft, weil ungenügend motiviert.«

Alfred Paffenholz,
Film-Dienst FD 15 214

7 WINCHESTER PER UN MASSACRO

Die Satansbrut des Colonel Blake (Regie: Enzo Girolami)

Italien 1967
Erstaufführung in Italien: 14. April 1967
Deutscher Start: 19. Januar 1968

Besetzung: *Edd Byrnes (Stuart), Louise Barrett [Luisa Baratto] (Manuela), Guy Madison (Colonel Blake), Thomas Moore [Enio Girolami], Rick Boyd [Federico Boido], Alfred Aysanoa, Piero Vida, Adriana Facchetti, Attilio Severini, Rossella Bergamonti, Giulio Maculani, Mirella Panfili, Marco Mariani, Mario Donen*

Inhalt: Die Handlung spielt unmittelbar nach der Beendigung des amerikanischen Bürgerkrieges am Rio Grande, dem Grenzfluss zwischen Texas und Mexiko. Colonel Blake (Guy Madison), ein ehemaliger Südstaaten-Oberst, hat sich mit einer Bande von Marodeuren in einen fast unzugänglichen Schlupfwinkel auf mexikanischem Gebiet jenseits des Rio Grande zurückgezogen. Von hier aus unternehmen er und seine Satansmeute Raubzüge in die naheliegenden Ortschaften; sie plündern, rauben und morden, wenn jemand versucht, sie aufzuhalten. Auf den Kopf von Blake und seine Leute sind hohe Belohnungen ausgesetzt.

Nicht nur die Dollars, sondern auch die Wiederherstellung von Recht und Ordnung haben Stuart (Edd Byrnes) und seine Gehilfin Manuela (Louise Barrett) auf den Plan gerufen. Sie haben mit Hilfe eines Sheriffs eine Falle ausgeheckt, in die sie Blake und seine Leute locken wollen.

Die Gelegenheit ergibt sich, als Chamaco, eines der gefährlichsten Mitglieder seiner Bande, bei einem Alleingang Nordtruppen in die Hände fällt

Edd Byrnes als Kopfgeldjäger Stuart

und erschossen werden soll. Stuart rettet ihn, als er schon an der Wand steht und lässt sich von ihm zum Versteck von Blake führen. Er will in die Bande aufgenommen werden, um sie in die vorbereitete Falle zu führen. Er erzählt Blake von einem Kriegsschatz der Südstaaten von 200.000 Dollar, und er, Stuart, wüsste das Versteck. Stuart muss eine ganze Anzahl Mutproben bestehen und sich bewähren, bevor Blake anbeißt; aber dann geht es Schlag auf Schlag. Aber alles geht nicht nach Plan. Blake, der sehr misstrauisch ist, wird Ohrenzeuge eines Gesprächs zwischen dem Sheriff und Stuart. Er lässt zunächst den Sheriff erschlagen und Stuart so lange prügeln, bis dieser Manuela, seiner Vertrauten, die sich an Blake herangemacht hatte, das Versteck des Geldes preisgibt. Es soll in einem alten Indianer-Friedhof versteckt sein.

Blake und seine Banditen stecken die Hütte in Brand, in der der tote Sheriff hängt und Stuart bewusstlos liegt und machen sich auf den Weg zum Friedhof und an die Arbeit. Es gelingt Stuart aber aus dem brennenden Haus herauszukommen. Im unterirdischen indianischen Friedhof kommt es dann zur Endabrechnung. Stuart und Manuela haben nicht nur gefährliche Verbrecher zur Strecke gebracht, die Stadt und Land terrorisieren,

Louise Barrett als Manuela

Guy Madison als Colonel Blake

sondern sich auch einen Urlaub verdient. Ob sie den antreten werden?

Film: Dies ist der erste offizielle Film von Enzo Girolami, dessen erster Film »Pochi dollari per Django« (»Django kennt kein Erbarmen«) aus Koproduktions-Gründen dem seinerseits bereits etablierten gebürtigen Argentinier León Klimovsky zugeschrieben wurde. Die Hauptrolle übernahm der Amerikaner Edd Byrnes, der auf einen ähnlichen Erfolg in Italien hoffte wie sein Berufskollege Clint Eastwood, jedoch scheiterte. Dem Publikum war er vor allem aus der TV-Serie »77 Sunset Strip« und dem Gordon-Douglas-US-Western »Yellowstone Kelly« (»Man nannte ihn Kelly«) bekannt. Byrnes bildete mit seinem jungen sauberen Aussehen einen starken Kontrast zu den üblichen Italo-Western-Helden, die immer unrasiert und schmutzig durch die Gegend ritten. Als Gegenspieler wurde der amerikanische Western-Veteran Guy Madison, der zuvor schon einen Bösewicht in Hugo Fregoneses Karl-May-Western »Old Shatterhand« und kurz danach den legendären Wyatt Earp in Tulio Demichelis »Sfida a Rio Bravo« (»Schnelle Colts für Jeannie Lee«) spielte. Die beiden Amerikaner passten sehr gut in diesen unterhaltsamen Film, der ausschließlich in der Umgebung von Rom gedreht wurde. Sehr schön sind die Anfangsszenen des Films, in denen Colonel Blake und seine diversen Bandenmitglieder anhand von Steckbriefen vorgestellt werden. Die diversen Aufnahmetests, die Stuart in der Bande von Colonel Blake über sich ergehen lassen muss, sind ebenfalls sehr interessant gestaltet. Die Schlussauseinandersetzung des Films auf einem unheimlichen Comanchen-Friedhof voller Skelette, Masken und Totempfähle vermittelt die

Wettschießen zwischen Colonel Blake und Stuart

Edd Byrnes in der Höhle des Löwen

Atmosphäre eines Horrorfilms. Originell auch die Idee, dem Edd-Byrnes-Charaker Stuart eine von Louise Barrett alias Luisa Baratto gespielte weibliche Kopfgeldjägerin zur Seite zu stellen. Alles in allem ein zwar billig, jedoch sauber inszenierter früher Western des Genre-Regisseurs Enzo Girolami.

Presse: »Die Filme dieses Genres siedeln ihre Handlung serienweise an der heißen Grenze zwischen Texas und Mexico an. Ein ehemaliger Südstaaten-Oberst ist mit seiner Mörderbande scharf auf einen versteckten Kriegsschatz. Brennend und tötend zieht er durch die Gegend. Die regulären Truppen sind machtlos. Da wird ein tapferes Paar gegen den Obersten angesetzt, denen es mit List und Tücke und nach vielen Gefahren und Abenteuern schließlich gelingt, über die Desperados Sieger zu bleiben. Der Film ist spannend inszeniert, gut fotografiert und hart.« *Bert Markus, Filmecho/Filmwoche Heft 39, 1968*

»In Farbe und im Breitwand-Format eine varietätenreiche Kollektion von Leichen: erschossen, erstochen, erwürgt, zu Tode gestürzt, verbrannt, gemartert, ertränkt. Dazu ein paar Zweikämpfe mit mörderischen Schlägen. Ringen auf Tod und Leben, genussvolles Zusammenhauen. Dichtgedrängt werden diese Attraktionen in einer dürftig motivierten Wild-West-Geschichte angeboten. Da ist aus dem amerikanischen Bürgerkrieg ein

Südstaaten-Colonel namens Blake übrig geblieben, der mit einer aus Exsoldaten, Indianern, Mexicanos gut gemischten Bande mordend, raubend, brennend das Land verheert. Diesen Supermen ist keine Ordnungsmacht gewachsen. Bis auf einen von ›Cookie‹ Edward Byrnes dargestellten furchtfreien Super-Supermann, der mit Fäusten, Peitsche, Pistole, Flinte, Messer und Speer wie ein Weltmeister aller Waffen hantiert. Dieser listige Siegfried lockt mit einer Kriegskasse als Köder den Kern der Blake-Bande auf einen seltsamen Indianer-Höhlenfriedhof, liquidiert dort im Schlussgemetzel einen nach dem anderen und kassiert anschließend 10.000 Dollar Kopfprämien. Er muss noch mit einer Partnerin teilen und kann auf neue Abenteuer ausgehen. In seinen Mitteln zum finanziellen Erfolg ist dieser Held der Western-Welt allerdings nicht pingelig. Auf dem für die Ordnungshüter verlustreichen Marsch mit den Verbrechern bringt der tüchtige Gentleman ein paar Soldaten eigenhändig um. Einige interessante Ansätze hat E. G. Rowlands Inszenierung. Die Exposition präsentiert die Räuber z. B. schön nacheinander in einer Kurzvorstellung, die jeweils in einem ›Wanted‹-Plakat gipfelt. Unterwegs fällt noch manchmal eine hübsche List oder eine überraschende Wendung ein. Doch zu bald siegt die Primitivität, die nicht eine interessante Charakterisierung erlaubt und sei sie noch so holzschnitthaft.« *E. N., Film-Dienst FD 15 218*

I CRUDELI

Die Grausamen (Regie: Sergio Corbucci)

Italien / Spanien 1966
Erstaufführung in Italien: 2. Februar 1967
Deutscher Start: 14. Februar 1968

Besetzung: *Joseph Cotten (Jonas Morrison), Norma Bengell (Claire), Julian Mateos (Ben), Angel Aranda (Nat), Claudio Gora (Reverend Pierce), Gino Pernice (Jeff), Maria Martin (Kitty), Julio Peña (Sergeant Tolt), Enio Girolami (Soublette), Claudio Scarchilli (Indianerhäuptling), Aldo Sambrell (Pedro), Benito Stefanelli (Slim), José Nieto, Alvaro De Luna, Rafael Vaquero, Ivan Giovanni Scratuglia, Simon Arriaga, José Canalejas*

Inhalt: Nach dem Ende des amerikanischen Bürgerkrieges will der ehemalige Südstaatenoffizier Jonas Morrison (Joseph Cotten) die verlorene Ehre noch retten und in New Mexico eine neue Armee aufstellen. Das Geld dazu beschaffen er und seine Söhne (Julian Mateos, Angel Aranda, Gino Pernice) durch den Raub einer Kriegskasse der Nordstaaten mit 2 Millionen Dollar Inhalt. Um mit dem Geld in ihre Heimat zu gelangen, müssen sie die von den Nordstaaten besetzten Staaten Arkansas, Oklahoma und Texas durchqueren. Ihre Beute transportieren sie in einem Sarg, der angeblich die sterblichen Überreste eines Südstaaten-Captains enthält. Eine Komplizin, die leider meistens betrunkene Kitty (Maria Martin),

spielt die Rolle der trauernden Witwe. Als Kitty versucht, das Geld zu stehlen, wird sie getötet und durch eine Tänzerin (Norma Bengell), die die Morrison-Söhne in einer nahen Stadt zwangsrekrutieren, ersetzt. Die Gruppe kommt mit vielen Schwierigkeiten durch zahlreiche Kontrollen und wird sogar von der US-Kavallerie vor einem Überfall durch mexikanische Banditen gerettet.

Die neue »Witwe« versucht, die Morrisons zu hintergehen, indem sie in einem Fort den Kommandanten bittet, ihren Mann hier bestatten lassen zu dürfen; sie will das Geld in dem Sarg dann später in ihren Besitz bringen. Aber die Morrisons graben nachts heimlich den Sarg wieder aus und ziehen weiter. Auf dem weiteren Weg kommt es zu Zusammenstößen mit Banditen und Indianern. Der alte Morrison wird schwer verletzt, seine Söhne Jeff und Nat bringen sich gegenseitig um. Am Ziel angekommen, muss der sterbende Jonas Morrison entdecken, dass seine Söhne den falschen Sarg ausgegraben haben; in dem Sarg liegt ein mexikanischer Bandit.

Film: Nach »Django« und »Johnny Oro« (»Ringo mit den goldenen Pistolen«) hat Sergio Corbucci diesen ungewöhnlichen Italo-Western gedreht. Der Film ist wieder etwas mehr an die amerikanischen Vorbilder angelehnt als Sergio Corbuccis unglaublich revolutionärer »Django«, weist jedoch wieder viele Eigenheiten des Regisseurs

Julian Mateos, Maria Martin & Joseph Cotten

Die Morrison-Familie

besonders in der Darstellung der Gewalt auf, z.B. die Häng-Szene des Banditen Pedro (Aldo Sambrell) oder das Massaker am Anfang des Films.

Wie immer hat Sergio Corbucci auch diesmal besonderen Wert auf eine gute Auswahl von Darstellern gelegt. Allen voran sehen wir den hervorragenden Joseph Cotten, der bereits in »Gli uomini dal passo pesante« (»Die Trampler«) eine ähnliche Rolle eines Fanatikers zum Besten gab. Auch die weiteren Rollen, besonders die der drei ungleichen Brüder, wurden perfekt besetzt.

Dieser Film legt besonderen Wert auf die differenzierte Darstellung der verschiedenen Charaktere und scheint sogar Quentin Tarantino bei der Darstellung seines Psychopaten in dem von Robert Rodriguez inszenierten Action-Horror-film »From Dusk till Dawn« beeinflusst zu haben. Die Schlussauseinandersetzung der drei Brüder erinnert sehr stark an die letzte Szene in »Reservoir Dogs«, in der die ehemaligen Kumpane ebenso wie wilde Hunde aufeinander losgehen. Dieser Film ist einer der wenigen Italo-Western, in denen es eigentlich keinen positiven Charakter gibt, sogar die Frauencharaktere werden als korrupt und hinterlistig gezeigt.

Presse: »»Django‹-Regisseur Sergio Corbucci hat aus den amerikanischen Western das Motiv des verfolgten Transports zum Thema seines Italo-Western gemacht.

Auftakt ist ein Massaker, für das ein fanatischer Südstaatler verantwortlich ist. Er und seine grausamen Söhne wollen eine neue, schlagkräftige Armee aufstellen, um die Scharte von damals auszuwetzen. Um sich das nötige Geld zu verschaffen, überfällt diese merkwürdige Truppe einen Nordstaaten-Konvoi, ermordet 30 Mann Begleitpersonal und versucht, das erbeutete Geld in einem Sarg über die Grenze nach Mexiko zu bringen. Eine scheinbare Witwe muss im Wagen um den vorgeblichen toten Offizier im Sarg trauern. Aber unterwegs muss man sich nach einer Ersatzwitwe umsehen, denn die erste ertränkt ihren vorgeblichen Kummer in zu viel Alkohol.

Die Spannung dieses mit bekannter Italo-Western-Bravour inszenierten Farbfilms entsteht durch die Verfolgung dieses goldigen Trauerzuges

Ein Sarg voller Dollars

163

Der Morrison-Clan unter Beschuss

Aldo Sambrell kurz vor dem Galgen

Julian Mateos und Norma Bengell

durch Polizei, Yankees, Indianer, Mexikaner, Zivilisten. Mit zunehmendem Verlauf wird die Geschichte düsterer, spannender, trivialer und gelegentlich auch peinlicher.

Ein Film, der wieder ein beredtes Beispiel liefert, dass der Mittelmeer-Western mit den Mechanismen des Genres ganz einfach Spannung – und damit Kino – und nicht Ideologie transportieren will wie das amerikanische Muster.«

Klaus U. Reinke,
Filmecho/Filmwoche Heft 20, 1968

»Ein neuer europäischer Western mit einem alternden Hollywood-Star in der Hauptrolle: Joseph Cotton. Er spielt einen verblendeten Idealisten, der am Ende des amerikanischen Bürgerkriegs noch einmal eine schlagstarke Armee für den Süden aufbauen will und für die Erreichung dieses Ziels mit unerbittlicher Grausamkeit vorgeht. ›Django‹-Regisseur Sergio Corbucci hat hier einen annehmbaren Western in geschickt gefertigter Inszenierung geschaffen. Die Story ist geradlinig erzählt und durchgehend spannend, wenn auch diese Spannung gelegentlich durch allzu vordergründige, psychologisch nicht genügend motivierte Effekte erreicht wird.

Die harten und grausamen Szenen sind – wie in fast allen europäischen Western – wieder stark übertrieben. Die ›amerikanische‹ Atmosphäre der chaotischen Bürgerkriegszeit trifft der Film dagegen erstaunlich gut. Aus der Gestalt des verblendeten Idealisten, der am Krieg festhält und guten Glaubens zum Verbrecher wird, hätte Corbucci mehr machen können. Zu einer fesselnden, differenzierten Studie eines irrenden Menschen langt es nicht, zumal auch Joseph Cotton für die Rolle kaum mehr als seine in zahlreichen Filmrollen erprobte Routine einbringt. Schade, mit der Kraft seiner Persönlichkeit hätte der Film zu einem profilierten Western werden können.«

Alfred Paffenholz,
Film-Dienst FD 15 318

L'ULTIMO KILLER

Rocco – ich leg' dich um (Regie: Giuseppe Vari)

Italien 1967
Erstaufführung in Italien: 10. August 1967
Deutscher Start: 23. Februar 1968

Besetzung: *Anthony Ghidra (Rezza der Killer, in der deutschen Fassung Rocco), George Eastman [Luigi Montefiori] (Ramon/Chico), Mirko Ellis (Steven), Dana Ghia (Saloon-Wirtin), John Hamilton [Gianni Medici] (Burt), John McDouglas [Giuseppe Addobbati] (Vater von Ramon), Daniele Vargas (John Barrett), Frank Fargas, Fred Coplan, John Mathias, Valentino Macchi, Anton De Cortes, Paolo Reale*

Inhalt: Ramon, der Sohn eines Mexikaners, der im südlichen Texas eine ärmliche Ranch betreibt,

ist auf dem Wege zu John Barrett, dem reichsten Viehzüchter der Gegend. Barretts Ziel ist es, alles Land rundum in seinen Besitz zu bringen. Seine Methoden: Unterdrückung und Terror. Zu diesen Methoden gehört es auch, dass Barrett viele der unterdrückten Rancher zwingt, sich von ihm Geld zu leihen. So auch Ramons Vater. Ramon will jetzt den mühsam ersparten Betrag zurückbringen. Aber dazu kommt es nicht. Maskierte Männer überfallen ihn, nehmen ihm das Geld ab und schlagen ihn zusammen. So findet der alte Mexikaner seinen Sohn wieder. Als die beiden wieder auf ihre kleine Ranch zurückgekehrt sind, erscheint bei ihnen eine Abordnung der unterdrückten Rancher. Ihr Sprecher Steven fordert Ramon auf, sich an einer Vergeltungsaktion gegen ihren grausamen Unterdrücker zu

Alternder Revolverheld: Anthony Ghidra

165

beteiligen. Ramon aber lehnt ab. Er glaubt, dass Rache nicht der richtige Weg ist, um mit dem mächtigen Barrett fertig zu werden. Stattdessen begibt er sich noch einmal auf eigene Faust zu ihm. Er will ihn um Zahlungsaufschub bitten. Auf der prunkvollen Hazienda erkennt er unter den Männern Barretts einen der Räuber wieder. Bei dem Überfall war es Ramon gelungen, diesem Mann die Maske vom Gesicht zu reißen. Er will Barrett alles erklären. Als Antwort wird er bis zur Bewusstlosigkeit ausgepeitscht.

Burt, der brutale Komplize von Barrett, nimmt unterdessen grausame Rache für die Vergeltungsaktion der Rancher. Zahlreiche Gehöfte gehen unter seinem Kommando in Flammen auf. Als Ramon aus seiner Ohnmacht erwacht und sich mühsam heimschleppt, findet er auch sein Haus niedergebrannt und seinen Vater ermordet vor. Ramon schwört blutige Rache. Er nimmt ein altes Gewehr und begibt sich in die Stadt, wo er die Mörder seines Vaters stellen will. In der Zwischenzeit sucht Barrett den eiskalten Killer Rocco auf. Er beauftragt ihn, seinen unbequemen

ROCCO –
Ich leg dich um

George Eastman und Dana Ghia

Komplizen Burt zu beseitigen. Gegen harte Dollars, versteht sich! Rocco erledigt das routiniert. In einem Saloon entlarvt er Burt als Falschspieler und erschießt ihn in »Notwehr«. Slim, einer der Genossen von Burt, folgt dem Killer heimlich. Er will ihn aus dem Hinterhalt umlegen. Da wird er von Ramon, der sich in der Nähe versteckt hat, aufgehalten. Doch ehe der junge Mexikaner schießen kann, wird er selbst schwer verwundet. Aber er hat Rocco das Leben gerettet, der nun seinerseits Slim mit einem Schuss niederstreckt.

Rocco nimmt Ramon mit in sein Versteck, das tief in den Bergen liegt. Dort pflegt er ihn gesund und bringt ihm seine Schießkünste bei. Die beiden scheiden als Freunde voneinander. Rocco erledigt für Barrett einen weiteren Auftrag: Er erschießt Steven, den Anführer der Rancher. Der skrupellose Barrett scheint jetzt am Ziel seiner machtgierigen Wünsche zu sein. Doch er hat nicht mit Ramon gerechnet. Ramon, der um seiner Rache willen in die harte Schule des Killers gegangen ist, sucht nach Barrett, um ihn zu töten. Als der reiche Viehzüchter davon erfährt, schickt er vier seiner Leute aus, die den Mexikaner ermorden sollen. Doch Ramon ist schneller. Er erschießt alle vier. Jetzt ist Barretts letzter Ausweg der Killer Rocco. Aber erst als er diesem eine astronomische Summe bietet, willigt Rocco ein, Ramon zu töten. Als sie sich dann gegenüberstehen, beschwört Rocco den Freund und Gegner, sein Rachevorhaben aufzugeben. Ramon aber bleibt hart. In einem dramatischen Duell erschießt er seinen Lehrmeister, wird aber selbst schwer verletzt. Er schleppt sich in die Stadt, trifft dort mit Barrett zusammen und erschießt ihn.

Ramon hat seinen Racheschwur gehalten, aber einen Freund verloren. Er geht zurück in die Einsamkeit der Berge.

Film: Dies dürfte wohl der beste von Regisseur Giuseppe Varis' sieben Western sein. Die Story ist jener von »Giorni dell'ira« (»Der Tod ritt dienstags«) sehr ähnlich – eines der nicht seltenen Vater-Sohn-Dramen. Ein alternder, resignierter Killer pflegt einen Jüngeren, der sein Sohn sein könnte, gesund, weil dieser ihm das Leben gerettet hat. Auf dessen dringenden Wunsch bildet er ihn als Revolvermann aus. George Eastman alias Luigi Montefiori (diesmal als Mexikaner) geht bei Anthony Ghidra in die Lehre, um den Tod seiner Familie rächen zu können. Obwohl beide Freunde werden, kommt es zum tödlichen

Showdown und der Jüngere muss seinen Lehrmeister und Freund töten. Diese Konstellation ist in diesem Film wesentlich tragischer als das Schluss-Duell in »Giorni dell'ira« (»Der Tod ritt dienstags«), da sich in jenem Lee Van Cleef als brutaler Killer entpuppt, und Gemma keinem Freund, sondern einem eiskalten Verbrecher gegenübertritt. In England wurde »L'ultimo killer« (»Rocco – ich leg' dich um«) als Django-Film (»Django – the last killer«) vermarktet, was aber ebenso wenig stimmig ist wie der deutsche Rocco-Titel, denn der Charakter heißt im Original Rezza.

Anthony Ghidra bringt George Eastman das Schiessen bei

Presse: »Die nicht ganz neue Killer-Story vom Revolverhelden und seinem gelehrigen Schüler, den Not, Tod und Rache zwingen, das zweifelhafte Handwerk des nie fehlenden Schützen zu erlernen, und der dann in entscheidender Stunde auf Sein und Nichtsein seinem Meister gegenübersteht und ihn mit einem von ihm erlernten Trick überlistet. Ein sehr harter Reißer italienischer Machart; philosophische Betrachtungen und weise Sprüche über den Killer-›Beruf‹ tauchen diesen schmutzigen Job unnötigerweise in falsches romantisches Licht. Zuerst Freunde und dann Todfeinde um des schnöden Mammons willen sind Anthony Ghidra als Senior und Titelheld und George Eastman als rachedurstiger Mexikaner. Pulverdampf und blaue Bohnen lassen von den Beteiligten nicht allzu viel am Leben. Etwas weniger Brutalität könnte diesem Reißer nur nützen.«
Ernst Bohlius,
Filmecho / Filmwoche Heft 27, 1968

»Während im amerikanischen Western neuerer Datums wieder mehr kritisch-parabolisches Bemühen zu notieren ist, lässt der von historischer Verbundenheit freie Italo-Western einer gewalttätigen Phantasie und selbstzweckhaften Rohheit immer mehr freien Lauf. Was bietet einem nur auf Blut und Härte bedachten Film mehr Anlass zu entsprechenden Aktionen als das Motiv der Rache? So ist Rache auch der motorische Antrieb dieser Zwielichtgeschichte.

Mit falschem Tragödienpathos macht sich so etwas wie ein maskuliner Schmachtfetzen breit. Tränenverschluckende Sentimentalität wechselt ab mit barbarischer Gefühlskälte. Missverstandener Männlichkeit mit mörderischen Konsequenzen wird ein unsympathischer Glorienschein gewunden. Die Fairness vor Freund und Gegner, das Merkmal des ›klassischen‹ Westernhelden, ist ausgetauscht gegen das hinterhältig-risikolose, aus Profitgier oder Gefühlskränkung resultierende Abknallen.

Diese Veränderung der Kampfweise passt so ganz zu dem Mystifizieren des egozentrischen, kompromisslosen Abenteurers, das der Italo-Western betreibt; und passt auch zu den Mafia-Auffassungen, die sich oft an ihm ablesen lassen. Hier bewirken sie eine Verherrlichung der Selbstjustiz, die wieder einmal mehr in Bildern von jener äußersten Brutalität offenbar wird, welche die italienischen Westernmacher stolzpochend als ›Gewinn‹ für die Westerngattung betrachten.«
GB,
Film-Dienst FD 15 311

10.000 DOLLARI PER UN MASSACRO

10.000 blutige Dollar (Regie: Romolo Girolami)

Italien 1967
Erstaufführung in Italien: 3. März 1967
Deutscher Start: 8. März 1968

Besetzung: *Gary Hudson [Gianni Garko] (Django), Claudio Camaso (Manuel Vásquez), Fernando Sancho (Vásquez Stardust), Loredana Nusciak (Mijanou), Adriana Ambesi (Dolores), Pinuccio Ardia (Sieben Dollar), Franco Lantieri, Massimo Sarchielli, Ermelinda De Felice, Dada Gallotti, Franco Bettella, Aldo Cecconi, Renato Montalbano, Peggy Nathan, Ferdinando Poggi, Mirko Valentin*

Inhalt: Kein Mann in Mexiko ist so gefürchtet wie Manuel (Claudio Camaso), ein schwarzhaariger, finster dreinblickender junger Bursche, dem es auf einen Mord mehr oder weniger nicht ankommt. Soeben aus dem Kerker entlassen, plant er schon eine neue Untat. Er will die rassige Tochter von Mendoza, einem reichen Landbesitzer der Gegend, kidnappen. Brutal schießt er sich den Weg in dessen Landhaus frei. Und der alte Vater muss verzweifelt mit ansehen, wie sein Wertvollstes, seine Tochter Dolores (Adriana Ambesi), ihm vielleicht für immer geraubt wird.

Aber da ist noch ein anderer. Einer, der weniger mordgierig als ehrgeizig ist, Django (Gianni Garko). Ein junger, aber schon berühmter Pistolero. Zwar ist auch er kein unbeschriebenes Blatt

mehr, wohl aber ein Mann, der das Gesetz der Fairness achtet. Ihn bittet Mendoza, den Entführer zu töten und seine Tochter zurückzubringen. Für einen ansehnlichen Batzen Geld, versteht sich. Django aber tötet nicht für weniger als 10.000 Dollar und schlägt das Angebot aus.

Am Pokertisch im Saloon, dessen Besitzerin die schöne Mijanou ist, treffen die beiden Männer zusammen: Manuel und Django. Manuel fordert den Pistolero zu einem Kartenspiel heraus – entschlossen, den Preis, der auf seinen Kopf steht, zu Djangos Bedingungen zu beschaffen. Im Verlauf des Spiels entlarvt er einen Falschspieler, den er rücksichtslos erdolcht. Entsetzt fliehen die Gäste. Durch diesen Mord versetzt er auch dem Ruf des Saloons den Todesstoß. Mijanou ist gezwungen, ihn zu schließen. Django gelingt es zwar, aus dem Hinterhalt – in den er später durch Manuels Männer gerät – zu entkommen. Jedoch erleidet er dabei eine schwere Verwundung. Er kehrt zu Mijanou zurück und wird von ihr liebevoll und aufopfernd gepflegt. Während dieser Zeit verlieben sich die beiden ineinander. Django verspricht der Frau, mit ihr nach San Francisco zu gehen. Aber er bricht sein Versprechen, als Mendoza ihn ein zweites Mal anfleht, Manuel für 10.000 Dollar umzulegen.

Django reitet nach Tampa, einer einsamen Ortschaft mitten in der Wüste, wo der junge Mann unter dem Schutz der Leute seines Vaters Stardust lebt. Hier trifft er Manuel wieder, der ihm vorzu-

Gianni Garko als Django

Sein Widersacher, gespielt von Claudio Camaso

Fernando Sancho als Stardust

machen versucht, dass er es gar nicht war, der ihn in den Hinterhalt lockte. Nach einem blutigen Zweikampf kommen die beiden Männer überein, bei einem Raubüberfall auf eine Postkutsche, die mit fünf Doppelzentner Gold beladen sein wird, gemeinsame Sache zu machen. Django stimmt zu. Aber nur unter der Bedingung, dass kein Blut fließen wird. Manuel akzeptiert zum Schein. Aber bald darauf fallen sämtliche Passagiere der Kutsche seinem Colt zum Opfer. Er selbst sucht mit dem Gold das Weite. Erschüttert findet Django die ausgeraubte Postkutsche mit den ermordeten Passagieren. Unter ihnen entdeckt er auch Mijanou. Sie lebt nicht mehr. Djangos Wut auf Manuel, der ihm dieses Leid angetan hat, kennt nun kein Erbarmen mehr. Er nimmt die Fährte seines Gegners auf – entschlossen, dieses schmutzige Stück Leben endgültig auszulöschen.

Aber noch einmal gerät er in eine Falle, die ihn fast das Leben kostet: Seinen Feinden auf Gedeih und Verderb ausgeliefert, wird er bis zum Hals in den heißen Wüstensand eingegraben. Von Durst gepeinigt und von einem Skorpion tödlich bedroht, durchlebt Django in diesen Stunden

alle Stationen der Hölle. Nur durch die Geistesgegenwart eines seiner Freunde entgeht er einem grauenhaften Schicksal.

Django verfolgt die heiße Spur Manuels. Diesmal gelingt es ihm durch eine List, den Mörder und seine Mittäter aus ihren Verstecken zu holen. Wieder fallen Schüsse. Einige Unvorsichtige müssen daran glauben. Manuel indessen versucht durch ein raffiniertes Täuschungsmanöver, Django hinter seinem Schutzwall hervorzulocken, um anschließend blitzschnell seinen Colt auf ihn zu richten. Doch Django ist schneller. Und schließlich ist Manuel es, der dem Colt des Pistoleros schutzlos ausgeliefert ist. Drei Schüsse strecken den Mann nieder, dem andere Menschenleben nie mehr als einen Dollar wert gewesen sind. Nur eine beweint den toten Manuel: Dolores, die Frau, deren Liebe er sich seinerzeit erzwungen hatte. Django, der seinen Auftrag damit als erledigt betrachtet, verlässt verächtlich die Szene der Vergeltung.

Film: Dieser frühe Western von Romolo Girolami ist ganz im Stile der harten düsteren Filme

169

Der sterbende Manuel Vásques in den Armen von Dolores (Adriana Ambesi)

»Mille dollari sul rosso« (»Sartana«) von Alberto Cardone und »Per 100.000 dollari ti ammazzo« (»Django der Bastard«) von Giovanni Fago. Wie diese Filme ist auch »10.000 dollari per un massacro« (»10.000 blutige Dollar«) fast ohne jeglichen Humor. Gianni Garko spielt hier einen harten Kopfgeldjäger, der keinen gesuchten Verbrecher entkommen lässt, wenn er dadurch sein Bankkonto aufstocken kann.

Sein Gegenspieler in dem von Federico Zanni an wunderschönen spanischen Drehorten fotografierten Film ist der großartige Claudio Camaso, jüngerer Bruder von Gian Maria Volonté. Auch Fernando Sancho darf in diesem Film nicht fehlen, er spielt den Vater von Claudio Camasos Charakter. Den melodiösen Score steuert diesmal wieder Nora Orlandi bei.

Presse: »Harter, ja geradezu grausamer Western italienischer Herkunft, in dem sinnlos gemordet, gefoltert und Verrat geübt wird. Teilweise fasziniert die eiskalte Atmosphäre, manche Szenen aber, wie die Liebkosungen des blutverschmierten Gesichtes des toten Spießgesellen, widern an. Der skrupellose Killer (Fernando Sancho) und Django (Gary Hudson), der nicht unter 10.000 Dollar tötet, sind die beiden Revolverhelden, die sich die Beute gegenseitig abjagen und einander mit sadistischer Freude malträtieren, bis es Django schließlich gelingt, den Gegner mit wohlgezielten Schüssen immer mehr zu isolieren und schließlich auch Rache für die Ermordung seiner Zukünftigen (Loredana Nusciak) zu nehmen. Grandiose Landschaftsaufnahmen, Spannung en masse, aber zu grausam in Einzelheiten.«

Ernst Bohlius,
Filmecho/Filmwoche Heft 29, 1968

DA UOMO A UOMO

Von Mann zu Mann (Regie: Giulio Petroni)

Italien 1967
Erstaufführung in Italien: 31. August 1967
Deutscher Start: 8. März 1968

Besetzung: *Lee Van Cleef (Ryan), John Phillip Law (Bill), Anthony Dawson (Manina), Mario Brega (One-Eye), Luigi Pistilli (Wolcott), José Torres (Pedro), Carla Cassola (Betsy), Archie Savage (Vigro), Bruno Corazzari, Felicita Fanny, Ignazio Leone, Carlo Pisacane, Angelo Susani, Guglielmo Spoletini, Vivienne Bocca, Walter Giulangeli, Elena Hall, Mario Mandalari, Nazzareno Natale, Ennio Pagliani, Giovanni Petrucci, Romano Puppo, Richard Watson, Franco Balducci*

Inhalt: In einer stürmischen Nacht geschieht ein grausames Verbrechen. Fünf Gesetzlose rauben aus einem Goldbergwerk zwei Planwagen voller Gold, nachdem sie den Zechenwärter ermordet, seine Frau und Tochter vergewaltigt, umgebracht und das Wohnhaus der Familie niedergebrannt haben. Nur der fünfjährige Bill wird von den brutalen Banditen verschont. Das Kind wurde jedoch Zeuge des Verbrechens und hat sich besondere Merkmale eingeprägt, an denen es die Täter wiedererkennen kann: Ein Zigeunerohrring im Ohrläppchen des einen, vier eintätowierte Asse auf der Brust des zweiten, eine riesige Narbe auf der Stirn des dritten, eine Kette mit einem goldenen Totenschädel am Hals des vierten und

eine seltsame Pferdespore, die der fünfte verloren hat. Fünfzehn Jahre vergehen. Als wir Bill (John Phillip Law) wieder begegnen, übt er sich im Revolverschießen. Dieses Training dient dem einzigen Zweck, den Mord an seinen Familienangehörigen zu rächen, wenn die Zeit dazu gekommen ist. Bill hat im Gebrauch des Colts bereits eine beachtliche Meisterschaft erreicht und ist bei seinen Mitbürgern so angesehen, dass sie ihn bitten, stellvertretender Sheriff zu werden.

Ryan (Lee Van Cleef), derjenige unter den fünf, dem seine Komplizen die Planung des damaligen brutalen Überfalls in die Schuhe schoben, wird nach Ableistung fünfzehnjähriger schwerer Zwangsarbeit aus dem Gefängnis entlassen. Er macht sich so auf, um den vier einstigen Kampfgenossen ihren Verrat heimzuzahlen.

Der erste Ort, den Ryan auf der Suche nach seinen früheren Komplizen erreicht, ist Holly Spring – die Stadt, deren Sheriff (Franco Balducci) Bill zu seinem Stellvertreter machen will. Nachdem er Zeuge wird, wie Ryan den Mann mit der seltsamen Spore erschießt, erkennt Bill, dass der Fremde auf der Suche nach den gleichen Männern ist, an denen auch er blutige Rache nehmen will. Er heftet sich daher an Ryans Fersen, als der Revolvermann kurz darauf Holly Spring verlässt. Als Ryan merkt, dass er verfolgt wird, stellt er Bill – aber das gemeinsame Ziel macht die beiden Männer zu Gefährten. Auf der folgenden unerbittlichen Jagd nach den Outlaws

V.l.n.r. Franco Balducci, Lee Van Cleef, Luigi Pistilli

John Phillip Law übt das Schießen

kommt es zu dramatischen Zwischenfällen, bei denen sich die beiden gnadenlosen Rächer immer wieder gegenseitig retten. Zunächst ist es Bill, der in Gefahr gerät, als er Manina (Anthony Dawson), den Mann mit der Tätowierung auf der Brust, erschießt. Ryan bringt jedoch seinen jungen Gefährten vor Maninas Komplizen in Sicherheit, und die beiden machen sich auf, um als nächsten Wolcott (Luigi Pistilli) zur Rechenschaft zu ziehen. Wolcott hat sich in Lyndon City niedergelassen und mit seinem Anteil an der damaligen Goldbeute eine Bank eröffnet. Der einstige Bandit gibt sich nach außen hin als respektabler Mann, hat aber noch immer jene Mexikaner in seinen Diensten, die vor fünfzehn Jahren an dem großen Raubzug teilgenommen haben. Wolcotts Gefolgsleute stehen unter dem Kommando von Pedro (José Torres), und Ryan, der Bill inzwischen auf den dritten Mann ansetzte, ist gegen die Mexikaner allein machtlos. Man nimmt ihn gefangen und wirft ihn unter dem Vorwand ins Gefängnis, er habe sich an einem Überfall auf Wolcotts Bank beteiligt, bei der eine Million Dollar Staatsgelder entwendet wurden. In Wahrheit wurde der Raub von Wolcott und seinen eigenen Komplizen ausgeführt, die sich kurz darauf mit dem Geld in die mexikanische Stadt El Viento absetzen. Da taucht Bill in Lyndon City auf, befreit Ryan, und die beiden Männer biwakieren in einem nahen Wald. In der Hoffnung, mit Wolcott allein abrechnen zu können, entwaffnet Bill überraschend seinen Gefährten und reitet davon. Aber der kühne Plan des rachedurstigen jungen Mannes misslingt. Wolcott nimmt ihn gefangen und lässt ihn auf der »Plaza« von El Viento bis zum Hals eingraben. Danach reitet Bills erbitterter Feind mit seinen Gefolgsleuten in eine benachbarte Stadt, in der er Ryan vermutet. Aber der Gesuchte erreicht kurz darauf El Viento und befreit den unglücklichen Bill. Die beiden Männer rufen die terrorisierten Bewohner der Stadt zum Widerstand gegen Wolcott auf. In aller Eile werden Vorbereitungen getroffen, um einem Angriff der Banditen erfolgreich begegnen zu können. Da macht Bill eine schockierende Entdeckung. Als Ryan sein Hemd auszieht, erblickt er jene goldene Kette, die seinen Kampfgefährten als den fünften Mörder seiner Eltern ausweist. Im gleichen Augenblick, da er Ryan entwaffnet, naht Wolcott mit seinen Spießgesellen. Ryan

Lee Van Cleef als betrogener Verbrecher

172

bittet darum, ihre Auseinandersetzung bis nach dem Kampf zu verschieben. Bill geht auf diesen Vorschlag widerwillig ein, und in der folgenden erbarmungslosen Schlacht wird Wolcott vernichtend geschlagen. Dann aber stehen sich Ryan und Bill als Widersacher gegenüber. Von den beiden letzten noch vorhandenen Kugeln reicht Bill seinem Duellgegner eine. Doch Ryan wendet sich ab und will weggehen, nachdem er seinen Colt geladen hat. Da löst sich ein Schuss aus Bills Revolver – aber er trifft nicht seinen Widersacher, sondern den letzten Überlebenden der Banditen, der Ryan zu erschießen versuchte. Mit dieser Entscheidung hat der unerbittliche Rachefeldzug ein ungewöhnliches Ende gefunden.

Film: Bereits in seinem ersten Western zeigt Giulio Petroni sein ganzes Talent mit einer eiskalten Rachegeschichte eines durch einen brutalen Überfall verwaisten Jungen, der sich selbst das tödliche Handwerk beibringt, um sich an den Mördern seiner Familie zu rächen. Petroni besetzte die Rolle des verbitterten und gepeinigten Rächers mit dem amerikanischen Darsteller John Phillip Law und bekleidete ihn ebenfalls mit einer Schafsfell-jacke, wie sie schon Clint Eastwood trug. Ihm zur Seite stellte er den ebenfalls aus den Leone-Filmen bewährten Lee Van Cleef. Was dabei herauskam, ist ein unglaublich gewalttätiger und spannender Western mit einem ungewöhnlich harten Score von Ennio Morricone, der perfekt zu diesem Film passt. Neben seinen Parts in den beiden Leone-Western gehört die perfekte Darstellung des betrogenen Verbrechers Ryan, zusammen mit seinen Rollen in Sergio Sollimas »La resa dei conti« (»Der Gehetzte der Sierra Madre«) und Duccio Tessaris »I giorni dell'ira« (»Der Tod ritt dienstags«) zu den allerbesten Darstellungen von Lee Van Cleef. Aber auch die weiteren Rollen des Films sind sehr gut besetzt, angefangen von einigen Leone-bewährten Darstellern wie Luigi Pistilli und Mario Brega bis hin zu dem schottischen Charakterdarsteller Anthony Dawson, der in drei der ersten vier Bond-Filme zu sehen war. Sehr originell ist die Idee mit den Merkmalen, an denen der Rächer die verschiedenen Mörder wiedererkennt. Besonderes Augenmerk wurde auf die psychologische Beziehung der beiden Hauptcharaktere und deren ungewöhnliche Freundschaft gelegt, die so weit führt, dass sie sich

Lee Van Cleef als Ryan

John Phillip Law als Bill

am Ende gar nicht mehr gegenseitig erschießen wollen. Dieser außergewöhnliche Western, von Kamera-Profi Carlo Carlini an wunderschönen wilden Schauplätzen rund um Tabernas in Südspanien gefilmt, gehört zu den besten Filmen dieses Genres.

Presse: »Er lebt nach dem ›Auge-um-Auge‹-Prinzip des Alten Testaments: Als Fünfjähriger entkam er als Einziger dem Massaker, dem seine Eltern und seine Schwester zum Opfer fielen. Seit diesem Tag kennt Bill sein Ziel: die fünf Mörder zur Strecke zu bringen. Sie alle haben sich durch ein Zeichen unverlierbar in sein Gedächtnis geschrieben: Der eine trägt einen Ring im Ohrläppchen, der andere einen Totenkopf als Anhänger am Halskettchen, der dritte hat eine Narbe, der vierte besondere Pferdesporen, und der fünfte schließlich ist durch vier auf der Brust eintätowierte Asse zu erkennen. Dem zwanzigjährigen Bill, der die Zeit nutzte und sich zum perfekten Rächer ausbildete, begegnet ein Mann mit Schnurrbart und noch frischer Zuchthausvergangenheit. Er verfolgt dieselben Leute wie Bill – vier an der Zahl. Der fünfte – wie sich am Schluss erweist – ist er selbst, der Mann mit dem Totenkopf. So anfechtbar die Grundhaltung dieses Films sein mag – als reißerischer Western ist er bravourös gemacht. Mit feinem Gespür für Massenattraktivität werden zwei Killer zu positiven Helden gesteigert. Dass das kaufmännische Kalkül aufging, ist auch ein Verdienst Lee Van Cleefs, des Zuchthäuslers. Mit kargen schauspielerischen Mitteln spielt dieser Oldtimer die Filmsöhne glatt an die Kinowand.«

Eduard Länger,
Filmecho / Filmwoche Heft 26, 1968

»Lässt man diesen brutalen Alptraum am Ende noch einmal Revue passieren und fragt, welche Gegebenheiten ihn wohl motiviert haben könnten, so liegt die Antwort auf der Hand. Was bleibt, wenn man einmal das umstrittene Argument ausklammert, hier könne man vor der Leinwand seine Aggressionen abreagieren, ist die Verherrlichung der Rache, ein von Regisseur Giulio Petroni direkt und eindeutig angesteuertes ›Amüsement‹ mit rüden ›Helden‹-Taten und pausenlos mordenden Pistolen. Und da innerhalb der Handlung aber auch rein gar nichts zu finden ist,

»Ich ergebe mich ja!«

174

was von dem simplen Klischee-Aufbau ablenkt, ist dieser Eindruck schwerlich zu verwischen. Das Verbrechen nämlich, das hier gerächt werden soll, wurde – symptomatisch für das ›Anliegen‹ des Films – schon fast im Vorspann unmissverständlich ausgeführt: ein Goldraub, der fünf Gesetzlosen gelingt, bringt gleich zwei Vergewaltigungen und sechs Leichen mit sich. Das Rachegefühl wäre somit überdimensional motiviert, und es wird von einem Überlebenden 15 Jahre später für seine Eltern und seine Schwester in die Tat umgesetzt. Und da auch einer der Banditen das Zuchthaus verlassen kann, in dem er für die jetzt in Amt und Würde stehenden Kumpanen 15 Jahre lang einsitzen musste, ergibt sich ein Duo in Sachen Vergeltung auf gleichem Wege. Der ist aber mit einer für den italienischen Western

typischen großen Portion Sadismus gepflastert, was sich genüsslich durch eingerammte Messer, Kopfschüsse, lebend eingegrabene Menschen im Sandsturm etc. ausdrückt.

Jede Kugel trifft, und die Zahl der Schüsse und Toten macht beim Zuschauen schon fast die Frage berechtigt: Wo trägt man am Körper so viel Munition, wenn man kein Gepäck hat, aber ohne Unterlass schießt? Das alles ist routiniert in Szene gesetzt, und man muss Petroni insofern einen ›einheitlichen Regiestil‹ zugestehen, als er es versteht, vom ersten bis zum letzten Filmmeter eine vordergründige Härte anzubieten, die sich in allen dramaturgischen Mitteln (Dialog, Musik, Schnitt) äußert.«

Wilhelm Bettecken,
Film-Dienst FD 15 328

John Phillip Law als Bill

Lee Van Cleef als Ryan

PER 100.000 DOLLARI TI AMMAZZO

Django der Bastard (Regie: Giovanni Fago)

Italien 1967
Erstaufführung in Italien: 30. November 1967
Deutscher Start: 19. April 1968

Besetzung: *Gary Hudson [Gianni Garko] (John Forest, genannt Django), Claudio Camaso [Claudio Volonté] (Clint Forest), Piero Lulli (Jurago), Fernando Sancho (Concalves), Claudie Lange (Anne), Bruno Corazzari (Gary), Susanna Martinková (Maria), Carlo Gaddi, Andrea Scotti, Silvio Bagolini, Dada Gallotti, Adriana Giuffrè, Rodolfo Valadier, Maurizio Tocchi, Gianni De Benedetto, Jole Fierro*

Inhalt: Django, der berühmt-berüchtigte Kopfgeldjäger (Gianni Garko) bringt wieder einmal eine traurige, aber kostspielige Fracht bei einem Sheriff irgendeines Nestes im Südwesten der Vereinigten Staaten an; es sind die Leichen vier gesuchter Verbrecher, die, sauber in Särgen verpackt, angeliefert werden. Immerhin ist Django ein ordentlicher Mann. Während Django auf die 5000 Dollar wartet, die der Sheriff von der Bank holt, springt ihm von einem Steckbrief im Sheriffsbüro das Konterfei seines Halbbruders Clint Forest (Claudio Camaso) ins Auge; eine Menge Geld ist auf seinen Kopf ausgesetzt. Djangos Augen werden zu schmalen Schlitzen, die Vergangenheit steht wieder auf. Er war nicht immer der Kopfgeldjäger Django.

Sein bürgerlicher Name ist John Forest, und einst wuchs er auf einer großen Ranch heran. Er hatte, zusammen mit seinem Bruder Clint, eine glänzende, wohlbehütete Zukunft vor sich, war Sieger bei allen Reiterspielen und Wettkämpfen und nannte das schönste und reichste Mädchen seine Braut. Clint war immer und überall der Verlierer, er hasste John abgrundtief, und eines Tages hatte er das Material, um John tödlich zu treffen.

John war ein Bastard; sie hatten die gleiche Mutter, aber John einen anderen Vater, er war kein Forest, und Clint wies ihn in Abwesenheit des Vaters aus dem Hause. Als der Vater zurückkehrte und dazukam, lief er John nach, um ihn zurückzuholen, wurde aber von Clint daran gehindert, der ihn erschoss und den Mord John in die Schuhe schob. John als Bastard wurde des Vatermordes im Affekt für schuldig befunden und musste zehn lange Jahre ins Zuchthaus. Dann wurde er Django der Kopfgeldjäger, ein einsamer Wolf, der unerbittlich Verbrecher jagt. Und nun steht er vor dem Steckbrief des Mannes, dem er sein verpfuschtes Leben zu verdanken hat. Der mit dem Geld zurückkehrende Sheriff reißt Django aus seinen Erinnerungen. Den da würde ich mir kaufen, wenn ich jünger wäre, meint er. Sechstausend Dollar in Gold sind ein schöner Batzen Geld, und ich weiß auch, wo man ihn finden könnte. Django macht sich ohne Zögern auf den Weg.

Gianni Garko als John Forest, genannt Django

Claudio Camaso als Clint Forest

Die beiden Halbbrüder können sich nicht leiden

Unterwegs trifft er auf einen Mann aus seiner Heimat, einen Arzt, der ihm vom Tod seiner Mutter berichtet und von deren letztem Wunsch, er, John, möge sich um Clint kümmern und ihn dem Gesetz überstellen, ihn aber nicht töten, trotz allem. Djangos Verbitterung wird dadurch nur noch größer, selbst eine große Liebe kann den Gedanken nach Vergeltung nicht auslöschen. Er geht weiter auf die Jagd nach Clint, seinem verbrecherischen Halbbruder. Und bald wird er seiner habhaft, als dieser nach einem Überfall und dem Raub von 100.000 Golddollar seine Mordgesellen übers Ohr hauen will und in Schwierigkeiten gerät. Django tötet ihn nicht, auch nicht, als er es in Notwehr könnte; die Stimme der Mutter ist immer noch stärker. Ja, er bietet ihm sogar seine Hilfe an für eine Flucht über die nahe mexikanische Grenze, wenn das geraubte Geld an die rechtmäßigen Besitzer zurückgeht.

Clint, der scheinbar darauf eingeht, lässt von seinen Banditen einen Hinterhalt vorbereiten, um Django zu beseitigen. Nach furchtbaren Auseinandersetzungen hält Django Clint, der von seinem eigenen Bruder getroffen wurde, sterbend in den Armen. Clint bittet seinen Halbbruder John, ihn zu ihrer Mutter zu bringen. John, selbst tödlich getroffen, tröstet ihn: Bald sind sie für immer bei ihr.

Film: Bei diesem Film handelt es sich um eine Art Nachfolger zum erfolgreichen Western »10.000 dollari per un massacro« (»10.000 blutige Dollar«), produziert von Sergio Martino, jedoch unter der Regie von Romolo Girolami mit fast identischer Besetzung. Auch die Rolle, die von Gianni Garko unter dem Pseudonym Gary Hudson gespielt wird, ist bis auf den Namen identisch mit der Vorgängerrolle. Er ist hier als John (nur in der deutschen Fassung Django) in einer seiner besten Rollen zu sehen, die sehr von Clint Eastwoods Mann ohne Namen inspiriert zu sein scheint. Claudio Camaso spielt einen hervorragenden Bösewicht namens Clint. Auch die Dialoge passen hier genau zum barocken Gefühl, das sehr gut zur hoffnungslosen Atmosphäre des Films beiträgt, verbunden mit einem sehr schwermütigen Score von Nora Orlandi. In einer Szene des Films sagt ein Arzt inmitten eines Raumes voll verwundeter Soldaten: »Der Tod ist manchmal eine Erlösung.« Diese Atmosphäre überträgt sich auf den gesamten Film, der auch zu den wenigen Filmen zählt, der genau definierte psychologische Eigenheiten seiner Charaktere schildert. Auch die Rückblenden vom Selbstmord von Johns erster Freundin, nachdem sie von dessen Verhaftung erfahren hat, sowie die Aufnahmen der zwei Halbbrüder aus früheren Zeiten tragen sehr viel zur Stimmung des Films bei. Am stimmungsvollsten ist die Schlussszene, in der die beiden Brüder sich gegenseitig töten und man sie symbolisch zusammen an einem schönen Strand entlangreiten sieht.

Presse: »Die genreübliche Folge von Schießereien und Verfolgungen basiert auf der Feindschaft zweier Halbbrüder. Django wurde ohne erkennbaren Grund für eine Tat verurteilt, die der andere begangen hat. Seiner Rache nach zehnjähriger Zuchthausstrafe steht der letzte Wunsch der gemeinsamen Mutter entgegen, den Bösewicht nicht selbst zu töten, sondern ihn dem Richter zu übergeben. In der Schlussszene sterben der Jäger wie der Gejagte. Nach jedem dieser Filme meint man, dass es blutiger und brutaler nun eigentlich nicht mehr zugehen könnte, und jedes Mal zeigt es sich, dass in dieser Hinsicht der Einfallsreichtum der italienischen Autoren und Regisseure schier unerschöpflich ist. Die Spannung über eine längere Distanz hinweg ist dagegen ihre Schwäche; auch dieser Film ist im Grunde nichts weiter als eine Aneinanderreihung mitunter recht wirksamer Einzelsituationen. In diesem Sinne erscheinen auch die am Rande agierenden Gaunertypen schauspielerisch interessanter als die Träger der Hauptrollen.«

Georg Herzberg,
Filmecho/Filmwoche Heft 39, 1968

SUGAR COLT

Rocco – der Mann mit den zwei Gesichtern (Regie: Franco Giraldi)

Italien / Spanien 1966
Erstaufführung in Italien: 12. Oktober 1966
Deutscher Start: 14. Mai 1968

Besetzung: *Hunt Powers [Jack Betts] (Tom Cooper, Sugar Colt, in der deutschen Fassung Rocco), Soledad Miranda (Josepha), Julian Rafferty [Giuliano Raffaeli] (Haberbrook), Jeanne Oak [Gina Rovere] (Signora Bess), James Parker [Erno Crisa] (Yonker), Victor Israel, Pajarito [Manuel Muñiz] (»Agonia«), Jorge Rigaud, Paolo Magalotti, Nazzareno Zamperla, Giovanni Scarciofolo, Luis Barboo, Rossella Bergamonti, Frank Braña, Ricardo Canalejas, Paola Carta, Patrizia Giammei, Mara Krupp, Antonio Padilla, Alfonso Rojas, Alfred Thomas, Elisabetta Welinski, Valentino Macchi*

Inhalt: Ein lebensgefährlicher Auftrag fordert Tom Coopers (Hunt Powers) alias Roccos Tollkühnheit heraus. Nach dem Unabhängigkeitskrieg ist eine Abteilung von 130 Scharfschützen aus dem Norden auf geheimnisvolle Weise verschwunden, ohne irgendeine Spur zu hinterlassen. Alle Untersuchungen und Nachforschungen blieben ohne Erfolg.

Erst nach drei Jahren kehren einige der Männer zurück. Sie schweigen über das, was sie erlebt haben, und trotz der Verschwiegenheit ihrer Familienangehörigen ist es klar, dass sie ihre Rückkehr nur der Bezahlung eines hohen Lösegeldes

verdanken. Würde man eine offizielle Untersuchung anstellen, so hätte das den Tod aller noch am Leben befindlichen Männer zur Folge, die der mysteriöse Verbrecher weiterhin gefangen hält.

Rocco soll das Rätsel lösen. Er kommt in Snake Valley an, weil sein Verdacht ihn dorthin führt. In der Maske eines Wunderdoktors hofft er, die Mauer aus Angst und Schweigen zu brechen, die alle Einwohner des Städtchens stumm macht. Ein Spiel voller List und Gefahr, voller Geduld und Geschicklichkeit beginnt. Die bezaubernde Mestizin Josepha, die Saloonbesitzerin Bess (Jeanne Oak), der spindeldürre Klavierspieler Agonia (Pajarito) und eine ganze Reihe weiterer mehr oder weniger fragwürdige Gestalten sind darin verwickelt. Als er gezwungen wird, zum Revolver zu greifen, offenbart sich Roccos Überlegenheit. Rücksichtslos führt er den Kampf gegen einen Feind ohne Gesicht, bis es ihm endlich gelingt, die Einwohner des Städtchens für sich zu gewinnen, die in ihm nun ihren Befreier sehen. Der Erfolg kann nicht mehr ausbleiben.

Film: In diesem außergewöhnlich unterhaltsamen Italo-Western vom ehemaligen Leone-Regieassistenten Giraldi kann man zum ersten Mal den Amerikaner Hunt Powers alias Jack Betts sehen. Auf Grund seiner hervorragenden und differenzierten Leistung blieb dies sein bester Western. Von dem ebenfalls relativ unterhaltsamen Western »La più grande rapina del West« (»Ein

Rocco in Verkleidung

Hunt Powers als Rocco

Halleluja für Django«) abgesehen, vergeudete er seine Zeit mit Rollen in unzähligen Demofilo-Fidani-Trash-Western. Der Film kombiniert ironische Situationen mit gleichzeitig brutalen und surrealistischen Szenen. Der Charakter des Geheimagenten Tom Cooper alias Sugar Colt ist unheimlich originell und vielseitig und verändert seine Identität dreimal während des gesamten Films.

Zuerst wird er als geschleckter Direktor einer privaten Schule für Damen vorgestellt, die schießen lernen wollen, dann verwandelt er sich in einen betrunkenen Doktor mit einem wilden Blick und schließlich gibt er sich als das zu erkennen, was er wirklich ist, ein rücksichtsloser Revolverheld, der den Mord an einem Saloonpianisten rächen will. Die Handlung wird unterstützt von einem äußerst gelungenen Score von Luis Enriquez Bacalov, der zu jeder Szene den passenden Ton findet. Besonders gelungen ist der Schluss, in dem der Held des Films den bösen Colonel zu Fuß zur Stadt zurückbringt, wo ihn dessen Opfer wie Geister aus der Vergangenheit erwarten. Die schönen Aufnahmen wurden von Alejandro Ulloa an den bewährten Drehorten in Südspanien rund um Tabernas gemacht. Zwei Jahre später änderte Giraldi seinen Stil dann recht abrupt und lieferte den sehr düsteren und traurigen Film »Un minute per pregare, un istante per morire« (»Mehr tot als lebendig«) ab.

Presse: »Jenseits des Western-Klischees bewegt sich diese spannend inszenierte Geschichte eines gefährlichen Alleingangs: Ein legendärer Coltmeister, der sich eigentlich schon zur Ruhe gesetzt hatte, wagt sich einem Freund zuliebe noch einmal auf Gangster-Pirsch.

Er folgt der Spur eines nach Beendigung des Unabhängigkeitskrieges im Norden wie vom Erdboden verschluckten Bataillons. Als Arzt verkleidet begibt sich der Yankee in das Banditennest, wo die noch überlebenden Soldaten – für die Lösegeld gefordert werden soll – versteckt gehalten werden. Hauptdarsteller Hunt Powers bietet als scheuverschrobener Wanderdoktor wie als kühlentschlossener Rächer eine imponierende Leistung.

Die Klischierung seiner Widersacher – die er gleich zu Haufen ausrottet – fällt bei solch brillant gebotener Doppelgesichtigkeit kaum ins Gewicht. Ein Abenteuerfilm, der nicht zuletzt durch eine überaus dezent eingeflochtene Liebesgeschichte

die Kinobesucher beiderlei Geschlechts erfreuen dürfte.« *Hermine Fürstweger, Filmecho / Filmwoche Heft 68, 1968*

»Dieser Western fällt wohltuend aus dem tristen Rahmen, den kommerziell begabte Italiener für ihre sadistische Django-Sippschaft gebastelt haben. Das bedeutet jedoch nicht, dass er auf die Merkmale des Markenartikels ›Sado-Western‹ völlig verzichtet hätte; eines findet sich bereits in der ersten Sequenz: Nach dem Unabhängigkeitskrieg wird in New Mexico eine Abteilung junger Scharfschützen aus dem Norden durch Sprengung einer Felswand teils getötet, teils zwecks späterer Erpressung der Angehörigen gefangen genommen. Ist der Zuschauer verblüfft, weil die Opfer nicht in Groß- oder gar Detailaufnahme präsentiert werden, so wird das Erstaunen noch größer, wenn der zur Rettung der gefangenen Soldaten bemühte Held Rocco seine Talente trotz eines ansehnlichen Geld-Angebots zunächst nicht zur Verfügung stellen will und sich erst auf den Weg macht, als die Komplizen des Erpressers seinen früheren Freund getötet haben.

Rocco kommt in der Maske eines mickrigen Doktors im Verbrechernest an und geht aus seinen ersten Abenteuern siegreich hervor.

Das bühnenbewährte Verkleidungsmotiv bringt auch hier echte Komik ins Spiel, zumal in dieser Phase Hunt Powers als Rocco eine komische Begabung an den Tag legt. Rocco gewinnt den Kampf gegen die Übermacht nicht durch eiskalte Brutalität, sondern durch Mut, Geschicklichkeit und eine Reihe origineller Einfälle. So steht etwa dem üblichen Maschinengewehr eine Kräutermischung gegenüber, die Rocco in den Ofen wirft und damit die Wirkung von Lachgas

Rocco findet seinen sterbenden Freund

ROCCO
der Mann mit den zwei Gesichtern

Hunt Powers erhält weibliche Hilfe

erzielt und die Verbecher in einige Verlegenheit bringt. Wenngleich es hier mehr Tote als im traditionellen Western gibt, so entdeckt man doch in mehreren Szenen die ironische Distanz des Regisseurs von diesem Genre.

Auch die ganze unrasierte Verbrecherbande wirkt mit ihren riesigen Schnurrbärten wie eine ironische Karikatur. Bei den Motivationen für Rocco stehen menschliche Aspekte im Vordergrund. Der Film ist formal sauber und einfalls-

reich gestaltet. Bei den Schlägerei-Sequenzen finden sich brillante Schnitt-Folgen, deren Rasanz es dem Regisseur ermöglicht, auf sadistische Einzelheiten zu verzichten. Auch die Qualität der Farbfotografie ist erstaunlich gut. So steht dieser Film über dem Durchschnitt des Italo-Western und erreicht in einigen Einstellungen die Qualität seiner großen Vorbilder aus Amerika.«

Günther Pflaum,
Film-Dienst FD 15 481

I GIORNI DELLA VIOLENZA

Sein Wechselgeld ist Blei (Regie: Alfonso Brescia)

Italien 1967
Erstaufführung in Italien: 10. August 1967
Deutscher Start: 31. Mai 1968

Besetzung: *Peter Lee Lawrence [Karl Hirenbach] (Josh Lee), Beba Loncar (Christine), Luigi Vannucchi (Captain Clifford), Andre Bosic (Mr. Evans), Nello Pazzafini (Butch), Lucio Rosato (Clen), Romano Puppo (Hank), Harold Bradley (Nathan), Rosalba Neri (Lizzy), Gianni Solaro, Adalberto Rossetti, Bruna Beani, Claudio Trionfi, Gloria Selva*

Inhalt: Bis hin in die gottverlassenste und ödeste Ecke des Staates Missouri wütet der amerikanische Bürgerkrieg. Auf der Farm des gelähmten Evans (Andre Bosic) kämpfen die Bewohner verzweifelt um Existenz und Leben. Skrupellose Soldaten aus den Nordstaaten benutzen den Krieg als Vorwand für Plündereien und Brandschatzungen.

Ihre Gewalttaten nehmen einen blutigen Ausgang: Der junge Clen (Lucio Rosato) und seine Frau Lizzy (Rosalba Neri) werden getötet.

Die Geschehnisse erschüttern Clens Bruder Josh (Peter Lee Lawrence) heftig. Er musste sich die Brutalitäten auf dem Hof mit eigenen Augen ansehen, und hat außerdem allem Anschein nach das Mädchen verloren, das er liebt. Um der Gefahr des Krieges zu entgehen, der immer grausamere Ausmaße annimmt, hat Christine (Beba

Die Verbrecher warten schon – gedreht im Nationalpark Monti Simbruini außerhalb Roms

Loncar), die Tochter von Evans, fluchtartig das Dorf verlassen.

Josh beschließt, sich einer Gruppe rebellischer Südstaatler anzuschließen, um seinen toten Bruder zu rächen und auf seine Weise Tribut für die Scheußlichkeiten des Krieges zu fordern.

Bei einem Überfall auf einen Postwagen entwickelt sich ein heftiger Kampf zwischen der Bande

Luigi Vannucchi an der Spitze der Soldaten

und den Reisenden, bei dem eine Kugel aus Joshs Revolver einen Passagier tödlich trifft. Die Nordstaatler setzen daraufhin für die Ergreifung des flüchtigen Josh ein hohes Kopfgeld aus.

Jahre sind vergangen. Der Krieg ist vorbei, aber nur scheinbar herrscht Frieden. Als Christine ins Dorf zurückkehrt, erfährt sie, dass ihr geliebter Josh wegen jenes Mordes steckbrieflich gesucht wird. Wenig später verlobt sie sich mit Clifford (Luigi Vannucchi), einem jungen Offizier aus den Nordstaaten, der im Auftrag der Regierung Requisitionen von Ländereien der Südstaatler anordnet. Er ist am Tode von Joshs Bruder und dessen Frau schuld, doch Christine ahnt nichts davon. Eines Tages kommt Josh heimlich ins Dorf. Er bittet um Nahrung und will dann wieder verschwinden. Clifford will ihn gefangen nehmen, doch Josh kann noch einmal, zusammen mit Christine, entfliehen. Die beiden schließen sich erneut der Gruppe der rebellischen Südstaatler an, deren Boss, Butch (Nello Pazzafini), Joshs bester Freund geworden ist. Wenig später aber bricht Butch dieses Freundschaftsbündnis, indem

Peter Lee Lawrence duelliert sich mit Romano Puppo

Peter Lee Lawrence als Josh Lee

Missouri angesiedelt. Der Held wird von Peter Lee Lawrence verkörpert. Karl-Otto Hirenbach wurde am 21.02.1945 in Konstanz geboren und nannte sich als Darsteller Peter Lee Lawrence, Arthur Grant und Adam Green. Es ist tragisch, dass Hirenbach noch nicht einmal 30 Jahre alt war, als er verstarb. Hirenbach hätte durchaus als jüngerer Bruder von Gemma durchgehen können, er besaß dessen Jugendlichkeit und Artistik – wenn auch nicht Gemmas Charisma. In diesem Film hat er, als er mit Butch (Nello Pazzafini) kämpft, auf Grund seiner sportlichen Qualitäten gegen den kräftigen Hünen Vorteile und kann den Kampf für sich entscheiden. Auch dieser Film wurde in der deutschen Fassung um ca. 12 Min. gekürzt: u.a. fehlen wichtige Gespräche zwischen Josh und Christine sowie zwischen Evans und Clifford. In der gekürzten Fassung sieht es z. B. so aus, als würde Evans Clifford nach dem Krieg nicht mehr wiedererkennen, was nicht stimmt – aber dieser Teil des Gesprächs wurde in der gekürzten Fassung geschnitten.

er versucht, Christine zu vergewaltigen. In blinder Wut bringt ihn Josh um.

Nun beginnt eine wahre Treibjagd auf Josh: Clifford hat dafür einen ganzen Haufen Leute zusammengetrommelt. Nach kurzer Zeit stellen sie ihn. Noch einmal lodert der Krieg mit seinem ganzen Hass, seiner Brutalität und seinen Gewalttätigkeiten auf – wenn auch nur zwischen den beiden Rivalen Josh und Clifford.

Film: Dies ist mit großem Abstand der beste Western von Alfonso Brescia, der ein Jahr zuvor bereits den Film »Killer Calibro 32« (»Stirb oder töte«) mit Peter Lee Lawrence drehte. Der Originaltitel bedeutet »Die Tage der Gewalt« und verweist auf den Bürgerkrieg. Die Familien- und Rachegeschichte ist in den Wirren des Bürgerkriegs 1863 und nach dem Krieg 1865 in

Presse: »Wohin es führen kann, wenn ein Pazifist aus persönlichen Rachegefühlen auf einmal zum Kämpfer wird, deutet diese im amerikanischen Bürgerkrieg spielende Geschichte zumindest äußerlich an. Um den von Soldaten aus dem Norden an seinem Bruder begangenen Mord zu ahnden, schließt sich ein junger Mann aus Missouri einer Gruppe rebellischer Südstaatler an.

Bei einem Überfall auf einen Postwagen trifft der Unglücksrabe (Peter Lee Lawrence) einen Reisenden tödlich und steht von da an als Mörder in der Fahndungsliste. Der Film hält sich jedoch nicht bei einer Zustandsschilderung oder gar Typisierung auf, sondern führt seinen Helden – der nebenbei seine ihm fast verloren gegangene Liebste wiedergewinnen darf – schnurstracks ans gerechte Ziel. Der Aufwand an Handlung ersetzt zwar nicht die verschenkte Thematik, doch kommt auch keinerlei Langeweile auf.«

Hermine Fürstweger,
Filmecho/Filmwoche Heft 71, 1968

QUIEN SABE?

Töte Amigo (Regie: Damiano Damiani)

Italien 1966
Erstaufführung in Italien: 7. Dezember 1966
Deutscher Start: 7. Juni 1968

Besetzung: *Gian Maria Volonté (El Chuncho),
Klaus Kinski (El Santo), Martine Beswick (Ade-
lita), Lou Castel (Bill Tate/Niño/El Gringo), An-
drea Checchi (Don Felipe), Spartaco Conversi
(Cirillo), Jaime Fernández (Elias), Joaquín Parra
(Picaro), José Manuel Martín (Raimundo), Santi-
ago Santos (Guapo), Valentino Macchi (Pedrito),
Aldo Sambrell (Eisenbahner), Guy Heron*

Inhalt: Mexikanische Revolution, z. Zt. der Regierung von Carranza (1914–1920): »El Ninjo« Bill
Tate (Castel) wird am Bahnhof Augenzeuge der
Exekution von vier Revolutionären. Er besteigt
den Zug nach Durango. Der Zug wird überfallen
und ausgeraubt. Tate hält den Zug an, nachdem
er den Lokführer erschossen hat und schließt
sich der Bande der Halbbrüder Chuncho (Volonte) und Santo (Kinski) an. Chunchos Bande
will die erbeuteten Waffen den Revolutionären
verkaufen. Sie überfallen Forts, stehlen Waffen,
und kommen schließlich nach San Miguel. Dort
helfen sie der Dorfbevölkerung, den Großgrundbesitzer Don Felipe zu ermorden, während sie
der Mutter und der Ehefrau Rosaria freies Geleit
anbieten. Chuncho bestimmt einen Alkalden für

San Miguel. Tate treibt die Gruppe an, so dass
alle San Miguel verlassen, bis auf die beiden Brüder. Diese wollen San Miguel verteidigen. Die
Rebellen nehmen das in San Miguel gefundene
MG mit. Als Chuncho dies bemerkt, bricht er
auf, um seine Bande mit dem MG zurückzuholen.
Tate sorgt dafür, dass sie zu Elias weiterreiten. Bei
einem Gefecht mit der Armee werden alle getötet, nur Chuncho, Tate und Adelita, die einzige
Frau, überleben. Adelita verlässt die Gruppe, weil
ihr Geliebter Pepito ebenfalls getötet wurde. Als
Chuncho seine geraubten Waffen beim Revolutionsführer General Elias abliefert, wird er we-
gen Verrats von San Miguel zum Tode verurteilt.
In seiner Abwesenheit ist die Bevölkerung von
San Miguel von der Armee massakriert worden.
Santo will das Urteil vollstrecken. Tate erschießt
Elias und Santo, Chuncho kann fliehen. Sie hatten vorher verabredet, sich in Ciudad Juarez zu
treffen, wenn sie getrennt würden. Tate überlässt
Chuncho die Hälfte des Lohnes, den er von der
mexikanischen Regierung bekommen hat, und
macht aus ihm einen feinen Pinkel. Als sie den
Zug besteigen, der beide in die USA bringen soll,
tötet Chuncho Tate und schreit den Umstehen-
den zu: »Kauft kein Brot, kauft Dynamit!«

Film: Ein Paradebeispiel eines Revolutionswestern, inspiriert vom Credo der 60er, für die Dritte
Welt und gegen den Kapitalismus der westlichen

Klaus Kinski als El Santo

Gian Maria Volonté als El Chuncho

184

TÖTE AMIGO

Ein Farbfilm der (nora)

Klaus Kinski in seinem Element

Welt. Damiano Damiani präsentiert hier zum ersten Mal die typische Buddy-Type-Variation des italienischen Revolutionswestern.

Die Zusammenarbeit eines zivilisierten, zynischen opportunistischen Gringos (Amerikaner oder Europäer) mit einem rauen, instinktiven, hitzköpfigen, revolutionierenden Mexikaner als Symbol der Freiheitskämpfer wurde damit zum wesentlichen Bestandteil der zukünftigen Meisterwerke dieses Subgenres (»Faccia a faccia«/»Von Mann zu Mann«, »Corri uomo corri/Lauf um Dein Leben«, »Tepepa«, »Il Mercenario/Mercenario – der Gefürchtete«, »Vamos a matar, Compañeros/Laßt uns töten, Compañeros«, »Giù la testa/Todesmelodie«), die sich alle mit der mexikanischen Revolution beschäftigten.

Damiani selbst kategorisierte diesen Film nie als Western, da er der Meinung war, ein »echter« Western müsse sich innerhalb der protestantischen amerikanischen Kultur abspielen. Jede Abweichung davon wäre nicht mehr als Western zu bezeichnen. Da es sich also bei »Quien sabe? (»Töte Amigo«) um eine Geschichte innerhalb der mexikanischen Revolution handle, wäre

es infolgedessen ein politischer Film, kein Western. Hierzu sollte eigentlich angemerkt werden, dass diese Verschmelzung von amerikanischer und mexikanischer Kultur zu einem typischen Merkmal der Italo-Western wurde.

Einen großen Einfluss auf diese Konstellation hatten sicher einige amerikanische Kultwestern wie »Vera Cruz« oder »The magnificent seven (»Die glorreichen Sieben«), in denen es ja auch Gringos sind, die sich in Mexiko als Söldner verdingen und im Prinzip das Vorbild für die Hauptcharaktere vieler Italo-Western sind. Auch der zynische Humor der Antihelden war schon in diesen frühen Werken sehr gut vertreten.

Presse: »Revolution in Mexiko. Überall, wo Regierungstruppen oder die aufrührerischen Landleute auftreten, hinterlassen sie chaotische Zustände, triumphieren Mord und Brutalität.

Im Mittelpunkt des Infernos stehen zwei Abenteurer, zunächst Kampfgenossen durch Dick und Dünn. Plötzlich entstehen Konflikte, um die Ehre geht es dabei, um Geld und Verrat und schließlich endet die Freundschaft tödlich.

TÖTE AMIGO
Ein Farbfilm der (nora)

Lou Castel als El Gringo

Damiano Damianis ›Töte Amigo‹ ist hierfür ein klassisches Beispiel. Freilich dient hier nicht die Pionierzeit der Vereinigten Staaten als Hintergrund, sondern die mexikanische Revolution nach dem Sturz des Staatspräsidenten Diaz im Jahre 1911. Mit brutaler Gewalt schießen die Regierungstruppen die Rebellion der Armut zusammen. Aber die sozialrevolutionären Parolen finden immer neue Nahrung in den Reihen der Unterdrückten. Das Blut fließt in Strömen.

Ein harter, kompromissloser Film, der nach dem Beispiel alter Indianerfilme die Freude am Töten zum Prinzip erhebt. Gleich die erste Sequenz, die Exekution rebellierender Bauern, ist bezeichnend für die gnadenlose Brutalität des ganzen Films. Aber es lässt sich nicht leugnen, dass die historische Wirklichkeit im Mexiko jener Tage kaum humaner war.

Was Damianis Film von gewöhnlichen Killer-Storys der harten italienischen Westernwelle unterscheidet, ist der sozialkritische Aspekt. Die Exzesse einer blindwütigen Revolution werden ebenso ungeschminkt dargestellt wie Erbarmungslosigkeit einer auf Flintenläufen aufgebauten Gewaltherrschaft. Dass hier Terror im Namen der Freiheit ausgeübt, Mord, Raub und Diebstahl im Namen der sozialen Gerechtigkeit begangen werden, ist eine ernste Warnung in einer Zeit, in der jugendliche Hitzköpfe die Idee von der permanenten Revolution propagieren und erste Früchte ernten. Die Figur des Rebellenpriesters El Santo, von Klaus Kinski mit nicht ganz glaubwürdiger Dämonie dargestellt, lässt sich zwar aus der mexikanischen Geschichte begründen, wirkt aber hier verkrampft und disharmonisch. Von dieser Einschränkung abgesehen, überzeugen Regie und Darstellung.«

Christoph Wrembek,
Film-Dienst FD 15 523

Regisseur Damiani betont die Kontraste und gibt der Handlung dadurch eine dramatische Note. In den beiden Hauptrollen brillieren, besonders in Naheinstellungen, Gian-Maria Volonté und Lou Castel. Klaus Kinski erleben wir als fanatischen Priester.«
Ernst Bohlius,
Filmecho/Filmwoche Heft 59–60, 1968

»Der wildeste Westen, den Amerika je hatte, wird heute aus Italien importiert, jedenfalls im Film.

DJANGO SPARA PER PRIMO

Django – Nur der Colt war sein Freund (Regie: Alberto De Martino)

Italien 1966
Erstaufführung in Italien: 28. Oktober 1966
Deutscher Start: 14. Juni 1968

Besetzung: *Glenn Saxson (Glenn Garvin/Django), Evelyn Stewart [Ida Galli] (Lucy), Nando Gazzolo (Kluster), Alberto Lupo (Doktor, Jessicas Mann), Erika Blanc (Jessica), Fernando Sancho (Gordon), Lee Burton [Guido Lollobrigida], Marcello Tusco, Valentino Macchi, Antonio Piretti*

Inhalt: Von dem Tag an, an dem Django (Glenn Saxson) seinen toten Vater beim Sheriff von Silver Creek abliefert und dafür 5000 Dollar Belohnung kassiert, ändert sich sein Leben schlagartig. Er ist in ein geschickt ausgeklügeltes Komplott hineingeraten, aus dem ihn nur die eigenen Fäuste und seine Pistole, die schnellste im gesamten Wilden Westen, retten können. In der unwegsamen, kars-

tigen Bergeinsamkeit der Rocky Mountains ist ihm ein gewisser Ringo in die Arme gelaufen, der auf dem Rücken seines Pferdes einen entflohenen Sträfling abschleppte. Mausetot – aber 5000 Dollar wert! Dass Ringo in dieser gottverlassenen Gegend gerade Django, alias Glenn Garvin, dem

Der Holländer Glenn Saxson als blonder Django

Erica Blanc, Glenn Saxson, Fernando Sancho

Sohn des von der Polizei gesuchten Thomas Garvin, in die Hände fallen musste, konnte er nicht ahnen – und natürlich auch nicht, dass ihm dabei sein Lebenslicht von Django ausgeblasen werden würde. Ganz Silver Creek scheint sich gegen Django verschworen zu haben. Das Kopfgeld für den toten Vater wird ihm zwar ausgehändigt, aber dann beginnt das Kesseltreiben. Gordon (Fernando Sancho), ein geldgieriger, aber gutherziger Kerl, klärt ihn über die Hintergründe dieser Verfolgungsjagd auf: Djangos Vater gehörten einst, bevor er ins Gefängnis wanderte, 50 Prozent der Stadt. Sein Teilhaber war der Bankdirektor Kluster (Nando Gazzolo), der nun seine Killergarde auf Django hetzt, um Thomas Garvins rechtmäßigen Erben aus dem Weg zu räumen. Doch bei diesem Unternehmen hat Kluster sich höllisch verrechnet! Er hat Djangos Mut und Verwegenheit unterschätzt. Immer mehr von seinen Leuten müssen dran glauben, denn Django leistet ganze Arbeit. Während Lucy (Evelyn Stewart), die blonde Pächterin des Saloons, noch liebevoll Djangos Wunden vom letzten Kampf behandelt, bereitet Kluster einen neuen gerissenen Schachzug gegen ihn vor, der ihn endlich zur Strecke bringen soll. Kluster ersticht den Bankkassierer mit Djangos Messer, raubt den Safe aus und schickt Ward,

seinen Oberkiller, mit dem Geld in die Berge. Der Banküberfall ist so teuflisch perfekt inszeniert, dass es für den Sheriff keinen Zweifel gibt: Django ist der Täter. Gordon und ein fremder Arzt (Alberto Lupo), den alle nur ›Doc‹ nennen, geben Django Rückendeckung, so dass er fliehen kann, bevor der Sheriff, Kluster und seine Mannen den Saloon erstürmen, um ihn festzunehmen. Dass er gerade in die Arme der schönen, aber eiskalten Jessica (Erika Blanc) flüchtet, die Kluster für seine Frau ausgibt, ahnt natürlich keiner. Django geht es jetzt in erster Linie gar nicht mehr um das Erbe. Er möchte seinen Vater rächen, der auf so mysteriöse Weise und auf Veranlassung Klusters getötet worden ist. Deshalb lehnt er Jessicas Vorschlag ab, mit ihr und dem beim Bankraub erbeuteten Geld, dessen Versteck sie weiß, zu fliehen. Später, abends im Saloon, klärt Doc die Freunde Djangos über Jessica auf: Sie ist seine Frau – sie hat ihn ruiniert. Das gleiche Spiel treibt sie jetzt mit Kluster, der Nächste würde Django sein. Noch bevor Doc zu Ende berichtet hat, flieht Jessica zu Klusters Männern ins Gebirge, die mit dem erbeuteten Geld auf dem Weg zur Grenze sind: Django, Doc und Gordon verfolgen die Gruppe. Nach hartem, blutigem Kampf fällt den dreien nicht nur Jessica, sondern auch das

Glenn Saxson setzt sich zur Wehr

188

Fernando Sancho hat einen Verbrecher geschnappt

Geld in die Hände. Als dann Kluster die gerechte Strafe ereilt und auch Jessica kein langer Lebensabend beschieden ist, könnte sich zum Schluss eigentlich alles zum Guten wenden. Doch wer glaubt, Django könne sich in Silver Creek zur Ruhe setzen, nachdem ihn die liebliche Lucy mit weiblicher List unter die Haube gebracht hat, der irrt. Eine neue Überraschung – und zwar keine kleine – wartet schon auf ihn.

Film: Dieser Film dürfte wohl der beste der fünf Western sein, die Regisseur Alberto De Martino inszenierte. Der Holländer Roel Bos alias Glenn Saxson übernahm diesmal die Rolle des Django und liefert eine überzeugende Darstellung ab. Trotz sechs Drehbuchautoren sind eine durchdachte Handlung und überraschende Schluss-Pointe herausgekommen, die den Film über den Durchschnitt der vielen Django-Imitate heben. Django, das ist äußerst selten, heiratet zum Schluss, trotzdem wartet noch eine weitere Überraschung auf ihn. Solides Handwerk, mit tollen Genre-Mimen wie Sancho als Sidekick des Helden Django (endlich einmal eine untypische,

weil Good-Guy-Rolle für Sancho), der auch von einem Fremden (Alberto Lupo), den alle Doc nennen, unterstützt wird, sowie Erica Blanc und Ida Galli. Nicht zuletzt trägt der suggestive Soundtrack von Bruno Nicolai zur Wirkung des Films einen erheblichen Teil bei.

Presse: »Die Handlung dieses Django-Films ist um einige Grade plausibler und spannender als die des italienischen Western-Durchschnitts. Man ließ sich sogar eine hübsche Schlusspointe einfallen und unternahm überdies den allerdings nicht ganz gelungenen Versuch, die Brutalität der zahlreichen Prügelszenen durch eine ironisierende Einlage zu entschärfen.

In der Handlung geht es darum, dass Django einem Schurken den Geschäftsanteil seines ermordeten Vaters abjagt und in der schon erwähnten Schlussszene mit der Tatsache konfrontiert wird, dass auch böse Männer einen Sohn und Erben haben können. Aber ein Bursche wie der Django-Darsteller Glenn Saxson wird auch damit fertig werden.« *Georg Herzberg,*
Filmecho/Filmwoche Heft 52, 1968

7 DONNE PER I MacGREGOR

Eine Kugel für MacGregor (Regie: Franco Giraldi)

Italien / Spanien 1967
Erstaufführung in Italien: 3. März 1967
Deutscher Start: 14. Juni 1968

Besetzung: David Bailey (Gregor MacGregor), Agatha Flory [Agata Flori] (Rosita Carson), Cole Kitosch [Alberto Dell'Acqua] (Dick MacGregor), Roberto Camardiel (Donovan), Hugo Blanco (David MacGregor), Nick Anderson [Nazzareno Zamperla] (Peter MacGregor), Jorge Rigaud (Alastair MacGregor), Víctor Israel (Trevor), Leo Anchóriz (Maldonado), King Black (Tom), Roy Bosier (Apache), Nino Scarciofolo (Bandit), Ana Casares (Dolly), Saturnino Cerra (Johnny MacGregor), Alberto Cevenini (Bandit), Julie Fair (Galway), Tito García (Miguelito), Jesús Guzmán (Der Priester), Catherine Hamlin (Kilarney), Joey Hamlin (Tipperary), Margherita Horowitz (Annie), Paolo Magalotti (Kenneth MacGregor), Ana María Mendoza (Kilkenny), Margaret Merrit (Dublin), Elena Montoya (San Raphaels Kind), Ana María Noé (Mamie), Kathleen Parker (Belfast), Riccardo Pizzuti (Bandit), Julio Pérez Tabernero (Mark MacGregor), Judith Shepard (Dundalks), Francesco Tensi (Herold), Antonio Vico (Frank James), Fern Water (Tralee), Rinaldo Zamperla (Bandit)

Inhalt: Die schnellen Pistolen der sieben MacGregors sind im gesamten Wilden Westen berühmt und berüchtigt. Mit dem Finger am Abzug begegnen sie den Gefahren, die überall lauern. Als der gerissene Bandit Maldonado sich den gesamten

David Bailey und Agata Flori in Bedrängnis

Prozession vor imposanter südspanischer Kulisse (bei Guadix)

Besitz der MacGregors auf listige Weise unter den Nagel reißt, gibt es für die sieben nur eins: den Griff zum Colt. Ihre sieben Bräute, allen voran die aggressive Rosita, teilen inzwischen das Schicksal vieler Frauen im Wilden Westen: Sie sind zum Warten verurteilt, während die Männer für Gesetz und Recht ihr Leben riskieren.

Die MacGregors versuchen verzweifelt, im unwegsamen Gebirge das Versteck von Maldonado auszumachen. Doch nicht die kleinste Spur führt zu dem Banditen und seinen Spießgesellen. Als Maldonado dann urplötzlich eine Attacke gegen die sieben daheimgebliebenen Bräute vorbereitet, sind die MacGregors zur Umkehr gezwungen. Ihre Überraschung ist groß: Die sieben Mädchen haben dem Banditen einen heißen Empfang bereitet, wie sich das für echte MacGregor-Bräute gehört. Nach diesem misslungenen Angriff ist Maldonado abermals wie vom Erdboden verschwunden.

Wenig später begegnen die sieben MacGregors dem Zahnklempner Trevor, der mit seiner Tochter und einem grimmig dreinblickenden Farbigen auf dem Weg zu Maldonados geheimem Unterschlupf ist. Trevors Wagen bietet genügend Platz, um die sieben unerkannt in das Hauptquartier des Banditen einzuschleusen. Nach hartem Kampf wandert das gestohlene Gut wieder zurück in die Hände der rechtmäßigen Besitzer.

Doch offenbar haben die MacGregors die Rechnung diesmal ohne die eifersüchtige und leidenschaftliche Rosita gemacht. Da sie ein Techtelmechtel zwischen ihrem Verlobten und der bildhübschen Tochter des alten Trevor befürchtet, schleicht sie sich heimlich in Maldonados Lager, um die beiden in flagranti zu ertappen.

Maldonado nimmt diese einmalige Chance wahr und kassiert Rosita als Geisel. Bei dem Versuch, seine Braut zu befreien, läuft Gregor in eine geschickt gelegte Falle und wandert hinter Schloss und Riegel. Mit diesen Trümpfen in der Hand lanciert Maldonado seinen nächsten Coup: das Gold gegen die Gefangenen, die er nach dem geglückten Tausch jedoch nicht mehr aus seinem Gewahrsam lassen will. Aber diesmal hat sich der Bandit höllisch verrechnet. Der größte Teil des angeblichen Goldes ist nämlich Dynamit. Jetzt sorgen die MacGregors dafür, dass die Rechnung bis auf den letzten Cent beglichen wird. Das Feuerwerk, das sie inszenieren, bestätigt wieder einmal die Behauptung, dass bei den MacGregors das Pulver immer trocken bleibt.

Film: Ein Jahr nach dem sehr erfolgreichen Western »7 pistole per i MacGregor« (»Die 7 Pistolen des MacGregor«) ließ Regisseur Franco Giraldi seine Schotten nochmals vor die Kamera treten. Hauptdarsteller Robert Woods musste jedoch leider auf Grund von Terminüberschneidungen durch den Amerikaner David Bailey ersetzt werden. Leider fehlt Bailey das besondere Charisma von Robert Woods, was dem Film etwas schadet. Dafür wird die von Agatha Flory gespielte Rosita, Gregors Verlobte, etwas mehr in den Vordergrund gestellt. Es gelingt aber Giraldi doch, die typische Mixtur aus Ironie und Drama des ersten Films wieder gekonnt zu vereinen, obwohl dieser Film etwas weniger inspiriert zu sein scheint als das Original. Laut diversen Quellen wurde Giraldi auf Grund eines bestehenden Vertrages beinahe zu dieser Fortsetzung gezwungen, für die er sich eigentlich nicht besonders interessierte. Trotzdem ist der Film ziemlich unterhaltsam und spannend, was nicht zuletzt auch an der guten Musik Ennio Morricones und den aus dem ersten Leone-Western von Alejandro Ulloa schön eingefangenen bekannten Landschaften liegt.

Presse: »Ein Italo-Western, der aus dem gewohnten Rahmen fällt, weitaus nicht so sadistisch grausam ist und sein Genre ein wenig auf nette Art und Weise persifliert. Ein Bösewicht will den MacGregor-Clan um seinen Landbesitz bringen, aber die ebenso treffsicheren wie geizigen Schotten vertreiben die Banditen, an der Spitze ihre schussbereiten sieben Bräute. Als die rassige Rosita (Agata Flori) auf ihrer Suche nach einer vermeintlichen Rivalin (Margharita Horowitz)

David Bailey in weiblicher Begleitung

von Menschen und Landschaften wechseln mit mitreißenden Kampfszenen, dazwischen viel Selbstironie und Jux. Ein Hauptspaß für alle, die sich ein junges Herz bewahrt haben.«

Ernst Bohlius,
Filmecho / Filmwoche Heft 59–60, 1968

»Franco Giraldi gilt als Komödiant des Italo-Western; seinem Film ›Die sieben Pistolen des MacGregor‹ (FD 14213) folgt nun ›Eine Kugel für MacGregor‹, die Seriengeschichte der in den Wilden Westen verschlagenen schottischen Großfamilie fortsetzend, die in dauernder, allerdings liebevoller Fehde mit einer ebenso großen irischen Familie liegt. An Temperament, Lust am Abenteuer, an Schlagkraft und Schießfreudigkeit stehen die schmucken Töchter des Iren den robusten Söhnen des Schotten nicht nach – und auch die Alten mischen noch fleißig mit, wenn es gilt, Anschläge auf den Besitz der beiden Familien zu vereiteln und gemeinsamen Feinden den Garaus zu machen.

Franco Giraldi hat die an sich dürftige Story des Kampfes um den Familienschatz mit viel Witz und Sinn für Situationskomik in Szene gesetzt, dabei vor allem Kapital aus dem sprichwörtlichen schottischen Geiz und der irischen Rauflust geschlagen. Eine Fülle origineller Regie-Einfälle macht die Schwächen des Drehbuchs weitgehend wett. Natürlich wird auch in dieser Western-Komödie genreüblich zuhauf gestorben, doch die in den meisten Italo-Western sich genüsslich artikulierende Brutalität wird bei Franco Giraldi durch Ironie und Komik relativiert. Obwohl noch entfernt von der Qualität eines Western-Musicals wie etwa Stanley Donens ›Eine Braut für sieben Brüder‹ (FD 4592), unterhält man sich in Giraldis komödiantischem Western trefflich.«

Alfred Paffenholz,
Film-Dienst FD 15 609

und dann auch noch der Verlobte (David Bailey) bei einem Befreiungsversuch in die Hand der Räuber fallen, gibt es eine furiose und grandios fotografierte Vernichtungsschlacht. Sie beginnt mit einem Dynamit-Feuerwerk im Lager der Verbrecher und endet mit einer Prügelei der beiden Anführer auf einer fahrenden Lok. Die MacGregor-Sippe fährt Geschütz und Mitrailleusen auf, und selbst irischer und schottischer Lokalpatriotismus werden bis zur Siegesfeier zurückgestellt, wo dann allerdings die gegensätzlichen landsmannschaftlichen Auffassungen mit der Faust ausgetragen werden. Faszinierende Aufnahmen

KILLER KID

Chamaco – Killer Kid (Regie: Leopoldo Savona)

Italien 1967
Erstaufführung in Italien: 30. September 1967
Deutscher Start: 20. Juni 1968

Besetzung: *Anthony Steffen [Antonio De Teffè] (Captain Morrison/Chamaco), Liz Barrett [Luisa Baratto] (Mercedes), Fernando Sancho (Vilar), Nelson Rubien (El Santo), Ken Wood [Giovanni Cianfriglia] (Ramirez), Virgin Darval (Dolores), Domenico Cianfriglia (Ortiz), Yorgo Voyagis (Pablo), Tom Felleghi (Barnes), Fedele Gentile (Captain Garrison), Adriano Vitale, Bruno Arié, Valentino Macchi, Ugo Adinolfi, Consalvo Dell'Arti*

Inhalt: Chamaco (Anthony Steffen), der berüchtigtste Killer des Westens, und der schnellste Schütze, den es je gab, ist aus dem Armeegefängnis entkommen. Die Armee setzt einen hohen Kopfpreis auf seine Ergreifung und lebendige Auslieferung, denn ein toter Chamaco wäre für sie ein unersetzlicher Verlust. Chamaco ist nämlich in Wirklichkeit der von allen Outlaws gefürchtete Captain Morrison, der in die Gestalt von Chamaco geschlüpft ist. Er hat den brandheißen Auftrag, die immer größer werdenden Diebstähle von Waffen der Armee und deren Verbringung über die Grenze nach Mexiko zu stoppen und die Bande von Dieben und Schmugglern unschädlich zu machen.

In Mexiko wird wieder einmal eine Revolution vorbereitet und Waffen, insbesondere die modernsten der Armee, sind dringend gefragt. Dollars spielen dabei offenbar keine Rolle, sie wechseln in großen Mengen ihre Besitzer.

Als Chamaco, als Flüchtling vor dem Gesetz, fällt es Captain Morrison nicht schwer, mit den Banden hüben und drüben der Grenze in Tuchfühlung zu kommen. Als »Gringo« besonders beargwöhnt, spielt er ein sehr gefährliches Spiel, das

Anthony Steffen als Killer Kid

Deutscher Werberatschlag

Anthony Steffen in Deckung

Fernando Sancho als Banditenboss Vilar

er jedoch souverän beherrscht. Trotz schwerster Widerstände und schwierigster Situationen führt er seinen Auftrag zu Ende.

Film: Dies ist Regisseur Leopoldo Savonas erster von zwei Western, die er zusammen mit Anthony Steffen in der Hauptrolle gemacht hat. Der andere ist »Un uomo chiamato Apocalisse Joe« (»Spiel dein Spiel und töte, Joe«) aus dem Jahr 1970. Anthony Steffen spielt hier eine seiner typischen Rollen im Genre. Allein soll er eine große Aufgabe lösen, was er mit Hilfe der ihn liebenden Frau, die dabei aber stirbt, auch schafft. Fernando Sancho ist als Revolutionsgeneral Vilar zu sehen. Neben den bedeutenden Revolutions-Western »Quien sabe?« (»Töte, Amigo«), »Giù la testa« (»Todesmelodie«) und »Tepepa« ist auch »Killer Kid« in dieser Zeit angesiedelt – wenngleich er nicht Qualität und Budget dieser Klassiker besitzt. Ein Insert zu Beginn widmet den Film den Menschen Mexikos, die mit ihrem bescheidenen Heldentum eine demokratische Republik, frei und modern, geschaffen haben.

Der Film erweckt eigentlich Sympathie für die Revolutionäre, deren geistiger Vater »El Santo« (Der Heilige) während der Kämpfe stirbt. Die Aufgabe, die Chamaco alias Captain Morrison ausführen soll, besteht jedoch gerade darin, die an die Revolutionäre gelieferten Waffen zu zerstören, was nicht unbedingt mit der Botschaft und mit der Sympathieführung des Zuschauers zusammenpasst.

Presse: »Ein gut inszenierter, gut gespielter Mexiko-Western mit einer merkwürdig verdrehten Geschichte. Der Held, Chamaco, der in die Wirren der mexikanischen Revolution gerät und zunächst auf Seiten der Unterdrückten zu stehen scheint, erweist sich als US-Offizier. Ihm ist die Aufgabe gestellt, über die Grenze geschmuggelte Waffen unbrauchbar zu machen. Die Figur des Chamaco, ganz im Sinne des ›positiven Helden‹ konzipiert, muss bei dieser Konstellation notwendigerweise Schaden leiden. Das Kinopublikum, das bei den gezeigten Greueln der Regierungstruppen mit den Revolutionären sympathisiert, hat kein Verständnis, dass der Held (den der Drehbuchautor mit Applaus bedenkt) die Revolution sabotiert.«   *E. Länger, Filmecho/Filmwoche Heft 57–58, 1968*

Anthony Steffen und Liz Barrett

KILLER CALIBRO 32

Stirb oder töte (Regie: Alfonso Brescia)

Italien 1966
Erstaufführung in Italien: 20. April 1967
Deutscher Start: 20. Juni 1968

Besetzung: *Peter Lee Lawrence [Karl Hirenbach] (Silver), Agnès Spaak (Betty), Hélène Chanel (Doll), Andrea Bosic (Averell), Mirko Ellis (Sheriff), Michael Bolt (Carruthers), Cole Kitosch [Alberto Dell'Acqua] (Spot), Joseph Holls (Doktor), Nello Pazzafini (Fitch), Ivan Giovanni Scratuglia (Pokerspieler), Jenny Slade (Janet), Robert Stevenson [Valentino Macchi] (Junger Mann in der Kutsche), Gregory West (Ramirez), Stephen Wilde (Alter Mann), John Bartha, Silvio Bagolini*

Inhalt: Sieben maskierte Banditen terrorisieren Carson City. Sie haben es auf den Postwagen abgesehen, der Geld transportiert. Ihr letzter Raub- überfall endet mit einem furchtbaren Blutbad. Silver (Peter Lee Lawrence), ein eiskalter Killer, wird von den Bankdirektoren beauftragt, für einige tausend Dollar Belohnung die Gangster aus dem Weg zu schaffen. Silver gibt vor, ein Bandit zu sein und macht sich damit zum Köder.

Silver bringt den ersten Banditen »in Notwehr« zur Strecke, und kurz darauf muss auch ein zweiter daran glauben. Aber dann geht er selbst in die Falle, die ihm Betty (Agnès Spaak), ein Mädchen aus dem Saloon, gestellt hat. Zwei der Räuber wollen von Silver herausbekommen, wer der Boss der Bande ist, der sich noch nicht zu erkennen gab. Doch Silver tappt im Dunkeln. Einen von ihnen macht er unschädlich, den zweiten erledigt Spot (Cole Kitosch), ein Bursche, dem Silver das Leben rettete. Während einer dramatischen Pokerpartie gelingt es Silver, Nummer fünf zu provozieren und im Handgemenge niederzuknallen.

Übt sich im Pokerspiel: Peter Lee Lawrence alias Karl Hirenbach

Peter Lee Lawrence in weiblicher Begleitung

Als sechsten entlarvt Silver Spot und befördert auch ihn ins Jenseits. Von der Saloonbesitzerin Dolly in eine neue Falle gelockt, steht Silver zum Schluss dem Bandenboss gegenüber, der nun seine Maske abwirft: Es ist der Bankdirektor Averell. Janet, die Tochter des Bankkassiers, hatte ihn bereits über Betrügereien informiert, die auf das Konto des Direktors gehen, der jetzt verschwinden will. Aber als Averell schon glaubt, sich in Sicherheit gebracht zu haben, trifft ihn ein Schuss aus Silvers unfehlbarer Pistole.

Film: Alfonso Brescia gelang hier wohl – zusammen mit seiner Bürgerkriegsballade »I giorni della violenza« (»Sein Wechselgeld ist Blei«) – sein bester Western. Wie in seinem anderen Highlight spielt auch hier der Deutsche Karl Hirenbach alias Peter Lee Lawrence die Hauptrolle. In dieser Mystery-Story, die sehr viele Nachtszenen aufweist und in den üblichen Landschaften außerhalb Roms gedreht wurde, mimt er einen Gunman, der nach und nach eine ganze Räuberbande ausrottet. Im Gegensatz zu den typischen Antihelden des Italo-Western, welche meistens rau und unrasiert daherkamen, bekam man Peter Lee Lawrence hier als glatt rasierten, in tollen Klamotten steckenden Dandy zu sehen. Er ist so etwas wie eine Blaupause für die späteren Bond-Charaktere wie Sabata oder Sartana, aber mit weniger Gimmicks. In weiteren Rollen sind noch Agnès Spaak, Hélène Chanel, Nello Pazzafini sowie der Ex-Stuntman Alberto dell'Acqua zu sehen, der auch in diesem Film wieder das Zeitliche segnet.

Presse: »Ein neuer Westernheld ist geboren. Er ist Deutscher und nennt sich Peter Lee Lawrence. Man versucht, ihn in Italien als Anti-Django aufzubauen. Peter – glatt rasiert, maniküt und immer fein in Westernschale – macht sich gut als ›Silver‹, Killer auf Bestellung, der für prominente Opfer die Silberkugel bereithält. (Der zweite Silver-Film ist fertig gestellt.) Silver ist zynisch wie die bärbeißigeren Vorbilder, sein Darsteller – ein Typ, der ›ankommt‹ – wahrt die Chance, im Geschäft zu bleiben. Allerdings scheint das Publikum (italo-)westernmüde – djangomüde, ringomüde, gringomüde. Ob Silver-Peter das Interesse anstacheln kann?«

Eduard Länger,
Filmecho/Filmwoche Heft 52, 1968

UN MINUTO PER PREGARE, UN ISTANTE PER MORIRE

Mehr tot als lebendig (Regie: Franco Giraldi)

Italien 1967
Erstaufführung in Italien: 8. Februar 1968
Deutscher Start: 3. Juli 1968

Besetzung: *Robert Ryan (Gouverneur Carter), Arthur Kennedy (Sheriff Colby), Alex Cord (Clay McCord), Nicoletta Machiavelli (Laurinda), Mario Brega (Krant), Daniel Martin (Santana), Enzo Fiermonte (Ray Colby), Renato Romano (Charlie), Giampiero Albertini (Fred), Antonio Molino Rojo (Sean), Aldo Sambrell (Jesus Maria), Pedro Canalejas (Seminole), Osiride Peverello (Fuzzy), Rosa Palomar (Ruby), Paco Sanz (Barbier), José Manuel Martin (El Bailerin), Franco Balducci, Franco Lantieri, Massimo Sarchielli, Silla Bettini, Spartaco Conversi, Ivan Giovanni Scratuglia, Gino Marturano, Fortunato Arena*

Inhalt: In Neu-Mexiko um 1870 ist sich kein Bürger seines Lebens sicher. Banditen terrorisieren Städte und Dörfer. Der berüchtigtste, aber auch der einsamste unter ihnen ist Clay McCord (Alex Cord): von der Gesellschaft geächtet und von Lähmungsanfällen heimgesucht. Wer ihn fasst – tot oder lebendig –, wird um 10.000 Dollar reicher sein. McCord und sein Freund Fred Duskin (Giampiero Albertini) – ein Geächteter wie er – reiten zur Missionskirche, wo der Kranke mit Pater Santana über seine Leiden sprechen will. Aber er findet nur einen toten Priester. Clay nimmt Rache und erschießt den Mörder.

Um der Sicherheit willen trennen sich Clay und sein Freund. Clay will in der Banditenstadt Escondido – die von Leuten des US-Polizeihauptmanns Roy Colby (Arthur Kennedy) belagert wird – Zuflucht suchen. Unterwegs begegnet ihm eine Gruppe mutiger Männer, die mit einem Proviantwagen die Blockade durchbrechen wollen. Clay warnt sie vor diesem kaltblütigen Wagnis. Am nächsten Morgen findet er ihre Leichen. Ein Trupp der Belagerer hat die Männer brutal niedergeschossen, obgleich sie zum Zeichen der Kapitulation eine weiße Fahne hochgehalten hatten. Clay nimmt Rache an dem Trupp. Anschließend fährt er den Proviantwagen nach Escondido und verteilt die Lebensmittel an die hungernden Einwohner. Doch Krant (Mario Brega), der Boss der Banditenstadt, nimmt Clays Eindringen bitterübel. Einer seiner Gefolgsmänner will den Eindringling niederknallen, doch Clays Colt ist wieder schneller. In der besetzten Stadt lernt Clay auch Laurinda (Nicoletta Rangoni Machiavelli) kennen – ein schüchternes, halb verhungertes Mädchen, das ihn während seiner drohenden Lähmungsanfälle aufopfernd pflegt. Jetzt hat Clay keinen Zweifel mehr, dass er – wie einst sein Vater – an Epilepsie leidet. Clays Kamerad Fred ist inzwischen den gedungenen Mördern Seminole (Pedro Canalejas) und Fuzzy (Osiride Peverello) zum Opfer gefallen. Seine Leiche setzen sie in 500 Dollar um. Dann verlassen sie die Stadt, um ihrem nächsten Opfer nachzuspüren:

Arthur Kennedy in Action

197

Alex Cord als Clay McCord

Clay McCord. Während Clay leidend in Laurindas Hütte liegt, lauert Krants Freund El Bailerin ihm auf. Doch Clay kommt noch so rechtzeitig wieder zu Kräften, dass er selbst den Banditen zuvorkommen kann. Nach diesem Racheakt beschließt er, nach Tascosa zu gehen, um in den Genuss der von Gouverneur Lem Carter proklamierten Amnestie zu gelangen. Marshall Colby aber will die Amnestie nicht gewähren. Also greift Clay zur Selbsthilfe: Er sperrt den Störrischen kurzentschlossen ins Gefängnis. Als jedoch die Leute des Marshalls die Zelle stürmen, entwischt ihnen Clay. Er wird aber am Bein verwundet. In Escondido wird er von Laurinda gesund gepflegt. Doch Clay ist seines Lebens nirgends mehr sicher. Eines Nachts wird er von Krant und dessen Männern überrascht. Laurinda muss ihr Leben lassen und der Geächtete wird – als »Vorspiel für seinen sicheren Tod« – brutal zusammengeschlagen und mitten in der Stadt an den Händen aufgehängt. Aus Freude am Gelingen ihres Werkes betrinken sich die Männer anschließend sinnlos. Doch während sie ihren Rausch ausschlafen, wird Clay von

Cheap Charlie Gamble, dem fahrenden Händler von Tascosa, gerettet. Von ihm erfährt Clay, dass Gouverneur Carter ihn zu treffen wünscht, um ihm die Amnestie anzubieten. Clay nimmt an und will sich mit Carter in einer Hütte am Biberkopf treffen. Als der Gouverneur mit Clay zusammentrifft, leidet dieser gerade wieder an einer entsetzlichen Lähmungsattacke. Carter besorgt einen Arzt, der sofort operiert. Das Ergebnis ist überraschend: Ein Geschoss, das in der Nähe eines Nervs in seinem Arm stecken geblieben war, hatte die Anfälle hervorgerufen. Doch Clay soll noch lange nicht zur Ruhe kommen. Krant und seine Banditen überfallen die Hütte und zünden sie an. Der Marshall und der Arzt kommen in den Flammen um. Doch Clay und der Gouverneur können gerade noch Dynamit bis zur Hüttentür schleppen. Sie entkommen in dem Augenblick durch einen Tunnel, als die Hütte explodiert. Wieder im Freien, schießt Clay in wilder Wut Krants übrig gebliebene Männer über den Haufen. Clay kehrt nach Tascosa zurück und liefert sein Gewehr ab, um in den Genuss der Amnestie zu kommen. Dann reitet er aus der Stadt. Unter dem Geläut der Friedensglocken von Tascosa hält er noch einmal an, um das Begnadigungsschreiben durchzulesen. Doch diese Rast soll seine letzte sein. Mehrere Kugeln, aus dem Hinterhalt abgefeuert, durchbohren den Mann, der auf dem Weg war, endlich wieder ein menschenwürdiges Dasein zu führen. In seiner leblosen Hand liegt das Begnadigungsschreiben. Seminole und Fuzzy lesen es – und es wird ihnen klar, dass seine Leiche für sie keinen Nickel mehr wert ist.

Film: Nachdem Franco Giraldi bisher meist Italo-Western mit starken ironischen Zwischentönen wie die »MacGregor«-Filme und »Sugar Colt« (»Rocco – der Mann mit den zwei Gesichtern«) inszeniert hatte, änderte er seinen Stil grundlegend mit dem rabenschwarzen depressiven Film »Un minuto per pregare, un istante per morire« (»Mehr tot als lebendig«). Es gelang Giraldi, für die Hauptrollen die hervorragenden amerikanischen Charakterschauspieler Alex Cord, Robert Ryan und Arthur Kennedy zu gewinnen.

Der von Kameramann Aiace Parolin in ruhigen schönen Bildern eingefangene Film ist einer der depressivsten und bittersten Italo-Western überhaupt und erinnert eher an die amerikanischen Edelwestern der 50er Jahre als an die actionbetonten, schießwütigen Genrefilme italienischer Herkunft. Auch die Musik von Carlo Rustichelli besteht nicht wie sonst aus fliegenden Trompeten- oder Harmonikasoli und Alessandro Alessandronis perfekten Pfeiftönen, sondern aus einem vollen symphonischen Orchester.

Presse: »Dieser Italo-Western verstößt gegen zwei Erfolgsrezepte seines Genres. Er hat weder eine geradlinige, allgemein verständliche Handlung, noch ist er wirklich spannend. Von seiner Hauptperson, einem mit hoher Kopfprämie gesuchten Banditen, weiß man bis zum Schluss nicht recht, ob man in ihm einen Helden oder einen Bösewicht sehen soll. Der Lebensmittelboykott gegen eine armselige Siedlung erscheint ebenso wenig sinnvoll wie das langatmige Hickhack um eine Amnestie. An Toten und Grausamkeiten wurde nicht gespart; die Schießkunst des Gejagten wird dadurch unterstrichen, dass schmerzhafte Krämpfe seine so treffsichere Rechte immer wieder erlahmen lassen.« *Georg Herzberg*
Filmecho/Filmwoche Heft 55–56, 1968

»Die Tragik eines Mannes, der mehr durch unglückliche Umstände als aus Schuld ein Gesetzloser wurde und der dann unmittelbar nach seiner Rehabilitierung geldgierigen Hyänen der Prärie zum Opfer fällt, ist ein Stoff, der diesen Italo-Western aus der Fülle des Angebotes herausragen lässt. So erfreulich aber die Betonung des Friedenswillens in einem Genre ist, das sonst oft den Hass oder die Menschenverachtung predigt, so unerfreulich ist eine übermäßige Härte in den kämpferischen Auseinandersetzungen. Hier übertreibt Franco Giraldi, den man bislang als den Komödianten unter den europäischen Western-Regisseuren kannte (›Eine Kugel für MacGregor‹, FD 15609). Trotzdem zeigt dieser gut gebaute, interessante Problem-Western mit den treffend eingesetzten alternden Hollywood-Stars und Genre-Routiniers Arthur Kennedy und Robert Ryan Giraldis Regie-Begabung aufs Neue und demonstriert seine Vielseitigkeit.« *FJW,*
Film-Dienst FD 15 619

MEHR TOT ALS LEBENDIG

Nicoletta Machiavelli als Laurinda

PREPARATI LA BARA!

Django und die Bande der Gehenkten (Regie: Ferdinando Baldi)

Italien 1967
Erstaufführung in Italien: 27. Januar 1968
Deutscher Start: 5. Juli 1968

Besetzung: *Terence Hill [Mario Girotti] (Django), Horst Frank (David Barry), George Eastman [Luigi Montefiori] (Lucas), Barbara Simon (Mercedes Garcia), Pinuccio Ardia (Horace), Lee Burton [Guido Lollobrigida] (Jonathan Abbott), Andrea Scotti (Einer von Lucas' Männern), Ivan Giovanni Scratuglia (Pat O'Connor), Franco Balducci (Jack), Angela Minervini (Lucy), Gianni Di Benedetto (Walcott), Franco Gulà (Sheriff), José Torres (Garcia Ibanez), Gianni Brezza, Luciano Rossi*

Inhalt: Djangos (Terence Hill) Mut und Verwegenheit sind im gesamten Wilden Westen bekannt. Sein Ruf ist auch bis zu den wohlhabenden Bankgesellschaften gedrungen, und so bittet man ihn, Goldtransporte auf von Banditen bedrohten Wegen zu ihren Bestimmungsorten zu begleiten. Für Django, der glücklich mit der hübschen Lucy (Angela Minervini) verheiratet ist, ein harter und nicht ganz ungefährlicher Job.

Während eines Goldtransportes werden Django und Lucy, die ihn begleitet, von einer Bande überfallen. Entsetzt entdeckt Django, dass der geheime Boss der Banditen sein bester Freund ist: David (Horst Frank), ein ehrgeiziger Mann, der von einem einzigen Wunsch beseelt ist – er möchte Gouverneur werden. Django und Lucy geraten in den Kugelhagel der von Davids Vertrautem Lucas (George Eastman) angeführten Pistolenbande; von einer Kugel getroffen bricht Lucy sterbend zusammen. Während Django sich schwer verletzt retten kann, schwört er den Mördern seiner Frau blutige Rache.

Als Henker getarnt, wandert er nun von Ort zu Ort. Doch bald entdeckt man, dass er durch eine List das Leben der Todgeweihten rettet. Sein Ziel ist es, zusammen mit den »Gehenkten« eine Bande zu bilden, um mit David und Lucas abzurechnen. Die Bande der Gehenkten terrorisiert die Zeugen falscher Prozesse, durch die sie an den Galgen gebracht worden sind. Nach einiger Zeit gelingt es Django, Lucas aufzuspüren. Zwar gerät er zunächst in dessen Gewalt, kann sich aber befreien und Lucas nach einem unerbittlichen Duell töten. Der erste Teil der Rache ist vollzogen; jetzt ist David an der Reihe.

Inzwischen aber schwelen Neid und Missgunst innerhalb der Bande: Garcia, ein Mexikaner, den Django ebenfalls vom Galgenstrick gerettet hat, wiegelt die Leute gegen den Bandenführer auf. Während Djangos Abwesenheit tötet er einige Bandenmitglieder, die sich mit ihrem Boss solidarisch erklärt hatten. Der Rest der Bande macht sich in Richtung Sierra auf, wo ein Goldtransport ankommen soll. Die Gehenkten überfallen den Wagen, bringen das Gold in ihren Besitz und machen sich eilig auf den Weg zur Grenze. Am Grenzfluss aber überlistet Garcia seine Spießgesellen, tötet sie und nimmt ihnen das Gold ab. Mercedes, Garcias Frau, berichtet in ihrer Not

Den Hals in der Schlinge: Terence Hill

200

Django sammelt seine Bande

Abrechnung auf dem Friedhof

Django von diesen Vorgängen. David ist in der Zwischenzeit auch nicht untätig gewesen. Er hat eine neue Bande zusammengestellt und versucht nun, Django zu beseitigen. Aber vergeblich: Er hat Djangos Verwegenheit unterschätzt. Wenig später geht David in eine geschickt gelegte Falle. Auf dem Friedhof von Tucson stehen sich die beiden Feinde, die einst enge Freunde waren, zwischen Grabhügeln und Gedenksteinen gegenüber. Zwischen beiden entflammt ein heftiges Pistolenduell.

Die Chancen stehen schlecht für Django, denn Davids Bande gibt ihrem Boss Feuerschutz. David zwingt Django, mit eigenen Händen das Grab weiterzuschaufeln, das eigentlich für ihn bestimmt war. Aber in dem Sarg befindet sich Djangos berühmt-berüchtigtes Maschinengewehr.

Film: Dieser Film ist die erste »quasi«-offizielle Fortsetzung des originalen Django von Sergio Corbucci, speziell was die Darstellung des Django-Charakters und das Drehbuch angeht, das wiederum von Franco Rossetti mitgeschrieben wurde. Dieses Mal wird der Hauptcharakter von Terence Hill alias Mario Girotti dargestellt und es ist ihm hier eine perfekte Kopie der von Franco

Nero initiierten Rolle gelungen. Laut Ferdinando Baldi war Franco Nero bereits für die Hauptrolle dieses Films vorgesehen, nachdem er für den gleichen Regisseur gerade »Texas, Addio« (»Django, der Rächer«) abgedreht hatte, bei dem er Joshua Logan traf, der ihn für »Camelot« engagierte.

In den USA traf Franco Nero dann Vanessa Redgrave, verliebte sich in sie und kam nicht mehr zurück, um diesen Film zu drehen. Daraufhin kontaktierten die Filmemacher Mario Girotti, gaben ihm den neuen Namen Terence Hill und steckten ihn in dieselbe Django-Kluft, die zuvor schon von Franco Nero getragen wurde. Sie schminkten ihn auch auf die gleiche Art wie Franco Nero, machten ein paar Fotos und zeigten diese dann dem Produzenten Frizzi zusammen mit den anderen Darstellern, die sich für die Rolle interessiert hatten, unter anderem auch Peter Martell. Der Produzent glaubte dann im ersten Moment, der Mann auf dem Foto wäre Franco Nero und fragte Baldi, warum er ihm dieses Foto zeigen würde, da Franco sowieso keine Zeit hätte. Dieser klärte den Produzenten dann auf und sagte ihm, Terence Hill sei in Wirklichkeit ein amerikanischer Darsteller, der wie Nero aussehen würde, worauf ihn der Produzent sofort anheuerte. Ferdinando

Baldi war schon immer ein Ass, wenn es darum ging, »neue« Schauspieler für »alte« Rollen auszusuchen. Ein gutes Beispiel dafür sind die beiden Darsteller Michael Coby und Paul Smith, welche die Nachfolge von Terence Hill und Bud Spencer in den Carambola-Filmen übernahmen.

Trotz der Tatsache, dass dieser Film wesentlich weniger Gewalt enthält als sein Vorgänger, gelang Baldi damit ein stimmungsvoller Italo-Western mit einigen Brutalitäten wie dem Auspeitschen von Opfern, einigen Schüssen in den Kopf und zahlreichen Schlägereien. Die beste Szene des Films ist natürlich auch hier die Schlussszene, in der Terence Hill in der Rolle des Django sich auf dem Friedhof befindet und dort sein eigenes Grab schaufeln soll, aus dem er dann sein berühmtes Maschinengewehr holt, um mit seinen Erzfeinden aufzuräumen.

Die beiden Hauptbösewichte werden hervorragend gespielt vom großartigen Horst Frank und dem talentierten George Eastman. Zur spannenden Handlung hat Gianfranco Reverbi einen typischen Italo-Western-Score geschrieben, der sehr leicht ins Ohr geht.

Horst Frank als korrupter und mörderischer Politiker

Presse: »Es gehört zum Wesen legendärer Gestalten, dass sie unbesiegbar sind. Die Western-Produzenten vom Mittelmeer haben dieses Charakteristikum zum Anlass genommen, ihre Helden ein Filmserien-Leben führen zu lassen. In diese Kategorie gehört auch Djangos neues Listspiel. Er hat eine alte Rechnung zu begleichen – seine Frau wurde von einer Gangsterbande umgebracht. Scheinbar nur geht er dem südländisch-harten Geschäft der Banditen-Jagd nach, um die aufgebrachten Halunken der Gerechtigkeit – sprich: dem Galgen – zu überantworten. Aber von List war ja bereits die Rede. Django rettet den zum Tode Verurteilten nächtlicherweise das Leben, indem er ihnen einen Gürtel überreicht, an dem sie aufgehängt werden können wie im Illusions-Theater, ohne dass sich ihnen dabei die Kehle zuschnürt. Denn Django braucht die so überlebenden Männer, um seine alte Rache endlich zu nehmen.

Ein bisschen umständlich, das ganze Verfahren, aber für das Kino nicht ohne Überraschungseffekt. Hinzu kommt, was nach bewährtem Muster sonst noch an ›Härten‹ zum Italo-Western gehört, auch ein gewisses Quantum Ironie, sogar Selbstironie, die man in diesem Genre überraschend häufig antrifft. Ein Zeichen für die Sicherheit in der Verwendung der Mechanismen. Neben dem ganz auf Franco Nero dressierten Terence Hill als Django macht besonders Horst Frank als schurkischer Gouverneur Eindruck.«

Klaus U. Reinke,
Filmecho / Filmwoche Heft 57–58, 1968

»Das Vergnügen an diesen Filmen hat gewiss mit Lust und Laster zu tun, und über deren Legitimität und Problematik sind schon eine Menge Bücher geschrieben worden. Interessanter scheint mir ein anderer Aspekt zu sein, der auch aktueller ist. Dieses Vergnügen, hatte ich den Eindruck, nimmt bei einem Zuschauer, der in diesen Film ging, um dort vielleicht wieder ein Meisterwerk der Subkultur zu entdecken und dies mit seiner trainierten Sensibilität zu erkennen und zu bestaunen, in dem Maße zu, in dem es bei einem Zuschauer abnimmt, der ganz ohne Hintergedanken, ohne privilegiertes ästhetisches Instrumentarium dorthin ging. Das war bei diesem und anderen Konsumfilmen der Reaktion des Publikums deutlich zu entnehmen. Wer ergeht sich schon über die falsche, aber faszinierende Aura, die Django umgibt, als er düster, einsam und hoch erhobenen Hauptes auf seinem Pferd in eine Stadt reitet, in der tödliche Gefahr lauert? Doch nur der, dessen bangende Augen prüfen, ob die Einstellung ästhetisch auch richtig liegt. Was für den unbelasteten Zuschauer nur ein Detail im Fortgang der Geschichte ist, ist für den, der sich auch hier nicht völlig zerstreuen lässt, vor allem ästhetisches Indiz. Was ist da fataler, was legitimer? Wenn man hier unbedingt von Betrug sprechen will, dann dürften allemal die die Betrogenen sein, die über diesen Betrug nicht reflektieren und zu ihm nicht ›nein‹ sagen können.

Die, die aus dieser Wehrlosigkeit ästhetisches Vergnügen gewinnen, die ›nein‹ sagen könnten und es nicht wollen, sind wiederum die Privilegierten, ob man ihnen ihr Laster nun zum Vorwurf macht oder nicht. Darum geht es nicht, entscheidend ist vielmehr, dass das Gerede von Subkultur und ›höherer‹ Kultur somit keinen Sinn mehr hat; gemessen am Vergnügen, das man einmal *Blow Up*, ein andermal *Django und die Bande der Gehenkten* verdankt, ist es ein und dieselbe Kultur, die der zur ästhetischen Freiheit und kulturellen Bewusstheit Privilegierten, welche dann als Eingeweihte normativ darüber streiten können.« *Siegfried Schober, Filmkritik 09/1968*

»Die Leichen sind inzwischen kaum mehr zu zählen, ebenso die Kiefer- und Knochenbrüche. Hochkonjunktur in Rache und Mord – Djangos ›harte Welle‹ ist auf dem Höhepunkt der Brutalität angelangt. Dieses südeuropäische Blut- und Heldenepos, das man unter die missbrauchten Western-Varianten einstufen muss, ist kaum mehr genießbar – nicht etwa wegen fehlender Einfälle oder unzureichender Spannung. Daran ist eigentlich kein Mangel. Auch Dekor, Farbfotografie und schauspielerische Leistungen sind nicht unter Durchschnitt. Ohne Niveau jedoch ist die leichtfertige moralische Auffassung von Rechtssinn, Mut und Rache. Freilich funktionieren Behauptungswille, Recht und Selbstjustiz nicht allein durch Hassgefühle, sondern werden zunächst von den ›guten‹ Gefühlen des Helden und seiner zu Unrecht verurteilten und deshalb nur zum Schein Gehenkten bestimmt.

Schlussauseinandersetzung auf dem Friedhof

Damit ist die Sympathie des durchschnittlichen Zuschauers mit ›guten Gründen‹ auf der Seite eines Helden, der gelegentlich – nicht nur in der Ausgangssituation des Films – einige allgemein-menschliche Züge verrät, in der moralisch besseren Position jedoch (auch bei weiteren Verbrechen, die daher emotionell als mehr oder weniger bewunderte oder vielleicht auch begehrte Kavaliersdelikte erscheinen) ebenso kaltblütig, ungerecht und maßlos brutal verfährt wie die vom Handlungsablauf her als noch abgefeimter anzusehenden Gangster. Da der mitgehende Zuschauer gefühlsmäßig so eingenommen ist, dass er die Unrechtmäßigkeit oder das Fehlen der gehäuften Tötungsmotive kaum überprüfen wird, ist der Film äußerst gefährlich, zumal seine Schwächen, z. B. die mangelnde Glaubwürdigkeit, die normalerweise zur Distanz vom Dargestellten führen könnte, durch eine dichte Kette von Aktionen und Attraktionen überdeckt wird. Diese Aktionsfolge besteht nicht nur im Übermaß aus Schlagen und Töten, sondern ist auch mit manchen quasi komischen Revolvertricks und Szenengags durchsetzt, die dem anspruchslosen, einschlägiger Vorliebe verhafteten Zuschauer genügend Schaulust bereiten können, ohne aber jemals die in Verfremdung oder Bloßstellung enthaltene Reflexion einer Parodie zu bewirken, die hier nur in ganz wenigen Augenblicken anklingt.« *Leo Schönecker, Film-Dienst FD 15 579*

ODIO PER ODIO

Die gnadenlosen Zwei (Regie: Domenico Paolella)

Italien 1967
Erstaufführung in Italien: 18. August 1967
Deutscher Start: 12. Juli 1968

Besetzung: Antonio Sabàto (Miguel), John Ireland (Wilson Cooper), Mirko Ellis (Moxon), Nadia Marconi (Jenny), Gloria Milland [Maria Fie] (Maria Consuela Cooper), Piero Vida (Goldsucher), Fernando Sancho (Coyote), Gianni Di Benedetto, Antonio Irranzo, Alda [Dada] Gallotti, Emilio Sancho, Mario De Simone, Sergio Scarchilli, Osvaldo Genazzani, Bruno Arié, Luigi Perelli, Dony [Donato] Baster

Inhalt: Miguel (Antonio Sabàto), Goldwäscher im Goldgebiet des amerikanischen Südwestens, hängt seinen Job an den Nagel. Auf der Bank des kleinen Ortes will er sein Erspartes abholen. Dabei wird er Zeuge des Überfalls auf die Bank, durchgeführt von Wilson (John Ireland) und seinem Spießgesellen Moxon (Mirko Ellis). Nicht moralische Entrüstung, sondern die Zahlungsunfähigkeit der Bank veranlasst Miguel, die Verfolgung der Täter aufzunehmen, um wenigstens zu seinem eigenen Geld zu kommen. Auf der Flucht im Planwagen geraten Wilson und Moxon in heftigen Streit um die Aufteilung der Beute, in dessen Verlauf Moxon von Wilson aus dem Wagen geworfen wird.

Die unendliche Stille der Prärie wird plötzlich von einem Schuss unterbrochen: Wilsons Zügel sind entzwei, durchschossen von Miguels zielsicherer Hand. Ein zweiter Schuss fällt, diesmal von Wilson. Er teilt Miguels Zügel. Gegenseitige Anerkennung und die Tatsache, dass Miguel nur sein eigenes Geld zurückfordert, führt unerwartet zur Freundschaft zwischen beiden Männern. In Driscolls Gebrauchtwarenladen im nächsten Ort hinterlässt Wilson Gepäck und wechselt die Kleider. Moxon taucht wenig später hier auf. Gewaltsam nimmt er den alten Trödler in die Zange, bis der sein Vorhaben preisgibt, mit Frau und Tochter das gestohlene Geld über die Grenze nach Mexiko zu bringen. Maria Consuela, Wilsons Frau (Gloria Milland), lebt in ständiger Angst um ihren Mann, der zum Banditen wurde, um seiner Tochter Jenny (Nadia Marconi) das Leben einer wohlerzogenen jungen Dame in Mexiko zu ermöglichen. Jahrelang verübt er einen Überfall nach dem anderen und hortet die Beute, und jahrelang ist er erfolgreich den Maschen des Gesetzes entgangen, aber diesmal schnappt die Falle zu: Er und Miguel werden festgenommen, wobei man in Miguel Wilsons Komplizen vermutet. Im Gefängnis vertraut Wilson Miguel sein Vorhaben an, weil er ahnt, dass dieser freigelassen wird. Er bietet ihm gutes Entgelt, wenn er seine Frau und Jenny mit dem Geld über die Grenze in Sicherheit bringt.

Während Wilson harte Sträflingsarbeit verrichtet, begibt sich Miguel nach seiner Freilassung zu Maria Consuelo. Diese lässt ihn jedoch wissen, dass Jenny krank sei und die Reise nicht antreten kann. Miguel ahnt nicht den Grund für Marias Verstörtheit, er weiß nicht, dass die Mün-

Antonio Sabàto in Bedrängnis

Antonio Sabàto erwehrt sich seiner Feinde

dung von Moxons Gewehr auf sie gerichtet ist, der unweigerlich abdrückt, wenn Maria auch nur geringfügig von der ihr von Moxon vorgeschriebenen Information abweicht. Moxon hatte sich im Hause Wilsons niedergelassen, um die beiden Frauen in Schach zu halten und das Versteck des Geldes ausfindig zu machen. In der Zwischenzeit versuchen die Richter in mehrfachen Verhören, den Verbleib des gestohlenen Geldes aus Wilson herauszubringen. Ohne Erfolg. Bei der Sträflingsarbeit in den Sümpfen hat er sich die Malaria zugezogen und steht nun unter Obhut eines ihm wohlgesinnten Arztes. Dennoch benutzt Wilson einen unbeobachteten Moment, diesen niederzuschlagen und sich seiner Kleider und Medikamente zu bemächtigen. Drei Wächter lässt er tot auf der Strecke zurück. Als er sein Haus erreicht, findet er nur rauchende Trümmer, keine Spur von Maria und Jenny. Wilsons zorniger Verdacht richtet sich – natürlich – gegen Miguel, dessen Verfolgung er ohne Zögern aufnimmt. Während Moxon versucht, den Goldhandel mit einer Bande rauflustiger Gesellen an sich zu reißen, arbeitet Miguel wieder als Goldwäscher – und mit Erfolg. Daher gilt Moxons nächster Überfall Miguels Haus, wo er Gold vermutet.

Aber Miguel wird rechtzeitig gewarnt und in einer wilden Schießerei gelingt es ihm allein, den Überfall abzuwehren. Nach dem Rückzug der Banditen findet Miguel ein junges Mädchen verwundet am Boden liegen. Er ahnt nicht, dass er Jenny vor sich hat, die von Moxon gezwungen wurde, sich ständig in seiner Nähe aufzuhalten, wenn ihr das Leben ihrer Mutter lieb sei. Jenny lässt ihm aus Dankbarkeit ein Medaillon zurück. Wilson hat inzwischen Miguels Aufenthalt ausfindig gemacht, und diesem gelingt es, den schrecklichen Verdacht des von Malaria gezeichneten und hochfiebernden Wilson von sich abzulenken. Als aber Wilson kurze Zeit später in Miguels Hütte während dessen Abwesenheit das Medaillon entdeckt, das er vor vielen Jahren seiner Tochter geschenkt hatte, ist er überzeugt, dass Miguel trotz seiner Beteuerungen mit Jenny zu tun hatte. Blind vor rachelüsternen Gedanken, stürzt er aus dem Haus, Miguel zur Rede zu stellen. Der aber ist Moxon in die Falle gelaufen. Und der versucht Miguel zur Preisgabe des Versteckes von Wilsons Geld zu bewegen. Wenig später taucht Wilson auf, und nun sieht sich Miguel plötzlich zwei Feinden gegenüber. Eine dramatische Schießerei beendet die wilden Auseinandersetzungen unter den drei Männern. Moxon bleibt auf der Strecke. Wilson ist tödlich getroffen. Mit verschwommenem Blick nimmt er jedoch noch wahr, dass Miguel ihn nicht verraten hat und den Auftrag, den er ihm einst im Gefängnis erteilte, ausführen wird.

Gefährlicher Stunt

Film: Domenico Paolella wählt hier mit seinem ersten Western eine Geschichte, die sich auf die Beziehung eines älteren Mannes und eines jüngeren Rebellen konzentriert, wie später noch zahlreiche andere Filme dieses Genres, z.B. »Da uomo a uomo« (»Von Mann zu Mann«), »Il giorno dell'ira« (»Der Tod kommt dienstags«) oder »La resa dei conti« (»Der Gehetzte der Sierra Madre«). In den Rollen der beiden Freunde sehen wir zum ersten Mal den amerikanischen Charakterdarsteller John Ireland und den jungen Spanier Antonio Sabàto in einem Italo-Western. Beide waren in diesem Genre danach in unzähligen Filmen zu sehen. Die beiden spielen sehr gut zusammen und es entsteht eine äußerst glaubwürdige Beziehung zwischen ihnen. Paolella hat eine sehr gute Hand für eine psychologisch differenzierte Darstellung der Menschlichkeit seiner Charaktere, was man nicht von vielen Italo-Western-Regisseuren behaupten kann. Ireland liefert hier eine seiner besten Rollen und hebt diesen Film sicherlich über den Durchschnitt. Sabàto ist perfekt in der Rolle des jungen Mexikaners, der in eine Situation gezwungen wird, die er anfangs nicht akzeptieren will. Speziell die letzten Szenen des Films, in denen Ireland in den Händen Sabàtos stirbt und von seiner Tochter Abschied nimmt, die nicht weiß, dass er ihr Vater ist, sind ziemlich rührend. Seine Erinnerungen werden durch die treffende Musik von Willy Brezza untermalt. Der Film ist sehr realistisch in Bezug auf die diversen Gewaltdarstellungen und die Behandlung der Charaktere und übt gleichzeitig Kritik an der Gesellschaft. So erkrankt Ireland beispielsweise in der Gefangenschaft an Malaria.

Presse: »Ein romantischer, passagenweise sogar lyrischer Western, dem es trotzdem nicht an dem erforderlichen Quantum Kugeln fehlt. Der Film schildert die Freundschaft eines mexikanischen jungen Mannes mit einem weißen Gangster, der in dem Jungen sein einstiges Ebenbild zu erkennen glaubt.

Antonio Sabàto, ein junger Marlon Brando mit dunkel gelocktem Haar, ist der talentierte Gegenspieler John Irelands, der eine leicht sentimentale Rolle männlich unterkühlt. Aus dem derzeitigen Westernangebot hebt sich dieser Film im mexikanischen Milieu positiv ab. Er ist weder US-bieder noch italo-sadistisch. Er wahrt die Western-Tradition und erzählt die Variation einer alten Geschichte in modern-härterer Manier.«
E. Länger,
Filmecho / Filmwoche Heft 65–66, 1968

Die beiden ungleichen Freunde John Ireland und Antonio Sabàto

FACCIA A FACCIA

Von Angesicht zu Angesicht (Regie: Sergio Sollima)

Italien / Spanien 1967
Erstaufführung in Italien: 23. November 1967
Deutscher Start: 19. Juli 1968

Besetzung: *Tomás Milian (Solomon »Beauregard« Bennet), Gian Maria Volonté (Professor Brad Fletcher), William Berger (Charlie Sirringo), Jolanda Modio (Maria), Gianni Rizzo (Williams), Carole André (Elizabeth Wilkins), Ángel del Pozo (Maximilian de Winton), Aldo Sambrell (Zachary Shot), Lidia Alfonsi (Belle de Winton), Federico Boido (Sheriff), José Torres (Harold), Nello Pazzafini (Vance), Frank Braña, Linda Veras, Antonio Casas, Guy Heroní, Rossella D'Aquino, Giovanni Ivan Scratuglia, Antonio Casas, Guy Heron, Lorenzo Robledo, Francisco Sanz*

Inhalt: Brad Fletcher (Gian Maria Volonté), ein junger Universitätsprofessor, ist gezwungen, sein Städtchen zu verlassen, in dem er bis jetzt ein ruhiges, wenn auch etwas eintöniges Leben geführt hat: Brad ist schwer krank. Es gibt für ihn nur noch eine Möglichkeit, sein Leben um einige Jahre zu verlängern: das kalte und feuchte Klima seines Heimatortes gegen ein milderes zu vertauschen.

Er sieht zu klar, um sich noch irgendwelchen Illusionen hinzugeben. Von der Reise, die er nun unternimmt, wird es für ihn keine Rückkehr geben! Doch im herrlichen sonnigen Süden, der um das Jahr 1870 herum noch von jedweder Zivilisation vollkommen unberührt ist, hat ihm das Schicksal noch ein letztes, mächtiges und aufwühlendes Erlebnis aufbewahrt: die Begegnung mit Beauregard Bennet (Tomás Milian), dem berüchtigten Banditen, dem Anführer der »Wilden Meute«. Zuallererst verbindet die beiden nur die aufgezwungene Zusammengehörigkeit zweier zum Tode Verurteilter: Der schwer verwundete Beauregard benützt auf seiner Flucht Brad als Geisel.

Tomás Milian nimmt Gian Maria Volonté als Geisel

Beauregard ist für Brad all das, was ihn seine bürgerliche Erziehung gelehrt hat zu verabscheuen. Gewalttätigkeit in ihrem Urzustand, Gewalttätigkeit als allererste Reaktion gegen die Umwelt. Beauregard verkörpert für ihn das primitive, instinktive Naturgesetz des Sieges des Stärkeren über den Schwächeren.

Diese primitive Lebenseinstellung ist für den aus dem Norden stammenden Universitätsprofessor eine Entdeckung, die ihn ungemein fasziniert und anzieht. Und aus diesem Grunde schließt sich Brad dem Banditen an, als dieser zu seinem letzten großen Raubzug aufbricht und dazu all seine in der Gegend verstreuten Spießgesellen aufruft, um wieder seine »Wilde Meute« anzuführen. So beginnt eine ganz eigenartige Freundschaft, während der sich diese beiden Männer langsam und unwillkürlich verwandeln, ohne sich dessen bewusst zu sein. Während Brad durch das Zusammenleben mit dem Räuber das Gefühl der grausamen und für ihn berauschenden rohen Gewalt entdeckt, erweckt Brads klarer und durchdringender Verstand in Beauregard die ersten Anzeichen des erwachenden Gewissens. Zum ersten Mal in seinem Leben beginnt der Räuber über sich und seine Umwelt nachzudenken. Und eines Tages wird Beauregard, dessen erste und instinktive Reaktion bisher immer nur Gewalttätigkeit war, nicht mehr zur Pistole greifen. So stehen sich die beiden Männer wieder gegenüber. Rohe Gewalt gegen die neu erwachte Stimme des Gewissens.

Doch Brads Gewalttätigkeit ist klar, bewusst und gewollt und trägt in sich das scharfe, kalte Gift eines durchdringenden Verstandes, während Beauregards frisch erwachtes Gewissen nicht das Resultat einer Erziehung ist, sondern seiner kraftvollen Ursprünglichkeit entspringt. Jeder von den beiden hat auf seine Weise sein eigenes Ich, seine eigene »Wahrheit« gefunden. Diese Wahrheit bedeutet den Tod für Brad Fletcher und vielleicht den Beginn eines vollkommen gewandelten Lebens für Beauregard Bennet, den Banditen.

Film: Sergio Sollimas zweiter Western entstand ein Jahr nach dem außergewöhnlich erfolgreichen Film »La resa dei conti« (»Der Gehetzte der Sierra Madre«). Wieder gelang es dem Regisseur, eine Top-Besetzung zusammenzutrommeln, inklusive seines Maskottchens Tomás Milian, der wieder die Hauptrolle übernehmen sollte. Ihm zur Seite gesellten sich der aus Leones »Dollar«-Filmen bewährte Gian Maria Volonté und der gebürtige Österreicher William Berger. Die beiden Hauptdarsteller sind ausgezeichnet – der introvertierte Tomás Milian mit seinem wilden Aussehen auf der einen Seite und Gian Maria Volonté als zurückhaltender Lehrer, der es zulässt, von den bösen Versuchungen übermannt zu werden.

Dieser Film wurde von Sollima etwas düsterer und romantischer inszeniert und mit wesentlich weniger Humor aufgelockert als seine beiden anderen Western. Sollima versteht es glänzend, aus diesen beiden großartigen Darstellern diese komplexen Charakterstudien herauszuholen, die zeigen, dass auch schlechte Menschen etwas Gutes an sich haben können und dass die Umstände aus guten Menschen schlechte machen können. Sollima gelingt es perfekt, hervorragende kraftvolle Szenen zu inszenieren wie z.B. als der von Milian gespielte Bennet zum ersten Mal auftaucht und in Begleitung von Ennio Morricones hervorragendem Score von den Gesetzeshütern aus der Postkutsche geworfen wird. Dem bereits durch Drehbücher zu einigen der besten Italo-Western bewährten Sergio Donati ist es hier wieder gelungen, ein kraftvolles und geradliniges Drehbuch zu schreiben. Die schönen Aufnahmen wurden von Rafael Pacheco und Emilio Foriscot an ungewöhnlichen südspanischen Schauplätzen gemacht.

Presse: »Wohltuend vom allgemeinen Klischee sticht dieser Western wegen seiner klaren und interessanten psychologischen Konzeption ab. Zwei Männer, die sich zufällig in Mexiko begegnen, werden einander zum Schicksal, indem sie sich gegenseitig verwandeln: Als der Geschichtsprofessor (Gian Maria Volonté) aus dem Norden, der auf einer mexikanischen Farm

Hat sich in die Bande eingelebt: Gian Maria Volonté

208

sein Lungenleiden auskurieren möchte, einem zufällig des Wegs dahergebrachten Gefangenen zu trinken geben will, wird er von diesem überwältigt und als ›Geisel‹ mitgenommen. Zuerst verbindet die beiden Flüchtlinge – den Gelehrten und den berüchtigten Banditen (Tomás Milian) – nur die Zusammengehörigkeit der Ausgestoßenen. Doch dann entwickelt sich so etwas wie echte Freundschaft. Der Professor, dessen Leben bisher eintönig verlaufen war, entdeckt in sich plötzlich eine Abenteuerlust, die ihn körperlicher Gesundung entgegenführt. Der gewalttätige Naturmensch dagegen lässt sich von der Intelligenz des Gefährten beeindrucken und beeinflussen. Regisseur Sergio Sollima hat die gegenläufige Entwicklung dieser beiden konträren Charaktere überzeugend herausgearbeitet. Während der Professor sich in das Banditenmilieu, in das er geraten ist, einlebt, selbst Raubzüge organisiert und sich seinen freigewordenen niederen Instinkten mehr und mehr überlässt, erwacht in dem ›Partner‹ das Gewissen. So kommt für beide der Augenblick der Wahrheit: Als der Professor an einem todesmutigen Detektiv einen feigen Mord begehen will, entscheidet sich der Bandit für das Recht und erschießt seinen Kumpan. Ein von zwei hervorragenden Darstellern getragener, durchwegs spannend gehaltener Film, der für sich selbst werben dürfte.« *Hermine Fürstweger, Filmecho / Filmwoche Heft 64, 1968*

»Auch das haben Europas Western-Regisseure von ihren amerikanischen Vorbildern gelernt: dass sich das Genre vorzüglich eignet, aktuelle politische und gesellschaftliche Zustände zu reflektieren und so über die bloße Abenteuer-Unterhaltung hinaus auch wichtige Informationen über Verhaltensweisen in bestimmten Situationen bieten kann, wo eine sittliche Entscheidung vom Menschen gefordert wird. In ihren besten Produktionen sind die europäischen Western trotz vordergründig ausgespielter Grausamkeiten so etwas wie politische Lehrstücke. Das demonstriert Sergio Sollima mit diesem Film, den man als Prozess einer faschistischen Machtergreifung ansehen kann. Sergio Sollima, der schon mit ›Der Gehetzte der Sierra Madre‹ (FD 14820) einen sorgfältig inszenierten Western mit einem glaubhaft gezeichneten Menschenschicksal drehte, hat auch diesmal einen überdurchschnittlich guten

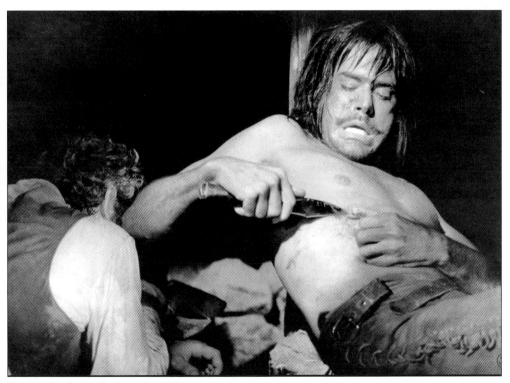

Muss sich selbst eine Kugel entfernen: Tomás Milian

Gian Maria Volonté und Tomás Milian

Film gemacht, der sich deutlich von der Fließbandproduktion des Genres abhebt.

Freilich, einige Schwächen sind nicht zu übersehen. So wirkt die aus der Aktion entwickelte Wandlung des Professors zum faschistischen Gewaltmenschen weitaus überzeugender als die Umkehr des Banditen. Allzu plakativ auch, dass die Wandlung der beiden Männer sogar in ihrer Kleidung ausgeprägt wird: zu Anfang ist der Professor weiß, der Bandit dunkel gekleidet; am Ende ist es umgekehrt. Gestelzt und leitartikelhaft sind leider eine Reihe von Dialogen, zudem noch sehr papieren und laienhaft synchronisiert. Doch sonst beweist Sollima viel Gespür für die Psychologie seiner Charaktere, und handwerklich ist sein Film solide gefertigt. Einige betont grausame Szenen müssen im Zusammenhang mit ihrer Intention gesehen und verstanden werden: Sollima zeigt, wie ein Mensch, fasziniert von der Macht, diese nun auch bedenkenlos ausübt und zum Unmenschen wird. Der Blick in unsere jüngste Geschichte und auch in die Gegenwart terroristischer Systeme veranschaulicht, wie wenig fiktiv die Story dieses Films ist und wie bewusst ihr Regisseur sie als Modell für den Missbrauch der Macht verstanden wissen will. Dazu gehört auch die glaubhaft gestaltete Mordorgie aufgepeitschter ›normaler‹ Bürger.«

Alfred Paffenholz,
Film-Dienst FD 15 649

BANDIDOS

Bandidos (Regie: Massimo Dallamano)

Italien / Spanien 1967
Erstaufführung in Italien: 15. Oktober 1967
Deutscher Start: 2. August 1968

Besetzung: *Enrico Maria Salerno (Richard Martin), Terry Jenkins (Ricky Shot), Maria Martin (Betty Starr), Venantino Venantini (Billy Kane), Marco Guglielmi (Kramer), Chris Huerta (Vigonza), Luigi Pistilli, Massimo Sarchielli, Jesus Puente, Antonio Pica, Giancarlo Bastianoni (Sam)*

Inhalt: Richard Martin (Enrico Maria Salerno) übt einen nicht gerade alltäglichen Beruf aus. Mit seinen außergewöhnlichen Schießkünsten vertreibt er seinen Zeitgenossen die Langeweile – ein Idol, dem man es gleichtun möchte. Doch Richard Martins Schießkarriere wird durch wohlgezielte Pistolenschüsse jäh beendet, als der Banditen-Boss Billy Kane (Venantino Venantini) während eines Eisenbahnüberfalls auf ihn schießt und ihm seine beiden Hände zerschmettert. Nie wieder in seinem Leben wird Martin seine Schießkünste unter Beweis stellen können!

Martin schwört blutige Rache, eines Tages wird er Billy Kane die Rechnung präsentieren. Er macht sich auf die Suche nach einem Mann, der fähig ist, sämtliche Tricks mit dem Schießeisen zu lernen, um den Schwur einzulösen. Da läuft ihm Ricky Shot (Terry Jenkins) über den Weg, der ebenfalls ein Opfer des Bahnraubes wurde. Martin hat seinen Rächer gefunden, zwischen ihm und Shot entwickelt sich eine echte Freundschaft. Schon bald hat er den Jungen in die Geheimnisse seiner Schießkünste eingeweiht. Als dann aber die Stunde der Abrechnung kommt, erlebt Martin eine bittere Enttäuschung. Anstatt Kane zu töten, hilft Shot diesem, sich aus einer Falle zu befreien,

Enrico Maria Salerno und Giancarlo Bastianoni

die ihm mexikanische Banditen gestellt haben. Doch Ricky weiß genau, warum er so handeln musste. Er wird verdächtigt, jenen Raubüberfall auf den Zug ausgeübt zu haben, der auf das Konto Kanes geht. Shot will Kane nicht eher aus dem Weg räumen, bevor er seine Unschuld bewiesen hat. Langsam durchschaut Martin seine Handlungsweise. Er weiß jetzt, dass er die Rache an Billy Kane selbst vollziehen muss. Er lauert ihm auf, in der zerschundenen Hand den Colt, den er nur unter unsagbaren Schmerzen halten kann. Aber Kane kommt ihm zuvor, er tötet den Mann, der früher einmal auch sein Lehrmeister gewesen ist. Erschüttert steht Ricky Shot vor der Leiche seines toten Freundes. Betty, eine junge Tänzerin aus dem Saloon, bekräftigt seine Vermutungen, dass Kane seinen Freund tötete, weil er der Einzige war, der ihm gefährlich werden könnte.

Ricky Shot weiß nun, dass er der Einzige ist, der sich mit Kane messen kann. Er bringt die Mit-glieder der Kane-Bande zur Strecke, bis nur noch Kane selbst am Leben ist. Ein Zweikampf, der seinesgleichen noch nicht gesehen hat, beginnt. Kane und Shot benutzen die gleichen Tricks. Jeder weiß im Voraus, was der andere im nächsten Moment tun wird. Die Chancen stehen 50 zu 50, aber der Colt sorgt für Gerechtigkeit.

Film: Der hervorragende Drehbuchautor Massimo Dallamano hat mit diesem Film seinen einzigen Italo-Western als Regisseur abgeliefert. Eigentlich schade, denn dieser Film ist wirklich rundum gelungen und lässt das gewaltige Talent dieses Filmemachers erkennen. Dallamano hat seine Lektionen unter Regisseur Sergio Leone sehr gut gelernt und verschmilzt gekonnt die klassische Atmosphäre der frühen Eastwood-Western mit der besten Western-Rolle von Enrico Maria Salerno in einer typischen Rachegeschichte um einen verkrüppelten Scharfschützen. Auch hier

Maria Martin und Enrico Maria Salerno

Enrico Maria Salerno wird bedroht

Terry Jenkins und Chris Huerta

Terry Jenkins und Venantino Venantini

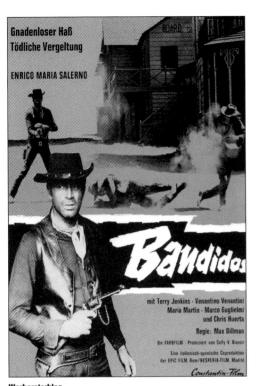

Gnadenloser Haß
Tödliche Vergeltung

ENRICO MARIA SALERNO

Bandidos

mit Terry Jenkins · Venantino Venantini
Maria Martin · Marco Guglielmi
und Chris Huerta
Regie: Max Dillman
Ein FARBFILM · Produziert von Solly V. Bianco
Eine italienisch-spanische Coproduktion
der EPIC FILM, Rom/HESPERIA-FILM, Madrid
Constantin-Film

Werberatschlag

wird wieder das typische Modell vom alten Meister, der einen jungen Zögling ausbildet, aufgegriffen. Der Schüler wird diesmal vom Amerikaner Terry Jenkins gespielt, für den dies der einzige Ausflug in den europäischen Wilden Westen sein sollte. Diesmal soll der Schüler für seinen Lehrmeister dessen Rache durchführen, da dieser von seinem ehemaligen Freund und Schüler verraten und zum Krüppel geschossen wurde. Bildlich gesprochen geht es um den Verrat des eigenen Sohnes an seinem Vater, der einen neuen Sohn adoptiert, um den Verräter zur Strecke zu bringen. Die komplexe psychologische Rolle wird sehr gut gespielt von Enrico Maria Salerno, der an verschiedene Lee-Van-Cleef-Rollen in Filmen wie »Il giorno dell'ira« (»Der Tod ritt dienstags«) und »Da uomo a uomo« (»Von Mann zu Mann«) erinnert. Eine der besten Szenen des Films ist die Eingangssequenz mit dem Zugüberfall, bei der die Kamera entlang der vielen Leichen fährt, begleitet von einer wunderschönen Ballade, die von Nico Fidenco gesungen und von Egisto Macchi komponiert wurde. Dieser Film ist ein ziemlich brutales und realistisches Werk, das den Zuschauer dank seines guten Drehbuchs und der ausgeklügelten Regie immer mitreißt und in seinen Bann zieht.

Presse: »Nachdem ihm sein einstiger Jahrmarktpartner – der inzwischen die Verbrecherlaufbahn eingeschlagen hat – im Streit die rechte Hand zerschossen hat, sinnt ein ehemaliger Kunstschütze (Enrico Maria Salerno) auf Rache. Da er den Gegner nicht mehr selbst erledigen kann, bringt er einem jungen Mann (Terry Jenkins) seine Schießkünste bei. Die Tatsache, dass der Schüler mit dem gemeinsamen Feind erst eine private Rechnung zu begleichen hat, ehe er seinen Meister rächen kann, treibt die Handlung allerdings in eine reichlich melodramatische Schlussphase. Da man in dieser Schießeisen-Ballade um Leben und Tod jedoch psychologische Aspekte – so etwa im Zusammenspiel von Coltmeister und -lehrling – nicht ganz außer Acht gelassen hat, unterhält man sich gut.«
Hermine Fürstweger,
Filmecho/Filmwoche Heft 98, 1968

OGNUNO PER SÉ

Das Gold von Sam Cooper (Regie: Giorgio Capitani)

Italien / Deutschland 1967
Erstaufführung in Italien: 9. Februar 1968
Deutscher Start: 6. August 1968

Besetzung: *Van Heflin (Sam Cooper), Gilbert Roland (Mason), Klaus Kinski (Brent der Blonde), George Hilton (Manolo Sanchez), Sarah Ross (Anna), Doro Corrà, Rick Boyd [Federico Boido], Sergio Doria, Ivan Giovanni Scratuglia, Giorgio Gruden, Harry Reichelt*

Inhalt: Sein Leben lang hat Sam Cooper (Van Heflin) damit verbracht, nach Gold zu suchen. Unzählige Male ist er von Villetown aus durch die Sierra Nevada gezogen, um endlich jenseits der Wüste, in den Bergen, den riesigen erträumten Schatz zu entdecken. Doch jedes Mal, wenn er nach Monaten der unsäglichsten Entbehrungen nach Villetown zurückkommt, ist seine Suche vergeblich gewesen. Die Menschen in dem Städtchen haben sich bereits daran gewöhnt. Diesmal aber ist ihm der Fund geglückt, der ihn für den Rest seines Lebens entschädigen soll. An einer unzugänglichen Stelle hat er die größte Goldader entdeckt, die man sich vorstellen kann. Doch als ihn sein Gefährte kurz vor dem Aufbruch nach Villetown ermorden will, bleibt Sam Cooper keine andere Wahl: Er sprengt den Eingang zu dem Stollen, den sie in den Fels vorgetrieben haben, und begräbt den anderen so unter den Felsmassen. Auf dem Heimweg nach Villetown wird Cooper von Banditen überfallen, die ihm seine Maultiere abnehmen und ihn schwer misshandeln. Aber der zähe Abenteurer rafft sich einmal mehr auf, und als er schließlich das Städtchen erreicht, hat er immer noch einen schönen Vorrat an Goldstaub gerettet.

Sam Cooper ist sich klar darüber, dass er allein seinen Schatz nicht bergen kann. Er entschließt sich nach reiflicher Überlegung, seinen Neffen Manolo (George Hilton) aus Mexiko kommen zu lassen und ihn zu seinem Vertrauten zu machen. Aber Manolo, den Cooper schon lange nicht mehr gesehen hat, entpuppt sich als ein leichtsinniger, ja hinterhältiger Bursche. Als er das Geheimnis von der Goldmine erfahren hat und sie sich bereits zum Aufbruch dorthin rüsten, stellt Manolo den Alten vor die vollendete Tatsache, dass noch ein Dritter mit ihnen kommen wird. Der Blonde (Klaus Kinski) – seinen wahren Namen verrät er niemandem – ist ein undurchsichtiger, hagerer junger Amerikaner. Sam Cooper muss ihn wohl oder übel als Begleiter akzeptieren. Doch das Risiko, mit den beiden jungen Leuten allein die Expedition zu wagen, ist ihm zu groß.

So überredet er seinen alten Freund und ewigen Widersacher Mason (Gilbert Roland), als Vierter im fragwürdigen Bund und als sein Verbündeter mitzukommen. Allerdings verlangt Mason einen hohen Preis: die Hälfte des geförderten Goldes!

Van Heflin und Sarah Ross   Gilbert Roland und Klaus Kinski

Bösewicht »par excellence«: Klaus Kinski

Aber Cooper bleibt keine Wahl. Im Morgengrauen des nächsten Tages brechen die vier Reiter auf. Viele Tage dauert der Ritt durch die Wüste und über den Strom in die Berge der Sierra Nevada. Unterwegs haben die vier den Angriff einer Bande von Desperados abzuwehren. Und jeder von ihnen erweist sich dabei als meisterlicher Schütze.

Am Ziel angekommen, beginnen sie, in harter Schichtarbeit das Gold zu fördern. Obgleich jeder auf den anderen angewiesen ist, fühlt sich keiner vor dem anderen sicher.

Nicht ohne Grund, denn schon versucht der Blonde, die Abstützbalken im Stollen zu lockern. Ehe der Streit offen ausbricht, hat Cooper jedoch bis zur Heimkehr die Waffen eingesammelt, damit sie voreinander sicher sind. Aber als sie mit unermesslichem Gewinn auf den schwerbeladenen Maultieren den Rückweg nach Villetown antreten, wird die Situation kritisch. Vor allem die beiden Jungen können ihren Hass und ihre Habgier kaum mehr zügeln. Da greifen sie Mason und Cooper an. Doch die beiden »Alten« sind auf der Hut. Der Blonde fällt, auch seinen ungetreuen Neffen muss Sam in Notwehr erschießen. So setzen Cooper und Mason ihren Weg allein fort. Das gemeinsam Erlebte hat die beiden Männer einander näher gebracht, als sie es je waren.

Schon nähern sie sich dem Städtchen, als jäh auf dem Felsrücken über ihnen zwei berüchtigte Berufskiller, die Pistoleros Schultz, auftauchen. Mason gesteht Sam, dass er sie noch vor ihrem Auszug aus Villetown gedungen hatte, um sich mit ihrer Hilfe in den Alleinbesitz der Goldbeute zu bringen. Nun aber will Mason versuchen, die beiden Mörder auszuzahlen. Er bereut seine Absicht, Sam zu betrügen, und bemüht sich mit allen Mitteln, die Killer-Brüder loszuwerden. Doch die haben die Beute gerochen und verwickeln Cooper und Mason in einen Kampf auf Leben und Tod. Vielleicht könnte Cooper dabei im letzten Moment Masons Leben doch noch retten. Aber unter dem Eindruck von Masons gemeinem Verrat lässt er es dann doch geschehen, dass sich Mason und die von ihm gedungenen Mörder gegenseitig umbringen.

Sam Cooper ist Sieger geblieben, und er ist nun ein steinreicher Mann. Aber als er sich endlich aufrafft, mit seinen schwerbeladenen Lasttieren, die das Gold kaum mehr tragen können, die letzte, kurze Strecke nach Villetown zurückzulegen, da ist er doch nicht glücklich. Was er verlor, wiegt für ihn schwerer als alle Schätze der Welt: die Freundschaft und der Glaube an die einzigen Menschen, denen er sich verbunden fühlte.

Gilbert Roland als Mason

George Hilton als Manolo Sanchez

Film: Giorgio Capitani gelang es für seinen einzigen Genrebeitrag eine großartige Besetzung mit Van Heflin, George Hilton, Klaus Kinski und Gilbert Roland zusammenzutrommeln, die diesen Film weit über den Durchschnitt hebt. Die Geschichte ist ein loses Remake des John-Huston-Klassikers »The Treasure of the Sierra Madre« (»Der Schatz der Sierra Madre«), jedoch mit typischen Italo-Western-Elementen und Feinheiten. Selten hat man in einem Italo-Western eine so differenzierte Charakterisierung der Hauptfiguren gesehen, die alle Bereiche des menschlichen Gefühlslebens durchleben.

Für die Rolle des Sam Cooper hätte sich sicher kein besserer Darsteller finden lassen als der ausgezeichnete Van Heflin, der ja schon in dem US-Westernklassiker »Shane« (»Mein großer Freund Shane«) Unglaubliches geleistet hatte. Auch seine Kodarsteller, allen voran George Hilton als verweichlichter, latenter Homosexueller sowie Klaus Kinski als dessen aggressiver Freund, sind wie immer sehr gut. Niemals wieder konnte man George Hilton in der Rolle eines solchen Schwächlings sehen.

Sehr gut gelungen ist auch die Eingangssequenz des ganz in Schwarz gekleideten blassen Klaus Kinski in einem Regensturm. Gilbert Roland spielt ebenfalls überzeugend wie fast in allen seinen Rollen. Die psychologische Entwicklung der Charaktere durch die Beeinflussung ihres möglichen Reichtums durch diese Goldader ist besonders gut gelungen. Am Ende kann man richtig das Elend von Sam Cooper mitfühlen, als er zwar als steinreicher Mann, jedoch ohne jegliche Freunde in Richtung Heimat zurückkommt. Kameramann Sergio D'Offizi ist es wiederum gelungen, aus den diversen Landschaften in Südspanien, besonders der Gegend um Cabo de Gata und Tabernas, das Beste herauszuholen. Obwohl man die Gegenden in zahlreichen Filmen sieht, gelingt es diesem Kameramann immer wieder, neue Blickwinkel und Panoramen zu entdecken. Zu der dramatischen Geschichte sehr passend ist die elegische Musik von Carlo Rustichelli, die leider noch nie auf einem Tonträger erschienen ist.

Presse: »Sein ganzes Leben hat Sam Cooper dem Gold geweiht. Endlich, am Ende aller Enttäuschungen, gelingt ihm der große Fund. Er soll ihm nicht leicht in den Schoß fallen. Zuerst ist er gezwungen, seinen Partner, der ihn ermorden will, zu töten. Da er allein das Gold nicht bergen kann, ruft er seinen Neffen aus Mexiko. Der ist ein Windhund und bringt ›einen Blonden‹ mit. Sam riecht den Verrat und überredet einen ehemaligen Kumpan, bei der Bergung mitzumachen. Der tut es gegen Halbpart, dingt aber heimlich zwei Killer, die Sam auf dem Heimweg umbringen sollen. Nach wilden Gemetzeln und tödlichen Duellen bleibt Sam allein übrig. Reich, aber unglücklich, weil er die besten Schätze der Welt verlor: den Glauben an die Freundschaft und an das Gute im Menschen.

Wenn die Italiener in solchen Western mitmischen, geht es nicht ohne harte Realistik und Brutalitäten in den Kampfszenen ab. Doch davon abgesehen, wird die Story des einsamen Goldgräbers mit epischer Breite erzählt. Van Heflin ist der einsame Alte, ›den Blonden‹ spielt Klaus Kinski in seiner gewohnten wilden Art. Wer dieses Genre liebt, kommt bei den blutigen Kämpfen Mann gegen Mann auf seine Kosten.«

Bert Markus,
Filmecho/Filmwoche Heft 95, 1968

... E PER TETTO UN CIELO DI STELE

Amigos (Regie: Giulio Petroni)

Italien 1968
Erstaufführung in Italien: 14. August 1968
Deutscher Start: 30. August 1968

Besetzung: *Giuliano Gemma (Bill), Mario Adorf (Larry), Magda Konopka (Witwe Ankam), Anthony Dawson (Samuel Pratt), Rick Boyd [Federico Boido](Roger Pratt), Julie Menard (Meerjungfrau), Franco Balducci (Brent), Sandro Dori (Mann der Meerjungfrau), Chris Huerta, Peter Branco, Alfonso De la Vega, Víctor Israel, Franco Lantieri, Piero Magalotti, Angiolino Rizzieri, Giovanni Ivan Scratuglia, Benito Stefanelli*

Inhalt: Roger Pratt (Rick Boyd) jagt mit seiner Banditenschar einem gewissen Bill (Giuliano Gemma) nach. Den Informationen zufolge, die Roger Pratt erhalten hat, soll Bill sich unter den Reisenden in einem Postwagen befinden. Der Postwagen wird überfallen, die Reisenden werden alle umgebracht – doch Bill ist nicht unter den Toten. Am folgenden Tag begegnet Bill an der Stelle, wo der Überfall stattgefunden hat, einem Vagabunden namens Larry (Mario Adorf). Die beiden finden Gefallen aneinander, doch bald müssen sie sich trennen. Erst im Ort Sandstone treffen sie wieder zusammen. Auf seinem Wege dorthin hat Larry die Bekanntschaft mit Roger Pratt gemacht und in Erfahrung gebracht, dass der Mann, um dessentwillen die Reisenden in dem Postwagen von Pratts Banditen getötet worden sind, kein anderer ist als sein neuer Freund. Larry und Bill beschließen deswegen, sich in die Einsamkeit entlegener Felder zurückzuziehen, um der drohenden Gefahr zu entgehen.

Doch sie kommen nicht zur Ruhe. Sie werden von Pratts Bande ausfindig gemacht, müssen schleunigst die Flucht ergreifen und gelangen in ein Dorf, wo sie zunächst einmal ins Gefängnis gesteckt werden. Zwar werden sie bald entlassen, doch Pratts Bande setzt ihnen weiter nach, und so suchen sie Unterschlupf in der Jahrmarktsbude einer Truppe von reisenden Schauspielern. Auch dort werden sie von Pratts Leuten aufgespürt und gefangen genommen.

Nun sollen sie aufgehängt werden, doch mittels einer List gelingt es ihnen zu entkommen. Jetzt erst entdeckt Larry, wer sein Gefährte in Wirklichkeit ist: Bill ist kein anderer als der berühmte Billy Boyle, der einstmals von den beiden Söhnen Pratts angegriffen worden war und sie in Not-

Giuliano Gemma

Magda Konopka

wehr töten musste. Die beiden gelangen nun zu einem Gebäude, das Larry stets für ein schönes Haus gehalten hatte, das aber in Wirklichkeit nichts anderes ist als eine baufällige Bruchbude. Mit großer Mühe und gutem Willen suchen sie den Platz wieder bewohnbar zu machen. Doch noch immer droht Gefahr von Pratt und seinen Banditen, die sie auch hier aufspüren und das Gebäude umzingeln. Bill und Larry sehen keinen anderen Ausweg mehr, als das Haus mitsamt der Banditenschar in die Luft zu sprengen. Wahrlich, es ist unseren beiden Helden nicht beschieden, irgendwo idyllischen Frieden zu finden, und so müssen sie ihre Irrfahrt durch den weiten Westen wieder aufnehmen.

Film: Nach dem harten »Da uomo a uomo« (»Von Mann zu Mann«) entschied sich Regisseur Giulio Petroni für eine Westernkomödie. Es gelang ihm der Glücksgriff, dem italienischen Sonnyboy Giuliano Gemma den gebürtigen Schweizer Charakterdarsteller Mario Adorf gegenüberzustellen, der hier einen ziemlich naiven und einfältigen Kleinganoven spielt. Auch dieser Film enthält

einige witzige Szenen, die dann später von Enzo Barboni in seinen »Trinity«-Filmen wieder aufgegriffen und verfeinert wurden.

Die beste und stimmungsvollste Szene des Films ist sicherlich die Anfangsszene nach dem Überfall mit der wunderschönen Musik von Ennio Morricone, als Giuliano Gemma die Leichen entdeckt und sie mit Hilfe von Mario Adorf begräbt. Der Rest des Films ist eher durchschnittlich, bietet jedoch einzelne Szenen, die sehr unterhaltsam sind. Vor allem das Zusammenspiel der beiden Hauptdarsteller bereitet Freude. In der Rolle des Schurken können wir wieder den aus Petronis letztem Film bekannten James-Bond-Bösewicht Anthony Dawson sehen.

Presse: »Dies ist wieder einer jener Italo-Western, die den amerikanischen Produktionen dieses Genres das Leben schwer machen. Hier wird gar nicht erst versucht, ein historisch-realistisches Panorama aufzubauen, möglichst mit einigen gesellschaftskritischen Aspekten. Dieser Film ist ein Beispiel mehr dafür, dass die italienischen und spanischen Produzenten und Regisseure mit

Giuliano Gemma und Mario Adorf

Giuliano Gemma

solchen Filmen nichts anderes wollen als ›Kino‹ in seiner urspünglichen Bedeutung: Spannung, Spaß und auch formal-ästhetisches Vergnügen.

Das Besondere an diesem Film ist die Kombination der beiden Hauptdarsteller Gemma und Adorf. Gemma hat bereits fast die Popularität eines Alan Ladd, Audy Murphy oder Gary Cooper erreicht.

Mario Adorf, einer der Stars des deutschen Kinos, gesellt sich ihm gleichwertig zu und steht vermutlich mit dieser seiner ersten Rolle in einem italienischen Western am Beginn einer neuen Karriere. Die Geschichte ist die zweier Gringos, die sich irgendwo in einem fiktiven Wildwest treffen, um gemeinsam weiterzuziehen. Anfänglich versucht der durchtriebene Jim (Gemma)

den tumben, aber treuherzigen Larry (Adorf) zwar verschiedentlich hinters Licht zu führen. Larries Anhänglichkeit behält jedoch schließlich die Oberhand über solche menschlichen Schwächen. Und wenn ihnen das ganz große ›Ding‹ auch nicht von der Hand gehen will, so schaffen sie es aber doch immer wieder, den Banditen eine Nase zu drehen und dem Gesetz ein Schnippchen zu schlagen. Außerdem eine neue Idee auszuhecken. Dabei verzichtet Regisseur Petroni auf die sonst üblichen Brutalitäten, karikiert gehabte Western-Klischees und zeigt mit ausgestrecktem Zeigefinger auf diverse andere Unzulänglichkeiten des Genres. Ein Film, der Spaß macht.«

Klaus U. Reinke,
Filmecho / Filmwoche Heft 73, 1968

AL DI LÀ DELLA LEGGE

Die letzte Rechnung zahlst du selbst (Regie: Giorgio C. Stegani)

Italien / Deutschland 1967
Erstaufführung in Italien: 10. April 1968
Deutscher Start: 30. August 1968

Besetzung: *Lee Van Cleef (Billy Joe Cudlip), Antonio Sabàto (Ben Novack), Gordon Mitchell (Burton), Lionel Stander (Prediger), Bud Spencer [Carlo Pedersoli] (James Cooper), Graziella Granata (Sally Davis), Herbert Fux (Eustaccio/Denholm), Günther Stoll (Bandit Nr. 1), Carlo Gaddi (Bandit Nr. 2), Romano Puppo (Bandit Nr. 3), Hans Elwenspoek (Davis), Adriana Facchetti (Hoteleigentümer), Enzo Fiermonte (Sheriff John Ferguson), Ann Smyrner (Lola/Betty), Valentina Arrigoni, Salvatore Billa, Sergio Ferrero, Mickey Knox, Nino Nini, Ferdinando Poggi, Ivan Giovanni Scratuglia*

Inhalt: Cudlip (Lee Van Cleef) ist ein Vagabund, der gemeinsam mit einem Prediger (Lionel Stander) und einem Dritten namens Al durch den Westen zieht. Dieses heimatlose Trio lebt von kleinen Überfällen, ist aber keineswegs gewalttätig. Noch nie hat einer dieser drei Strolche vom Schießeisen Gebrauch gemacht. Eines Tages kreuzt wieder eine Postkutsche ihren Weg. Sie wird ohne Gewalt kassiert. Mit der Kutsche fällt den dreien der Koffer mit den Lohngeldern der Minenarbeiter von Silver Canyon in die Hände. Cudlip verliert bei dieser Aktion sein Pferd. Auf der Suche danach begegnet ihm der junge Minen-Techniker Ben Novak (Antonio Sabàto), der die Verantwortung für den gestohlenen Geldkoffer trägt. Cudlip fühlt sofort Sympathie für den Jungen, der erst seit kurzer Zeit seinen Job im Westen ausübt. Als der nächste Geldtransport erwartet

Lee Van Cleef hält eine Ansprache im Saloon (rechts im Bild: ein bartloser Bud Spencer)

wird, entschließen sich Cudlip, der Prediger und Al zu einem neuen Anschlag. Natürlich wissen sie nicht, dass Novak sie inzwischen durchschaut hat und mit einem geschickten Trick das Geld in Sicherheit bringt. Als dann die berüchtigten Burton-Banditen auftauchen, sind die drei sogar gezwungen, die Kutsche zu verteidigen. Sie vertreiben die Banditen und als Held gefeiert, zieht Cudlip in Silver Canyon ein. Da der Sheriff bei dem Kampf verwundet wurde, bietet man Cudlip den Posten und den Stern an. Er lehnt zunächst entschieden ab, aber Ben Novak kann ihn dann doch überzeugen, dass dies die beste Gelegenheit ist, mit einem neuen Leben anzufangen. Eines Tages, als gerade die Wagen der Silbermine zum Abtransport bereitstehen, kommt die berüchtigte Burton-Bande wieder nach Silver Canyon. Sie nehmen Frauen und Kinder als Geiseln. Cudlip muss nachgeben und ihnen die Silberbarren ausliefern. Später aber schafft es der neue Sheriff, die Banditen in eine Falle zu locken und sie zu vernichten. Nun aber wollen seine beiden ehemaligen Partner, der Prediger und Al, das Silber für sich haben, jedoch Novak stellt sich entschlossen dagegen: Nur über seine Leiche können die Gangster an die Beute kommen! Und Cudlip muss sich zwischen Novak, dem er seinen Posten und seine wiedergewonnene Ehre verdankt, und seinen beiden alten Freunden entscheiden.

Film: Dies ist ohne Zweifel Giorgio C. Steganis bester Western und wesentlich unterhaltsamer als seine anderen beiden Genre-Beiträge »Adios Gringo« und »Gentleman Jo… uccidi« (»Shamango«). Lee Van Cleef gibt hier eine tolle Charakterstudie zum besten, einen Tunichtgut, der sich im Laufe des Films zum Good Guy wandelt und sich für Antonio Sabàto als eine Art Vaterfigur erweist. Auch die anderen Darsteller sind sehr gut gewählt, allen voran der Amerikaner Lionel Stander, der als »Prediger« wirkt. Später erlangte Stander als Butler Max in der TV-Serie »Hart to Hart« große Bekanntheit. Seinen eindrucksvollsten Part hatte er wohl in Sergio Leones »C'era una volta il West« (»Spiel mir das Lied vom Tod«) als Barkeeper. Ein weiterer Amerikaner, der Ex-Bodybuilder Gordon Mitchell, spielt hier wohl eine seiner besten Westernrollen, den ganz in schwarz gekleideten Superbösewicht Burton. In der kleineren Rolle des James Cooper sehen wir erstmals einen bartlosen, sehr gewöhnungsbedürftigen (weil er eine eher unsympathische

Rolle innehat) Bud Spencer. Der Film wurde zum Großteil in einer italienischen Schottergrube mit einigen kurzen Aufnahmen der südspanischen Sierra Alhamilla gedreht. Die Musik steuerte der Routinier Riz Ortolani bei, der hier einen eher gemächlichen, romantischen Stil einleitet.

Gordon Mitchell als Bösewicht Burton

Lee Van Cleef als Billy Joe Cudlip

Presse: »Eines der wesentlichen Merkmale des Italo-Western war bisher, dass er auf die ideologischen und moralischen Klischees des US-Westerns verzichtete, das reine Funktionieren der Gattung demonstrierte und allein Wert auf die spannungs-intensivierenden Effekte legte. Mit diesem Film hat sich das geändert. Hier wird vorgeführt, wie der Kopf eines harmlosen Gauner-Trios, das durch den Wilden Westen pilgert, seine verlorene Ehre zurückgewinnt, sogar Sheriff wird und schließlich nicht nur gegen die bitterbösen Kollegen zu Felde ziehen, sondern sich sogar gegen seine beiden Kumpels wenden muss, die die Wandlung zum braven Menschen nicht ganz so rasch geschafft haben wie ihr ehemaliger Boss.

Es ist also das Muster vom guten bösen Jungen der amerikanischen Western, der schließlich auf den Pfad der Tugend – den er ohnehin mehr oder weniger ohne seine Schuld verlassen hatte – mit fliegenden Fahnen zurückkehrt. Außerdem gibt es in diesem Film genau die Portion Humor, die für manchen US-Western so charakteristisch ist.

Auch eine Neuerwerbung, wenn man von den sadistischen Späßen einmal absieht. Ansonsten ist alles Nötige vorhanden, um für spannende Unterhaltung zu sorgen. Vor allem eine musterhafte Besetzung.« *Klaus U. Reinke, Filmecho/Filmwoche Heft 80, 1968*

Lionel Stander bedroht Lee Van Cleef

»Was an diesem Italo-Western vor allem auffällt, ist die relativ große Zahl von namhaften Darstellern. Da sieht man in Kurzszenen den ›wilden Reiter‹ Herbert Fux, Ann Smyrner und Günther Stoll, in einer gewichtigeren Partie wirkt Lionel Stander (›Wenn Katelbaw kommt‹, FD 14378) mit und die Hauptrollen sind mit Lee van Cleef und Antonio Sabàto besetzt. Die einzelnen Figuren werden glaubwürdig dargestellt: der ruppige Gauner mit dem Hang zu Fairness und Legalität, sein gemütlich wirkender älterer Komplize, ein netter Neger als Dritter im Bunde, ein freundlicher junger Mann, der frisch aus Europa kam, ein Kapitalist, Gangster.

Zwischen ihnen entwickelt sich eine einfache Abenteuer-Geschichte mit einer gewissen moralischen Essenz: Der junge Mann ist Ingenieur einer Silber-Mine. Man raubt ihm die Lohngelder. Der Ruppige gesellt sich ihm zu, zwischen beiden entsteht so etwas wie Freundschaft. Beim zweiten Geld-Transport überlistet der Junge den Ruppigen, der quittiert das vergnügt lächelnd.

Eine Gangster-Bande giert nach dem Silber. Der ruppige Gauner wird immer mehr in die legale Ordnung hineingezogen. Auf Vorschlag seines jungen Freundes macht man ihn zum Sheriff. Die Gangster schlagen brutal zu. Sie nehmen die Frauen als Geiseln gefangen. Die Profitgier des Minen-Besitzers kostet einem Mädchen das Leben. Erst danach setzt sich der neue Sheriff durch und die Gangster erhalten das Silber im Tausch gegen die Frauen. Doch sie können sich ihres Reichtums nicht lange erfreuen. Im Kampf kommen alle um, bis auf den jungen Mann, den Sheriff und seine beiden ehemaligen Komplizen. Als die sich des Silbers bemächtigen wollen, tut er den letzten Schritt. Er stellt sich auf die Seite des jungen Ingenieurs, der ältere Gauner und der Neger werden im Kampf erschossen. Gramzerfurcht legt der Ruppige seinen Sheriff-Stern ab.

Die Wandlung des Gauners zum Hüter der Ordnung und die Profitgier des Kapitalisten machen die moralische Essenz des Films aus. Handwerklich ist er in der Tradition der Italo-Western gefertigt, nicht so brillant wie einige jüngere Filme des Genres, jedoch immerhin erträglich.« *E. M., Film-Dienst FD 15 693*

L'UOMO, L'ORGOGLIO, LA VENDETTA

Mit Django kam der Tod (Regie: Luigi Bazzoni)

Italien / Deutschland 1967
Erstaufführung in Italien: 22. Dezember 1967
Deutscher Start: 11. Oktober 1968

Besetzung: *Franco Nero (José, in der deutschen Fassung Django), Klaus Kinski (Garcia), Tina Aumont (Carmen, in der deutschen Fassung Conchita), Karl Schönbock (Engländer), Alberto Dell'Acqua (Remendado), Guido Lollobrigida (Dancairo), Franco Ressel (Il Tenente), Marcella Valeri (Dorotea), Maria Mizar*

Inhalt: Django (Franco Nero), der einige Zeit bei der mexikanischen Armee Dienst tut, wird zu einer Art Arbeitsvermittlung abkommandiert. Dort begegnet ihm Conchita (Tina Aumont), die, wie viele andere Frauen, Arbeit sucht. Es kommt zu einem Zwischenfall, den Conchita heraufbeschwört. Django erhält den Auftrag, Conchita ins Gefängnis zu bringen. Dem Mädchen gelingt es, auf »besondere« Weise zu entkommen. Für Django nimmt der Vorfall ein böses Ende: Er wird degradiert. Er sieht Conchita wieder und verliebt sich in sie. Sie erzählt ihm freudig, dass sie in dem Haus einer netten Gräfin eine Arbeit gefunden habe. Doch Django kommt bald dahinter: Es ist ein fragwürdiges Haus. Das Schicksal will es, dass er mit ihr und einem ihrer Besucher zusammentrifft; es kommt zum Streit zwischen den beiden Männern. Überrascht erkennt Django in dem Rivalen seinen Kommandanten. Der Zweikampf nimmt ein tödliches Ende für den Widersacher. Aber auch Django wurde schwer verletzt. Conchita bringt ihn ins Gebirge zu ihren Leuten, Zigeuner wie sie, die sich mit Schmuggel und Raub zu ihrem Lebensunterhalt verhelfen. Django wird gesund gepflegt und schließt sich ihnen an, um ständig in Conchitas Nähe zu sein. Eines Tages stößt ein neuer Mann, Garcia, zu der Bande, der von allen respektvoll behandelt wird. Django erfährt, dass der Neue mit Conchita verheiratet ist. Eine verbissene Rivalität entwickelt sich zwischen den beiden Männern. Sie befehden sich, wo und wann sie nur können. Ein Überfall auf die Kutsche eines reichen Engländers wird jedoch gemeinsam durchgeführt. Ge-

Franco-Nero-Starporträt

Franco Nero in Django-Pose

gen den ausdrücklichen Befehl Djangos kommt es dabei zu einer wilden Schießerei. Im Kugelhagel bleiben einige Tote zurück. Die Spuren werden der Polizei genug Anhaltspunkte liefern. Djangos Entschluss steht nun fest: Er will mit Conchita über die Grenze fliehen, um drüben mit ihr ein neues Leben zu beginnen. Sie kennt einen bekannten Stierkämpfer, der ihnen dabei behilflich sein kann. Doch es bleibt Django nicht verborgen, dass Conchita auch mit dem Stierkämpfer ein Verhältnis hat. Sie gibt Django offen zu verstehen, dass sie ihn nicht begleiten werde, ihre Liebe gehöre einem andern. Dennoch trifft sie die letzten Vorbereitungen für seine Flucht.

Film: Die Handlung dieses Films basiert auf Mérimées »Carmen« und spielt ebenfalls in Spanien. Trotzdem hat der Film alle Elemente des Italo-Western, so dass man ihn bedenkenlos in dieses Genre einordnen kann. In der ersten Hälfte des Films kommen die spanischen Kostüme und Bauten zum Tragen, speziell die wunderschönen Kleider von Tina Aumont in der Rolle der Carmen, in der zweiten Hälfte kommt mehr Italo-Western-Flair hinzu, speziell die Landschaften, die fast ausschließlich zwischen Guadix und Tabernas gefilmt wurden. Franco Nero sieht genauso aus wie in seiner Django-Rolle, aus diesem Grunde wurde der Film auch von Anfang an als ein Italo-Western vermarktet. Viele Kritiker behaupteten damals, es würde sich um eine Transportation der »Carmen«-Geschichte in den Wilden Westen handeln. Der Film ist aber trotzdem von hervorragender Machart und man sieht die Details, die in die Dialoge, die Geschichte und die Differenzierung der Charaktere ging. Die Darsteller sind alle sehr gut gewählt, allen voran Franco Nero und Tina Aumont mit einer guten tragenden Rolle für Klaus Kinski als Tina Aumonts Ehemann. Carlo Rustichellis sehr schöne, bedrohliche Musik untermalt die tragische Handlung. Sechs Jahre später hat sich Regisseur Luigi Bazzoni nochmals in dieses Genre begeben mit dem »Butch Cassidy & Sundance Kid«-Abklatsch »Blu Gang: e vissero per sempre felici e ammazzati« (in Deutschland nicht aufgeführt), wieder mit Tina Aumont, aber diesmal mit Jack Palance als Hauptdarsteller.

Presse: »Dieses Mal kommt Django (Franco Nero) nicht als Rachegott, sondern als leidenschaftlicher Liebhaber. Dem kundigen Zuschauer wird schnell klar, dass sich die aufregende Geschichte stark an Bizets berühmte Oper, bzw. deren literarische Vorlage von Mérimée anlehnt. Da gibt es den braven Soldaten Django, der dem kaltherzigen Weibsteufel Conchita (Tina Aumont) verfällt, seinem Kommandanten ins Gehege kommt und nach einer tödlichen Auseinandersetzung zu Conchita und ihren Zigeunern flieht. Die Herzlose hat aber inzwischen ein Techtelmechtel mit einem Stierkämpfer begonnen, demütigt Django und wird zum bitteren Ende von dem Eifersüchtigen erwürgt. Neu als Figur unter den Zigeunern, die sich auf Raub und Schmuggel spezialisiert haben, ist Conchitas Ehemann, der für Spannungen im Lager der Banditen sorgt und bei den Auseinandersetzungen mit seinem Rivalen umkommt. Die mitreißend in grandioser karstiger Landschaft gefilmten Verfolgungsjagden und kühn geschnittenen und bestechend fotografierten Kampfszenen werden ein wenig durch melodramatische Passagen gemindert. Aber das tut dem fesselnden Abenteuer keinen Abbruch.« *Ernst Bohlius, Filmecho/Filmwoche Heft 88*

Franco Nero und Tina Aumont

Franco Nero in Django-Pose

IL TEMPO DEGLI AVVOLTOI

Die Zeit der Geier (Regie: Fernando Cicero)

Italien 1967
Erstaufführung in Italien: 2. August 1967
Deutscher Start: 25. Oktober 1968

Besetzung: *George Hilton (Kitosch), Frank Wolff (Manuel Tracy), Pamela Tudor (Steffy Mendoza), Eduardo Fajardo (Don Jaime Mendoza), Franco Balducci (Francisco), Femi Benussi (Rubia), John Bartha (Mijano), Cristina Josani, Maria Grazia Marescalchi, Gian Luigi Crescenzi, Ivan Giovanni Scraguglia, Gino Vagniluca, Guglielmo Spoletini*

Inhalt: »Ich kann keinen Menschen hängen sehen«, sagt der »schwarze Tracy« (Frank Wolff), bevor er Kitosh (George Hilton) vom Seil schießt und dessen Henker in die Flucht jagt. So beginnt die Bekanntschaft zweier Männer, von denen der eine ein gefürchteter Killer und der andere ein Hallodri ist, den Weibergeschichten in die Situation gebracht haben, aus der er soeben gerettet worden ist. Kitosh, Cowboy auf einer Ranch, kann keinem Weiberrock widerstehen. Gerade wurde er noch mit der Frau des Vormannes erwischt und dafür ausgepeitscht, da besitzt er die Frechheit, sich der Frau des Ranchers selbst zu nähern. Dafür brennt man ihm das Brandzeichen der Ranch in sein verlängertes Rückgrat. Als er sich dann mit einem der Ranch gehörenden Pferd davonmachen will, wird er erneut gestellt und soll wegen Pferdediebstahls aufgehängt werden. Davor bewahrt ihn der »schwarze Tracy« durch sein Eingreifen.

Der »schwarze Tracy« ist auf dem Kriegspfad. Mit 10.000 Dollar in Gold, ausgesetzt auf seinen Kopf, ist er in der Nacht vor seiner Hinrichtung (durch Erhängen) ausgebrochen und hinter dem Pärchen her, das ihn verraten und verkauft hat, einem Saloon-Mädchen namens Traps und einem gewissen Big John, einem skrupellosen Artgenossen. Traps hat er einst geliebt und vertraut, aber sie hat ihn zusammen mit Big John dem Sheriff ausgeliefert, als sie hörte, dass auf seinen Kopf ein so hoher Preis ausgesetzt ist. Und ein großes Ding, das Tracy ausgeheckt hat, wollen sie lieber ohne ihn abkassieren. Und so kreuzen sie sich und laufen ein Stück nebeneinander – der Weg eines Pechvogels, den man zum Verbrecher gestempelt hat und der eines eiskalten Killers auf dem Pfad der Rache. Und so geschieht es, dass der Pechvogel Kitosh seinem Lebensretter Tracy, dem er sich zu Dank verpflichtet fühlt, lange Zeit auf einem Weg folgt, der nicht der seine ist, bis er sich eines Tages von ihm trennt. Eines Tages treffen die beiden wieder aufeinander, diesmal auf verschiedenen Seiten des Gesetzes und diesmal ist es Kitosh, der seinen einstigen Kumpel töten muss, um sein eigenes Leben und das Leben seiner Angehörigen zu retten.

Film: Sicherlich nicht zu den besten Italo-Western gehörend, bietet dieser Film doch einige sehenswerte Momente, allen voran die beiden Darsteller Hilton und Wolff. Frank Wolff ist ausgezeichnet in einer ungewohnten, unsympathischen Rolle. Auch Eduardo Fajardo hat ein

George Hilton bedroht Pamela Tudor

George Hilton soll gehängt werden

bisschen mehr Gelegenheit, seine schauspielerischen Fähigkeiten zur Schau zu stellen und dem Charakter mehr Dimensionen zu verleihen. Der flotte Soundtrack von Piero Umiliani klingt eher wie ein Bond-Verschnitt als wie ein typischer Italo-Western-Score.

Presse: »Ein Casanova, der in Zusammenhang mit seinem Hobby schon viel Prügel bezog, begegnet einem Killer. Er schließt sich ihm an. Das junge Raubein mausert sich zum großen Westerntalent: einem perfekten Schießhelden. Die Abenteuer der beiden Kumpane sind auf europäisch-deftige Weise angelegt. Für die Westernromantik der US-Klassiker ist kein Platz in dieser auf Tempo getrimmten Episode aus jener Zeit, da Männer noch Männer sein durften. Wir armen Würstchen, wir Spätgeburten!«

Eduard Länger,
Filmecho / Filmwoche Heft 95, 1968

OGGI A ME ... DOMANI A TE

Heute ich – Morgen du (Regie: Tonino Cervi)

Italien 1967
Erstaufführung in Italien: 28. März 1968
Deutscher Start: 19. November 1968

Besetzung: *Montgomery Ford [Brett Halsey] (Bill Kiowa), Bud Spencer [Carlo Pedersoli] (O'Bannion), William Berger (Francis Colt Moran), Wayde Preston (Jeff Milton), Jeff Cameron [Giovanni Scarciofolo] (Moreno), Stanley Gordon [Franco Borelli] (Little Jack), Diana Madigan [Dana Ghia] (Maria), Doro Corrà (Armiere), Vic Gazzarra (Bunny Fox), Aldo Marianacci (Peter), Michele Borelli (Gefängnisdirektor), Franco Pechini (Sheriff), Franco Gulà (Alter Mann im Saloon), Tatsuya Nakadai (James Elfego), Nazzareno Natale, Umberto Di Grazia*

Inhalt: Bill Kiowa (Brett Halsey) wird nach fünf langen Jahren aus dem Gefängnis entlassen. Als Erstes besorgt er sich in der nächsten Stadt einen Colt (die Szene erinnert stark an eine ähnliche Szene von »Zwei glorreiche Halunken«, in der Tuco sich nach seiner Wüstendurchquerung eine Waffe besorgt), um gleich anschließend zwei übel dreinschauende Halunken, die ihm seit seiner Haftentlassung auf den Fersen sind, mit zwei gezielten Schüssen ins Jenseits zu befördern.

Bill Kiowa ist entschlossen, seine indianische Frau zu rächen, die vor seiner Verhaftung von dem üblen Killer James Elfego zuerst vergewaltigt und dann erschossen wurde, wofür Bill dann unschuldig ins Gefängnis gewandert ist. Zuerst besucht er einen alten Freund, bei dem er einige zehntausend Dollar verwahrt hat und beschließt

Bill Kiowa und seine Bande (v.l.n.r. Vic Gazzara, Wayde Preston, Brett Halsey, Bud Spencer, William Berger)

dann mit diesem Geld einige professionelle Scharfschützen anzuheuern, um Elfego zur Hölle zu schicken. Als Anreiz zur Mitarbeit möchte er jedem der ausgewählten Männer zuerst $ 5000 und nach Erledigung des Auftrags weitere $ 5000 anbieten.

Ähnlich wie Chris in den »Glorreichen Sieben«-Filmen macht er sich auf die Suche nach diesen Leuten. Zuerst stößt er auf O'Bannion (Bud Spencer), danach überredet er den Sheriff eines kleinen Kaffs, Jeff Milton, sich ihm anzuschließen, der seinen regulären 45er Colt zurückgibt und stattdessen auf seine Lieblingswaffe, eine abgesägte Winchester, zurückgreift. Als Nächstes schließt sich dem Trio Bunny Fox an, ein Weiberheld. Als Letzter wird Francis Colt Moran zur Mitarbeit gebeten. Dieser wird von Bill Kiowa zuerst für $ 100 aus dem Gefängnis entlassen, verabschiedet sich dann jedoch ohne Dank von Bill und seiner Gruppe.

Wenig später sehen wir ihn in einem Pokerspiel, das er gewinnt, indem er einen Falschspieler auf sehr originelle Weise durch einen Messerwurf entlarvt. Daraufhin bricht eine wilde Saloon-Schlägerei und Schießerei aus, die zahlreiche

Leichen fordert. Erst nach über einem Drittel der Handlung sehen wir den Bösewicht Elfego erstmalig, als dieser und seine Comancheros eine Postkutsche überfallen, sämtliche Reisebegleiter ermorden (Elfego mit Hilfe eines Schwertes) und alles Geld ergreifen. Kurz danach kommt Bill Kiowa mit seinen vier Begleitern zum Tatort und findet leider nur noch die Leichen der Opfer vor. Bill Kiowa entschließt sich, seine Gruppe aufzuteilen – er reitet mit O'Bannion nach Norden und der Rest der Gruppe nach Süden, danach wollen sich alle in dem Städtchen Madigan treffen. All dies wird von zwei von Elfegos Männern beobachtet, die sodann zum Chef reiten, um ihm zu berichten.

In einem Saloon in Madigan wird O'Bannion von Elfegos Männern provoziert und es bricht eine wilde Saloon-Schlägerei aus und Bill Kiowa sowie O'Bannion landen in der Gewalt von Elfego und seinen Männern, die sie in sein Versteck mitnehmen und dort foltern. In letzter Sekunde gelingt es Jeff Milton, Bunny Fox und Francis Colt Moran, Bill Kiowa und O'Bannion vor dem sicheren Tode zu bewahren. Wieder vereint, nehmen die fünf Rächer die Spur von Elfego und dem Rest seiner Bande auf und erledigen einen nach dem anderen auf sehr phantasievolle Weise mit Messern, Schlingen und diversen anderen tödlichen Waffen in einer äußerst stimmungsbetonten Herbstwaldlandschaft. Elfego gelingt es zwar noch, O'Bannion anzuschießen und zu fliehen, er wird dann jedoch von Bill Kiowa eingeholt und zum großen Schlussduell herausgefordert, welches auf einer eindrucksvollen Waldlichtung stattfindet. Elfego, der Bill Kiowa als Schütze früher immer überlegen war, hat nicht damit gerechnet, dass Bill während der fünf Jahre

Brett Halsey als Bill Kiowa

Bud Spencer und Brett Halsey

Heute ich - Morgen du

Vic Gazzarra und Bud Spencer

Bill Kiowa schießt scharf

im Gefängnis genügend Zeit hatte, sich mit einem aus Holz geschnitzten Revolver in der Kunst des schnellen Ziehens zu üben, und zieht den Kürzeren. Seine Rache ist nun vollendet, Bill Kiowa schließt sich seinen Kumpanen an und reitet nach Süden neuen Abenteuern entgegen.

Film: Dieser Film ist leider der einzige Western von Tonino Cervi, dem hier ein kleines Meisterwerk gelungen ist, wozu natürlich auch das hervorragende Drehbuch beiträgt, zu dem Dario Argento einen wesentlichen Teil beigesteuert hat.

Der Film ist sehr stark von den japanischen Samurai-Filmen beeinflusst und man sieht gleich, dass wohl auch John Sturges US-Westernklassiker »The Magnificent Seven« (»Die glorreichen Sieben«) für mehr als nur ein paar Ideen herhalten musste. In einem Interview verkündete Cervi einst, dass er einen Film im typischen Samurai-Stil machen wollte, was ihm schließlich ziemlich gut gelungen ist.

Und die Wahl des japanischen Darstellers Tatsuya Nakadai in der Rolle des bösen Elfego passt sehr gut ins Konzept. Auch Tonino Cervi bedient sich wie schon Sergio Leone der Rückblende, um Bill Kiowas Motivation noch mehr in den Vordergrund zu stellen, diesmal allerdings in stillen Schwarz-Weiß-Bildern.

Auf der Seite der Helden sehen wir Brett Halsey in der Django-mäßigen Rächerrolle des Bill Kiowa, Bud Spencer in seiner ersten größeren Rolle als O'Bannion, Wayde Preston als Milton sowie Italo-Western-Routinier William Berger

als Colt Moran. Auf der Seite des Bösewichts Elfego sehen wir eine Reihe von Stuntleuten wie Franco Borelli und Nino Scarciofolo, die dann später zur Stammbesetzung der Billigfilme von Demofilo Fidani gehörten. Kameramann Sergio D'Offici gelang es, diesen Film in unglaublich schönen herbstlichen Bildern in der Gegend von Manziana aufzunehmen, zu der die melancholische Musik von Angelo Francesco Lavagnino perfekt passt. Schade, dass dies Cervis einziger Beitrag zum Italo-Western darstellt, er hätte sicherlich noch einige Innovationen in das Genre eingebracht.

Presse: »Mit vier zielsicheren, gegen gute Dollar angeheuerten Revolverhelden (darunter ein Sheriff, der seinen Stern für die Zeit seines ›Nebenverdienstes‹ einem Inhaftierten an die Brust heftet) rächt Western-Held Bill den Tod seiner Frau und fünf Jahre unschuldig gebüßter Haft an einer Bande skrupelloser Galgenvögel und ihrem sadistischen Anführer, der flackernden Blicks mitleidslos mordet. Einen Spießgesellen der Comanchero-Bande nach dem anderen trifft die unbarmherzige Vergeltung. Wie in Italo-Western üblich, geht es bei diesem Strafgericht hart und brutal zu. Die imponierende bunte Landschaft bildet zu diesem blutigen Geschäft den faszinierenden Kontrast, die durch die erinnernde Schwarz-Weiß-Rückblende noch variiert wird. Gute schauspielerische Leistungen.«

Ernst Bohlius,
Filmecho/Filmwoche Heft 98, 1968

QUELLA SPORCA STORIA NEL WEST

Django – Die Totengräber warten schon (Regie: Enzo Girolami)

Italien 1967
Erstaufführung: *22. März 1968*
Deutscher Start: *26. August 1968*

Besetzung: *Andrea Giordana (Django, im Original Johnny Hamilton), Gilbert Roland (John), Horst Frank (Claude), Françoise Prévost (Gertry), Stefania Careddu (Eugenia), Gabriella Grimaldi (Emily), Enio Girolami (Ross), Pedro Sanchez [Ignazio Spalla] (Guild), Manuel Serrano (Santana), Franco Latini (der Totengräber), Giorgio Sanmartin (Polonio), Franco Leo, Fabio Patella, John Bartha.*

Inhalt: Trotz aller Lust zu wilden Abenteuern, die ihn in fremde Länder lockt, liebt Django (in der Originalfassung Johnny Hamilton) seine Heimat und seine Familie. Er ist erschüttert, als er bei seiner Heimkehr erfährt, dass sein Vater von dem Banditen Santana ermordet worden ist, und voller Argwohn, weil das Vermögen der Familie seinem Onkel Claude überschrieben wurde, der die Witwe seines Bruders – Djangos Mutter – geheiratet hat. Das heitere glückliche Zuhause von einst ist Vergangenheit. Stattdessen herrschen Machthunger und Gewalt. Claudes Zügellosigkeiten bestimmen den Ablauf des Tages. Bis Django, entsetzt über diesen Wandel und angeregt durch einen Hinweis von John, einem Freund seines Vaters, Nachforschungen anstellt, um dem unerträglichen Zustand auf den Grund zu kommen. Er verwickelt Claude in ein Verhör. Der aber erklärt ihm empört, dass Santana seinen Vater getötet und er daraufhin Santana ermordet habe, um die Ehre der Familie zu retten.

Françoise Prévost mit Andrea Giordana

Gilbert Roland und Andrea Giordana

Damit aber gibt sich Django nicht zufrieden. Als er durch Zufall entdeckt, dass Santana lebt, stürzt Claudes Lügengewebe zusammen, und Django kennt nur ein Ziel: die Wahrheit über den Tod seines Vaters zu erfahren. Auf der Suche nach dem Mörder durchkreuzt er die feigen Machenschaften seines Onkels, bis er die Gewissheit hat, dass die Wahrheit nur einen Namen trägt: Claude! Er ist ein Brudermörder, der auch Django vernichtet hätte, wenn er nicht rechtzeitig genug von seiner Mutter gewarnt und dadurch gerettet worden wäre. Djangos Abrechnung lässt nicht auf sich warten. Sein Hass ist grenzenlos und seine Rache ohne Gnade.

Film: Zusammen mit »Keoma« gehört dieser Film zu den besten Western, die Enzo Girolami in seiner Laufbahn inszeniert hat. Schenkt man dem Regisseur Glauben, dann stammte die Idee zu diesem kleinen Meisterwerk von keinem Geringeren als »Django«-Schöpfer Sergio Corbucci, natürlich auf William Shakespeares »Hamlet« basierend. Girolamis visuelle Ideen sind in diesem Film schon sehr viel weiterentwickelt worden,

vor allem die Szene, in der Andrea Giordana an ein sich drehendes Rad gefesselt ist. Horst Frank dürfte hier wohl seine beste Westernrolle zum Besten gegeben haben, auch die anderen Darsteller sind sehr gut ausgewählt, vor allem Giordana in der Hauptrolle sowie der Mexikaner Gilbert Roland, der bereits auf eine langjährige Hollywoodkarriere zurückblicken konnte und hier schon zum zweiten Mal unter diesem Regisseur agierte. Zu den weiteren Highlights des Films gehört neben der spannenden Story natürlich die

Paradebösewicht Horst Frank

Reitaufnahmen außerhalb von Guadix

wunderbare spanische Landschaft, die in diesem Film in der Umgebung von Guadix und in dem Nationalpark von Cuenca (Ciudad Encantada) eingefangen wurde. Abgerundet wurde das Ganze durch einen der besten Scores, den Francesco De Masi je geliefert hat.

Presse: »Django zeigt, wie anders Hamlet mit seinen Problemen hätte fertig werden können. Sie stehen beide in der gleichen misslichen Situation: Der Onkel hat den Vater aus Habgier ermordet, die Schuld einem anderen in die Schuhe geschoben und anschließend die üppige Witwe gefreit. Auf den Schultern des Sohnes lastet die Bürde, dem schurkischen Oheim die Maske vom Gesicht zu reißen. Django ist ein Mann der Tat. Er deklamiert mit Colt und Fäusten und beweist, wie wenig nützlich es ist, zu viel zu denken. Auf ihn warten die Totengräber umsonst, statt seiner wandert ein Gauner nach dem anderen in die kühle Grube. Die effektvolle Schlussleiche stellt selbstverständlich der Onkel. Man muss allen Verantwortlichen bescheinigen, dass sie ihr Handwerk perfekt beherrschen. Der Film versucht an keiner Stelle, vertraute Klischees oder Handlungsstrukturen zu durchbrechen. Sein Reiz besteht in der virtuosen Beherrschung erprobter Westerntopoi. Tempo, trockene Sprüche und eine blendende Farbfotographie lassen keine Langeweile aufkommen. Ein Schuss Selbstironie und die überdrehte Choreographie der Prügelszenen rücken mögliche Brutalitäten in den Bereich der Fabel.«

Karl A. Stanke,
Filmecho/Filmwoche Heft 03, 1969

»Der Hamlet-Stoff hat bei diesem Wild-Süd-Film Pate gestanden. Um des schnöden Geldes willen – hier sind es 300.000 Dollar in Goldstaub – bringt Claude seinen Bruder um und heiratet dessen ahnungslose Frau. Als offizielle Version lässt er verbreiten, der Bandit Santana habe den feigen Mord verübt und sei dafür von ihm getötet worden. Doch Django, aus dem Krieg zurückgekehrt, glaubt seinem Onkel nicht und sammelt Beweise, um sich an dem Mörder seines Vaters rächen zu können. Ein älterer Freund hilft ihm dabei. Obwohl Claude alle Mittel aufbietet, um seinen Neffen und dessen Freund unschädlich

Regisseur Girolami erklärt Gilbert Roland und seinem Bruder Enio Girolami eine Szene

Die Aufnahme mit dem Rad

Gilbert Roland mit Regisseur Girolami

zu machen, bleibt er schließlich selbst auf der Strecke und das Gold wird vom Wind verweht.«

erl., Aus EFB 1968, Seite 575:

»Django – das ist fast ein Synonym für Italo-Western. Die Rachegestalt aus der Retorte, die Sergio Corbucci in einer Reihe von Filmen über allerlei verbrecherisches Gesindel triumphieren ließ, ist inzwischen für deutsche Verleiher zu einem Markenartikel geworden. So laufen bei uns auch Filme, die mit der originalen Django-Gestalt nichts zu tun haben, unter der Spitzmarke ›Django‹. Hamlet in Wildwest, das ist, wie der vorliegende Film zeigt, die vorerst neueste Variante des Italo-Western-Schemas, wo die Rache eines Einzelgängers stets den Antrieb für die Handlung darstellt. Django kehrt nach zwei Jahren Abwesenheit nach Hause zurück, um seinen Vater zu rächen, der keines natürlichen Todes gestorben ist. Überrascht stellt er fest, dass seine Mutter seinen Onkel geheiratet hat und dass seine Braut inzwischen die Frau eines ande-

ren geworden ist. Zusammen mit einem älteren Freund verfolgt Django verschiedene Spuren und entlarvt schließlich den aalglatten Onkel (Horst Frank) als Mörder seines Vaters. Doch bis der Verbrecher ins Gras beißen muss, hat Django zahlreiche Anschläge auf sein Leben zu bestehen (u.a. wird er gekreuzigt), die er aber bravourös meistert, meist mit dem Beistand seines Freundes im Augenblick der größten Gefahr. Am Ende haben alle Bösewichter den Tod gefunden, und Django und sein Freund reiten von dannen, neuen Abenteuern entgegen. Die Idee zu diesem Western stammt von Sergio Corbucci, den Enzo G. Castellari umständlich und mit allzu krampfhaft bemühten Anleihen bei Shakespeares ›Hamlet‹ als bunte Schieß- und Schlägerballade inszeniert hat. Natürlich musste Hamlet umfunktioniert werden; im Italo-Western darf der Held kein Zauberer sein, sondern muss, einem Racheengel gleich, alles niedermähen, was sich ihm in den Weg stellt. Castellaris Inszenierung tippt das Hamlet-Thema nur an, bezieht von ihm kaum mehr als die Oberfläche und einzelne Details wie die Totengräberszene. Ansonsten wird geschossen, geschlagen und geritten wie in anderen Italo-Western und auch das Personal ist austauschbar. Von einer originellen Leistung ist dieser Western weit entfernt.«   *-lz, Filmdienst FD 15 849*

Star Andrea Giordana mit seinem Regisseur

IL MOMENTO DI UCCIDERE

Django – Ein Sarg voll Blut (Regie: Giuliano Carnimeo)

Italien / Deutschland 1967
Erstaufführung in Italien: 4. August 1968
Deutscher Start: 28. November 1968

Besetzung: *George Hilton (Django, in der Originalfassung Lord), Walter Barnes (Bull), Horst Frank (Jason), Giorgio Sammartino (Trent), Loni von Friedl (Regina), Carlo Alighiero (Forester), Rudolf Schündler (Warren), Remo De Angelis (Dago), Renato Romano, Arturo Dominici, Ugo Adinolfi*

Inhalt: Django (in der Originalfassung Lord, George Hilton) und Bull (Walter Barnes) sind zwei Wildwesthelden, die – wohin sie gerufen werden – der Gerechtigkeit zum Siege verhelfen und sich dafür gut bezahlen lassen.

Von einem befreundeten Richter werden sie nach Laredo gerufen. Bald nach ihrer Ankunft wird dieser ermordet. Die Bande, die die Stadt terrorisiert, ist auf einen Goldschatz aus, der am Ende des Bürgerkrieges versteckt wurde. Nur die

hübsche Regina (Loni von Friedl), Tochter des verstorbenen Schatzbesitzers, kennt das Versteck, aber sie, die gelähmt ist, lässt sich auch mit Gewalt von der Bande, deren Anführer ihr eigener Onkel ist, das Geheimnis nicht entlocken.

Django und Bull retten die unglückliche Erbin vor den Gewalttaten der Bande, beseitigen die Gangster, und kaum haben sie den Schauplatz des Geschehens verlassen, da befördert Regina die Goldbarren aus dem Versteck ans Tageslicht. Auf diesen Moment hat Trent (Giorgio Sammartino), der Diener, gewartet. Er versucht, die Gelähmte zu überwältigen, und im gleichen Augenblick kommt er einem viel größeren Geheimnis auf die Spur. Regina ist nämlich längst gestorben und ihre Freundin hat die ganze Zeit über deren Rolle gespielt, um sich in den Besitz des Schatzes zu bringen. Django und Bull sind clever genug, die Zusammenhänge noch rechtzeitig zu durchschauen und für einen gerechten Ausgang zu sorgen.

Film: Dies ist ein clever gemachter kleiner, mit einem Hauch Humor versehener Western-Thriller von Giuliano Carnimeo, der jedoch durch die deutsche Synchronisation vollkommen zur Komödie ausartet und daher etwas an Unterhaltungswert verliert. Die beiden Helden des Films, dargestellt von George Hilton und dem bereits aus den Winnetou-Filmen bekannten Walter Barnes, haben viel Spaß bei der Sache und schienen sich damals bei den Dreharbeiten bestens zu amüsieren. Horst Frank spielt wieder den gewohnten Bösewicht und Loni von Friedel spielt eine durchtriebene Schwindlerin, die in der Rolle einer anderen Frau zu großem Reichtum kommen möchte. Schon in diesem frühen Film von Carnimeo zeigt der Regisseur ein Gespür für komische Situationen, auch wenn der Film nicht als Komödie konzipiert ist. Die passende Musik stammt von Giovanni Fusco. Das blieb allerdings sein einziger Beitrag zu diesem Genre.

Presse: »Unrasiert geht Django (George Hilton) hier mit deutscher Beteiligung erfolgreich seinem Rächer-Handwerk nach. Aber trotz bester

George Hilton

Schießkünste ist ihm Horst Frank letzten Endes doch nicht gewachsen und findet nach atemberaubendem Schusswechsel zwischen blutigen Rinderhälften irren Blicks das verdiente Schurkenende.

Zum überraschenden Schluss entpuppt sich dann die bisher gelähmte Loni von Friedl als unternehmungslustiges Stehauf-Mädchen mit falscher Perücke. Bis dahin bleiben Tote über Tote im Pulverdampf, und wenn Django und der bullige Schlagetot (Walter Barnes) an seiner Seite endlich den Goldschatz gefunden haben, ist keiner der Schurken mehr am Leben, die ihn stehlen wollten. Die Salven peitschen ununterbrochen. Spannend, aber auch sehr hart und grausam, stilvolle Landschaftskulisse und zünftige Atmosphäre.« *Ernst Bohlius,*
Filmecho / Filmwoche Heft 100, 1968

Horst Frank als Jason

DAS FILMJAHR 1969

ITALO-WESTERN-FILMSTARTS IN DEUTSCHEN KINOS 1969

* Pochi dollari per Django (Django kennt kein Erbarmen) – Regie: León Klimovsky, Enzo Girolami –
BRD-Start: 20.1.1969

* El desperado (Escondido) – Regie: Franco Rossetti – BRD-Start: 23.1.1969

* Dio perdona ... io no! (Gott vergibt – Django nie) – Regie: Giuseppe Colizzi – BRD-Start: 30.1.1969

* Thompson 1880 (Schneller als 1000 Colts) – Regie: Guido Zurli – BRD-Start: 7.2.1969

* Il grande silenzio (Leichen pflastern seinen Weg) – Regie: Sergio Corbucci – BRD-Start: 21.2.1969

* Vado, l'ammazzo e torno (Leg' ihn um, Django) – Regie: Enzo Girolami – BRD-Start: 28.3.1969

* Non aspettare, Django, spara! (Django – dein Henker wartet) – Regie: Edoardo Mulargia – BRD-Start: 11.4.1969

* Uno di più all'inferno (Django – Melodie in Blei) – Regie: G. Fago – BRD-Start: 11.4.1969

* 15 forche per un assassino (Die schmutzigen Dreizehn) – Regie: Nunzio Malasomma – BRD-Start: 18.4.1969

* Il mercenario (Mercenario – der Gefürchtete) – Regie: S. Corbucci – BRD-Start: 22.4.1969

* Cjamango (Django – Kreuze im blutigen Sand) – Regie: Edoardo Mulargia – BRD-Start: 23.5.1969

* L'odio è il mio Dio (Il Nero – Hass war sein Gebet) – Regie: Claudio Gora – BRD-Start: 23.5.1969

* ... dai nemici mi guardo io! (Mein Leben hängt an einem Dollar) – Regie: Mario Amendola –
BRD-Start: 30.5.1969

* La morte non conta i dollari (Der Tod zählt keine Dollar) – Regie: Riccardo Freda – BRD-Start: 30.5.1969

* 7 dollari sul rosso (Django – Die Geier stehen Schlange) – Regie: Alberto Cardone – BRD-Start: 30.5.1969

* Joe, cercati un posto per morire! (Ringo, such dir einen Platz zum Sterben) – Regie: Giuliano Carnimeo –
BRD-Start: 20.6.1969

* Réquiem para el gringo (Requiem für Django) – Regie: J. L. Merino – BRD-Start: 20.6.1969

* Sentenza di morte (Django – unbarmherzig wie die Sonne) – Regie: Mario Lanfranchi – BRD-Start: 4.7.1969

* Vivo per la tua morte (Ich bin ein entflohener Kettensträfling) – Regie: Camillo Bazzoni – BRD-Start: 4.7.1969

* C'era una volta il West (Spiel mir das Lied vom Tod) – Regie: Sergio Leone – BRD-Start: 14.8.1969

* ... se incontri Sartana prega per la tua morte (Sartana – bete um deinen Tod) – Regie: Gianfranco Parolini
– BRD-Start: 22.8.1969

* Se vuoi vivere ... spara! (Andere beten – Django schießt) – Regie: Sergio Garrone – BRD-Start: 29.8.1969

* Corri uomo corri (Lauf um dein Leben) – Regie: Sergio Sollima – BRD-Start: 11.9.1969

* Buckaroo (Bucaroo – Galgenvögel zwitschern nicht) – Regie: Adelchi Bianchi – BRD-Start: 3.10.1969

* I quattro dell'Ave Maria (4 für ein Ave Maria) – Regie: Giuseppe Colizzi – BRD-Start: 3.10.1969

* I vigliacchi non pregano (Schweinehunde beten nicht) – Regie: Mario Siciliano – BRD-Start: 27.11.1969

* Black Jack (Auf die Knie, Django) – Regie: Gianfranco Baldanello – BRD-Start: 4.12.1969

* Uno dopo l'altro (Von Django – mit den besten Empfehlungen) – Regie: Nick Nostro – BRD-Start: 5.12.1969

* L'uomo venuto per uccidere (Django – unersättlich wie der Satan) – Regie: León Klimovsky –
BRD-Start: 5.12.1969

DIO PERDONA ... IO NO!

Gott vergibt – Django nie! (Regie: Giuseppe Colizzi)

Italien / Spanien 1967
Erstaufführung in Italien: 31. Oktober 1967
Deutscher Start: 30. Januar 1969

Besetzung: *Terence Hill [Mario Girotti] (Cat Stevens, in der deutschen Fassung Django), Bud Spencer [Carlo Pedersoli] (Hutch Bessy, in der deutschen Fassung Dan), Frank Wolff (Bill San Antonio), Gina Rovere (Rose), José Manuel Martín (Bud), Luis Barboo, Joaquín Blanco, Tito García, Antonietta Fiorito, Fank Braña, Francisco Sanz, Franco Gulà, José Canalejas, Bruno Arié, Remo Capitani, Antonio Decembrino, Juan Olaguivel, Giovanna Lenzi, Roberto Alessandri, Giancarlo Bastianoni, Rufino Inglés, Arturo Fuento*

Inhalt: Dieser Film schildert die Geschichte von Django (Terence Hill), der entschlossen ist, durch die Hölle zu gehen, um sich Gerechtigkeit zu verschaffen. Nichts lässt diesen Mann den makabren Scherz vergessen, den sich ein angeblicher Freund (Frank Wolff) mit ihm gemacht hat. Das Gesetz seines Handelns wird bestimmt von der Maxime »Gott vergibt ... Django nie!«, denn Django legt man nur einmal herein.

»Man darf beim Pokern nicht neugierig sein« – mit diesem Satz versucht Django sein märchenhaftes Glück beim Spiel zu erklären. Er ist kein Falschspieler, sondern ein eiskalter Rechner, aber seine Erfolge beim Spiel bringen ihn oft in Schwierigkeiten. Immer wieder muss er sich mit Fäusten oder mit seiner Pistole gegen den Vorwurf

Terence Hill

Bud Spencer

Terence Hill

verteidigen, ein Betrüger zu sein. Er hat gerade wieder eine solche Prügelei hinter sich, als Dan (Bud Spencer) auf ihn stößt. Dan ist im Auftrag einer Versicherung unterwegs, man kennt sich von früher. Ein Zug ist überfallen und beraubt worden, eine Kiste mit Gold verschwunden; Dan soll die 300.000 Dollar wieder herbeischaffen. Und Dan ist der Meinung, dass nur ein Mann den so meisterhaft ausgeführten Überfall geplant haben kann, nämlich Bill San Antonio. Aber Bill San Antonio ist doch seit zehn Monaten tot, und Django selbst hat ihn in einem aufgezwungenen Zweikampf – wieder nach einem Pokerspiel – getötet! Oder etwa nicht?! Den Leichnam hat er zwar nicht gesehen, denn die Bude, in der die Schießerei stattgefunden hat, ist hinterher abgebrannt, aber es hat doch eine Beerdigung stattgefunden! Warum aber ist Django immer wieder auf Leute des toten Bill San Antonio gestoßen und hat sich gegen sie verteidigen müssen? Django wälzt diese Fragen in seinem Kopf hin und her und findet keine Antworten. Und Django muss sich selbst eingestehen, dass er von Bill San Antonio aufs Kreuz gelegt und als Köder verwendet worden ist, denn so viel ist nunmehr sicher: Dan hat Recht – Bill San Antonio lebt!

Zwei Männer sind es nunmehr, die unterwegs sind, Bill San Antonio ausfindig zu machen und zu stellen; Django, der nur an Rache und Vergeltung denkt und glaubt ein Anrecht auf ihn zu haben, und Dan, der treue und pflichtbewusste Agent, den nichts davon abhält, seinen Auftrag auszuführen. Ihr Weg ist das hohe Lied menschlicher Bindungen, einer Freundschaft auf Gedeih und Verderben.

Film: Auch wenn man die Namen Terence Hill und Bud Spencer mit den außergewöhnlich erfolgreichen Filmen »Lo chiamavano Trinità« (»Die rechte und die linke Hand des Teufels«) und »Continuavano a chiamarlo Trinità« (»Vier Fäuste für ein Halleluja«) von Regisseur Enzo Barboni verbindet, sollte man doch nie vergessen, dass es Regisseur Giuseppe Colizzi war, der die Talente dieses Traumgespanns erstmals erkannte und sie zusammen auftreten ließ.

Ursprünglich sollte der aus Bozen stammende Italiener Peter Martell alias Pietro Martellanza die Rolle übernehmen, musste jedoch die Rolle auf Grund eines Unfalls an Terence Hill alias Mario Girotti abtreten, der sich bereits in drei Winnetou-Filmen und einigen anderen Italo-Western

Terence Hill und Bud Spencer

Terence Hill lädt nach

einen Namen machen konnte. Der ursprüngliche Filmtitel von »Dio perdona ... io no!« (»Gott vergibt – Django nie!«) lautete »Il cane, il gatto, la volpe« (»Der Hund, die Katze und der Fuchs«), wurde jedoch kurz vor Filmstart geändert. Dieses Debüt von Colizzi erzählt eine dramatische Geschichte ohne die später typischen komischen Aspekte der Terence-Hill- und Bud-Spencer-Filme aus den »Trinity«-Filmen.

Auch dieser Film enthält diverse humorvolle Momente und einige Prügelszenen, für die die beiden Darsteller später berühmt werden sollten, jedoch liegt der Schwerpunkt eindeutig auf tragischen und zahlreichen brutalen Szenen. Eine der beeindruckendsten Szenen ist am Anfang des Films, als der Zug voller Leichen in der Stadt ankommt. Aufnahmen des Zuges werden in kurzen Einstellungen mit Nahaufnahmen der massakrierten Gesichter und Körper kontrastiert. Neben dem zukünftigen Komikergespann beeindruckt auch der Amerikaner Frank Wolff als cholerischer Bösewicht. Die eher melancholische Musik des Films wurde von Carlo Rustichelli unter seinem Pseudonym Angel Oliver Piña komponiert. Der Film entstand wie seine beiden inoffiziellen Fortsetzungen an diversen Schauplätzen in Südspanien.

Presse: »Wieder sucht Django nichts als Gerechtigkeit. Wenigstens das, was er für sich selbst als Gerechtigkeit empfindet. Dabei verbündet er sich diesmal mit einem Versicherungsmann, der den Geheimnissen eines Goldraubs auf die Spur zu kommen hat. Das Besondere: der Agent sah den Gangster in einem Burschen, den Django eigenhändig nach einem Pokerspiel aus dem Verkehr gezogen zu haben glaubte. Gemeinsam jagen sie nun den vermeintlich Toten, der tatsächlich noch lebt. Und sie tragen keine Glacéhandschuhe bei dieser Pirsch. Bis zum Ende, das für Django natürlich wieder happy ist.

Regie und geschickt geführte Kamera sorgen dafür, dass auch dieser Django nichts für zartbesaitete Gemüter ist. Die Linse scheint sich an Grausamkeiten zuweilen festzuhalten, dennoch fängt sie sie nicht als abstoßend ein. Das Buch achtet umsichtig auf humorvolle Lichter nach spezifischen Brutalitäten. Obgleich die Story schon recht bald ziemlich transparent wird, hält die Spannung dennoch bis zur letzten Einstellung an. Und die Regie meistert den Eiertanz zwischen gutem Geschmack und packender Härte ebenso gekonnt wie zielbewusst.«

Herbert G. Hegedo,
Filmecho/Filmwoche Heft 14, 1968

Terence Hill lädt seinen Colt

»Schon ist man dabei, dem Italo-Western den Nekrolog zu dichten. Und dann kommt dieser ›Django‹ in unsere Kinos: ein ungeheuer vitaler, spannend inszenierter Film, der alles andere als im Sterben liegt, obwohl er mit einem Zug voller Leichen beginnt. Ein makabrer, im Effekt enormer Schocker, gesteigert noch durch harmloses Kinder-Ballspiel auf den Gleisen, über die kurz darauf der Zug der Toten rollt. Gelungener Gag aus hartem Kontrast. Und dann: die Kamera beißt sich fest an den blutverschmierten, von Kugeln zerfetzten Gesichtern der Ermordeten, Großaufnahmen liefern ein Protokoll des Grauens. Miese Spekulation mit sadistischen Instinkten. Der gelungene Gag wird brutal verspielt. Typisch für Filme dieser Machart. Eiskalter Egoismus ist die Maxime allen Handelns. In beispielloser Konsequenz beim Helden Django, in diesem Fall noch mit der Eigenschaft betitelt, nicht vergeben zu können. Er misstraut allem und jedem, auch seinem Kumpan Dan. Beide suchen einen gewis-

sen Bill St. Antonio, der nicht nur die Leichen im Zug auf seinem Gewissen, sondern auch die erbeuteten 300.000 Dollar in seinem Versteck hat. Dan ist im Auftrag einer Versicherung hinter dem Geld her. Django interessiert nicht der Dollar, sondern Bill, mit dem er eine ganz private Rechnung zu begleichen hat. Was ihm am Ende auch gelingt: er überlässt den Schurken ein paar explodierenden Fässern Dynamit. Djangos Hass ist befriedigt. Dan bekommt das Geld. Der Film hat sein Happy End.

Von den Ermordeten im Zug ist übrigens nie mehr die Rede. Was im gewöhnlichen Western den Fortgang der Handlung bestimmt hätte, die Toten zu rächen, Verfolgung der Mörder, Sieg der Gerechtigkeit, Wiederherstellung der Ordnung, spielt in ›Django‹ keine Rolle. Hier herrscht der blanke Dollar und die persönliche Genugtuung. So unterscheiden sich Italo-Western von ihren edlen Vettern aus dem Wilden Westen.«

Ludwig Metzger,
Film-Dienst FD 15 991

IL GRANDE SILENZIO

Leichen pflastern seinen Weg (Regie: Sergio Corbucci)

Italien / Frankreich 1968
Erstaufführung in Italien: 19. November 1968
Deutscher Start: 21. Februar 1969

Besetzung: *Jean-Louis Trintignant (Silenzio), Klaus Kinski (Tigrero), Frank Wolff (Sheriff Burnett), Luigi Pistilli (Pollicut), Vonetta McGee (Pauline), Bruno Corazzari (Hühnchen essender Bandit), Mario Brega, Raf Baldassarre, Marisa Merlini, Maria Mizar, Remo De Angelis, Mirella Pamphili, Marisa Sally, Spartaco Conversi, Carlo D'Angelo*

Inhalt: Nevada, Ende des vorigen Jahrhunderts. Es ist Schnee gefallen. Die Outlaws, die in den Bergen ihre Schlupfwinkel haben, müssen mildere Regionen aufsuchen. Sie werden dort schon erwartet von den Kopfgeldjägern, die oft schon für wenige Dollars töten. Der grausamste unter ihnen ist Loco. Als Silenzio in diese Gegend kommt, wird auch er überfallen, tötet jedoch mit unfehlbarer Treffsicherheit vier seiner Angreifer und schießt dem fünften den Daumen ab. Hinzukommende Banditen bezahlen Silenzio für diese Tat. Einer der Banditen, Miguel, beschließt, sich dem Gesetz zu stellen. Zu Hause angekommen, wird er von den Kopfgeldjägern Loco und Charlie getötet. Miguels Mutter fleht Silenzio an, den Tod ihres Sohnes zu rächen. Inzwischen hat der Gouverneur Gedeon Burhett zum Sheriff von Snowhill ernannt, damit man den Morden endlich Einhalt gebieten könne. Loco kommt auch nach Snowhill und tötet den Mann von Pauline. Pollicut, selbst ehemaliger Kopfjäger, beherrscht die Stadt; er ist nicht nur Inhaber des einzigen Kaufhauses und der Bank, er ist auch der Richter. Er hat ein Auge auf Pauline geworfen – und der Tod ihres Mannes kommt ihm sehr gelegen.

Pauline hat Silenzio eine Nachricht übersandt und bittet ihn, Loco für 1000 Dollar zu töten. Auf die Frage, warum er nicht antworte, zeigt er ihr eine riesige Narbe über seiner Kehle – sie wurde ihm durchgeschnitten, als sein Vater von Kopfgeldjägern getötet und seine Mutter vergewaltigt wurde. Pauline versucht ihr Haus für 1000 Dollar an Pollicut zu verkaufen, doch diesem liegt nichts an dem Haus, er will Pauline. Sie erklärt daraufhin Silenzio, dass sie ihn auf andere Weise bezahlen will, wenn er zustimmt. Silenzio versucht Loco im Saloon in eine Schießerei zu verwickeln, doch dieser kennt Silenzios Schnelligkeit und Treffsicherheit und lässt sich nur auf einen Faustkampf ein. Als Loco doch zur Pistole greift, kommt der Sheriff Silenzio zu Hilfe – gemeinsam erschießen sie vier Kopfgeldjäger und Loco wird verhaftet.

Silenzio hat eine gefährliche Wunde erhalten. Pauline nimmt ihn zu sich nach Hause, um ihn zu pflegen. Es ist ihm klar, dass sie ihn liebt. Der Sheriff will Loco in ein ausbruchsicheres Gefängnis bringen. Unterwegs, in der Nähe eines

Jean-Louis Trintignant als Silenzio

Elios-Studios mit Schnee

zugefrorenen Sees, lockt ihn Loco jedoch in eine Falle. Es gelingt Loco, sich zu befreien und den Sheriff zu töten. Unterdessen hat Pollicut die Abwesenheit des Sheriffs genutzt, um in Paulines Haus einzudringen. Er trifft Silenzio, der ihn im Verlauf eines dramatischen Kampfes tötet. Pauline versteckt den schwer verwundeten Silenzio auf dem Dachboden.

Loco hat inzwischen mit einer Gruppe von Kopfgeldjägern zahlreiche Banditen gefangen. Er will sich mit Silenzio, von dem er weiß, dass er kampfunfähig ist, duellieren. Wenn Silenzio hierzu bereit wäre, wolle er die Banditen am Leben lassen. Silenzio willigt in den Kampf ein, trotz seiner schweren Verletzungen, um das Leben der Banditen zu retten und opfert sich selber in einem sinnlosen Kampf, der nicht zu gewinnen ist. Silenzio verendet mit durchschossenen Händen unter den Kugeln Locos, der dann auch noch Pauline tötet.

Silenzio mit vernarbtem Hals

Film: Mit diesem Film gelang es Sergio Corbucci, ein weiteres Meisterwerk des Italo-Westerns zu inszenieren und seinen Ruf als einer der besten Regisseure dieses Genres zu festigen. Dies ist ohne Zweifel einer der besten Italo-Western aller Zeiten und steht Leones Filmen in nichts nach. Angefangen von der bitterbösen Handlung über den mehr als ungewöhnlichen Drehort (Cortina D'Ampezzo) des Geschehens bis hin zur unglaublich schwermütigen Musik von Ennio Morricone bricht dieser Western mit allen bisherigen Konventionen. Als die Franzosen Sergio Corbucci fragten, ob er mit Jean Louis Trintignant in der Hauptrolle einen Western mit ihnen produzieren möchte und er herausfand, dass dieser nicht englisch sprach (damals wurden auf Grund des internationalen Vertriebes alle Italo-Western in Englisch gefilmt und die Hauptdarsteller mussten daher der englischen Sprache mächtig sein), kam ihm die Idee, von der ihm Marcello Mastroianni einmal erzählte. Mastroianni, der selbst ein großer Western-Fan war, fragte Sergio Corbucci einst, ob er ihn nicht als einen stummen Helden in einem Western besetzen würde, da er kein Englisch sprach. Aus dieser Idee schuf Corbucci den Charakter des »großen Schweigers«, der von Jean Louis Trintignant als einzelgängerischer, melancholischer Rächer perfekt verkörpert wurde, der mit seiner Mauser-Pistole immer als Zweiter zieht, aber als Erster schießt. Als seinen üblen Gegenspieler sehen wir Klaus Kinski in einer seiner besten Rollen in der Verkörperung des puren Bösen, der auch nicht davor zurückschreckt, wehrlose Frauen zu ermorden. Der Film wechselt zwischen wunderschönen poetischen Aufnahmen (die verbotene Liebesbeziehung zwischen Silenzio und Pauline; Reitaufnahmen in der weiten Schneelandschaft) auf der einen und extrem brutalen Szenen (z.B. die Rückblende mit der Ermordung seiner Eltern und anschließender Zerstörung seiner Stimmbänder und dem Schlussmassaker, bei dem nur die Bösen überleben) auf der anderen Seite. Das kontroverse Ende wurde von den Produzenten des Films anfangs nicht akzeptiert und Sergio Corbucci wurde nahe gelegt, eine alternative Version mit einem positiveren Ausgang zu filmen, was er dann auf Grund verstärkten Drucks auch tat. Was die Produzenten nicht wussten, ist, dass Corbucci unter Absprache mit Trintignant und den anderen Darstellern dieses alternative Ende beinahe wie eine Komödie und ohne Zusatzmaterial filmte, so dass es den Produzenten danach unmöglich war, diese Aufnahmen in den fertigen Film zu integrieren. Über dreißig Jahre später wurde es den Fans dieses Films schließlich möglich, diese bisher verschollenen Aufnahmen dank der neuen Heimvideotechnologie DVD zu sehen.

Presse: »Nevada gegen Ende des vorigen Jahrhunderts. Der Beruf der Kopfgeldjäger floriert. Die Zahl der Bürger, die sich aus Not gegen das Gesetz vergehen, wächst. Für ihre Ergreifung werden hohe Belohnungen ausgeschrieben, egal, ob sie lebend oder tot ›unschädlich‹ gemacht werden. Ein Freibrief für Gewissenlose jeden Kalibers, sich ›legal‹ hohe Einnahmen zu verschaffen.

Besonders einer von ihnen, ein eiskalter Bandit, knallt die Gesuchten wie Hasen ab und kassiert die auf sie ausgesetzten Dollars. Sein Handeln hetzt einen Stummen auf seine Spur, dem von Kopfgeldjägern, die seinen Vater erschossen und seine Mutter vergewaltigten, als Junge die Kehle durchgeschnitten worden war, damit er nie über das Verbrechen sprechen könne. Es gibt weit und breit keinen besseren Schützen als diesen Stummen. Und doch triumphiert auch über ihn schließlich die ›Legalität‹ der Skrupellosen.

Moralisches Anliegen dieser Geschichte des Grauens – falls man die diesbezüglichen Andeutungen überhaupt zu einem ›Anliegen‹ hochspielen kann: gebt dem Menschen Arbeit und Brot, und ihr erspart dem Strafrichter Arbeit. Mehr als um diese Gesellschaftskritik geht es dem ›Django‹-Erfinder Sergio Corbucci selbstverständlich um die Story. Und man hat ihm zu testieren, dass er mit seinem Material bravourös umzugehen versteht. Die Spannung wird sehr schnell zum Siedepunkt gebracht, und vermeint man, sie könnte nicht länger kochend gehalten werden, so zeigt Corbucci geschwind, wie sehr man sich geirrt hat. Bis zum letzten Schuss reißt diese Mordkette mit, unerbittlich hart und doch nicht abstoßend.

Liebe und Erotik geben ein paar pikante Gewürze hinzu, ohne den Grundgeschmack der Suppe zu verändern. Klaus Kinski in der Rolle des geldgierigen Kopfjägers und Jean Louis Trintignant als der Stumme sind überzeugende Zentralfiguren des Geschehens. Was Buch, Regie und geschickt placierte, das Verständnis für das Verhalten der Hauptakteure motivierende Rückblenden weitgehend ausschalten, holt die Musik zuweilen nach: Sentimentalität. Aber auch das gehört ja zu den beliebten Rezepten aus der Corbucci-Küche.«
Herbert G. Hegedo,
Filmecho/Filmwoche Heft 19, 1968

»*Die Entmythologisierung der Gattung auf die Spitze getrieben? Ein radikaler, politisch aggressiver Film, der modellhafte Verhaltensweisen einer faschistischen Gesellschaft zeigt? Das erste authentische chef-d'œvre einer schwarzen Serie der siebziger Jahre?* Zugegeben: Was immer an einem amerikanischen Western je betörte und entzückte, in diesem Film wird das Gegenteil gezeigt und getan. Statt nobler Gelassenheit barbarische Hektik. Statt der Weite der Prärie die Enge von Talschluchten. Statt Staub und Licht ewiger Schnee und Finsternis oder grelles Glei-

Silenzio und Pauline (Vonetta McGee)

243

ßen. Statt guter Nerven und sicherer Kombinationskraft rohe Skrupellosigkeit. Statt spröder Haut, von Sehnen gestrafft: weißes, gedunsenes Fleisch. Statt eines Schweigens, das von Reife und Beherrschung zeugt: entweder Bramabarsieren oder klinische Stummheit. Statt der Kamera in Augenhöhe wichtigtuerisches Gefummel mit der Gummilinse, immer aus der Totale bis ran an die Akteure auf Haut-, Stoppel- und Pickelnähe.

Der Häufung der Scheußlichkeiten sei schärfste Kritik: *die Brutalitäten fallen auf die Gesellschaft zurück, die sie hervorgebracht hat.* Nach dieser Logik hätten die KZ den Nazismus in Frage gestellt. Einen Rezensenten ließ ›nicht nur die Landschaft‹ an Spanien denken (vermutlich auch der viele Schnee), ein anderer fühlte sich an Vietnam erinnert, mir fiel einmal Russland ein. Die Unverbindlichkeit der Assoziationen entlarvt den Film wohl eher, als dass sie ihm selbst die Kraft der Entlarvung verliehe. Der ›ungemein blonde Haarschopf‹ des Killers sollte gewiss als Indiz gelesen werden, ebenso, dass er den Tintenstift anleckt und seine Opfer in seinem Büchlein aus-

streicht. Solche Assoziationsmechanismen *(blond – also)* haben aber das Niveau dessen, was sie bezeichnen sollen. Einem fielen (in *Film*) angesichts des *abgründig schwarzen Humors* dieses Films *ein paar mexikanische Sachen* von Buñuel ein, ein Film mit dem apokryphen Titel *Susana la perversa* und *die gewalttätige Version* von *Wuthering Heights*. Ausgerechnet Buñuel, dessen ›Ich hasse die schwarzen Filme!‹ hier volle Rechtfertigung findet.«
Enno Patalas,
Filmkritik 05/1969

»Wer glaubte, der Italo-Western liege bereits in Agonie, niedergestreckt von der eigenen Brutalität, muss sein vorschnelles Urteil revidieren. Sergio Corbucci, der vor Jahren die Figur des Racheengels Django erfand und in dessen Gefolge ein Rudel blutrünstiger Epigonen auf den Plan rief, hat im souveränen Stil des Meisters wieder zugeschlagen und den Italo-Western um einen neuen Akzent bereichert, wahrscheinlich sogar den nicht mehr zu übertreffenden Höhepunkt dieses neuen Genres (mit dem traditio-

Luigi Pistilli und Vonetta McGee

Meisterschütze mit Mauser: Silenzio

Klaus Kinski als Kopfgeldjäger Loco

nellen US-Western hat der Italo-Western ja kaum etwas gemein) markiert. Corbuccis jüngster Film ist anders als alle anderen Western, anders als die bisherigen italienischen Produktionen. Er ist noch brutaler, noch bestialischer, noch zynischer, aber er ist auch politisch, er ist sozialkritisch, er reflektiert die Situation des italienischen Südens und darüber hinaus die der sozial Deklassierten und gewissenlos Ausgebeuteten in aller Welt. Und Corbuccis Film ist in der logischen Konsequenz, mit der hier eine blutrünstige Kopfgeldjäger-Story inszeniert wurde, im Endeffekt auch ein Film gegen ein sich an Grausamkeiten erfreuendes Publikum, das nach bewährtem Kinoschema daran gewöhnt ist, am Ende blutiger Auseinandersetzungen einen ›positiven‹ Helden zu feiern. Ich könnte mir vorstellen, dass Kinobesucher auf diesen bösen Film ›sauer‹ reagieren; bei Corbucci siegt nicht nur nicht das ›Gute‹ über das ›Böse‹, vielmehr ist das ›Gute‹ überhaupt abwesend. Corbucci führt die Bestie Mensch vor, deren Verhaltensweisen von schnöder Geldgier und unerbittlicher Rache bestimmt werden.

Zwei professionelle Killer treffen aufeinander: Der Kopfgeldjäger Loco (Klaus Kinski, so gut war er noch nie!) und der Kopfgeldjäger Silenzio (= ›Schweigen‹, Jean-Louis Trintignant, hervorragend in der stummen Rolle). Loco und seine Spießgesellen sind die Parasiten einer besitzbürgerlichen Kleinstadtgesellschaft, die eine sozial niedriger gestellte Gruppe von Menschen systematisch ausgebeutet und schließlich in die Berge vertrieben hat. Dort hausen nun diese Parias, die unter dem Druck der sozialen Verhältnisse ein-fach um zu überleben die bestehenden Gesetze übertreten und sich zum Leben nehmen, was sie brauchen. Damit aber stempelt sie eine zynische Gesellschaft zu Verbrechern, zu Vogelfreien, und setzt auf ihre Köpfe sogar Prämien aus. Loco und Konsorten nutzen die Gelegenheit, sich rasch zu bereichern, mit jenem Maß an Brutalität und Menschenverachtung, das einen schaudern lässt. Die fiktive Maschinerie des Mordens, die Corbucci hier distanzlos, aber dramaturgisch begründet in Gang setzt, assoziiert beim Betrachter unwillkürlich Bilder authentischer Massaker: solche von Auschwitz, Treblinka, Vietnam, Sudan, Biafra. Auch die feige, opportunistische Masse kommt ins Bild, die mit Ordnung und Sauberkeit auf den Lippen mit den Mördern sympathisiert. Nur einer stellt sich dem Terror entgegen: der mit einer Schnellfeuerpistole ausgestattete Revolvermann Silenzio (als Kind verlor er bei einem Massaker durch einen bestialischen Messerstich die Sprache).

Er reitet, einem schwarzen Racheengel gleich, durch die verschneite Winterlandschaft und dezimiert die Kopfgeldjäger – ein Rächer der Entrechteten, der Ausgebeuteten, der Armen. Aber auch er kann die Eskalation der Gewalt nicht aufhalten. Aus dem Hinterhalt wird er brutal zusammengeschossen. Mit einem letzten, infernalischen Massaker Locos und seiner Leute an den unschuldig Ausgestoßenen entlässt Sergio Corbucci die Zuschauer aus seinem Film, der die nackte Gewalt nicht selbstzweckhaft vorführt, sondern denunziert.«   *Alfred Paffenholz, Film-Dienst FD 16 008*

VADO, L'AMMAZZO E TORNO

Leg' ihn um, Django (Regie: Enzo Girolami)

Italien 1967
Erstaufführung in Italien: 26. September 1967
Deutscher Start: 28. März 1969

Besetzung: *George Hilton (Der Fremde, in der deutschen Fassung Django), Edd Byrnes (Clayton), Gilbert Roland (Monetero), Stefania Careddu (Marisol), Ivano Staccioli (Captain), Gérard Herter (Backman), Pedro Sanchez [Ignazio Spalla] (Pajondo), Riccardo Pizzuti (Paco), Marco Mariani (Sergeant), José Torres, Adriana Giuffrè, Valentino Macchi, Rodolfo Valadier*

Inhalt: Der kleine Ort liegt wie ausgestorben da. Nur hie und da lugt ein ängstliches Gesicht hin-

ter einer Fensterscheibe hervor und verschwindet rasch wieder. Drei finstere Gestalten, die aussehen wie »der Fremde ohne Namen«, »Colonel Mortimer« und »Django« reiten durch die öde Dorfstraße. Ein Leichenwagen biegt, mit drei Särgen darauf, um die Ecke. Ein offenbar einsam Hinterbliebener folgt gesenkten Hauptes dem Gefährt.

»Halt!«, ruft einer der Reiter. »Wen hat's erwischt? Und wie hat sie's erwischt? Mach dein Maul auf! Wird's bald? Die Namen, Alter!«, herrscht er den Kutscher an. Doch an seiner Stelle antwortet bescheiden der »Hinterbliebene«: »Paco Diaz ... Jose Huerta ... Jesus Sanchez« – es sind die Namen der drei berittenen Strolche. Und ehe sie sich von der Überraschung erholt haben,

George Hilton als Kopfgeldjäger

peitschen drei Schüsse, drei Reiter sinken von ihren Pferden. Kopfgeldjäger Django (George Hilton) addiert seelenruhig: »100 Dollar für Paco Diaz, 150 für Jose Huerta und 300 für Jesus Sanchez. Jetzt fehlt mir nur noch einer auf der Liste, um die Summe abzurunden: Monetero.«

Doch Monetero (Gilbert Roland) ist von anderem Kaliber als die drei simplen Strauchdiebe, die Django ins Jenseits beförderte. Freilich ergibt sich überraschend schnell die Möglichkeit für Django, Monetero aus dem Hinterhalt abzuknallen, als dieser nach gelungenem Eisenbahnüberfall (Beute: 300.000 Dollar) mit seiner rothaarigen Freundin Marisol und seiner Bande das Weite sucht. Django lässt den Colt sinken, denn er ist schließlich kein beamteter Vertreter der Gerechtigkeit, sondern ein nüchtern kalkulierender Kopfgeldjäger, der seinen »Job« so lukrativ wie möglich gestalten will. Moneteros »Kopfprämie« wird nach diesem gelungenen Raubüberfall steigen. Während sich Django also klug im Hintergrund hält, gerät Monetero, weil er sich

bei der Liquidierung eines Bandenmitglieds, das ihn um die Beute betrügen wollte, zu viel Zeit lässt, in Gefangenschaft. Er wird ins nächste Fort gebracht und soll dort füsiliert werden, da er dem Captain nicht verraten will, wo die 300.000 Dollar geblieben sind.

Der Bankbeamte Clayton (Edd Byrnes), der den Geldtransport begleitete, ist nicht dafür, Monetero umzulegen, denn er sagt sich mit Recht, dass man ohne Monetero nie an das geraubte Geld herankommen werde. Ähnlich denkt auch Django. Er rettet Monetero, ohne dass der Captain das Betrugsmanöver durchschaut. Django ist nämlich auf die einleuchtende Idee gekommen, wie viel lohnender es für ihn wäre, mit Monetero halbe-halbe zu machen, als ihn einfach umzulegen. Leider erweist sich Monetero bald darauf – im Feuerschutz seiner Kumpane – nicht als fairer Partner. Das ist natürlich eine Enttäuschung für Django. Es soll nicht seine letzte bleiben. Es stellt sich nämlich heraus, dass Räuber Monetero und Kopfgeldjäger Django noch mit

Gilbert Roland als Banditenboss Montero

einem dritten Partner zu rechnen haben. Es ist das »Greenhorn« aus dem Norden, der Bankbeamte Clayton, der zwar so aussieht, als ob er kein Wässerchen trüben könnte, es aber faustdick hinter den Ohren hat.

Nach einer handfesten Prügelei verbündet sich Clayton mit Django. Die Allianz ist freilich nicht von Dauer. Nicht nur, weil Monetero wieder gut ins Spiel kommt, sondern auch weil der Versicherungsvertreter Backman Django reichlichen Lohn verspricht, wenn er ihm den Geldschatz in die Hände spielt. Es kommt zur letzten Entscheidung zwischen den drei fragwürdigen Ehrenmännern Django, Clayton und Monetero.

Edd Byrnes als Bankbeamter Clayton

Film: Im selben Jahr wie »7 Winchester per un massacro« (»Die Satansbrut des Colonel Blake«) drehte Enzo Girolami auch noch den Western »Vado, l'ammazzo e torno« (»Leg' ihn um, Django«), wieder mit dem Amerikaner Edd Byrnes sowie dem Mexikaner Gilbert Roland, der kurz zuvor schon in dem außergewöhnlichen Giorgio-Capitani-Western »Ognuno per sé« (»Das Gold von Sam Cooper«) zu sehen war und dem gebürtigen Südamerikaner George Hilton, der hier nun endgültig als neuer Stern am Himmel des Italo-Western etabliert wurde.

Dieser Film wurde von Girolami mit ziemlich vielen komödiantischen Einlagen angereichert, der ihn beinahe als Vorläufer der späteren »Trinity«-Filme durchgehen lässt. Besonders die von einem sehr guten Francesco-De-Masi-Thema untermalte Eingangssequenz, in der man drei in die Stadt reitende Banditen sieht, die aussehen wie der »Fremde ohne Namen« und »Colonel Mortimer« aus der »Dollar«-Trilogie sowie »Django« und kurz danach von George Hilton erschossen werden, wird dem Zuschauer im Gedächtnis bleiben. Der Film enthält zahlreiche sehr gemachte Actionsequenzen, jedoch auch eine längere Schlägerei, auf die man ohne Probleme hätte verzichten können. Den Titel entnahm Enzo Girolami übrigens einem Spruch von Tuco (Eli Wal-

lach) aus »Il buono, il brutto, il cattivo« (»Zwei glorreiche Halunken«), der zum Blonden in etwa sagt: »Ich gehe, töte sie und komme zurück«, was Leone nicht recht war, da er diesen Titel für einen seiner nächsten Filme verwenden wollte. Alles in allem ein äußerst unterhaltsamer Durchschnittswestern des späteren »Keoma«-Regisseurs.

Presse: »Es geht um einen 300.000-Dollar-Goldschatz, hinter dem neben Django noch zwei andere finstere Gestalten her sind: Ein Nachwuchs-Halunke mit einer speziellen Ader für Zirkusakrobatik und ein leicht verkalkter Killer-Opa, dessen Einfältigkeit seinesgleichen sucht. Diese drei Abziehbilder der klassischen italienischen Western-Helden bringen sich nun vor Goldgier keineswegs gegenseitig um. Im Gegenteil. Man versucht sich zwar nach allen Regeln der Kunst übers Ohr zu hauen, doch wenn es gilt, ist Teamwork oberstes Gebot. – Parodistische Akzente überwiegen in diesem Film, wenngleich immer wieder Konzessionen an das Klischee gemacht werden. Stilbrüche sind die Folge. Nichtsdestoweniger amüsiert sich das Publikum prächtig, was hauptsächlich auf das Konto von Edd Byrnes – bekannt als Kookie aus der Fernsehserie ›77 Sunset Strip‹ – und Gilbert Roland geht.« *Bernd Deck, Filmecho/Filmwoche Heft 29–30, 1968*

IL MERCENARIO

Mercenario – Der Gefürchtete (Regie: Sergio Corbucci)

Italien / Spanien 1968
Erstaufführung in Italien: *20. Dezember 1968*
Deutscher Start: *22. April 1969*

Ángel Ortiz (3. Mexikaner), Milo Quesada (Marco), Ángel Álvarez (Notar), Lorenzo Robledo, Enrique Navarro, Ugo Adinolfi, A. Jiménez Castellanos, Julio Peña

Besetzung: *Franco Nero (Sergej Kowalski, der Pole), Tony Musante (Paco Roman), Jack Palance (Ricciolo, auch »Curly« genannt), Franco Giacobini (Pepote), Giovanna Ralli (Columba), Eduardo Fajardo (Alfonso Garcia), Álvaro de Luna (Ramón), Remo De Angelis (Hudo), Raf Baldassarre (Mateo), José Riesgo (2. Mexikaner), Vicente Roca (Elias Garcia), José Canalejas (Pablo), Franco Ressel (Studs), José Canalejas (Pablo, 1. Mexikaner), Guillermo Méndez (Captain), Simón Arriaga (Simón), José I. Zaldua (Pensionsbesitzer), Francisco Nieto (Antonio), Tito García (Vigilante), José María Aguinaco (Ramirez), Juan Cazalilla (Mayor), José Antonio López (Juan),*

Franco Nero als Kowalski, der Pole

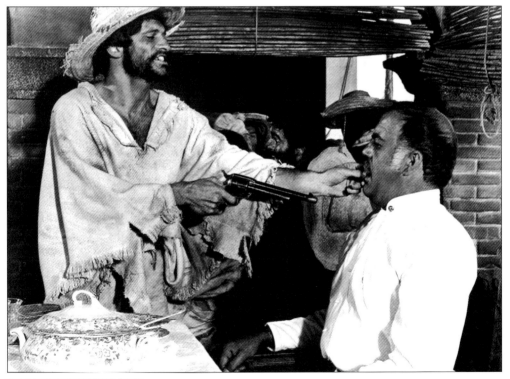

Tony Musante bedroht Eduardo Fajardo

Inhalt: Paco Roman (Tony Musante), ein junger Bergarbeiter im texanisch-mexikanischen Grenzgebiet, hat revolutionäre Ideen. Und das nicht ohne Grund. Sein Vater und seine Brüder sind bereits an der menschenunwürdigen Behandlung zugrunde gegangen, die der Bergwerksbesitzer Alfonso Garcia (Eduardo Fajardo) ihnen und den übrigen Arbeitern seiner Silbermine zuteil werden ließ, und auch Paco sieht für sich das gleiche bittere Schicksal vor sich. Garcia ist ein Menschenschinder, ein harter Mann von sadistischer Grausamkeit, der seine Leute auspresst und wie die Tiere behandelt. Aber er fühlt, dass der passive Widerstand und Hass gegen ihn und die übrigen Ausbeuter des Landes ständig wachsen und der Geruch einer schwelenden Revolution schon in der Luft liegt.

Um bei etwa ausbrechenden Unruhen keine materiellen Verluste zu erleiden, hat Garcia seinen Bruder Elias (Vicente Roca) nach Texas geschickt, um den gefürchteten Revolverschützen Sergei Kowalski (Franco Nero) anzuwerben. Sergei soll seine Silbervorräte über die Grenze in den amerikanischen Bundesstaat Texas und damit in Sicherheit bringen. Sergei, ein Söldner polnischer Abstammung, weiß, was er wert ist, und stellt gegenüber Elias harte Bedingungen; aber er wird mit ihm schließlich handelseinig. Die beiden Männer werden bei ihrem Gespräch von Ricciolo (Jack Palance), einem anderen schießwütigen Abenteurer, beobachtet, und als Elias mit seinen beiden Gefährten nach Mexiko zurückkehrt, sieht er sich von Ricciolo in einen Hinterhalt gelockt und wird überfallen. Als der Versuch des brutalen Revolverhelden scheitert, Elias Garcia über die Pläne seines Bruders auszufragen, ermordet er ihn und seine Begleiter.

Auf dem Wege zu Garcias Silbermine kauft Sergei in einer kleinen Stadt von Pepote (Franco Giacobini) ein Maschinengewehr. An einem

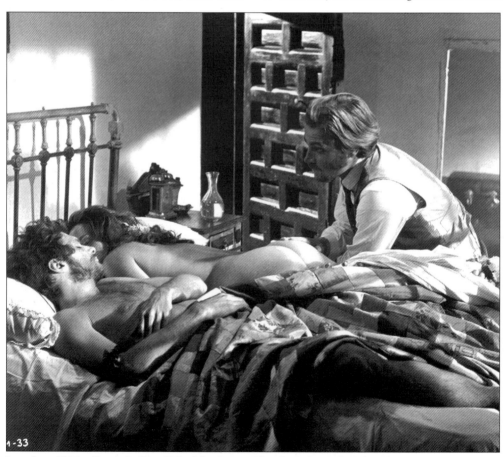

Franco Nero erklärt Tony Musante den Unterschied zwischen Bauern und herrschender Rasse anhand eines schönen Beispiels

Ziele angelangt, findet er Garcias Mitarbeiter erhängt und den Minenbesitzer von Paco und seinen Freunden vertrieben. Die jungen Revolutionäre sehen sich allerdings um ihre Beute gebracht, da Garcia das Silber noch rechtzeitig in einen Stollen bringen und seinen Zugang durch eine Sprengung zerstören ließ.

Paco will Sergei gefangen nehmen, aber der junge Feuerkopf ist für den kaltblütigen Revolverschützen kein ernst zu nehmender Gegner. Da trifft bei den Mexikanern die alarmierende Nachricht ein, dass Garcia mit einer Abteilung Soldaten im Anmarsch ist. Eine Panik bricht aus, und Paco bittet Sergei spontan um Hilfe. Doch dieser ist dazu erst dann bereit, nachdem Paco ihn für seine Unterstützung bezahlt hat. Gemeinsam ziehen sie Garcia entgegen, und mit Hilfe von Sergeis Maschinengewehr und Dynamit schlagen die Revolutionäre Garcia und seine Soldaten in die Flucht. Sergei betrachtet seine Aufgabe damit als erfüllt und will Paco verlassen. Aber schon wenig später sieht er sich in einer Schlucht von Ricciolo überfallen und hat seine Rettung allein Paco und dessen Getreuen zu verdanken.

Zwischen Sergei und Paco kommt es nunmehr zu einer eigenartigen Partnerschaft. Gegen laufende Bezahlung plant Sergei alle Banküberfälle und Befreiungsaktionen der Rebellen. In den Augen des Volkes aber tritt Paco als der alleinige Held und Helfer der Unterdrückten in Erscheinung. In einer Stadt befreit Paco die attraktive Mexikanerin Columba (Giovanna Ralli) und gestattet ihr, sich seinen Männern anzuschließen. Schon wenig später verliebt sich Columba in den jungen Führer der Revolutionäre.

Mit Sergeis tatkräftiger Unterstützung erringt Paco weitere Erfolge, wenn sich auch immer wieder zeigt, dass das Glück ihn verlässt, sobald er Sergeis Ratschlägen und Warnungen nicht folgt. Schließlich ist Sergei entschlossen, sich von Paco zu trennen, doch da hält ihn der junge Mexikaner als Gefangenen bei sich fest. Paco und Columba heiraten. In ihrer Hochzeitsnacht überfallen Garcia und Ricciolo mit mexikanischen Truppen die von den Revolutionären besetzte Stadt, um Paco festzunehmen und das für seine Ergreifung ausgesetzte Kopfgeld zu kassieren. Paco und Columba glückt die Flucht, doch Sergei, der sich während des Überfalles hat befreien können, muss aus seinem Versteck zusehen, wie Pacos Freunde bis auf den letzten Mann niedergemacht werden. Sechs Monate vergehen, bis Sergei den flüchtigen Paco in der Maske eines Clowns bei einem Stierkampf wiedersieht. Aber auch Ricciolo hat Paco erkannt, und wieder ist es Sergei, der den jungen Revolutionär rettet. Es kommt zu einem dramatischen Zweikampf inmitten der Stierkampfarena, in dessen Verlauf Ricciolo von Paco getötet wird. Danach informiert Sergei den erstaunten Paco von seiner Absicht, ihn zur Erlangung des Kopfgeldes an die mexikanischen Behörden auszuliefern. Columba ist jedoch zu Garcia vorausgeeilt, hat ihm Pacos und Sergeis Ankunft angekündigt, um sich das Kopfgeld für beide auszahlen zu lassen. Garcias Soldaten fangen die Männer allerdings ab und wollen sie in Garcias Auftrag hinrichten. Da startet Columba ein geschicktes Ablenkungsmanöver, das Paco und ihr unter Mitnahme des Kopfgeldes die Flucht ermöglicht. Sergei hält die Verfolger für kurze Zeit auf. Danach setzt auch er sich ab und kann bei einem Feuerwechsel mit den Verfolgern Garcia erschießen. Paco hat Columba nach Mexiko vorausgeschickt und den Leuten sagen lassen, dass er erneut zu ihrer Hilfe nahe. Sergei aber, der ihm seine weitere Partnerschaft anbietet, erteilt er eine Absage, da ihm – wie Paco meint – im Kampf jeglicher Revolutionsgeist und Idealismus fehle. Und dann trennen sie sich für immer.

Film: Sergio Corbucci begann das Jahr 1968 mit einer neuen Phase in seiner Filmkarriere, und zwar mit dem in Mexiko angesiedelten Revolutionswestern »Il Mercenario« (»Mercenario – Der Gefürchtete«). In diesem ersten Film einer Serie begann Corbucci wieder mit seinem einstigen »Django«-Darsteller Franco Nero zu arbeiten, der diesmal die Rolle eines polnischen Söldners namens Sergei Kowalski spielte. Seinen mexikanischen Partner spielte der Amerikaner Tony Musante, der leider nach diesem Film in keinem weiteren Italo-Western auftauchte. Sergio Corbucci verwendet hier eine sehr interessante Erzählstruktur, in der er den Hauptteil der Geschichte als Rückblende zeigt. Nach einer schönen Titelsequenz sieht man Franco Neros Kowalski-Charakter in der Zuschauertribüne einer Stierkampfarena sitzen, der sich an Paco Roman erinnert, während vom Seiteneingang der Arena einige Clowns hereinspazieren, unter ihnen auch Paco. Während Kowalski mit seinen Erinnerungen fortfährt, beginnt die in Rückblenden erzählte Geschichte vom ersten Zusammentreffen und den gemeinsamen Abenteuern der beiden

Hauptcharaktere. Gegen Ende des Films sind wir wieder in der Stierkampfarena, wo dann gleich das hervorragende Duell zwischen Paco und Ricciolo stattfinden wird.

Auch hier haben wir wieder den Charakter des zynischen Revolverhelden, nur dass es sich diesmal um einen europäischen Söldner handelt, der komplett in Weiß gekleidet ist. Auch die von Sergio Corbucci gewohnte exzessive Gewalt ist wieder vorhanden und genauso zynisch dargestellt wie schon in seinem ersten Klassiker »Django«, speziell in der Szene, in der sich Kowalski am Stiefel eines aufgehängt baumelnden Soldaten ein Zündholz anreißt. Eine der erinnerungswürdigsten Szenen ist natürlich das sehr stilisierte Leone-mäßige, in einer Stierkampfarena stattfindende, Schlussduell zwischen Paco (Tony Musante) und Ricciolo (Jack Palance), welches von Kowalski in einer Homage an Sergio Leones »Per qualche dollaro in più« (»Für ein paar Dollar mehr«) und untermalt von einem der besten Ennio-Morricone-Scores koordiniert und überwacht wird. Auch die großartige Kameraarbeit von Alejandro Ulloa an einigen der schönsten Landstriche Südspaniens sollte erwähnt werden. Dieser Film gehört zu den Top-Klassikern des Genres, der von der ersten bis zur letzten Filmminute großartige Unterhaltung bietet.

Presse: »Man nennt ihn seiner Abstammung wegen den Polen. Und er kennt keine Skrupel, Ideen selbst für das grausamste Handeln zu entwickeln, wenn man ihn dafür entsprechend bar belohnt. Wie auch in dieser handfesten Auseinandersetzung zwischen dem Besitzer einer Silbermine und seinen Arbeitern, die gegen ihren sadistischen Boss rebellieren.

Die Namen des Regisseurs und seiner Hauptakteure sowie der Autoren, zu denen auch Luciano Vincenzoni gehört, einer der Mitbegründer des Western europäischer Provenienz, dessen Kennzeichen erbarmungslose Realistik ist, bürgen für die schockierende Härte, die sich als Erfolgswürze bewährt hat. Nur: Sergio Corbucci weiß diese Bestialitäten zu sublimieren. Er häkelt so viel schwarzen Humor zwischen seine Action-Maschen, baut so viele nebensächlich scheinende Gags ein, mit denen er die Wirklichkeit dieser Raubein-Story auf die Schippe nimmt, dass die Brutalitäten zwar nichts von ihrem Effekt einbüßen – das Grausame jedoch der pikanten Zutaten wegen nicht nur einen einseitig orientierten Ge-

schmack befriedigt. Ein Lob auch der Sychronisation, die sich nicht in sattsam bekannten Phrasen erschöpft, sondern, pointiert und witzig, dem ebenso klugen wie geschmackvoll koordinierenden Regiekonzept dieses jüngsten Meilensteins der neuen Westernwelle adäquat ist.«

Herbert G. Hegedo,
Filmecho/Filmwoche Heft 38, 1968

»›Mercenario‹ spielt vor dem Hintergrund der mexikanischen Revolution. Der mexikanische Revolutionär Paco engagiert sich für festes Entgelt und feudale Privilegien den polnischen Söldner Kowalski. Beide zusammen ergeben ein erfolgreiches Gespann. Als sich dann Paco auf seine revolutionären Pflichten besinnt und Kowalski zum Tode verurteilt, scheitert auch die Revolution, und Regierungstruppen stürmen die Stadt. Parabelcharakter drängt sich auf. Die Geschichte klingt wie ein Beitrag zur aktuellen Theorie-Praxis-Diskussion. Doch der politische Gehalt des Films lässt sich über ein paar Zitate nicht hinausführen.

›Mercenario‹ ist vor allem ein Western. Und die besten Stellen des Films sind auch die, die dem Genre gehorchen, es zuweilen stilisieren (wie der Showdown in der Zirkusarena), aber nie parodieren. Auch hier wieder, wie schon in ›Leichen pflastern seinen Weg‹, steht zwar der Held auf der Seite des ›Guten‹, kämpft aber für Geld. Daneben gibt es noch die reinen Idealisten (Paco, der Sheriff in ›Leichen‹) und das personifizierte ›Böse‹. Letzteres wird in ›Mercenario‹ von Jack Palance nur zu einem Teil ausgefüllt, zum anderen von regierungsfreundlichen Truppen, also mehr von einer abstrakten Gewalt als von einer konkreten Person. Vielleicht ist auch dies der Grund für die Langeweile, die in ›Mercenario‹ streckenweise aufkommt. Prinzipiell erlaubt die Dreierkonstellation Corbucci gegenüber dem traditionellen Gut-Böse-Schema mehr Variationen und so auch eine Steigerung des Tempos des Films.

Das zeigt sich am deutlichsten in den verschiedenen Schlussphasen, mit denen er seinen Film ausklingen lässt.

Ist Corbucci ein politischer Filmemacher? Eignet sich der Western zum trojanischen Pferd, den Sozialismus in die kapitalistische Filmindustrie zu tragen? Corbucci verändert den Western, was zuweilen als Politisierung missverstanden wird, indem er seinen Helden andere Motivationen (und somit auch Verhaltensspielregeln) gibt, aber seinen Handlungsmechanismus beibehält. Egal, ob James Stewart aus ethischen oder Franco Nero aus materiellen Gründen handelt: immer ist es die Geschichte eines Mannes, der seinen Weg gehen muss. Und so ist auch ›Mercenario‹ kein Film über Revolution, sondern einer über drei Männer, von denen einer für die Revolution kämpft, einer für Geld und einer für beides. Der Western eignet sich nicht als revolutionäres Kampfmittel. Seine Voraussetzung, der Personenkult, ist unbrauchbar zur Propagierung progressiver Inhalte, denen es auf kollektive statt auf Einzelaktionen, auf Klassen statt auf Individuen ankommen muss. Der Schlusssatz, den der Söldner dem davonreitenden Paco nachruft: ›Träume weiter, aber mit offenen Augen‹, ist immer noch ein besserer Westernsatz denn eine Gebrauchsanweisung für Revolutionäre.

Zweifellos hat Corbucci ehrlichere Western gemacht. Ehrlich, nicht indem er historientreuer verfährt, sondern indem er den Mythos des Western an seiner Wurzel zerstört. Der Akt des Tötens wird relativiert. Getötet wird nicht mehr nach einem ungeschriebenen Gesetz, das der Held irgendwo in seiner Brust verspürt, und an dessen Gültigkeit und Notwendigkeit nicht gezweifelt wird. Das Töten ist bei Corbucci Mittel zum Zweck, und es geschieht aus handfesten Motiven, materieller oder ideeller Natur. Und der Unterschied zwischen beiden ist für Corbucci nicht allzu groß.«
Klaus Bädekerl,
Filmkritik 06/1969

»Der Mitentdecker des Westerns für die italienische Filmproduktion, Sergio Corbucci, legt ein neues Beispiel für sein Einfühlungsvermögen in Verhältnisse der Neuen Welt vor und beweist gleichzeitig sein Regietalent. – Es wird viel geschossen in dem Film; das Leben ist keinen Pfifferling wert, doch die in italienisch-spanischen Western üblichen Grausamkeiten fehlen. Dafür ist aber ein das Frösteln lehrender Zynismus zu verzeichnen, der das Gesamtklima des Werkes bestimmt. Corbucci braucht diese Gefühlskälte, um die beiden mit starken heldenhaften Akzenten versehenen Führer der Revolution zu profilieren. Der eine ist als Idealist charakterisiert, dessen weiches Herz ihn zuweilen zu Entscheidungen führt, die der Sache der Revolution schaden, der Pole dagegen ist der kühl rechnende Intelligenzler, dem es nur um den nackten Profit geht. Dabei werden falsches Heldenpathos, eine weltfremde Revolutionsideologie und eine menschenunwürdige Sozialordnung kritisch aufs Korn genommen. Regie, Darstellung, Farbfotografie und Schnitt überragen bei weitem die Durchschnittsqualitäten anderer italienischer Produktionen des Genres.«
FJW,
Film-Dienst FD 16 107

Franco Nero als Söldner Kowalski

Jack Palance als Ricciolo

7 DOLLARI SUL ROSSO

Django – Die Geier stehen Schlange (Regie: Alberto Cardone)

Italien / Spanien 1966
Erstaufführung in Italien: 16. März 1966
Deutscher Start: 30. Mai 1969

Besetzung: *Anthony Steffen [Antonio De Teffè] (Johnny Ashley, in der deutschen Fassung Django), Fernando Sancho (Der Schakal), Loredana Nusciak (Emily), Jerry Wilson [Roberto Miali] (Bill), Elisa Montes (Sybil), Carol Brown [Bruno Carotenuto] (Rosario), Frank Farrel [Franco Fantasia], Spean Convery [Spartaco Conversi], John [Gianni] Manera, José Manuel Martin, Fred Warell [Alfredo Varelli], David Mancori, Annie Giss, Franco Gulà, Nino Musco, Miriam Salonicco, George Mataro, Renato Terra Caizzi*

Inhalt: In der Hoffnung, an seinem mexikanischen Todfeind »Schakal« Rache zu nehmen, wurde aus Johnny Ashley (Anthony Steffen) ein gnadenloser Kopfgeldjäger. Der Bandit mit dem treffenden Namen »Schakal« (Fernando Sancho) hat Johnny Ashleys Frau auf dem Gewissen und seinen kleinen Sohn Bill gekidnappt. Aus Ashleys Sohn Bill, der unter der Obhut des »Schakals« aufwuchs, ist ebenfalls ein brutaler, grausamer Verbrecher geworden. In Wishville, wo der »Schakal« gerade einen Überfall organisieren will, kreuzen sich die Wege von Johnny Ashley und seinem Sohn Bill, ohne dass sich die beiden wiedererkennen. Während des Überfalls werden der »Schakal« und seine Leute von Johnny und den Leuten des Sheriffs getötet. Johnny, der nun weiß, dass Bill sein Sohn ist, möchte ihn retten,

Fernando Sancho und seine Bande kidnappen den Sohn von Anthony Steffen

254

aber dieser zwingt ihn zu einem Zweikampf, in dem Johnny gezwungen wird, seinen eigenen Sohn zu töten.

Film: Alberto Cardone und Mario Siziliano begannen im Jahr 1965 eine äußerst fruchtbare Zusammenarbeit, in der eine Reihe von Western entstanden, bei denen Cardone im Regiestuhl saß und Siziliano die Funktion des ausführenden Produzenten übernahm. Diese Filme könnten sogar als »biblisch« bezeichnet werden, da die Handlungen immer von biblischen Figuren oder Ereignissen inspiriert wurden. Die verschiedenen Filmtitel scheinen sich alle auf ein Spielcasino zu beziehen, stellen sich jedoch dann als bizarre Insider-Jokes heraus. Jeder dieser Filme beginnt mit einer Familiensituation, die dann durch tragische Ereignisse immer in einer unabänderbaren Tragödie endet. Eine Eigenheit der Charaktere von Cardone und Siziliano sind die menschlichen Elemente, die am Ende immer vom Schicksal heimgesucht werden. Diese Protagonisten sind weder die überlebensgroßen Helden des amerika-nischen Western noch die zynischen Antihelden von Leones Filmen, sondern eine Gruppe von Verlierern, die dem vorgezeichneten Schicksal nicht entkommen können. Dies ist der erste Film dieser Reihe mit einem hervorragenden Anthony Steffen in der Rolle des Johnny Ashley. Obwohl der Film vielleicht noch etwas unausgegoren ist,

Fernando Sancho und Roberto Miali

Mann gegen Mann

Anthony Steffen

gelingt es dem Regisseur, eine düstere und brutale Atmosphäre zu schaffen. Der Film beginnt mit einem Bibelspruch und fixiert sich auf das unausweichliche Schicksal, das ein unschuldiges Kind zum Kriminellen macht, nur weil es von einem Gesetzlosen geraubt und aufgezogen wurde, ein Schicksal, das am Ende den Tod bedeutet. Auch das Ende des Films ist sehr sinnbildlich, wenn der tragische Held des Films in einem wütenden Sturm verzweifelt und kraftlos um seinen lange gesuchten verlorenen Sohn weint, den er zu töten gezwungen war. Der Originaltitel bezieht sich auf die sonderbare Eingangssequenz, wo der »Schakal« sieben Dollar auf das Kleid von Ashleys Frau wirft, nachdem er sie getötet hat. Die weiteren Filme des Teams werden zum Großteil auch wieder mit denselben Darstellern besetzt sein, unter ihnen Anthony Steffen, Jerry Wilson, Carrol Brown und Elisa Montes. In einer brutalen Saloon-Szene ist der hervorragende Charakterdarsteller Gino Marturano zu sehen, der Anthony Steffen ins Gesicht schlägt. Die äußerst

dramatische und stimmungsvolle Musik stammt vom Routinier Francesco De Masi.

Presse: »Was tut so ein geplagter Drehbuchautor, der binnen weniger Tage ein Script für eine neuerliche Django-Schießerei fertigen soll, doch weder über Originalität noch echte Qualifikation verfügt? Er hält es am besten wie Autor Mel Collins, der für diese Koproduktion seinen nicht minder einfallslosen Kollegen über die Schulter schaute, hier einen Gedanken, dort einen Gag aufgriff und daraus schließlich ein wenig erbauliches Ganzes formte. Die Geschichte: Väterchen Django sucht seinen verlorenen Sohn, der sich zwischenzeitlich zum Pracht-Banditen gemausert hat. Die Story bleibt selbstredend ohne wahres Happy-End, denn Melodramatik ist derzeit nun einmal mehr gefragt. – Ein angeblicher Regisseur müht sich recht und schlecht darüber hinaus ab, etwas Schwung in die Angelegenheit zu bringen.«
Bernd Deck,
Filmecho/Filmwoche Heft 54, 1968

SENTENZA DI MORTE

Django – unbarmherzig wie die Sonne (Regie: Mario Lanfranchi)

Italien 1967
Erstaufführung in Italien: 1. Januar 1968
Deutscher Start: 4. Juli 1969

Besetzung: *Robin Clarke (Cash, in der deutschen Fassung Django), Adolfo Celi (Baldwin), Enrico Maria Salerno (Montero), Richard Conte (Diaz), Tomás Milian (O'Hara, der Albino), Eleonora Brown, Lilli Lembo, Monica Pardo, Luciano Rossi, Glauco Scarlini, Giorgio Gruden, Dony Baster, Claudio Trionfi, Raffaele Di Mario, Silvana Bacci, Umberto Di Grazia*

Inhalt: Der Film beginnt mit einer Verfolgungsszene: Ein Mann verfolgt einen anderen durch eine mit Steinen übersäte Sandwüste. Beide Männer sind am Ende ihrer Kräfte, Durst peinigt sie, ihre Gesichter sind von der Sonne verbrannt. Sie stolpern mehr, als sie gehen, und nur die Erbarmungslosigkeit der Jagd in dieser noch erbarmungsloseren Landschaft hält sie aufrecht; den Verfolgten, um in sicherer Schussentfernung zu bleiben, den Verfolger, um den Gejagten nicht doch noch entkommen zu lassen.

Der Verfolger ist Django (Robin Clarke), in dessen noch jungenhaftem Gesicht die unerbittliche Härte der Jagd tiefe Furchen gegraben hat; sein Kopf scheint aus dem Stein der Wüste gemeißelt.

Der Verfolgte ist Diaz (Richard Conte), der Ältere von beiden, ein Mann, der den Zenit seines Lebens schon überschritten hat und dessen Gesicht nicht nur von den Spuren der Jagd, der Angst und der Pein gezeichnet, sondern auch vom Leben verwüstet ist. Django ist plötzlich im Leben des fliehenden Diaz aufgetaucht, völlig unerwartet, aus einer fernen Vergangenheit, die längst nicht mehr zu existieren schien. In dieser fernen Vergangenheit begingen vier Männer ein erbärmliches Verbrechen, das in ihrer Erinnerung ausgelöscht ist. Sie haben in der Gesellschaft Zuflucht gefunden und führen ein Leben, das ihren individuellen Vorstellungen und Neigungen entspricht.

Diaz, Rancher aus Leidenschaft, ringt der Steinlandschaft, in die er sich zurückgezogen hat, ein karges Dasein ab.

Montero (Enrico Maria Salerno), der der Spieler geblieben ist, der er immer war; ein Mann, der, wenn alles verloren scheint, immer bereit ist, den größten aller Einsätze – sein Leben – zu wagen.

Baldwin (Adolfo Celi), den auch das geistliche Gewand des Ordens, in den er sich begeben hat, nicht davon abhält, die unwissende Landbevölkerung im Namen Gottes zu terrorisieren.

O'Hara (Tomás Milian), der Albino, verbittert, weil die Menschen ihm aus dem Weg gehen, ein Außenseiter, in seinen halbirren, frustrierten Vorstellungen nach glitzerndem Gold und blondem Frauenhaar gierend.

Diese vier Männer spürt Django der Reihe nach auf. Für jeden hat er einen sorgfältig ausgearbeiteten Einzelplan bereit, der jedem eine letzte Chance gibt, in der Django auch sich selbst nicht schont.

TOMAS MILIAN
ADOLFO CELI
RICHARD CONTE
ROBIN CLARKE
ENRICO M. SALERNO

REGIE:
MARIO LANFRANCHI

TECHNICOLOR
TECHNISCOPE

IM
ADRIA-FILM-
VERLEIH

DJANGO
unbarmherzig wie die Sonne

DAS PLAKAT

Deutsches Plakatmotiv

Tomás Milian als Albino O'Hara

Film: Dies ist ein sehr interessanter und ziemlich einzigartiger Film mit einer hervorragenden Besetzung, die den Italo-Western-Neuling Robin Clarke (leider in seinem einzigen Genre-Auftritt) sowie Tomás Milian, Adolfo Celi, Richard Conte sowie Enrico Maria Salerno umfasst.

Das herausragende Merkmal dieses Italo-Western ist seine episodenhafte Struktur. Jede durchgeführte Rache an den vier Mördern von Cashs Bruder wird als eigene Geschichte erzählt, in der Cash eine bestimmte Schwäche des jeweiligen Mörders ausnutzt, um ihn zur Strecke zu bringen. Der erste Racheakt ist der an Richard Contes Charakter, den Cash in die Wüste lockt und ihm, nachdem dieser vollkommen verdurstet ist, vormacht, es gäbe eine Quelle. Nachdem dieser feststellt, dass dem nicht so ist, gibt er sich vollkommen auf und es ist für Cash eine Kleinigkeit, ihm den Rest zu geben.

Cashs List bei allen vier Mördern ist es, sie zuerst psychisch fertig zu machen, woraufhin es für ihn leicht ist, sie zu töten. Dieser Western ist, zumindest in psychologischer Hinsicht, außergewöhnlich brutal.

Die gesamte Geschichte ist als sadistisches Katz-und-Maus-Spiel konzipiert, das der Held mit den vier Mördern seines Bruders spielt. Dies ist eine klar durchgeführte Rache mit dem Geschmack von Blut auf des Rächers Lippen, begleitet von dem elegischen Titelsong »Last game«, gesungen von Neville Cameron.

Ein weiteres herausragendes Merkmal dieses Films ist die Charakterzeichnung der einzelnen Figuren, die alle bis auf die Knochen böse sind, sogar der Bruder des Rächers selber, der ein einfacher Bandit war, der das Gold für sich selber wollte, bevor seine Ex-Komplizen ihn entlarven und ihn töten. Cash wird von Robin Clark als eiskalter, unmenschlicher Rächer dargestellt, der genauso böse ist wie die Killer, denen er nachjagt.

Sämtliche Darsteller liefern hier absolut perfekte Arbeit ab, allen voran Tomás Milian, der einen sadistischen, goldhungrigen Albino spielt, und Adolfo Celi, der als religiöser wahnsinniger Bruder Baldwin in einem Priesterkleid durch die Gegend rennt.

Presse: »Django rächt den Mord an seinem Bruder und verfährt dabei natürlich nicht zimperlich. Vier Männern spürt er nach, und für jeden hat er ein Spezialrezept, ihn ins Jenseits zu schicken. Obgleich die Rückblenden die Handlung nicht gerade transparent machen, beeinträchtigen sie den Ablauf der Story nur unwesentlich. Dies ist vor allem ein Verdienst des Darstellerteams, das diesem weiteren Django-Abenteuer sein Publikum sichern dürfte, obzwar der Regisseur Lanfranchi sich als Autor dann und wann etwas mehr an die Kandare hätte nehmen müssen.«

Herbert G. Hegedo,
Filmecho/Filmwoche Heft 61–62, 1968

»Ein irrwitzig schwachsinniger Film, dessen Dilettantismus und Unvermögen, Story, Schauspieler, Szenen in irgendeinen verständlichen Zusammenhang zu bringen, richtig lustig ist.

Nebensächliche Szenen dauern eine Ewigkeit, wichtige gehen so schnell und unkenntlich vorbei, dass man dauernd verpasst, wer was getan hat, und man sich immer wieder fragt, was denn nun wieder passiert ist. Bis man es aufgibt, logisch zu sehen, und einfach eine wirre Collage wahrnimmt, die ganz ruhig und ohne Höhepunkte abrollt, wo einmal das auffällt, einmal dies, wie es einem gefällt.

Etwas anderes bleibt einem sowieso nicht übrig, weil sich der Kameramann ungemein schwer getan hat, das zu photographieren, was der Regisseur offensichtlich zeigen wollte; der Regisseur wiederum scheint oft vergessen zu haben, um was es in seinem Film eigentlich geht, dass er überhaupt einen Film dreht, während die Schauspieler ausdruckslos oder mit Grimassen, steif oder mit epileptischen Zuckungen durch die Gegend hecheln, als befänden sie sich auf dem Laientheater eines Irrenhauses. Die Bilder beginnen in einer irrsinnig trockenen Wüste, führen dann

Robin Clarke in der Gewalt von Adolfo Celi

in Saloons, in denen es aussieht und zugeht wie bei Beckett, und enden auf einem Friedhof, wo man erwartet, dass gleich Dracula um die Ecke kommt. Dazwischen gibt es den dicksten Mann zu sehen, den es je in einem Western gab, einen Toten, der noch vier Treppen hinuntergeht, bis er umfällt, einen von den Hosen bis zu den Haaren schneeweißen Bösewicht mit Pop-Sonnenbrille, der aus einem italienischen Gangsterfilm entsprungen scheint, den Helden, der sich mit einem Stein eine Kugel aus dem Bein holt, so tut, als wäre er Django und literweise Milch trinkt, und ein Mädchen, das treuherzig sagt, dass es in ihrem ganzen Leben noch nie einen Mann gesehen habe, der Milch trinkt.

Einmal hat Django keine Munition mehr, er findet in der Wüste eine leere Patronenhülse, steckt die Kugel aus seinem Bein drauf und erschießt damit mit einem Riesenknall einen Gegner; so ehrlich ist dieser Film.«

Siegfried Schober,
Filmkritik 08/1969

Robin Clarke als Cash

VIVO PER LA TUA MORTE

Ich bin ein entflohener Kettensträfling (Regie: Camillo Bazzoni)

Italien 1967
Erstaufführung in Italien: 5. April 1968
Deutscher Start: 4. Juli 1969

Besetzung: *Steve Reeves (Mike Sturges), Wayde Preston (Meyner), Guido Lollobrigida (Sheriff), Mimmo Palmara (Freeman), Silvana Venturelli (Ruth), Nello Pazzafini (Shorty), Franco Fantasia (Roy), Rosalba Neri (Prostituierte), Mario Maranzana (Bobcat), Enzo Fiermonte, Aldo Sambrell, Spartaco Conversi, Silvana Bacci, Franco Balducci, Emma Baron, Bruno Corazzari, Sergio De Vecchi*

Inhalt: Tracy und die anderen Cowboys von der Sturges-Ranch treiben eine Pferdeherde durch unwegsames Gelände, um die Tiere zum Verkauf zu bringen. Unterwegs überfallen Banditen den Transport, töten die Begleiter und stehlen die Pferde. Nur Tracy gelangt schwer verwundet auf die Ranch zurück. Sofort machen sich Mike Sturges (Steve Reeves), sein jüngerer Bruder Roy (Franco Fantasia) und der Vorarbeiter Bobcat (Mario Maranzana) auf, um den Pferderäubern nachzujagen. Den Spuren der Herde folgend, gelangen sie auf dem Wege zum Dragoon-Pass an eine Wasserstelle und lagern dort für die Nacht.

Plötzlich taucht ein Mann aus dem Dunkel auf. Es ist Meyner (Wayde Preston), ein alter Bekannter von Mike. Er sagt, dass hier keine Pferde vorbeigetrieben worden sind und dass Mike, Roy und Bob sich besser einen anderen Lagerplatz suchen, denn die Gegend wird im Auftrag der Southern-Pacific-Eisenbahnlinie, die durch dieses Gebiet führt, scharf bewacht. Mehrere Überfälle auf die Bahn in letzter Zeit haben das nötig gemacht. Meyner gibt sich als Sicherheitsbeamter der Bahn aus und warnt Mike nochmals davor, mit seinen Begleitern hier zu bleiben.

Aber Roy und Bobcat wollen trotzdem hier schlafen, während Mike sich in der Gegend umsehen will. Er kommt zur verfallenen Bahnstation am Dragoon-Pass und erkennt aus gewissen Spuren, dass hier vor kurzem Menschen gewesen sind. Als er zum Lager seiner Begleiter zurück

will, reitet er in eine Falle von Banditen, die den herannahenden Zug überfallen wollen und deren Anführer Mikes falscher Freund Meyner ist. Mike wird verwundet. Nach dem Überfall auf den Zug verschwinden die Banditen mit reicher Beute: Viele Kisten mit 20-Dollar-Münzen sind ihnen in die Hände gefallen. Mike und sein Bruder Roy werden von Sheriff Freeman aufgefunden und beschuldigt, zu den Banditen zu gehören. Da sie ihre Unschuld nicht beweisen können, werden sie in das berüchtigte Zuchthaus Yuma gebracht und zur Zwangsarbeit in den Steinbrüchen verurteilt. Dort erliegt Roy den sadistischen Quälereien des brutalen Savage.

Mike schwört, den Tod seines Bruders zu rächen. Mit einigen Mitgefangenen plant er den gewaltsamen Ausbruch aus dem Straflager – und es gelingt! Viele Tote und Verwundete bleiben auf der Strecke, aber Mike entkommt in der Uniform eines Aufsehers. Er trennt sich von Mason, einem anderen Gefangenen, dem die Flucht ebenfalls gelang, und sucht Unterschlupf in der Stadt bei der Dirne Encarnacion. Sie gibt ihm andere

Steve Reeves in der Gewalt einer Verbrecherbande

Steve Reeves ist schnell mit dem Colt

Kleider und verbirgt ihn bei sich. Aber Savage, der sie jedes Wochenende zu besuchen pflegt, stöbert Mike dort auf. Im Kampf Mann gegen Mann tötet Mike Savage, dann flieht er aus der Stadt. Wieder wird er verfolgt, durchs Gebirge und durch die Wüste bis an einen Fluss. Hier glauben die Verfolger ihn verloren, denn der Fluss ist reißend und tief. Dennoch kann Mike ihn durchschwimmen. Auf seinem Weg trifft er nahe bei einem Brunnen auf eine Bande mexikanischer Kopfgeldjäger, die Mason gefangen haben und ihn nach Yuma zurückbringen wollen. Mit übermenschlicher Anstrengung gelingt es Mike, die Mexikaner anzugreifen, zu besiegen und Mason zu befreien. Aber zu spät – Mason erliegt seinen Verwundungen.

Mike reitet nun in Richtung seiner heimatlichen Ranch. Unterwegs trifft er seine Jugendfreundin Ruth, die ihm berichtet, dass seine Mutter aus Kummer gestorben und die Ranch ganz verfallen ist. Sie versorgt Mike mit Lebensmitteln und Munition und erzählt ihm auch, dass in dem Ort Naco, im Distrikt von Sheriff Freeman, ein Mann namens Shorty Geld mit vollen Händen ausgegeben hat und zwar ausschließlich 20-Dollar-Münzen. Nun hat Mike eine Spur. Er stöbert Shorty auf und gelangt durch ihn zu einem gewissen Baldy, der auch zur Bande gehört und den er zwingt, ihm das Versteck des Goldes zu verraten. Baldy bestätigt ihm auch, dass Meyner und der Sheriff Freeman mit seinen Leuten den Überfall auf den Zug ausgeführt haben.

Insgeheim wird Mike von den Banditen bewacht und verfolgt, als er sich auf den Weg zum verfallenen Bahnhof am Dragoon-Pass macht, wo das Gold versteckt ist. Auch Meyner hat sich dort eingefunden und ist gerade dabei, das Gold auszugraben, um es für sich allein auf die Seite zu bringen. Kurz nach Mike kommt Freeman mit seinen Männern an. Es kommt zu einer wilden Schießerei, aus der Mike als Sieger hervorgeht. Endlich kann er nun an Meyner Rache nehmen, Rache für Yuma und den Tod seines Bruders Roy.

Film: Dies ist nicht nur Camillo Bazzonis, sondern auch Ex-Bodybuilder und Ex-Herkules Darsteller Steve Reeves' einziger Western, was eigentlich bedauerlich ist, da es sich hier um ein rundum gelungenes Rachedrama handelt. Hinter der Kamera stand kein Geringerer als der später mit den »Trinity«-Filmen bekannt gewordene Enzo Barboni. Als Gegenspieler von Steve Reeves machen besonders Mimmo Palmara als Freeman sowie

Ich bin ein entflohener Kettensträfling

Steve Reeves als Mike Sturges

Wayde Preston als Meyner eine gute Figur. Neben Rosalba Neri wirkt auch wieder Nello Pazzafini, diesmal als sadistischer Gefängniswärter, mit. Die leider nie erschienene Musik Carlo Savinas sowie die südspanischen Landschaften tragen ein Übriges dazu bei, dieser Rachegeschichte eine stimmungsvolle Atmosphäre zu verschaffen. Ein B-Movie, das das Entdecken lohnt.

Presse: »Ein Western aus Italien, bei dem Hauptdarsteller Steve Reeves als Mitautor fungiert. Er kann sich in beiden Positionen sehen lassen. Der western-klassische Vorwurf des braven Mannes, dem Unrecht geschieht und der sich sein Recht verschafft, ist perfekt für die Leinwand umgesetzt. Zweifellos der Höhepunkt des Films: eine Gefangenenrevolte im Straflager. Zimperlich ist der Regisseur nicht. Er poliert weiter am Gütezeichen ›Western – made in Italy‹. Und mehr als brave Arbeit bietet schließlich auch der Kameramann. Nicht zuletzt durch eine Reihe vorzüglicher Einstellungen hebt sich der Film über den Konsumdurchschnitt hinaus.« *Eduard Länger, Filmecho/Filmwoche Heft 63–64*

C'ERA UNA VOLTA IL WEST

Spiel mir das Lied vom Tod (Regie: Sergio Leone)

Italien 1968
Erstaufführung in Italien: 21. Dezember 1968
Deutscher Start: 14. August 1969

Besetzung: *Charles Bronson (Harmonika), Henry Fonda (Frank), Claudia Cardinale (Jill McBain), Jason Robards (Cheyenne), Frank Wolff (Brett Mc-Bain), Gabriele Ferzetti (Morton), Paolo Stoppa (Sam), Jack Elam (Fliegenfänger), Woody Strode (Stony), Lionel Stander (Barkeeper), Keenan Wynn (Sheriff), Marilù Carteny (Maureen McBain), John Frederick (Mitglied in Franks Bande), Claudio Mancini (Harmonikas Bruder), Dino Mele (Harmonika als Junge), Antonio Molino Rojo (Mitglied in Franks Bande während der Auktion), Al Mulock (Knuckles), Enzo Santaniello (Timmy McBain), Luana Strode (Indianerfrau im Bahnhof), Marco Zuanelli (Wobbles), Livio Andronico, Salvatore Basile, Aldo Berti, Frank Braña, Luigi Ciavarro, Spartaco Conversi, Bruno Corazzari, Paolo Figlia, Michael Harvey, Stefano Imparato, Frank Leslie, Luigi Magnani, Enrico Morsella, Umberto Morsella, Tullio Palmieri, Sandra Salvatori, Aldo Sambrell, Claudio Scarchilli, Benito Stefanelli*

Inhalt: Während die Vorspanntitel laufen, warten auf dem Wüstenbahnhof von Little Corner drei Banditen (Jack Elam, Woody Strode, Al Mulock) in braunen Staubmänteln, die im Dienst eines gewissen Frank stehen, geduldig und schweigsam auf den Zug. Es steigt ein einziger Fahrgast aus, der Mann mit der Mundharmonika (Charles Bronson), der sich mit den dreien duelliert und sie rasch tötet.

Auf der abgelegenen Farm von Sweetwater bereitet Brett McBain (Frank Wolff), ein irischer Witwer, zusammen mit seinen drei Kindern ein Bankett zum Empfang seiner künftigen Frau vor, die aus New Orleans anreist. Banditen in braunen Staubmänteln, unter ihrem Anführer Frank (Henry Fonda), metzeln die Familie mit Gewehrschüssen nieder. Frank persönlich tötet den jüngsten Sohn Timmy McBain, nachdem ihn einer seiner Leute beim Namen nennt. Am Bahnhof von Flagstone steigen Fahrgäste verschiedener Rassen und sozialer Schichten aus, unter ihnen Jill (Claudia Cardinale), McBains Braut.

Wir begegnen ihr in der Kutsche von Sam (Paolo Stoppa) wieder, einem aufbrausenden Alten, der vom ursprünglichen Westen träumt, während er über die überfüllten Straßen von Flagstone fährt. Die beiden passieren die Eisenbahnbaustelle, und Sam treibt die Pferde zum Galopp an, wobei er seine Verachtung für die beginnende industrielle Zivilisation zum Ausdruck bringt. Dann sieht man Monument Valley mit seinen eindrücklichen und unverwechselbaren Felsmassiven. Jill und Sam machen in einem Wirtshaus Rast, in das recht bald auch Cheyenne (Jason Robards) eintritt, ein mit Handschellen gefesselter Schurke, der gerade seine Bewacher getötet hat.

Jack Elam wartet auf dem Bahnhof von Little Corner

»Habt ihr ein Pferd für mich?«

Aus einem als Schlafstätte genutzten Winkel dringen die ironischen Töne einer Mundharmonika zu ihm hinüber: Da sitzt Harmonika, der ruhig Cheyennes Aufforderung zum Duell zurückweist. Dieser begnügt sich damit, einen Stammgast zu terrorisieren und zwingt ihn, die Handschellen entzweizuschießen, wobei er ihn im Visier behält, um Überraschungen zu vermeiden. Es kommen Cheyennes Männer an, sie tragen braune Staubmäntel. Aus den Erklärungen des Mannes entnehmen sie, dass diese Kleidung eine Art Banduniform ist und die drei Toten von Little Comer, Komplizen von Frank, sie unrechtmäßig trugen. Sam und Jill gelangen zur Sweetwater-Farm, wo die kleine Menge der zum Hochzeitsmahl Geladenen stumm neben den Leichen der McBains steht, die auf den Tischen im Freien liegen. Jill teilt mit, dass die Hochzeit bereits in New Orleans stattgefunden habe. Nach dem Begräbnis wird ein Fetzen von einem braunen Staubmantel gefunden, was sofort als stichhaltiger Beweis für die Schuld von Cheyenne angesehen wird. Allein im Haus, durchwühlt Jill nervös die Möbel und Truhen, dann legt sie sich angekleidet auf das große Ehebett. In einer chinesischen Wäscherei malträtiert Harmonika den Besitzer Wobbles, einen schlaffen, süßlichen Typ, und stranguliert ihn fast mit einer Wäschemangel, um zu erfahren, wo sich Frank befindet.

Auf dem Hof hat Jill gerade beim Durchsuchen in den Truhen einige Holzmodelle von öffentlichen Gebäuden gefunden, als von draußen die bekannten Harmonikatöne zu hören sind: Jill löscht das Licht, nimmt das Gewehr und schießt auf ein Flämmchen, das draußen in der Nacht zu sehen ist.

Am darauffolgenden Morgen scheint der Platz vor dem Haus verlassen. Jill öffnet die Tür, und da erscheint Cheyenne an der Spitze seiner Männer. Cheyenne scheint keine bösen Absichten zu hegen, er kommt allein und beteuert seine Unschuld im Fall der Ermordung der McBains, deren Urheber und Beweggründe er nicht kennt.

In einem luxuriösen Privatwaggon diskutiert Frank angeregt mit dem Auftraggeber für seine vorherigen Untaten, dem Eigentümer der Eisenbahnlinie, Ingenieur Morton (Gabriele Ferzetti), einem an Knochentuberkulose leidenden Krüp-

Claudia Cardinale, Paolo Stoppa, Lionel Stander

Kurz vor dem Massaker: Frank Wolff und Marilù Carteny

Clauda Cardinale als Jill McBaine

pel, über die beste Art, die Witwe von McBain aus dem Weg zu schaffen. Der Bandit ist für gewaltsame Methoden und verachtet den Geschäftsmann, der unermüdlich wiederholt, dass Geld die mächtigste Waffe sei.

In der Zwischenzeit haben Jills ehrliche Art und ihre Kochkünste das Vertrauen des Gauners gewonnen, der sich freundlich verabschiedet.

Im Stall beeilt sich Jill, das Gepäck auf die Kutsche zu laden, als Harmonika erscheint, der ihr brüsk befiehlt zu bleiben und ihr das Kleid von den Schultern reißt; dann hält er plötzlich inne, und statt irgendwelche unzüchtigen Angebote zu machen, fordert er sie auf, mit dem so zerrissenen Kleid zum Brunnen zu gehen. Das unverhofft zu sehende Dekolletee und die alltäglichen Bewegungen Jills am Brunnen beruhigen zwei Mörder zu Pferd, die sich in der wahrscheinlichen Absicht nähern, die Witwe zu töten oder zu rauben: Blitzschnell erschießt Harmonika beide, während Cheyenne wohlwollend von einem Hügel aus zusieht.

In der chinesischen Wäscherei bittet Jill Wobbles um eine Unterredung mit Frank. Wobbles streitet ab, den Banditen zu kennen, doch geht er dann gehetzt nach draußen. Harmonika folgt ihm in einiger Entfernung. Wobbles erreicht Mortons

Privatwaggon und berichtet Frank von dem Besuch; dieser merkt, dass Harmonika sich auf dem Waggondach versteckt hat und gibt dem Maschinisten Anweisung loszufahren.

Der Zug hält mitten in der Wüste an, während Franks Männer angeritten kommen. Nachdem sie den unvorsichtigen Wobbles, der sich bis zum Zug hat verfolgen lassen, mit drei Schüssen kaltgemacht haben, stellt Frank Harmonika und fragt ihn nach seinem Namen und seinen Absichten in dieser Angelegenheit, erhält aber keine Antwort, Harmonika kommt (Rückblende) *eine sehr verschwommene Erinnerung in den Sinn.* Frank reitet zum Hof der McBains zurück. Vom fahrenden Zug aus beseitigt Cheyenne, der auf dem Dach postiert ist, mit einem geschickten Manöver die drei Räuber, die neben dem Zug herreiten, und befreit Harmonika.

Auf dem Hof nimmt Jill eine große Menge Holz entgegen, das ihr Mann bestellt hatte. Niemand weiß, zu welchem Zweck es dienen soll, doch die Witwe erinnert sich an ein Holzmodell mit der Aufschrift »Station«, sie sucht in der Rumpelkammer, als eine Hand ihr den Miniaturbahnhof hinhält: Es ist die Hand von Frank.

Vor dem Versteck der Räuber, am Eingang einer Höhle, empfiehlt Morton Frank, die Gefangene nicht zu töten, doch dieser scheint nur daran interessiert zu sein, den Komplizen zu verhöhnen, indem er ihn mit einem Tritt gegen die Krücken zu Boden wirft. Auf der Ranch informiert Harmonika Cheyenne über McBains Vorhaben, einen Bahnhof zu bauen, der laut Vertrag in Betrieb sein muss, wenn die Eisenbahn ankommt. Die beiden beginnen, Pfähle zu setzen, damit Jill bei ihrer Rückkehr fertige Arbeit vorfindet.

Im Versteck der Gesetzlosen liegt Frank mit Jill im Bett, die mit ihren Liebeskünsten (in New Orleans war sie Prostituierte) den Banditen dazu bringen will, sie zu verschonen.

In einem Saal in Flagstone bringt der Sheriff mit Zustimmung der im Saal anwesenden Witwe den Hof der McBains zur Versteigerung. Franks Männer schüchtern die Kaufaspiranten ein.

Im Zug betrachtet Morton ein Bild, das den Pazifischen Ozean zeigt, das höchste Ziel seiner Anstrengungen, dann schließt er sich Franks Männern an, die Poker spielen, und teilt Banknoten statt Karten aus. In der Zwischenzeit ist die Versteigerung auf ihrem Höhepunkt angelangt, und die Ranch soll zu einem Spottpreis an einen Abgesandten von Frank gehen.

Oben auf der Treppe erscheint Harmonika, der auf Cheyenne zielt: Der Gauner, auf dessen Kopf eine hohe Prämie ausgesetzt ist, stellt sein Gebot für die Versteigerung dar. Aus Mortons Waggon kommt ein Reiter. Der Sheriff und seine Gehilfen begleiten Cheyenne zum Zug nach Yuma; die Komplizen des Gangsters beobachten die Szene.

In einem leeren Saloon, während Jill, von Harmonika beruhigt, der ihr praktisch ihr Eigentum zurückgibt, nach oben geht, versucht Frank vergeblich, die Farm von Harmonika zurückzukaufen und dessen Namen zu erfahren. Harmonika hat eine schärfere Erinnerung (eine kurze Rückblende) als beim ersten Mal, *und wir sehen Frank in jungen Jahren.*

Harmonika, der auch nach oben gegangen ist, wo Jill gerade ein Bad nimmt, beobachtet vom Balkon aus, ohne auf Jills Reize zu achten, Franks Schicksal, der sich vorsichtig durch die leeren Straßen bewegt und auf die auf den Dächern postierten von Morton gedungenen Mörder schießt. Harmonika greift ein, beseitigt höchstpersönlich einige Killer und warnt Frank rechtzeitig. Die Witwe ist durch dieses merkwürdige Verhalten

Drehpause für Claudia Cardinale

Sergio Leone erklärt Claudia Cardinale die nächste Einstellung

verblüfft. Frank erreicht den in der Wüste stehenden Zug: kein Lebenszeichen, Leichen draußen und drinnen, ein wenig abseits Morton, der neben einer Pfütze im Sterben liegt.

Die Eisenbahnbaustelle ist nun ganz in die Nähe des Eigentums von McBain vorgerückt, wo der Bahnhof fast fertig gestellt ist. Harmonika ruht sich an einem Bretterzaun aus und schnitzt an einem Stück Holz, als Frank erscheint, entschlossen, die Identität Harmonikas herauszufinden und ihn zum Duell herauszufordern.

Vom Innern des Hauses aus beobachten Jill und Cheyenne die Szene. Die Duellanten machen sich fertig zum Kampf, mustern sich lange, und schließlich erinnert sich der Mann an die Beleidigung, die ihm Frank vor langer Zeit zugefügt hat.

Rückblende. *Der Bandit und seine Männer haben den älteren Bruder des Mannes unter dem steinernen Bogen eines verfallenen, einsamen Gebäudes in der Wüste aufgehängt. Um den Todeskampf zu verlängern, haben sie die Länge des Stricks so bemessen, dass der Ältere unbehelligt auf den Schultern des Jüngeren stehen kann (bzw. Harmonika, der damals noch jung war); dem Jüngeren haben sie eine Harmonika in den Mund gesteckt. Der Mann fällt ermattet in den Sand, und der Bruder, der den Halt unter den Füßen verliert, wird stranguliert.*

Rückkehr zur Gegenwart. Die beiden Kämpfer ziehen rasch und schießen, Frank dreht sich um die eigene Achse und fällt zu Boden. Sterbend fragt er: »Wer bist du?«, und Harmonika schiebt ihm zur Antwort die Harmonika zwischen die Zähne.

Nun erinnert sich der Bandit, bevor er stirbt. Harmonika betritt das Haus, nimmt seine Sachen und geht fort; auch Cheyenne verabschiedet sich ein wenig verbittert, denn er wäre gern geblieben, wenn Jill ihn darum gebeten hätte. Die Frau fühlt sich jedoch nur von dem geheimnisvollen Mundharmonikaspieler angezogen, der sie jedoch gar nicht zu bemerken scheint. Die beiden Abenteurer sind nicht weit von der Baustelle entfernt, als Cheyenne zusammenbricht – man sieht, dass Morton ihn bei der letzten Schießerei im Zug hinterrücks getroffen hat – und stirbt. Während der Abspann läuft, entschwindet der Mann am Horizont; auf seinem Pferd liegt Cheyennes Leiche.

Geschnittene Szene mit Henry Fonda

Todfeinde: Henry Fonda und Charles Bronson

Frank findet alle seine Leute nur noch tot vor

Die wichtigsten Szenen, die in der italienischen Kinofassung geschnitten wurden:

- Bei ihrer Ankunft in Flagstone bietet Jill Sam zwei Banknoten an, um ihn dazu zu bringen, sie in der Kutsche zur Sweetwater-Farm zu bringen.
- Harmonika ruht sich in einem Zimmer über Wobbles' Wäscherei auf dem Bett aus. Die Frau des Besitzers, eine schöne Mexikanerin, kommt herein und bietet sich ihm an. Er bittet sie, ihm die Füße zu massieren, und sie gehorcht; plötzlich werden die geschickten Hände der Frau durch kräftige Männerhände ersetzt. Harmonika reagiert nicht schnell genug. Drei Halunken beginnen ihn zu schlagen und schieben ihn in einen Stall, wo sie der Sheriff erwartet, der unter dem Sattel Harmonikas einen Staubmantel gefunden hat, der genauso aussieht wie einer der Mäntel, welche McBains Mörder getragen hatten. Harmonika zieht den Mantel an, er ist zu klein, und der Sheriff überzeugt sich von seiner Unschuld. Er versetzt den drei Stümpern Fausthiebe und geht von dannen.
- Ein Beamter der Bank von Flagstone zeigt Jill ein Dokument, das McBain ihm vor fünfzehn Jahren anvertraut hat: Es handelt sich um den Eigentumsnachweis für das Grundstück in Sweetwater.
- Harmonika und Cheyenne bewundern mit zufriedenen Mienen die Fassade des Bahnhofsgebäudes, das gerade fertig gestellt ist.
- Der Versteigerungsszene geht ein langer Prolog im Barbierladen voraus, wo sich Frank rasieren lässt. Harmonika beobachtet ihn schweigend durch die Glasscheiben. An einer Hausecke lehnend schnitzt er ein Stück Holz und sieht Jill in Begleitung eines Mitglieds von Franks Bande ankommen und sich an den Sheriff wenden, um den Tag der Versteigerung von Sweetwater festzusetzen.
- Nach dem überraschenden Eingreifen Harmonikas und Cheyennes bei der Versteigerung läuft ein Mann zu Frank, um ihm Bericht zu erstatten, Frank ist gerade rasiert.

Film: In »C'era una volta il West« (»Spiel mir das Lied vom Tod«) sammelt Leone alle Themen, Charakterisierungen, visuellen Mittel, Humor und musikalischen Experimente der drei »Dollar«-Filme und liefert einen wahren epischen Western ab. Dies ist ein toller, opernhafter Film von Breite, Detail und Statur, der es zu Recht verdient, als einer der größten Western aller Zeiten bezeichnet zu werden. Die Titelsequenz dieses Films ist möglicherweise eine der berühmtesten der Filmgeschichte. Sie entfaltet sich absichtlich langsam, während sich Leone auf die eigenartigen Verhaltensweisen von Franks drei angeheuerten Killern (Woody Strode, Jack Elam und Al Mulloch) konzentriert, die auf den ankommenden Zug und den darin reisenden, mysteriösen Harmonikaspieler warten.

Das langsame, rhythmische Quietschen einer rostigen Windmühle vermittelt eine unheimliche Begleitung zu dieser Szene, in der sich die drei Revolvermänner beschäftigen, während sie auf den Zug warten. Diese Szene – das Heruntertröpfeln vom Wasserturm auf Woody Strodes kahlgeschorenen Kopf, Jack Elams Probleme mit einer lästigen Fliege und Al Mullochs Knöchelkrachen – erzeugt eine fast nicht auszuhaltende Spannung für das, was kommen wird. Plötzlich zerschneidet der scharfe Ton einer Signalpfeife des ankom-

Rückblende: eine der berühmtesten Westernszenen aller Zeiten

Henry Fonda ruht sich aus

menden Zuges die Spannung wie ein Messer. Da niemand aus dem Zug steigt, sind die drei Männer bereits dabei, sich umzudrehen und den Bahnhof zu verlassen, als plötzlich markdurchdringende Harmonikaklänge zu vernehmen sind – hinter dem abfahrenden Zug gibt sich Charles Bronson in der Rolle des Harmonika zu erkennen. Nachdem er die drei Killer nach einem Pferd fragt und zu hören bekommt, sie hätten nur drei, gibt er ihnen zur Antwort: »Ihr habt zwei zu viel«, und tötet die drei mit gezielten Schüssen, wird jedoch auch selbst verletzt.

Ein anderer Regisseur hätte dieser virtuosen Szene nicht mehr viel hinzufügen können, Leone jedoch gelingt es, auch den Rest des Films mit Szenen von unglaublicher Präzision anzureichern, die alle perfekt aufeinander abgestimmt sind.

Die Pfade, die Leone in seinen vorherigen drei Western beschritt, führen hier zu einem der ungewöhnlichsten, famosesten Western aller Zeiten. Dieser Film, von einigen Kritikern als »Tanz des Todes« bezeichnet, ist eine opernhafte Lobrede auf die klassischen Westernhelden. Leones Männer sind Titanen von mythischer Statur – »eine aussterbende Rasse«, wie Bronson gegen Ende des Films zu Fonda sagt und »C'era una volta il West« (»Spiel mir das Lied vom Tod«) handelt von ihrem Ableben. Am Ende des Films sind alle wichtigen männlichen Charaktere tot (mit Ausnahme von Bronson, der vermutlich auch fortreitet, um irgendwo zu sterben) und eine Frau, Cardinale, bleibt alleine zurück, um diese tapfere neue Welt aufzubauen. Von diesem Zeitpunkt an sind nicht die Gewehre die Währung, um das Überleben zu sichern, sondern die Eisenbahn und das Wasser.

Leone wollte von Anfang an einen Western drehen, der anders war als seine »Dollar«-Filme.

Da United Artists bestimmte Darsteller vorschlug, mit denen er seinen neuen Western unter keinen Umständen drehen wollte, nahm er sein Projekt und brachte es zu Paramount, die ihm erlaubten, Henry Fonda zu besetzen, mit dem er schon in den früheren Western zusammenarbeiten wollte. Was ihm an Fonda besonders gefiel, war seine unterschwellige Härte, die ihm besonders in den John-Ford-Western auffiel.

Unglücklicherweise waren alle Drehbücher, die er an Fonda schickte, ziemlich schlecht aus dem Italienischen ins Englische übersetzt und so war Fonda bisher nicht bereit, für Leone zu arbeiten. Dies war auch der Fall bei »C'era una volta il West« (»Spiel mir das Lied vom Tod«), aber glücklicherweise rief Fonda diesmal seinen Freund Eli Wallach an und fragte ihn nach seiner Meinung. Wallach sagte ihm, er solle das Drehbuch ignorieren, denn Leone sei ein Genie als Regisseur. Bald

Drehpause: Der Regisseur mit seinen Stars

Drehpause (v.l.n.r. Gabriele Ferzetti, Bronson, Cardinale, Robards)

darauf arrangierte Fonda eine Filmvorführung aller »Dollar«-Filme, die er sich nacheinander an einem Nachmittag ansah. Erregt von der Einzigartigkeit und dem Humor, die er in den Filmen sah, stimmte Fonda zu, für Leone den Bösewicht zu spielen. Kurz vor Drehbeginn besorgte sich Fonda dunkle Kontaktlinsen, die seine blauen Augen ins Braune verwandeln würden und ließ sich einen dunklen Schnurrbart wachsen.

Als Leone das sah, war er ziemlich schockiert und sagte zu Fonda, er möchte seine blauen Augen und er soll seinen Schnurrbart abrasieren, denn er möchte dem Publikum einen Fonda zeigen, wie es ihn aus zahlreichen früheren Filmen kannte. Auch der Rest der Besetzung für diesen Film war ein Geniestreich einschließlich Charles Bronson als schweigsamer Rächer Harmonika, ohne Zweifel die beste Rolle seines Lebens, die ihn zum Weltstar machte.

Eines der wichtigsten Elemente dieses Films ist natürlich die wunderschöne Musik von Ennio Morricone, der wiederum für alle Hauptcharakter, des Films eigene Themen komponierte: ein markerschütterndes Harmonikathema für Charles Bronson, eine unglaublich harte Gitarrenmelodie für Henry Fonda, ein humorvolles Banjostück für Jason Robards und ein üppiges, romantisches Thema für Claudia Cardinale.

Vermutlich einer der ungewöhnlichsten Aspekte dieses Soundtracks ist, dass Morricone die Musik bereits vor den Dreharbeiten komponierte und sie während der Aufnahmen spielte, um die Darsteller in die richtige Stimmung zu versetzen. Durch diese unorthodoxe Methode, einen Film zu vertonen, gelang Leone und Morricone wahrscheinlich die beste Integration von Musik, Bewegung und visuellen Elementen, die

jemals in einem Film zu erleben war. Als Leone gefragt wurde, ob er Claudia Cardinale in der weiblichen Hauptrolle wegen ihrer schauspielerischen Qualitäten, ihrer Popularität oder ihrer Schönheit ausgewählt hatte, antwortete er »wegen allen dreien«, aber fügte hinzu, dass sich auf Grund der Tatsache, dass sie Italienerin sei, die Produktion auch für Steuerermäßigungen qualifizieren könnte. Am ersten Drehtag stiegen Henry Fonda und Claudia Cardinale bereits zusammen ins Bett, um die Liebesszene zu drehen. Leone hatte ursprünglich vor, Franks drei Revolverhelden am Bahnhof als »Insider Joke« von den drei Hauptdarstellern aus »Il buono, il brutto, il cattivo« (»Zwei glorreiche Halunken«) Clint Eastwood, Eli Wallach und Lee Van Cleef spielen zu lassen, leider wurde daraus auf Grund von Terminschwierigkeiten nichts.

Die Szene mit der Fliege basierte auf einem Zufall während der Dreharbeiten, Leone nutzte die Gelegenheit und baute die Szene in den Film ein. Die Indianerin, die am Anfang des Films kurz zu sehen ist, war Luana, die Frau des schwarzen Darstellers Woody Strode, welcher kurze Zeit später unter der Kugel von Charles Bronson starb. Leones Produktionsfirma Rafran Cinematrografica wurde nach seinen Kindern Rafaella und Francesca benannt.

Der ausführende Produzent des Films Bino Cicogna sowie Darsteller Frank Wolff verübten beide Selbstmord in den siebziger Jahren. Auch Al Mulock beging während des Films Suizid und taucht deshalb nicht in den Credits auf!

Presse: »Als durch den Wilden Westen der Bau der Eisenbahn zum Pazifik vorangetrieben wurde, war man in der Wahl der Mittel nicht zimperlich. Wo sich Widerstand fand, wurde er notfalls durch Mord aus dem Wege geräumt. So wird auch der Witwer Brett McBain, der seinen Landbesitz zu einer Bahnstation nebst Stadt ausbauen will, mit seiner ganzen Familie ausgelöscht. Als seine junge Frau Jill aus New Orleans eintrifft, kommt sie gerade zur Beerdigung. Zunächst will sie die Farm nicht aufgeben, doch dann willigt sie unter dem Druck des Killers Frank in die Versteigerung ihres Besitzes ein. In diesem Augenblick taucht wieder ›Der Mann‹ auf, dessen Identität niemand kennt und dessen klagende Mundharmonika-Melodie längs der Eisenbahnlinien jedermann zusammenfahren lässt. Mit der Ablieferung des Halbblutindianers Cheyenne, der die McBains umgelegt haben soll, bezahlt ›Der Mann‹ die geforderte Versteigerungssumme und gibt Jill ihren Besitz zurück – zum Ärger von Frank, dem eigentlichen Mörder. Dieser spürt dunkel, dass der geheimnisvolle Fremde mehr über ihn weiß, als ihm eigentlich lieb sein könnte. ›Der Mann‹ nennt ihm Namen von Toten, die Frank alle auf dem Gewissen hat. Und die Gruppe der Banditen, die zu Frank gehört, schmilzt immer mehr zusammen.

Bis es dann die große, letzte Abrechnung gibt: Als der Killer von seinem mysteriösen Gegner zusammengeschossen wird, presst ihm der Sieger seine Mundharmonika zwischen die Lippen und fordert ihn auf, ihm das Lied vom Tod zu spielen. Wie Schuppen fällt es dem Verbrecher Frank von den Augen: Bei einer widerlichen Erhängungsszene, die das Leben eines Unschuldigen kostete, hat er selbst einmal so gehandelt, und der Überlebende von einst ist der Rächer von heute.

Drehbuch und Regie bedienen sich für die optisch eindrucksvolle Darstellung des Geschehens

Die Rache ist nahe: Charles Bronson und Henry Fonda

Auge um Auge

Frank hat seinen Meister gefunden

der klassischen Dramaturgie des Edelwesterns. Dem Aufgebot der Weltstars Cardinale, Fonda, Bronson und Robards ist nachzurühmen, dass sie eine für den Film seltene Ensemble-Leistung zustandebringen. Gewisse Dehnungen der Handlung als Prinzip der Spannungssteigerung hätte man vermeiden sollen; dieser Einwand vermag jedoch nicht das Urteil beiseite zu schieben, dass hier ein überdurchschnittlicher Western italo-amerikanischer Machart vorliegt, der sein Publikum finden wird.« *Dr. Helmut Müller, Filmecho/Filmwoche Heft 67–68, 1969*

»Die Hutkrempe füllt die obere Leinwandhälfte. Die Männervisage darunter eisig, verachtend, regungslos, ah regungslos! Wie lange noch? Sehr, sehr lange. Regungslos. Zuckt einmal. Und weiter regungslos, regungslos die Visage. Und dann spuckt sie Tabaksaft. Ach, diese Italo-Western mit dem permanenten BLOW UP der Gutturallaut-Schüsse, Posen und Rituale! Stumpfer, armseliger Manierismus der Bilder, von denen keines imstande ist, einen Vorgang aus sich heraus zu zeigen, sodass ich imstande wäre, mich sehend daran zu beteiligen. Er existiert gar nicht, kann nicht existieren, da jedes Bild als Faustschlag daherkommt, und was immer sich darauf abzeichnet, seine Schlagringqualitäten zu beweisen hat. Man könnte sich darauf einstellen, gäbe es einen Zusammenhang aus Sinnes- und Bedeutungselementen, die unabhängig vom breiigen Handlungseinerlei die Bildabfolge strukturierten. Nichts davon: man sitzt wie gefesselt, mit verbundenen Augen und weiß nicht, wo man den nächsten Schlag verpasst kriegt. 2 ½ Stunden!« *Harald Greve, Filmkritik 09/1969*

»Vom Traum zum Trauma. Der fürchterliche Western ›Spiel mir das Lied vom Tod‹: Ich mag keine Western mehr sehen. Dieser hier ist der letztmögliche, das Ende eines Metiers. Dieser ist tödlich. Kracauer hat vom Film als ›Errettung der physischen Realität‹ gesprochen und damit die Zärtlichkeit gemeint, die der Film der Realität gegenüber aufbringen kann. Viele Western haben diese Zärtlichkeit in einer traumhaft schönen und ruhigen Weise spüren lassen. Sie haben sich selbst geachtet: ihre Figuren, ihre Geschichten, ihre Landschaften, ihre Regeln, ihre Freiheiten, ihre Wunschträume. In ihren Bildern haben sie eine Oberfläche ausgebreitet, die nie mehr war als das, was man ihr ansehen konnte. ›Ich gehe nie wieder zurück nach El Paso‹, sagt Virginia Mayo in einem Film von Walsh, und es geht um nichts anderes, wenn sie das sagt.

Der Film von Leone ist sich selbst völlig gleichgültig. Er führt dem unbeteiligten Zuschauer nur noch den Luxus vor, der ihn hat entstehen lassen: die kompliziertesten Kamerabewegungen, die raffiniertesten Kranfahrten und Schwenks, fantastische Dekorationen, unglaublich gute Schauspieler, eine Eisenbahnbaustelle, eine riesige Eisenbahnbaustellenstaffage, die nur dafür errichtet wurde, dass einmal eine Kutsche hindurchfährt. Ja, und Monument Valley, TATSÄCHLICH MONUMENT VALLEY, nicht aus Pappe mit Stützen dahinter, nein, tatsächlich in AMERIKA, wo John Ford seine Western gedreht hat. Genau an dieser Stelle des Films, an dem der unbeteiligte Zuschauer Ehrfurcht verspüren mag, bin ich, als ich den Film zum zweiten Mal gesehen habe, sehr traurig geworden: Ich habe mich in einem Western als Tourist gefühlt: Ich

Charles Bronson beschützt Claudia Cardinale

Claudia Cardinale in einer Drehpause

bin dadurch zu einem beteiligten Zuschauer geworden: Ich habe gesehen, dass dieser Film sich nicht mehr ernst nimmt, dass er nicht mehr die Oberfläche von Western zeigt, sondern etwas dahinter: Die INNENWELT der Western.

Die Bilder meinen nicht mehr nur sich selbst, sie lassen etwas durchscheinen, sie sind schon bedrohlich, ohne ihre Bedrohung sichtbar zu machen, sie lassen die tatsächlich stattfindenden Brutalitäten damit zu SINNBILDERN FÜR BRUTALITÄT werden, zu Westernurszenen. Eine Großaufnahme von Charles Bronson ist in diesem Film nicht mehr die Großaufnahme eines Mannes, sie ist die Großaufnahme einer PERSONIFIKATION, deren Geschichte auch nicht mehr die einer Rache ist, sondern DER RACHE: die eingeschnittenen, unscharfen Zeitlupenbilder, deren SINN erst am Ende des Films deutlich wird, sind nicht einfach unliebsame Kunstfilmrelikte, sie sind vielmehr der Nerv dieses Films. Das heißt, dieser Western funktioniert wie ein Horrorfilm, der einen glauben macht, dass hinter jeder geschlossenen Tür das Grauen wartet, sodass einem schließlich das bloße Öffnen einer Tür den Atem stocken lässt. Die Vampirzähne von Christopher Lee: das ist die Mundharmonika von Charles Bronson: das ist das Schloss in den Karpaten: das ist der Pferdestallsaloon auf dem Weg nach Sweatwater [sic].

Wie die rothaarige irische Familie aus dem Hinterhalt gemein erschossen wird, von einer unheimlichen Macht, die sogar die Grillen zu zirpen aufhören lässt, wie dann der kleine Junge ENTSETZT aus dem Haus gelaufen kommt, wie dabei die Musik von Morricone aus den gleichen ENTSETZENSSCHWINGUNGEN besteht,

die auch die Bilder aussenden, wie man dann das grauenhafte Gesicht von Henry Fonda zum ersten Mal sieht, wie Henry Fonda den Jungen schließlich erschießt: da wird deutlich, warum Woody Strode und Jack Elam nur noch im Vorspann vorkommen. Ihr Tod ist der eines Genres und eines Traumes. Beide waren amerikanisch.

Ich bin froh, dass ich Monument Valley in einem anderen Film wiedergesehen habe, wieder GESEHEN habe: in ›Easy Rider‹, mit Peter Fonda, mit einer ESSO-Tankstelle statt eines KARPATEN-Saloons.« *Wim Wenders,*
Filmkritik 11/1969

»Produktionsland: Italien; Produktionsstätte: die Filmstadt Cinecittà vor den Toren Roms. Und dennoch ist dieser Western ganz anders als gewohnt, auch wenn er von Sergio Leone inszeniert ist, einem Miterfinder des brutalen Nervenkitzlers im Gewande des Wildwestfilms. Story und Machart sind so, dass der unbefangene Zuschauer auf US-Herkunft tippen würde, zumal die Tafelberge von Arizona und Utah die Außenkulisse beitrugen. – Gewiss stellt sich die Frage, ob diese Geschichte aus dem fernen Westen des vorigen Jahrhunderts nicht abseits aller Wirklichkeit ist. Aber es ist eine Geschichte, die logisch aufgebaut und nicht ohne Reiz ist, obwohl auffallend viel Längen den Spannungsablauf immer wieder unterbrechen.

Was man dieser legalen Traumfabrikstory vorwerfen muss, ist eine sentimentalisierende Tendenz, die bis an den Rand des Kitsches geht. Wenn beispielsweise der Kameraschwenk über die aufgebahrten Toten ausgerechnet von Zithermusik begleitet wird, ist das nicht gerade geschmackvoll.

Aber auf der anderen Seite bietet die Geschichte wieder unterhaltende Elemente, darunter eine imposant eingefangene wilde Landschaft. Die erstklassige Besetzung garantiert gute darstellerische Leistungen, die die klassische Typisierung der handelnden Personen nicht allzu sehr in den Vordergrund treten lassen. Sehr zurückhaltend ist mit Brutalitäten verfahren, die sonst in Italo-Western oft unangenehm selbstzweckhaft inszeniert sind.« M.N., *Film-Dienst FD 16 296*

»Spiel mir das Lied vom Tod!«

Drehort Monument Valley: Die berühmte Hängszene wird gedreht

... SE INCONTRI SARTANA PREGA PER LA TUA MORTE

Sartana ... bete um deinen Tod (Regie: Gianfranco Parolini)

Italien / Deutschland 1968
Erstaufführung in Italien: 14. August 1968
Deutscher Start: 22. August 1969

Besetzung: *Gianni Garko (Sartana), Klaus Kinski (Morgan), Fernando Sancho (José Manuel Mendoza), William Berger (Lasky), Sydney Chaplin (Jeff Stewall), Gianni Rizzo (Hallman), Andrea Scotti (Perdido), Carlo Tamberlani (Pastor auf der Postkutsche), Franco Pesce (Dusty), Heidi Fischer (Evelyn), Maria Pia Conte (Jane), Sabine (Saloonmädchen), Sal Borgese (El Moreno), Gianfranco Parolini, Sergio Jossa, Patricia Carr, Arrigo Peri, Antonietta Fiorito, Ugo Adinolfi*

Inhalt: Der Plan war perfekt: Die Mexikaner von General Tampico überfallen unter Führung von El Moreno (Sal Borgese) die Postkutsche, töten die Passagiere und Begleiter und verschwinden mit dem Gold. Laskys Leute sollen die Mexikaner aus dem Weg räumen und werden dann selbst von ihrem eigenen Anführer Lasky (William Berger) umgelegt. Die beiden Bankiers von Goldspring, Stewall und Hallman, haben einen Plan bis ins kleinste Detail ausgetüftelt: Sie packen statt des Goldes große Steine ein, weil auch sie Lasky nicht trauen. Die Versicherungsgesellschaft wird ohne Weiteres zahlen, da jedes Beweisstück aus dem Weg geräumt ist. Das ganze Unternehmen ist mehrfach geprüft, nichts kann mehr schief gehen. Doch da taucht unvermutet ein großer schlanker junger Mann mit schwarzen erbarmungslosen Augen auf: Sartana (Gianni Garko). Ein Versicherungsagent? Ein kaltblütiger Mörder? Oder tatsächlich der Satan in Person? Lasky ist in Little Creek und steht vor einer Kiste voller Steine. Um ihn herum liegen die vom Maschinengewehr durchlöcherten Leichen mehrerer Männer. Da ertönen in der tiefen Stille des Tales die verzerrten Klänge einer kleinen Musikbox. Lasky reitet in panischer Angst zurück nach Goldspring, wo die Bürger der Stadt ihrem Bürgermeister gerade die

letzte Ehre erweisen. Tampico verbeugt sich in voller Uniform vor dem Sarg, nicht ohne vorher der hübschen jungen Witwe einen Blick zugeworfen zu haben. Lasky ist inzwischen mit den Bankiers in Verbindung getreten. Es liefe nicht alles nach Plan, erzählt er ihnen. Irgendjemand weiß etwas! Die Nachricht von dem Postkutschenüberfall ist bereits in Goldspring eingegangen und Old Dusty, der Totengräber, wundert sich, dass der junge Fremde schon alles weiß. Er ist ein gutaussehender junger Mann, ganz in Schwarz gekleidet mit unerbittlichem Gesichtsausdruck. Ein Versicherungsagent? Ein Killer? Wer weiß? Im Friseurladen hört Lasky das vertraute Klimpern der Musik-Box, und jetzt weiß er auch, wem sie gehört: Sartana.

Lasky beschließt, ihn umzulegen, aber alle seine Tricks und Fallen schlagen fehl. Niemand kann Sartana fangen, alle Angriffe gehen ins Leere, die Kugel scheint jedes Mal ihr Ziel zu verfehlen. Ist er Sartana oder der Satan? Stewall und Hallman finden den mit Steinen gefüllten Sarg auf der Veranda vor der Bank. Zuerst hat General Tampico große Zweifel bezüglich der Loyalität der beiden Bankiers. Aber er ist sehr erleichtert, als er feststellt, dass das Gold Goldspring niemals verlassen hat. Es liegt auf dem Friedhof im Sarg des Bürgermeisters. Was den drei Männern tatsächlich Sorgen bereitet, ist Lasky. Lasky hat einen Zeugen erfunden, um sie zu erpressen, um ihren perfekten Plan zu erschüttern. Und unnötigerweise schwört Lasky immer wieder, dass dieser »andere Mann« existiert. Die drei Männer aber schlagen ihn zusammen. Sein letztes Stündlein hätte geschlagen, hätte nicht die vertraute Musik-Box die Szene unterbrochen. Tampico rast zur Tür und reißt sie auf. Draußen liegt der leblose El Moreno und oben an einem Dachbalken baumelt die kleine Spieluhr. In der Ferne jagt ein lebendes Gespenst galoppierend davon. Die Mexikaner nehmen die Verfolgung auf, aber Sartana entwischt ihnen und kommt zur Ranch zurück. Lasky und Sartana schließen einen Pakt. Tampico erkennt nun, dass Stewall ihn betrogen hat. Stewall wiederum weiß, dass Tampico ihn an der Nase herumgeführt hat. Die ganze Situation ist von Sartana verursacht, der die Fäden wie ein Marionettenkünstler in der Hand hält. Stewall und seine Männer graben auf dem Friedhof den Sarg des eben verstorbenen Bürgermeisters aus, werden aber von den Mexikanern überrascht und brutal niedergemetzelt. In einem riesigen Raum stehen Mexikaner und der General um den Sarg, den der Chef der Bande gerade öffnen will. Tatsächlich ist der Sarg voll Gold, aber die Männer können sich nicht lange daran freuen: Einer nach dem anderen wird von einem Maschinengewehr niedergeknallt. Aber auch Lasky kann sich an seinen vielen Leichen nicht lange erfreuen. Neben ihm steht ganz in Schwarz Sartana. Ein Killer? Oder der Satan? Die beiden schauen sich an, als sie gemeinsam den Sarg öffnen. Hunderttausend Dollar!! Aber im Sarg sind nur die Leiche des Bürgermeisters und einige schwarze Steine. Diesmal hat Lasky die Hand schneller am Drücker. Er reißt seine Pistole herum und feuert ab. Sartana fällt tot zu Boden.

In der Zwischenzeit beichtet Hallman Evelyn, dass er die Witwe des Bürgermeisters umgebracht hat. Es gab keine andere Möglichkeit. Evelyn hört ihm entzückt zu, alles entwickelt sich genauso, wie es immer zwischen den beiden zu sein pflegte. Jetzt, da Stewall tot ist, wurde ihr Hallman die mächtigste Person der Stadt.

Niemand bis auf Hallman weiß, dass hier das Gold wirklich versteckt ist. Hallman ist naiv genug und erzählt ihr das Versteck. Und so wird das Leben des naiven Bankiers Hallman durch die kleine Pistole Evelyns ausgelöscht. Mitten in der Nacht rennen Evelyn und Lasky zum Sarglager des Old Dusty. Zwischen den Holzsärgen steht einer voll mit Goldsäcken. Ein enormer Haufen Gold, aber vielleicht doch nicht genug, um unter zwei Leuten aufgeteilt zu werden, so fühlt jedenfalls Lasky, und die bezaubernde kleine Evelyn folgt ihrem Hallman in die ewigen Jagdgründe. Wieder einmal hat Lasky gewonnen. Er streichelt voller Wonne die Goldsäcke, er betrachtet sie liebevoll, aber wieder wird er unterbrochen. Der Wind stößt die Tür der Leichenhalle auf und dort steht Sartana, oder der Satan! Lasky traut seinen

Gianni Garko in seiner Paraderolle: Sartana

277

Augen nicht. Dort steht der Mann, dem er kurz vorher eine Kugel in den Körper gejagt hatte. Dusty ist entzückt, dass die alte Messingmedaille, die er vor Jahren für eine Skulptur bekam, seinem Freund das Leben gerettet hat. Jetzt hat Lasky nur noch eine Karte in der Hand. Er ist bereit, das Gold zu teilen, aber er hat keine Chance mehr. Er stürzt unter einem Kugelhagel zusammen, ein Kranz aus künstlichen Blumen umrahmt sein von Panik ergriffenes Gesicht. Sartana zieht ihn zusammen mit dem Gold weg, während Dusty in der Tür steht, sich am Kopf kratzt und über den seltsamen Fremden nachdenkt, der in der Ferne verschwindet. Ein Versicherungsagent? Ein Killer? Sartana ... oder der Satan??? Bei einer Sache kann er sich ganz sicher sein. Er ist ein schlanker junger Mann mit eiskalten blauen Augen.

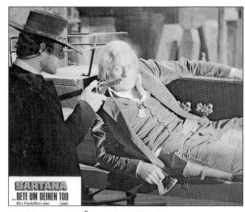

Gianni Garko und der Österreicher William Berger

Film: Im Jahr 1968 gelang es Gianfranco Parolini einen Charakter zu erfinden, dessen Popularität an die frühen Italo-Western-Helden Ringo und Django heranreichte, zumindest in den wenigen Originalfilmen mit Gianni Garko in der Hauptrolle: Sartana. Nach einer Reihe von durchschnittlichen Western gelang Parolini hier sein definitives Meisterwerk, das ihm viel Ruhm und hohe Einspielergebnisse bescherte. Vermarktet als der einzige perfekt inszenierte Western nach »Per un pugno di dollari« (»Für eine Handvoll Dollar«), wartete dieser Film mit einer Besetzung auf, die als die wirkliche Summe aller damaligen bekannten Italo-Western-Darsteller gelten konnte: Gianni Garko, Fernando Sancho, Klaus Kinski und William Berger. Garko personifizierte den mysteriösen schwarz gekleideten Rächer und wurde erst mit dieser Rolle plötzlich weltberühmt, trotz seiner zahlreichen vorher gedrehten Western. Schon bei seinem ersten mysteriösen Erscheinen auf der Leinwand breitet sich sein ganzer Charme aus, als einer der Reisenden in der Postkutsche meint, »er kam aus dem Nichts – wie ein Geist!«. Dann, nachdem zwei unglückliche Personen von einigen Banditen ins Jenseits befördert wurden, taucht er wieder auf mit seinem schweifenden schwarzen Mantel, worauf einer der Banditen kommentiert: »Du siehst aus wie eine Vogelscheuche« – Er daraufhin »Ich bin dein Totengräber«, bevor er sie alle tötet. Sartana ist eine Art stummer Bote aus dem Jenseits, der den Bedürftigen hilft. Tatsächlich überlebt Sartana in der Schlussszene nur, weil er eine kleine Bronzeplakette umgehängt hat (eine

ironische Huldigung an »Per un pugno di dollari«, in der Clint Eastwood die Eisenplatte unter dem Poncho trägt), die Laskys (William Berger) Schüsse auffängt, wie konnte er jedoch die Schüsse am Anfang des Films überleben? Warum sind seine Auftritte immer mit einem unheilvollen und gespenstischen Wind verbunden? Und als ihn am Ende der Totengräber fragt, wer er ist und warum er die Leichen der Bösewichte wegbringt, antwortet er: »Weil ich ein erstklassiger Totengräber bin.« Parolini kreiert hier praktisch einen mysteriösen und übernatürlichen Charakter ohne bestimmten Grund, nur um das Konzept des Revolverhelden aus dem Jenseits umzusetzen, das später von Sergio Garrone in »Django il bastardo« (»Django und die Bande der Bluthunde«) und von Clint Eastwood in seinen beiden Western »High Plains Drifter« (»Ein Fremder ohne Namen«) und »Pale Rider« wieder aufgegriffen wurde. Ungleich dieser späteren Versionen ist Sartana jedoch nicht nur ein Gespenst, sondern wie bereits erwähnt der Geist des Todes persönlich. Die ursprüngliche Idee für diesen Film stammt von Gianni Garko selbst, der gebeten wurde, einen Helden namens Sartana zu spielen wie den paranoiden Bruder, den er in dem erfolgreichen Cardone-Western »Mille dollari sul nero« (»Sartana«) bereits verkörpert hatte. Aber Garko war der Meinung, dass die stereotype Version des rächenden Helden inzwischen überholt wäre und es an der Zeit sei, einen neuen zynischen, amoralischen Charakter, der völlig ohne Gefühl und Leidenschaft handelt, zu kreieren. Parolini liebte die James-Bond-Filme und so entschloss er sich, seinem Charakter auch einige außergewöhnliche Gimmicks zu verpassen und ihn wie einen Spieler und einen Zauberer aussehen zu lassen. Sartana ist wie eine Fledermaus, die am nächtlichen Himmel fliegt. Er verändert seine Form wie Dracula und taucht aus dem Nichts auf. Von Parolini sehr kompetent inszeniert, stellt dieser erste richtige Sartana-Film ein Modell für alle zukünftigen Filme dieser Serie dar, die dann von Giuliano Carnimeo inszeniert wurden. Die Besetzung ist äußerst effektiv und dem Regisseur gelang es unter Verwendung vieler grausamer Szenen mit blutigen Erschießungen, einen sehr temporeichen, unterhaltsamen Western abzuliefern. Kameramann Sandro Mancori gelang es, die beschränkten Drehorte rund um Rom wie die Villa Mussolini, die hier General Tampicos Festung darstellt, sehr interessant zu fotografieren. Auch Piero Piccionis Musik stellt eine totale Umkehrung des bisherigen, typischen Italo-Western-Scores dar.

Presse: »Typischer Italo-Western im Django-Stil mit deutscher Beteiligung. Das übliche Milieu: die amerikanische Grenze und die kindlich unschuldsvolle Grausamkeit der dort wohnenden Sombreroträger. Nur der schweigsame Titelheld überlebt. Alle anderen, an einem Goldraub direkt oder indirekt beteiligten Banditen, Bankiers und Generale von eigenen Gnaden bleiben auf der Strecke; sogar die reizende Heidi Fischer, die selbst einige dunkle Ehrenmänner auf dem Gewissen hat, bevor ihr die rächende Messerschneide den Garaus macht. Die Gauner bringen sich gegenseitig um Leben und Beute. Das Motiv des von einem kugelsicheren Metallstreifen im Hut geschützten Herrn Sartana bleibt bis zum Schluss unklar. John Garko verkörpert ihn mit unerbittlich kalten Augen. Sidney Chaplin ist flackernden Blicks sein zwielichtiger Verbündeter und Rivale zugleich. Särge en masse, mal mit Toten, mal mit dicken Steinen oder Goldbarren gefüllt, sind die makabren Requisiten. Messer zischen, Kugeln pfeifen, und wenn es gar nicht anders geht, schießt sich die Unterwelt mit Maschinengewehr-Salven zusammen. Sehr viel Spannung und grausame Gags, aber nach meinem Geschmack zu viel Leichen, Sadismus und dazu noch ein unbefriedigender Schluss.«

Ernst Bohlius,
Filmecho / Filmwoche Heft 72, 1969

Gianni Garko als Sartana

CORRI UOMO CORRI

Lauf um dein Leben (Regie: Sergio Sollima)

Italien 1968
Erstaufführung in Italien: 29. August 1968
Deutscher Start: 11. September 1969

Besetzung: *Tomás Milian (Cuchillo), Donald O'Brien (Cassidy), John Ireland (Santillana), Federico Boido, Linda Veras (Penny), Chelo Alonso (Dolores), José Torres (Ramirez), Luciano Rossi (Jean-Paul), Nello Pazzafini (Riza), Marco Guglielmi (Michel), Dante Maggio, Gianni Rizzo*

Inhalt: Eigentlich mussten sie schon immer um ihr Leben laufen, die Bewohner des Gebietes am Rio Grande, der die Grenze zwischen Mexiko und Texas bildet. Schmuggler, Banditen, Kriege und Revolutionen hielten sie ständig auf Trab. Für Cuchillo (Tomás Milian) beginnen die Er-

eignisse, als er nach längerer Abwesenheit wieder in seinem Heimatort auftaucht und sich gleich im Gefängnis wiederfindet, als er einige schnell geklaute Pesos darauf setzt, dass der ehemalige Sheriff von Abilene, Nat Cassidy, schneller zieht als sein Gegner. Als ihm seine temperamentvolle Braut Dolores obendrein noch ein paar Ohrfeigen verabreicht, ist er mit der Welt fix und fertig. Er ahnt nicht, was das Schicksal noch mit ihm vorhat. Cuchillo wird zu einem gewissen Ramirez in die Zelle gesperrt, der am nächsten Tag entlassen werden soll. Ramirez verspricht ihm 100 Dollar, eine Menge Geld für Cuchillo, falls dieser ihm vorzeitig zur Flucht verhilft. Er versteht zwar nicht, warum ein Mann in der Nacht vor seiner Entlassung noch flüchten will, aber gutmütig wie er ist, macht er mit. Die Flucht gelingt, nicht zuletzt dank Dolores, die ihren Cuchillo

Regisseur Sollima gibt den Stars Tomás Milian und Linda Veras Anweisungen

Dreharbeiten bei Tabernas

Gianni Rizzo, Linda Veras, Donald O'Brien

aus dem Loch holen wollte. Unterwegs fallen sie in die Hände von Banditen, die Ramirez als einen ehemaligen Vertrauten von Juarez kennen und ihn erschießen, als dieser das Versteck des Revolutionsvermögens in Höhe von 3 Millionen Dollar nicht preisgeben will. Cuchillo vermag zu entkommen. Aber es sind nicht nur die Banditen, die hinter dem Geld her sind. Ex-Sheriff Cassidy, auf eigene Rechnung arbeitend, Soldaten der regulären Armee, Revolutionsgeneral Santillana, französische Agenten, alle sind auf der Suche nach dem Schatz, und alle glauben, Ramirez habe Cuchillo sterbend das Versteck genannt. Aber von nun an muss Cuchillo seine Beine wirklich in die Hand nehmen, denn nun wird er gnadenlos gejagt. Als er erfährt, um was es geht, wird aus dem kleinen Schlitzohr Cuchillo der Patriot, der kleine Held, der sich nunmehr selbst auf die Schatzsuche macht, um das viele Geld sicherzustellen. Am Ende des abenteuerlichen, aber unerbittlichen Wettlaufs fährt Dolores mit dem Schatz davon; unser Cuchillo aber läuft weiter um sein Leben, diesmal um die Verfolger irrezuführen.

Film: Sergio Sollima bringt für seinen dritten und letzten Western nochmals den aus »La resa dei conti« (»Der Gehetzte der Sierra Madre«) bekannten, von Tomás Milian perfekt dargestellten Charakter des Cuchillo in einem unglaublich unterhaltsamen Film zurück. In diesem etwas episodenhaften während der mexikanischen Revolution angesiedelten Film gab Sollima seinem Schützling Milian alle Freiheiten, seinen Charakter noch bizarrer und vielseitiger zu zeigen als bereits in seinem ersten Western. Die unzähligen vielschichtigen Charaktere des Films, vor allem

die beiden weiblichen Darstellerinnen Chelo Alonso als Cuchillos wunderschöne Freundin und Linda Veras als gierige blonde Amerikanerin und Offizierin der Heilsarmee sind äußerst sehenswert. Wie in »La resa dei conti« (»Der Gehetzte der Sierra Madre«) gibt es auch hier wieder eine Beziehung zwischen Cuchillo und einem Revolverhelden, dargestellt von Donald O'Brien in seiner besten Italo-Western-Rolle, die als Rivalität beginnt und am Ende des Films als Freundschaft endet. Der Film ist sicherlich humorvoller als die ersten beiden Western von Sollima, aber auch hier gibt es alle wesentlichen Italo-Western-Merkmale einschließlich einiger brutaler Szenen wie z.B. die Folterszene mit dem an die Flügel einer Windmühle gefesselten Cuchillo.

Ebenso wie im erstgenannten Film kommt es auch hier wieder zu einem ähnlich choreografierten Duell zwischen Messer und Schusswaffe, das natürlich wieder von Cuchillo souverän gewonnen wird, nur dass das Messer den Schurken jetzt im Hals trifft statt in der Stirn. Nicht vergessen sollte man vielleicht auch den Kampf der beiden bereits genannten Darstellerinnen, der nicht ohne erotische Reize ist. Für die Musik zeichnete diesmal Bruno Nicolai verantwortlich und Tomás Milian selbst durfte sogar den Titelsong zum Besten geben.

Wenn man dem Regisseur Sergio Sollima Glauben schenken kann, schuf jedoch wieder Ennio Morricone den Großteil der Musik. Aus rechtlichen Gründen durfte wohl sein Name nicht verwendet werden.

Der Film enthält sehr vielseitige Landschaftsaufnahmen, angefangen von Schneelandschaften bis hin zu Wüstengegenden, die alle in Spanien

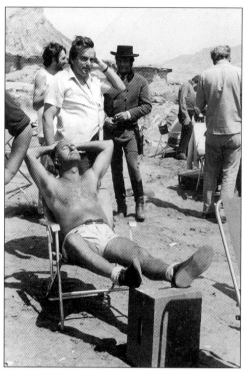

Regisseur Sergio Sollima ruht sich aus

Tomás Milian als Cuchillo

entstanden. Dieser Film ist nicht ganz auf der Höhe von Sollimas beiden anderen Western, bietet jedoch tolle Unterhaltung während der gesamten Laufzeit und sollte unbedingt in der ungekürzten Originalfassung gesehen werden.

Presse: »Das ist nur äußerlich ein Italo-Western, eigentlich ist es ein Volksstück aus der pikaresken Tradition. Ein kleiner Gauner mit reinem Herzen erfährt von einem Sterbenden ein Geheimnis: In einer fernen Stadt liegt ein Goldschatz verborgen. Böse wollten sich seiner bemächtigen, Gute aber müssten ihn kriegen, er solle dabei mithelfen. Er tut es, aber mit ihm zugleich sind etwa noch fünf Personen oder Gruppen nach der Stadt unterwegs. Es gibt viele Verwicklungen, der Held gerät mehrmals in schreckliche Gefahr, aber alles endet gut. So kann und muss man den Film erleben, als Märchen und Komödie. Erlebt man ihn anders – der Schatz soll mexikanischen Revolutionären um 1910 helfen, rivalisierende mexikanische Gruppen und Abenteurer rennen hinter dem Gold her –, dann stimmt er weniger, wird fragwürdig. Und fragwürdig die Zutaten

des Italo-Western, die Sollima schließlich doch in das bunte Märchenspektakel mischt. Zum Glück aber gewinnen sie nicht die Oberhand.«
Wilhelm Roth,
Filmkritik 11/1969

»Die mexikanische Revolution als Hintergrund für einen spannenden Italo-Western ohne tiefere Durchdringung der politischen und sozialen Zusammenhänge. Bezahlte Killer der Regierung, ein wortkarger Ex-Sheriff und ein kleiner Gauner, den der Zufall zu einer Schlüsselfigur des revolutionären Kampfes werden lässt, versuchen mit allen Mitteln, sich gegenseitig den Goldschatz des Juarez abzujagen – ein millionenschweres Vermögen, das die Fortsetzung des Freiheitskampfes ermöglichen würde. Die für das Genre typischen Grausamkeiten sind nur sporadisch anzutreffen. Karikierende Züge lockern die Zeichnung der Charaktere. So manches Western-Klischee wird persifliert. Das Publikum scheint – dem Münchener Erfolg nach zu urteilen – diese Mischung zu mögen.«
Hans Jürgen Weber,
Filmecho / Filmwoche Heft 85, 1969

I QUATTRO DELL'AVE MARIA

4 für ein Ave Maria (Regie: Giuseppe Colizzi)

Italien 1968
Erstaufführung in Italien: 31. Oktober 1968
Deutscher Start: 3. Oktober 1969

Besetzung: *Terence Hill [Mario Girotti] (Cat Stevens), Bud Spencer [Carlo Pedersoli] (Hutch Bessy), Eli Wallach (Cacopoulos), Brock Peters (Thomas), Kevin McCarthy (Drake), Tiffany Hoyveld (Thomas' Frau), Federico Boido, Armando Bandini (Bankkassierer), Livio Lorenzon (Paco Rosa), Steffen Zacharias (Harold), Remo Capitani (Cangaceiro), Bruno Corazzari (Charlie), Dante Cleri, Antonietta Fiorito, Isa Foster, Franco Gulà, Corrado Olmi, Aldo Sala, Luciano Telli, Giuseppe Terranova, Edoardo Torricella*

Inhalt: In dem verschlafenen Städtchen El Paso an der Grenze zwischen Texas und Mexiko bereitet man die Hinrichtung des Gangsters Cacopoulos (Eli Wallach) vor. Zwei andere Banditen, Cat Stevens (Terence Hill) und Hutch Bessy (Bud Spencer) haben am gleichen Tag eine kleine »Rechnung« mit dem Bankdirektor Mr. Harold (Steffen Zacharias) zu begleichen. In Kenntnis seiner Vergangenheit erpressen sie ihn um die hübsche Summe von 300.000 Dollar. Harold, der seinerzeit Cacopoulos ins Gefängnis brachte, sucht den Delinquenten auf und erbietet sich, ihm zur Flucht zu verhelfen, wenn er sich verpflichtet, Hutch und Cat das Geld wieder abzujagen. Caco, den Strick vor Augen, willigt ein und verlässt in der gleichen Nacht El Paso, nicht ohne mindestens drei Leichen zurückzulassen, einschließlich des korrupten Mr. Harold. Was Caco sich vornimmt, gelingt. Er nimmt Cat und Hutch das Geld wieder ab und lässt die beiden ohne ihre Pferde in einem Canyon zurück. Es dauert einige Zeit, bis sich die

Traumgespann: Bud Spencer und Terence Hill

zwei Banditen nun ihrerseits an die Verfolgung Cacos machen können, dessen Spur leicht zu finden ist. Denn überall, wo Caco vorbeikam, ist der Wohlstand ausgebrochen. Caco hat nämlich seine wohltätige Ader entdeckt und streut das Geld mit vollen Händen unter den Bedürftigen aus. Der Seiltänzer Thomas (Brock Peters) und seine Frau (Tiffany Hoyveld) können Hutch und Cat sogar das genaue Reiseziel Cacos mitteilen – Tula in Mexiko. Hier ist gerade ein Volksfest im Gange, als die beiden Banditen eintreffen, und hier stoßen sie dann auch auf den Gesuchten. Hutch betrinkt sich füchterlich. Als er aus seinem Rausch aufwacht, ist sein Gefährte verschwunden, stattdessen fällt sein Blick auf Caco. Doch dieser scheint friedlich zu sein und deckt seine Pläne auf. Sein Ziel ist Rache zu nehmen an den drei Männern, denen er seine Gefangennahme verdankt. Der erste, Mr. Harold, hat seine Strafe erhalten. Der zweite, ein Haziendabesitzer namens Paco (Livio Lorenzon), wohnt in der Nähe von Tula. Caco überredet Hutch, ihm bei dem Überfall zu helfen. Hutch, der sich des Sarkasmus dieses Angebots wohl bewusst ist, bleibt nichts anderes übrig, als mitzumachen, zumal auch Cat spurlos verschwunden ist. Der heiße Kampf auf

Pacos Farm zwischen Cacos und Hutchs Bande und den Angegriffenen steht günstig für Paco, bis plötzlich Cat mit Verstärkung auftaucht. Caco, Hutch und Cat ziehen sich zurück, gefolgt von ihren Gegnern. Dem Instinkt der Selbsterhaltung folgend, erschießt Caco die Pferde seiner beiden Gefährten und reitet allein weiter. Mit Mühe entkommen Hutch und Cat den Verfolgern und machen sich wieder einmal auf die Jagd nach Caco. In Fair City entdecken sie ihn endlich – als Tellerwäscher in einem Restaurant, wo auch das Ehepaar Thomas arbeitet. Caco zeigt sich von seiner besten Seite. Er beteuert, den beiden seine Schulden zurückzahlen zu wollen – doch leider hätte er alles Geld in Mr. Drakes (Kevin McCarthy) Spielbank verloren. Es wird offenbar, dass bei Drake ein präpariertes Rouletterad benutzt wird. Unter Assistenz von Thomas machen sich die drei gemeinsam daran, Drake mit seinen eigenen Waffen zu schlagen. Caco nutzt die manipulierte Technik des Rouletterades für sich aus und gewinnt 300.000 Dollar. Drake, der übrigens der von Caco gesuchte »dritte Mann« ist, sieht seinen Bankrott vor Augen und vielleicht noch Schlimmeres. Eine wilde Schießerei bricht aus. Cat, Hutch, Caco und Thomas gehen als Sieger

Terence Hill Eli Wallach

4 FÜR EIN AVE MARIA

Bud Spencer Brock Peters

Bud Spencer bei der Morgengymnastik

284

Terence Hill, Eli Wallach, Brock Peters

daraus hervor. Sie teilen sich die Beute und verlassen ungehindert die Stadt. Drake überlassen sie den betrogenen Bürgern von Fair City.

Film: Auf Grund des großen Erfolgs von »Dio perdona ... io no!« (»Gott vergibt – Django nie«) entschloss sich Giuseppe Colizzi einen weiteren Western mit seinen beiden Stars Terence Hill und Bud Spencer zu drehen. Was dabei herauskam, ist der beste seiner drei Western, wozu natürlich nicht zuletzt die hervorragende Besetzung und ein selbst entworfenes spannendes Drehbuch beitrugen. Neben dem bewährten Duo sind hier wieder eine ganze Reihe hervorragender Charakterdarsteller zu sehen wie der bereits aus »Il buono, il brutto, il cattivo« (»Zwei glorreiche Halunken«) bewährte Eli Wallach in der Tuco-ähnlichen Rolle des griechisch-stämmigen Gauners Cacopoulos, der Schwarze Brock Peters sowie Kevin McCarthy. Zu den Höhepunkten des Films zählt das ausgezeichnet in Szene gesetzte, von Carlo Rustichellis hervorragender Musik untermalte Duell in der Spielhölle, in der die Kugel im Roulette-Rad das Zeichen zum Feuern gibt. Der Film enthält alle typischen Italo-Western-Zutaten, angefangen von den typischen Westerndrehorten bis hin zu zahlreichen Betrügereien, Schießereien und stilisierten Kämpfen. Der Film war wieder so erfolgreich, dass Coluzzi noch einen dritten Western mit dem erfolgreichen Gespann nachfolgen ließ, der unter dem Titel »La collina degli stivali« (»Hügel der blutigen Stiefel«) in die Kinos kam. Regie-Kollege Ruggero Deodato drehte 1969 eine echte Parodie dieses Filmes mit dem Titel »I quattro del Pater Noster« (in Deutschland nicht gelaufen) mit Paolo Villagio und Lino Toffolo in den Hauptrollen.

Presse: »Italienische Western sind im Allgemeinen mit dem Etikett blutig-brutal versehen. Nicht so die Produktionen von Giuseppe Colizzi. Seit ›Gott vergibt – Django nie‹ weiß man, dass dieses Genre durch ein wenig Komik und Humor zu weit besseren Erfolgen führen kann. Auch hier wird zwar geschossen und geschlagen, aber doch sorglos-fröhlich und ohne tiefschürfenden Ernst. Filme dieser Machart sind offensichtlich nicht nur auf ein ganz bestimmtes, jugendliches Publikum zugeschnitten. So auch diese Banditen-Story, die eine weichere Welle aus dem Süden anzuzeigen scheint. Ihre Helden sind dennoch handfeste Kerle, vorzügliche Schützen, rabiate Schläger und wilde Reiter. Sie tun einiges, um Herzklopfen im Parkett zu erzeugen, und dürften mit Duckmäusern kaum verwechselt werden. Ungeachtet dessen ist das Milieu weniger grausam, nimmt der Sarkasmus fast menschliche Züge an, kommen soziale Momente ins Spiel, wird Folklore eingeschmuggelt und farbenprächtige Kost statt einsamer Prärie geboten. Die stahlblauen Augen von Terence Hill leuchten ganze zwei Stunden lang und verkünden neue Abenteuer. Die Inszenierung von Colizzi ist ganz auf die Absicht eingestellt, mehr als nur rauchende Revolver und sterbende Feinde zu bieten.«

Walter Müller-Bringmann,
Filmecho/Filmwoche Heft 84, 1969

»Ob der Titel der deutschen Ausfertigung dieses Italo-Western geschmackvoll ist, ob und wie er überhaupt zur Handlung passt, ist mindestens strittig. Wichtig ist es jedoch nicht. Dagegen ist nicht unbedeutsam, dass Autor und Regisseur Giuseppe Colizzi hier dem abgegriffenen und in Klischees erstarrten Genre einigermaßen erfolgreich ein neues Element hinzuzufügen verstand: die Komik, gelegentlich auch das gelungene Parodistische. Zwar ist auch dieser Italo-Western ein Film über Revolverhelden und welke Blüten der menschlichen Gesellschaft, womit nicht unwirksam und unwitzig die Parole ›Recht und Ordnung‹ kontrastiert, die, kurz, aber unübersehbar, immer wieder am Hausgiebel oder über dem Tor erscheint. Wer schnell, stark und klug ist, lebt auch hier länger in einer Gesellschaft, die, wie der Film zeigt, mit Verbrechern lebt. Hinzu kommt jedoch, dass der Kopf nicht nur als Huthalter oder Ziel von Kugeln dient, sondern als Ursprungsort und Sitz listig-lustiger Einfälle, mit denen der Gegner ebenso gut und wir-

Eli Wallach in der Rolle des Cacopoulos

kungsvoll außer Gefecht gesetzt werden kann wie durch das Schießeisen, wobei zum rechten Genuss jedoch nur der Zuschauer kommen wird, bei dem der Empfänger auf ruppig-handfesten Humor geeicht ist. – Folkloristische, kriminelle, wenn man will auch klassenkämpferische Züge mischen sich in das aus zahllosen Produkten der Gattung bekannte Geschehen, und wer Freude am Wiedererkennen vertrauter Bilder hat, kommt auf seine Kosten. Die Helden werden als Gruppe von Individualisten präsentiert, deren Wirkung sich durch die Kombination verschiedener Fertigkeiten erhöht. Sie treffen sich zufällig und gehen nach durchstandenen Abenteuern wieder ihre eigenen Wege. Der Herkunft nach sind sie unverkennbar proletarisch, und ihr Tun richtet sich, obwohl sie alle ihren pesönlichen Interessen folgen, gegen Ausbeuter und Obergauner. Kurze Zeit paktieren sie auch mit einer mexikanischen revolutionären Bewegung. Sie werden jedoch nicht zu Volksbefreiern veredelt, da kein Zweifel darüber gelassen wird, dass die

Gangster auch hierbei ihr Interesse im Auge haben. Nicht ohne bewusste Absicht dürfte sein, dass als eine der primär handelnden Personen ein Neger eingeführt wird. Er wirkt entscheidend mit bei einer der wohl gelungensten Passagen des Films: der Aushebung eines (Falsch-)Spielclubs, während die zweifellos beste und köstlichste sich bei einem mexikanischen Volksfest abspielt, bei der der im Augenblick verfolgte Cacapoulus den bärenhaften Gegner Hutch (Bud Spencer) in einen Raum mit Säuglingen lockt und beide nicht aneinander geraten können, da sie alle Hände benötigen, um die schreiende Brut in den Hängewiegen wieder zur Ruhe zu bringen. Der Dritte im Bunde, der Profi Cat (Terence Hill), ist noch ausdrucksloser und starrer als aus Django-Filmen bekannt. Mit einiger Vorsicht darf gesagt werden, dass dieser Film sowohl Erwartungen eines bestimmten Publikums an Western befriedigt als auch einigen höheren Ansprüchen genügt.«
Christoph Wrembek,
Film-Dienst FD 16 451

DAS FILMJAHR 1970

ITALO-WESTERN-FILMSTARTS IN DEUTSCHEN KINOS 1970

* Sonora (Für ein paar Leichen mehr) – Regie: Alfonso Balcázar – BRD-Start: 27.1.1970
* 2 rrringos nel Texas (Zwei Trottel gegen Django) – Regie: Marino Girolami – BRD-Start: 13.2.1970
* Sono Sartana, il vostro becchino (Sartana – Töten war sein täglich Brot) – Regie: Giuliano Carnimeo – BRD-Start: 26.2.1970
* Une corde, un Colt (Friedhof ohne Kreuze) – Regie: Robert Hossein – BRD-Start: 27.2.1970
* Ammazzali tutti e torna solo (Töte sie alle und kehr allein zurück) – Regie: Enzo Girolami – BRD-Start: 27.2.1970
* Due volte Giuda (2 x Judas) – Regie: Fernando Cicero – BRD-Start: 27.2.1970
* Quel caldo maledetto giorno di fuoco (Django spricht kein Vaterunser) – Regie: Paolo Bianchini – BRD-Start: 27.2.1970
* La più grande rapina nel West (Ein Halleluja für Django) – Regie: Maurizio Lucidi – BRD-Start: 6.3.1970
* Chiedi perdono a Dio, non a me (Django – den Colt an der Kehle) – Regie: Vincenzo Musolino – BRD-Start: 24.3.1970
* Un esercito di 5 uomini (Die fünf Gefürchteten) – Regie: Don Taylor, Italo Zingarelli – BRD-Start: 26.3.1970
* I tre che sconvolsero il West (Drei ausgekochte Halunken) – Regie: Enzo Girolami – BRD-Start: 3.4.1970
* Gli specialisti (Fahrt zur Hölle, ihr Halunken) – Regie: Sergio Corbucci – BRD-Start: 10.4.1970
* Execution (Django – Die Bibel ist kein Kartenspiel) – Regie: Domenico Paolella – BRD-Start: 24.4.1970
* Una lunga fila di croci (Django und Sartana – die tödlichen Zwei) – Regie: Sergio Garrone – BRD-Start: 30.4.1970
* Ehi amico ... c'è Sabata, hai chiuso! (Sabata) – Regie: Gianfranco Parolini – BRD-Start: 2.5.1970
* ¿Quién grita venganza? (An den Galgen, Bastardo) – Regie: Rafael Romero Marchent – BRD-Start: 15.5.1970
* Vivi o preferibilmente morti (Friss oder stirb) – Regie: Duccio Tessari – BRD-Start: 15.5.1970
* Garringo (Garringo – der Henker) – Regie: Rafael Romero Marchent – BRD-Start: 15.5.1970
* Dio li crea ... io li ammazzo! (Bleigericht / Bleichgesicht) – Regie: Paolo Bianchini – BRD-Start: 5.6.1970
* Il suo nome gridava vendetta (Django spricht das Nachtgebet) – Regie: Mario Caiano – BRD-Start: 19.6.1970
* O' Cangaçeiro (Viva Cangaceiro) – Regie: Giovanni Fago – BRD-Start: 23.6.1970
* Lo voglio morto (Django – ich will ihn tot) – Regie: Paolo Bianchini – BRD-Start: 3.7.1970
* Il pistolero dell'Ave Maria (Seine Kugeln pfeifen das Todeslied) – Regie: Ferdinando Baldi – BRD-Start: 10.7.1970
* 3 pistole contro Cesare (Drei Pistolen gegen Cesare) – Regie: Enzo Peri – BRD-Start: 17.7.1970
* Tre colpi di winchester per Ringo (Drei Kugeln für Ringo) – Regie: Emimmo Salvi – BRD-Start: 24.7.1970
* Ciakmull, l'uomo della vendetta (Django – die Nacht der langen Messer) – Regie: Enzo Barboni – BRD-Start: 7.8.1970
* ¡El hombre que mató a Billy el Niño! (Sein Steckbrief ist kein Heiligenbild) – Regie: Julio Buchs – BRD-Start: 14.8.1970
* Le due facce del dollaro (Django – sein Colt singt sechs Strophen) – Regie: Roberto Bianchi Montero – BRD-Start: 21.8.1970
* La collina degli stivali (Hügel der blutigen Stiefel) – Regie: Giuseppe Colizzi – BRD-Start: 28.8.1970
* Il prezzo del potere (Blutiges Blei) – Regie: Tonino Valerii – BRD-Start: 4.9.1970
* La vendetta è il mio perdono (Django – sein letzter Gruß) – Regie: Roberto Mauri – BRD-Start: 11.9.1970

ITALO-WESTERN-FILMSTARTS IN DEUTSCHEN KINOS 1970

* Vendo cara la pelle (Zum Abschied noch ein Totenhemd) – Regie: Ettore Maria Fizzarotti – BRD-Start: 25.9.1970
* All'ultimo sangue (Den Geiern zum Fraß) – Regie: Paolo Moffa – BRD-Start: 15.10.1970
* Tepepa (Tepepa) – Regie: Giulio Petroni – BRD-Start: 22.10.1970
* Lola Colt (Lola Colt ... sie spuckt dem Teufel ins Gesicht) – Regie: Siro Marcellini – BRD-Start: 23.10.1970
* Joko, invoca Dio ... e muori! (Fünf blutige Stricke) – Regie: Antonio Margheriti – BRD-Start: 30.10.1970
* Quei disperati che puzzano di sudore e di morte (Um sie war der Hauch des Todes) –
Regie: Julio Buchs – BRD-Start: 20.11.1970
* Sledge (Der Einsame aus dem Western) – Regie: Vic Morrow, Giorgio Gentili – BRD-Start: 20.11.1970
* C'è Sartana ... vendi la pistola e comprati la bara! (Django – schieß mir das Lied vom Sterben) –
Regie: Giuliano Carnimeo – BRD-Start: 26.11.1970
* Una colt in pugno al diavolo (Pronto Amigo – ein Colt in der Hand des Teufels) –
Regie: Sergio Bergonzelli – BRD-Start: 27.11.1970
* Professionisti per un massacro (Ein Stoßgebet für drei Kanonen) –
Regie: Fernando Cicero – BRD-Start: 4.12.1970

Lee Van Cleef und Pedro Sanchez in »Ehi amico ... c'è Sabata, hai chiuso!«

SONO SARTANA, IL VOSTRO BECCHINO

Sartana – Töten war sein täglich Brot (Regie: Giuliano Carnimeo)

Italien 1969
Erstaufführung in Italien: 20. November 1969
Deutscher Start: 26. Februar 1970

Besetzung: *Gianni Garko (Sartana), Frank Wolff (Buddy Bean), Klaus Kinski (Hot Dead), Gordon Mitchell (Degueyo), Ettore Manni (Red Baxter), Sal Borgese (Jenkins), Renato Baldini (Il giudice), José Torres (Shadow), Tullio Altamura (Omero Crown), Franco Pesce, Rick Boyd [Federico Boido], Bruno Boschetti, Giovanni Petrucci, Lorenzo Piani, Samson Burke*

Inhalt: Die Meute jagt Sartana (Gianni Garko). Die Meute, das sind berühmt-berüchtigte Kopfgeldjäger, angeführt von Hot Dead (Klaus Kinski), dem Spieler, ob seiner Schnelligkeit mit dem Revolver auch Heißer Tod genannt, Buddy Bean (Frank Wolff), der im Gewande eines Landstrei-

chers sein Schäfchen ins Trockene zu bringen versucht, und viele andere.

Sartana, selbst ein berühmter Prämienjäger, soll eine Bank überfallen, Leute getötet haben und mit einem großen Batzen Geld weggekommen sein. Seitdem ist er – tot oder lebendig – $ 10.000 wert, und das ist für die Meute eine ganze Menge Geld. War aber der Mann, der die Bank überfiel, wirklich Sartana? Sah er nicht nur so aus? War es nur eine perfekte Maske?

Und würde Sartana, der echte, wirklich eine Trommel seines weithin bekannten Spezialrevolvers als Indiz zurücklassen, damit er schnellstens identifiziert werden kann?

Nun, während der echte Sartana sich aller Anschläge erwehrt und sich als ein sehr listiger Fuchs für seine Jäger erweist, macht er gleichzeitig seinerseits Jagd auf seinen Doppelgänger und auf die Drahtzieher im Hintergrund des Bankraubes, der ihm angehängt worden ist.

Sartana schießt scharf

Es ist faszinierend zu erleben, wie aus dem gejagten Fuchs allmählich der Jäger wird und mit welch glänzenden, immer neuen Einfällen und überraschenden Wendungen Sartana seine Rehabilitierung betreibt.

Film: Der zweite echte Sartana-Film, der diesmal unter der Regie von Giuliano Carnimeo entstand, der später noch zwei weitere Filme dieser Serie inszenierte, ist charakterisiert durch eine komplexe Detektiv-Geschichte, in der man zahlreiche be-

Gianni Garko in der Rolle des Sartana

kannte Italo-Western-Darsteller in kurzen Gastauftritten sieht.

In der Geschichte, in der alle typischen Elemente des vorhergehenden Sartana-Films enthalten sind, geht es diesmal um eine Art Sherlock-Holmes-Situation, in der unser Hauptcharakter herausfinden muss, wer hinter dem Komplott gegen Sartana steht. Angefangen von Buddy Bean (Frank Wolff), dem Freund des Titelhelden, an dessen Handlungen das Publikum bis zum Ende mehr als nur ein paar Zweifel hat, bis zum Sheriff »Whistle« Jenkins (Sal Borgese), vom Saloon-Besitzer (Ettore Manni), der eine Reihe von tödlichen Duellen organisiert, auf die einige Leute Wetten abschließen, bis hin zum Bankdirektor, dem eigentlichen Drahtzieher des Komplotts, finden wir fast ausschließlich hinterlistige Charaktere, die noch durch die Anwesenheit von drei tödlichen Kopfgeldjägern, gespielt von Klaus Kinski, Gordon Mitchell und José Torres, unterstützt werden.

Der Film enthält eine außergewöhnlich kreative Kameraarbeit von Giovanni Bergamini, der auch schon für den Film »Vado, l'ammazzo e torno« (»Leg' ihn um, Django«) ganze Arbeit

Gianni Garko in der Rolle des Sartana

Regisseur Giuliano Carnimeo erklärt Gianni Garko eine Szene

geleistet hatte. Die Drehbuchautoren Tito Carpi und Enzo Dell'Aquila haben sich für diesen Film wieder einige originelle und lustige Tricks einfallen lassen, so z.B. die selbstspielende Orgel, die melodiöse Stücke von sich gibt, während Sartana in einer dunklen Kirche mit Hilfe einer vierläufigen Waffe mit einem bizarren entfernbaren Zylinder und einer Ansammlung von Messern seine Gegner beseitigt.

Presse: »Die Prämien- oder sogenannten Kopfgeldjäger sind harte und rücksichtslose Burschen und haben ihren Mann tödlich im Visier, sobald er ihnen vor die Flinte kommt. Man kann sich also vorstellen, welche knallharten Duelle sich entwickeln, wenn sie auch noch untereinander Jagd machen, wie es hier der Fall ist. Denn eine Meute von Kopfgeldjägern – an ihrer Spitze Hot Dead, der ›heiße Tod‹ genannt – jagt den berühmten Prämienjäger Sartana, der angeblich eine Bank überfallen hat.

In rasanten Passagen schildert der Film, wie sich Sartana seiner Verfolger listenreich erwehrt und wie aus dem gejagten Fuchs mehr und mehr der Jäger wird, der seinem Doppelgänger, der ihm den Bankraub angehängt hat, schließlich auf die Spur kommt. Darstellerisch getragen wird der im Spieltempo gut forcierte Film durch John Garko (Sartana) und Klaus Kinski, der den ›heißen Tod‹ mit seiner gewohnten Dynamik verkörpert. Passable Regieeinfälle und geschickte Kameraeinstellungen sorgen für spannende Unterhaltung.«

Bert Markus,
Filmecho / Filmwoche Heft 28, 1970

UNE CORDE, UN COLT

Friedhof ohne Kreuze (Regie: Robert Hossein)

Frankreich / Italien 1968
Erstaufführung in Italien: 19. April 1969
Deutscher Start: 27. Februar 1970

Besetzung: *Michèle Mercier (Maria), Robert Hossein (Manuel), Anne-Marie Balin (Juana), Pierre Collet (Sheriff Ben), Guido Lollobrigida (Thomas), Serge Marquand (Larry), Béatrice Altariba, Charly Bravo, Daniele Vargas*

Inhalt: Ein Mann wird gehenkt. Das Leben Bens endet am Strang und seine schöne junge Frau Maria (Michèle Mercier) muss es mit ansehen. Sie

schwört Rache. Zusammen mit seinen Brüdern Thomas und Elie hatte Ben aus Rache für die Unterdrückung der kleinen Farmer Geld gestohlen, viel Geld, das der reichen und mächtigen Familie Rogers gehörte. Nur Thomas und Elie gelang die Flucht – Ben wurde gefangen und wird nun aufgeknüpft.

Maria braucht Hilfe, wenn sie sich an der Familie der Rogers rächen will. Sie wendet sich an Manuel (Robert Hossein), einen Einzelgänger. In einem verlassenen Dorf haust er, seitdem sich Maria von ihm trennte, um Ben zu heiraten. Manuel zögert, doch schließlich kann er Marias Bitten nicht widerstehen. Der Zufall bringt ihn in den Kreis der Familie Rogers: Manuel rettet die Kinder der Familie, und Vater Rogers gibt ihm aus Dankbarkeit einen Posten als Vormann. Es gelingt Manuel, Rogers' Tochter Johanna zu entführen und in dem einsamen Dorf zu verstecken. Für die Freilassung zahlen die Rogers den Preis, den Maria forderte: Sie marschieren durch den ganzen Ort hinter dem Leichenwagen her, auf dem der Sarg mit der Leiche Bens steht.

Ein ganz anderes Lösegeld hatten Bens Brüder, Thomas und Elie, erwartet: bare Münze statt der Demütigung der Rogers. Sie wollen Johanna erneut rauben, aber Manuel verhindert das. Bei dem Kampf wird Thomas getötet, und Elie fällt in die Hände der Rogers. Sie bringen ihn um. Manuel findet Maria schwer verletzt. Auch sie stirbt als Opfer der mächtigen Familie. Gnadenlos ist die Rache, die Manuel an den Rogers nimmt. Sie sterben durch seine Kugeln.

Nun ist er am Ende. Angeekelt von den vielen Morden, zieht er den Gürtel mit den Patronen aus, wirft seine Pistole weg: Er will nie wieder töten! Da hört er, wie hinter ihm eine Winchester entsichert wird. Johanna, die einzige Überlebende der Familie Rogers, steht hinter ihm, um Rache zu nehmen. Sie schießt, und Manuel sinkt tödlich getroffen zu Boden.

Film: Dieser von Robert Hossein inszenierte fast ausschließlich französisch produzierte Western, in dem Hossein auch gleich die Hauptrolle übernommen hat, erinnert in Bezug auf die düstere,

Robert Hossein als Manuel

Michèle Mercier als Maria

hoffnungslose Atmosphäre etwas an Sergio Corbuccis Klassiker »Il grande silenzio« (»Leichen pflastern seinen Weg«). Interessanterweise war die Hauptrolle jenes Klassikers auch mit einem Franzosen besetzt, nämlich Jean-Louis Trintignant. Abgesehen von dieser Grundstimmung, entwickelt Hossein in diesem Film einen ganz eigenständigen Stil, der ihm dazu verholfen hat, als einer der ganz großen Italo-Western zu bestehen. Nicht zuletzt die Mitarbeit des inzwischen renommierten Filmemachers Dario Argento als Co-Drehbuchautor dürfte diesem Film gut getan haben. Vermutlich ist die gesamte dunkle und schwermütige Stimmung des Films auf seine Ideen zurückzuführen.

Die Filmemacher zollen in diesem Film auch dem berühmtesten aller Italo-Western-Regisseure, Sergio Leone, Tribut, indem sie ihm diesen Film widmen. Ursprünglich sollte Leone selber eine kleine Rolle in diesem Film spielen, die dann jedoch von Chris Huerta übernommen wurde. Trotz des langsamen Tempos des Films wirkt dieses Drama nie langweilig und wird besonders von Hosseins Regie und der Musik seines Vaters André Hossein vorangetrieben, die besonders gut zu diesem Werk passt.

Obwohl der Film gewisse Elemente aus den klassischen Italo-Western von Leone übernimmt,

etwa den Anschluss des Helden an die Verbrecherbande, um sie später zu zerstören, erinnert er in seiner Machart sehr an den französischen Film Noir, vor allem was sein unausweichliches Ende angeht. Das Motiv der weiblichen Rächerin, hier gespielt von der wunderschönen Michèle Mercier (bekannt aus den »Angelique«-Filmen), wird später von den Machern des englischen Western »Hannie Caulder« (»In einem Sattel mit dem Tod«) wieder aufgegriffen und in den Mittelpunkt der Handlung gestellt. Robert Hossein spielt den ganz in Schwarz gekleideten, tragischen Revolverhelden sehr gefühlsbetont und man sieht, dass er sehr widerwillig zur Waffe greift, um seiner in Not befindlichen Freundin Maria zu helfen, ihren von einer Bande ermordeten Mann zu rächen. Michèle Mercier spielt die Rolle der Maria sehr nuancenreich und überzeugend. Auch die restlichen Darsteller sind sehr gut gewählt und sorgen für eine glaubhafte Darstellung. Weiteres Lob geht an den Kameramann Henri Persin, der unglaublich schöne, dramatische Bilder entwirft und die südspanische Gegend besonders gut und originell einsetzt, wie sie noch nie vorher zu sehen war. Die verfallene Westernstadt wurde direkt bei Cabo De Gata in den Sanddünen erstellt, wo zwei Jahre vorher noch Clint Eastwood mit Eli Wallach die Wüste durchquert hatte. Eine der bes-

Michèle Mercier stirbt in den Armen von Robert Hossein

ten Szenen des Films ist der dramatische Schluss, in dem zuerst Maria und dann am Ende auch noch Manuel getötet wird. Mit diesem negativen Schluss erinnert dieser Film wie eingangs erwähnt besonders stark an Sergio Corbuccis »Il grande silenzio« (»Leichen pflastern seinen Weg«).

Presse: »Arme, arme Angelique! Schon wieder ist die schöne Michéle Mercier in ernste Gefahr geraten. Ein paar üble, wirklich schreckliche Kerle haben ihr den Liebhaber vom Halse geschafft, was sie aber nicht einmal sonderlich übel zu nehmen scheint. Ein neuer Held steht bereits vor der Tür, der Trauernden bei recht unfeinen Racheakten assistierend. Am Ende des großen und blutigen Aufräumens, wer hätte das noch erwartet, finden sich beide zu einem glücklichen Neubeginn, und der Zuschauer verlässt zufriedenen Gesichts das Kino. Ach, ehe ich's vergesse: Die Geschichte spielt gar nicht zu Zeiten des Sonnenkönigs, irgendwie geriet die süße Angelique da doch in eine Westernkulisse. Wie sich aber auch die Geschichten gleichen ...« *Bernd Deck, Filmecho/Filmwoche Heft 21, 1970*

AMMAZZALI TUTTI E TORNA SOLO

Töte alle und kehr allein zurück (Regie: Enzo Girolami)

Italien / Spanien 1968
Erstaufführung in Italien: 31. Dezember 1968
Deutscher Start: 27. Februar 1970

Besetzung: *Chuck Connors (Clyde McKay), Frank Wolff (Captain Lynch), Franco Citti (Hoagy), Leo Anchóriz (Decker), Giovanni Cianfriglia (Blade), Alberto Dell'Acqua (Kid), Hércules Cortés (Bogard), Furio Meniconi, John Bartha, Antonio Molino Rojo, Alfonso Rojas, Ugo Adinolfi, C. Fantoni*

Inhalt: Es ist zur Zeit des amerikanischen Bürgerkrieges. Fünf verwegene Halunken kämpfen zwischen Nord und Süd auf eigene Rechnung. In ausweglurer Situation können sie sich eines Tages nur mit dem Versprechen retten, für die Südarmee Gold im Wert von 1 Million Dollar aus einem Arsenal des Gegners zu stehlen.

Der zwielichtige Captain Lynch (Frank Wolff) wird die Aktion überwachen und entlässt den Anführer der Bande, Clyde (Chuck Connors), mit der Parole: »Töte alle und kehr allein zurück«. Nur Verrückte oder Lebensmüde können eine solche Aufgabe übernehmen. Denn es gilt mit List und Härte feindliche Stellungen zu durchbrechen, einen schwer bewachten Fluss zu überqueren und in das bestgesicherte Arsenal einzudringen. Ein gnadenloser Kampf folgt dem anderen.

Als sie die Goldkisten endlich in Händen haben, flüchtet Clyde damit und lässt seine Kameraden im Stich. Doch die holen ihn ein und wollen gerade mit Clyde abrechnen, als die Nordstaatler dazukommen. Vor der Gefangennahme gelingt es noch, die Schatzkisten unbemerkt im Fluss zu versenken. In dem Lager, in dem die fünf nun unter mörderischen Bedingungen leben, treffen sie Lynch plötzlich als Colonel der Unionstruppen. Lynch spielt auf teuflische Weise einen ge-

Chuck Connors tötet sie alle und kommt allein zurück

295

gen den anderen aus und lässt erkennen, dass er persönlich an dem Gold interessiert ist. Er unterstützt Clydes Fluchtplan, der eine blutige Revolte auslöst, bei der zwei der Bande ums Leben kommen.

Als Lynch den Fluss erreicht, stellt er fest, dass in den versenkten Kisten nur Steine sind. Mit dem letzten Überlebenden, außer Clyde, kehrt Lynch in das Arsenal zurück, wo die beiden von Clyde in ein tödliches Duell verwickelt werden.

Clydes Triumph ist vollkommen. Er birgt die Goldkisten, wo er sie zur Zeit des ersten Angriffes versteckt hatte.

Film: Für diesen Film verwendete Regisseur Enzo Girolami einen ähnlichen Filmtitel wie für dessen Vorgänger »Vado, l'ammazzo e torno« (»Leg' ihn um, Django«). Auch hier wird das »Dreckige Dutzend«- Thema wieder einmal aufgegriffen. In der Hauptrolle sehen wir erstmals den aus »Rifleman« (»Westlich von Santa Fé«) bekannten Amerikaner Chuck Connors, der einige Jahre später noch in dem Italo-Western »La spina dorsale del diavolo« (»Die Höllenhunde«) unter der Regie

von Burt Kennedy und Niksa Fulgozi zu sehen war. In seinem Team sind unter anderem auch Franco Citti, Ken Wood alias Giovanni Cianfriglia, Hercules Cortes und Alberto Dell'Acqua. Als korrupten goldgierigen Gegenspieler macht Frank Wolff eine sehr gute Figur. Dies ist einer der temporeichsten Enzo-Girolami-Western mit hervorragenden Actionszenen, die alle perfekt choreografiert sind. Die Handlung selbst ist dabei nur ein Aufhänger, um möglichst viele spektakuläre Szenen zu integrieren, die von einem sehr guten Francesco De Masi Score passend unterstützt werden. Die schönen vom Kamera-Profi Alejandro Ulloa eingefangenen Szenen entstanden zum Großteil in schöner südspanischer Landschaft mit dem Rest der Aufnahmen in Italien (z.B. das Gefangenenlager im Steinbruch). Enzo Girolami ist mit diesem Film ein nicht sehr anspruchsvoller, jedoch äußerst unterhaltsamer Western gelungen.

Presse: »In diesem Italo-Western machen sich gegen alle Western-Ethik Verrat, Niedertracht, Hinterlist, Raubgier und hundertfacher Mord

Franco Citti und Frank Wolff

Giovanni Cianfriglia bedroht zwei Soldaten

bezahlt. Zum unmoralischen Ende kann sich der Oberhalunke (Chuck Connors) auf der Wahlstatt allein der Millionenbeute erfreuen, nachdem er mit seinen Spießgesellen ungezählte Unschuldige ins Jenseits befördert und dann die überlebenden Kumpane aus dem Weg geräumt hat. Ernsthaft darf der Zuschauer nicht darüber nachdenken, wie diese Schandtaten alle gelingen können, denn von Logik ist in diesem blutrünstigen Reißer kaum etwas zu spüren. Marodeure zwischen den Fronten des nordamerikanischen Bürgerkrieges wollen im Auftrag der Südstaatler Gold im Wert von einer Million aus einem schwer bewachten Arsenal der Yankees entführen.

Das Unternehmen spielt sich dann nach dem Motto ab, dass die Bösewichte immer treffen, die Blau-Uniformierten aus dem Norden fast nie, die sich außerdem wie Anfänger übertölpeln und von einzelnen Angreifern gleich reihenweise abknallen lassen. Merkwürdigerweise nimmt die Treffsicherheit der Banditen in der Schlussauseinandersetzung untereinander plötzlich merklich ab. Die Darsteller, allen voran Chuck Connors und Frank Wolf, verkörpern ihre negativen Helden glaubhaft und können daher auch trotz aller Akrobaten-Kunststückchen mit ihrer zynischen Brutalität und gewissenlosen Geldgier kaum Sympathien wecken. Schade um so viel Mühe, die sich auch der Kameramann mit dem turbulenten Geschehen machte, für einen zwar packenden, aber völlig unglaubwürdigen und, moralisch gesehen, unerfreulichen Film.«

Ernst Bohlius,
Filmecho/Filmwoche Heft 21, 1970

LA PIÙ GRANDE RAPINA DEL WEST

Ein Halleluja für Django (Regie: Maurizio Lucidi)

Italien 1967
Erstaufführung in Italien: 28. Oktober 1967
Deutscher Start: 6. März 1970

Besetzung: *George Hilton (Billy Rum), Hunt Powers [Jack Betts] (Il Santo), Walter Barnes (Jarret), Erika Blanc (Jenny), Mario Brega (Yanaro), Tom Felleghi (Sheriff Norman), Enzo Fiermonte (Sheriff Martin), Luigi Casellato, Sarah Ross, Glen Fortel, Kathia Kristine, Marisa Quattrini, Giovanni Scarciofolo, Salvatore Borgese, Brunco Corazzari, Umberto Raho, Luciano Rossi, Luciano Catenacci, Federico Boido, Mauro Bosco, Lorenzo Sharon, Cesare Martignoni, Lucia Righi, Valentino Macchi, Luigi Barbacane, Paolo Mgalotti, Luciano Bonanni, Bill Vanders, Raffaele Desiderio, Roberto Alessandri, Stefano Alessandri*

Inhalt: Eine Bande von Kriminellen stiehlt ein großes Goldvermögen aus einer Bank eines kleinen Western-Kaffs und versteckt es in einer Heiligenstatue. Einer der Gruppe, Il Santo (Hunt Powers), nimmt die Statue und bringt sie in der Verkleidung eines Priesters in ein anderes kleines Städtchen, wo sich die Bande dann zusammenfindet, um die Beute zu teilen. Jeder dieser Banditen ist natürlich darauf aus, die anderen hereinzulegen und die Beute für sich allein zu sichern. Die Situation verschlechtert sich, als der Bandenboss Jarrett (Walter Barnes) auftaucht, die Stadt besetzt und den Sheriff erschießt. Niemand kümmert sich um den Bruder des Sheriffs, Billy Rum (George Hilton), einen betrunkenen Unruhestifter, der gerade im Gefängnis steckt. Nicht klug, denn Billy Rum hat einen eigenen

Walter Barnes und Erika Blanc

George Hilton und Hunt Powers

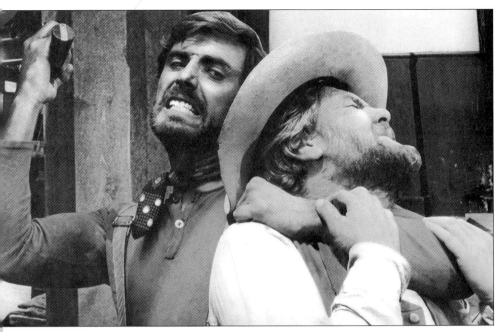

George Hilton und Walter Barnes

geheimen Fluchtweg aus dem Gefängnis und versteht es mit seiner Listigkeit, die verschiedenen Parteien gegeneinander auszuspielen und der Gerechtigkeit zum Sieg zu verhelfen.

Film: In diesem überdurchschnittlichen Western wechseln sich verschiedene Stimmungen ab. Am Anfang glaubt man, sich in einer typischen Komödie zu befinden, dann wird die Stimmung von Minute zu Minute dunkler bis zum Finale, das dann wieder von einer heitereren Stimmung beont wird. Maurizio Lucidi ist ein kompetenter Regisseur, dem dann mit »Duo once di piombo« (»Johnny Madoc«) ein weiterer sehenswerter Western gelang. Luis Enriquez Bacalov steuerte einen erinnerungswürdigen Soundtrack bei und Kameramann Riccardo Pallottini liefert wieder gewohnt gute Aufnahmen.

Presse: »Dem Alkohol ist der Django dieses Films mehr zugetan, als ihm zuträglich ist: Seine Sucht bringt ihn auch immer wieder in Konflikte mit dem Gesetz. Welch guter Kern aber trotz allem in ihm steckt, zeigt sich, als skrupellose Bankräuber seinen Bruder, den Sheriff, umbringen. Django wird nicht nur zu dessen Rächer, sondern, wenn auch auf etwas seltsame Art, zum Hüter von Gesetz und Recht. Dass er sich dazu zeitweilig mit Gesetzesbrechern verbünden muss, liegt in der verzwickten Natur der Geschichte, die der Film erzählt, wobei die Grenzen zwischen Recht und Unrecht ohnehin immer wieder unscharf werden. – Die Bank einer Kleinstadt im Wilden Westen ist beraubt worden. Die Beute soll über die scharf bewachte Grenze nach Mexiko geschafft werden. Dass das viele Geld im Innern einer Heiligenstatue verborgen wird, die ein Gangster im Franziskaner-Habit von Ort zu Ort kutschiert, ist ein wenig geschmackvoller Einfall und nicht einmal sicher, da der Pseudopater den Wunsch hat, alleiniger Nutznießer des Raubes zu werden. Da auch andere die gleiche Absicht haben und Django das Geheimnis entdeckt, ist die Zahl der Leichen beträchtlich. Auch die Portionen an Grausamkeit und Brutalität sind nicht unerheblich. Zusammen mit der Sympathieverlagerung auch auf ganz eindeutige Schurken und Gesetzesbrecher macht das den Film, der Ansätze zur Parodie aufweist, nicht gerade annehmbar. Dass am Schluss das Märchen von den Sterntalern bemüht wird, als nämlich der Schatz mitsamt einer Kiste Sprengstoff in die Luft gejagt wird und nun als Einzelmünzen den Rest der ›Helden‹ überrieselt, wirkt eher lächerlich.«
Mg, Film-Dienst FD 16 783

UN ESERCITO DI 5 UOMINI

Die fünf Gefürchteten (Regie: Don Taylor, Italo Zingarelli)

Italien 1969
Erstaufführung in Italien: 16. Oktober 1969
Deutscher Start: 26. März 1970

Besetzung: *Peter Graves (Der Holländer), Bud Spencer (Mesito), James Daly (Captain Augustus), Claudio Gora (Manuel Esteban), Tetsuro Tamba (Samurai), Nino Castelnuovo (Luis Dominguez), Carlo Alighiero (Captain Gutierrez), Giacomo Rossi-Stuart (Mexikanischer Offizier), Marino Masé (Eisenbahner), Daniela Giordano (Maria), José Torres (Mexikanischer Spion), Annabella Andreoli (Mexikanerin), Dan Sturkie (Carnival Baker), Piero Lulli*

Inhalt: Mesito (Bud Spencer) will nur noch seine Ruhe haben; lange genug hat man ihn gejagt. Jetzt erträgt er liegend die Launen seines Bosses auf der abgelegenen Farm. Doch seine Ruhe ist jäh zu Ende, als ein alter Bekannter auftaucht und ihm für 1000 Dollar einen Job beim Holländer anbietet.

Der Holländer (Peter Graves) hat noch drei andere ehemalige Gefährten um sich versammelt, jeder auf seinem Gebiet ein Spezialist. In den unruhigen Zeiten des mexikanischen Bürgerkrieges wollen sie der Armee die Kriegskasse abjagen und sie den Aufständischen übergeben. Die halbe Million Dollar wird in einem schwerbewachten Zug durchs Land transportiert. Starke Sicherheitsvorkehrungen lassen den Plan undurchführbar erscheinen.

Doch die Fünf-Mann-Armee reizt dieses Unternehmen. Was soll auch schon passieren, haben sie doch in ihren Reihen alle Fähigkeiten überproportional gut vertreten. Zwar geraten sie zu Beginn ihres Unternehmens in einen Hinterhalt und werden im Fort festgehalten, aber durch eine List gelingt es ihnen sich zu befreien. Sie nehmen

Die fünf Gefürchteten

300

hre Ausgangspositionen für den größten Coup ller Zeiten ein.

In den Uniformen ihrer Feinde mischen sie ich unauffällig unter die Männer, die auf dem Bahnhof den Transport bewachen, und verstecken sich unter den Güterwagen. Als der Zug startet, schaukeln der Holländer und seine Leute mit ihm davon – angezurrt zwischen den Achsen der Waggons. Langsam nähert sich der Transport dem Versteck Mesitos. Der Holländer überwältigt den Lokführer. Lautlos machen Samurai und Luis die ahnungslosen Soldaten auf der Geschützplattform und am Maschinengewehr nieder. Mit einer Sprengladung trennt der Spieler die Kupplung zwischen den Puffern.

Der Coup ist geglückt, die Beute im Versteck. Mesito betrachtet sie mit glänzenden Augen. Fieberhaft beginnt er damit sie aufzuteilen. Sein mächtiger Bauch schaukelt vor Gelächter. Plötzlich blickt der dicke Viehdieb in die Pistolenmündung des Holländers. Da taucht der Trupp Soldaten auf; die Verfolger haben die Glücksritter eingeholt. Als die Schlacht geschlagen ist, stehen sich die fünf erneut gegenüber.

Zwischen ihnen: das Gold. Gold für eine halbe Million Dollar.

Film: Auch dieses Drehbuch stammt wieder von Dario Argento, der zwei Jahre zuvor bereits maßgeblich an dem Film »Oggi a me ... domani a te« (»Heute ich – Morgen Du«) beteiligt war. Wie in jenem Film wurden auch hier wieder Elemente des »Dreckigen Dutzend«- oder »Glorreichen Sieben«-Konzeptes übernommen. Hier ist es eine Gruppe von Spezialisten, die von einem Holländer, gespielt von Peter Graves in seiner einzigen Italo-Western-Rolle, angeheuert werden, einen Zug mit einer Goldladung zu überfallen.

Wie in ähnlichen Filmen dieses Genres wird zuerst auf die einzelnen Charakter und ihre Fähigkeiten eingegangen und danach die Vorbereitungsarbeit zu diesem Coup detailliert geschildert. Als Höhepunkte sehen wir dann die Durchführung des Überfalls, der bis ins Detail ausgetüftelt wurde, und eine der besten Querfeldeinverfolgungen zu Fuß, als einer der fünf während einer Auseinandersetzung vom Zug fällt und ihn wieder einholen muss, um die Mission erfolgreich beenden zu können.

Es wurde lange Zeit angenommen, dass der Produzent der »Trinity«-Filme und dieses Films diesen Film unter dem Pseudonym Don Taylor inszeniert hätte, was jedoch falsch ist. Bei Don

eter Graves als Holländer mit seiner unerschrockenen Truppe

Die Gefürchteten diesmal ohne Holländer

Peter Graves mit einem Mitstreiter

Taylor handelt es sich um einen amerikanischen Regisseur, der vor diesem Film hauptsächlich als Regisseur von bekannten Fernsehserien wie »Mannix« und »It takes a thief« (»Ihr Auftritt, Al Mundy«) von sich reden machte und der auch die für das amerikanische Fernsehen produzierte Westernkomödie »Something for a lonely man« (»Big John macht Dampf«) inszenierte. Zu seinen bekannteren Hollywood-Filmen zählen »Escape from the planet of the apes« (»Flucht vom Planet der Affen«) und das Horror-Sequel »Damien: Omen II«. Trotz eines amerikanischen Regisseurs passt sich dieser unterhaltsame Film durchaus in das Genre des Italo-Western ein, was natürlich nicht zuletzt auf die hervorragende Musik von Ennio Morricone zurückzuführen ist.

Presse: »Die Werbung verspricht einen Western, der den Atem verschlägt. Tatsächlich, hier wird einiges geboten. Auge und Ohr kommen auch nicht einen Augenblick zur Ruhe und die sonst gefürchteten Längen in der Mitte solcher Produkte sind nicht vorhanden. Western zu machen ist einigermaßen schwierig geworden, nachdem die Italiener das Tempo der Handlungen und die Härte maßlos steigerten. Wer nicht eine einfalls-

lose Kopie liefern möchte, muss sich schon etwa einfallen lassen. Das hat Regisseur Don Taylo getan. Der ehemalige Schauspieler (›Stalag 17‹ weiß Atmosphäre zu schaffen. Allerdings wär ihm das ohne ein routiniertes Drehbuch (Dario Argento, der viele Italo-Western schrieb) wei schwerer gefallen. Simpel und dürftig schein die Story: fünf Galgenvögel versprechen Auf ständischen, einen Goldtransport zu überfalle und ihnen das gelbe Metall gegen fettes Honora auszuliefern.

Selbstverständlich wollen sie die Beute für sich behalten. Das Unternehmen gelingt, jedoch sieh das Ende anders aus, als es sich die finstere Scha gedacht hat. Don Taylor inszenierte flott. Er stel te eine Gruppe verwegener Gestalten zusammen die einigen Wirbel verursacht. Anführer ist ei Holländer (Peter Graves, Star aus der TV-Seri ›Kobra – übernehmen Sie‹), der mit seiner bunt scheckigen Schar ebensoviel Action wie Roman tik auf die Leinwand bringt. Darunter brilliert de Japaner Tetsuro Tamba als Nahkampfspezialist Ein Western der besseren Sorte, der nicht nu einschlägiges Publikum ansprechen könnte.«

Walter Müller-Bringmann
Filmecho/Filmwoche Heft 28, 197(

Ehi amico ... c'è Sabata, hai chiuso!

Sabata (Regie: Gianfranco Parolini)

Italien 1969
Erstaufführung in Italien: 16. September 1969
Deutscher Start: 2. Mai 1970

Besetzung: *Lee Van Cleef (Sabata), William Berger (Banjo), Pedro Sanchez [Ignazio Spalla] (Carrincha), Nick Jordan [Aldo Canti] (Indio), Franco Ressel (Stengel), Antonio Gradoli (Ferguson), Linda Veras (Jane), Giovanni Cianfriglia, Claudio Undari (Oswald, Stengels Handlanger), Gianni Rizzo (O'Hara), Spartaco Conversi (Slim, Stengels Handlanger), Carlo Tamberlani (Nichols, Bankdirektor), Luciano Pigozzi (falscher Pater Brown), Marco Zuanelli (Sharky, von Stengel gedungener Revolvermann), Franco Marletta (Captain), Andrea Aureli (Daniel), John Bartha (She-riff von Daugherty City), Romano Puppo (Rocky Bendato, Stengels Handlanger), Vittorio André (Logan), Rodolfo Lodi (Pater Brown), Gino Marturano (McCallum), Mimmo Poli (Hotelarbeiter), Bruno Ukmar (Akrobat), Franco Ukmar (Cutty), Joseph Mathews*

Inhalt: Bei Einbruch der Nacht reitet Sabata (Lee Van Cleef) in das Westernstädtchen Daugherty ein. Niemand kennt diesen Mann, weiß, wo er herkommt und was er etwa im Schilde führt. Zur gleichen Stunde ermordet eine Räuberbande die Militärposten vor der örtlichen Bank und erbeutet 60.000 Dollar in Gold, die die US-Armee am gleichen Nachmittag im Tresor deponierte. Aber es gibt einen Zeugen dieser Tat. Von einem der benachbarten Dächer beobachtet der schweig-

Lee Van Cleef und Linda Veras

same Indianer Indio (Nick Jordan), wie die brutal vorgehenden Banditen Anstalten treffen, sich mit dem geraubten Golde aus dem Staub zu machen. Sabata hat mit dem Verbrechen nichts zu tun. Er lenkt seine Schritte in den Saloon. Kurz nach seinem Eintreffen fliegen die Türen auf und der schwergewichtige Mexikaner Carrincha (Pedro Sanchez) landet vor seinen Füßen. Sabata wirft ihm einen Dollar zu, und der wenig vertrauenerweckende Bursche folgt ihm in hündischer Ergebenheit in die Bar. Dort ist ein hitziges Würfelspiel im Gange. Der haushohe Gewinner heißt Slim (Spartaco Conversi). Mit einem gezielten Schuss auf seinen Würfel zeigt Sabata, welch ein unfehlbarer Schütze er ist. Und dann wechselt der Ankömmling einen Blick mit dem blonden Banjo (William Berger), der deutlich macht, dass die beiden alte Bekannte sind. Die aufreizende Saloon-Schöne Jane (Linda Veras) zeigt ein unverhohlenes Interesse für den Fremden, doch Sabata verlässt mit Carrincha unbeeindruckt den Raum. Kurz darauf wird der Banküberfall bekannt. Der Sheriff (John Bartha) macht sich mit mehreren Begleitern an die Verfolgung der Banditen. Doch Sabata ist schneller. Er holt die in einem Wagen flüchtenden sieben Bankräuber ein, tötet sie und bringt ihre Leichname zusammen mit der Beute zurück nach Daugherty. Dort kassiert er die für die Ergreifung der Verbrecher ausgesetzten 5000 Dollar und bleibt im Ort. Den unmissverständlichen Offerten der verführerischen Jane aber schenkt er auch jetzt keine Beachtung. Auf einer unweit von Daugherty gelegenen Ranch kommen deren Eigentümer, der reiche Großgrundbesitzer Stengel (Franco Ressel) sowie Richter O'Hara (Gianni Rizzo) und der Saloonbesitzer Ferguson (Antonio Gradoli), die Initiatoren des Überfalls, zusammen. O'Hara macht Stengel den Vorwurf, sie alle durch seine Geldgier in größte Gefahr gebracht zu haben, doch der skrupellose Rancher versichert, er werde dafür sorgen, dass die US-Armee nicht wieder in den Besitz des Geldes komme und die Hintergründe des Bankraubs ungeklärt blieben. Dazu sei allerdings erforderlich, sämt-

William Berger sieht zu wie Ignazio Spalla bedroht wird

304

liche an der Ausführung des Coups Beteiligten zu liquidieren. Oswald (Claudio Undari), einer der vier noch lebenden Banditen, wird dazu ausersehen, seine drei Komplizen, die Virginia-Brüder, umzulegen. Nach Erledigung dieser schmutzigen Arbeit wird er zum Dank von Stengel erschossen. Sabata hat inzwischen von der Beteiligung des Ranchers an dem Überfall erfahren. Er verlangt 5 000 Dollar Lösegeld für den Wagen der Virginia-Brüder und erhöht den Betrag auf das Doppelte, als Stengels Hintermänner das Gefährt zerstören und Sabata zu ermorden trachten. Als Antwort auf diese Herausforderung engagiert Stengel eine größere Anzahl von Killern, die Sabata ins Jenseits befördern sollen. Aber Sabata entgeht allen Mordanschlägen und erhöht bei jedem missglückten Attentat seine Geldforderung, bis sie die Höhe von 60.000 Dollar erreicht. Nachdem Stengel sämtliche gedungenen Mörder – unter ihnen den jungen Sharky (Marco Zuanelli), die Gebrüder McCallum und den falschen Pater Brown (Luciano Pigozzi) – verloren hat, weiß er sich nicht mehr anders zu helfen, als Sabatas alten Bekannten Banjo mit einer verlockenden Prämie für die Beseitigung seines gefährlichen Feindes zu gewinnen. Aber selbst dieser erfahrene Revolverschütze hat keinen Erfolg. Sein Mordversuch, bei dem Sabata den Attentäter aus altem Zusammengehörigkeitsgefühl entkommen lässt, schlägt fehl. Banjo erweist sich jedoch als undankbarer Verlierer. Er schickt Sabata dreißig Banditen auf den Hals, aber seine Rechnung geht auch jetzt nicht auf. Sabata und dessen Helfer Indio und Carrincha locken die ganze Gruppe in die Falle und machen sie in einem Canyon nieder.

Die drei sind nunmehr entschlossen, mit Stengel abzurechnen. Sie reiten auf seine Ranch und machen dort endgültig reinen Tisch. In einer blutigen Auseinandersetzung, bei der sich Sabata und seine Begleiter nicht nur ihrer Handfeuerwaffen, sondern auch Dynamits bedienen, verlieren Stengel, Ferguson und deren Hintermänner ihr Leben. Während des dramatischen Kampfes ist unerwartet Banjo erschienen und hat Sabata Unterstützung gewährt. Was aber wird aus den gestohlenen 60.000 Dollar, die der verängstigte Richter O'Hara ihnen bereitwillig ausliefert? Sabata und Banjo sind scharf darauf und liefern sich einen harten, aber fairen Kampf, der schließlich mit Banjos Niederlage endet. Sabata ist jedoch ein großmütiger Sieger und schenkt seinem Widersacher das Leben.

Film: Nachdem er in so vielen Italo-Western den alternden Revolverhelden spielte, kreierte Lee Van Cleef mit seiner Sabata-Rolle unter Regisseur Gianfranco Parolini hier einen Charakter, der die Ironie und die Gewalt des Leone'schen Colonel Mortimer mit der bizarren Haltung der diversen Italo-Western-James-Bond-Verschnitte (allen voran der von Gianni Garko geschaffene Sartana-Charakter) verbindet. Wie Colonel Mortimer, den Van Cleef schon in den Leone-Filmen spielte, ist auch Sabata ein reifer, erfahrener Revolverheld. Der mit einem schwarzen Umhang bekleidete Superschütze ist ein sarkastischer, brutaler, unfehlbarer Mann mit einem listigen, kalten Ausdruck auf seinem Gesicht. Ebenfalls wie sein Pendant Sartana benützt auch Sabata eine dreiläufige Waffe, welche auch durch den Griff feuert und die auch schießt, wenn sie in einer speziellen Tasche verborgen ist. Zusätzlich benützt Sabata ein merkwürdiges Gewehr mit einem verlängerbaren Lauf. Die verschiedenen Innovationen von Regisseur Parolini, dem Erfinder des ersten echten Sartana, deuten fast darauf hin, dass es sich bei seinem intelligenten, spöttischen und unverletzlichen Charakter Sabata um den Teufel selbst handeln könnte. Tatsächlich ist diese rasante, nicht ganz ernst gemeinte Geschichte charakterisiert durch einen schlauen, geistreichen Humor, der fast das Ergebnis der Geschichte aufs Korn zu nehmen scheint. Der Film enthält einige äußerst bizarre Szenen, die hauptsächlich um den Charakter Stengel (Franco Ressel) aufgebaut sind, welcher in das rassistische Buch »The inequality is the basis of Society« von Thomas Dew vernarrt zu sein scheint. Er hat auch großes Vergnügen daran, Leute zum Duell aufzufordern und sich dann zwischen zwei Ritterrüstungen zu verstecken. William Berger ist in der großartigen Rolle des Banjo zu sehen, der in seinem Instrument eine Winchester integriert hat. Mit von der Partie sind auch noch Linda Veras als Banjos Freundin, Gianni Rizzo als Richter O'Hara, Pedro Sanchez alias Ignazio Spalla und der italienische Stuntman Nick Jordan als Gehilfe von Sabata. Der äußerst melodiöse Soundtrack stammt von Marcello Giombini. Der Film entstand zum Großteil in Italien (Western-Stadt der Elios Film Studios und Villa Mussolini) mit einigen Landschaftsaufnahmen bei Tabernas.

Zwei Jahre später holte Gianfranco Parolini nochmals Lee Van Cleef vor die Kamera für den Fortsetzungsfilm »È tornato Sabata ... hai chiuso un'altra volta!« (»Sabata kehrt zurück«), der leider weit hinter dem Original zurückblieb. Einzig und allein die außergewöhnlich und viel versprechende Eröffnungssequenz, die Sabata in einer gotisch-übernatürlichen Atmosphäre zeigt, wie er sich in einem großen Raum auf kreative Weise einer Reihe von Gegnern entledigt, ist erwähnenswert. Am Schluss dieser Szenen stellt sich dann heraus, dass alles nur Illusion war und alle getöteten Männer unverletzt sind.

Presse: »Zu Beginn sind's 100.000 Dollar im gut bewachten Panzerschrank einer Bank. Am Ende sind's 100.000 Dollar in der Ledertasche eines Mannes, bei dem offen bleibt, ob er ein Supergangster oder ein Superedelmann ist. Frank Kramer mixte aus Westernbausteinen einen Pop-Western, der in dieser tiefgekühlten Art noch ohne Vorgänger ist. Die Coltgemetzel, aus denen der Held stets unverwundet hervorgeht, werden hier auf die Spitze getrieben. Höhepunkt ist das Schlussduell. Einer – der Westernkenner weiß es

– wird überleben, einer wird sterben. Und es stirbt auch einer. Doch dann lebt er wieder, nimmt seinen Lederkoffer und reitet grinsend von dannen. Weil's so unterkühlt zelebriert wird, kann man den Film auch nicht als Parodie einstufen. Und weil's keine Parodie ist, fühlen sich simple Westernfreunde nicht auf den Arm genommen. Sie feiern ›Sabata‹ als Westernknüller mit einer Menge Action.

Lee Van Cleef als Held im Zorrokostüm folgt den Intentionen seines Regisseurs mit Bravour. Er trägt wesentlich dazu bei, dass dieser vordergründige und in Einzelpassagen höchst realistische Film auf raffinierte Art irreal wird. Van Cleef zur Seite: ein dicker Messerwerfer und ein Artist.

Gegenspieler: ein abgrundtief böser Gangsterchef. Als Freund-Feind, mit dem Sabata eine geheimnisvolle Vergangenheit verbindet: ein Banjospieler, die vielleicht erstaunlichste Figur des Films, in einem Western überhaupt.«

Eduard Länger,
Filmecho/Filmwoche Heft 46–47, 1970

William Berger als Banjo

Lee Van Cleef mit Pedro Sanchez

William Berger, Lee Van Cleef und Pedro Sanchez

Lee Van Cleef bedroht Gianni Rizzo

VIVI O PREFERIBILMENTE MORTI

Friss oder stirb (Regie: Duccio Tessari)

Italien / Spanien 1969
Erstaufführung in Italien: 17. September 1969
Deutscher Start: 15. Mai 1970

Besetzung: *Giuliano Gemma (Monty Mulligan),
Nino Benvenuti (Ted Mulligan), Sydne Rome (Ros-
sella Scott), Chris Huerta (Jim), Antonio Casas
(Barnes), Julio Peña (Der Doktor), Jorge Rigaud
(Mr. Scott, Vater von Rossella), Brizio Montinaro,
Arturo Palladino*

Inhalt: Der von Gläubigern geplagte Monty wird
eines Tages mit der Tatsache überrascht, dass ihm
sein Onkel Archie ein Vermögen von 300.000
Dollar hinterlassen hat. Der einzige Haken dabei
ist, dass er als Bedingung sechs Monate zusammen mit seinem leiblichen Bruder Ted verbringen
muss. Jahrelang waren sich die beiden Brüder
nicht grün, wenn sie einander begegneten, setzte
es Prügel. Ted lebt inzwischen zufrieden auf seiner kleinen Farm in dem kleinen Kaff Big Peak,
sein ruhiges Leben wird jedoch durch sanftes Zu-
tun des feisten Gauners Jim zerstört. Monty ist
zwar ein prima Schütze, doch als er sich mit den
Banditen anlegt, die seinem friedlichen Bruder
die Pferde stehlen wollen, gibt's ein Gefecht, bei
dem Teds kleine Farm in Flammen aufgeht. Jetzt
müssen sich die beiden ungleichen Brüder etwas
Neues einfallen lassen, um an Geld zu kommen.
Sie entschließen sich, die hübsche Tochter eines
reichen Bankiers zu entführen, was deren Vater jedoch sehr gelegen kommt, da er sie nun
endlich einmal für ein Weilchen vom Leibe hat.
Da sie mit dieser Aktion kein Glück haben, beschließen die beiden, einen Banküberfall in Flat
Town durchzuführen. Zweimal geht die Sache
schief, dann flüchten Ted, Monty und Barnes,
ein weiterer Genosse, mit ihrer Beute: zwei Säcke voller Pfennige, das ist alles. Wenig später
haben sie auch schon wieder Banditen auf dem
Hals, die Millionen wittern. An denen lassen die
beiden nun ihre Wut aus. Ted würde Monty am

Nino Benvenuti und Sydne Rome

Giuliano Gemma als Monty Mulligan

liebsten den Schädel einschlagen, als auch ein gemeinsamer Goldraub in einer wüsten, sinnlosen Keilerei endet. Plötzlich staunt er, wie Monty prügeln kann, und plötzlich weiß er: Es ist prima, einen so schlagfertigen Bruder zu haben.

Film: Dies ist ein komplett anderer Film als Tessaris vorherige Western, eine im moderneren Westen angesiedelte Komödie, die die späteren Terence Hill & Bud Spencer-Komödien schon vorwegnimmt. Auch hier gibt es zahlreiche auf lustig getrimmte Faustkämpfe und andere witzige Aktionen. Giuliano Gemma und Nino Benvenuti sind hervorragend und lassen ein Feuerwerk an komischen Einfällen abbrennen. Ihnen zur Seite in der Rolle der Bankierstochter steht die Darstellerin Sydne Rome, die in einer Badeszene in einem Fluss sogar ihre erotischen Reize zur Schau stellen darf.

Überraschend, wie gut der Regisseur den Übergang vom klassischen harten Italo-Western zur Western-Persiflage gefunden hat. Das lustige Geschehen wird auch noch von einem witzigen Score des Komponisten Gianni Ferrio gebührend unterstützt. Ein Spaß für die ganze Familie.

Presse: »Weil es der Erbonkel so haben will, müssen zwei wesensungleiche Brüder ein halbes Jahr zusammenleben. Daraus ergibt sich Situationskomik am laufenden Band bis hin zum überraschenden Schluss-Gag. Eine flott inszenierte, mit gepfefferten Dialogen aufgepulverte Western-Groteske, in der sich Giuliano Gemma und Nino Benvenuti als Komiker-Kanonen entpuppen.«   *Hermine Fürstweger,*
Filmecho/Filmwoche Heft 43, 1970

»Der dritte ›Western‹ des Italieners Duccio Tessari gehört in vieler Hinsicht zu den bemerkenswerten Ausnahmen seiner Gattung. Es ist sicher mehr Geld reingesteckt worden als in viele andere Italo-Western, und es ist auch mehr dabei herausgekommen, nämlich ein sehr sorgfältig gemachter Film, dem man es ansieht, dass der Regisseur mit Liebe, Mühe und gutem Material gearbeitet hat. Tessari hat Sinn für Bewegungsabläufe und Farben, er komponiert seine Einstellungen regelrecht und scheut sich auch nicht, Baumstämme rot anzustreichen, damit sie besser in die Szenerie passen. Dies geschieht alles sehr unauffällig und steht ganz im Dienst der erzähl-

Zwei ungleiche Brüder

308

FRISS ODER STIRB
CINERAMA

Die beiden Brüder in Not

ten Komödie von den zwei ungleichen Brüdern, die sich widerwillig dazu entschließen, 180 Tage zusammenzuleben, weil das die testamentarisch festgelegte Voraussetzung ist, den verstorbenen Onkel zu beerben.

Monty (Giuliano Gemma), ein verschuldeter Lebemann aus dem Osten, bringt seinen Bruder Ted (Box-Champion Benvenuti), der als braver Siedler im Wilden Westen Fuß fassen will, in zahlreiche unangenehme Situationen. Im Mittelpunkt der Geschichte stehen ihre verzweifelten Versuche, bis zum Antritt der Erbschaft finanziell über die Runden zu kommen. Beim klassischen Western-Kino holen sie sich ihre Anregungen und überfallen eine Bank, eine Postkutsche, einen Geldtransport, doch alle ihre Anschläge scheitern. Sie stürzen über die Türschwelle der Bank, erbeuten zwei große Säcke mit Kleingeld, entführen ein Mädchen, das der reiche Vater gar nicht so

bald zurückhaben will und werden als Zugräuber unfreiwillig die Retter des zu raubenden Goldes. Am Ende sind sie zwar nicht reicher, doch gute Freunde geworden. Die Episodenform, in der ihre komischen Abenteuer erzählt werden, bringt gelegentliche Flauten und Durststrecken, doch dann folgen immer wieder sehr schöne Momente; die Gags sind zum Teil recht originell, und der simple Klamauk steigert sich zu gekonnt inszenierten Slapstick-Szenen. Die Schlägereien laufen fast ballettreif ab und parodieren den blutrünstigen Ernst des italienischen Western. Trotz der deutschen Synchronisation, die unentwegt die Sprüche Al Mundys aus der gleichnamigen Fernsehserie nachplappern lässt, ist Tessaris Western-Komödie ein Film, bei dem der Zuschauer einmal nicht um sein Vergnügen betrogen wird.«

Günther Pflaum,
Film-Dienst FD 16 781

GARRINGO

Garringo – der Henker (Regie: Rafael Romero Marchent)

Spanien / Italien 1968
Erstaufführung in Italien: 28. August 1969
Deutscher Start: 15. Mai 1970

Besetzung: *Anthony Steffen [Antonio De Teffè] (Garringo), Peter Lee Lawrence [Karl Hirenbach] (Johnny), Solvi Stubing (Julia), José Bódalo (Sheriff), Raf Baldassarre (Damon), Luis Induñi (Dr. Grayson), Luis Barboo, Frank Braña (Harriman), Bernabe Barta Barry (Barmann), Antonio Molino Rojo (Peter), Marta Monterrey (Nancy), Alfonso Rojas, Luis Marín, Xan das Bolas, Mario Morales, Guillermo Méndez, Lorenzo Robledo, Carlos Romero Marchent*

Inhalt: Als etwa Zehnjähriger hat Johnny (Peter Lee Lawrence) mitansehen müssen, wie sein Vater, ein Armeeoffizier, von eigenen Kameraden des Verrats beschuldigt und erschossen worden war, ohne dass man ihm auch nur die Chance ei-

ANTHONY STEFFEN · PETER LEE LAWRENCE
SOLVI STUBING
con JOSE BODALO · RAF BALDASSARRE
DIRECTOR **RAFAEL ROMERO MARCHENT** *Eastmancolor*

ner Rechtfertigung gegeben hatte. Clark, damals Leiter der Posthalterei und heute Sheriff, hatte den unter einem schweren Schock stehenden Jungen irgendwo aufgelesen und später adoptiert. Er wuchs mit Julia (Solvi Stubing), der kleinen Tochter Clarks, zusammen auf.

Aber selbst eine sorglose und fröhliche Jugend in der Posthalterei vermochten das Erlebnis und den Schock nicht aus dem Herzen und den Augen Johnnys zu tilgen. Inzwischen erwachsen, beginnt Johnny den Tod seines Vaters zu rächen. Er hat sich eine bemerkenswerte Fertigkeit im Umgang mit Waffen angeeignet; arglos hatte sein Adoptivvater ihm die Kunst des Schießens beigebracht. In jedem Armeeoffizier sieht Johnny einen Mörder seines Vaters. In kaltblütiger und hinterhältiger Weise tötet er jeden, der das Unglück hat, ihm in den Weg zu kommen.

Den Getöteten reißt er die Schulterstücke von den Uniformen und befestigt sie am Grabkreuz seines Vaters. Mit der Zeit legt er sich eine Bande von Killern zu, die keine Armeepatrouille und keinen Armeetransport ungeschoren lassen. Er wird zu einer öffentlichen Gefahr.

Zu Hause jedoch, in der Posthalterei, bei seinem Adoptivvater und bei Julia, ist er der fröhliche, stets zu Späßen aufgelegte nette Junge.

Der Kommandant des nächsten Forts bestimmt Leutnant Garringo (Anthony Steffen), einen harten, schweigsamen, im Umgang mit Killern erfahrenen Einzelgänger, Johnnys Spur aufzunehmen und ihn und seine Bande zur Strecke zu bringen. Als Garringo sich auf den Weg macht, ist er auf härteste Auseinandersetzungen gefasst; er weiß, dass man Killer dieses Kalibers nur mit brachialer Gewalt erledigen kann. Er weiß nicht, dass er am Ende seines langen Weges Zeuge einer menschlichen Tragödie werden wird, die selbst einen so harten Mann wie ihn erschüttert und schweigend weggehen lässt.

Film: Anthony Steffen und Peter Lee Lawrence sind hier zum ersten und einzigen Mal zusammen in einem der besten Western des vielbeschäftigten Rafael Romero Marchent zu sehen, dessen Story von seinem Bruder Joaquin Romero Marchent

Regisseur Rafael Romero Marchent mit Peter Lee Lawrence und Anthony Steffen

stammt. »Garringo« ist wahrscheinlich der einzige Italo-Western, der sich um einen Serienmörder dreht. In diesem Bereich zeigt dieser Film einen einzigartigen und besonderen Reiz. Peter Lee Lawrence, normalerweise immer als gut aussehender, positiver Held zu sehen, ist vollkommen glaubhaft in der Rolle des Attentäters wie auch Anthony Steffen als Garringo. Der Film ist ziemlich brutal, sogar auf einer psychologischen Stufe, angefüllt mit wilden Schlägereien und kaltblütigen Morden. Zu diesem Film gab es auch eine Art unechte Fortsetzung, den Film »Sei già cadavere amico ... ti cerca Garringo!« (»Zwei Halleluja für den Teufel«) von Juan Bosch mit Richard Harrison in der Hauptrolle, der allerdings mit dem Original nichts gemeinsam hat.

Presse: »›Er hat den Tod zehnmal verdient‹, ›man muss ihn unschädlich machen‹, ›er hat kein Recht zu leben‹, ›keinen Anspruch auf Mitleid‹, ›eine Gefahr für die Menschen, so lange er lebt‹, ›ein Wahnsinniger, der ausgemerzt werden muss‹ ... Diese Dialogstellen, die durchaus mit den Bildern dieses Produkts übereinstimmen, sprechen eine deutliche Sprache; offener haben bis jetzt nur wenige Italo-Western faschistische Gesinnung verkündet. Da versucht ein Regisseur 80 Minuten lang zu zeigen, wie nichtswürdig ein Leben sei: Weil sein desertierter Vater von einem Soldaten in Notwehr erschossen wurde, führt Johnny später als Erwachsener einen unerbittlichen Kleinkrieg gegen die Nordstaaten-Armee, bis er von Leutnant Garringo, den der deutsche Titel als Henker anpreist, erschossen wird. ›Er hat bezahlt‹, sagt Garringo und blickt traurig auf Johnnys Pflegevater. ›Das hat er‹, antwortet dieser ruhig. Noch ärgerlicher wird das Ganze, wenn der Regisseur mittels einer mehrmals dazwischengeschnittenen roten Sonne und anderen Mätzchen zeigen möchte, dass Johnny psychisch nicht ganz in Ordnung war. Was ist dann die ganze Geschichte noch anders als der Aufruf zur Euthanasie? Diese Geisteshaltung entlarvt sich bis in die kleinsten Einzelheiten. So wird beispielsweise bei Schlägereien mehr mit Füssen getreten als geboxt. Die gleiche Behandlung lässt dieses schlampig gefertigte Schundprodukt auch dem Zuschauer zukommen, indem es ihn gänzlich um das Recht auf Unterhaltung betrügt.«   *G.P.*
Film-Dienst 16827

IL PISTOLERO DELL'AVE MARIA

Seine Kugeln pfeifen das Todeslied (Regie: Ferdinando Baldi)

Italien / Spanien 1969
Erstaufführung in Italien: 17. Oktober 1969
Deutscher Start: 10. Juli 1970

Besetzung: Leonard Mann [Leonardo Manzella] (Sebastian), Luciana Paluzzi (Anna Carasco), Alberto de Mendoza (Tomas), Pilar Velázquez (Isabel), Peter Martell [Pietro Martellanza] (Rafael Garcia), Piero Lulli (Francisco), Luciano Rossi (Juanito), José Suárez (General Juan Carasco), Barbara Nelli (Conchita), Mirella Pamphili (Ines), Franco Pesce (Tequila), Silvana Bacci (Mutter von Sebastian und Isabel), Enzo Fiermonte

Inhalt: Mexiko 1867. Der blutige Krieg ist endlich zu Ende gegangen. Anna erfährt durch einen Boten, dass ihr Mann, General Carasco, lebt. Er ist auf dem Weg nach Oaxaca und wird bald auf seine Hazienda zurückkehren. Anna hatte nicht mehr mit seiner Rückkehr gerechnet, die nun alle ihre ehrgeizigen Pläne über den Haufen zu werfen droht. Sie ist zügellos und berechnend und will die Hazienda allein besitzen. Um ihren Mann zu täuschen, lässt sie ein großes Fest ausrichten. Der General trifft umjubelt auf der Hazienda ein. Er weiß noch nicht, dass diese erste Nacht mit Anna nach so langer Zeit auch seine letzte sein wird. Mit Thomas, ihrem jetzigen Liebhaber, arrangiert sie einen Überfall durch eine Bande von Desperados. Dabei wird Carasco von Anna und Thomas kaltblütig ermordet.

Dieser Mord sollte keine Zeugen haben, aber es gibt doch welche: Isabel, Annas Tochter, muss mit ansehen, wie ihre Mutter zur Mörderin an ihrem Vater wird. Die Arme flieht mit Sebastian, Isabels Bruder. Keiner kennt ihren Zufluchtsort. Isabel bleibt auf der Ranch. Aber es gibt noch einen weiteren Zeugen: Sebastians Freund. Er wird versteckt und entgeht dem blutigen Massaker.

Jahre sind seitdem vergangen. – Isabel hasst ihre Mutter und will den Mord an ihrem Vater rächen. Sie bittet Rafael, ihren Bruder Sebastian zu suchen, damit er die Wahrheit erfährt und Rache an seiner Mutter nimmt. Rafael findet eine Spur, die ihn nach Texas führt, aber er wird von einer Bande überfallen. Ein Fremder, der schießen kann wie der Teufel, rettet ihn. Dieser

Ein Western für alle, die es gerne noch härter wollen!

Seine Kugeln pfeifen das Todeslied

Ein FARBFILM der Constantin-Film

Leonard Mann und Peter Martell

Peter Martell als Rafael Garcia

Mann ist der gesuchte Sebastian, der nun nach all den Jahren von Rafael erfährt, wer seinen Vater ermordet hat.

Inzwischen weiß Anna, wen Rafael sucht und ahnt, dass ihr Leben nicht mehr sicher ist, wenn ihr längst totgeglaubter Sohn die Wahrheit erfährt. Sie ist es, die Rafael von kaltblütigen Killern verfolgen lässt, doch Rafael und Sebastian sind schneller im Sattel und mit dem Colt. Eine erbarmungslose Jagd beginnt. Von Texas reiten sie nach Mexiko, um ihr Leben zu retten und für ihre Rache. Kein Hindernis hält sie auf und das große Sterben begleitet die Rächer.

Das Ende ist blutig, wie der Anfang blutig war. In ihrer Angst versucht Anna die Schuld an dem Mord ihrem Liebhaber Thomas zuzuschieben. Sie wird von ihm erschossen. Er versucht zu fliehen, aber Sebastian bringt ihn zur Strecke. Er stirbt, während die Hazienda von einem gewaltigen Feuersturm vernichtet wird.

Film: »Il pistolero dell'Ave Maria« (»Seine Kugeln pfeifen das Todeslied«) ist einer der interessantesten und ergreifendsten Italo-Western der späten 60er. Ferdinando Baldis brutaler und gehaltvoller Film kann zu den besten Beispielen jener Italo-Western gezählt werden, die von den griechischen Tragödien, in diesem Fall Sophokles' »Oresteia«, inspiriert wurden. Aus diesem Material macht Baldi einen der erfolgreichsten Abenteuer-Western – die Adaption einer klassischen Tragödie mit einem Übermaß aus Liebe, Leidenschaft, Verrat und Rache, all die typischen Gefühle, die die menschlichen Handlungen vorwärtstreiben, begleitet von einem gefühlvollen Soundtrack von Roberto Pregadio. Niemand wird jemals das Glockenläuten und das einsame Pfeifen während des Hauptfilmtitels vergessen, welches in der Wüstengegend von Tabernas gefilmt wurde.

Die Darsteller Leonard Mann als Sebastian, Peter Martell als Rafael, José Suarez als Carrasco, Piero Lulli als Francisco, Alberto de Mendoza als Tomas und Luciano Rossi als Juanito sind alle perfekt besetzt in ihren Rollen wie auch ihre weiblichen Mitspieler Pilar Velazquez als Isabel und Luciana Paluzzi als Anna.

Der Film enthält auch einige typische Italo-Western-Merkmale wie z.B. das Aussehen der beiden Revolverhelden – der eine, brutal und verstört, trägt eine Lederjacke und einen zerfetzten

Poncho; der andere, schweigsam und bedächtig, blickt kalt unter seinem Hutrand hervor – beide durch ihre Vergangenheit gequält und dazu gebracht, zwei tödliche und unfehlbare Revolverschützen zu werden. Der Film spart auch nicht mit brutalen Szenen voll von grausamen Schlägereien und Schießereien wie auch mit Szenen voll von psychologischem Sadismus und physischen Grausamkeiten wie dem von Tomas befohlenen brutalen Auspeitschen der Bauern oder dem Massaker an den Soldaten durch Carrasco, welches in einer Rückblende erzählt wird.

In einem Interview sagte Ferdinando Baldi, dass die filmischen Referenzen an die griechischen Tragödien sogar noch stärker gewesen wären, wenn er Drehbuchautor Vincenzo Cerami mehr Freiheiten gegeben hätte. Baldi jedoch war der Meinung, ein Western sollte ein gewisses Maß an ruhigen Momenten nicht überschreiten, da sonst das Publikum abspringen würde.

Presse: »Italo-Western im üblichen, von Racheschwüren und Gitarrenklängen erfüllten mexikanischen Milieu. Gleich antiken Helden verfolgt ein Geschwister-Paar die eigene Mutter als Mörderin des Vaters und ihren Verwalter und Geliebten als Helfershelfer. Ein Jugendfreund hilft beiden, und gemeinsam erledigen die drei ohne Erbarmen nach und nach die nicht minder grausamen Handlanger der Verbrecher, und da im mittelamerikanisch-spanischen Kulturraum niemand die eigene Mutter strafen darf, selbst wenn sie so mannstoll und skrupellos ist wie hier, stirbt sie durch die Hand des eigenen Liebhabers, der dann seinerseits von den Kugeln des Sohnes gerichtet wird.

Die statuarische, mexikanischer Mentalität entsprechende Starre, Härte und die pathetischen Auftritte des rachedurstigen Trios machen die drei Gerechtigkeitsfanatiker nicht sonderlich sympathisch, und ihre Teilnahmslosigkeit gegeneinander in der brennenden Hazienda zum Schluss wird normal empfindenden Mitteleuropäern unverständlich bleiben.

Sonst ist der Reißer spannend inszeniert, die Atmosphäre der Jahrhunderwende Mittelamerikas ist glaubhaft eingefangen; den in diesem Genre üblichen Härtegrad erreichen Drehbuch und Regie jedoch nicht. Dazu stört auch die bombastische Musik.«

Ernst Bohliu,
Filmecho/Filmwoche Heft 64–65, 1970

Seine Kugeln pfeifen das *Todeslied*

Piero Lulli als Francisco

3 pistole contro Cesare

Drei Pistolen gegen Cesare (Regie: Enzo Peri)

Italien 1966
Erstaufführung in Italien: 16. August 1967
Deutscher Start: 17. Juli 1970

Besetzung: *Thomas Hunter (Whitty Shelby),*
Enrico Maria Salerno (Cäsar Fuller), James Shigeta
(Lester Koto), Nadir Moretti (Etienne Devereux),
Gianna Serra (Debbie), Delia Boccardo (Mady),
Umberto D'Orsi (Bronson), Ferruccio De Ceresa
(Professor), Femi Benussi (Tula), Vittorio Bonos
(Stanford), Adriana Ambesi, Gino Bardi, Gian-
luigi Crescenzi

Inhalt: Die drei Abenteurer Whitty (Thomas
Hunter), Etienne (Nadir Moretti) und Lester
(James Shigeta) erhalten – jeder für sich – Kenntnis von einer Erbschaft, den Lageplan einer alten Goldmine und das Foto eines unbekannten
kleinen Mädchens. Nach einem überraschenden
Zusammentreffen in der Goldmine, wobei es zu
einer schweren Prügelei kommt, stellen die drei
fest, dass sie Brüder sind, Söhne des ermordeten
Mr. Langdon von drei verschiedenen Müttern.
Warum haben sie erst nach zehn Jahren vom Tod
des Vaters und der Erbschaft erfahren? Whitty
verdächtigt Julius Cäsar Fuller (Enrico Maria Salerno), den Ortsgewaltigen, der auf einem kleinen Schloss wie ein römischer Kaiser lebt, sich
auch so kleidet, sich mit schönen Frauen umgibt
und in allem wie sein großes Vorbild Julius Cäsar
handelt. Cäsar sucht seit Jahren nach dem aus der
Mine geförderten, aber verschwundenen Gold,
bisher vergebens. Die so plötzlich aufgetauchten
Brüder stören erheblich seine Pläne. Ihre lan-
desübliche Beseitigung durch einen schnellen
Kugelwechsel scheitert an deren beachtlichen
Fähigkeiten. Da setzt Cäsar zwei Mädchen, Mady
und Debbie, auf die Brüder an. Aber auch dieses
Mittel verfängt nicht, zumal sich Mady als deren Schwester herausstellt. Es kommt zu einem
großen Showdown, in dem die Brüder den Mord
an ihrem Vater rächen – in einem stilechten römischen Dampfbad wird Cäsar erschossen.

Aber immer noch fehlt das Gold. Wo liegt der
Schatz? Etienne, der Pendelsucher, pendelt mit

viel Glück den Fundort aus. Und in einer alten,
ererbten Hütte stellen die Brüder fest, dass die
bescheidene Bettstatt des Vaters aus purem Gold
besteht.

Film: Mit diesem originellen Film gelang Regisseur Enzo Peri das Kunststück, die klassischen
Elemente des italienischen Western mit einer
Reihe von innovativen, neuen Elementen wie
exotischen Landschaften und ausgefallenen
Charakteren zu verbinden. Der Protagonist
Whitty (Thomas Hunter, bekannt aus »Un fiume di dollari« [»Eine Flut von Dollars«]) hat
alle Eigenheiten eines typischen Antihelden in
der Tradition von Leone und Corbucci, wogegen
die anderen Charakter ziemlich einzigartig und
extravagant gezeichnet werden. Etienne (der Ma-
gier Nadir Moretti) ist ein Hypnotiseur, der seine
Gegner mit seinem Blick und seiner Gestik buchstäblich erstarren lässt. Lester (James Shigeta) ist
der typische Japaner, der der Härte des amerikanischen Westens mit virtuosen Karate-Schlä-

Thomas Hunter als Whitty Shelby

315

Titelhelden: Nadir Moretti, Thomas Hunter und James Shigeta

gen begegnet, quasi ein Vorläufer des späteren Kung-Fu-Westernhelden. Der wahnsinnigste von allen ist allerdings Julius Cäsar Fuller (Enrico Maria Salerno), ein grausamer Bandenboss, der unter dem Schutz seiner ganz in Schwarz gekleideten Revolverhelden in einem pompösen, dem alten Rom nachempfundenen Palast wohnt, der stark an die Hacienda des Südstaatenoffiziers aus »Rio Conchos« erinnert. Dieser merkwürdige, in eine Toga gekleidete Bösewicht liebt es, sich mit wunderschönen, halbnackten Dienerinnen zu umgeben und sich von einem alkoholisierten Professor die Heldentaten Cäsars vorlesen zu lassen. Zur Unterhaltung dieses verrückten Herrschers zählen unter anderem ein Bauchtanz eines türkischen Mädchens (Femi Benussi) sowie zahlreiche erotische Eskapaden. Diese stehen in extremem Kontrast zu Szenen von brutalster Gewalt, die meistens dem Helden Whitty zustoßen wie z.B. das Aufhängen über einem Feuer, in der er von der rechten Hand des Bösewichts Bronson (Umberto D'Orsi) gequält wird. Der Film zeigt erstmals eine Reihe von Spezialwaffen (wie den vierläufigen Revolver des Helden, mit dem man auch durch den Griff schießen kann), die später zum Markenzeichen von Filmen aus der Sabata-, Halleluja- und Sartana-Reihe wurden. Die

sehr epische, stimmungsvolle Musik zu diesem Film stammt von Marcello Giombini. Der Film entstand übrigens als einer der wenigen in Südafrika auf Grund eines Coproduktions-Vertrags zwischen Dino De Laurentiis und Casbah-Film.

Presse: »Bereits die Produktionsangaben lassen vermuten, dass dieser Western zu den besseren seiner Gattung gehört: die Firma Dino de Laurentiis kann sich ein bisschen Aufwand leisten, vom Technicolor-Material bis zu den sorgfältiger gebauten Kulissen. Kameramann Otello Martelli wurde durch seine Arbeit für Rossellini (u.a. ›Paisa‹) und Fellini (u.a. ›La Strada‹) berühmt. Die handwerklichen Qualitäten ermöglichen die Freude an der großen Show, am Spiel, hinter der die verquälten Brutalitäten der Gattung zurücktreten. Freilich weisen Drehbuch und Dramaturgie Schwächen auf, die den Film zur Nummern-Revue machen und die Spannung immer wieder zusammenbrechen lassen. Gegen Ende der Geschichte hat dann der Regisseur sein Pulver schon verschossen, es fällt ihm nichts mehr ein, statt des erwarteten »finale furioso« findet ein klägliches kleines Duell statt, das voll und ganz auf die Requisiten angewiesen ist. Die Geschichte selbst ist nicht ohne Reiz: Drei ungleiche Halbbrüder – der erste wird als Amerikaner, der zweite als Franzose, der dritte als Japaner charakterisiert – bekämpfen den überkandidelten Großgrundbesitzer Julius Cäsar Fuller, der ihren Vater ermordet und dessen Goldmine gestohlen hat. Unterschiedlich sind auch ihre Kampfmethoden: Der Amerikaner siegt mit Spezialcolts, der Franzose mit Hypnose, der Japaner mit Karate; dies führt zu mitunter recht lustigen Gags. Dazwischen nimmt sich der Film Zeit für schöne Landschaftsaufnahmen, die sich jedoch nie vor die erzählte Geschichte drängen. Darsteller, Musik und Dialog sind ebenfalls ganz unterhaltsam. Fazit: Kein bedeutender Film, aber immerhin einer, der die Zuschauer nicht um ihr Vergnügen betrügt.« *G. P., Aus Film-Dienst FD 16 874*

CIAKMULL, L'UOMO DELLA VENDETTA

Django – Die Nacht der langen Messer (Regie: Enzo Barboni)

Italien 1969
Erstaufführung in Italien: 11. März 1970
Deutscher Start: 7. August 1970

Besetzung: *Leonard Mann [Leonardo Manzella] (Ciakmull, in der deutschen Fassung Django), Woody Strode (Woody), George Eastman [Luigi Montefiori] (Hondo), Helmut Schneider (John), Evelyn Stewart [Ida Galli] (Sheila), Andrea Aureli (Santiago), Enzo Fiermonte (Sheriff), Dino Strano, Peter Martell [Pietro Martellanza] (Silver), Alain Nayà, Dino Strano, Luciano Rossi, Umberto Di Grazia, Vittorio Fanfoni, Silvana Bacci, Salvatore Billa, Romano Puppo*

Inhalt: In Dodge City wird ein Bankraub verübt. Gleichzeitig geraten das Gefängnis und das Irrenhaus in Brand. Vier der Insassen, nämlich Django (Leonard Mann), Hondo, Silver und Woody (Woody Strode), können entkommen. Django weiß nichts über seine Herkunft, seit er drei Jahre zuvor sein Gedächtnis verloren hat. Es ist nur bekannt, dass er aus Oxaca stammt. Dorthin machen die vier Männer sich auf den Weg – Django, um seine Familie wiederzufinden, die anderen, um dem Gold auf die Spur zu kommen. Denn einer der Bankräuber hatte Django erkannt. Unterwegs erledigen sie fünf bezahlte Killer, die der Sheriff ausgeschickt hat, um die Ausbrecher zurückzuholen. In Oxaca liegen

seit Jahren zwei Familien miteinander im Streit: Djangos Vater John Caldwell und sein Sohn Alan auf der einen Seite, Lion Udo und dessen Sohn Tom, der Anführer der Bankräuber, auf der anderen. Udos Tochter Sheila liebte Django früher. Jetzt halten ihn alle für tot.

Als die vier Männer in die Stadt kommen, wird Django sofort von einem von Udos Leuten erkannt. Woody wird von ihnen gefangen und sagt unter Druck aus, dass er mit seinen Kameraden aus Dodge City entflohen ist und dass Django sein Gedächtnis verloren hat. Hierauf gründet sich der neue Plan der Udos: Sie reden Django ein, dass er ihr Sohn bzw. Bruder sei, dass Caldwell ihn auf dem Gewissen habe und auch sein jüngster Bruder Alan vom Vater kaltblütig ermordet worden sei. So wollen sie den als Meisterschützen bekannten Django dazu benutzen, ihren gefürchteten Rivalen Caldwell auszuschalten. Sheila, die genau wie die anderen von Django nicht wiedererkannt wird, spielt dieses Spiel zunächst widerwillig mit, gewinnt aber dann Hondo, um Django zu warnen. Auf diese Weise wird Django im letzten Moment davor bewahrt, seinen eigenen Vater zu erschießen.

John Caldwell erkennt seinen Sohn und erzählt ihm die Geschichte seines rätselhaften Verschwindens: Drei Jahre zuvor hatte er angeblich einen Jagdunfall gehabt. Sein Bruder Alan hatte ihn in einer entlegenen Hütte zurückgelassen, um den Vater zu Hilfe zu holen. Als die beiden

Django (im Original: Ciakmull) mit seinen Freunden

Evelyn Stewart und Leonard Mann

zurückkamen, war die Hütte abgebrannt. Von Django fehlte jede Spur.

Nachdem er dies erfahren hat, will Django sich an den Udos für ihren Betrug rächen. Bei der folgenden Schießerei bleiben Tom Udo, Silver und Woody auf der Strecke. Danach kommt es zu einer Auseinandersetzung zwischen den Brüdern Caldwell, in deren Verlauf Django endgültig die ganze Wahrheit über seine Herkunft erfährt. Sein Vater ist nicht John Caldwell, sondern irgendein fremder Bandit, der einst bei einem Überfall auf die Farm seine Mutter vergewaltigt hat. Caldwell hat das Kind als sein eigenes anerkannt, aber Alan hat seinen Halbbruder immer gehasst. Der Jagdunfall war damals nur vorgetäuscht. Vielmehr hatte Alan Django bewusstlos geschlagen und die Hütte dann in Brand gesteckt.

Wie er sich trotzdem retten konnte, bleibt ungeklärt. Aber nun soll er sterben! Doch Django schießt schneller. Er lässt seinen falschen Vater gramgebeugt zurück und zieht seines Weges, einsam wie immer.

Film: Dies ist der erste Western von Enzo Barboni, der später mit den beiden Terence-Hill- und Bud-Spencer-Filmen »Lo chiamavano Trinità« (»Die rechte und die linke Hand des Teufels«) und »Continuavano a chiamarlo Trinità« (»Vier Fäuste für ein Halleluja«) zwei der erfolgreichsten Italo-Western überhaupt inszenierte.

Dieser Film ist ein düsterer, trauriger, hoffnungsloser und gewaltsamer Western, der gänzlich ohne Ironie und Komik auskommt, die später für diesen Regisseur zum Markenzeichen werden. Konzentriert auf das Leitmotiv des Mannes ohne Erinnerung an seine Vergangenheit, der nach der Wahrheit und Rache sucht, zeigt Bar-

bonis Film eine Welt, in der Täuschung, Hass, Gewalt und Tragik die Handlung von Männern bestimmen. Von Anfang des Films an, der einem gothischen Horrorfilm entsprungen sein könnte, ist »Ciakmull, l'uomo della vendetta« (»Django – Die Nacht der langen Messer«) Spiegelbild einer grausamen, rücksichtslosen Welt, in der die Gewalt das einzige Gesetz ist.

Während eines Überfalls, bei dem die Banditen ihre eigenen Komplizen ermorden, springt das ausbrechende Feuer auf das naheliegende Irrenhaus über, wo die Insassen, die nicht durch das Feuer sterben, von den Wächtern niedergeschossen werden, um sie am Ausbrechen zu hindern. In einem dreckigen herbstlichen Westen kommt es hier zu einer erneuten Version einer griechischen Tragödie, einer unangenehmen Affäre, aus der niemand ungeschoren davonkommt – Ciakmull findet heraus, dass er ein illegitimer Sohn ist und bleibt allein zurück, nachdem all seine Freunde tot sind. Sein Halbbruder stirbt und sein Vater trauert um ihn, der böse Udo und seine Leute sind auch getötet worden.

Es gibt haufenweise brutale Szenen wie z.B. die Guerilla-Taktiken von Ciakmull und seinen Kumpanen gegen die verfolgenden Kopfgeldjäger in den Wäldern gleich nach dem Ausbruch oder die Folterung des schwarzen Woody sowie das brutale Schlussgefecht, in dem fast alle umkommen. Der Film präsentiert einige sehr gute Darsteller, allen voran Leonard Mann, Peter Martell, Luigi Montefiori und der aus John-Ford-Filmen bekannte schwarze Darsteller Woody Strode, Evelyn Stewart als Udos Tochter und Freundin von Ciakmull und den Deutschen Helmut Schneider. Laut Barboni ist die dunkle Stimmung des Films auf den Produzenten Manolo Bolognini zurückzuführen, der dem damaligen Trend der Italo-Western folgen und keine Risiken eingehen wollte. Laut Barboni wurde der Film damals in drei Wochen in den bekannten Gebieten von Manziana und Tor Caldara für weniger als 100 Millionen Lire gedreht, das waren damals ca. 100.000 Dollar.

Man sieht diesem Film das niedrige Budget nicht an und es ist dem Kameramann Mario Montuori hervorragend gelungen, das Beste aus den Drehplätzen zu machen und wunderschöne Bilder der herbstlichen Landschaft einzufangen. »Ciakmull, l'uomo della vendetta« (»Django – Die Nacht der langen Messer«) bleibt mit seiner dunk-

Leonard Mann als Django

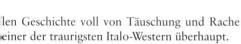

Evelyn Stewart und George Eastman

len Geschichte voll von Täuschung und Rache einer der traurigsten Italo-Western überhaupt.

Presse: »Einsam ist Django und er reitet auch am liebsten allein. Das hätte er auch diesmal tun sollen, denn nach dem Drehbuch hat der Gute sein Gedächtnis verloren. Aber dann wäre es nicht zu den gewünschten Schwierigkeiten gekommen. So muss also unser Held eine Bankräuberbande bekämpfen, sich mit streitenden Familien auseinander setzen, Rivalen ausschalten, sich als Meisterschütze bewähren und allerlei Dinge tun, damit die Spannung im Parkett anhält. Als der traurige Reiter möglicherweise selbst zur Strecke gebracht werden könnte, zieht er einfach seinen Colt und stirbt nicht. Denn Django schießt schneller und wird uns damit für den nächsten Abenteuerfilm erhalten.

Die Django-Serie ist also noch nicht zu Ende. Man bietet auch diesmal einiges auf, obwohl die Maschen des Italo-Western deutlich erkennbar sind. Aber sie sind sorgsam gestrickt, mit allerlei Gags versehen, im Schema überzeugend und nicht ohne Pointen. Das ist für diese Gattung Film erstaunlich. Vom gefürchteten Tief ist weit und breit nichts zu sehen. Das einschlägige Publikum amüsierte sich.« *Walter Müller-Bringmann, Filmecho/Filmwoche 70, 1970*

LA COLLINA DEGLI STIVALI

Hügel der blutigen Stiefel (Regie: Giuseppe Colizzi)

Italien 1969
Erstaufführung in Italien: 20. Dezember 1969
Deutscher Start: 28. August 1970

Besetzung: *Terence Hill [Mario Girotti] (Cat Stevens), Bud Spencer [Carlo Pedersoli] (Hutch Bessy, in der deutschen Fassung Dan), Lionel Stander (Mami), Woody Strode (Thomas), George Eastman [Luigi Montefiori] (Baby Doll), Victor Buono (Honey Fisher), Eduardo Ciannelli (Boone), Glauco Onorato (Finch), Alberto Dell'Acqua (Hans, der Akrobat), Enzo Fiermonte (Sharp), Nazzareno Zamperla (Franz, der Akrobat), Leslie Bailey (John), Glauco Onorato (Finch), Luciano Rossi (Sam), Romano Puppo, Luciano Rossi, Mirella Pamphili, Maurizio Manetti, Gaetano Imbró, Anraldo Fabrizio, Antonio De Martino, Dante Cleri, Adriano Cornelli*

Inhalt: Cat (Terence Hill) hat eine Wolfsherde am Hals. Er ist im Besitz einer Landkonzession der Regierung. Auf dem Land wurde Gold gefunden. Seitdem versucht eine Bande von Raubkillern, den Siedlern das Land abzujagen.

Cat ist kein Siedler. Sein Freund Sharp hat ihm das Dokument zugeschickt und um Hilfe in höchster Not gebeten. Lange können sich die Siedler nicht mehr halten.

Cat ist auf dem Wege zu seinem alten Kampfgefährten Dan (Bud Spencer), der ebenfalls ein Freund von Sharp ist; Cat braucht Unterstützung, wenn er den Siedlern helfen will. Unterwegs wird Cat von einigen der »Wölfe« gestellt und getroffen. Ziemlich schwer verletzt, versteckt er sich mit letzter Kraft in einem Wagen eines kleinen Wanderzirkus. Tom (Woody Strode), ein schwarzer Artist, hilft ihm. Tom wehrt auch weitere »Wölfe« ab, die die Zirkuswagen angreifen und durchsuchen wollen. Als Cat den Zirkus verläßt, um sich in einem Versteck auszuheilen, folgt ihm Tom; auch er hat noch eine Rechnung mit den Raubkillern zu begleichen.

Es sind nur wenige, zu allem entschlossene Männer, zahlenmäßig hoffnungslos unterlegen, die sich auf den Weg machen. Es ist allerhöchste Zeit, denn der Tag kommt immer näher, an dem die Konzessionen erneuert werden müssen. Es ist der Tag, auf den die Raubkiller warten. Unsere Freunde müssen sich aller Listen und Finessen bedienen, die sie im Kampf ums Überleben gelernt haben. Nach einer mörderischen Auseinandersetzung bleiben sie schließlich Sieger.

Kampf auf dem »El Paso«-Set bei Tabernas

Bud Spencer

Terence Hill

Film: Was er anfasste, wurde zu Geld. Sein erster Film »Dio perdona ... io no!« (»Gott vergibt – Django nie!«) zählte in Italien zu den Kassenschlagern der Saison und wurde auch in Deutschland ein Hit. »I quattro dell' Ave Maria« (»4 für ein Ave Maria«) war der zweite Streich – landaus, landein klingelten die Kinokassen – und der dritte folgte sogleich, nämlich »Hügel der blutigen Stiefel«, der nach geschäftsstarkem Anlaufen in seinem Heimatland Italien mit der berechtigten Aussicht nach Deutschland kam, die Erfolgsserie fortzusetzen. Der Regisseur dieser erfolgreichen Filme, Giuseppe Colizzi, ist unter Kennern ein Geheimtipp. Zumeist arbeitete er nach eigenem Drehbuch, ließ die Kamera in hinreißenden Einstellungen schwelgen und setzte knochenharte Sequenzen von kompromissloser Härte dagegen. Doch nicht allein seine gedrehten erfolgreichen drei Filme stehen hier für unseren Begriff der goldenen Drei. Zu Giuseppe Colizzi gehörten zwei Darsteller, die er in allen drei Filmen einsetzte und die ihm zu den großen Erfolgen verholfen haben. Zum einen ist dies der baumlange Carlo Pedersoli, ein Hüne von einem Kerl mit Bärenkräften und mit dem Gemüt eines Kindes, solange man den Bären nicht reizt. Unter dem Pseudo-

nym Bud Spencer ist er allen Westernfreunden in Deutschland bekannt.

Es ist dies zum anderen und nicht zuletzt Terence Hill, der sich als Mario Girotti in leicht romantischen Liebhaberrollen in vielen Karl-May-Filmen längst schwärmerische Verehrer erworben hatte, bevor er unter neuem Namen als Darsteller ausgekochter Westerntypen auch die Bewunderung der einschlägigen Fans fand.

Aller guten Dinge sind drei, und so brachte dieses bewährte Dreier-Team auch den dritten Film sicher über die Hürden.

»Hügel der blutigen Stiefel« zeigt wieder Colizzis perfekte Mischung aus faszinierend schönen Bildern und atemberaubenden Actionszenen, in denen die Geschichte eines Mannes erzählt wird, der bedrängte Siedler, deren Land goldfündig wurde, vor den Machenschaften geldgieriger Raubkiller schützt.

Presse: »Immer wieder erstaunlich, mit wie viel Sorgfalt und Können diese Italo-Western hergestellt werden. Von Hinhauen keine Spur. In diesem Fall: Die »Hügel« sind zwar von der Handlung her nicht immer so ganz klar, aber wie perfekt sind die Darsteller geführt und wie brillant ist

Großaufgebot an »Spaghetti«-Stars: Terence Hill, Bud Spencer, Woody Strode, George Eastman und ihre Freunde

Terence Hill in Action

diese Revolvergeschichte filmisch umgesetzt! Ein Freund des Hauptdarstellers (dem die blauen Augen wieder mal nur so aus dem braunstoppeligen Dressman face blitzen) hat Schwierigkeiten mit einem skrupellosen Landaufkäufer. Der Bursche bringt wackere Goldwäscher um das Fleckchen Erde, von dem sie sich Reichtum versprechen.

Terence findet einen Kumpan, einen Zirkusartisten, dargestellt vom farbigen Muskelheroen Woody Strode. Beide machen der bösen Bande, die einen ganzen Ort terrorisiert, den Garaus. Das Schlussgemetzel wird durch humoristische Spitzlichter aufgelockert. Ein Gag, der dem Film einen besonderen Reiz gibt: Ein Wanderzirkus ist Attraktion in diesem Western – nicht nur pittoresker Hintergrund, sondern handlungstragendes Element.«   *Eduard Länger,*
Filmecho / Filmwoche Heft 76, 1970

322

IL PREZZO DEL POTERE

Blutiges Blei (Regie: Tonino Valerii)

Italien / Spanien 1969
Erstaufführung in Italien: 18. Dezember 1969
Deutscher Start: 4. September 1970

Besetzung: *Giuliano Gemma (Bill Willer), Fernando Rey (Pinkerton), Van Johnson (Präsident James Garfield), Warren Vanders (Arthur McDonald), Manuel Zarzo (Nick), Benito Stefanelli (Sheriff Stefanelli), María Cuadra (Lucrezia James), Ray Saunders (Jack Donovan), José Calvo (Doktor Strips), José Suárez, Antonio Casas, Frank Braña, Ángel del Pozo, Ángel Álvarez, Ralph Neville, Julio Peña, Francisco Sanz, Lisardo Iglesias, María Luisa Sala, Massimo Carocci, Norma Jordan, Luis Rico Peláez, Joaquín Parra, Lorenzo Robledo, Franco Meroni, José Canalejas, Charly Bravo*

Inhalt: Dallas in Texas, nach dem Sezessionskrieg. Die Texaner lehnen sich gegen den amerikanischen Präsidenten auf. Er will die Farbigen zu gleichberechtigten Bürgern machen. Um die ehemaligen Südstaatler, die ihre Niederlage gegen die »Yankees« nicht vergessen haben, zu beruhigen, reist der Präsident nach Dallas.

Auf dem Wege soll auf ihn ein Anschlag verübt werden. Er wird von einem jungen fortschrittlichen Texaner vereitelt: von Bill Willer (Giuliano Gemma). Bill Willer, der im Bürgerkrieg auf der Seite der Yankees gekämpft hat, hat eine lange Freiheitsstrafe verbüßt. In einer Situation, in der er auf den eigenen Vater hätte schießen müssen, ließ er die Waffe sinken. Der damalige Vorsitzende des Militärgerichts ist der heutige Präsident Garfield, und seit damals ist Bill auch mit einem Farbigen befreundet: mit Jack Donovan. Donovan war unter dem Vorwand, den Präsidenten ermorden zu wollen, eingesperrt worden, aber er konnte fliehen. Bills Vater, der jetzt ebenfalls die neue Regierung toleriert, erfährt von neuen Mordplänen. Die Clique der Gegner des Präsidenten lässt ihn töten. Bill schwört Rache. Bei einem Feuergefecht mit den Mördern wird Jack Donovan verletzt. Bill bringt ihn in die Stadt in Sicherheit. Auf den Präsidenten wird erneut ein Attentat verübt: Er wird lebensgefährlich verletzt. Bill schafft ihn zu einem befreundeten Arzt, doch alle Hilfe kommt zu spät.

Die Texaner – allen voran Pinkerton (Fernando Rey) – setzen den Vizepräsidenten, einen labilen Mann, der völlig in ihrer Hand ist, als Präsidenten ein. Aber der neue Präsident vertraut sich McDonald, dem Sekretär des toten Staatsoberhauptes, an. Er bittet ihn, Pinkerton die Papiere abzunehmen, mit denen er erpresst wird. In der Stadt ist Jack Donovan als Mörder des Präsidenten verhaftet worden, aber es gelingt ihm zu fliehen. In einem Schauprozess soll er in Abwesenheit verurteilt werden. Aber Bill Willer will die Unschuld seines Freundes beweisen. Er sucht ihn, aber er findet ihn als Leiche. Mit seinem toten Freund sprengt er die Gerichtsverhandlung: Er

Giuliano Gemma als Bill Willer

Giuliano Gemma mit Manuel Zarzo

kann beweisen, dass Pinkerton, der Gouverneur und der Sheriff Jefferson die wahren Mörder sind. In Dallas kommt es zu einem Blutbad: Die Attentäter verraten einander, Zeugen werden getötet, auch Pinkerton und seine Mitverschwörer sterben. Und Bill kann mit dem Mörder seines Vaters abrechnen und – er gewinnt einen neuen Freund: McDonald.

Fernando Rey wird bedroht

Film: Nach seinem äußerst erfolgreichen zweiten Western »I giorni dell'ira« (»Der Tod ritt dienstags«) entschloss sich Regisseur Tonino Valerii sich für seinen nächsten Western eines politischen Themas anzunehmen. Das von Massimo Patrizi geschriebene Drehbuch adaptierte diverse Motive der John-F.-Kennedy-Ermordung und transportierte sie in das Dallas des vorhergehenden Jahrhunderts. Auch diesmal engagierte Valerii wieder seinen Star Giuliano Gemma aus dem Vorgänger-Film und stellte ihm einige sehr gute Charakterdarsteller gegenüber wie z.B. den Amerikaner Van Johnson, der den fiktiven amerikanischen Präsidenten Garfield darstellt, und den hervorragenden spanischen Darsteller Fernando Rey. In diesem Film kann man sehr gut erkennen, dass Valerii seine Lektionen bei seinem Meister Sergio Leone perfekt gelernt hatte, denn er inszenierte dieses Werk mit einem gewissen Hauch von epischer Breite, einem ähnlichen Rhythmus und denselben emotionalen Momenten. Auch die Dialoge sind ziemlich gut getroffen und oftmals hart. Der Film verfügt über eine sehr spannende

Giuliano Gemma kämpft gegen Präsidentenmörder

Giuliano Gemma und Manuel Zarzo

Geschichte und wird nicht von den Action-Elementen überlagert. Dazu komponierte Luis Enriquez Bacalov einen wunderschönen Score, der besonders den dramatischen Szenen eine tiefere Dimension verleiht. Der Film war damals an den Kinokassen auf Grund des politischen Themas nicht besonders erfolgreich, zählt jedoch sicherlich zu den Spitzenwerken dieses Genres. Aus diesem Grunde griff Leone auch auf Valerii zurück, als er für den von ihm produzierten Schwanengesang an den Italo-Western nach einem passenden Regisseur suchte.

Presse: »Ein Präsident der USA fährt durch ein Spalier ihm zuwinkender Bürger durch Dallas in Texas. Scharfschützen lauern auf ihn. Zwei Schüsse fallen, der Präsident ist tödlich verletzt zurückgesunken. Seine Frau bettet weinend seinen Kopf auf ihren Schoß. Hilfe kommt jedoch zu spät, er stirbt unter den Händen der Ärzte.

Der Tote ist jedoch nicht John F. Kennedy, der Mord spielt nach dem Bürgerkrieg. Dallas ist eine Ansiedlung von Holzhäusern, und Fortbewegungsmittel sind Kutsche und Pferd. Vor allem aber gibt es unerschrockene Männer, die den Tätern und ihren Drahtziehern so lange auf der Spur bleiben, bis sie die Initiatoren der Tat im Hintergrund entlarvt und ihrer gerechten Strafe zugeführt haben. Bevor jedoch das Belastungsmaterial sichergestellt ist und nach Washington geht, pfeift noch viel tödliches Blei durch die Luft und hält unter Schuldigen und Unschuldigen blutige Ernte. Doch die Gerechtigkeit und ihre mutigen Verteidiger siegen. Leider nur in diesem spannenden Edelwestern, dessen mahnender und ernsthafter Unterton trotz Mord und Totschlag nicht zu überhören ist. Da bliebe nur noch zu sagen, dass das Milieu gut getroffen ist und die Darsteller ihr Bestes tun.« *Ernst Bohlius, Filmecho/Filmwoche Heft 74–75, 1970*

TEPEPA

Tepepa (Regie: Giulio Petroni)

Italien / Spanien 1968
Erstaufführung in Italien: 31. Januar 1969
Deutscher Start: 22. Oktober 1970

Besetzung: *Tomás Milian (Tepepa), Orson Welles (Colonel Cascorro), John Steiner (Doktor Henry Price), Luciano Casamonica (Paquito), Annamaria Lanciaprima (Maria Virgen Escalande), José Torres (Pedro Pereira, genannt El Piojo), Paloma Cela (Consuelo), George Wang (Mr. Chu), Gian-* *carlo Badessi (Sergeant), Clara Colosimo (Frau des Sergeanten), Ángel Ortiz, Francisco Sanz, Armando Casamonica, Mario Daddi, Lina Franchi, Vittorio Gigli, Paola Natale*

Inhalt: Tepepa hat nur noch wenige Sekunden zu leben; das Hinrichtungskommando hat schon die Gewehre im Anschlag. Armeeoberst Cascorro, sein Todfeind, genießt seinen Triumph. Da jagt ein Auto vor das Erschießspeleton. Als der aufgewirbelte Staub sich legt, sind das Auto

Orson Welles als Colonel Cascorro in einer Drehpause mit Regisseur Giulio Petroni (rechts)

und mit ihm Tepepa längst weiter. In allerletzter Sekunde hat Dr. Henry Price Tepepa vor dem sicheren Tod bewahrt und entführt.

Aber Dr. Price handelt nicht aus Menschenfreundlichkeit. Vielmehr sucht er sein persönliches Rachebedürfnis zu befriedigen. Er glaubt in Tepepa den Mann gefunden zu haben, der während der Revolutionswirren als Anführer einer Gruppe Aufständischer auf einer eroberten Hazienda seine dort lebende Verlobte vergewaltigt und dadurch zu deren Selbstmord beigetragen haben soll. Er will Tepepa selbst töten.

Tepepa, der als einer der Anführer der siegreichen Revolution einen legendären Ruf hat, und seine Peones, für deren Freiheit von Unterdrückung und Ausbeutung er gekämpft hat, sehen sich um die Früchte ihres Kampfes und Sieges gebracht. Unter dem schwachen Revolutionspräsidenten Madero hat die besiegte Armee wieder die ausübende Gewalt übernommen, nachdem die Revolutionsverbände im Vertrauen auf ihren Präsidenten die Waffen abgeliefert hatten. Armeeoberst Cascorro hat sich zum Ziel gesetzt, die Verhältnisse wieder so herzustellen, wie sie vor der Revolution bestanden hatten. Seine Bluthunde beginnen eine Schreckensherrschaft. »Landreform« – ein Ziel der Revolution – ja, aber Cascorro setzt die alten Großgrundbesitzer wieder ein und lässt die Peones zu Paaren treiben, als diese sich zur Wehr setzen. Was ist schon eine Machete gegen ein Gewehr? So war Tepepa, der mit den Peones zusammen eine Hazienda bewirtschaftete, in seine Gewalt gekommen, und Cascorro bereitet genüsslich die Hinrichtung eines Revolutionshelden vor. Dr. Price und Tepepa war es gelungen, nach der Entführung den Verfolgern zu entkommen. Dr. Price hat natürlich gegen Tepepa keine Chance, als er diesen davon in Kenntnis setzt, warum er ihn vor dem Hinrichtungstod bewahrt hat. Außerdem bestreitet Tepepa die Tat, wegen der Dr. Price ihn töten will.

Tepepa flieht in die Sierras zu Freunden und früheren Anhängern und nimmt Dr. Price mit. Hier beschließt Tepepa, den Kampf für die Freiheit seines geschundenen Landes und seiner unterdrückten Menschen erneut aufzunehmen. Selbst des Schreibens unkundig, diktiert er Dr. Price einen aufrüttelnden Appell an den Präsidenten Madero, die Revolution nicht zu verraten. Als er wenig später in eine Falle gerät, die ihm unter dem Vorwand, Präsident Madero erwarte ihn und wolle ihn sprechen, gestellt worden war,

weiß er, dass Madero sich in der Gewalt der Armee befindet und er auf sich selbst gestellt ist.

Freunde versorgen Tepepa mit Waffen, aber in diesem erbarmungswürdigen Land ist Verrat allgegenwärtig. Cascorro ist schon mit einem großen Aufgebot an Truppen auf dem Marsch; man hat ihm gesagt, wo Tepepa zu finden ist. Noch einmal gelingt es dem listenreichen Tepepa und seinen Anhängern, die Truppen zu schlagen; Cascorro fällt in seine Hand. Aber Cascorro gibt so leicht nicht auf. Am Ende seiner Kräfte und zu Boden stolpernd, bekommt er im Fallen eine Pistole zu fassen. In einem Schusswechsel wird Cascorro zwar tödlich getroffen, aber auch Tepepa schwer verwundet; sein legendäres Glück scheint sich von ihm abzuwenden.

Nun kommt die Stunde von Dr. Price; er muss Tepepa operieren. Die Operation gelingt; doch als Tepepa im Koma zugibt, doch der Mann gewesen zu sein, den Price sucht (»was ist schon ein Mädchen im Vergleich zur Revolution«), sticht Price zu. Tepepa ist tot. Seine erschütterten Anhänger glauben, dass er an der Verletzung gestorben ist; nur Paquito, der Junge, nicht. Als Dr. Price sich schweigend entfernen will, nimmt Paquito eine Pistole in beide Hände und schießt Dr. Price ins Herz – »Er liebte Mexiko nicht!« war seine Antwort, als er gefragt wurde, warum.

Film: Nach seinem außergewöhnlich erfolgreichen Westerndrama »Da uomo a uomo« (»Von Mann zu Mann«) und der unterhaltsamen Westernkomödie »… e per tetto un cielo di stelle« (»Amigos«) wandte sich Giulio Petroni 1969 mit diesem Film ebenfalls dem Revolutionswestern zu. Tomás Milian ist darin in einer seiner besten Rollen seiner gesamten Westernlaufbahn als mexikanischer Revolutionär Tepepa zu sehen. Auch seine Co-Stars hätten nicht besser gewählt sein können, einerseits das Hollywood-Wunderkind Orson Welles in einer hervorragenden Darstellung als mexikanischer General sowie John Steiner als rachsüchtiger Doktor Price, der Tepepa am Ende tötet. Das intelligente Drehbuch stammt von keinem Geringeren als Franco Solinas, der mit seinen Arbeiten zu Sergio Corbuccis »Il Mercenario« (»Mercenario – der Gefürchtete«) und Sergio Sollimas »La resa dei conti« (»Der Gehetzte der Sierra Madre«) bereits zum Experten für politische Western wurde, und Ivan Della Mea, einem damals recht bekannten linksgerichteten Sänger/ Songschreiber mit Filmambitionen.

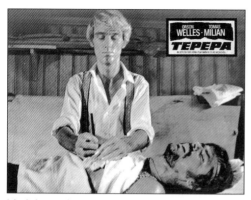

John Steiner operiert Tomás Milian, bevor er ihn tötet

Tomás Milian in der Titelrolle des Tepepa

Auch hier steht wieder eine Beziehung zwischen einem Gringo und einem Mexikaner im Vordergrund der Geschichte, wenn sich zwischen den beiden auch keine wirkliche Freundschaft entwickelt wie z.B. in den beiden oben genannten Filmen. Im Gegenteil, der Mexikaner wird hier vom Gringo auf Grund einer vergangenen Begebenheit getötet, eine Umkehrung der Situation aus »Quien sabe?« (»Töte Amigo«), in dem der Weiße von dem Mexikaner getötet wird. Dieser Film ist eigentlich in erster Linie ein psychologisches Drama im Umfeld der mexikanischen Revolution, in der Petroni trotzdem nicht versäumt, auch die typischen Versatzstücke des Revolutionswestern zu verwenden. Es gibt genügend Kampfszenen und Attacken, die aber eher eine untergeordnete Rolle gegenüber der Beziehung dieser beiden Männer spielen. In der Originalfassung des Films sollen die Umrisse von Tepepas Geist auf einem Hügel in einer Gegenlichtaufnahme zu sehen gewesen sein als Symbol einer fortwährenden Revolution, die niemals sterben wird. Erstaunlicherweise war dieser Film sogar in Mexiko äußerst erfolgreich, was normalerweise bei ausländischen Filmen, die das mexikanische Thema behandeln, nicht der Fall ist. Wie die meisten Revolutionswestern wurde auch dieser Film wieder an schönen südspanischen Drehorten in Szene gesetzt. Ennio Morricone gelingt es wieder, unvergessliche Musik für diesen großartigen Film beizusteuern. Hoffentlich wird dieser großartige Western in Zukunft in ungekürzter Fassung auf DVD veröffentlicht.

Presse: »Wieder einmal stellt Mexiko die Kulisse für Freiheitshelden und Halunken. Es gibt neben dem Rebellenführer Tepepa mit seinem schon legendären Ruf noch zwei andere Zentralfiguren. Einmal den korrupten Armeeführer Cascorro, der Tepepa hasst und verfolgt, und zum anderen den englischen Arzt Dr. Price, der Tepepa aus Gründen persönlicher Rache ebenfalls an den Kragen will und ihn den Häschern Cascorros entreißt. Hart und realistisch führt Regisseur Giulio Petroni die Handlung durch; er lässt die grandiose und bizarre Bildpracht der mexikanischen Landschaft in ausgezeichneten Kamerafahrten mitspielen. Doch das entscheidende Erlebnis vermitteln die drei Hauptakteure. Tomás Milian als Tepepa, Orson Welles als Cascorro und John Steiner als Dr. Price sind sehr gut gegeneinander abgesetzte Typen. Milian ist ein drahtiger Heißsporn, lodernd im Hass gegen die Unterdrücker und sentimental in seinen Idealen.

Orson Welles spielt den General mit abstoßender Maske, das Gesicht ein Fleischkloß, in dem die kleinen Augen bösartig funkeln. Und John Steiner ist der Prototyp des Film-Engländers, blond und verbohrt. Er will seine Rache haben für die Schmach, die Tepepa seiner Braut angetan hat, und er bekommt sie. Denn als er den schwer verwundeten Tepepa operiert, bekennt dieser im Trauma seine Schuld. Price schießt dem gerade von ihm medizinisch Geretteten mitten ins Herz. Wenn das kein Kino im besten Sinne ist ...!«
Bert Markus,
Filmecho / Filmwoche Heft 90, 1970

JOKO, INVOCA DIO ... E MUORI!

Fünf blutige Stricke (Regie: Antonio Margheriti)

Italien / Deutschland 1968
Erstaufführung in Italien: 19. April 1968
Deutscher Start: 30. Oktober 1970

Besetzung: *Richard Harrison (Joko/Rocco), Claudio Camaso [Claudio Volonté] (Mendoza), Sheyla Rosin [Spela Rozin] (Jeanne), Werner Pochat (Ricky), Paolo Gozlino (Domingo), Pedro Sanchez [Ignazio Spalla] (Laredo), Lucio De Santis, Goffredo Unger, Mariangela Giordano, Aldo De Carellis, Lee Burton [Guido Lollobrigida], Ivan G. Scratuglia, Luciano Bonanni, Lucio Zarini, Albes Des Novas, Alan Collins [Luciano Pigozzi], Alberto Dell'Acqua (Ricky)*

Inhalt: Nach einem misslungenen Goldüberfall sollte sich Ricky, ein junger, akrobatischer Dieb, mit seinem Komplizen treffen, als ihm der hinterlistige Domingo, zusammen mit dessen Komplizen Laredo, Yuma und Kid und einem weiteren, eine Falle stellt, ihn gefangen nimmt und foltert. Nachdem er das Versteck seines Kumpans nicht preisgeben will, töten sie ihn auf brutalste Weise, indem sie ihn zwischen ihren fünf Pferden mit Seilen festbinden und auseinander reißen.

Joko (in der deutschen Fassung Rocco) entschließt sich, seinen Freund zu rächen und macht sich auf die Jagd nach den Mördern. Nachdem er Domingo, Yuma und Laredo auf verschiedene Arten unschädlich gemacht hat, bringt er es endlich fertig, Kid, den vorletzten der Mörder, zum Reden zu bringen. Kid erzählt Joko, dass der Mann, der als Drahtzieher hinter dem Verbrechen steht, sein früherer Freund Mendoza ist, der auch den Raub geplant hat und zusammen mit seinen Kom-

Richard Harrison (mit Rücken zur Theke) im Saloon

plizen seinen eigenen Tod vorgetäuscht hat, um seine Partner zu betrügen.

Das letzte entscheidende Duell zwischen Joko und Mendoza findet in einer großen Höhle statt, wo sich der diabolische Mendoza zusammen mit der Diebesbeute seit dem Überfall versteckt hielt. Mendoza stirbt durch die Kugel Jokos und das gestohlene Geld wird schlussendlich von einem Pinkerton-Agenten konfisziert.

Film: Dies ist ein typischer Rachewestern in der Tradition von Sergio Leones »Per qualche dollaro in più« (»Für ein paar Dollar mehr«), allerdings vermischt mit gotischem Horror, typisch für den Regisseur Antonio Margheriti, der hier gekonnt diverse Italo-Western-Versatzstücke mit dem Horror-Genre mischt. Speziell die Brutalität der Eingangssequenz gibt die düstere Stimmung für den Rest des Films vor.

Der Film wird getrieben von sonderbaren Figuren, Rachedurst, dunkler Atmosphäre, betrogenen Freundschaften und einer schockierenden Enthüllung, welche die gesamte Handlung des Films auf den Kopf stellt. Regisseur Margheriti haucht hier einer ganzen Reihe von erinnerungswürdigen Charakteren Leben ein. Der klassische Antiheld Rocco (in der Originalfassung Joko), gespielt vom Amerikaner Richard Harrison, der naive Ricky (Alberto Dell'Acqua) und die Bösewichter Yuma (Fredy Unger), Domingo (Luciano Pigozzi) und Laredo (Lucio De Santis). Die beiden Letztgenannten spielen dann in Margeritis nächstem Western »E Dio disse a Caino ...« (»Satan der Rache«) die beiden rücksichtslosen Brüder Santamaria. Besonderes Lob sollte man hier der Rolle des Mendoza zukommen lassen, die von Claudio Camaso, dem kleinen Bruder von Gian-Maria Volonté, gespielt wird. Diese Figur ist es, die dieser Geschichte die wahre, negative Kraft verleiht. Dies ist auch der Grund, dass sich die bizarrsten, übertriebensten und brutalsten Szenen um diese Figur drehen. Mendoza sieht nicht mal wie ein richtiger Western-Charakter aus, mit seinem blass geschminkten Gesicht und seiner bizarren Kleidung passt er eher in die Welt des Horrors und des Voodoo. Sein Charakter ist die Verkörperung des Bösen, angefangen vom Hintergehen seines Freundes bis hin zur Manipulation von Situationen wie ein Puppenspieler. Er lebt in einer Höhle mit unglaublich gotisch wirkender Aus-

Richard Harrison mit dem verräterischen Claudio Camaso

stattung und einer Reihe von Gimmicks, die er mit seiner kriminellen Genialität erschaffen hat. Diese Behausung passt eher zu einem Teufelsanbeter als zu einem Westernbösewicht, ideal um sich von der Außenwelt abzuschirmen und seinen bösen, hinterlistigen Plänen nachzugehen.

Besonders zu erwähnen ist die hervorragende Musik von Carlo Savina, eine seiner besten Arbeiten in diesem Genre.

Presse: »Dass Gold nicht immer glänzt, vor allem, wenn es mit einem Raub in Zusammenhang steht, macht dieser Italo-Western erneut sehr handfest deutlich. Fünf Stricke – zusammen zerrissen sie erbarmungslos und kaltblütig eines Mannes Körper. Und jeder einzelne von ihnen, so lautet der Schwur des zu allem entschlossenen Rächers, hat das Leben eines jener Brüder auszulöschen, die den Tod des Freundes zu verantworten haben. Das bedeutet einen Berg von Leichen. Ihn aufzutürmen, lassen sich die dafür Verantwortlichen nichts Neues einfallen. Was sie jedoch an »Gängigem« und »Bewährtem« für diesen Fall speziell neu kombinieren, erfüllt die Wünsche all jener, die von einem Film nichts weiter als Brutalität und Härte verlangen.«

Herbert G. Hegedo,
Filmecho/Filmwoche 94, 1970

QUEI DISPERATI CHE PUZZANO DI SUDORE E DI MORTE

Um sie war der Hauch des Todes (Regie: Julio Buchs)

Italien / Spanien 1969
Erstaufführung in Italien: 26. November 1969
Deutscher Start: 20. November 1970

Besetzung: *George Hilton (John Warner), Ernest Borgnine (Pedro Sandoval), Alberto De Mendoza (Lucky Boy), Annabella Incontrera (Carol Day), Gustavo Rojo (Guadalupano), Antonio Pica (Sam), Andrea Aureli (Morton), Jorge [Georges] Rigaud, Manuel De Blas, Manuel Miranda, José Manuel Martin, Mary Paz Pondal, Andres Mejuto, Vidal Molina, Claudio Trionfi, Adalberto Rossetti, José Guardiola, Alfonso Rojas*

Inhalt: John Warner (George Hilton) ist ein Soldat, der auf der verlierenden Seite des amerikanischen Bürgerkriegs kämpft. Auf die Nachricht, dass seine Geliebte ein Kind zur Welt bringen wird, entschließt er sich zu desertieren und zu ihr zurückzukehren, um sie zu heiraten. Leider wird er schon bald gefasst, kommt vor das Militärgericht und wird zum Tode verurteilt. Zusammen mit den zwei Freunden Sam (Antonio Pica) und Lucky (Alberto De Mendoza) gelingt es ihm zu fliehen und in seinen Heimatort zurückzukehren. Leider ist dort inzwischen die Cholera ausgebrochen und seine Freundin ist während der Geburt ihres Sohnes gestorben. Ihr Vater Sandoval (Ernest Borgnine), der ihn schon immer gehasst hat, überreicht Warner seinen neugeborenen Sohn und zwingt ihn fortzugehen. Nach vergeblichen Versuchen, für sein Baby Milch zu bekommen und infolge der Ignoranz der Leute, die er um Hilfe bittet, stirbt das Baby. Verzehrt von Kummer trifft er die Entscheidung, sich für den Tod seines Sohnes an denjenigen zu rächen, die ihm ihre Hilfe versagt hatten. Als Erstes tötet er einen Rancher durch Ertränken, der ihm auf Grund seiner Angst vor Cholera keine Milch

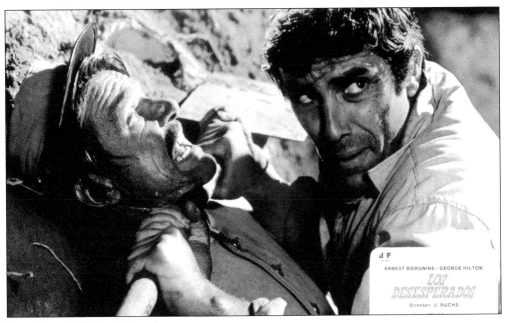

George Hilton weiß sich seiner Haut zu wehren

331

Hacienda-Besitzer Pedro Sandoval,
dargestellt von Oscar-Preisträger Ernest Borgnine

Ernest Borgnine

geben wollte. Danach bildet er zusammen mit anderen Deserteuren eine Bande, denen sich dann auch ein ehemaliger Laienbruder (Leo Anchoriz) anschließt und zusammen beginnen sie, die Umgebung zu terrorisieren. Schon ziemlich bald kreuzen sich die Pfade von John Warner und Sandoval wieder und es kommt zu einer außergewöhnlichen Auseinandersetzung in einer Stierkampfarena, wo ihre Differenzen auf blutige Art und Weise endgültig gelöst werden.

Film: Dies ist ein unglaublich pessimistischer Western mit einer außergewöhnlichen Handlung, der das Thema des »Rachemotivs für eine ermordete Familie« auf einzigartige Weise variiert.

Wie man schon an der Handlung des Films erkennen kann, ist dies nicht ein typischer George-Hilton-Film. Der Film ist frei von Humor und der Hauptcharakter hat es auf Grund seiner entfremdenden Grausamkeit schwer, Sympathie auf sich zu ziehen. Andererseits ist diese Person ein Produkt seiner Umgebung und verschiedener unglücklicher Umstände, in die er ohne Absicht geraten ist. Hier haben wir es wieder mit einem Italo-Western in der Tradition der griechischen Tragödien zu tun. Die beiden Gegner sind anfangs beide als positive Charaktere gezeichnet – Warner ist ein tapferer und ehrenhafter Mann, den bestimmte unkontrollierbare Ereignisse in einen mordenden Kriminellen verwandelt haben, Sandoval ist sehr um seine Tochter besorgt, kann nicht von ihr lassen und löst dadurch eine riesige Tragödie aus. Beide Männer verändern sich zum Negativen und nur im Tod können sie sich etwas rehabilitieren. Der ganze Film vermittelt das Gefühl von Tod. Angefangen von den Leichen nach der Schlacht über die verseuchte

Stadt bis hin zu dem fatalen, depressiven Ende. Merkwürdigerweise bestehen Schlachtszenen nur daraus, jemanden mit einer Waffe zu zeigen und danach tote Soldaten auf dem Boden liegen zu sehen. Der Moment der Zerstörung wird ausgespart, nur das Ergebnis des Kampfes wird gezeigt, was natürlich auch auf budgetäre Gründe zurückzuführen sein könnte. Dieser Film enthält hervorragende schauspielerische Leistungen von Ernest Borgnine und George Hilton, einen melancholischen Soundtrack von Gianni Ferrio, ein gutes Drehbuch, prächtige Cromoscope-Farbfotografie von Francisco Sempere und präzise Regie von Julio Buchs, die ihn zu einem der besten Italo-Western-Dramen machen.

Presse: »Man weiß nie so recht, woran man mit diesem gewiss nicht billigen Film ist. Anfangs sieht es nach einer Episode aus dem amerikanischen Bürgerkrieg aus, dann wird der Film die blutige Auseinandersetzung zwischen der Familie eines wohlhabenden Ranchers spanischer Abstammung und einem von ihr verachteten ›Gringo‹ und zwischendurch gibt es raues Banditen-Treiben nach Western-Art.

Der zwiespältige Eindruck ergibt sich wohl daraus, dass die italienisch-spanischen Co-Produzenten sich des Bürgerkriegs-Milieus nicht sehr sicher waren oder es zumindest anders sahen, als wir es aus amerikanischen Filmen zum gleichen Thema gewohnt sind. Hinzu kommt ein Hang zur Theatralik in der Dramaturgie und in der Szenenführung, dem sich selbst ein Schauspieler wie Ernest Borgnine nicht entziehen konnte und der seitens der Eindeutschung eher noch unterstrichen wurde.«   *Georg Herzberg,*
Filmecho/Filmwoche Heft 101, 1970

DAS FILMJAHR 1971

ITALO-WESTERN-FILMSTARTS IN DEUTSCHEN KINOS 1971

* Django il bastardo (Django und die Bande der Bluthunde) – Regie: Sergio Garrone – BRD-Start: 5.1.1971

* E Dio disse a Caino ... (Satan der Rache) – Regie: Antonio Margheriti – BRD-Start: 5.2.1971

* Un buco in fronte (Ein Loch in der Stirn) – Regie: Giuseppe Vari – BRD-Start: 26.2.1971

* Lo chiamavano Trinità (Die rechte und die linke Hand des Teufels) – Regie: Enzo Barboni – BRD-Start: 2.3.1971

* Indio Black, sai che ti dico: sei un gran figlio di ... (Adios Sabata) –
Regie: Gianfranco Parolini – BRD-Start: 9.3.1971

* La spina dorsale del diavolo (Die Höllenhunde) – Regie: Burt Kennedy, Niksa Fulgozi – BRD-Start: 25.3.1971

* Matalo! (Willkommen in der Hölle) – Regie: Cesare Canevari – BRD-Start: 26.3.1971

* T'ammazzo! ... raccomandati a Dio (Django, wo steht dein Sarg?) – Regie: Osvaldo Civirani – BRD-Start: 2.4.1971

* Una nuvola di polvere ... un grido di morte ... arriva Sartana (Sartana kommt) –
Regie: Giuliano Carnimeo – BRD-Start: 23.4.1971

* Reza por tu alma ... y muere (Arriva Garringo) – Regie: Tulio Demicheli – BRD-Start: 4.5.1971

* Vamos a matar compañeros (Laßt uns töten, Companeros) – Regie: Sergio Corbucci – BRD-Start: 11.5.1971

* Buon funerale amigos! ... paga Sartana (Sartana – noch warm und schon Sand drauf) –
Regie: Giuliano Carnimeo – BRD-Start: 4.6.1971

* Sartana nella valle degli avvoltoi (Der Gefürchtete) – Regie: Roberto Mauri – BRD-Start: 17.6.1971

* Inginocchiati straniero ... i cadaveri non fanno ombra! (Tote werfen keine Schatten) –
Regie: Demofilo Fidani – BRD-Start: 2.7.1971

* Un par de asesinos (... Und Santana tötet sie alle) – Regie: Rafael Romero Marchent – BRD-Start: 9.7.1971

* Un uomo chiamato Apocalisse Joe (Spiel dein Spiel und töte, Joe) –
Regie: Leopoldo Savona – BRD-Start: 22.7.1971

* Arizona si scatenò ... e li fece fuori tutti! (Der Tod sagt Amen) – Regie: Sergio Martino – BRD-Start: 5.8.1971

* Tutto per tutto (Zwei Aasgeier) – Regie: Umberto Lenzi – BRD-Start: 6.8.1971

* Spara, gringo, spara (Im Staub der Sonne) – Regie: Bruno Corbucci – BRD-Start: 13.8.1971

* Dio perdoni la mia pistola (Django – Gott vergib seinem Colt) –
Regie: Leopoldo Savona, Mario Gariazzo – BRD-Start: 17.9.1971

* ... e venne il tempo di uccidere (Einladung zum Totentanz) – Regie: Vincenzo Dell'Aquila – BRD-Start: 1.10.1971

* Rio Maldito – Regie: Juan Xiol Marchel – BRD-Start: 15.10.1971

* Sette pistole per un massacro (Das Todeslied von Laramie) – Regie: Mario Caiano – BRD-Start: 15.10.1971

* Soleil rouge (Rivalen unter roter Sonne) – Regie: Terence Young – BRD-Start: 15.10.1971

* Dio non paga il sabato (Die sich in Fetzen schießen) – Regie: Tanio Boccia – BRD-Start: 15.10.1971

* I tre del Colorado (Die Unversöhnlichen) – Regie: Amando De Ossorio – BRD-Start: 12.11.1971

* Prima ti perdono ... poi t'ammazzo (Rancheros) – Regie: Juan Bosch – BRD-Start: 26.11.1971

* El hombre de Rio Malo (Matalo) – Regie: Eugenio Martín – BRD-Start: 3.12.1971

Poi t'ammazzo (Rancheros) – Regie: Juan Bosch – BRD-Start: 3.12.71

DJANGO IL BASTARDO

Django und die Bande der Bluthunde (Regie: Sergio Garrone)

Italien 1969
Erstaufführung in Italien: 8. November 1969
Deutscher Start: 5. Januar 1971

Besetzung: *Anthony Steffen [Antonio De Teffè] (Django), Luciano Rossi (Major Murdok), Paolo Gozlino (Rod Murdok), Rada Rassimov (Alida Murdok), Furio Meniconi, Jean Louis, Teodoro Corrà, Riccardo Garrone, Carlo Gaddi, Lucia Bonez, Victoriano Gazzara, Tomas Rudi, Emy Rossi Scotti*

Inhalt: Im Südwesten Amerikas durchstreift ein Unbekannter (Anthony Steffen) die Lande. Er errichtet Holzkreuze. Auf ihnen stehen jeweils ein Name und ein Todestag. Er kommt als Rächer. Er sucht die Träger jener Namen und tötet sie – 16 Jahre, nachdem sie einen Verrat begangen haben: Als Offiziere der Südstaaten haben sie im Bürgerkrieg ihre Untergebenen an die Nordstaatler verraten. Mit Ausnahme von ihm selbst, dem Rächer Django, waren damals alle seine Kameraden meuchlings ermordet worden. Jetzt hat Django nur noch einen, den gefährlichsten Verräter von damals vor sich: Major Rod Murdok (Paulo Gozlino). Er ist ein skrupelloser Geschäftemacher geworden, der mit seinen verbrecherischen Methoden ganze Städte terrorisiert. Als Murdok von Djangos Existenz erfährt, nimmt er eine gefürchtete Killer-Organisation in seine Dienste, die Bande der Bluthunde. Aber bis die Pistoleros kommen, erlebt Murdok noch schlimme Stunden. Sein geistesgestörter Bruder Chuck (Luciano Rossi) versetzt mit seinen psychopathischen Mordanschlägen die Bevölkerung von Dirty City, wo Murdok Django erwartet, in Panik.

Django, der wie ein Phantom erscheint und verschwindet, erkennt, dass die kaltblütigsten Mörder gegen ihn mobilisiert werden. Er versucht, sie zu vernichten. Allen Fallen, die Murdok ihm stellt, entkommt er unter Einsatz seines Lebens. Bei einer dieser Gelegenheiten befreit er auch Alida, Chucks Frau, für die Geld alles auf der Welt zu sein scheint. Endlich begegnet Django Murdok. Er klagt ihn des Verrats an und schwört, ihn zu töten. Dann geschehen andere

Ereignisse: Django, der wieder wie ein Gespenst auftaucht und verschwindet, bringt die »Bande der Bluthunde« dazu, Murdok den Dienst aufzukündigen. Eine daraufhin von Chuck angezettelte Schießerei vernichtet viele der Pistoleros und Murdoks beste Gehilfen. Chuck, der trotz seines Wahnsinns offenbar begreift, dass Django nicht beizukommen ist, berät mit Alida den Plan, ihm für eine halbe Million Dollar das Versprechen abzukaufen, Dirty City nie wieder zu betreten. Er deponiert das Geld in der Kirche und beauftragt Alida, Django diesen Vorschlag mitzuteilen. Tatsächlich trifft Alida Django. Sie beschwört ihn, Dirty City zu verlassen. Beide werden von Chuck überrascht, dem es gelingt, Django zu entwaffnen. Aber Django kann entkommen.

Murdok hat Dirty City umstellen lassen. Um Django mit Sicherheit zu bekommen, lässt er die Bewohner aus der Stadt hinaustreiben. Seine gedungenen Mörder jagen Django wie eine Ratte. Der aber kann immer wieder entfliehen, bis er wieder in die Kirche kommt. Dort trifft er auf

Werberatschlag

Chuck und besiegt ihn in einem dramatischen Kampf. Und endlich ist er auch mit Murdok konfrontiert und kann den Verräter von einst bestrafen. Alida hat sich allen Geldes bemächtigt. Sie will es mit Django teilen, so wie sie ihr Leben mit ihm teilen will. Aber Django antwortet ihr: »Ich habe schon ein Leben gelebt!« Alida versucht, ihm zu folgen, aber Django ist verschwunden. Wieder kam und ging er wie ein Phantom.

Django beobachtet seine Feinde

Film: Dieser Film ist nicht nur die beste inoffizielle Django-Fortsetzung, sondern gleichzeitig der beste Film von Regisseur Sergio Garrone, dem hier ein kleines Meisterwerk gelungen ist. In der Rolle des Django sehen wir einen hervorragenden Anthony Steffen, der ebenfalls nie mehr besser war als in diesem Film und diese Rolle noch öfters verkörperte. »Django il bastardo« (»Django und die Bande der Bluthunde«) ist das perfekte Beispiel eines gotischen Western und zeigt am überzeugendsten einen Racheengel, der von den Toten auferstanden ist, um seine endgültige Rache zu nehmen. Dies ist auch der einzige Django-Film, in dem der Protagonist als übernatürlicher Rächer porträtiert wird. Django ist hier nicht nur wie immer ganz in Schwarz gekleidet und spielt seine Rolle sehr dunkel und ohne Humor, sondern er antwortet am Ende des Films auf den Kommentar der schönen Alida (Rada Rassimov) »Jetzt kannst du ein neues Leben beginnen« mit einer kühlen Antwort: »Ich habe bereits ein Leben gelebt!« Wenig später ist er so plötzlich verschwunden, wie er aufgetaucht ist. Dieser Film ist voll von Elementen, die aus einem guten Horrorfilm kommen könnten. Dies vor allem in jenen Szenen, in denen er in seinen gespenstischen Erscheinungen mit den Männern aus Murdoks Gang abrechnet. Von der Struktur gleicht dieser Film sehr Antonio Margheritis »... E Dio disse a Caino« (»Satan der Rache«), der im selben Jahr entstand, nur dass Sergio Garrone mehr von einem übernatürlichen, gotischen Gefühl in diesen Film einbringt, der schon mit der Charakterisierung von Django beginnt, der immer eiskalt und vollkommen ohne Gefühl zu sein scheint. Garrone, der normalerweise als Regisseur nicht sehr von sich reden machte, gelingen hier einige sehr kreative und innovative Kameraeinstellungen, die sehr gut zu dieser dunklen Geschichte passen. Auch die Darsteller der Bösewichte sind sehr gut besetzt, allen voran Luciano Rossi als Murdoks Bruder Hugo, der mit seinem vampirmäßig blassen Gesicht all jene tötet, die sich ihm entgegenstellen. Dies ist ein weiterer Italo-Western, der Clint Eastwood bei seinen zukünftigen Regie-Arbeiten beeinflusst hat, in diesem Fall für die Filme »High Plains Drifter« (»Ein Fremder ohne Namen«) und »Pale Rider«. In letzterem zollt er »Django il Bastardo« (»Django und die Bande der Bluthunde«) sogar mit einigen Kameraeinstellungen Tribut, wie Clint Eastwood durch die ausgestorbene Stadt reitet. Nicht vergessen sollte man auch den äußerst gespenstischen, horrormäßigen Score von Vasco & Mancuso, der das Thema des Films zusätzlich verstärkt.

Presse: »... Für den Streifen gilt, was für die Vorgänger der Serie galt: Die Hauptmerkmale sind eine zynische Geringschätzung des Lebens, die Rache, die Selbstjustiz. Der heldische Schütze, der nur die Ehre meint und Frauen wie Dollars verachtet, ist eine primitive Bluffperson, mit der immer neuen dummen Leuten das sauer verdiente Geld aus der Tasche gezogen werden soll. Das ungute Gefühl des kritischen Zuschauers wird umso stärker, wenn wie hier die Geschichte handwerklich einigermaßen akzeptabel präsentiert wird.

Der Nutzen aber ist gleich null, die Story verlogen, der Unterhaltungswert gering, und was den Abnützungseffekt betrifft, so wird er offenbar noch nicht wirksam: Für jeden aus dem Verkehr gezogenen Django stehen fünf neue – echte oder falsche – auf, was die Verdummung sich quasi quadratisch ausbreiten lässt. Das wird sich erst ändern, wenn, abgesehen von den damit im Zusammenhang stehenden geistigen Erfordernissen, die Verbraucher so kritisch geworden sein werden, dass sie sich nicht mehr von unseriösen Produzenten jeden Dreck aufschwätzen lassen.«
Tho., EFB 1971

E DIO DISSE A CAINO ...

Satan der Rache (Regie: Antonio Margheriti)

Italien / Deutschland 1969
Erstaufführung in Italien: 5. Februar 1970
Deutscher Start: 5. Februar 1971

Besetzung: *Klaus Kinski (Gary Hamilton), Peter Carsten (Acombar), Antonio Cantafora (Dick), Marcella Michelangeli (Maria), Lee Burton [Guido Lollobrigida] & Alan Collins [Luciano Pigozzi] (Gebrüder Santamaria), Maria Luisa Sala (Rosy), Giuliano Raffaelli, Lucio De Santis, Joaquin Blanco, Giacomo Furia, Furio Meniconi, Gigi Bonos, Marco Morelli, Franco Gulà*

Inhalt: Gary Hamilton (Klaus Kinski) wird nach zehn Jahren harter Zwangsarbeit, die er für eine Tat verbüßen musste, die er nicht begangen hat, begnadigt. Es wurde ihm vorgeworfen, eine Goldladung gestohlen und dabei Menschen getötet zu haben. Jetzt ist die Zeit für Gary Ha-

milton gekommen, Rache an seinen Feinden zu nehmen, allen voran Acombar (Peter Carsten), der ihn fälschlich beschuldigt hatte. In der Postkutsche, die er in seine Heimat nimmt, trifft er Dick (Antonio Cantafora), den Sohn des Verleumders, den er beauftragt, seinem Vater mitzuteilen, dass er diesen bei Sonnenuntergang treffen möchte. Acombar lebt inzwischen in Hamiltons früherem Herrenhaus mit Maria (Marcella Michelangeli), die ihren damaligen Lebensgefährten Gary Hamilton verraten hat. Auf die Nachricht von seinem Sohn befiehlt Acombar seinen Männern, Gary Hamilton angemessen zu begrüßen. Hamilton gelingt es, aus diesem Hinterhalt zu entkommen und sich in einem unterirdischen Indianerfriedhof zu verstecken. Er kommt in die Stadt, während ein Tornado dabei ist, alles zu verwüsten. Während einer langen dunklen Nacht des Terrors und der Gewalt tötet Gary Hamilton alle Männer, die Acombar geschickt

Klaus Kinski als Gary Hamilton

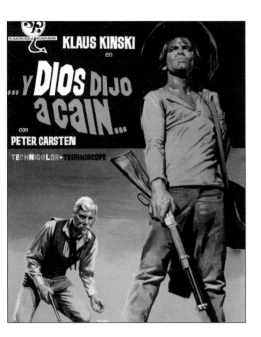

dieselbe Glocke ereignen, das europäisch ausgestattete mexikanische Haus – all diese Elemente tragen zu einer unglaublich düsteren gotischen Stimmung bei. Auch die Darsteller scheinen eher einem Horrorfilm entnommen und verkörpern nicht die typischen Western-Figuren. Klaus Kinski spielt hier als Gary Hamilton die einzige positive Rolle in einem Italo-Western, der jedoch trotzdem rücksichtslos vorgeht, wenn es darum geht, seine Feinde zu vernichten. Urplötzlich taucht er wie ein Geist aus dem Nichts auf und verschwindet auch wieder wie ein übernatürliches Wesen. Peter Carsten in der Rolle des Acombar scheint sich hier von seinen gepeinigten Hauptfiguren des europäischen gotischen Films inspirieren zu lassen, hier als Vorreiter seiner Rolle als mörderischer Geist in Margheritis nächstem Horror-Film »Nella stretta morsa del ragno« (»Dracula im Schloß des Schreckens«), der dieser außergewöhnliche Western vorauszusehen scheint, zumindest, was die visuellen Aspekte sowie die Innenarchitektur des Films angeht. Eine Erwähnung wert sind auch die beiden Darsteller Antonio Cantafora als Dick, der von seinem eigenen Vater getötet wird, und Marcella Michelangeli als Maria, die von demselben Mann getötet wird, für den sie Hamilton verraten hat; beide scheinen direkt aus einer griechischen Tragödie entnommen zu sein. Nicht zu vergessen ist auch der passende, düstere Soundtrack von Komponist Carlo Savina, der die epischen Töne der Balladen mit dem Gospel-inspirierten Titelsong verbindet, welcher von Don Powell gesungen wird.

hat, ihn umzubringen. Nachdem er durch ein Missgeschick seinen Sohn Dick und auch Maria getötet hat, bleibt nur noch Acombar selbst in dem brennenden Haus zurück. Er stellt sich Hamilton und stirbt. Beim Morgengrauen verlässt der Rächer die Stadt und gibt all den Reichtum, der unter den Trümmern des niedergebrannten Hauses versteckt war, einigen Stadtbewohnern, die sich auf seine Seite gestellt hatten.

Film: Dieser vollkommen außergewöhnliche Italo-Western wurde von einem Meister des italienischen gotischen Horrorfilms, Antonio Margheriti, in Szene gesetzt. Diese unglaublich düstere Geschichte von schrecklicher Rache hat viele Kritiker dazu bewogen, »E Dio disse a Caino ...« (»Satan der Rache«) als Horror-Western zu bezeichnen. Tatsächlich ist es dem Regisseur Margheriti hier gelungen, alle gängigen Klischees des »typischen« Italo-Western zu umgehen und den Höhepunkt seines Films in einem düsteren Sturm und während einer langen Nacht stattfinden zu lassen. Ebenso düster wie das Wetter ist die Gegend, wo sich diese Geschichte abspielt. Ein zerfallenes, verwehtes kleines Städtchen, in dem Dutzende von Männern sterben, ein unterirdischer Indianerfriedhof, wo sich der Held des Films versteckt, eine Kirche, in der sich verschiedene frevelhafte Morde wie das Erhängen eines Banditen an der Kirchenglocke und das brutale Erschlagen eines anderen durch

Presse: »Einer rackert im Steinbruch. Er wird begnadigt. Vom gesparten Sträflingsgehalt kauft er sich ein Pferd und eine Flinte. Dann räumt er auf in einer Westernstadt. Dort sind die Halunken. Er saß unschuldig. Nach der kurzen Exposition kommt der Western in kürzester Zeit auf volle Touren. Und er hält das Tempo und die Spannung bis zum Schluss durch. Neben den Knallerei- und Keilerei-Gags bemerkenswert die Überraschungen, die das Buch immer wieder bereithält. Der Satan: Klaus Kinski. Nicht zuletzt gibt er dem Film Format. Er ist überzeugend, ausdrucksstark, ein sehr disziplinierter, gereifter, männlicher Kinski. Sein Gegenspieler: Peter Carsten, explosiv in der Rolle des Konsum-Schurken. Ein vorzüglicher italo-deutscher Western, der das Gros einschlägiger US-Produktionen zu Kinderfilmchen stempelt.« *Eduard Länger, Filmecho / Filmwoche Heft 14, 1971*

LO CHIAMAVANO TRINITÀ

Die rechte und die linke Hand des Teufels (Regie: Enzo Barboni)

Italien 1970
Erstaufführung in Italien: 22. Dezember 1970
Deutscher Start: 2. März 1971

Besetzung: *Terence Hill [Mario Girotti] (Der müde Joe), Bud Spencer [Carlo Pedersoli] (Der Kleine), Farley Granger (Major Harriman), Elena Pedemonte (Judith), Steffen Zacharias (Jonathan), Dan Sturkie (Tobias), Gisela Hahn (Sarah), Ezio Marano (Weasel), Luciano Rossi (Timmy), Michele Cimarosa (Bauer), Remo Capitani (Mescal), Riccardo Pizzuti (Jeff), Dominic Barto (Mortimer), Tony Norton [Alfio Caltabiano] (Kopfgeldjäger), Ugo Sasso, Paolo Magalotti, Vito Gagliardi, Antonio Monselesan, Gaetano Imbró, Franco Marletta, Gigi Bonos*

Inhalt: »Der müde Joe«, auch »die rechte Hand des Teufels« genannt, kommt in eine Stadt im Südwesten und entdeckt im Sheriff des Ortes zu seiner Überraschung seinen eigenen Bruder, den man den »Kleinen« oder »die linke Hand des Teufels« nennt, und der ein notorischer Pferdedieb ist. Die Ankunft seines Bruders ist dem Kleinen unangenehm, denn Joe ist redlich und legt keinen Wert auf Besitz, hat kein Verständnis für die Umtriebe des Kleinen. Während der Kleine Anstalten trifft, dem mächtigen Rancher Major Harriman eine Herde Pferde zu stehlen, freundet sich Joe mit mormonischen Siedlern an, die ständig von dem landgierigen Major Harriman bedroht werden. Harriman engagiert eine mexikanische Banditenhorde, die gegen Entgelt von

Du hast was an der Nase!

zwanzig Pferden die Mormonen von ihrem Land vertreiben soll. Joe und der Kleine entwenden dem Major die ganze Herde und liefern ihm und seinen Helfern eine vernichtende Schlacht, nachdem sie vorher den Mormonen beigebracht haben, wie sie ohne Anwendung von Gewalt und ohne ihre religiösen Prinzipien zu verletzen, dabei helfen können. Als der Kleine erfährt, dass der wahre Sheriff im Anzug ist, will er sich mit der gestohlenen Pferdeherde davonmachen, muss aber entdecken, dass Joe die Pferde mit den Brandzeichen der Mormonen versehen hat. »Der müde Joe« spielt einen Augenblick lang mit dem Gedanken, zwei mormonische Mädchen zu ehelichen und sich niederzulassen. Dann zieht er es aber doch vor, seinem Bruder zu folgen und neue Abenteuer zu suchen.

Film: Mit diesem Film läutete E. B. Clucher alias Enzo Barboni Anfang der siebziger Jahre die komischen Jahre des Italo-Western ein und machte die beiden bereits bekannten Darsteller Terence Hill und Bud Spencer zu wahren Superstars. Leider brachte diese Entwicklung auch mit sich, dass die ernsten und harten Western langsam ausgespielt hatten, was sich auch in der sinkenden Produktionsrate jener Filme zeigte. Enzo Barboni zeigte dem Publikum mit diesem ersten »Trinity«-Film eine komplette Umkehr der bisherigen Italo-Western-Konventionen. Statt geschossen wurde

Der müde Joe und der Kleine

Der müde Joe: Terence Hill

Die beiden Brüder reiten neuen Abenteuern entgegen

Der Kleine: Bud Spencer

Zitat aus »Rio Bravo«

Der müde Joe reist gerne bequem

jetzt fast nur noch geprügelt und Leichen gab es keine mehr. Die beiden Helden Terence Hill und Bud Spencer könnten direkt aus der Frühzeit des Kinos stammen, als die beiden Komiker Stan Laurel und Oliver Hardy noch die Kinos füllten. Das Publikum, übersättigt von all der Gewalt seit der Mitte der sechziger Jahre, wusste dies zu schätzen. Die beiden »Trinity«-Filme wurden zusammen mit Leones Western zu den erfolgreichsten europäischen Western aller Zeiten. Die unterhaltsamen Abenteuer der beiden Helden wurden auch treffend begleitet von einem der besten Scores Franco Micalizzis.

Presse: »Der Held nennt sich ›Müder Joe‹, aber Müdigkeit ist nicht das Etikett für diesen Western. Der Joe kommt nicht geritten. Sein Pferd schleift ihn auf einer Art ›Schleifbahre‹ – und so rutscht er am Ende des Films auch wieder von hinnen. Dazwischen trifft er seinen schwergewichtigen Bruder, der vom Banditen zum Sheriff avanciert ist. Der Bruder scheint ebenfalls vom Motto ›Der alte Schwung ist hin‹ bestimmt, aber in beiden Brüdern schlagen schnelle Herzen. Und sie schlagen für die Gerechtigkeit. Sie tun's derart wacker, dass sich fast die Purzelbäume (vor Vergnügen) beim Filmpublikum fortsetzen. Das ist kein düsteres Melodram, nicht ein Fitzelchen jener Cowboy-Dämmerung klassischer Western, nein, hier wird in Wort und Tat (und gekonnt dazu) gekalauert. Hier wird gekloppt, dass die Fetzen fliegen, und hier wird geschossen, wie's selten im Westernbilderbuch steht. Action und Gaudi, Gags wie aus dem Füllhorn und dazu zwei prachtvolle Hauptdarsteller – die Mischung, die müde Kinogänger wieder munter macht (und müde Theaterbesitzer auch).«
Eduard Länger,
Filmecho / Filmwoche Heft 18, 1971

INDIO BLACK, SAI CHE TI DICO: SEI UN GRAN FIGLIO DI ...

Adios Sabata (Regie: Gianfranco Parolini)

Italien 1970
Erstaufführung in Italien: 30. September 1970
Deutscher Start: 9. März 1971

Besetzung: *Yul Brynner (Indio Black/Sabata), Dean Reed (Ballantine), Pedro Sanchez [Ignazio Spalla] (Escudo), Gérard Herter (Colonel Skimmel), Susan Scott [Nieves Navarro] (Saloon-Sängerin in Kingsville/Texas), Sal Borgese (September), Franco Fantasia (Ocano), Joseph P. Persaud (Revolutionär, der den Flamenco des Todes tanzt), Salvatore Billa (Manuel Garcia Otello), Rick Boyd [Federico Boido] (Geroll), Massimo Carocci (Juan), Omar Bonaro (Jesus), Andrea Scotti (José), Luciano Casamonica (Juanito, Junge im Dorf), Vittorio Fanfoni (Bartender), Vittorio Caronia (1. Leutenant Stejar), Franco Marletta (Mexikaner), Bruno Corazzari (Hertz), Antonio Gradoli (Major Metternich), Thomas Kerr (Graduato), Gianni Siragusa (Perdido), Andrea Aureli (Adjutant Ocano), Calisto Calisti (Chief Eagle Pass), Furio Pellerani (Garcia, mexikanischer Informant, der durch das Modellschiff umkommt), Stefano Rizzo (Mexikanischer Revolutionär), Gianni Rizzo (Folgen), Giovanni Cianfriglia (Österreichischer Agent)*

Inhalt: Die mexikanische Revolution zwischen Benito Juarez und dem aus Österreich stammenden Kaiser Maximilian ist in vollem Gange. Beide Seiten suchen nach gewissenlosen Abenteurern und skrupellosen Killern wie Indio Black (in der deutschen Fassung: Sabata [Yul Brynner]), die für Geld alles anstellen; nach hinterhältigen Dieben wie Ballantine (Dean Reed) und zuweilen sogar auch nach echten Revolutionären wie Escudo (Pedro Sanchez). Grausamkeit und Brutalität sind in jener unglückseligen Zeit in dem von Terror und Gewalt beherrschten Lande an der Tagesordnung. Niemand hat irgendwelche Hemmungen, wie das Beispiel von Skimmel (Gerard Herter) und Metternich (Antonio Gradoli), zweier rücksichtsloser Revolverhelden, zeigt, die

in Maximilians Auftrag ein Blutbad inszenieren, dem Tausende mexikanischer Dissidenten zum Opfer fallen. Indio, ein schwarz gekleideter Kopfgeldjäger, hat gerade eine hohe Prämie für

Dean Reed als Ballantine

Yul Brynner und Pedro Sanchez

341

die Auslöschung der Murdok-Bande einkassiert. Aber er behält sie nicht für sich, sondern händigt sie seinem Freund Pater Mike aus, dessen Waisenhaus kurz zuvor von der Murdok-Gang geplündert wurde. Indios gute Beziehungen zu den Mexikanern irritieren Skimmel. Der Outlaw versucht den schwarz gekleideten Kopfgeldjäger durch eine Gruppe bewaffneter Leute für sich zu ködern. Indio lehnt eine Zusammenarbeit mit Skimmel jedoch kategorisch ab, und als die Banditen daraufhin feindselig reagieren, schießt er sie kaltblütig über den Haufen. Nach diesem Zwischenfall tut er sich mit dem Revolutionsführer Escudo zusammen. Die beiden beabsichtigen, einen österreichischen Goldtransport aus Guadalupe abzufangen. Auch Ballantine, der sofort eine lohnende Beute riecht, beteiligt sich an dem gewagten Unternehmen. Indio zögert und stimmt Ballantines Teilnahme nur deshalb zu, weil er über besondere Informationsquellen verfügt. Ballantine ist nicht nur ein Langfinger, sondern auch ein begabter Maler. Dieses Talent kommt den dreien zustatten, als Ballantine den hinterhältigen Skimmel porträtiert und dabei von ihm Genaueres über den Goldtransport erfährt. Auf Grund dieser Informationen gelingt es Indio trotz schwerster Bewachung, den Wagen mit der Goldladung zu erbeuten. Aber kurz nach dem dabei entstehenden Kampf entdecken Indio und Escudo, dass der Wagen verschwunden ist. Ihr Argwohn ist sofort wach, und wenig später greifen sie Ballantine auf, der sich gerade mit der Beute aus dem Staub machen will. Allein Indios Fürsprache bleibt es zu verdanken, dass der betrügerische Komplize nicht auf der Stelle ins Jenseits befördert wird. Indio und Escudo haben die Absicht,

Yul Brynner als Sabata

die Beute den mexikanischen Revolutionären zum Ankauf von Waffen zur Verfügung zu stellen. Doch es kommt nicht dazu. Fast im gleichen Augenblick, als Kaiser Maximilians Kapitulation bekannt wird, stellt sich heraus, dass vier der fünf erbeuteten Säcke Sand statt Gold enthalten. Skimmel und Metternich ist es gelungen, den Hauptteil des Goldes in einem Weinfass bis zu den Österreichern durchzubringen. Und jetzt machen sie sich Gedanken darüber, wie sie damit unbemerkt bis zur drei Stunden entfernten texanischen Grenze durchkommen können ... Indio, Ballantine und Escudo, die ebenfalls hinter dem Gold her sind, fallen den Österreichern in die Hände und sollen standrechtlich erschossen werden. Aber im letzten Augenblick wirft Ballantine sein Tagebuch dem zuschauenden Metternich zu und bittet ihn, es seiner Mutter zu überbringen. Da zerreißt eine gigantische Explosion die Luft und tötet sämtliche Angehörigen des Exekutionskommandos. Das »Tagebuch« enthielt ein Fläschchen mit Nitroglyzerin ... Doch nicht nur die Österreicher, Skimmel und Metternich hat es bei der Explosion und dem anschließenden Kampf erwischt, sondern auch Ballantine. Als Escudo und Indio wenig später zu dem Wagen gehen, auf dem sich das Gold befinden müsste, ist das Weinfass spurlos verschwunden. Indio weiß sofort, dass der betrügerische Dieb kein anderer als der angeblich »tote« Ballantine ist. Eine dramatische Jagd zur texanischen Grenze beginnt. Erst unmittelbar vor dem Grenzfluss holen die Verfolger Ballantine ein, können ihn jedoch nicht mehr auf mexikanischem Boden stellen. Aber sie schießen mehrere Löcher in das Fass, und als Ballantine sich jenseits der Grenzbrücke umdreht, starrt er entsetzt auf jene lange Goldstaub-Spur, die er hinter sich gelassen hat. Indio lächelt und meint zufrieden: »Ballys Gold geht an seine nächste Verwandtschaft ...« Im Morgengrauen des nächsten Tages findet Pater Mike zwei Goldsäcke auf der Schwelle des Waisenhauses, und als er nach seinem Wohltäter Ausschau hält, sieht er gerade noch eine schwarze Silhouette am Horizont verschwinden.

Film: Dieser Film, von vielen als der beste Italo-Western von Gianfranco Parolini angesehen, zeigt zum einzigen Mal Yul Brynner in einem reinen Italo-Western, der hier fast seine Rolle als Chris der glorreichen Sieben in das europäische Genre einbringt. Parolini fügt allerdings seine typische

Yul Brynner reitet

andere seiner Zeit im revolutionsgeplagten Mexiko, wo Rebellen, Abenteurer und Revolutionäre gleichermaßen von der Gier nach Gold besessen sind. Dieser Film enthält übrigens einen der besten Scores von Bruno Nicolai, wahrscheinlich einen der besten Italo-Western-Soundtracks überhaupt, der perfekt zu dieser unvergesslichen, amüsanten, schnell ablaufenden Geschichte passt. Natürlich wird in diesem Film die Revolution wieder nur als Gelegenheit für die geldgierigen Helden dieses Films gesehen, sich zu bereichern. Der Film wurde im Sommer 1970 in der Gegend um Rom und in Südspanien gedreht. Das Anfangsduell wurde in der jetzt nicht mehr vorhandenen Rancho de las Salinillas in Gergal gedreht, wo in der Nähe das Fort und die Brücke standen. Letztere wurde ja am Ende des Films in die Luft gejagt.

Während der Dreharbeiten in Spanien feierte Yul Brynner seinen 50. Geburtstag, wo eine große Party organisiert wurde, bei der geröstetes Schweinefleisch serviert wurde. Auch eine enorm große Paella mit fünfzig Kerzen darauf durfte nicht fehlen. Die meisten Darsteller, Crew-Mitglieder und deren Familien feierten bis spät in die Nacht. Der Film hat übrigens mit den zwei »echten« Sabata-Filmen (mit Lee Van Cleef in der Hauptrolle) nichts gemein und wurde nur in einen Sabata-Titel umgetitelt, um auf der Erfolgswelle mitzuschwimmen.

Ironie und Überspanntheit hinzu, indem er z.B. Sabata (im Original Indio Black) eine Winchester mit entnehmbarem Magazin verwenden lässt, mit dem er sehr visuell seine Feinde, die Murdoks, niederschießt, die von einer armen Gruppe Mexikaner Geld gestohlen haben. Danach findet er sich zusammen mit einer Gruppe von Abenteurern in Mexiko wieder, die noch wesentlich bizarrer war als die glorreichen Sieben selber. Darunter befindet sich z.B. der wenig vertrauenswürdige Ballantine (Dean Reed), der vollblütige Escudo (Pedro Sanchez alias Ignazio Spalla), September (Stuntman/Darsteller Sal Borgese), der mit Hilfe seines Stiefels Murmeln durch die Luft schleudert und Gitano (Joseph Persaud), der den Tod seiner Feinde immer mit dem Flamenco »Tacones de Muerte« ankündigt. Als brutalen Colonel Skimmel, der seine Feinde unter anderem mit den Kanonen seiner Modellschiffe zu töten pflegt, sehen wir wieder Gerhard Herter, der schon in »La resa dei conti« (»Der Gehetzte der Sierra Madre«) als österreichischer Baron Von Schulenberg eine gute Figur gemacht hat. Der Film spielt wie so viele

Presse: »Ein Film aus der Sabata-Serie, die ebenso wie die Django-Folgen ihre wechselnden Hauptdarsteller hat, hebt sich allein schon über das Mittelmaß hinaus, wenn ein Yul Brynner als Zentralfigur fungiert. Der schwarz-gekleidete Handgeldjäger killt für jeden, der ihn hoch genug bezahlt. Hier schießt er – immer auf der Seite der Unterdrückten – aus allen Knopflöchern, mit den Händen und mit den Füßen. Die ›knallige‹ Episode spielt in Mexiko, als während der Revolution die österreichischen Truppen vertrieben wurden. Es geht um einen Geldtransport, den der Oberst vor seinen vielen Morden noch für sich kassieren möchte. Der Film ist mit Phantasie, Spannung und Tempo inszeniert und steht über dem üblichen Klischee dieses Genres.«

Bert Markus,
Filmecho/Filmwoche Heft 19, 1971

LA SPINA DORSALE DEL DIAVOLO

Die Höllenhunde (Regie: Burt Kennedy, Niksa Fulgozi)

Italien / Jugoslawien / USA
Erstaufführung in Italien: 4. Dezember 1970
Deutscher Start: 25. März 1971

Besetzung: *Bekim Fehmiu (Captain Caleb Carter), Richard Crenna (Major Wade Brown), Chuck Connors (Reynolds), Ricardo Montalban (Natchai), Brandon De Wilde (Leutenant Ferguson), Ian Bannen (Captain Crawford), Slim Pickens (Sergeant Tattinger), Woody Strode (Jackson), Albert Salmi (Schmidt), Fausto Tozzi (Orozco), Mimmo Palmara (Mangus Durango), John Alderson (O'Toole), Doc Greaves (Scott), Lucio Rosato (Jed), Larry Stewart (John Robinson), Gianni Vannicola (Jeff), Roberto Simmi (Justin), Giancarlo Zampetti (Apache), Manfredo Giusto (Apache), Patrick Wayne (Bill Robinson), John Huston (General Miles)*

Inhalt: Im Südwesten des Jahres 1886 kommt Captain Caleb Carter (Bekim Fehmiu) von einer Armeepatrouille zurück und findet seine Frau von den Apachen lebend gehäutet vor, worauf er gezwungen ist, sie zu töten, um sie von ihrem Leiden zu erlösen. In seiner Verzweiflung wirft Carter seinem Vorgesetzten, Major Brown (Richard Crenna), militärische Unfähigkeit vor und schießt auf ihn. Damit ist seine Offizierskarriere beendet. Er wird zum Gesetzlosen, der die Apachen mit den Methoden der Apachen bekämpft. General Miles (John Huston) will dem Häuptling Mangus Durango (Mimmo Palmara), der mit seinen Kriegern den so gut wie uneinnehmbaren Höhenrücken »Des Teufels Rückgrat« besetzt hält, eine entscheidende Niederlage beibringen.

Unter der Bedingung, dass Miles beim Präsidenten eine Begnadigung für ihn erwirkt, stellt

Bekim Fehmiu bildet seine Leute in der Fertigkeit des Nahkampfes aus

344

John Huston als General Miles

Patrick Wayne als Bill Robinson

Carter sich ihm für diese Aufgabe zur Verfügung. Er stellt eine Sondereinheit zusammen und bildet sie nach Apachenart aus. Unter unsäglichen Strapazen und unter Einsatz modernster Waffen führt die Einheit ihren Auftrag erfolgreich durch: Die Apachen werden geschlagen, ihr Häuptling kommt im Zweikampf mit Carter ums Leben. Nach Beendigung der Mission erhält General Miles aus Washington die Nachricht, Carters Begnadigung sei abgelehnt, er sei vor ein Kriegsgericht zu stellen. Carters alter Widersacher Brown findet die Lösung: »Für Washington ist Captain Carter am ›Teufels Rückgrat‹ gefallen.« Carter kann also als freier Mann das Fort verlassen.

Film: Im Gegensatz zu den zur damaligen Zeit pro-indianischen Filmen fällt dieser Film in die gleiche Kategorie wie Sam Peckinpahs »Major Dundee« (»Sierra Chariba«), Robert Aldrichs »Ulzana's raid« (»Keine Gnade für Ulzana«) und Robert Mulligans »The stalking moon« (»Der große Schweiger«), in dem die Indianer als Haufen rücksichtsloser, brutaler und listiger Kämpfer dargestellt werden. Sich auf historische Aussagen beziehend, porträtiert Regisseur Burt Kennedy (mit Hilfe des Co-Regisseurs Niksa Fulgozi) die Indianer als ein Volk von menschlichen Tigern, die sich dem unwirtlichen Terrain perfekt anpassten, in dem sie zu leben gezwungen waren. Nur indem man wie sie wurde, indem man ihnen in Bezug auf Wildheit und Tapferkeit ebenbürtig war, gab es für die weißen Männer eine Chance sie zu besiegen. Aus einer solchen Vision entstand die Figur des Caleb, dieses Armeeoffiziers mit serbischer Vergangenheit, der hier in den Fußstapfen von Ethan Edwards aus John Fords »The searchers« (»Der schwarze Falke«) wandert.

Auch er ist ein weißer Rächer, dessen Lebensaufgabe es ist, die roten Teufel zu vernichten, wo er kann. Durch das Eindringen in die entlegensten, unwirtlichsten Gegenden wird er fast selber zum Apachen, zum Experten in Guerilla-Kriegsführung in der Wüste und im Nahkampf und ist so unerbittlich und grausam wie die »Wilden«, die er vernichten will. An seiner Seite finden wir ein erinnerungswürdiges dreckiges Dutzend von abgehärteten Männern, von denen jeder ein Spezialist auf seinem Gebiet des Kampfes ist.

Der Film wurde damals sehr von den politisch korrekten Kritikern attackiert, die dem Regisseur anti-indianischen Rassismus vorwarfen und den Film auch auf Grund der unglaublichen Brutalität verdammten. Tatsächlich ist diese italienisch-jugoslawisch-amerikanische Koproduktion eine Westernadaption des Robert-Aldrich-Films ›The dirty dozen‹ (»Das dreckige Dutzend«) mit einer beachtlichen Besetzung. Neben dem damaligen Neueinsteiger Bekim Fehmiu, der kurz zuvor gerade den Odysseus in der gleichnamigen erfolgreichen Fernsehserie gedreht hatte, sehen wir hier Richard Crenna als Major Brown, Woody Strode als Jackson, Chuck Connors als Dynamit-Experten, Ian Bannen, Ricardo Montalban, Slim Pickens, Patrick Wayne, Mimmo Palmara und in einem großartigen Kurzauftritt den berühmten Filmregisseur John Huston als General Miles. Der Film entstand neben einigen kurzen Aufnahmen in Italien und Jugoslawien zum Großteil wieder in Südspanien, wo in der Nähe von Tabernas extra ein Fort konstruiert wurde und man auch die Sanddünen von Cabo De Gata wieder nützte. Das Rückgrat des Teufels fand man im Nationalpark El Torcal de Antequera, ca. 50 km nördlich von Malaga. Zum Schaden des Films wurden leider auch einige »falsche« Außenaufnahmen in einem Studio gefilmt, die stark an die unglaublich unecht wirkenden Kulissen in J. Lee Thompsons »Mackenna's Gold« erinnern. Schade, denn diese Szenen lassen den Film billig aussehen. Am Drehbuch wirkte übrigens auch der berühmte Claif Huffaker mit, der die Drehbücher zu solchen Western-Klassikern wie »Flaming star« (»Flammender Stern«), »The Comancheros« (»Die Comancheros«), »Rio Conchos« und »The war wagon« (»Die Gewaltigen«) geschrieben hatte.

Presse: »Jean-Louis Rieupeyrout, Kenner des Wildwest-Films par excellence, meinte, dass diese Filmgattung sich immer einer blühenden Gesundheit erfreue, gleichgültig, ob die Filmindustrie ein gutes oder schlechtes Jahr erlebe. Tatsächlich ist der Western eine ›uramerikanische Kunstform‹, entstanden aus der Geschichte der Vereinigten Staaten und zunächst auch nur für den Inlands-Verbrauch bestimmt. Jedoch wurde gerade dieser Action-Film zu einem hervorragenden Export-Artikel Hollywoods. Die Konjunktur hält unvermindert an. Wer glaubte, dass die »ewigen Geschichten« doch einmal aufhören würden, irrte sich. Es gibt weiter interessante Storys, längst nicht immer Gebrauchsware, sondern originell und reizvoll. Zu diesen zählt auch die Vorlage zu den ›Höllenhunden‹. Ein Offizier der US-Kavallerie ist von der Grausamkeit der Apachen unmittelbar betroffen. Er schwört Rache und versucht die Indianer mit ihren eigenen Waffen zu schlagen. Der General hilft ihm dabei, und der Captain bleibt mit seiner Abteilung schließlich Sieger. Das Drehbuch hat diese keineswegs aufregende Geschichte entsprechend ausgesponnen. Regisseur Burt Kennedy, für harte Filme bekannt, machte daraus einen spannenden, gelegentlich erbarmungslosen Film. Geschickt führt er die Charaktere vor, lässt die menschlichen Unzulänglichkeiten Revue passieren und fängt durch Großaufnahmen die Aufmerksamkeit des Zuschauers von Anfang an ein. Psychologische Hintergründe werden ausgeleuchtet, das unvermutete Finale zu einem Höhepunkt. Filmfreunde werden überrascht sein, Hollywoods berühmten Inszenator John Huston in einer Paraderolle zu sehen. Neben der Entdeckung Bekim Fehmiu ist auch der Sohn von John Wayne, Pat, mit von der Partie.« *Walter Müller-Bringham, Filmecho/Filmwoche Heft 23, 1971*

»Es kommt drauf an, wie man den Film sieht. Sehmodell I: Kriegsertüchtigung für Vietnam. Von einem amerikanischen Stützpunkt aus werden die Einwohner, Männer, Frauen und Kinder, totgemacht. Zwar der süße kleine Junge, aber: ›Töte ihn, sonst wird er dich töten.‹ Die nötige Härte erwerben die Besatzer in der Ranger-Ausbildung. Das ist der Hauptteil des Films. Wie bringt man einen Gefangenen zum Reden? Man foltert ihn und anschließend Dynamit. Die Amerikaner sind toll sympathisch. Harte Kerle. Die Einwohner widerliches Ungeziefer. Einer wird von einem US-Schäferhund benagt. ›Mensch, der Hund frisst die!‹ Gelächter ohne Ende im vollbesetzten Kino.

Am Ende, da die Amerikaner mit überlegenen Waffen die Einwohner massakrieren, geht der Hund tot. Da geht in ebendiesem Kino der Entsetzensschrei durch die Reihen: aaaaaahhh!

Sehmodell II: ein italienischer Kostümfilm um die Mitte des vergangenen Jahrhunderts. Eine Operette. Es wird zwar nicht gesungen, wohl aber wird gelacht. Die Handlung ist auf die Pointe angelegt, mit Platz für den Beifall danach. Reitet das schmucke Fähnlein aus dem Tor, dann nur, um – Schnitt – gerupft und zerzaust wieder hineinzuwanken. Haha. Bonmots. Wortwitze. Exzessive Mimik mit Augenverdrehen und langen Pausen. Ich fands schon wieder komisch. Das Kino, um nun die Oase auf der Reeperbahn zu nennen, war begeistert. Dazu eine aufdringliche Musik, das Unpassendste, was man sich vorstellen kann: so eine Art Radio-Tango-Orchester.

Sehmodell III: ein neuer Superfarbwestern, der seinen Vorwurf (einen Euthanasiefall) mit schönen Landschaften, vorzüglichen Sequenzen, fantastischen Überblendungen (die Szenen auf dem langen Ritt) überspielt. Vor allem der General Miles in Neu-Mexiko: ein schlaksiger Alter, die tollste Westerner-Persönlichkeit seit langem – John Huston als Superdarsteller. Seinetwegen lohnt sich der Film. Im Sehmodell III. – Wohl dem, der sich das Passende aus dem Film heraussuchen kann. Mir ist das nicht gelungen. Mir wurde übel. Ehrlich. Dieser italienische Western: ungenießbar.« *Dietrich Kuhlbrodt, Filmkritik 05/1971*

»Letzte Westerndinge: Revival. Im kritischen Mai-Kalender schlug Dietrich Kuhlbrodt für den Dino de Laurentiis-Western *Die Höllenhunde* drei Möglichkeiten vor, was der Zuschauer darin

eventuell sehen könnte, wenn er sich sonst schon nicht mehr zu helfen wisse (5/71-269). Reflektieren ist eben alles im trostlosen Kinoalltag. Jene Vorschläge zur Güte möchte ich deshalb auch rasch noch, bevor Herbst ist und die Saison für die neueste Spätwesternkollektion in den großen Häusern beginnt und Kasse und Presse macht (angekündigt u.a.: ein verdammter Niggerwestern von und mit Sidney Poitier), um einen weiteren Vorschlag ergänzen, bloß um zu zeigen, wo der Spaß im Kino aufhört und wo die Freiheiten anfangen.

Die Höllenhunde ist sozusagen ein Restaurationswestern, die Folge der außerhalb Hollywoods entstandenen Revolutionswestern. Ökonomisch ist der Film ein Fusionswestern, Produkt eines marktkonformen Zusammenschlusses einstiger Konkurrenten, die freilich in den Formen, in denen sie gleichzeitig mit der Ware stets auch die Nachfrage nach ihr zu erzeugen wussten, von Anfang an heimliche Komplizen waren (ästhetisch-ökonomisches Motiv der Italo-Western: das Töten für Dollars).

Für die Gesamtleitung des Films zeichnet Burt Kennedy, für die Regie Niksa Fulgozi; am Drehbuch arbeiteten ebenfalls ein amerikanischer Experte, Clair Huffaker, und ein Italiener; die Schauspieler sind zusammengewürfelt, unter ihnen John Huston in einer Prestige- und Vorgesetztenrolle, in der er aber auch nicht mehr als die anderen zu sagen hat; gedreht wurde vielleicht in den Staaten, vielleicht in Europa (in Jugoslawien und Spanien, Anm. d.Vf.), das ist aus Mangel an Landschaftsbildern nicht genau zu sagen, doch wenn es einmal einen künstlichen Abgrund gibt, so sieht die Szenerie wie bestimmte Filmkulissen bei Lee J. Thompson aus (aus dem Film ›Mackenna's Gold‹, Anm. d.Vf.), monumental falsch.

Überhaupt kann man sehen, wie sich diese Koproduktion ausgewirkt hat. Der eigentlich unamerikanische, rein materiell gewendete Killermythos aus den ruchlosen Italo-Western wird durch den in der verblassten Tradition des Edelwestern stehenden, eine Moral des Tötens einbeziehenden Kriegermythos revidiert.

Bekim Fehmiu als Caleb Carter und Jan Bannen als Ltd. Ferguson

Sehr betulich, klobig bedeutsam: Indem der Indianerfresser Captain Kaleb zum Schluss einen Apachenjungen mit dem Leben davonkommen lässt und offiziell totgesagt wird, um zu verhindern, dass er sich nach vollführtem Auftragsmassaker noch vor Gericht für den Gnadentod verantworten muss, den er, zu Beginn der Geschichte, seiner von den Wilden gemarterten Frau gegeben hatte, streift er die unmenschliche Indianerhaut, in die er geschlüpft war, um besser töten zu können, mir nichts, dir nichts nach getaner Tat wieder ab, wird das neuere Heldenbild, das auch schon recht lädiert scheint, im älteren, das es sich anscheinend leisten kann, repariert. Oder auch, der amerikanische Teil des Films entlässt den italienischen, akzeptiert ihn als sein Alibi. Asche zu Asche, Staub zu Staub, und so konkurrenzlos bis an ein selig Ende. Die Fortschritte der Regression auf dem Unterhaltungssektor haben durchaus ihr Zwangsläufiges, wenn man sich zwingt, die Augen offen zu halten. Die Revivalwestern sind bloß Symptom des integralen Westernkinos, das wir haben und das nie mit dem Tod abgehen wird, solange nicht der neue Zuschauer geboren sein wird. *Macho Callahan* von Bernard L. Kowalski (4/71-215) war ein Vorläufer auf dem Gebiet, das jetzt ein Film wie *Die Höllenhunde* erschlossen hat. Dort waren beide Teile, Alt und Neu, noch so halbiert, dass sie den Unterschied erkennen ließen und die Unstimmigkeit des Ganzen hervorhoben. Der erste Teil war finster-grausam, eingesperrt, gewalttätig, der zweite offen, gefühlvoll, utopisch, der vergebliche Versuch des Films, sein Ziel zu erreichen. *Macho Callahan* war ein verstörter, gebrochener, kaputter Film, in der Verstrickung seiner Anpassung an Konsumbedingungen ließ er dem Zuschauer den nötigen Spielraum, sich von ihm loszumachen, ihn auf seinen eigenen Blick hin zu durchschauen. Reflexion lohnte sich noch. Damit ist es nun endgültig vorbei.«

Jürgen Ebert,
Filmkritik 10/1971

Angriff der Apachen, gedreht im Nationalpark El Torcal de Antequera

MATALO!

Willkommen in der Hölle (Regie: Cesare Canevari)

Italien / Spanien 1970
Erstaufführung in Italien: 22. Oktober 1970
Deutscher Start: 26. März 1971

Besetzung: *Lou Castel (Ray), Corrado Pani (Burt), Antonio Salines (Theo), Luis Davila (Philip), Claudia Gravì (Mary), Anna Maria Noe (Bridget), Miguel Del Castillo (Baxter), Anna Maria Mendoza, Bruno Boschetti, Mirella Pamphili*

Inhalt: Nachdem der junge Burt knapp dem Erhängen entronnen ist, schließt er sich wieder seinen ehemaligen Verbrecher-Kumpanen Theo, einem Neurotiker, Philip sowie Mary, seiner Freundin, an. Die vier überfallen eine Postkutsche und töten alle darin reisenden Gäste sowie den Fahrer. Leider scheint der Überfall auch das Leben von Burt gekostet zu haben. Die überlebenden Komplizen schlagen ihr Quartier in einer verlassenen Stadt auf, in der scheinbar nur unheimliche, gespenstische Erscheinungen ihr Unwesen treiben. Dort treffen sie auch auf eine uralte, halbverrückte Frau, die als einziges Familienmitglied aus der herrschenden Familie dieser Stadt noch übrig geblieben ist. Als eine junge Witwe und ein Fremder namens Ray in die Stadt kommen, fallen sie beide sofort in die Hände der Verbrecher und werden von ihnen gefoltert. Plötzlich taucht Burt wieder auf, der zusammen mit Mary seinen eigenen Tod vorgetäuscht hat, um an das gestohlene Geld zu kommen. Am Schluss kommt es zur unvermeidlichen Auseinandersetzung zwischen den Verbrechern und dem jungen Ray, aus der nur die junge Witwe und Ray lebend davonkommen.

Film: Dies ist Regisseur Cesare Canevaris zweiter Western nach dem unglaublich amateurhaften und schlechten »Per un dollaro a Tucson si muore« (»Blutige Rache in Tucson«). Die Geister scheiden sich hier an der Qualität dieses Films enorm. Für die eine Hälfte gilt dieser Film als reiner Trashwestern der untersten Kategorie, für die andere Hälfte wurde er zum Kultfilm erhoben. Buchautor Christian Kessler ging so-

gar so weit, seinem Italo-Western-Lexikon den deutschen Titel dieses Films zu geben und sogar das Video-Cover auf der Titelseite zu verwenden. Fest steht jedenfalls, dass dieser Film total aus dem Rahmen fällt und dass es sich bei diesem Film um eine Wiederverfilmung eines Drehbuchs von Mino Roli handelt, welches schon für den Tanio-Boccia-Western »Dio non paga il sabato« (»Die sich in Fetzen schießen«) herhalten musste. Der Film wurde in einem äußerst experimentellen Stil gedreht, der durch das beinahe vollständige Fehlen von Dialogen, einen atonalen elektronischen Rock-Soundtrack, einige äußerst brutale Szenen sowie eine Ansammlung von ziemlich bizarren

Burt (Corrado Pani) soll gehängt werden

Corrado Pani, Luis Davila, Antonio Salines

Charakteren gekennzeichnet ist. Auffallend sind auch noch die unglaublich verrückten Kameraeinstellungen sowie die Hackschnitt-Technik, die auch Canevari zuzuschreiben ist. Die Darsteller bewegen sich fast alle wie im Drogenrausch und auch die Filmcrew selbst scheint bei den Dreharbeiten dieses Films einem guten Joint nicht abgeneigt gewesen zu sein. Am interessantesten ist wahrscheinlich der Charakter des Ray, dargestellt von Lou Castel, der mit herkömmlichen Westernwaffen nichts anzufangen weiß. Stattdessen benützt er als erster und einziger Held des Italo-Western australische Bumerangs. Witzig auch noch die Bösewichter, die ihren Blick auf die sich im Halbkreis auf sie zubewegenden Bumerangs richten, bis sie getroffen werden, statt sich rechtzeitig in Sicherheit zu bringen. Übrigens wurde der Film in der gleichen Westernstadt gedreht, in der einst Clint Eastwood auf einem Maulesel zu Weltruhm ritt. Man sieht dem Städtchen an, dass seit jener Zeit nicht viele Filme in dieser Gegend das Licht der Welt erblickten. Wie gesagt, die Geschmäcker sind oft verschieden und jedem das Seine, aber diesen sollten sich auch Leute ansehen, die ihn noch nicht kennen, er ist sicherlich ein Experiment wert, wenn auch nur um einige ungewöhnliche Filmminuten zu erleben und nochmals die Westernstadt aus »Per un pugno di dollari« (»Für eine Handvoll Dollar«) zu sehen.

Presse: »Diesmal geht es wieder um menschliche Niedertracht, aber mit neuen Akzenten und gelegentlich hemmungsloser Entblößungsabsicht. Der Versuch, Verhaltensweisen der Erdenbürger in ein Westerngewand zu kleiden, ist zwar nicht taufrisch, aber immer wieder interessant. Außerdem muss man Regisseur Cesare Canevari zugestehen, dass er sich einige Mühe gemacht hat, unterschiedliche Charaktere herauszuarbeiten, sie schonungslos zu präsentieren und sich nicht davor zu scheuen, absichtlich die Grenze des Möglichen und Annehmbaren zu streifen. Thema der Handlung: Traue keinem Menschen!

Eine merkwürdige Gruppe von Desperados findet sich, überfällt einen Geldtransport und sucht ein Obdach in einer Geisterstadt. Jeder misstraut jedem. Auch weibliche Reize werden eingesetzt, um die Beute zu sichern. Zum Schluss fühlen sich die Akteure betrogen. Ihre Durchtriebenheit und bestialische Härte hat ihnen nichts genutzt. Es bleibt offen, ob es sich um einen Appell an das Gute oder um den Triumph des Bösen handelte. Ausgelegt werden kann die Geschichte nach jeder Seite.

Drehbuch, Anlage und Regie sorgen für turbulente Szenen, aggressive Spannung und den gewünschten Nervenkitzel. Erstaunlich, welche unverbrauchten Gesichter im romanischen Raum immer wieder auf die Leinwand finden.«

Walter Müller-Bringmann,
Filmecho / Filmwoche Heft 23, 1971

UNA NUVOLA DI POLVERE ... UN GRIDO DI MORTE ... ARRIVA SARTANA

Sartana kommt (Regie: Giuliano Carnimeo)

Italien / Spanien 1970
Erstaufführung in Italien: 24. Dezember 1970
Deutscher Start: 23. April 1971

Besetzung: *Gianni Garko (Sartana), Susan Scott [Nieves Navarro] (Belle Manassas), Massimo Serato (Sheriff Joe Manassas), Bruno Corazzari (Sam Puttnam), Piero Lulli (Grand Full), José Jaspe (General Monk), Franco Pesce (Pon Pon), Renato Baldini (Nobody), Luis Induñi (Erster Sheriff), Sal Borgese, Clay Slegger, Frank Braña, Giuseppe Castellano, Brizio Montinaro, Fernando Bilbao, Raffaele Di Mario, Lino Coletta*

Inhalt: Der Zufall kommt Sartana zu Hilfe: Auf dem Weg zum Bundesgefängnis erschießt er im Duell drei Sheriffs! Mit dieser »Legitimation« gelingt es ihm dann auch, ins Gefängnis zu kommen. Sein vorläufiges Ziel ist erreicht; in der Nebenzelle wartet Grand Full auf seine Hinrichtung! Er ist der einzige Mann, der das Versteck von 500.000 Dollar und zwanzig Millionen Falschgeld kennt. Es gelingt Sartana (Gianni Garko), sich selbst und Grand Full (Piero Lulli) zu befreien. Auf der Flucht verrät Grand Full, dass viele Personen an dem Geld interessiert sind – unter anderem Manassas Jim (Massimo Serato), der Sheriff von

Gianni Garko in seinem dritten Sartana-Film

Mansfield, ein recht zweifelhafter Vertreter des Gesetzes – aber wo das Geld versteckt ist, sagt er nicht. Sartana trennt sich von Grand Full. Er reitet nach Mansfield; Grand Full schickt er nach Sonora an die mexikanische Grenze, um auf ihn zu warten. Sartana glaubt zu wissen, wo er das Geld suchen muss.

In Mansfield erwartet Sartana ein Chaos! Er erfährt, dass nicht nur der Sheriff alias Joe Manassas an dem Geld interessiert ist, sondern auch viele kleine Ratten. Blutsauger, die nicht genug bekommen können. Und jeder weiß etwas anderes über den Verbleib des Geldes zu erzählen – doch keiner hat es! Jeder Schritt Sartanas wird überwacht; über eine Abfallrutsche entkommt er dem sicheren Tod! Einen Tipp allerdings hat er: General Monk!

General Monk pflegt seine Wünsche mit der Peitsche zu unterstreichen. Seine Männer fürchten ihn, seine Frauen hassen ihn! Sartana zwingt Monk, das zu erzählen, was er weiß. So erfährt er, dass auch Belle, eine betörend schöne Frau aus Mansfield, tief in der Sache steckt. Ihr Mann war der Teilhaber von Grand Full und Joe Manassas! Sartana hetzt sowohl Monk auf Grand Fulls Spuren, als auch Joe Manassas mit seinen Männern. Zwei Horden mit demselben Ziel, aber tödlich verfeindet, reiten nach Sonora, um Grand Full aufzustöbern und bis aufs Blut zu martern!

Rätselhafterweise ist Belle, sehr kurz nach dem gewaltsamen Tod ihres Mannes, mit einem jungen Mann zusammen, über dessen Herkunft niemand so recht Bescheid weiß. Sartana nimmt keine Rücksicht auf diese seltsame Zweisamkeit. Er kümmert sich in jeder Beziehung um Belle – als er sie verlässt, muss er nur noch die Lügen der Beteiligten zusammenzählen. Nun weiß er, was zu tun hat. Das Zusammentreffen der Beteiligten ist unausbleiblich. Plötzlich ist jeder gegen jeden! Auch Grand Full, der die Horden von Joe Manassas und Monk gegeneinander ausspielte, ist nun in Mansfield! Auch Belle erscheint am Ort! Wer weiß wirklich, wo das Geld ist?

Film: Dieser von Giuliano Carnimeo inszenierte Film, einer der besten, wenn nicht der beste Film aus der Sartana-Reihe mit Gianni Garko, enthält alle wesentlichen Merkmale, Atmosphäre und Erfindungen dieser äußerst erfolgreichen Italo-Western-Serie. In diese detektivsmäßige Geschichte um einen vermissten Schatz aus einem Raub und die Schurken, die sich darum streiten, bringt der routinierte Regisseur alle Besonderheiten, die den Charakter des Sartana zu einer Mixtur aus Sherlock Holmes und James Bond im Wilden Westen machen, angefangen von seinem eleganten Auftreten bis hin zu seinen diversen Tricks, die er anwendet, um seine Feinde zu besiegen. Die wichtigsten Besonderheiten stellen wiederum die zahlreichen ungewöhnlichen Waffen dar, angefangen von dem tödlichen mechanischen Indianerkopf bis hin zu der unglaublichen Orgel, die sich in ein Maschinengewehr verwandeln lässt. Mit dieser Orgel vernichtet Sartana die Bande des von José Jaspe dargestellten bösen Verbrechers General Monk am Ortseingang der Stadt in einer Szene, die eine klare Huldigung an die klassische Szene in dem Corbucci-Film »Django« darstellt.

So wie Giuliano Carnimeo Spaß daran findet, neue innovative Tricks vorzuführen, so ernst ist es ihm damit, von Zeit zu Zeit die negativen Beispiele der menschlichen Rasse herauszustellen, die hier von einer Bande von geldgierigen, skrupellosen Charakteren verkörpert werden, die über Leichen gehen, um zu ihrem Reichtum zu kommen. Diese Leute, die weder Liebe, Freundschaft noch Loyalität kennen, werden dargestellt von Piero Lulli als teuflischer Grand Full, Massimo Serato als korrupter Sheriff und der sinnlichen Nieves Navarro als Lady Belle.

Ein sehr unterhaltsamer Sartana-Film, der zum ersten Mal neben Italien auch Spanien als Drehort benutzte.

Presse: »Selten hat es in Western so viel geknallt wie hier bei Sartanas neuestem Auftritt. Zum

Gianni Garko als Sartana mit Regisseur Giuliano Carnimeo

Die Orgel als Maschinengewehr

turbulenten Schluss erweisen sich die von ihm höchstselbst lautstark intonierten Pfeifen seiner Orgel als kippbare Läufe modernster Schnellfeuergeschütze, mit denen unser wildwestlicher Organist angreifende Reiterhorden reihenweise niedermäht.

Wegen echter und falscher Dollars müssen allerdings sowieso fast alle Mitwirkenden ins Gras der Prärie beißen. Vieles bleibt unklar bei den unentwegten Massakern und gegenseitigen Täu-schungsmanövern. Auf jeden Fall schießen die anderen immer vorbei, Sartana ist überall und nirgends, und letzten Endes sackt unser Titelheld die Silbermünzen ein. Mancher Besucher wird sich vielleicht fragen, wenn er beim Verlassen des Theaters im Schaukasten die Ankündigung von Sartanas nächstem Streich liest, warum sich der wildwestliche Rachegott nicht bei so viel Reichtum endlich zur Ruhe setzt.« *Ernst Bohlius*
Filmecho/Filmwoche Heft 37, 1971

VAMOS A MATAR COMPAÑEROS

Laßt uns töten, Companeros (Regie: Sergio Corbucci)

Italien / Deutschland / Spanien 1970
Erstaufführung in Italien: 18. Dezember 1970
Deutscher Start: 11. Mai 1971

Besetzung: *Franco Nero (Yodlaf Peterson), Tomás Milian (El Vasco, der Baske), Jack Palance (John), Karin Schubert (Zaira), Fernando Rey (Prof. Xantos), Eduardo Fajardo (Colonel), Iris Berben (Lola), Francisco Bódalo (General Mongo), Gérard Tichy (Leutnant), Jésus Fernández, José Bódalo, Víctor Israel, Giovanni Petti, Simón Arriaga, Gianni Pulone, Lorenzo Robledo, Claudio Scarchilli, Álvaro de Luna*

Inhalt: Die kleine mexikanische Gemeinde San Bernardino wird immer wieder von Banditen unter der Führung von General Mongo überfallen und ausgeplündert. General Mongo tarnt seine Habgier nach Geld, indem er sagt, er wolle eine Revolution machen, die Regierung stürzen und der armen Bevölkerung den Weg zu einem besseren Leben ebnen. Mongo ist ein Wirrkopf. Einen Schuhputzer, den sie den »Basken« (Tomás Milian) nennen und der sich gegen die offiziellen Regierungssoldaten aufgelehnt hat, ernennt Mongo zum Befehlshaber seiner Truppen.

Yodlaf Peterson (Franco Nero), genannt Yod, ein schwedischer Waffenhändler großen Formats, kommt ebenfalls nach San Bernardino, um Mongo einen Waggon Waffen zu verkaufen. Mongo hat aber kein Geld. Er sagt dem Schweden: »Wenn du den Tresor aufmachst, der hier in der Verwaltung steht, dann kann ich dich bezahlen.« Aber der einzige Mann, der die Kombination des Geldschrankes weiß und noch am Leben ist, ist Professor Xantos, der gewaltlose Führer einer jungen mexikanischen Gruppe, die sich gegen den Terror der Banditen auflehnt. Xantos sitzt jedoch in einem amerikanischen Gefängnis, aus

Jack Palance als John, der Söldner

Franco Nero als der »Schwede«

dem er von dem Schweden und dem Basken befreit werden soll. Solange Xantos im Gefängnis ist, vertritt Lola seine Stelle. Sie ist voller Hass gegen die Banditen, weil sie bei einem Überfall von mehreren Strolchen vergewaltigt worden ist.

Es gelingt dem Basken und dem Schweden, Xantos aus dem Gefängnis zu befreien und ihn auf abenteuerlichen Wegen über die Grenze nach Mexiko zu schmuggeln. Als die drei in San Bernardino ankommen, werden sie schon von Mongo und seinen Leuten erwartet. Es kommt zu einer wilden Schießerei, in deren Verlauf alle Banditen und auch General Mongo selbst erschossen werden. Aber auch Professor Xantos, der Führer der jungen Mexikaner, wird von einem Berufskiller, der von ein paar amerikanischen Geschäftsleuten bezahlt wird, getötet. Der Baske, der bisher zu Mongos Leuten gehörte, hat sich jetzt auf die andere Seite gestellt. Er und Lola entdecken ihre Liebe füreinander und heiraten in den Ruinen der kleinen Kirche von San Bernardino. Yod, der Schwede, beabsichtigt das Land zu verlassen. Er ändert aber seinen Entschluss, als er sieht, dass

neue Soldaten kommen. Er lässt seine Freunde nicht im Stich und kehrt nach San Bernardino zurück, um mit dem Basken, mit Lola und den Mexikanern zusammenzuleben.

Film: Im Jahr 1970 stand Franco Nero wieder in einem Revolutionswestern von Sergio Corbucci vor der Kamera. Diesmal unterstützte ihn der Kubaner Tomás Milian, der in zahlreichen anderen Italo-Western der späteren sechziger Jahre bereits reichlich Erfahrung in Sachen mexikanische Revolution gesammelt hatte. Man könnte »Vamos a matar compañeros« (»Lasst uns töten, Companeros«) auch als eine Art Remake von »Il mercenario« (»Mercenario – der Gefürchtete«) bezeichnen, wie Howard Hawks ja auch aus »Rio Bravo« das Remake »El Dorado« schuf. Die Handlungsfäden sind ziemlich ähnlich und auch die Darsteller des ersten Films tauchen hier wieder auf. Aus Franco Neros polnischem Söldner des ersten Films wird hier ein schwedischer Waffenhändler. Auch Jack Palance ist wieder mit von der Partie, diesmal als Marihuana-rauchen-

Tomás Milian als »El Vasco«

der Killer, dem sein Falke die Hand abgenagt hat, um ihn einst befreien zu können. Der Autor dieses Buches traf den damals 81-jährigen Jack Palance im Jahr 2000 in einem Postamt in Sherman Oaks/Kalifornien und fragte ihn, ob er gewillt sei, ein Interview über sich ergehen zu lassen betreffend der Filme, die er für Sergio Corbucci gemacht hatte. Die Antwort lautete ungefähr: »Warum wollen Sie mich über Filme befragen, mit denen ich überhaupt nichts zu tun hatte?«

Schade, entweder hatte Palance keine Lust, über irgendwelche in Europa gedrehte für ihn unwichtige Filme zu sprechen oder er hatte wirklich alles vergessen, was mehr als ein paar Jahre zurücklag. Irgendwie geht es einem mit diesem Film wie mit »Rio Bravo«, man mag einfach das Original lieber. Auch wenn hier zahlreiche gute Action-Szenen von Sergio Corbucci perfekt in Szene gesetzt wurden und die typischen Versatzstücke aller Revolutionswestern wieder auftauchen, »Il Mercenario« (»Mercenario – der Gefürchtete«) scheint einfach unterhaltsamer zu sein.

Trotzdem macht es Spaß, sich diesen Film anzusehen, allein schon wegen des Traumgespanns Franco Nero und Tomás Milian und der außergewöhnlich guten Musik von Ennio Morricone. Übrigens wurde dieser Film wie auch der vorgenannte erste Revolutionswestern von Sergio Corbucci ausschließlich an südspanischen Drehorten in Szene gesetzt.

Presse: »An Einfällen mangelt es dem Italo-Western-Regisseur Sergio Corbucci auch bei seinem jüngsten Film nicht, der die beiden Companeros (Franco Nero und Tomás Milian) als neue Titelhelden kreiert. Die Geschichte aus Mexiko ist voll Zynismus und Grausamkeit, Lumperei und Liebe, Psycho-Sadismus und Hinterlist, Action, Action und Töten, Töten. Eine geschickte Zufallsdramaturgie führt das Geschehen zwar nicht logisch, aber wirkungsvoll von Höhepunkt zu Höhepunkt. Die Charaktere sind interessant gewählt. Den Darstellern kann man nur Gutes nachsagen. Regie und Montage lassen keinen Moment Langeweile aufkommen. Lediglich die deutsche Synchronisation steckt voller läppischer Späßchen. Doch da der geschniegelte, geldgierige ›Schwede‹ Franco Nero in letzter Filmminute angesichts der anrückenden Militärgewalt des Staatsapparats sich entschließt, sich dem Häuflein aufrechter Revolutionäre anzuschließen und seinen eben vom naiven Revoluzzer zum bewussten Freiheitskämpfer avancierten Companero Tomás Milian nicht im Stich zu lassen, kann man getrost prophezeien: diese Companeros sind erst der Anfang einer ganzen Serie ähnlicher Knaller.«

H. J. Weber,
Filmecho/Filmwoche Heft 32, 1971

»Weit, weit ists her von Django. Corbuccis *Fahrt zur Hölle, ihr Halunken* (Fk 6/70-332) war bereits gründlich misslungen. *Laßt uns töten, Companeros* ist nur noch langweilig. Obwohl oder besser weil die – untauglichen – Anstrengungen unverkennbar sind, das Publikum zu unterhalten. Exquisite Folterungen werden vorgeführt: Irre Typen produzieren sich: ein Chinese mit Hörrohr, ein kapitalistischer Jude, Jack Palance mit Haschpfeife. Die sabbelnden Monologe des Conferenciers vom Betriebsausflug: ›Heiheihei eine Schneeballschlacht‹, ›Mit dem Messer im Rücken den Fremdenverkehr entzücken‹ und ähnliches seniles Gebrabbel. Reingemischt zwei kleine Schnulzen: was soll das dumme Volk ohne seinen Revolutionsführer machen?

Wie geben sich Revolutionärin und Revolutionär in der leeren Kirche selbst das Ja-Wort? Und immer wenns laut wird, ertönt der Hintergrund-Chor. – Die Handlung selbst spielt keine Rolle: sie dient als Vehikel für die diversen Anspielungen und Einlagen. Summa summarum: Der Film wirkt beliebig, zufällig, belanglos und genauso interessant wie jemand, der einem anderthalb Stunden lang mit selbstgefälligen Witzeleien im Ohr liegt.«

Dietrich Kuhlbrodt,
Filmkritik 07/1971

BUON FUNERALE AMIGOS! ... PAGA SARTANA

Sartana – Noch warm und schon Sand drauf (Regie: Giuliano Carnimeo)

Italien / Spanien 1970
Erstaufführung in Italien: 8. Oktober 1970
Deutscher Start: 4. Juni 1971

Besetzung: *Gianni Garko (Sartana), Antonio Vilar (Hoffman, der Bankier), Daniela Giordano (Jasmine Benson), Ivano Staccioli (Blackie), Franco Ressel (Pigott), George Wang (Lee Tse Tung), Luis Induñi (Sheriff), Federico Boido (Pigotts Bruder), Rocco Lerro (Colorado Joe), Franco Pesce, Helga Liné, Roberto Dell'Acqua, Attilio Dottesio, Jean Pierre Clarain*

Inhalt: Ein Goldgräber namens Benson wird in seiner Unterkunft in der Nähe von Indian Creek von Banditen getötet. Sein Leichnam ist noch warm, als Sartana (Gianni Garko) am Tatort erscheint. Er erledigt die vier Killer. Am nächsten Tag beobachtet er genau die Beerdigung, um herauszufinden, wer oder was hinter dem Mord an Benson steckt. Aber er entdeckt nichts. Abends geht er in den Spielsalon des Chinesen Lee Tse Tung (George Wang). Sartana bezahlt seine Spielschuld mit einem gefälschten Kreditbrief und lässt den Chinesen wissen, dass er beabsichtigt, das Land des ermordeten Goldgräbers zu kaufen.

Kurz darauf kommt Bensons Nichte und Erbin Jasmine (Daniela Giordano) in Indian Creek an. Sie hat eine kurze Begegnung mit Sartana und erhält dann von Hoffmann (Antonio Vilar), dem Besitzer der Bank, ein Angebot für das Grundstück Bensons. Der Bankier bietet ihr 10.000 Dollar, aber Jasmine sagt ihm, dass ihr Sartana schon 20.000 geboten habe. Während er Bensons Mine besichtigt, versuchen Gangster im Auftrag Hoffmanns mehrmals, Sartana umzulegen. Für diese Narrheit bezahlen sie mit ihrem Leben. Sartana liefert ihre Leichen beim Sheriff ab und kassiert die Belohnung, denn sie alle wurden als Mörder gesucht. Hoffmann erhöht sein Angebot an Jasmine auf 20.000 Dollar. Jasmine weist es wieder zurück mit der Begründung, dass ihr der Chinese Lee Tse Tung inzwischen 40.000 geboten habe. Hoffmann schickt nun ein paar seiner bezahlten Killer zu Lee, aber Sartana passt auf und rettet dem Chinesen das Leben. Erfolglos versucht Hoffmann, sich mit Sartana zu einigen. Zusammen mit dem Sheriff, mit dem er unter einer Decke steckt, versucht er daraufhin noch einmal, Sartana umzubringen, aber auch das misslingt wieder. Als Sartana einen Sarg zu dem Bankier schickt, verliert der Sheriff die Nerven und will die Partnerschaft mit Hoffmann aufgeben. Der tötet ihn und macht Jasmine zu seiner Gefangenen, um sie so zu zwingen, ihm ihr Land zu verkaufen, und auch, um Sartana anzulocken.

Sartana befreit Jasmine und tötet Hoffmann. Dann hilft er dem Mädchen ein zweites Mal, das diesmal in die Hände von Lee Tse Tung gefallen ist, der auf die gleiche gewaltsame Art mit ihr

Gianni Garko in seinem vierten und letzten Sartana-Film

Sartana lässt grüßen

Sartana besiegt sie alle

»Kann man nicht mal ein paar Minuten seine Ruhe haben?«

handelseinig werden will. Sartana zwingt den Spielclub-Besitzer, das Benson-Grundstück für 100.000 Dollar zu kaufen. Als Jasmine das Geld eingestrichen hat, erklärt Sartana dem Chinesen, dass das Land und die Mine tatsächlich wertlos sind. Denn Benson hatte alle getäuscht: Er musste mit seinem Leben dafür bezahlen, dass er immer vorgegeben hatte, in der Mine fündig geworden zu sein. Lee Tse Tung gerät außer sich, aber er unterliegt in einem schrecklichen Kampf mit Sartana. Der besteigt gleich darauf sein Pferd, um Jasmine nachzureiten, die versucht, mit dem Geld zu entwischen. Aber sie kommt nicht weit.

Film: Dies ist der vierte und letzte echte Sartana-Film, wiederum inszeniert von dem Routinier Giuliano Carnimeo und wieder mit dem einzig echten Sartana, Gianni Garko. Angefangen von der ersten Szene, in der Sartana mit dem Gewehr über der Schulter plötzlich aus dem Dunkeln auftaucht, während man im Hintergrund ein Gebäude abbrennen sieht, wissen wir, dass dieser Charakter hier wieder zu seinen übernatürlichen Ursprüngen zurückgekehrt ist. Wie üblich ist Garko wieder perfekt in dieser Rolle, obwohl sich sein Aussehen geringfügig verändert hat. Statt eines Bartes zieren sein Gesicht jetzt ein großer Schnauzbart und lange Koteletten. Auch die James-Bond-mäßigen Tricks sind wieder vertreten wie z.B. ein Spiel mit tödlichen Karten, die alles oder jeden zerschneiden können. Carnimeo gelingt es sehr gut, mit einer akzeptablen Thriller-Geschichte ein ordentliches Tempo in den Film zu bringen. Sicherlich nicht auf der Höhe der drei Vorgänger, ist dies jedoch ein sehr unterhaltsamer Film mit einigen sehr guten Nebendarstellern wie George Wang als nicht sehr vertrauenswürdiger Chinese und Antonio Vilar als Hoffman, der Bankier. Dieser Film hat auch eine ungewöhnlich starke Präsenz an Frauen, allen voran die sinnliche Daniela Giordano, der es sogar gelingt, Sartana persönlich zu verführen. Dieser Sartana-Film enthält mit dem von Bruno Nicolai komponierten Soundtrack sicherlich den besten dieser Serie, ein wahres Highlight dieses Films. Nicolai variierte später einige Themen dieses Scores in dem Film »Il mio nome è Shangai Joe« (»Der Mann mit der Kugelpeitsche«).

Werberatschlag

Presse: »Wer auf Gold sitzt, lebt nicht lange. Das gilt zumindest für diesen feurig-flotten Italo-Western, der in Neu-Mexiko im Goldgräber-Milieu spielt.

Mister Benson – so lässt er alle glauben – sitzt auf einem Goldschatz, und schon sind die Killer da. Aber er ist noch warm, da taucht auch schon Sartana, der Titelheld auf, und die Killer sind nicht mehr. Nun beginnt der erbarmungslose Lug und Trug um Bensons Erbe, und Sartana mischt in diesem Pokerspiel kräftig mit. Als Jasmine, die junge und attraktive Erbin Bensons, ins Bild kommt, findet sie in Sartana einen Beschützer, der sich ein knallendes Vergnügen daraus macht, die ganze Bande umzulegen. Da stellt sich heraus, dass Bensons Mine völlig wertlos ist. Und es stellt sich weiter heraus, dass Jasmine nicht nur hübsch, sondern auch hinterhältig ist.

Doch in Sartana findet sie ihren Meister. Ein italienischer Western, der in der bekannten Serienfertigung eine gute Figur macht.«

Bert Markus
Filmecho / Filmwoche Heft 38, 1971

UN UOMO CHIAMATO APOCALISSE JOE

Spiel dein Spiel und töte, Joe (Regie: Leopoldo Savona)

Italien / Spanien 1970
Erstaufführung in Italien: 4. Dezember 1970
Deutscher Start: 22. Juli 1971

Besetzung: *Anthony Steffen [Antonio De Teffè] (Joe Clifford), Eduardo Fajardo (Berg), Maria Paz Pondal (Rita), Fernando Cerulli (Clark, der Barbier), Stelio Candelli, Virginia Garcia, Silvano Spadaccino, Veronika Korosec, Giulio Baraghini, Bruno Ariè, Flora Carosello, Renato Lupi, Miguel Del Castillo, Angelo Susani*

Inhalt: Joe Clifford (Anthony Steffen) kommt in die Stadt, um sein Erbe anzutreten. Es handelt sich um eine Goldmine, die ihm sein Onkel vererbt hat. Und nun muss er erfahren, dass sein Onkel kurz vor seinem Tod die Mine an einen Mann namens Berg (Eduardo Fajardo) verkauft hat. Das kann Joe Clifford nicht glauben: Berg, dem die halbe Stadt gehört? Er versucht Licht in diese dunkle Geschichte zu bringen und nun erfährt er die wahren Hintergründe. Ein Mexikaner erzählt Joe, Berg habe seinen Onkel gezwungen, die Verkaufsurkunde zu unterzeichnen und ihn anschließend getötet. Joe hetzt den bis zu diesem Tage korrupten Sheriff auf Berg. Dabei wird der Sheriff, der einmal ehrlich sein wollte, gnadenlos umgebracht. Berg bricht mit seinen Männern auf, um Joe Clifford zu töten. In der Stadt bricht ein Inferno los, in dem Berg und seine Leute schrecklich untergehen.

Film: Sicherlich einer der besten Western von Leopoldo Savona, in dem der Held aus »Hamlet« und »Macbeth« monologisiert. Dies stellt ein echtes Unikat dar – sieht man einmal von »Quella sporca storia nel West« (»Django – die Totengräber warten schon«) ab. Steffen ist in jedem seiner Western sehenswert, so auch hier. Eigentlich ist

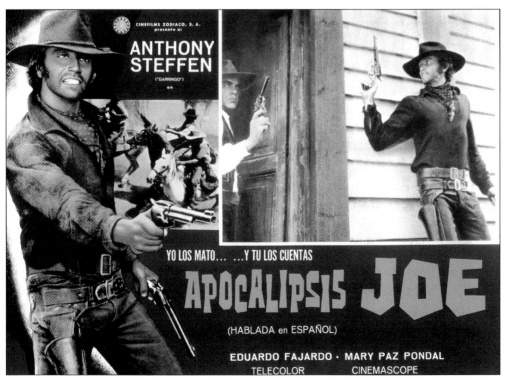

Anthony Steffen kämpft um sein Leben

er ein Schauspieler, der sich sein rechtmäßiges Erbe einer Goldmine im Westen sauer verdienen muss, und während der Handlung ist er auch fast immer in Schwarz bzw. in verschiedenen Verkleidungen (Mönch, Schauspieler, junge Mutter) zu sehen. Beim 30 Minuten langen Showdown bekommt er Hilfe vom Barkeeper und vom Doktor/Friseur/Totengräber. Eduardo Fajardo, der in vielen Western gemeinsam mit Steffen auftrat, ist sein extrem zynischer Gegenspieler namens Berg. Der äußerst brutale Western wurde sehr souverän inszeniert und von einem der besten Bruno-Nicolai-Scores untermalt.

Presse: »Ein ausnahmsweise mal sympathischer Kopfgeldjäger mit schauspielerischen Ambiti-

onen erbt von seinem Onkel eine Goldmine. Ein skrupelloser Gangster hat den Besitz vereinnahmt und terrorisiert mit seiner Bande die ganze Stadt. Damit ist der klassische Western-Stoff geschaffen, der Kampf eines Einzigen gegen eine erdrückende Übermacht. Mit List und Tücke, wobei auch Shakespeares Tragödien in die raue Western-Wirklichkeit mit einbezogen werden, bringt Titelheld Joe die – wie sich bald herausstellt – Mörder seines Onkels zur Strecke.

Unter Leopoldo Savonas Regie entstand ein logisch konstruierter Western im herkömmlichen Stil, spannend mit einem Schuss Komik. Schon der Titel verrät dem Besucher, was er zu erwarten hat.« *Ursula Dittmar, Filmecho / Filmwoche Heft 42, 1971*

SPARA, GRINGO, SPARA

Im Staub der Sonne (Regie: Bruno Corbucci)

Italien 1968
Erstaufführung in Italien: 31. August 1968
Deutscher Start: 13. August 1971

Besetzung: *Brian Kelly (Stark), Fabrizio Moroni (Fidel), Keenan Wynn (Baron), Erika Blanc (Jocelyn), Rik Battaglia (York), Giovanni Pallavicino (Davy), Ignazio Leone, Gigi Bonos, Enzo Andronico, Furio Meniconi, Leo Gavero, Krista Nell, Folco Lulli, Linda Sini, Luca Sportelli*

Inhalt: Stark, ein Revolverheld, soll gerade für einen Mord hingerichtet werden, als ihm ein reicher mexikanischer Rancher unter einer Bedingung sein Leben rettet: Er soll seinen Sohn Fidel finden und nach Hause bringen, der sich einer Gruppe von Banditen unter deren Boss »Major« angeschlossen hat. Stark gelingt es durch einen Trick, den »Major« zur Übergabe Fidels an ihn zu bewegen, aber der Junge versucht ständig zu fliehen. Nach einer Reihe von Missgeschicken gelingt es Stark endlich, Fidel zurück zu dessen Vater zu bringen, aber er findet gerade noch rechtzeitig heraus, dass Fidel dessen illegitimer Sohn ist und er ihn beseitigen möchte, um seine Ehre zu retten. Stark entschließt sich, Fidel zu helfen und zusammen erledigen sie die gesamte Bande des Ranchers.

Film: Bruno Corbucci ist hier hart auf den Fersen seines Bruders Sergio, der ja inzwischen zur Ikone des Italo-Western geworden ist.

Der Film startet mit einer bizarren Szene, in der ein Gefängniswärter eine dunkle Zelle betritt und bemerkt, dass der insässige Gefangene von

Brian Kelly

363

Fabrizio Moroni liebt die Frauen

Keenan Wynn

Lepra befallen wurde (was natürlich nur ein Trick ist, um auszubrechen). Der Film kommt dann in ein ziemliches Tempo – vergleichbar zu Sergio Sollimas »La resa dei conti« (»Der Gehetzte der Sierra Madre«) mit der Menschenjagd zwischen zwei Freunden und Feinden als Leitmotiv.

Die Banditen des »Majors« sind alle ziemlich grotesk charakterisiert und der Bandenboss selber, gespielt von Keenan Wynn, scheint eine zweifelhafte Beziehung zu seiner Ente zu haben. Dem Film mangelt es nicht an ironischen Momenten, Beweis für die Begabung dieses Regisseurs für seine zukünftigen Komödien.

Es sollte vielleicht erwähnt werden, dass die Beziehung zwischen Stark (gespielt vom Amerikaner Brian Kelly) und seinem Gejagten Fidel (Fabrizio Moroni) starke unterschwellige Homosexualität entwickelt in der Art, wie sich die beiden voneinander angezogen fühlen.

Der Film endet mit einem ziemlich zweideutigen Zitat von Abraham Lincoln, während die beiden Freunde zusammen wegreiten: »Zwischen Liebe und Gewalt siegt am Ende immer die Liebe«. Erwähnenswert sind auch noch Folco Lulli als liebender Vater, der sich dann als gefährlicher, tobender Wahnsinniger entpuppt, sowie Erika Blanc als Westernbraut, die sich in Stark verliebt.

Presse: »Zwei Männer, einer immer cleverer als der andere. Härter auch, wie es sich für einen Italo-Western gehört. Bis sie schließlich ebenbürtige Freunde werden. Die Konfektion von Stoffen dieser Art, mit der Italien uns überschwemmt, hat die Maße der Mittelmäßigkeit festgelegt. Nach diesem Katalog zu urteilen, bietet Regisseur Frank B. Curlish einige Extras. Die von ihm ins Optische übersetzte Story ist – relativ – originell. Mit Komik als Rückgrat motiviert sie die Vielzahl der Toten, die selbstverständlich einiges hinzunehmen haben, bis sie endlich Frieden unter der Erde finden können. Kein absoluter Modell-Western, aber einer von der Stange, die auch für gehobene Ansprüche etwas feilbietet für den, der auszuwählen versteht.« *Herbert G. Hegedo, Filmecho / Filmwoche Heft 48, 1971*

Brian Kelly in Bedrängnis

SOLEIL ROUGE

Rivalen unter roter Sonne (Regie: Terence Young)

Frankreich / Italien 1971
Erstaufführung in Italien: 26. Oktober 1971
Deutscher Start: 15. Oktober 1971

Besetzung: *Charles Bronson (Link), Ursula Andress (Cristina), Alain Delon (Gauche), Toshiro Mifune (Musashi Kuroda Jobie), Capucine (Pepita), Bernabe Barta Barri (Paco), Guido Lollobrigida (Mace), Anthony Dawson (Hyatt), Gianni Medici (Miguel), Georges Lycan (Sheriff Stone), Luc Merenda (Chato), Tetsu Nakamura (Japanischer Botschafter), Jules Pena (Peppie), Mónica Randall (Maria), Hiroshi Tanaka (2. Samurai), Jo Nieto, John B. Vermont*

Inhalt: Im Frühjahr 1870 entsendet der japanische Kaiser, der gerade die diplomatischen Beziehungen zu den USA aufgenommen hat, einen Botschafter nach Washington. Nach der Landung in San Francisco fährt der Botschafter, der dem amerikanischen Präsidenten als Gastgeschenk ein kostbares Schwert überbringen soll, in der Begleitung von zwei Samurais in Richtung Osten weiter. Sie wissen nicht, in welcher Gefahr sie schweben. Denn mit im Zug befinden sich nicht nur eine große Ladung Gold, sondern auch die beiden Banditen Link (Charles Bronson) und Gauche (Alain Delon), die nur auf die Gelegenheit warten, unterwegs den Zug zu stoppen und ihn mit ihrer Bande zu plündern. Bei dem Überfall auf den Zug kommt es zu einem furchtbaren Gemetzel. Als ihnen das Schwert ihres Kaisers entwendet wird, begehen der japanische Botschafter und einer der Samurais Harakiri. Musashi (Toshiro Mifune), der andere, kommt dem verwundeten Banditen-Boss zu Hilfe, den sein Stellvertreter Gotch nach dem Raub von Gold und Schwert umbringen wollte. Musashi und Link verbünden sich der Not gehorchend auf der Suche nach Gold und Schwert. Eine seltsame Art von Hassliebe entsteht zwischen den beiden so grundverschie-

Er trifft immer ins Schwarze: Charles Bronson

Charles Bronson und Capucine

denen Männern auf ihrem abenteuerlichen Weg durch die Wüste. Denn während der brutale, gerissene Link spielend mit allen Situationen fertig zu werden scheint, muss Musashi seine Fähigkeiten, sich in einer ihm völlig fremden Welt zu bewähren, erst noch beweisen.

Kann ein Samurai tatsächlich reiten, schießen, sich schlagen und eine Frau lieben? Musashi bekommt Gelegenheit genug, dem staunenden Gefährten seine wahre Kraft und Anpassungsfähigkeit zu zeigen. Zunächst bei der Auseinandersetzung mit einer mexikanischen Räuberbande, die sie gemeinsam überwältigen und der sie die Pferde abnehmen. Sodann in dem Grenzort San Lucas, wo Link im Saloon »Moulin Rouge« alte Bekannte wiedertrifft: die Besitzerin Pepita (Capucine) und die zwielichtige Abenteurerin Cristina (Ursula Andress), die mit dem Verräter Gauche, der inzwischen das geraubte Gold in Sicherheit gebracht hat, unter einer Decke steckt.

Nach der Abwehr eines nächtlichen Überfalls durch eine Räuberbande setzen Link und Musashi ihren Weg zusammen mit Cristina über die Berge fort. Als Cristina am nächsten Tag eine Gruppe von Reitern am Horizont auftauchen sieht, glaubt sie, Gauche und seine Leute kämen, und flieht. Doch die Reiter sind Indianer auf dem Kriegspfad. Buchstäblich im letzten Augenblick können Link und Musashi nach einem blutigen Gemetzel die junge Frau aus den Händen der Rothäute befreien. Dann naht die Stunde der Entscheidung auf einer abgelegenen Hacienda, wo Gauche mit seiner Bande Link und Musashi erwartet.

Film: Zum ersten Mal treffen hier in einem Italo-Western westliche und fernöstliche Kulturen aufeinander. Während sich Sergio Leone in seinem Erstlingswerk »Per un pugno di dollari« (»Für eine Handvoll Dollar«) darauf beschränkte, ein asiatisches Werk in einen Western zu verwandeln, prallen hier erstmals zwei sehr unterschiedliche Kulturen aufeinander. Dieser vom James-Bond-Regisseur Terence Young in Südspanien hervorragend in Szene gesetzte Western zeigt uns einen humorvollen Gesetzlosen Charles Bronson sowie einen stoischen, Schwert-schwingenden Samurai Toshiro Mifune in Bestform, denen der eiskalte, skrupellose Alain Delon gegenüber steht. Das Zusammenspiel der Hauptdarsteller enthält sehr viele witzige Einfälle, welche besonders auf den gegensätzlichen Kulturen beruhen. Der sehr aufwendig produzierte Film verwendet zahlreiche aus den Leone-Western bekannt gewordene Drehorte Südspaniens. Die Musik stammt diesmal von dem »Lawrence von Arabien«- und »Dr. Schiwago«-Komponisten Maurice Jarre, der dem Film eine besondere Note verleiht.

Presse: »Wie kommt ein Samurai in die Prärie des Wilden Westens? Im Jahr 1870 entsendet der japanische Kaiser, der mit den USA diplomatische Beziehungen aufgenommen hat, einen Botschafter zur Übergabe eines Gastgeschenkes – es ist ein wertvolles Schwert – nach Washington. In seiner Begleitung befinden sich zwei Samurais.

Als eine Bande den Zug von San Francisco in Richtung Osten überfällt, gibt es nicht nur ein mächtiges Gemetzel, dem Botschafter wird auch das Schwert des Kaisers entwendet. Er begeht mit einem Samurai Harakiri. Der andere hilft dem verwundeten Banditen-Boss, dessen Kumpel ihn nach dem Raub des Goldes und des Schwertes umlegen wollte. Beide verbünden sich, um dem

Charles Bronson schießt scharf

Alain Delon und Ursula Andress

366

anderen Banditen und der Bande nachzusetzen. Aus dieser ungleichen Bruderschaft und Hassliebe entwickelt die großartige Regie von Terence Young die ethischen und moralischen Besonderheiten und die packenden menschlichen Grenzsituationen seines Films, der den Stempel »Sonderklasse« verdient. Es beginnt zwischen den beiden ein faszinierendes Spiel, denn ohne Schusswaffe, nur mit Dolch und Schwert, zwingt der Japaner dem Banditen immer wieder seinen Willen auf; denn immer wieder versucht dieser, seinen Wächter umzubringen und zu entkommen.

Es ist unglaublich, was der japanische Topstar Toshiro Mifune in Schwertkämpfen, an Jiu-Jitsu und obendrein noch an schauspielerischer Überzeugungskraft demonstriert. Er und sein Rivale Charles Bronson tragen (neben Alain Delon) diesen fulminanten Film, der beim Publikum sehr gut ankommt.« *Bert Markus, Filmecho/Filmwoche Heft 64, 1971*

Ein Samurai im Wilden Westen: Toshiro Mifune

»James-Bond-Regisseur Terence Youngs Mischung aus Western und Samurai-Film hat trotz der effektbetonten Inszenierung nicht nur Oberflächenreiz. Seine Attraktivität bezieht er aus dem Zusammenprall gegensätzlicher Welten. – 1870: Ein erfolgreich durchgeführter Eisenbahnüberfall führt auf der Seite der Verlierer den von seinem Kumpan übertölpelten Boss der Bande und einen für den Schutz des im Zuge reisenden japanischen Botschafters verantwortlichen Samurai zusammen, dessen Gefährte von dem listenreichen Gangster Gauche beim Raub eines goldenen Schwertes, dem Geschenk des japanischen Kaisers für den Präsidenten der USA, getötet worden ist.

Verschieden sind Anlass und Motiv, gemeinsam nur der Wunsch nach Rache. Sie finden Gauche, nachdem sie sich seiner Geliebten bemächtigt haben, werden aber von ihm überlistet. Seinen Triumph macht ein Indianerüberfall zunichte; Verfolger und Verfolgte werden kurzfristig zu Verbündeten, doch nach dem Sieg, den nur Gauche, die Frau und die beiden ungleichen Gefährten erleben, versucht der hinterhältige Schurke, sie erneut zu überrumpeln, wird durch den Samurai daran gehindert und schießt diesen nieder. Das bedeutet auch sein Ende, denn in den sechs Tagen des Zusammenseins ist aus der Zweckgemeinschaft Freundschaft geworden. Der Überlistete ist jetzt nicht mehr am versteckten Raub

interessiert und erschießt den Schurken. Er wird den Auftrag des Samurai, das Schwert zurückzubringen, ausführen. – Ein Samurai und ein wildwestlicher Haudegen von bekanntem Zuschnitt werden durch den unfreiwilligen Rollentausch des Revolverhelden zu Freunden.

Die pulverreiche Aktion zu Beginn der Handlung geht folgerichtig bald in einen gemächlichen Rhythmus über. Wichtiger als Spannung ist die innere Auseinandersetzung der Charaktere. Zwar bleiben auch diese Passagen eher an der Oberfläche, doch führen die Gespräche der beiden über die verschiedenen Beweggründe ihrer Suche auch den Zuschauer für Momente zur Nachdenklichkeit, zumal sich die idealistischen Wertvorstellungen des Samurai gegenüber dem materialistischen Denken des Westmannes als überlegen erweisen. Die Handlung ist zudem ganz auf Ironie gestimmt; Terence Young spielt vergnügt mit den Klischees der Gattung und mischt munter Bestandteile des Samurai-, Indianer- und Western-Films. Das wird besonders in den Kampfszenen deutlich, in denen Bäche von Blut fließen und der Samurai mit seinem Schwert fast eine akrobatische Vorstellung gibt.

Die Sentimentalität der Schlussszenen ist durch bewusstes Arrangement geschickt aufgefangen. Durch den durchgehenden parodistischen Zug verliert auch die Verzeichnung der Indianer an Gewicht. – Dieser Film beweist, dass der Unterhaltungsanspruch des Publikums und kommerzielle Interessen sich sehr wohl vereinbaren lassen, ohne dass man auf das Niveau von Lümmel- und Paukerfilmen absinkt.«

-er, Film-Dienst FD 17 541

DAS FILMJAHR 1972

ITALO-WESTERN-FILMSTARTS IN DEUTSCHEN KINOS 1972

* Per una bara piena di dollari (Adios Compañeros) – Regie: Demofilo Fidani – BRD-Start: 7.1.1972
* Testa t'ammazzo, croce ... sei morto, mi chiamano Alleluja (Man nennt mich Halleluja) – Regie: Giuliano Carnimeo – BRD-Start: 4.2.1972
* Padella calibro 38 (Bratpfanne Kaliber 38) – Regie: Antonio Secchi – BRD-Start: 8.2.1972
* Continuavano a chiamarlo Trinità (Vier Fäuste für ein Halleluja) – Regie: Enzo Barboni – BRD-Start: 25.2.1972
* Les pétroleuses (Petroleum-Miezen) – Regie: Christian-Jaque – BRD-Start: 25.2.1972
* Giù la testa (Todesmelodie) – Regie: Sergio Leone – BRD-Start: 2.3.1972
* Saranda (Dein Leben ist keinen Dollar wert) – Regie: Manuel Esteba, Antonio Mollica – BRD-Start: 7.4.1972
* Starblack (Django – schwarzer Gott des Todes) – Regie: Giovanni Grimaldi – BRD-Start: 7.4.1972
* Viva la muerte ... tua! (Zwei wilde Compañeros) – Regie: Duccio Tessari – BRD-Start: 12.4.1972
* Amico, stammi lontano almeno un palmo ... (Ben und Charlie) – Regie: Michele Lupo – BRD-Start: 28.4.1972
* È tornato Sabata ... hai chiuso un'altra volta! (Sabata kehrt zurück) – Regie: Gianfranco Parolini – BRD-Start: 18.5.1972
* Blindman (Blindman, der Vollstrecker) – Regie: Ferdinando Baldi – BRD-Start: 8.6.1972
* Gli fumavano le Colt ... lo chiamavano Camposanto (Ein Halleluja für Camposanto) – Regie: Giuliano Carnimeo – BRD-Start: 9.6.1972
* Si può fare ... amigo! (Halleluja ... Amigo) – Regie: Maurizio Lucidi – BRD-Start: 9.6.1972
* Anda muchacho, spara! (Knie nieder und friß Staub) – Regie: Aldo Florio – BRD-Start: 23.6.1972
* Giù le mani ... carogna! – Django Story (Halleluja pfeift das Lied vom Sterben) – Regie: Demofilo Fidani – BRD-Start: 23.6.1972
* La vendetta è un piatto che si serve freddo (Drei Amen für den Satan) – Regie: Pasquale Squitieri – BRD-Start: 23.6.1972
* Trinità e Sartana figli di ... (Ein Hosianna für zwei Halunken) – Regie: Mario Siciliano – BRD-Start: 11.8.1972
* Uomo avvisato mezzo ammazzato ... parola di Spirito Santo (Ein Halleluja für Spirito Santo) – Regie: Giuliano Carnimeo – BRD-Start: 29.8.1972
* W Django (Ein Fressen für Django) – Regie: Edoardo Mulargia – BRD-Start: 15.9.1972
* ... e poi lo chiamarono il magnifico (Verflucht, verdammt und Halleluja) – Regie: Enzo Barboni – BRD-Start: 28.9.1972
* Dove si spara di più (Glut der Sonne) – Regie: Gianni Puccini – BRD-Start: 6.10.1972
* Sei già cadavere amico ... ti cerca Garringo! (Zwei Halleluja für den Teufel) – Regie: Juan Bosch – BRD-Start: 6.10.1972
* Roy Colt e Winchester Jack (Drei Halunken und ein Halleluja) – Regie: Mario Bava – BRD-Start: 13.10.1972
* Il West ti va stretto amico... è arrivato Alleluja (Beichtet Freunde, Halleluja kommt) – Regie: Giuliano Carnimeo – BRD-Start: 20.10.1972
* La collera del vento (Der Teufel kennt kein Halleluja) – Regie: Mario Camus – BRD-Start: 20.10.1972
* La banda J. & S. cronaca criminale del Far West (Die rote Sonne der Rache) – Regie: Sergio Corbucci – BRD-Start: 24.11.1972

ITALO-WESTERN-FILMSTARTS IN DEUTSCHEN KINOS 1972

* Joe l'implacabile (Vier Halleluja für Dynamit-Joe) – Regie: Antonio Margheriti – BRD-Start: 30.11.1972
* Una ragione per vivere e una per morire (Sie verkaufen den Tod) – Regie: Tonino Valerii – BRD-Start: 27.12.1972
* Alleluja e Sartana figli ... di Dio (100 Fäuste und ein Vaterunser) –
Regie: Mario Siciliano – BRD-Start: 29.12.1972
* Il grande duello (Drei Vaterunser für vier Halunken) – Regie: Giancarlo Santi – BRD-Start: 29.12.1972
* La vita a volte è molto dura, vero Provvidenza? (Providenza! Mausefalle für zwei schräge Vögel) –
Regie: Giulio Petroni – BRD-Start: 29.12.1972

Bud Spencer und Terence Hill in »Continuavano a chiamarlo Trinità«

CONTINUAVANO A CHIAMARLO TRINITÀ

Vier Fäuste für ein Hallelujah (Regie: Enzo Barboni)

Italien 1971
Erstaufführung in Italien: 21. Oktober 1971
Deutscher Start: 25. Februar 1972

Besetzung: *Terence Hill [Mario Girotti] (Trinity, in der deutschen Fassung der »müde Joe«), Bud Spencer [Carlo Pedersoli] (Bambino, in der deutschen Fassung »der Kleine«), Yanti Sommer (Trinitys Freundin), Enzo Tarascio (Sheriff), Harry Carey Jr. (Der Vater), Pupo De Luca (Alter Mönch), Jessica Dublin (Farrah, die Mutter), Enzo Fiermonte (Führer der Wanderfamilie), Franco Ressel (Maitre D'), Riccardo Pizzuti (Führer der Dallas Pistoleros), Benito Stefanelli (Stingary Smith), Gérard Landry (Lopert), Gigi Bonos (Barkeeper), Gildo Di Marco (von den Mönchen verletzter Peon), Dana Ghia, Emilio Delle Piane, Tony Norton [Alfio Caltabiano], Fortunato Arena, Jean Louis, Adriano Micantoni, Gilberto Galimberti, Bruno Boschetti, Vittorio Fanfoni*

Inhalt: Die beiden Brüder »müder Joe« und der »Kleine« streben einzeln, abgerissen, den Geiern und Sheriffs entkommen, dem elterlichen Schlupfwinkel, einer heruntergekommenen Ranch, zu. Ihre brüderliche Zuneigung hat seit dem Vorfall eher noch abgenommen. Vater und Mutter sind »tief bekümmert« ob der Misserfolge ihrer Söhne. Dabei haben beide so gute Anlagen. Der eine versteht etwas von Pferden, der andere

von Spielkarten, und was Fäuste und Colts angeht, sind sie beide unschlagbar. Wo immer sie auftreten, fliegen die Fetzen. Auf dem Sterbebett verlangt der einen Herzanfall vortäuschende Vater vom »Kleinen« als dem älteren Bruder, dass er auf den jüngeren »müden Joe« zukünftig besser aufpasst. Beide müssen ihm versprechen, der Familie keine Schande zu machen und gute Banditen zu werden, auf deren Ergreifung hohe Prämien ausgesetzt sind.

Und so ziehen sie los. Sie finden aber sehr schnell heraus, dass es gar nicht so leicht ist, das Versprechen in die Tat umzusetzen. Ihr erster Versuch eines Überfalls auf einen Farmerwagen endet damit, dass sie nicht nur keine Beute machen, sondern der Farmersfamilie noch von ihrem eigenen wenigen Geld schenken, und um sich nicht zu blamieren, insbesondere der attraktiven Farmerstochter gegenüber, sich als »verkleidete Regierungs-Agenten« ausgeben. In Tascosa, einem kleinen Western-Nest, lässt sich die Sache schon besser an. Der »müde Joe« zeigt einer Meute übler Falschspieler, was eine Harke ist, und gemeinsam mit dem »Kleinen« zieht er ein Feuerwerk ab, an das alle noch lange denken werden. Als kleine Dreingabe ist auch noch ein wenig Geld abgefallen. Von diesem Eingreifen »verkleideter Regierungs-Agenten« erhält ein gewisser Parker Kenntnis, der in der Gegend die Fäden zieht und das große Geld absahnt. Parker unternimmt es, unsere Freunde zu bestechen,

Terence Hill lässt sich nicht unterkriegen

»So isst man vornehm!«

damit sie alle vier Augen schließen, wenn sie auf anrüchige Geschäfte stoßen, was ihnen nicht schwer fällt bei einem Angebot von 1000 Dollar pro geschlossenem Auge. Der »müde Joe« und unser »Kleiner« fühlen sich nicht besonders wohl in ihrer neuesten Rolle als Hüter und Beschützer des Rechts; sehen sie sich doch erneut daran gehindert, ihr Versprechen zu erfüllen. Ihre unfreiwillige neue Rolle führt sie in die Mission San Domingo. Dort sollen seltsame Dinge passieren, und neugierig wie sie sind, geraten sie mitten hinein in die Geschäfte, vor denen sie – wie Parker versprochen – die Augen schließen sollen. Ihr Versuch, den Klosterbrüdern zu helfen und gleichzeitig dem Lumpen Parker die fette Beute abzujagen, gelingt zwar zunächst, aber schließlich ist das Geld doch futsch, als echte Ranger auftauchen und sich für die seltsamen »Regierungs-Agenten« interessieren, deren einer eine verdammte Ähnlichkeit mit einem steckbrieflich gesuchten Pferdedieb hat.

So geht es ihnen eben wie dem Fuchs, dem die Trauben zu hoch hängen. Vielleicht klappt es beim nächsten Mal. Inzwischen will sich der »müde Joe« mit einem Mädchen trösten und unser »Kleiner« schwört, nie mehr mit einem solchen Blindgänger von Bruder zusammenzuarbeiten.

Film: Hier handelt es sich um die noch erfolgreichere Fortsetzung des Überraschungserfolges »Lo chiamavano Trinità« (»Die rechte und die linke Hand des Teufels«) des vormaligen Kameramannes Enzo Barboni unter seinem Pseudonym E. B. Clucher. Wieder sind es die beiden bereits aus den Filmen Giuseppe Colizzis bekannten Darsteller Bud Spencer und Terence Hill, die hier zum zweiten Mal ihr komödiantisches Talent zum Besten geben. Wie bereits die Erstlingskomödie wurde auch dieser Film in der näheren Umgebung von Rom gedreht. Die Musik zu diesem Film stammt diesmal von den Brüdern Guido und Maurizio De Angelis, die später noch unter ihrem Pseudonym Oliver Onions Berühmtheit erlangen sollten.

Presse: »Während die deutschen Fernsehanstalten nicht müde werden, Uropas Western von Howard Hawks, John Ford und Kollegen zu exhuminieren, exerzieren die Italiener vor, was ein moderner Western ist. Den harten Djangos folgt nun die Parodie. Terence Hill (der Mario

»Jetzt wird mal richtig aufgeräumt!«

371

Terence Hill und Bud Spencer als Mönche

Girotti hieß, bevor er Django wurde) und Bud Spencer sorgten bereits als »Die rechte und die linke Hand des Teufels« für gute Kassen – hier sind sie als Western-Gaudi-Gespann noch stärker. Eine breit verzahnte Geschichte bietet eine Menge Komik im Detail. Das ist Klamauk mit Tempo. Das ist Kino 1972. Das ist Film, wie ihn nur das Kino bietet. Das Fernsehen schaut hier mit seinen Oldtimer-Westernkunst-Kamellen in die Röhre.«

E.W. Länger,
Filmecho/Filmwoche Heft 15, 1972

»Nachdem sich die blutschnaubenden Djangos endlich doch totgelaufen haben, erweckt sie die italienische Filmindustrie jetzt als charmante Ritter der Nächstenliebe zu neuem Leben. ›Sie nannten ihn Trinität‹ (Originaltitel) spielte Milliarden Lire ein und auch mit dem deutschen Titel ›Vier Fäuste für ein Halleluja‹ (in Religion sind die Italiener einfach führend!) wird er die Lacher auf seiner Seite haben. Auf eine übergreifende Geschichte, die ihm Tempo und Grund gäbe, verzichtet der Film und begnügt sich mit Episoden, die mehr gefällig als unbedingt logisch aneinander gehängt sind. Zwei Brüder sind die Helden, der ›Müde Joe‹, ein schlaksiger Gentleman-Typ, mimt immer erst den Unerfahrenen, bevor er nachlässig bravourös seinen Gegner

überrumpelt. Ihn, den Vater und Mutter für ahnungslos halten, soll sein ›angeblicher‹ Bruder, der ›Kleine‹, ein Mordskerl und gelernter Viehdieb, in das Geheimnis des Berufes einweihen. Allein schon dieses ungleiche Paar sammelt in seiner vertrottelten, doch überlegen schlagfertigen Art emotionale Identifikationen der Zuschauer ein. Als Geheimagenten wider Willen geraten sie zufällig auf einen Mr. Parker und seine Bande, die einen schwunghaften Waffenschmuggel betreiben. Seinen Humor bezieht der Film aus drei- bis viermaligen Wiederholungen wie aus direkten, kunstvollen Gags. Wenn der ›Müde Joe‹ den gefürchteten Falschspieler Wild Cat mit dessen eigenen Waffen schlägt und ein wahres Furioso von Kartenmischen hinlegt, den verdutzten Meister anschließend auch noch in einer Doppelarie von Ohrfeigen und Colt-Ziehen vollends vom Thron holt, dann strapaziert das schon das Zwerchfell. Das andere Register für seine Witze ist das der Reprisen: Jedes Mal, wenn die vier Banditen zu Beginn des Films sich in der Vorderhand fühlen, müssen sie die Arme lüften, geht ihre Suppe flöten.

Jedes Mal, wenn die drei Parkerschufte gerade aus der Zelle verduften wollen, schiebt der Kleine sie wieder rein, usw. Das ist nicht gerade intelligent, aber handwerklich so perfekt gemacht, dass man einfach lachen muss. Kein Blutstropfen im ganzen Film, kein echter Crime, kein Sex. Das ist zwar erstaunlich, doch nur die Umkehrung der alten Gattung: die Pistolen werden erst abgelegt, bevor die Keilerei anhebt, und das Geld wird nicht geklaut, sondern der ›Müde Joe‹ gibt alles zurück, den Armen darüber hinaus noch Almosen, zum argen Verdruss des Kleinen, dessen Geld es ist.

Diese selbstironische Leichtigkeit macht den gewiss nicht anspruchsvollen Film vergnüglich und verfremdet seine problemlose Scheinwelt in angemessener Weise.«

Christoph Wrembek,
Film-Dienst FD 17 729

GIÙ LA TESTA

Todesmelodie (Regie: Sergio Leone)

Italien 1971
Erstaufführung in Italien: 29. Oktober 1971
Deutscher Start: 2. März 1972

Besetzung: *James Coburn (Sean Mallory), Rod Steiger (Juan Miranda), Maria Monti (Adolita), Rik Battaglia (Santerna), Franco Graziosi (Gouverneur Don Jamie), Romolo Valli (Dr. Villega), Antoine Saint-John (Guttierez), David Warbeck (Seans Freund), Roy Bosier (Landeigentümer), John Frederick (Amerikaner), Michael Harvey (Yankee), Biagio La Rocca (Benito), Vincenzo Norvese (Pancho), Amelio Perlini (Peon), Goffredo Pistoni (Niño), Renato Pontecchi (Pepe), Jean Rougeul (Priester), Corrado Solari (Sebastian), Antonio Casale (Notar), Nino Casale (Anwalt), Franco Collace (Napoleon), Aldo Sambrell (Mit-*
glied des Erschießungskommandos), Domingo Antoine, Vivienne Chandler, Giulio Battiferri, Poldo Bendandi, Omar Bonaro, Amato Garbini, Furio Meniconi, Nazzareno Natale, Stefano Oppedisano, Benito Stefanelli, Franco Tocci, Rosita Torosh, Anthony Vernon, Sergio Calderón

Inhalt: Es erscheint ein Mao-Zitat (»Die Revolution ist kein Festessen ...«). Während der Vorspann läuft, hält Juan, ein Peon (Rod Steiger), nachdem er gegen einen Baum gepinkelt hat, auf einer Landstraße eine Postkutsche an. Die Männer der Begleitung durchsuchen ihn sorgfältig, kassieren das Fahrgeld und lassen ihn zuerst widerwillig einsteigen. Im Innern der prächtig ausgestatteten Kutsche fordern die Insassen (ein Priester, eine elegante Frau, ein Amerikaner ...) Juan, um ihn zu demütigen, auf, auf einem Trittbrett Platz

Rod Steiger erklärt seiner Gefangenen, wie man Kinder macht

zu nehmen und spotten über die sexuellen Gebräuche und die revolutionären Ambitionen der Bauern. Die Kutsche muss an einer Steigung vor einem Haus langsamer werden; einige Peones gleiten unter das Fahrzeug, blockieren die Räder, machen die Pferde los und massakrieren die Begleiter.

Es sind die Söhne und der alte Vater von Juan. Ein Passagier, der versucht, die Pistole zu ziehen, wird getötet. Die Frau, von Juan hinter das Haus gezogen, sieht den Grausamkeiten der Mexikaner mit affektierter Miene zu und wird dann von ihm vergewaltigt. Alle Reisenden, ihrer Habe und ihrer Kleidung entledigt, besteigen einen Wagen, der den Weg herunterkommt, und landen im Schweinepfuhl. Jetzt sitzen Juan und seine Angehörigen in der Kutsche; sie müssen plötzlich anhalten wegen eines Steinschlags, der durch eine Explosion ausgelöst wurde. Das ist das Werk von Sean (James Coburn), einem irischen Terroristen, der sich im Umgang mit Dynamit übt. Er ist auf dem Motorrad unterwegs und besitzt einen mit Dynamit gefütterten Mantel. Zwischen den beiden spielt sich eine Kette von lautstarken Kraft-

proben ab. Der Mexikaner trifft einen Reifen von Seans Motorrad, während dieser das Kutschendach mit Nitroglyzerin durchlöchert. Nachdem er eine weitere Demonstration versprochen hat, erreicht er, dass sein Reifen geflickt wird. Einer von Juans Söhnen versucht seinerseits, das Dynamit anzuwenden, stellt sich jedoch ungeschickt an und fliegt in die Luft.

Die beiden essen im Freien auf den prunkvollen Sesseln der Kutsche. Sean schwelgt in Erinnerungen, Rückblende. *Ein Ausflug im Auto in Irland. Die Ausflügler, Sean, ein Freund und ein Mädchen, sind bester Laune.*

Juan hat andere Dinge im Kopf und schlägt dem Gast vor, sich zu verbünden, um die berühmte Bank von Mesa Verde zu überfallen. Sean lehnt das Angebot ab und fährt mit dem Motorrad fort; der wütende Mexikaner schießt auf den Tank, während der andere zur Vergeltung die Kutsche sprengt; dann macht er sich zu Fuß zu seinem Ziel auf – zu einem Silberminenbesitzer, der ihn als Minensucher engagiert hat.

Eines Nachts hält Sean, der sich in der Nähe eines verlassenen Forts befindet, die Schatten,

James Coburn und Rod Steiger

Rod Steiger als unfreiwilliger mexikanischer Revolutionär Juan Miranda

die sich in den Ruinen bewegen, irrtümlich für die von Juan und seinen Genossen; er legt daher Sprengstoff rings um das Gebiet aus und will ihn explodieren lassen, doch erscheint Juan hinter ihm und tritt auf die Sprengkapsel: Im Fort waren der Minenbesitzer und einige Soldaten, vom Mexikaner dorthin gelockt. Nun ist Sean arbeitslos geworden und, von der Justiz gesucht, gezwungen, sich den Räubern anzuschließen. Die Bande reitet an den Eisenbahngleisen entlang; als sie durch einen vorbeifahrenden Zug für einige Minuten getrennt werden, nutzt Sean die Gelegenheit und verschwindet.

Juan und seine Söhne reisen nachts in einem Eisenbahnabteil; neben ihnen ist Dr. Villega (Romolo Valli) in die Lektüre vertieft. Ein Polizist, der den Banditen wiedererkennt, wird von Juan niedergestochen und aus dem Zug geworfen; ein zweiter Beamter greift ein und hebt die Hände hoch, doch der Polizist muss sich bald ergeben: Villega hält ihm eine Pistole in den Rücken. So wirft der Räuber auch die zweite Wache aus dem Zugfenster. Die Bande steigt am Bahnhof von Mesa Verde aus. Die Straßen sind voll von Militär, es ist ein Kommen und Gehen von Soldatentrupps und Abteilungen, während der Gouverneur auf Plakaten, mit denen die Stadt tapeziert ist, gütig Brot und Gerechtigkeit verspricht.

Ein Mann, der den Soldaten zu entfliehen versucht, läuft auf Juan zu und bricht, getroffen von einer Kugel, in dessen Armen zusammen; der Bandit begreift, dass er der Erschießung von drei politischen Gefangenen beiwohnt. Dann trifft er Sean in einem Lokal gegenüber der Bank.

Rückblende: *Seans irischer Freund verteilt eine revolutionäre Zeitung in einem Dubliner Pub.* Rückkehr zur Gegenwart. Sean führt den Me-

xikaner in einen Kellerraum des Gasthofs, der als Zuflucht der Verschwörer dient. Villega wird gerade mit der Behandlung eines Peons fertig und gibt den Plan für den allgemeinen Aufstand bekannt: Juan soll die Bank überfallen. Der Gauner willigt gern ein in der Absicht, sich mit der Beute davonzumachen.

Am Tag der Rebellion lässt Sean vom Lokal aus das Tor der Bank mit einer Ladung Dynamit in die Luft fliegen, die in einem Spielzeugzug versteckt war, der einer von Juans Söhnen bis unter das Gebäude gezogen hat. Der Mexikaner führt die Männer in die Bank, doch findet er in den Tresoren anstelle des Goldes Dutzende von politischen Gefangenen vor, die ihn als Held der Revolution feiern, was ihn jedoch nicht über die in Rauch aufgelöste Beute hinwegzutrösten scheint. In einem Wüstengebiet fährt Gunther Reza/Gutierrez, ein teutonischer Führer der Truppen von Huerta, in einem Panzer an der Spitze einer Kolonne von Soldaten.

Im Lager der Aufständischen ruhen sich Sean und Juan im Schatten eines Zeltes aus. Der Mexikaner klagt bitter und zornig über die Sinnlosigkeit von Revolutionen. Die Militärkolonne erreicht das Lager, das die Aufrührer vor kurzer Zeit verlassen haben.

Die Rebellen entziehen sich der Verfolgung, indem sie in den Höhlen von San Ysidro unterkommen. Sean und Juan hingegen erwarten die feindliche Abordnung von der Höhe eines Abhangs aus, der eine Brücke überragt. Der Ire vertreibt sich die Wartezeit mit einem Nickerchen, und der Mexikaner schäumt vor Wut angesichts dieses Phlegmas. Kaum haben die Huertisten die Brücke erreicht, werden sie von den beiden beschossen, bis sie sich unter die Brücke retten.

Nun stellt Sean das Feuer ein, stopft sich Watte in die Ohren und sprengt die Brücke, indem er eine Sprengkapsel betätigt. Nur Gutierez, kochend vor Wut, kann sich retten.

In den Höhlen von San Ysidro entdecken Juan und Sean die Leichen der Aufständischen: Es sind der Vater und alle Söhne des Mexikaners. Juan reißt sich das Kettchen mit dem Kreuz vom Hals und ergreift, jegliche Vorsicht außer Acht lassend, das Maschinengewehr und stellt sich den Soldaten entgegen, die ihn sehr bald gefangen nehmen. In der Nacht findet auf einem regengepeitschten und von den Scheinwerfern der Militärlastwagen erleuchteten Hof die Erschießung einiger Verschwörer statt, die zuerst vor dem LKW von Gutierrez vorbeigehen müssen: Neben ihm sitzt Dr. Villega, der mit völlig zerschundenem Gesicht die Gefangenen identifiziert.

In der kleinen Zuschauermenge befindet sich Sean, der Villega wiedererkennt und sich an eine ähnliche Szene in einem Dubliner Pub erinnert.

Rückblende. *Die englische Polizei stürmt in das Lokal, und Seans Freund, mit verschwollenem Gesicht, identifiziert verschiedene Stammgäste: Als Sean an der Reihe ist, dreht er sich um und erschießt ihn mit dem in einer Zeitung versteckten Gewehr.*

Gegenwart. Die Verurteilten fallen im Bleihagel; ein Offizier tötet jeden Einzelnen mit der Pistole. Am folgenden Tag soll Juan im Hof einer Kaserne erschossen werden, als der Ire die Abteilung mit Dynamit überfällt und mit dem Verurteilten auf dem Motorrad flieht.

In der Nähe der Eisenbahn findet eine Massenhinrichtung von politischen Gefangenen statt. Huertas Niederlage steht bevor, und am Bahnhof gibt es ein großes Gedränge beim Warten auf den Zug in die Vereinigten Staaten. Nicht alle können einsteigen: Ein Militär, der seine Uniform unter einem Zivilmantel verborgen hat, wird zusammen mit zwei Gefangenen von hinten erschossen. Juan und Sean, versteckt im Viehwaggon, schwärmen bereits von grandiosen Raubzügen in der Heimat des Dollars. Der Letzte, der einsteigt, ist der Gouverneur, der auf den Plakaten abgebildet war. Während Sean einen wilden Hahn erwürgt, der ihn mit seinem Lärm im Schlaf gestört hatte, wird der Zug durch einen Lieferwagen aufgehalten, der auf den Schienen abgestellt ist: Die Aufständischen gehen zum Angriff über. Der Gouverneur, der sein Heil in der Flucht sucht, geht in den Viehwagon und fällt beiden in die

Hände. Juan kommen die Bilder seiner ermordeten Angehörigen in den Sinn, doch als der Flüchtling ihm eine Tasche voller Schmuck anbietet, wenn er ihn am Leben lässt, scheint er von dem Anblick des Inhalts völlig fasziniert zu sein. Der Gouverneur nutzt dies aus, um die Seitentür zu öffnen, und erst jetzt entschließt sich Juan, ihn mit zwei Schüssen in den Rücken zu töten.

Er möchte mit der Beute die Grenze erreichen, aber die Rebellen, die Sieger der Schlacht, erklären ihn zum Helden und bereiten ihm einen Triumphzug. Im fahrenden Zug, in dem zum Hauptquartier der Aufständischen umfunktionierten Wagon, denkt man darüber nach, wie man den Huerta-Zug anhalten könne, der sie bald eingeholt haben wird. Sean schlägt vor, mit Dynamit zu arbeiten; um seinen Plan durchzuführen, reiche ihm ein einziger Mann, Dr. Villega. Im Militärzug putzt sich Gutierrez die Zähne.

Es ist Nacht. Villega, mit Sean allein in der fahrenden Lokomotive, versteht, dass Sean von seinem Verrat weiß und bittet ihn, ihm zu verzeihen.

Der Ire erinnert sich (in der Rückblende) *an den Ausgang der Episode im Pub, bei der er nicht nur die Polizisten erschoss, sondern auch seinen Freund, der unter der Folter geredet hatte.*

Diese Tat muss ihn viel gekostet haben, denn nun verzichtet er darauf, den Arzt auf dieselbe Weise zu bestrafen. Die mit Dynamit beladene Lokomotive fährt auf den Militärzug zu. Sean macht die Zündung scharf und springt ab, während Villega den Heldentod sterben will.

Die Züge stoßen zusammen und fliegen in die Luft. Die hinter den Bewässerungsanlagen versteckten Rebellen nehmen den Kampf gegen die Überlebenden auf. In der Schlacht wird Sean

James Coburn als irischer Freiheitskämpfer Sean Mallory

Eines von Juan Mirandas Kindern begutachtet den Iren

von Gutierrez in den Rücken getroffen; um ihn zu rächen, schießt Juan den Militär mit Maschinengewehrsalven nieder, dann wütet er gegen die Leiche, die er durchsiebt und herumrollen lässt. Der sterbende Ire sagt Juan die Ernennung zum General vorher, gibt ihm die Kette mit dem Kreuz wieder und bringt, während der andere sich entfernt, um Hilfe zu holen, den Sprengstoff, den er bei sich trägt, zur Explosion. *Kurz vorher erinnert er sich in einer Rückblende noch einmal an eine Episode aus seiner irischen Vergangenheit.*

Die Nachspanntitel laufen über Juans Gesicht, das in einem Ausdruck von Bestürzung erstarrt. »Und ich?«

Film: Dieser Film stellt den zweiten Teil von Leones Amerika-Trilogie dar. Der erste war der in Mitteleuropa unwahrscheinlich erfolgreiche Western-Klassiker »C'era una volta il West« (»Spiel mir das Lied vom Tod«), der abschließende Teil sollte dann Sergio Leones letzter Film »C'era una volta in America« (»Es war einmal in Amerika«) werden, ein klassisches Gangsterdrama von epischen Proportionen.

Zuerst plante Sergio Leone, die Regie dieses Films Peter Bogdanovich anzuvertrauen, dann Sam Peckinpah und schließlich Giancarlo Carlini, einem früheren Assistenten Leones. United Artists und vor allem die Darsteller James Coburn und Rod Steiger drängten ihn jedoch dazu, wieder selber die Regie zu übernehmen. Ursprünglich waren für die Rolle des irischen Freiheitskämpfers Malcolm McDowell und des unfreiwilligen mexikanischen Revolutionärs Jason Robards vorgesehen. Schon das einführende Zitat Mao Tse-tungs weist auf die brutalen Geschehnisse der Revolution hin, die kommen werden. Das Thema der Revolution wird schon in der ersten Szene des Films deutlich, in der der mexikanische Kleinganove Juan Miranda eine riesige Postkutsche betritt, in der einige Leute der »besseren« Gesellschaft reisen und ihn verspotten. Leone benutzt hierbei seine bewährten kurzen Einstellungen von Nahaufnahmen, die den Rassismus dieser Leute verstärkt zur Geltung kommen lassen. Die Situation dreht sich um 180°, als die Postkutsche schließlich von Juans Familie gestoppt und ausgeraubt wird, die arrogante Frau von Juan vergewaltigt und dann zusammen mit den restlichen Passagieren der »besseren« Gesellschaft nackt in einen Schweinepfuhl geworfen wird. Die beiden Hauptdarsteller porträtieren zwei gegensätzliche Figuren der Revolution, den Intellektuellen und den Banditen. Aus diesem Grund ist es auch kein Zufall, dass beide denselben Namen haben, denn Juan ist das spanische Äquivalent von Sean. Die abenteuerlichen Ereignisse lassen die beiden Männer immer ähnlicher werden, beide wandeln sich. Eine der besten Szenen des Films ist die Rückblende, in der sich James Coburn an die Situation des Mordes eines Verräters in seiner früheren Heimat Irland erinnert und sie mit dem verräterischen Doktor Villega vergleicht, gleichzeitig wunderbare und schmerzliche Sze-

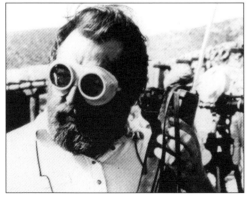

Sergio Leone während der Dreharbeiten

Sergio Leone erklärt James Coburn die nächste Szene

Massenhinrichtung in Mexiko, gefilmt in Guadix

nen. Auch die Szene in der regnerischen Nacht, in der Villega seine rebellischen Freunde denunziert und dadurch zum Tode verurteilt sowie die lange dramatische Szene in der Höhle, in der Juan seine ermordete Familie wiederfindet, gehören zum Besten, was der italienische Revolutionswestern je hervorgebracht hat. Die wunderschöne Musik stammt wie üblich vom Meister dieses Genres Ennio Morricone und ist melancholischer als in seinen anderen Filmen. Ein weiteres Meisterwerk vom König dieses Genres.

Presse: »Der Film spielt in Mexiko während des Revolutionsjahrzehnts, das 1910 der langjährigen Diktatur von Porfirio Diaz folgte. Hauptpersonen sind zwei Outsider des politischen Geschehens: Ein primitiver Wegelagerer, der mit seinen halbwüchsigen Söhnen – einige sind noch Kinder – den Reichen auflauert und sie notfalls auch ermordet, und ein revolutionserfahrener Ire, der aus seiner Heimat die Kunst im Umgang mit Nitroglyzerin und Dynamit und offenbar auch einen schier unerschöpflichen Vorrat an diesen Sprengstoffen mitgebracht hat. Am Ende ist der Bandit allein. Seine Kinder sind tot und der Fremde, mit dessen Hilfe er in den USA ein Bank-

räuber großen Stils werden wollte, ebenfalls. Die Revolution geht weiter. Dass sie schließlich versandete, steht in den Geschichtsbüchern.

Sergio Leone standen für diesen Film große, man möchte fast sagen zu große Mittel zur Verfügung. Sie haben ihn dazu verführt, das Töten und Sterben zur Superschau werden zu lassen. Wenn die Regierungstruppen die Zivilisten massakrieren, kann die Strecke der Toten für die Kamera gar nicht lang genug sein. Wenn es den Soldaten an den Kragen geht, scheint es den Pyrotechnikern darum zu gehen, das größte Brillant-Feuerwerk aller Filmzeiten abzubrennen.

Nun sei nicht bestritten, dass es einem erheblichen Teil des Publikums, mit dem ein solcher Film in erster Linie zu rechnen hat, auf der Bildwand nicht wild und turbulent und blutig genug zugehen kann. Nur kommt es bei der Produktion solcher Filme darauf an – nehmen wir den Film ›Das Wiegenlied vom Totschlag‹ als positives Beispiel –, für die Empfindsamen und Nachdenklichen im Parkett die Brutalität nicht als Spekulation erscheinen zu lassen. Aber auch diejenigen, die auf diverse hundert Tote hätten verzichten können, werden von den schauspielerischen Leistungen Rod Steigers und James Coburns beeindruckt sein. Rod

Kurz vor seiner tödlichen Verwundung: Sean Mallory

Steiger steht stellvertretend für Millionen seiner Landsleute, für die das ganze Leben nichts weiter ist als der Kampf um das tägliche Stück Brot. Dieser Juan Miranda war bisher klug genug, für sich und die Seinen gut zu sorgen; er ist zu alt, vielleicht auch zu zufrieden mit seinem Dasein, um für revolutionäre Parolen empfänglich zu sein. Seinen Gegenspieler lässt James Coburn zu einem Mann werden, der von einem schmerzlichen Erlebnis im Kampf um die Freiheit Irlands nicht loskommt. Er ist ein Einzelgänger geworden, der sein Wissen und schließlich auch sein Leben einer Sache opfert, die ihn zum Mitmachen herausfordert, ohne dass sie ihn innerlich berühren könnte. Die Leistungen Rod Steigers und James Coburns und damit auch die Kunst Sergio Leones, Schauspieler durch große wie durch kleine Rollen wirksam und sicher zu führen, werden auch von denen anerkannt werden, von denen aus der Film eine Dollarmillion weniger hätte zu kosten brauchen.«

Georg Herzberg,
Filmecho / Filmwoche Heft 15, 1972

»Es gibt nur einen Italo-Western, dessen Erzählökonomie nicht von seinen Produktionsbedingungen bestimmt wurde, der einen Stil, der aus materieller Verlegenheit entstand, stilisierte und im materiellen Überfluss anwandte und so zeigte, was aus einem Genre hätte werden können, hätte man es ernst genommen und nicht Raubbau mit ihm getrieben: ›Spiel mir das Lied vom Tod‹ von Sergio Leone. Sein neuester Film heißt ›Todesmelodie‹ und wurde mit einem ähnlichen finanziellen Aufwand hergestellt, doch diesmal kam nur ein teurer Italo-Western heraus mit dem zweifelhaften Superlativ, in zelebrierenden Kranfahrten die wahrscheinlich größten Massenerschießungen der Filmgeschichte zu zeigen.

Ein Revolutionsfilm mit James Coburn als Revolutionär und Rod Steiger als Vater einer Banditensippe, der von Coburn hereingelegt und so zum unfreiwilligen Volkshelden wird. In der Bank, die er berauben wollte, befanden sich nur politische Häftlinge. Und dann folgt die Bekehrung des Banditen zum Revolutionär, seine Wandlung vom individuellen zum klassenbewussten Widerstand, und das Maozitat, mit dem der Film beginnt und das besagt, dass Revolution kein Deckchensticken ist, bekommt seine Illustration in Genrebildchen.

Der Revolutionär und der Söldner, Theorie und Praxis, das konnte man schon einmal in

379

einem Italo-Western sehen, in Corbuccis ›Mercenario‹, einem rasanten, immer überraschenden, fast dialektisch zu nennenden Film, der manchmal an Godard erinnert, etwa dann, wenn er den Klassenkampf am Körper einer nackten Frau erklärt. Doch nichts davon findet sich in der ›Todesmelodie‹ wieder. Leone ersetzt Witz durch Sentimentalität und erzählt in bombastischen Bildern eine schlampige Geschichte.«

Klaus Bäderkerl,
Filmkritik 06/1972

›Die Revolution ist kein Galadiner, auch kein literarisches Fest. Die Revolution ist ein Akt der Gewalt!‹ Dieses Wort Mao Tse-tungs stellt Sergio Leone, ›der Vater des Italo-Westerns‹, seinem neuen Film voran, der nicht nur im Titel Gedankenverbindungen zu seinem Vorgänger ›*Spiel mir das Lied vom Tod*‹ (fd 16296) schaffen soll. Mit seinen›Dollar‹-Filmen ist Leone bekannt geworden. Mit seiner Todesliedballade erwirtschaftete er sich endgültig so viel Kredit, dass ihm jetzt ein 3 1/2-Millionen-Dollar-Budget für die ›Todesmelodie‹ zur Verfügung gestellt worden ist.

Mit großem technischen Aufwand werden Massenszenen wie Details bewältigt. Auch in die Ausfeilung der Charaktere ist viel Mühe investiert worden. Bei aller Skrupellosigkeit, Härte und Brutalität, tragen die ›Helden‹ irgendwie menschliche Züge. Am Ende betrauert nicht nur der Ganove seinen Freund. Aber da muss die kritische Distanzierung einsetzen. Die Farbigkeit der Schauelemente, die sympathische Zeichnung der Revolutionäre, die Choreographie der Kampfhandlungen, die ansprechende Musik, der unterkühlte Humor – das alles schläfert Ansätze zur Kritik ein. Unter den Helden gibt es keine positive Identifikationsfigur, aber sie alle haben neben vielem Abstoßenden auch Liebenswertes.

Leone hat diese Vielschichtigkeit offenbar bewusst konstruiert; das Urteil soll dem Zuschauer überlassen bleiben. Aber bei so viel Mut und Männerfreundschaft fällt es nicht leicht, ein klares Urteil zu finden.

Unter diesen Umständen gelingt es selbst der Gewalt – auch in harten Dialogen – nicht mehr zu schockieren. Zwar steht am Ende die Frage nach dem Sinn der Gewalttaten, aber sie hat nach so viel Einebnungseffekten kaum noch die Chance, ins Bewusstsein zu treten.«

Wilhelm Bettecken,
Film-Dienst FD 17 749

Leone sieht sich im Sucher die Sterbeszene von James Coburn an

AMICO, STAMMI LONTANO ALMENO UN PALMO ...

Ben und Charlie (Regie: Michele Lupo)

Italien 1971
Erstaufführung in Italien: 4. Februar 1972
Deutscher Start: 28. April 1972

Besetzung: *Giuliano Gemma (Ben Bellow), George Eastman [Luigi Montefiori](Charlie Logan), Vittorio Congia (Alan Smith), Giacomo Rossi-Stuart (Hawkins, Pinkerton Detektiv), Marisa Mell (Sarah), Luciano Catenacci (Kurt), Remo Capitani (Charro), Nello Pazzafini (Butch), Franco Fantasia (Robbins), Aldo Sambrell (Sheriff Walker), Roberto Camardiel (Betrunkener Sheriff), Chris Huerta (Bank Manager), Giovanni Cianfriglia (Spieler), Tom Felleghy (Spieler), José Manuel Martín (Hausierer), Jorge Rigaud (Priester), Francisco Sanz (Betrogener Spieler), Fabián Conde, Jesús Guzmán, Mario Brega, Antonio Casas, Gioia Desideri, Vittorio Fanfoni, Luis Induni, Carla Mancini*

Inhalt: Ben Bellow, wegen Diebstahls zwei Jahre lang im Gefängnis, trifft nach seiner Entlassung seinen alten Komplizen Charlie Logan. Die Freude Bens, den Mann wiederzusehen, mit dem ihn aufrichtige Freundschaft verbindet, schwindet, sobald er sich bewusst wird, dass dieser nur kam, um eine alte Rechnung zu begleichen. Nach einem Streit fährt Charlie wieder weg. Ben bleibt allein, verliert aber deshalb nicht den Kopf und versucht neuerlich sein Glück im Vertrauen auf seine Intelligenz und die Dummheit der Leute.

Seine Landstreicherei führt ihn aus einem Land in das andere, aus den Zellen in die Saloons. Das Schicksal will es, dass er sich während eines seiner Streiche Charlie wieder gegenüber sieht.

Obwohl diese Begegnung sofort zu einer Rauferei führt, beschließt Charlie, bei dem von Scherereien verfolgten Pechvogel Ben zu bleiben. Sie wollen also gemeinsam dem Glück weiter nachlaufen. Doch Ben ist es nicht gegeben zu warten und er beschließt, eine Bank auszurauben und zieht Charlie ohne dessen Wissen mit hinein. Sie fliehen, und es gelingt ihnen, den vom Sheriff kommandierten Verfolgern zu entkommen, allerdings wirft Charlie das erbeutete Geld weg. Doch die Begegnung mit dem Gesetz ist nur aufgeschoben, sie werden nämlich beide im Hotel, wohin sie sich geflüchtet haben, entdeckt.

Ben gelingt die Flucht, doch Charlie wird verhaftet und soll gehängt werden, da ihm niemand glaubt, dass er das Geld weggeworfen hat. Er erkennt nun, dass der unehrliche Sheriff sich der Beute bemächtigt hat und ihn hängen lassen will, damit er nichts ausplaudern kann. In letzter Minute gelingt es Ben, mit Mut und List Charlie zu befreien und den Sheriff zu töten.

Nun wird es beiden bewusst, dass sie die Grenzen überschritten haben und es kein Zurück mehr gibt. Ihr einziger Weg ist von nun an der der

Charlie Logan und Ben Bellow

Charlie Logan soll gehängt werden, nur Ben Bellow kann ihn davor retten

Gesetzlosigkeit. Sie gründen eine Bande: Zunächst schließt sich ihnen ein Bankbeamter namens Smith an, später drei zwielichtige Gestalten – Kurt, Butch und Charro.

Bald kommt es zwischen ihnen zu Streitereien, in deren Verlauf Ben die Oberhand gewinnt und ein für allemal klarstellt, dass er der Chef ist. Die drei Banditen tun so, als wollten sie dies akzeptieren, doch Charlie misstraut ihnen und rät Ben, auf sie aufzupassen. Doch dieser nennt ihn einen Hasenfuß und beleidigt ihn. Charlie verlässt nach einer Prügelei seinen Freund.

Verärgert beschließt Ben, in dem kleinen, halb verlassenen Städtchen, in dem sich Charlie niedergelassen hat, einen Coup zu starten.

Durch Verrat seiner Komplizen misslingt dieser. Smith wird getötet, Ben verwundet. Wieder kommt Charlie Ben zu Hilfe, er versteht jedoch die Gefühle seines Freundes und lässt ihn allein seine Rache ausüben. Nach einem erbitterten Duell gelingt es Ben, die Verräter zu töten.

Durch das Eintreffen der Polizei werden die beiden Freunde zu einer überstürzten Flucht gezwungen. Ben schlägt eine falsche Richtung ein, und bald finden sie sich, ohne Pferd und Wasser, aber mit prall gefüllter Börse, inmitten einer Wüste. Plötzlich kommt die Rettung: ein Postwagen! Verzweifelt bemühen sich die beiden, ihn zu erreichen. Es scheint zu gelingen, und Ben wirft die Börse auf den Wagen.

Da stolpert er und reißt auch Charlie mit zu Boden. Postwagen und Börse verschwinden in der Ferne in einer Sandwolke. Mit einem Händedruck beschließen Ben und Charlie, in dieser schwierigen Lage weiter gute Freunde zu bleiben. Sie gehen langsam in die unendliche Weite der Wüste hinein, und man hört nur die Stimme von Ben, der, wie immer Optimist, Charlie von seinen phantastischen Ideen erzählt, die er nächstens verwirklichen will.

Film: Regisseur Michele Lupo kehrte fünf Jahre nach seinem harten Italo-Western »Arizona Colt« wieder zu diesem Genre zurück, allerdings schloss er sich dem Trend der damaligen Zeit an und lieferte eine amüsante, lockere Western-Komödie

Giuliano Gemma mit Marisa Mell

Giuliano Gemma als Ben Bellow

Giuliano Gemma sieht auf die Uhr

ab, die den harten Western der sechziger Jahre allerdings noch näher stand als den von Enzo Barboni inszenierten »Trinity«-Filmen. Wieder holte sich Lupe seinen »Arizona Colt«-Darsteller Giuliano Gemma für seinen neuen Film, stellte ihm jedoch als ebenbürtigen »Partner in crime« den in diesem Film unglaublich witzigen George Eastman alias Luigi Montefiori gegenüber.

Ganz ähnlich wie Giulio Petroni in dem Giuliano-Gemma- & Mario-Adorf-Western »... e per tetto un cielo di stelle« (»Amigos«) inszenierte Lupo diese Komödie statt in einer durchgängigen klar strukturierten Handlung eher als eine Aneinanderreihung verschiedenster Episoden dieser beiden ungleichen Freunde. Für den Zuschauer ist es also relativ unbedeutend, ob er einige Minuten dieses Films versäumt und die Geschehnisse erst später verfolgt, es wird ihm trotzdem gelingen, den Abenteuern dieser beiden Helden zu folgen. Was bei diesem Film besonders hervorsticht, ist die perfekte Kameraarbeit von Aristide Massaccesi, der später unter dem Namen Joe D'Amato auch als Regisseur einen gewissen, wenn auch fragwürdigen Ruf erlangen sollte. Die relativ zurückgelehnte lässige Musik von Gianni Ferrio unterstreicht die lockeren Abenteuer der beiden Helden treffend.

Presse: »Aus vielfältig bewährten Mustern des Italo-Western hat Regisseur Michele Lupo augenzwinkernd neue Formen gebildet. In deftiger ›Haut-den-Lukas‹-Manier lässt er zwei Kumpel als untereinander und nach allen Seiten boxende Outlaws mit Herz auftreten: Sie küssen und sie schlagen sich, doch wenn's um Kopf und Kragen geht, halten sie wie Pech und Schwefel zusammen. Das ist über etliche Sequenzen hin äußerst spaßig und spannend, hängt dann aber auf die Dauer doch etwas durch, weil man das Verhaltensschema der beiden inzwischen durchschaut hat.

Trotzdem: Manche Einfälle des Regisseurs sind nicht ohne Witz. Es gibt eine Menge zu lachen in diesem Gauner-Film aus dem Wilden Westen. Manche Typen sind wenn nicht originell so doch wenigstens amüsant.

Es mangelt nicht an ballistischen Tricks und Überraschungen. Und Gemmas unbekümmertes Lachen ist ebenso überzeugend wie Eastmans Grübel-Grimm.« *Hans Jürgen Weber, Filmecho/Filmwoche Heft 30, 1972*

BLINDMAN

Blindman, der Vollstrecker (Regie: Ferdinando Baldi)

USA / Italien 1971
Erstaufführung in Italien: 11. November 1971
Deutscher Start: 8. Juni 1972

Besetzung: *Tony Anthony (Blindman), Ringo Starr (Candy), Lloyd Battista (Domingo), Magda Konopka (»Sweet Mama«), Raf Baldassarre (El General), Marisa Solinas, Franz Treuberg, David Dreyer, Gaetano Scala*

Inhalt: Blindman (Tony Anthony), ein blinder Revolverheld, der sich auf sein Pferd und sein gutes Gehör verlassen muss, reitet in ein kleines Westernstädtchen im Südwesten der USA, um von dort aus 50 Frauen nach Texas zu eskortieren. Die Frauen sind ausgewählt worden, um dort 50 texanische Minenarbeiter zu heiraten. Leider muss er herausfinden, dass die 50 Frauen

inzwischen von einem mexikanischen Banditen namens Domingo (Lloyd Battista) und dessen Bruder Candy (Ringo Starr) entführt worden sind. Nachdem er das Versteck der Bande gefunden hat, findet er heraus, dass die Frauen von den zwei Brüdern und deren hinterlistiger Schwester »Sweet Mama« (Magda Konopka) als Köder verwendet werden, um »El General« (Raf Baldassarre) und dessen Männer zu kidnappen und zu töten. Brutalst misshandelt, gelingt es ihm schließlich zu fliehen und nach mehreren Versuchen die 50 Frauen sowie den General zu befreien und Candy zu töten. Auf einem verlassenen Friedhof steht Blindman mit einer der fünfzig Frauen einer Übermacht von Domingo und seiner Bande gegenüber. Nachdem er Domingo mit einer Zigarre beide Augen ausgebrannt hat, lässt er diesen in einem fairen Duell gegen Blindman antreten, der siegreich daraus hervor-

Magda Konopka bedroht Tony Anthony

geht. Auf Grund seiner Blindheit merkt Blindman nicht, dass man auch dem General nicht trauen kann, denn er hat sich nun selbst die 50 Frauen geschnappt und ist mit ihnen davongeritten. Er nimmt die Verfolgung auf.

Film: Dieser Film von Ferdinando Baldi ist einer der bizarrsten, brutalsten und originellsten Italo-Western, die jemals gedreht wurden. Das Vorhaben des Regisseurs, einen ungewöhnlichen, surrealistischen Film mit einer extremen Geschichte herzustellen, wird auch durch die Besetzung des Hauptdarstellers Tony Anthony unterstrichen, der hier wohl seine beste Rolle im Westernfach abliefert. Er ist offensichtlich ein geborener Verlierer, dem es trotz aller Hindernisse, vor allem seiner Blindheit, gelingt, immer aus jeder noch so schlimmen Situation heil davonzukommen, wobei ihm natürlich auch sein rabenschwarzer Humor äußerst behilflich ist. Dies ist auch die einzige Western-Rolle für den Ex-Beatle Ringo Starr, der hier wohl nur aus dem Grund mitwirkt, da er andauernd von 50 schönen, halbnackten Frauen umgeben ist. Sein Charakter Candy wird von ihm gar nicht so schlecht dargestellt. Ringo

Starr feierte seinen 31. Geburtstag während der Dreharbeiten in Almería, wo eine riesige Party mit Flamenco-Tänzerinnen unter dem Motto »Wein, Weib und Gesang« organisiert wurde. Als brutalen Domingo sehen wir hier in einer sehr guten Rolle Lloyd Battista, der auch in späteren Filmen noch zusammen mit Tony Anthony auftrat. »Sweet Mama« wird von der schönen, sinnlichen Magda Konopka als ziemlich rücksichtslose Banditenschwester dargestellt. Tony Anthony als Blindman kann es sich nicht verkneifen, sie zur Unmut ihres Bruders Domingo nackt an einen Pfahl zu binden.

Der mexikanische General wird als ein Mix aller typischen mexikanischen Offiziere des Italo-Western von dem Veteranen Raf Baldassarre dargestellt. Dieser Haufen exzentrischer Charaktere wird umgeben von der größten Anzahl junger, hübscher, nackter Frauen, die der Italo-Western ja gesehen hat. Die bizarre Geschichte dieses Films spielt sich vor dem Hintergrund eines sonnenverbrannten, unwirtlichen Landes mit nackten Hügeln, Sanddünen und zerfallenen Geisterstädten voll von Kakteen, Agaven und Palmen ab. Die Geschichte ist voll von Gewalt, Ironie und

Ringo Starr als Candy, der Bandit

385

Tony Anthony als Blindman

Blindman auf dem Friedhof

einer Sinnlichkeit, die sich von einem Moment zum nächsten in rücksichtslose Gewalt entlädt, als Domingo mit seiner Bande die geflohenen Frauen in den Sanddünen jagt und es zu einer Massenvergewaltigung und Mord und Totschlag kommt. All das wurde von Kameramann Riccardo Pallottini an diversen Schauplätzen rund um Almería (Sanddünen von Cabo De Gata, Strand von Monsul, Minen von Rodalquilar, Poblados von Juan Garcia und Nimbreno sowie das Fort »El Fuerte«, welches kurz zuvor für den Film »El Condor« errichtet wurde) in wunderschönen Aufnahmen festgehalten, verbunden mit dem bizarren Soundtrack von Stelvio Cipriani. Laut Aussagen von Tony Anthony war dieser Film eine ziemliche Tortur für den Hauptdarsteller, der während der gesamten Drehzeit Kontaktlinsen zu tragen hatte, um seine Blindheit besser zur Schau zu stellen. Speziell der aufgewühlte

Sand und Staub verursachte ihm starke Augenschmerzen.

Presse: »Im Westen was Neues: Der Held ist blind. Das hindert ihn freilich nicht, Glocken und Widersacher präzise zum Klingen zu bringen. Er jagt 50 Frauen nach, die er für erwartungsvolle Bergarbeiter eingekauft hat. Zuerst verliert er sie an seinen Partner, dann der Partner das Leben. Schließlich stöbert er die Frauen bei einem mexikanischen Bandenchef auf, und dann ist ein mexikanischer General gerissener. Möglich, dass sich Blindman in einer Fortsetzung als der erweist, der als Letzter am besten lacht. Die klassischen Djangos, die den US-Western die Schau stahlen, werden abgelöst durch Super-Djangos. Dieser hier ist einer. Ein zynischer Held als Moderator von Sex und Brutalität.« *E.W. Länger, Filmecho/Filmwoche Heft 40, 1972*

GLI FUMAVANO LE COLT ...
LO CHIAMAVANO CAMPOSANTO

Ein Hallelujah für Camposanto (Regie: Giuliano Carnimeo)

Italien 1971
Erstaufführung in Italien: 23. September 1971
Deutscher Start: 9. Juni 1972

Besetzung: *Gianni Garko (Camposanto, der Fremde), William Berger (Der Graf), Chris Chittel (John McIntyre), John Fordyce (George McIntire), Ugo Fangareggi (Pedro), Raimondo Penne (Chico), Franco Ressel (Richter), Nello Pazzafini (Cobra Ramirez), Gianni Di Benedetto (Douglas Toland), Bill Vanders (Clay McIntire), Pinuccio Ardia, Aldo Barberito, Ivano Staccioli, Ugo Adinolfi, Gildo Di Marco, Amerigo Santarelli*

Inhalt: Die Brüder John und George McIntyre (Chris Chittel und John Fordyce) kehren nach vielen Jahren auf die väterliche Ranch zurück. Ihr Vater (Bill Vanders), der sich seit langem mit Banditen auseinander zu setzen hat, sieht diesem Tag mit Freude entgegen. Er erhofft sich zwei Kerle von echtem Schrot und Korn, die ihm gegen seine Widersacher helfen werden. Doch als John und George ankommen, stellt sich heraus, dass sie in Wirklichkeit noch »grüne Jungen« sind, denen man für den täglichen Kampf im Westen noch viele Dinge beibringen muss.

Immerhin aber werfen die beiden Jungen den Kassierer einer Bande aus dem väterlichen Haus – nachdem sie festgestellt haben, dass ihr Vater und all die anderen Rancher von einem Haufen Gesetzloser erpresst werden. Von diesem Augenblick an ist die Hölle los. Plötzlich taucht ein Fremder auf, den man »Camposanto« (Gianni

Gianni Garko als Camposanto

Garko) nennt und der sich als Retter in jeder Situation erweist.

In ihm finden die beiden Brüder auch einen echten Lehrer. Aber auch der Boss der Verbrecherbande hat einen hervorragenden Schützen angeheuert, den berühmten »Grafen« (William

Nello Pazzafini als Cobra Ramirez

Berger). Und als Camposanto und der »Graf« sich begegnen, liefern sie sich ein atemberaubendes, meisterliches Duell. John und George gelingt es mit Hilfe zweier Freunde herauszubekommen, wer eigentlich hinter der ganzen Bande steckt. Doch dabei geraten sie in einen Hinterhalt der Banditen. Schon haben sie alle Hoffnung aufgegeben, als Camposanto erscheint und sie befreit. Es kommt in dem kleinen Ort zur entscheidenden Schlacht, in deren Verlauf Camposanto erneut beweist, wie schnell und unfehlbar er mit der Pistole ist, um jede Situation zu meistern.

Logisch, dass man einen solchen Meisterschützen im Westen auch anderwärts dringend braucht. Und deswegen sieht man Camposanto am Ende neuen Abenteuern entgegenreiten.

Film: Dieser Gianni-Garko-Charakter reitet auf den Spuren von Sartana, denn bis auf den neuen Namen sind all seine Merkmale dieselben wie in seiner Rolle als schwarzgekleideter Held von vier erfolgreichen Filmen. Auch er scheint immer dort aufzutauchen, wo Not am Mann ist und man sei-

Ruht sich in einem Sarg aus: Camposanto

COLUMBIA FILM zeigt

Ein Hallelujah für CAMPOSANTO

Zwei Freunde: Gianni Garko und William Berger

ne Hilfe benötigt. Sein Pendant in diesem Film ist der von William Berger toll gespielte »Graf«, der ebensogut schießt wie »Camposanto«, was auch nichts ausmacht, da sie ja schon lange Freunde sind. Was dem Film vielleicht etwas gut täte, wäre eine kleinere Dosis der beiden Grünschnäbel, die von Chris Chittel und John Fordyce dargestellt werden. Ansonsten bietet Giuliano Carnimeo wieder eineinhalb Stunden beste Unterhaltung nach einem Drehbuch von Enzo Barboni, der ja schon bei den »Trinity«-Filmen Sinn für guten Humor gezeigt hatte. Der außergewöhnlich gute Score stammt von Bruno Nicolai, der diesem Film sicherlich sehr geholfen hat. Wie die meisten Sartana-Filme wurde übrigens auch dieser Carnimeo-Western ausschließlich in Italien gedreht, auch hier sieht man wieder die Wasserfälle von Montegelato, in denen die beiden Brüder ein Bad nehmen, bevor sie von Banditen überrascht werden.

Presse: »Auch dieser Italo-Western des Regisseurs Antony Ascott alias Giuliano Carmineo segelt unter der publikumswirksamen Schutzmarke ›Halleluja‹ und zeichnet sich durch Selbstironie, Witz und Situationskomik aus. Zwei als Killer engagierte Scharfschützen ›Camposanto‹ und ›Duke‹ (John Garko und William Berger) geraten auftragsgemäß aneinander und liefern sich spannende Duelle, die trotz Pulverdampf und unaufhörlichem Geknalle niemand ernst nimmt. Camposanto macht auf Seiten der Gerechtigkeit aus zwei ›Greenhorn‹ von Internatsschülern treffsichere Revolverschützen und räumt zum Schluss, von Duke unterstützt, gründlich unter den Banditen auf, die einen ganzen Landstrich terrorisieren und erpressen. Handgreiflichkeiten, Schießereien und Tote werden mit so unübersehbarem Augenzwinkern als Western-Parodie serviert, an der alle ihren Spaß haben.« *Ernst Bohlius, Filmecho / Filmwoche Heft 36, 1972*

ANDA MUCHACHO, SPARA!

Knie nieder und friß Staub (Regie: Aldo Florio)

Italien / Spanien 1971
Erstaufführung in Italien: 16. August 1971
Deutscher Start: 23. Juni 1972

Besetzung: *Fabio Testi (Roy), Charo Lopez (Jessica), José Calvo (Becky), Ben Carrà (José Tito), Eduardo Fajardo (Redfield), Massimo Serato (Emiliano), José Nieto (Mortimer), Alan Collins [Luciano Pigozzi] (Manolo, der Barbier), Roman Barrett, Daniel Martin, Goffredo Unger, Mario Morales*

Inhalt: Roy (Fabio Testi) und Emiliano (Massimo Serato) sind zusammen aus dem Gefängnis entflohen und beschließen, sich eines Goldschatzes zu bemächtigen, der in einem Dorf in der Nähe der mexikanischen Grenze verborgen liegt. Aber

Roy schafft den Weg dorthin leider nur allein. An Ort und Stelle erfährt er von einem Goldminenarbeiter, dass die Arbeiter von drei Individuen skrupellos ausgebeutet werden: von Redfield (Eduardo Fajardo), Lawrence und Newman. Sie haben den Schatz in Sicherheit – in einem Keller ihres Hauses. Da an der Grenze eine Gruppe von Revolverhelden nur darauf wartet, dass jemand mit dem Schatz über die Grenze will, überlegt sich Roy einen Plan, den er dann minutiös ausführt. Er lernt die drei Gangster kennen, die mit dem Mädchen Jessica zusammenleben. Es beginnt ein Kampf auf Leben und Tod, bei dem Newman und Lawrence auf der Strecke bleiben. Jetzt vertraut ihm Redfield an, dass er das Geld über die Grenze bringen wird. Natürlich ist das nur eine Falle, in der sich Roy bald wiederfindet. Aber jetzt tritt

Fabio Testi in Bedrängnis

Jessica auf den Plan, die in Roy einen Freund fand, befreit ihn und bringt ihn zu den Minenarbeitern, die ihn verstecken. Nun könnte Roy sich mit dem Geld aus dem Staub machen, aber dann überlegt er sich eine andere Lösung.

Film: Dieser ziemlich unbekannte Film zählt sicherlich zu den besten, spannendsten, ergreifendsten und brutalsten Italo-Western jener Zeit. Aldo Florio bedient sich einiger Erfolgsrezepte von Sergio Leone wie Rache, Wiedergutmachung, schafft es jedoch trotzdem, einen eigenständigen Film mit interessanten Charakteren und einer aufregenden Geschichte zu inszenieren. Der Hauptcharakter Roy mag den Zuschauer zuerst an den klassischen Mann ohne Namen erinnern, speziell in der Schlussszene, in der er mit einem Poncho bekleidet aus einer Staubwolke auftaucht, ist aber in Wirklichkeit ein tragischer Charakter, dessen einzige Aufgabe es ist, seinen Freund zu rächen, der verraten und bestohlen wurde.

Die drei grausamen Herren der besseren Gesellschaft scheinen direkt aus einer griechischen Tragödie entnommen zu sein – der bucklige Lawrence und der brutale Newman, die beide ein Auge auf die schöne Jessica geworfen haben und vor allem der bösartige Sadeian Redfield, der gegen seine eigenen Komplizen intrigiert und seinen voyeuristischen und sadistischen Neigungen freien Lauf lässt. Der Film enthält eine Reihe von Szenen grausamster Brutalität wie das unmenschliche Zusammenschlagen des Helden und zahlreiche Schießereien wie auch einige krankhafte sexuelle Szenen wie die Vergewaltigung von Jessica durch Lawrence, während der lasterhafte Redfield im Verborgenen zusieht. Auch das Schlussduell ist sehr erinnerungswürdig und in typischer Italo-Western-Tradition gefilmt, untermalt von einem der besten Bruno-Nicolai-Scores. Besonders ergreifend sind auch die Rückblenden, in denen man sieht, wie Roys Freund im Gefangenenlager leidet und wie er stirbt, als sie ausbrechen und Roy gezwungen ist, das Bein seines Freundes abzuschneiden, um sich von der Kette zu trennen, mit der sie verbunden sind. In

Eduardo Fajardo als Redfield

der Hauptrolle kann man Fabio Testi sehen, der von Eduardo Fajardo als Redfield, José Calvo als Joselito, Charo Lopez als Jessica, Daniel Martin als mörderischer Minenarbeiter und einer Anzahl von unbekannteren Darstellern unterstützt wird. Der Film wurde zum Großteil in der Westernstadt Hoyo De Manzanares außerhalb von Madrid sowie im nahe gelegenen Pedrizia Del Colmenar Viejo gedreht.

Presse: »Um der Gerechtigkeit willen wird ein entflohener Sträfling zum erbarmungslosen Killer. Der Zweck heiligt wieder einmal die Mittel. Gewalt geht vor Gesetz und Moral. Die Leichen türmen sich. Zynische Brutalität beherrscht das Bild. Genussvoll werden sadistische Foltermethoden ausgespielt. Es geht um Gold, viel Gold, und niemand hat Skrupel, den Widersacher eiskalt aus dem Weg zu räumen. Frauen treten als pure Lustobjekte der Männer auf. Eine wird zum eiskalten Racheengel. Die ausgebeuteten Einheimischen jedoch knirschen nur leise mit den Zähnen, wenn der Oberschurke ihnen den Stiefel ins Gesicht drückt. Ein in Mexico spielender Italo-Western mit Hochspannungs-Action; spekulativer Schurken-Reißer ohne Gnade; todernste Kino-Killerei.« *Hans Jürgen Weber, Filmecho/Filmwoche Heft 42, 1972*

LA VENDETTA È UN PIATTO CHE SI SERVE FREDDO

Drei Amen für den Satan (Regie: Pasquale Squitieri)

Italien 1971
Erstaufführung in Italien: 13. August 1971
Deutscher Start: 23. Juni 1972

Besetzung: *Leonard Mann [Leonardo Manzella] (Jeremias Bridger), Ivan Rassimov (Perkins), Klaus Kinski (Virgil Prescott), Elizabeth Eversfield (Tune), Steffen Zacharias (Doc), Salvatore Billa (Ted), Enzo Fiermonte (George), Gianfranco Tamborra, Teodoro Corrà, Salvatore Billa, Isabella Guildotti, Giorgio Dolfin, Stefano Oppedisano, Tanika, Pietro Torrisi (Butch)*

Inhalt: George Bridgers Ranch wurde von Indianern zerstört. Einige Stunden früher hatte Perkins, ein Geschäftsmann, Bridger überreden können, sich ihm und seinen Leuten anzuschließen, um die Rothäute zu bekämpfen. Jeremias Bridger, ein 12-jähriger Junge, überlebt das Massaker. Aber von diesem Augenblick an und auch als er herangewachsen ist, denkt er nur noch an Rache und verfolgt die Indianer unerbittlich.

Während eines Kampfes gegen eine Schar von Rothäuten fällt ihm ein Indianermädchen in die Hände, das er, sobald er wieder in die Stadt kommt, als Sklavin verkaufen möchte. Es heißt Tune. Auf der Reise stellt Jeremias jedoch fest, dass er gegenüber dem Charme des jungen Mädchens nicht ganz gleichgültig bleiben kann. Bei seiner Ankunft in Tucson trifft Jeremias wieder mit Perkins zusammen, der jetzt ein reicher und geachteter Mann ist, aber es gelingt ihm nicht, mit ihm zu sprechen, da die Bewohner der Stadt über das Indianermädchen herfallen und es lynchen wollen. Jeremias rettet Tune, und die beiden verstecken sich in einer verlassenen Stadt. Sie werden jedoch von den Banditen Bonne und Ted verfolgt und aufgespürt.

Diese verschleppen das junge Mädchen und lassen Jeremias als vermeintlichen Toten zurück. Seine Wunden werden von einer seltsamen Erscheinung namens Doc gepflegt, einem alten Westmann, der sich mit allerlei Tricks und Machenschaften durchs Leben bringt. Tune wird inzwischen als Sklavin an Perkins verkauft. Sobald Jeremias wieder auf den Beinen ist, begibt er sich, gefolgt von Doc, auf die Suche nach Tunes Entführern. Dabei entdeckt er, dass es sich bei den beiden um Männer von Perkins handelt.

Während Jeremias Perkins überreden kann, ihn bei sich zu beschäftigen, entdeckt Doc durch eine List, dass es Perkins selbst war, der seinerzeit den Überfall der Indianer auf die Bridger-Ranch angestiftet hatte. Perkins war es damals tatsächlich zusammen mit einem gewissen Prescott als

Leonard Mann als Jeremias Bridger

Ivan Rassimov bedroht Leonard Mann

DREI AMEN
FÜR
DEN SATAN

Klaus Kinski wird von Steffen Zachairias bedroht

Komplizen und zehn seiner als Indianer verkleideten Männer gelungen, die Armee gegen einen friedlichen Indianerstamm aufzuhetzen mit dem Ergebnis, dass die Indianer ihrerseits zum Angriff übergingen, was Perkins wiederum für seine Ziele ausnutzte. Jeremias lernt bald die Wahrheit kennen und entschließt sich, Perkins mit einem ähnlichen Plan in eine Falle zu locken. Perkins geht in diese Falle, und Jeremias kann endlich mit dem Mann, der das Massaker an seiner Familie auf dem Gewissen hat, abrechnen: Perkins bricht tot unter den Schüssen des jungen Jägers zusammen, und Tune gewinnt ihre geliebte Freiheit zurück.

Film: Dieser Film ist der bessere der beiden Italo-Western von Regisseur Pasquale Squitieri, den er zwei Jahre nach »Django sfida Sartana« drehte, der in Deutschland nie gezeigt wurde. Er gehört zu den wenigen Italo-Western, in denen Indianer eine wesentliche Rolle spielen.

Wie bereits in Sergio Corbuccis »Navajo Joe« sind es auch hier die Indianer, die im Gegensatz zu den korrupten Weißen positiv dargestellt werden. Es gelingt Squitieris Film mit seiner Darstellung des bösen Kapitalisten und dessen korrupten Medienmanipulateurs sowohl spannend als auch sozialkritisch zu sein und sogar den Rassenkonflikt mit ins Spiel zu bringen. Es sind diese beiden Männer, die den Indianerkonflikt auslösen und den Helden des Films ins Unglück stürzen, indem sie mit einer als Indianer verkleideten Bande dessen Familie auslöschen. Die Indianer auf der einen und die Siedler auf der anderen Seite dieses Krieges sind eigentlich nur unschuldige Marionetten dieser gefährlichen Verbrecher.

Der Film folgt den Spuren von Ralph Nelsons »Soldier Blue« (»Das Wiegenlied vom Totschlag«), was die grundlegende progressive Stimmung der damaligen Zeit angeht, und verbindet diese mit der visuellen Ausführung eines typischen Spätwestern mit lyrischen Herbstlandschaften. Leonard Mann in der Rolle des Jeremias Bridger ist ein typischer Italo-Western-mäßig gekleideter Rächer, der sehr bald mit der Hilfe von Steffen Zacharias als Doc herausfindet, wer die wahren Schuldigen sind. Diese werden gespielt vom hervorragenden Ivan Rassimov als satanischer Perkins und dem immer verlässlichen Klaus Kinski als schleimiger Zeitungsmann Prescott.

Regisseur Squitieri erinnert sich an Klaus Kinski: »Er kam aus Ostdeutschland und war richtig geldgierig, er wollte reich werden, was ihn ziemlich frustrierte, denn er hasste, was er tat und musste es trotzdem tun um Geld zu verdienen. Ich erinnere mich, dass er uns jeden Morgen bat, ihn in bar zu bezahlen, da er niemandem traute und in einem riesigen Wohnwagen wie die Hollywoodstars der 30er Jahre hauste, aber dies war nicht Hollywood, sondern ein Bezirk von Rom.«

Dieser Italo-Western gehört sicherlich nicht zu den besten, aber unter den Filmen, in denen Indianer eine wesentliche Rolle spielen, sicherlich zu den wenigen sehenswerten. Der Held des Films wird als ziemlich komplexer Charakter angelegt, der zuerst massenhaft Indianer tötet und sogar skalpiert, bevor er dahinter kommt, wer die wahren Verbrecher sind. Eine äußerst brutale Szene ist jene, in der Elizabeth Eversfield in der Rolle der Indianerin Tune von den »wohlmeinenden« Bürgern der Stadt zuerst brutalst geschlagen und dann auch noch geteert und gefedert wird. Später wird sie dann von dem brutalen Butch (Pietro Torrisi) auf Perkins Ranch ausgepeitscht. Dieser Film ist gekennzeichnet durch einen hohen Anteil an Gewalt, Solzialkritik und melancholischer Stimmung. Die schöne, traurige Musik dazu stammt von Piero Umiliani und enthält auch eine schwermütige Ballade, die von Monica Miguel gesungen wird.

Presse: »Der italienische Originaltitel trifft den Inhalt dieses Italo-Western besser als die, zugegeben zugkräftigere, deutsche Version und stimmt frei übersetzt sinngemäß mit der Feststellung eines früheren deutschen Bundeskanzlers vor vielen Jahren überein, dass Rache am besten kalt ge-

Ivan Rassimov und Klaus Kinski

nossen wird. Um seine ermordete Familie an den Rothäuten zu rächen, schickt daher ein junger, stoppelbärtiger, recht einsilbiger Schießkünstler jeden Indianer, der ihm in den Weg läuft, in die ewigen Jagdgründe. Dabei kommt er weißen Bösewichten auf die Spur, die mit Rassenhass auf Indianer von ihren Untaten ablenken.

Nachdem ausreichend Schuldige wie Unschuldige ins Präriegras gebissen haben, müssen dann auch endlich die Drahtzieher dran glauben. Massaker, Teeren und Federn spielen sich in der in diesem Genre üblichen Härte ab. Komische Einlagen fehlen ebensowenig wie die schrulligen Originale in Planwagen und Saloon. Ungewohnt ist dagegen Liebe über die Schranke

der Hautfarbe hinweg, und damit bekommt das spannend geschilderte Geschehen trotz aller Brutalität Gewicht, weil hier einmal ganz eindeutig gegen Rassenfanatismus und Unmenschlichkeit Stellung genommen wird.

Regisseur Redford hat dabei wirklich alle Register gezogen, um Erregung, Humor und Eros in das richtige Verhältnis zueinander zu bringen. Dabei standen ihm ein Aufgebot talentierter Schauspieler, wie Klaus Kinski als Bösewicht vom Dienst, und ein wendiger Kameramann zur Seite. Ein Brutal-Western mit mehr psychologischem Tiefgang und Ambitionen als üblich.«

Ernst Bohlius,
Filmecho / Filmwoche Heft 69, 1972

... E POI LO CHIAMARONO IL MAGNIFICO

Verflucht, verdammt und Halleluja (Regie: Enzo Barboni)

Italien / Frankreich 1972
Erstaufführung in Italien: 9. September 1972
Deutscher Start: 28. September 1972

Besetzung: *Terence Hill [Mario Girotti] (Thomas Fitzpatrick Philip Moore), Gregory Walcott (Bill), Harry Carey Jr. (John), Dominic Barto (Monky Smith), Yanti Sommer (Ms. Candida Olsen), Enzo Fiermonte (Vater Olsen), Pupo [Giovanni] De Luca (Gefängnisdirektor), Riccardo Pizzuti (Clay Morton), Luigi Casellato (Der Wirt), Sal Borgese (Bandit in Schwarz), Dante Cleri, Margherita Horowitz, Salvatore Baccaro, Danika La Loggia, Jean Louis, Alessandro Sperlì, Tony Norton [Alfio Caltabiano], Steffen Zacharias, Rigel Suzanne Cello, Dalusa Harris, Furio Meniconi, Fortunato Arena, Janos Barta, Claudio Ruffini, Luigi Antonio Guerra, Spartaco Conversi, Mario Renis*

Inhalt: Die Outlaws Bill und John befreien ihren Freund Monky aus der Haft und machen sich mit ihm in die finsteren Wälder auf. Ihnen schließt sich ein junger Engländer an, Sir Thomas Moore – wie sich herausstellt, ein Sohn ihres alten Freundes, Viscount Moore, der das Zeitliche in den Armen eines Freudenmädchens gesegnet hat und an seine Kumpane aus dem Westen die letzte Bitte richtet, aus seinem Sohn Tom einen richtigen Mann zu machen.

Das ist nicht leicht, denn Tom kultiviert seine britischen Upperclass-Manieren, zieht das Fahrrad dem Pferd vor, sucht nach einer Gelegenheit, auf die Fuchsjagd zu gehen, verkündet den Männern aus dem Westen das Nahen der Zivilisation und glaubt, die Herzen der Frauen am sichersten durch Lyrik von Walt Whitman und Lord Byron erobern zu können. Seine Liebe zu dem Mädchen Candida zwingt ihn aber, sich

Terence Hill schießt scharf

den Verhaltensweisen des Westens anzupassen, denn Candida gehört einstweilen noch dem Revolverschwinger Clay Morton, der von Candidas Vater, dem englische Gentleman-Allüren nicht imponieren, geradezu aufgefordert wird, Tom beiseite zu schaffen. Tom lässt sich von seinen Freunden das Nötigste beibringen und entledigt sich des Rivalen.

Film: Diesmal muss sich Terence Hill unter der Regie von Enzo Barboni alias E. B. Clucher ohne die Verstärkung von Bud Spencer durch den Wilden Westen schlagen. Er macht als vornehmer Engländer, der sich von einigen kleinen Gaunern die Lebensart im Westen zeigen lassen muss, eine sehr gute Figur. Leider weist der Film einige Längen auf, die dann aber in einer riesigen Saloon-Schlägerei und einigen weiteren Szenen, vor allem jenen, in denen der »alte« auf den »modernen« Westen trifft, wieder mehr als wettgemacht werden. Der Film entstand mit Ausnahme einiger Eisenbahnaufnahmen, welche in Colorado gedreht wurden, bei den Plitvitzer Seen im früheren Jugoslawien (heute Kroatien), wo in den sechziger Jahren auch einige Winne-

tou-Filme (besonders »Der Schatz im Silbersee«) entstanden. Die Musik steuerte diesmal wieder das Komponistenduo Guido und Maurizio De Angelis bei, das jede Note genau traf.

Presse: »John Fords THREE BAD MEN von 1926 opfern sich auf für ihren Freund George O'Brien und dessen Mädchen, doch sie sterben nicht: sie werden weiterleben in den Söhnen des jungen Paares; die Wirklichkeit der *Phantasie* und die Phantasie der *Wirklichkeit* werden die Erinnerung an sie bewahren immerdar. Und an manchen Tagen kann man sie sehen, hoch auf den Hügeln über der Ranch ihrer Schützlinge, auf ihren Pferden, wie sie ins Tal hinabblicken und das Glück ihrer Kinder bewachen und sich stumm und voll tiefer Freude die Hände reichen – Schatten, gute Geister, so großartig und lebendig und wirklich wie das Kino selbst ...
- In VERFLUCHT, VERDAMMT UND HALLE-LUJA brechen die ›three bad men‹ – nachdem sie dem Greenhorn Terence Hill, dem Sohn des ›Engländers‹, ihres einstmals besten Freundes, zu einer Ranch und einer Frau verholfen haben – wieder auf, ›gen Westen‹, der beginnenden

Terence Hill und Hollywood Veteran Harry Carey Jr.

Zivilisation (dem Stacheldraht, der Eisenbahn, der Arbeit) zu entfliehen – denn ›solange wir die Sonne noch untergehen sehen, gibt es auch noch einen Westen‹ ... Gerade freuen sie sich noch darüber, ›wie schön groß und weit der Westen doch ist‹ – da stehen sie unvermittelt vor dem *Meer* – und wie sie sich umdrehen wollen, vernehmen sie hinter sich das Pfeifen einer Dampflok ...

Kunststücke auf dem Pferd

- E. B. Clucher, unter seinem richtigen Namen Enzo Barboni Kameramann zahlloser Italo-Western (u.a. bei Corbuccis DJANGO, 1966), Regisseur der ›Trinita‹-Filme DIE RECHTE UND DIE LINKE HAND DES TEUFELS und VIER FÄUSTE FÜR EIN HALLELUJA, beweist auch mit seinem neuen Western (Regie und Buch) zumindest stellenweise eine filmische Intelligenz, die man einem Italo-Western-Regisseur schon längst nicht mehr hat zutrauen können noch wollen. Wie in den VIER FÄUSTEN (z.B. die Einstellungen in dem vornehmen Restaurant) gelingen ihm auch hier einige Szenen, die zu sehen als einem nicht unwesentlichen Ansatz zu einem neuen und wirklich *populären Kino* (und in Verbindung mit Brechts Lehrstücken) durchaus lohnend wären.
- Das Patronat (und wahrscheinlich Mitfinanzierungsgeschäft) der amerikanischen Weltvertriebsfirma United Artists unterlegt dem Film zwar eine viel stärker als in anderen Filmen durchscheinende Hollywood-Western-Moral (Erfolg durch Anerkennung der Spielregeln individualistischer Law-and-order-Theologie etc.), doch Cluchers Spiel mit diesen Regeln ist meist intelligent und witzig genug, um daraus nicht lediglich ›sein *Kapital* zu schlagen‹.
- Harry Carey Jr., John Fords ehemaliger supporting star, meint hier einmal, er könne zwar wohl lesen, aber nicht schreiben.«

Wolfgang-Eckart Bühler,
Filmkritik 03/1973

»*Vier Fäuste für ein Hallelujah* (fd 17729) ist ein Kinoerfolg. Aus einem Erfolg wird schnell ein Rezept gemacht, was weitere Filme nach dem erprobten Schema zur Folge hat. Meist sind sie weniger gelungen. So auch in diesem Fall. Nach einer etwas breiten Exposition, in der drei Mitglieder eines Halunkenquartetts vorgestellt werden, der vierte, ›der Engländer‹, ein verkrachter englischer Lord, ist gestorben, lernen die Halunken den Sohn des Lords kennen, der das Erbe seines Vaters antreten will. Dieser junge Mann, ein Freund der Dichtung und der Wissenschaft, ist gar nicht so recht nach dem Geschmack der Kumpane seines verstorbenen Vaters. Sie versuchen ihn umzuerziehen, was ihnen endlich auch gelingt, weil er nur dann des Nachbars Töchterlein zur Frau gewinnen kann, wenn er seinen Rivalen und Nebenbuhler, einen Raufbold und Ganoven, mit Schlägen und Revolver aus dem Revier vertreibt.

Doch will er seine Zukunft nicht auf diesen neuerworbenen Kenntnissen aufbauen; seiner Ansicht nach sollte die Zeit der rabaukenhaften Ganoven endgültig vorbei sein. – Die Unterhaltsamkeit der amüsanten Geschichte wird durch mehrere ermüdende Längen gemindert, die der zu wenig straffen Inszenierung anzulasten sind. Einige rüde Geschmacklosigkeiten belasten den sorgfältig durchgearbeiteten, sonst witzigen Dialog und die fast choreografisch gestalteten Schlägereien sind nicht frei von unnötigen Härten: Schwächen, die das Vergnügen an diesem insgesamt doch recht unterhaltsamen Film etwas beeinträchtigen.«

H. Sp.,
Film-Dienst FD 17 997

UNA RAGIONE PER VIVERE E UNA PER MORIRE

Sie verkaufen den Tod (Regie: Tonino Valerii)

Italien/Frankreich/Spanien/Deutschland 1972
Erstaufführung in Italien: 27. Oktober 1972
Deutscher Start: 27. Dezember 1972

Besetzung: *Bud Spencer (Eli Sampson), James Coburn (Colonel Pembroke, Les), Telly Savalas (Ward), Joe Pollini (Halbblut), Robert Burton [Guy Mairesse] (Donald MacIvers), Reinhard Kolldehoff (Sergeant Brent), Allan Leroy (Konföderierter Soldat), Guy Ranson (Will Fernandez), William Spofford (Ted Wendel), José Suárez, Ugo Fangareggi, Georges Géret, Mitchell Joseph, Adolfo Lastretti, Guy Mairesse, Francisco Sanz, Benito Stefanelli, Ángel Álvarez*

Inhalt: In Fort Chaco in Neu-Mexiko warten Marodeure, Deserteure und Plünderer auf ihre Hinrichtung, nachdem ein Standgericht der Nordstaaten-Armee sie zum Tod durch Erhängen verurteilt hatte. Ihre Gesichter sind verhüllt, die Schlinge baumelt bereits um ihren Hals. Da eröffnet der Fortkommandant den Deliquenten, dass sie ihren Hals und damit ihr Leben retten, vorläufig retten können, wenn sie sich unter Führung von Ex-Colonel Pembroke, jetzt genannt Les (James Coburn), an der Zurückeroberung eines Forts beteiligen. Les lässt keinen Zweifel daran, dass sie den sicheren Tod der Hinrichtung nur eintauschen gegen einen fast sicheren anderen Tod bei der Erstürmung des Forts.

Die Chancen zu überleben stehen 99:1. In einer dramatischen Entscheidung greifen alle zum einprozentigen Überlebensstrohhalm, bis auf einen Mormonen, der in der Verurteilung des Krieges die sofortige Hinrichtung vorzieht.

Unter denen, die ihren Tod für ein mögliches bisschen Leben verkauft haben, befindet sich auch Eli (Bud Spencer), dem die Suche nach Lebensmitteln zum Verhängnis geworden war. Das Kommando über die Todeskandidaten des Himmelfahrtskommandos hat Sergeant Brent

Bud Spencer als Eli Sampson

James Coburn befreit einige Männer vor dem Galgen

Harter Kampf um das Fort

(Reinhard Kolldehoff). Les (James Coburn) war der Kommandant des Forts gewesen, das es zurückzuerobern galt. Mit seinem Sohn als Geisel in den Händen der Südstaaten-Armee hatte er das Fort kampflos übergeben. Rache ist der einzige Gedanke, der ihn beherrscht, und so dirigiert er mit eiserner Faust die rebellierende Gruppe der Todeskandidaten zum Ziel.

Der Weg dieser Männer, ihre Bereitschaft, einen Tod gegen den anderen zu tauschen, und der schließliche Ausgang des Unternehmens machen diesen Film zu einem echten großen Erlebnis.

Film: Wieder auf das Konzept des »Dreckigen Dutzend« zurückgreifend, schuf Tonino Valerii im Jahr 1972 diesen aufwändigen Abenteuer-Western mit James Coburn, Bud Spencer und Telly Savalas in den Hauptrollen. Wie Chuck Connors in dem ähnlich konzipierten Enzo-Girolami-Western aus dem Jahr 1968 mit dem Titel »Ammazzali tutti e torna solo« (»Töte sie alle und kehr allein zurück«) ist es hier James Coburn, der eine Truppe schlagfertiger Galgenvögel rekrutiert, um eine lebensgefährliche Mission durchzuführen. Im Gegensatz zum Girolami-Western zeichnet sich dieser Film durch ein relativ gemütliches Tempo aus, was dem Regisseur jedoch Zeit gibt, die diversen Charaktere genauer zu zeichnen. Auch was die Motivation des James-Coburn-Charakters angeht, wird differenziert porträtiert. Erst in den letzten 30 Minuten kommt der Film in Fahrt, wenn dieser »tolle Haufen« das Fort erreicht hat und der eigentliche Kampf beginnt. Trotz des gemächlichen Tempos ist dies sicherlich einer der besseren Italo-Western, auch was die Starbesetzung angeht.

Die Musik stammt übrigens wieder von Riz Ortolani, dem es hier jedoch leider auch an einem gewissen Schwung fehlt.

Der Film vermittelt irgendwie das Gefühl eines Endzeit-Western, in dem die Helden müde geworden sind und gerade noch die Kraft haben, eine letzte Aktion durchzuführen.

Um den Film genießen zu können, sollte man sich allerdings nur die relativ ungekürzte lange Version ansehen, die vor einigen Jahren im ZDF lief und auch nicht die Kalauer-Synchronisation enthält, die meistens zu hören ist.

Schlussabrechnung: James Coburn tötet den Mörder seines Sohnes, gefilmt auf dem »El Condor«-Set bei Tabernas

Presse: »Ein Western im Italo-Stil wie so viele andere? Eine aufgemöbelte Geschichte, gespickt mit ein wenig Moral? Galgenvögel als Negativ-Helden? Nichts von alledem.

Der italienische Originaltitel ›Ein Grund zu leben und ein Grund zu sterben‹ weist auf den ebenso interessanten wie aufschlussreichen Hintergrund der Story des nordamerikanischen Bür-gerkrieges hin. Sie wird von Regisseur Tonino Valerii (›Der Tod ritt dienstags‹) blendend ins Bild gesetzt. Das Unmögliche soll möglich gemacht werden: Eine Hand voll Todeskandidaten soll einen wichtigen Ort während der Auseinandersetzung zwischen Amerikas Süden und Norden zurückerobern. Hauptinteressent ist ein abgetakelter Kommandant, der die Festung ohne großen Kampf aus besonderem Grund aufgegeben hatte. Viele Motive, darunter ein lebenswichtiges, bewegen die bunte Schar. Es kommt zu Streitigkeiten und Erniedrigungen, bis endlich das Ziel erreicht werden kann.

Ein runder Abenteuerfilm also, dramatisch und ohne glatte Politur. Bud Spencer spielt einen gemütlichen Burschen, sozusagen Herz auf Taille. James Coburn ist sein Partner in einer diffizilen Charakterdarstellung.«

Walter Müller-Bringmann,
Filmecho/Filmwoche Heft 25, 1973

Bud Spencer und James Coburn bei den Dreharbeiten

Per qualche dollaro in più (Für ein paar Dollar mehr)

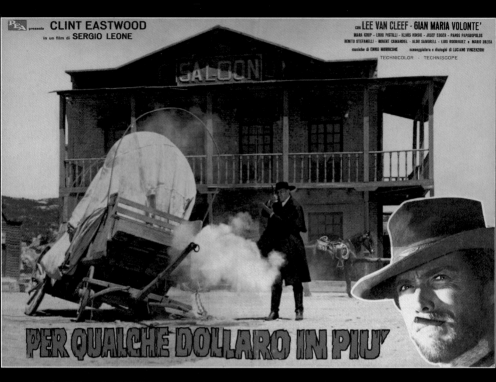

Per qualche dollaro in più (Für ein paar Dollar mehr)

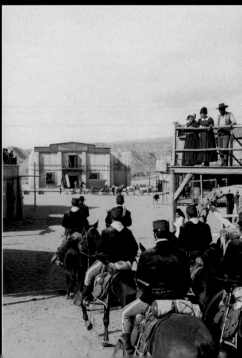

Universal Film S.A. *présente*

GIULIANO GEMMA
CORINNE MARCHAND

ARIZONA COLT

EN COULEURS • TECHNISCOPE®

GÉRARD LARTIGAU • FERNANDO SANCHO • ROBERTO CAMARDIEL

UNIVERSAL PICTURES

MISE EN SCÈNE MICHELE LUPO • UNE CO-PRODUCTION ORPHÉE PRODUCTIONS • LEONE FILM • DISTRIBUÉ PAR UNIVERSAL

IMPR. LICHTERT - Bruxelles 7

Sugar Colt (Rocco – der Mann mit den zwei Gesichtern)

Il buono, il brutto, il cattivo (Zwei glorreiche Halunken)

Il buono, il brutto, il cattivo (Zwei glorreiche Halunken)

Il buono, il brutto, il cattivo (Zwei glorreiche Halunken)

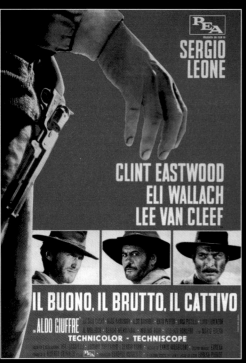

La resa dei conti (Der Gehetzte der Sierra Madre)

EL HALCÓN Y LA PRESA

LEE VAN CLEEF - TOMAS MILIAN

WALTER BARNES - MARIA GRANADA - FERNANDO SANCHO

Dirigida por SERGIO SOLLIMA - Música de ENNIO MORRICONE

TECHNICOLOR - TECHNISCOPE

Da uomo a uomo (Von Mann zu Mann)

La più grande rapina nel West (Ein Halleluja für Django)

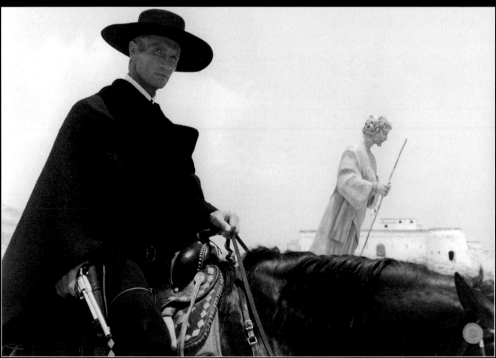

GARY HUDSON
CLAUDIO CAMASO
CLAUDIE LANGE

PER 100,000 DOLLARI T'AMMAZZO

SUSANNE MARTINKOVA .. PIERO LULLI e con la partecipazione di FERNANDO SANCHO

Regia SIDNEY LEAN

Una produzione ZENITH CINEMATOGRAFICA - FLORA FILM
Realizzata da MINO LOY e LUCIANO MARTINO

EASTMANCOLOR - CROMOSCOPE

DISTRIBUZIONE
VARIETY
FILM

La I.F.C. INTERNATIONAL FILM COMPANY presenta   una produzione B.L. VISION

ROBIN CLARKE "Cash"

e (in ordine di apparizione)

RICHARD CONTE "Diaz"

ENRICO MARIA SALERNO "Montero"

ADOLFO CELI "Baldwin"

TOMAS MILIAN "O'Hara"

SENTENZA DI MORTE

con ELEONORA BROWN · LILLI LEMBO · MONICA PARDO · LUCIANO ROSSI · GLAUCO SCARLINI

Musica di GIANNI FERRIO   Un film di MARIO LANFRANCHI   TECHNICOLOR · TECHNISCOPE

Ognuno per sé (Das Gold von Sam Cooper)

Oggi a me... domani a te (Heute ich – Morgen du)

Lo voglio morto (Django – ich will ihn tot)

C'era una volta il West (Spiel mir das Lied vom Tod)

EURO INTERNATIONAL FILMS PRESENTA
CLAUDIA CARDINALE
HENRY FONDA   JASON ROBARDS
IN
"C'ERA UNA VOLTA IL WEST„

C'ERA UNA VOLTA IL WEST

CON CHARLES BRONSON NEL RUOLO DI ARMONICA · GABRIELE FERZETTI · PAOLO STOPPA
E IN ORDINE ALFABETICO
JACK ELAM · LIONEL STANDER · WOODY STRODE · FRANK WOLFF · KEENAN WYNN
REGIA DI   PRODOTTO DA   PRODUTTORE ESECUTIVO
SERGIO LEONE · BINO CICOGNA · FULVIO MORSELLA
UNA PRODUZIONE RAFRAN - S. MARCO

EURO INTERNATIONAL FILMS PRESENTA
CLAUDIA CARDINALE
HENRY FONDA   JASON ROBARDS
IN
"C'ERA UNA VOLTA IL WEST„

C'ERA UNA VOLTA IL WEST

CON CHARLES BRONSON NEL RUOLO DI ARMONICA
GABRIELE FERZETTI · PAOLO STOPPA
E IN ORDINE ALFABETICO
JACK ELAM · LIONEL STANDER
WOODY STRODE · FRANK WOLFF · KEENAN WYNN
REGIA DI   PRODOTTO DA   PRODUTTORE ESECUTIVO
SERGIO LEONE · BINO CICOGNA · FULVIO MORSELLA
UNA PRODUZIONE RAFRAN - S. MARCO
TECHNICOLOR TECHNISCOPE

C'era una volta il West (Spiel mir das Lied vom Tod)

Blindman (Blindman, der Vollstrecker)

CHARLES BRONSON
CABALLOS SALVAJES

con JILL
IRELAND / DIANA
LORYS / MARCEL
BOZZUFFI / JOSE
NIETO / FAUSTO
TOZZI / MELISA
CHIMENTI / LUIS
PRENDES / ETTORE
MANNI

PRODUCIDA Y DIRIGIDA POR **JOHN STURGES**

GUION: CLAIR HUFFAKER Y RAFAEL J. SALVIA · BASADO EN LA OBRA DE LEE GARBULLA · MUSICA: GUIDO Y MAURIZIO DE ANGELIS · DIRECTOR DE FOTOGRAFIA GODOFREDO PACHECO
TECHNICOLOR® UNA PRODUCCION HISPANO-ITALO-FRANCESA · CORAL P.C.-MADRID · DINO DE LAURENTIIS INTER. M.A.CO.-ROMA · UNIVERSAL PRODUCTIONS FRANCE.-PARIS
DISTRIBUIDA POR : Cinema International Corporation

Les Films *Jacques Leitienne*

SERGIO LEONE
PRÉSENTE

TERENCE HILL ★ HENRY FONDA

MON NOM EST "PERSONNE"

(MY NAME IS NOBODY)

TECHNICOLOR UN FILM DE **TONINO VALERII** *PANAVISION*

AVEC **JEAN MARTIN** ★

MUSIQUE DE **ENNIO MORRICONE** ★ PRODUIT PAR **FULVIO MORSELLA** PRODUCTEUR EXÉCUTIF **CLAUDIO MANCINI**

Une co-production RAFRAN CINEMATOGRAFICA s.p.a. ROME Les films JACQUES LEITIENNE s.r.l. PARIS - IMP. EX. CI s.a. NICE ALCINTER s.r.l. PARIS-RIALTO film PREBEN PHILIPSEN Gmb & C. BERLIN

Il mio nome è Nessuno (Mein Name ist Nobody)

Les Films *Jacques Leitienne*

SERGIO LEONE
PRÉSENTE

TERENCE HILL ★ HENRY FONDA

MON NOM est "PERSONNE"

(MY NAME IS NOBODY)

TECHNICOLOR

UN FILM
DE **TONINO VALERII**

PANAVISION

AVEC **JEAN MARTIN**

MUSIQUE DE **ENNIO MORRICONE** ★ PRODUIT PAR **FULVIO MORSELLA**   PRODUCTEUR EXÉCUTIF **CLAUDIO MANCINI**

Une co-production RAFRAN CINEMATOGRAFICA s.p.a. ROME Les films JACQUES LEITIENNE s.r.l. PARIS · IMP. EX. CI s.a. NICE ALCINTER s.r.l. PARIS-RIALTO film PREBEN PHILIPSEN Gmb & C. BERLIN

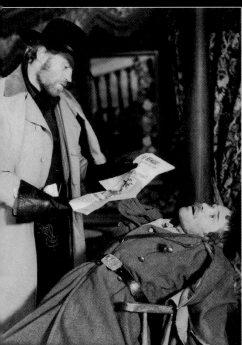

Sella d'argento (Silbersattel)

DIE FILMJAHRE
1973 UND 1974

ITALO-WESTERN-FILMSTARTS IN DEUTSCHEN KINOS 1973 und 1974

* Cosi sia (Dein Wille geschehe, Amigo) – Regie: Alfio Caltabiano – BRD-Start: 12.1.1973

* Il venditore di morte (Sarg der blutigen Stiefel) –
Regie: Enzo Gicca Palli – BRD-Start: 27.4.1973

* Tedeum (Tedeum – jeder Hieb ein Prankenschlag) – Regie: Enzo Girolami – BRD-Start: 17.5.1973

* Acquasanta Joe (Weihwasser Joe) – Regie: Mario Gariazzo – BRD-Start: 13.7.1973

* Sei jellato amico, hai incontrato Sacramento (Man nennt ihn Sacramento) –
Regie: Giorgio Cristallini – BRD-Start: 13.7.1973

* I lunghi giorni dell'odio (Seine Winchester pfeift das Lied vom Tod) –
Regie: Gianfranco Baldanello – BRD-Start: 20.7.1973

* Lo chiamavano Tresette ... giocava sempre col morto (Kennst du das Land, wo blaue Bohnen blüh'n?) –
Regie: Giuliano Carnimeo – BRD-Start: 27.7.1973

* I 2 figli dei Trinità (Die Söhne der Dreieinigkeit) – Regie: Osvaldo Civirani – BRD-Start: 3.8.1973

* Los amigos (Das Lied von Mord und Totschlag) – Regie: Paolo Cavara – BRD-Start: 16.8.1973

* Un hombre llamado Noon (Der Mann aus El Paso) – Regie: Peter Collinson – BRD-Start: 30.8.1973

* Little Rita nel west (Blaue Bohnen für ein Halleluja) – Regie: Ferdinando Baldi – BRD-Start: 7.9.1973

* Storia di karatè, pugni e fagioli (Fäuste, Bohnen und ... Karate) – Regie: Tonino Ricci – BRD-Start: 19.10.1973

* Valdez il mezzosangue (Wilde Pferde) – Regie: John Sturges, Duilio Coletti – BRD-Start: 29.11.1973

* Il mio nome è Nessuno (Mein Name ist Nobody) – Regie: Tonino Valerii – BRD-Start: 13.12.1973

* Il mio nome è Shangai Joe (Der Mann mit der Kugelpeitsche) – Regie: Mario Caiano – BRD-Start: 11.1.1974

* Domani passo a salutare la tua vedova ... parola di Epidemia (Meine Kanone, mein Pferd ... und deine Witwe)
– Regie: Juan Bosch – BRD-Start: 24.1.1974

* Barbagia, La società del malessere (Der blauäugige Bandit) – Regie: Carlo Lizzani – BRD-Start: 1.2.1974

* Zanna Bianca (Wolfsblut) – Regie: Lucio Fulci – BRD-Start: 11.4.1974

* Campa carogna ... la taglia cresce (Vier Teufelskerle) – Regie: Giuseppe Rosati – BRD-Start: 18.4.1974

* Un magnifico ceffo da galera (Scalawag) – Regie: Zoran Calic, Kirk Douglas – BRD-Start: 12.7.1974

* Tutti per uno ... botte per tutti (Alle für einen – Prügel für alle) – Regie: Bruno Corbucci – BRD-Start: 9.8.1974

* Tequila! (Fuzzy, halt die Ohren steif!) – Regie: Tulio Demicheli – BRD-Start: 16.8.1974

* Mi chiamavano Requiescant ... ma avevano sbagliato (Sing mir das Lied der Rache) –
Regie: Mario Bianchi – BRD-Start: 23.8.1974

* Kitosch, l'uomo che veniva dal nord (Der Mann, der aus dem Norden kam) –
Regie: José Luis Merino – BRD-Start: 25.10.1974

IL MIO NOME È NESSUNO

Mein Name ist Nobody (Regie: Tonino Valerii)

Italien / Frankreich / Deutschland 1973
Erstaufführung in Italien: 21. Dezember 1973
Deutscher Start: 13. Dezember 1973

Besetzung: *Terence Hill (Nobody), Henry Fonda (Jack Beauregard), Leo Gordon (Red), Jean Martin (Sullivan), Geoffrey Lewis (Barbier), R. G. Armstrong (Honest John), Piero Lulli (Sheriff), Neil Summers (Westerner im Saloon), Franco Angrisano (Ferroviere), Mario Brega (Pedro), Carla Mancini (Mutter), Marc Mazza (Don John), Remus Peets (Big Gun), Antoine Saint-John (Scape), Benito Stefanelli (Porteley), Steve Kanaly, Alexander Allerson, Luigi Antonio Guerra, Tommy Polgár*

Inhalt: Neu-Mexiko, 1898. Die große Zeit des Westens geht ihrem Ende entgegen. Im Südwesten zieht eine gefürchtete Banditenarmee umher, die »wilde Horde«. »Sie sind wie ein schwarzer Wind, der über die Prärie fegt: 150 Männer, die reiten und schießen, als wären es 1000«, sagt Nobody (Terence Hill), der Junge mit den blauen Augen und der schnellen Hand, für den das Schießen, das Reiten, das Bluffen, das Zuschlagen und Kaputthauen ein großer Spaß ist, und der weiß, wie man durchs Leben und durch den Westen kommt: »Für mich hat jedes Spiel nur eine Regel: Ich muss gewinnen!« Und das schafft er auch immer.

Nobodys Idol ist Jack Beauregard (Henry Fonda), der legendäre Revolvermann, Sieger in unzähligen Schießereien und der Schrecken aller Outlaws. Nobody, ein Niemand im Westen, möchte so werden wie Jack, der Größte im Westen. Aber als er ihn kennen lernt und von den alten Zeiten schwärmt, sieht er, dass Jack ein müder Mann ohne Illusionen ist: »Die guten alten Zeiten des Westens – die hat's ja nie gegeben.« Jack will sich nur noch nach New Orleans durchschlagen und das nächste Schiff nach der alten Heimat Frankreich erwischen. Er hat nicht einmal mehr das Geld für die Überfahrt; das will er sich von Sullivan besorgen, einem Minen-Besitzer, der die schmutzigen Geschäfte der wilden Horde besorgt und für den Tod von Jacks Bruder verantwortlich ist. Aber so will Nobody seinen Helden nicht ziehen lassen. Er soll eine letzte gewaltige Tat vollbringen, mit der er in die Geschichte eingeht: »Stell dir mal vor: du ganz allein gegen die wilde Horde, gegen 150 Mann!« Diesen Gefallen will Jack ihm nicht tun. Aber Nobody hat sich das nun einmal in den Kopf gesetzt.

Am Ende einer wilden Saloon-Sauferei sieht Nobody sich für viel Geld von Sullivan engagiert, Jack umzubringen. Stattdessen richtet Nobody es so ein, Sullivans Leute bei einem Jahrmarkt in Cheyenne City auseinander zu sprengen und lächerlich zu machen. Und dann erfüllt er sich mit viel Phantasie seinen schönsten Wunschtraum: Er bringt es zuwege, dass Jack in der endlosen Wüste von Neu-Mexiko ganz allein den 150 Mann der wilden Horde entgegentreten muss – und Nobody selbst ist der lachende Zuschauer, der

Jack Beauregard auf dem Weg zur Goldmine

»Halt mal einen Moment still!«

genau weiß, was Jack nicht einmal ahnt: wie der berühmte Westerner aus diesem wahnwitzigen Duell als Sieger hervorgehen wird.

Damit ist ein Problem gelöst. Das nächste und wichtigste aber noch nicht: Wie kann Jack, der eine Armee von Outlaws auf einmal besiegt hat und damit in die Geschichte eingegangen ist, von Nobody besiegt werden, damit Nobody den Ruhm Jacks erbt und der Größte im Westen wird? Nobody weiß die Lösung: »Ich muss dich erschießen, wenn möglichst viel Publikum zusieht.« Ganz New Orleans läuft zusammen, als sich auf einer Straße am alten Hafen Jack Beauregard und Nobody entgegentreten. Es wird der größte und verrückteste Tag des alten Westens.

Film: Dieser von Sergio Leone produzierte Western ist sicherlich der beste Film von Italo-Western-Profi Tonino Valerii. Wie bereits die beiden Valerii-Western »I giorni dell'ira« (»Der Tod ritt dienstags«) und »Una ragione per vivere e una per morire« (»Sie verkaufen den Tod«) stammt auch das Drehbuch zu diesem Meisterwerk vom profilierten Italo-Western-Autor Ernesto Gastal-

di, der den Titel für diesen Film einer berühmten Homer'schen Phrase entliehen hat. Valerii stellt hier erstmals den aus den Enzo-Barboni-Western zu Weltruhm gelangten Terence Hill dem ehemaligen Superbösewicht aus Leones »C'era una volta il West« (»Spiel mir das Lied vom Tod«) entgegen und kreiert so den perfekten Kontrast zwischen dem »alten« und dem »neuen« Westen. Der Film enthält sehr viele Referenzen an die Filme von Leone und andere typische Italo-Western. Die Anfangsszene, die laut diversen Aussagen von damals Beteiligten übrigens von Leone selbst inszeniert wurde, zeigt drei Männer, die gekommen sind, um Jack Beauregard zu töten. Mit unglaublich vielen Soundeffekten erinnert diese Szene an eine ähnliche aus dem Film »C'era una volta il West« (»Spiel mir das Lied vom Tod«). Die Szene auf dem Navajo-Friedhof, in der sich die Helden gegenseitig die Hüte vom Kopf schießen, stammt direkt aus Sergio Leones »Per qualche dollaro in più« (»Für ein paar Dollar mehr«). Sehr originell ist übrigens das in New Orleans gefilmte Schlussduell zwischen Beauregard und Nobody, in dem man die Einstellung auf dem Kopf stehend durch

Zitat aus »Für ein paar Dollar mehr« auf einem Indianerfriedhof beim Acoma-Pueblo, New Mexico

den Sucher des zeitgenössischen Fotografen sieht. Sogar die Slapstick-Einlagen im Saloon sind viel bedachter inszeniert als jene in den »Trinity«-Filmen und wirken nicht störend. Besonders gut ist jene Szene gelungen, in der Nobody im Saloon um die Wette schießt und trinkt. Die Stadt in »Il mio nome è Nessuno« (»Mein Name ist Nobody«) ist übrigens identisch mit jener aus »C'era una volta il West« (»Spiel mir das Lied vom Tod«), der fünf Jahre vorher gedreht wurde. Auch dem Komponisten Ennio Morricone gelang es hier perfekt, die klassischen Italo-Western-Themen mit denen der späteren »Trinity«-Komödien zu verbinden und den definitiven Endzeit-Western-Score zu schaffen.

Brief Jack Beauregards an Nobody:

»Mein lieber Nobody, zu sterben ist nicht das Schlechteste, was einem passieren kann. Ich bin nun schon drei Tage tot und ich habe tatsächlich meinen Frieden gefunden. Du hast mal gesagt, mein Leben hängt an einem seidenen Faden, nun

Trink- und Schießwettbewerb im Saloon

Nur die Besten überleben

Jack Beauregard gegen Nobody im French Quarter von New Orleans

fürchte ich aber, dass es dein Leben ist, das an besagtem Faden hängt; denn es wird immer ein paar Leute geben, die darauf aus sind, deinen Lebensfaden zu kappen.

Aber dir macht das ja nichts aus – ich habe fast schon das Gefühl, du brauchst das. Das ist übrigens auch der Unterschied zwischen uns. Ich habe immer versucht, jeder Form von Ärger aus dem Weg zu gehen, während du den Trouble nicht nur suchst, sondern offenbar auch das Unheil anzuziehen scheinst. Du hast ziemlich hoch gespielt, mein Freund, und du bist auch nicht leise dabei gewesen. Ich will damit sagen, man weiß inzwischen, dass du ›Jemand‹ bist.«

Presse: »Es ist schwierig, den Inhalt dieses Films nachzuerzählen. Man weiß zum Schluss eigentlich nur, dass Henry Fonda einen berühmten Western-Helden spielt, den es im Alter in friedliche Gefilde treibt, und Terence Hill einen jungen Draufgänger, der seinem Vorbild an Schießkunst gleichkommt und es an Pfiffigkeit übertrifft. Präziser gesagt: Der Film ist eine lockere Folge zumeist recht wirksamer Szenen rund um Terence Hill. Ihm zuliebe war offenbar jeder Einfall willkommen. Er fängt eine Forelle mit einem Knüp-

pel, macht seine Gegner zum Gespött, kehrt auf einem Jahrmarkt das Unterste zuoberst und benutzt das Altmännerleiden eines Lokomotivführers, um einen Zug zu entführen. Er scheint unverwundbar und ist stets bester Laune, und diese gute Laune überträgt sich aufs Parkett. Westernfilme mit schön geradliniger Handlung gibt es schließlich in Fülle, aber einen solchen Prachtburschen wie diesen Terence Hill mit seinen jungenhaft strahlenden blauen Augen sieht man nicht alle Filmtage. Henry Fonda spielt nicht nur einen Altgewordenen, der nichts mehr zu seinem Ruhm beizutragen braucht, er wirkt auch wie ein seines Namens und Könnens bewusster Darsteller, der dem jüngeren Kollegen die Effekthascherei nachsieht und ihm den Szenenapplaus gönnt.

Sergio Leones aufwendige Co-Produktion bietet viel fürs Auge. Eine Horde Berittener prescht über die Prärie, dass man jedes Mal meint, die Pferde durchbrächen die Bildwand. Und wenn dieser Privatarmee eines Betrügers das Dynamit in den Satteltaschen zum Verhängnis wird, dann fürchtet man ernstlich um Ross und Reiter.«

Georg Herzberg,
Filmecho / Filmwoche Heft 72, 1973

Terence Hill ist Nobody

Terence Hill

»Schnell geschnittene Einstellungen, meistens Groß- und Detailaufnahmen, unterlegt mit dem überlauten Ticken einer Uhr, eröffnen den Film. Diese etwas gewaltsam aufgebaute Spannung wird durch eine Schießerei gelöst, aus der Henry Fonda alias Jack Beauregard als Sieger hervorgeht. Dieser Jack Beauregard, ein alternder Westernheld, hat als Gegenspieler ›Nobody‹, verkörpert von Terence Hill, dem Protagonisten der Klamauk-Western-Welle (›Vier Fäuste für ein Halleluja‹ etc.). Sergio Leone (›Spiel mir das Lied vom Tod‹) versucht in seinem neuesten Film, zwei Genres – ein traditionsreiches, mehr oder minder gewachsenes und ein synthetisches, aus rein kommerziellen Gesichtspunkten entwickeltes – unter einen Hut zu bringen, bzw. er suggeriert eine Entwicklungslinie, die schlichtweg einem Taschenspielertrick zuzuschreiben ist. Leones Konzept ist reichlich künstlich. Die schönsten und einprägsamsten Bilder gelingen ihm, wenn er sich an die Ford'sche Tradition des Western hält: Aufnahmen von weit gedehnten Landschaften mit Tafelbergen, die berittene Bande, die durch diese Landschaft reitet. Ansonsten ist nur der Versuch erwähnenswert, Mythen synthetisch zu fertigen und damit wohl oder übel eine Wegwerfideologie zu propagieren. Leones Arroganz oder Übermut lässt Sam Peckinpah auf einem Indianerfriedhof begraben sein.

Damit kann er nicht verwischen, dass dieser den wirklichen Abgesang auf den Traditionswestern gedreht hat: ›Sacramento‹.«

Erwin Schaar, Film-Dienst FD 18 633

DIE FILMJAHRE 1975 BIS 1996

ITALO-WESTERN-FILMSTARTS IN DEUTSCHEN KINOS 1975 BIS 1996

* Los fabulosos de Trinidad (Whisky, Plattfüße und harte Fäuste) – Regie: Ignacio F. Iquino – BRD-Start: 3.1.1975

* Là dove non batte il sole (In meiner Wut wieg' ich vier Zentner) –
Regie: Antonio Margheriti – BRD-Start: 12.2.1975

* Carambola (Vier Fäuste schlagen wieder zu) – Regie: Ferdinando Baldi – BRD-Start: 21.2.1975

* Il bianco, il giallo, il nero (Stetson – drei Halunken erster Klasse) – Regie: Sergio Corbucci – BRD-Start: 27.2.1975

* Fuori uno sotto un altro ... arriva il passatore (Wenn Engel ihre Fäuste schwingen) –
Regie: Giuliano Carnimeo – BRD-Start: 6.3.1975

* Il ritorno di Clint il solitario (Ein Einsamer kehrt zurück) –
Regie: Alfonso Balcázar, George Martin – BRD-Start: 7.3.1975

* Di Tresette ce n'è uno tutti gli altri son nessuno (Dicke Luft in Sacramento) –
Regie: Giuliano Carnimeo – BRD-Start: 3.4.1975

* Il giorno del giudizio (Tag der Vergeltung) – Regie: Mario Gariazzo – BRD-Start: 17.4.1975

* Franco e Ciccio sul sentiero di guerra (Zwei Trottel als Revolverhelden) –
Regie: Aldo Grimaldi – BRD-Start: 18.4.1975

* Con lui cavalca la morte (Tödlicher Ritt nach Sacramento) – Regie: Giuseppe Vari – BRD-Start: 25.4.1975

* Zorro (Zorro) – Regie: Duccio Tessari – BRD-Start: 8.5.1975

* Uno straniero a Paso Bravo (Der Fremde von Paso Bravo) – Regie: Salvatore Rosso – BRD-Start: 4.7.1975

* Lo straniero di silenzio (Der Schrecken von Kung Fu) – Regie: Luigi Vanzi – BRD-Start: 15.8.1975

* Il ritorno di Zanna Bianca (Teufelsschlucht der wilden Wölfe) – Regie: Lucio Fulci – BRD-Start: 12.9.1975

* La parola di un fuorilegge ... è legge! (Einen vor den Latz geknallt) –
Regie: Antonio Margheriti – BRD-Start: 31.10.1975

* La tigre venuta dal fiume Kwai (Der Tiger vom Kwai) – Regie: Franco Lattanzi – BRD-Start: 7.11.1975

* Kid il monello del West (Little Kid und seine kesse Bande) – Regie: Tonino Ricci – BRD-Start: 4.12.1975

* Un genio, due compari, un pollo (Nobody ist der Größte) – Regie: Damiano Damiani – BRD-Start: 16.12.1975

* Carambola, filotto ... tutti in buca (Vier Fäuste und ein heißer Ofen) – Regie: Ferdinando Baldi – BRD-Start: 1975

* Cipolla Colt (Zwiebel-Jack räumt auf) – Regie: Enzo Girolami – BRD-Start: 13.2.1976

* Reverendo Colt (Bleigewitter) – Regie: León Klimovsky, Marino Girolami – BRD-Start: 17.2.1976

* I 2 sergenti del generale Custer (Herr Major, zwei Flaschen melden sich zur Stelle) –
Regie: Giorgio C. Simonelli – BRD-Start: 20.2.1976

* ¡Uncas! El fin de una raza (Lederstrumpf – der letzte Mohikaner) – Regie: Mateo Diaz Caño – BRD-Start: 9.4.1976

* Più forte, sorelle (Drei Nonnen auf dem Weg zur Hölle) – Regie: Renzo Girolami – BRD-Start: 17.6.1976

* Noi non siamo angeli (Wir sind die Stärksten) – Regie: Gianfranco Parolini – BRD-Start: 24.6.1976

DIE FILMJAHRE AB 1977 BIS HEUTE

* Keoma (Keoma – Ein Mann wie ein Tornado) – Regie: Enzo Girolami – BRD-Start: 27.1.1977
* Zanna Bianca alla riscossa (Wolfsblut greift an) – Regie: Tonino Ricci – BRD-Start: 29.3.1977
* I quattro dell'Apocalisse (Verdammt zu leben – verdammt zu sterben) – Regie: Lucio Fulci – BRD-Start: 15.4.1977
* Giubbe rosse (Die Rotröcke / Die gnadenlose Meute) – Regie: Aristide Massaccesi – BRD-Start: 17.5.1977
* Che botte, ragazzi! (Zwei durch Dick und Dünn) – Regie: Adalberto Albertini – BRD-Start: 27.5.1977
* California (Der Mann aus Virginia) – Regie: Michele Lupo – BRD-Start: 16.9.1977
* Deserto di fuoco (Dolanies-Melodie – Melodie des Todes) – Regie: Renzo Merusi – BRD-Start: 26.5.1978
* Una donna chiamata Apache (Apache Woman) – Regie: Giorgio Mariuzzo – BRD-Start: 24.11.1978
* Mannaja (Mannaja – das Beil des Todes) – Regie: Sergio Martino – BRD-Start: 19.1.1979
* Sella d'argento (Silbersattel) – Regie: Lucio Fulci – BRD-Start: 27.4.1979
* Occhio alla penna (Eine Faust geht nach Westen) – Regie: Michele Lupo – BRD-Start: 14.5.1981
* Comin' at Ya! (Alles fliegt dir um die Ohren) – Regie: Ferdinando Baldi – BRD-Start: 18.12.1981
* Django 2 – Il grande ritorno (Djangos Rückkehr) – Regie: Nello Rossati – BRD-Start: 22.10.1987
* Zorro il ribelle (Das Finale liefert Zorro) – Regie: Piero Pierotti – BRD-Start: 1.5.1991
* Lucky Luke (Lucky Luke) – Regie: Terence Hill – BRD-Start: 4.7.1991
* Zanna Bianca e il cacciatore solitario (Von Wölfen gehetzt) – Regie: Alfonso Brescia – BRD-Start: 16.8.1991
* Botte di natale (Die Troublemaker) – Regie: Terence Hill – BRD-Start: 16.3.1995
* Trinità & Bambino ... e adesso tocca a noi! (Trinity und Babyface) – Regie: Enzo Barboni – BRD-Start: 11.4.1996
* Jonathan degli Orsi (Die Rache des weißen Indianers) – Regie: Enzo Girolami – BRD-Start: nur TV

Giuliano Gemma im Film »California«

LÀ DOVE NON BATTE IL SOLE

In meiner Wut wieg' ich vier Zentner (Regie: Antonio Margheriti)

Italien / Spanien / Hongkong 1974
Erstaufführung in Italien: 11. Januar 1975
Deutscher Start: 12. Februar 1975

Besetzung: *Lee Van Cleef (Dakota), Lo Lieh (Wang Ho Kian), Karen Yeh [Yeh Ling Chih](Lia Hua), Femi Benussi (Italiener), Julián Ugarte (Deacon Yancy Hobbit), Erika Blanc (Amerikanerin), Goyo Peralta (Indio), Al Tung (Wang), Bernabe Barta Barri (Sheriff), Alfred Boreman, Paul Costello (Rechtsanwalt Mason), Jaime Doria, Anita Farra, Mariano Martín, Ricardo Palacios (Calico), Jorge Rigaud (Lord Barclay), Patty Shepard (Russin), Ernesto Vañes, Manuel de Blas*

Inhalt: In der guten, alten Goldgräberzeit überfällt Dakota (Lee Van Cleef) in Kalifornien einen reichen Chinesen, aber leider findet er in dessen

Tresor nur vier Damenporträts, denen der Verstorbene aufs Innigste verbunden war, und den Hinweis, dass jede der Schönen auf ihrem reizenden Popo eine Information über das Versteck

Ein schöner Hintern kann auch entzücken

Lee Van Cleef in Bedrängnis

Dreharbeiten mit dem gefesselten Lee Van Cleef

Lo Lieh und Lee Van Cleef in einer Drehpause

des Schatzes tätowiert hat. So macht sich denn Lee Van Cleef in Gesellschaft seines Kumpels (Lo Lieh) auf Schatzsuche, die durch die Mitwirkung besagter Damen nicht ohne Reiz ist.

Andererseits haben sie die Bande eines wildgewordenen Predigers am Hals, woraus jede Menge Action resultiert, die sich nicht auf das übliche Western-Repertoire beschränkt, sondern durch ein paar gepfefferte fernöstliche Tricks aufs Amüsanteste ergänzt wird. Und während der ganzen Zeit, in der die beiden Helden einem Phantom nachjagen, ruht der Schatz friedlich in einer Statue einige tausend Meilen von Kalifornien entfernt.

Film: Hier haben wir einen der ersten Italo-Western mit Kung-Fu-Elementen. Dieser Film von Genre-Spezialist Antonio Margheriti entstand 1974 als internationale Koproduktion zwischen Carlo Pontis Firma Compagnia Cinematografica Champion und der berühmten Shaw Brothers Productions von Run Run Shaw, der bereits zahlreiche Eastern erfolgreich international verkaufen konnte. Auf Grund der Tatsache, dass die »normalen« Italo-Western immer schlechter liefen und sich das Publikum langsam, aber sicher an diesem Genre sattgesehen hatte, versuchten die Produzenten nun neue Wege zu finden, das Publikum wieder in die Kinos zu locken.

Was lag also näher, als das gerade populäre Eastern-Genre mit dem des Italo-Western zu kombinieren. Dieser zwar relativ anspruchslose, jedoch äußerst unterhaltsame kleine Film mit Lee Van Cleef in der Rolle eines witzigen Schurken und Lo Lieh als Chinesen enthält einige sehr gute Actionszenen, die von Margheriti gewohnt gut in Szene gesetzt wurden. Um den Unterhaltungsmix ausgeglichen zu gestalten, sieht man auch einige schöne Hintern von vier Frauen und auch der Humor kommt nicht zu kurz.

Der Film wurde von einem der besten Kameramänner des Italo-Western, Alejandro Ulloa, an wunderschönen Drehorten im Süden Spaniens in Szene gesetzt.

Presse: »… Allzu grobe Brutalität bei immerhin bemerkenswerten Karatevorführungen wurde offenbar geschnitten. Lee Van Cleef hätte seine übliche Schurkenrolle beibehalten sollen; denn bis auf den für die chinesische Sprache wohl ungebräuchlichen Begriff ›Arsch‹, der in jeder zweiten Szene genüsslich erörtert wird, hat er an ›Einfällen‹ nichts zu bieten. Dieses dilettantisch aufgemachte Volksstück mit seiner Pappfassade mag den zum Lachen bringen, der sich an einem Sammelsurium x-mal durchgekauter Western- und Hongkong-Klischees noch zu delektieren vermag.« *JBJ., Film-Dienst FD 19 194*

LA PAROLA DI UN FUORILEGGE ... È LEGGE!

Einen vor den Latz geknallt (Regie: Antonio Margheriti)

Italien / USA 1975
Erstaufführung in Italien: 3. Oktober 1975
Deutscher Start: 31. Oktober 1975

Besetzung: *Lee Van Cleef (Kiefer), Jim Brown (Pike), Fred Williamson (Tyree), Catherine Spaak (Catherine), Jim Kelly (Kashtok), Dana Andrews (Morgan), Barry Sullivan (Kane), Harry Carey Jr. (Dumper), Robert Donner (Skave), Charles MacGregor (Cloyd), Lenord Smith (Cangey), Ronald Howard (Halsey), Ricardo Palacios (Calvera), Robin Levitt (Chico), Buddy Joe Hooker (Angel)*

Inhalt: Ein Sonntagmorgen in dem Landstädt-chen Abilene in Texas. Unter die Kirchgänger mischt sich ein finster aussehender Fremdling,
der Kopfgeldjäger Kiefer. Doch Kiefer erntet nur Verachtung, als er diesmal seine Beute bei Sheriff Kane abliefert. Inzwischen ist ein großer Rindertreck aus Mexiko in Abilene eingetroffen, der von Bob Morgan und seinem Cowboy Pike geleitet wurde. Morgan kassiert 86.000 Dollar. Doch plötzlich erleidet er einen Herzanfall. Sterbend nimmt er Pike das Versprechen ab, das Geld sicher zu seiner Frau nach Sonora in Mexiko zu bringen. Zu den Zeugen des Gesprächs gehört auch Kiefer, der Pike kein Unbekannter ist. Wie ein Lauffeuer verbreitet sich die Nachricht von dem 86.000-Dollar-Transport nach Sonora durch Abilene. Kein Wunder, dass sich manch einer den Kopf zerbricht, wie man wohl an das Geld heran-kommen könnte. Auch der Pokerspieler Tyree hat es satt, sein Leben mühsam durch Falschspiel zu fristen, wo ein doch großes Vermögen griffbereit

EINEN VOR DEN
LATZ GEKNALLT

Lee Van Cleef als Kiefer

zu sein scheint. So ist er auch der Erste, der sich an die Fersen des einsamen Reiters Pike heftet. Zunächst steht er Pike bei, als dieser von fünf Banditen überfallen wird. Widerstrebend akzeptiert Pike den neuen Begleiter. Bis zur Grenze nach Mexiko würde er Pikes Mitstreiter sein, dann müsste es sich entscheiden, wem das Geld zufiele. Pike nimmt die Herausforderung an.

Jim Kelly als Kashtok

Vorerst jedoch erweist sich Tyree als guter Kamerad. Gemeinsam mit Pike rettet er Catherine, deren Mann ermordet wurde, vor der Vergewaltigung. Catherine schließt sich ihren Rettern an. In Kashtok, einem Angehörigen des legendären Tarahumara-Stammes, haben sie einen weiteren Verbündeten gefunden. Die Zahl der geldgierigen Verfolger nimmt ständig zu. Da sind zwei schwarze Cowboys, der fanatische Prediger Halsey mit seiner Gefolgschaft, ja sogar Sheriff Kane mit seinen Männern und schließlich Kiefer mit einer Mini-Armee, die als Erste Pike und seine Begleiter angreift. Die Lage scheint hoffnungslos. Plötzlich ergreift Catherine den Geldsack und reitet in wilder Flucht davon. Die Banditen nehmen die Verfolgung auf. Von einer Kugel tödlich getroffen sinkt Catherine vom Pferd. Doch die Geldtasche ist leer. Das entdecken die Banditen im gleichen Augenblick, als Pike die Dollarnoten dort aufsammeln kann, wo Catherine sie ausschüttete, bevor sie sich selbst unter Einsatz ihres Lebens zum Lockvogel machte. Die Jagd auf das Geld geht weiter, wobei sich die Verfolger gegenseitig in die Quere kommen. Sheriff Kane wird von

Fred Williamson als Pike

Kiefer erschossen und Kashtok rächt Catherines Tod an ihrem Mörder.

In einem verlassenen Bergwerk beschließen Pike und Tyree, nun ihren persönlichen Entscheidungskampf um das Geld auszutragen. Doch die herannahenden Banditen machen aus Gegnern wieder Freunde. Mit dem in der Mine vorgefundenen Dynamit bereiten die beiden den Verfolgern einen explosiven Empfang, wobei Pike und Tyree selbst von Wassermassen fortgeschwemmt werden. Tyree wird von Pike gerettet. Endlich ist der Weg nach Sonora frei, wohin sie bereits Kashtok mit dem Geldsack vorausschickten. In der Ferne sehen sie eine jämmerliche Reiterfigur, den verwundeten Kiefer, dessen Tage als Kopfgeldjäger nun endgültig vorbei sind.

Film: Auch diese auf den Kanarischen Inseln gedrehte Mischung aus Italo-Western und Blaxploitation-Kracher wurde wieder mit Lee Van Cleef in der Hauptrolle von Genre-Profi Antonio Margheriti in Szene gesetzt. Lee Van Cleef wird unterstützt von den schwarzen Darstellern Jim Brown, Fred Williamson und dem aus dem besten Bruce-Lee-Film »Enter the Dragon« (»Der Mann mit der Todeskralle«) bekannten Jim Kelly, der hier einen fast stummen Halbindianer spielt.

Wie alle Filme von Regisseur Margheriti ist auch dieser Film nicht anspruchsvoll, bietet jedoch wieder eineinhalb Stunden packende Unterhaltung mit sehr guten Actionszenen und einem Schuss Humor. Die Musik: stammt hier ausnahmsweise einmal nicht von einem Italiener, sondern von Oscar-Preisträger Jerry Goldsmith, der hier einen mehr symphonischen Score ablieferte, der eher zu einem US-Western als zu einem italienischen passt. Was an diesem Film gefällt, sind auch die ungewöhnlichen Landschaftsaufnahmen der Kanarischen Inseln.

Zur Abwechslung sieht man einmal nicht die typischen südspanischen Steppengegenden oder die grünen Wiesen aus der Umgebung von Rom, sondern teilweise schwarzes Vulkangestein.

Presse: »Ein Routine-Western mit einigem Aufwand und stetiger, aus immer neuen Verfolgungs-

EINEN VOR DEN LATZ GEKNALLT

Lee Van Cleef als Kiefer

szenen sich entwickelnder Spannung. Dass die Gejagten hier Farbige sind und dass es darum geht, 84.000 Dollar als letztes Vermächtnis eines bei einem Viehtrieb an Herzschlag gestorbenen Farmers zur Verwirklichung einer sozialen Utopie vor dem Zugriff ganzer Hundertschaften von Gaunern zu retten, die wie die Pilze aus der Prärie schießen, macht den modischen Touch des Drehbuchs aus. Dass es daneben auch um die private Abrechnung zwischen zwei Männern nach alter Western-Manier sich dreht, wird zwar im Dialog immer wieder behauptet, bleibt aber dramaturgisch völlig auf der Strecke. Die fahrigen Einfälle des Autors vermochten den Regisseur offenkundig nicht zu inspirieren. Was bleibt, sind unterkühlte Schnoddrigkeiten, eine Unmenge sinnlos ins Gras sinkende Sterbende, eine bizarre Landschaft und eine ausgezeichnete Kameraarbeit.«

Hans Jürgen Weber,
Filmecho / Filmwoche Heft 66, 1975

UN GENIO, DUE COMPARI, UN POLLO

Nobody ist der Größte (Regie: Damiano Damiani)

Italien / Frankreich / Deutschland 1975
Erstaufführung in Italien: 19. Dezember 1975
Deutscher Start: 16. Dezember 1975

Besetzung: *Terence Hill [Mario Girotti] (Joe Thanks, in der deutschen Fassung Nobody), Miou-Miou (Lucy), Robert Charlebois (Lokomotive), Patrick McGoohan (Major Cabot), Raimund Harmstorf (Sergeant Milton), Klaus Kinski (Doc Foster), Jean Martin (Colonel Pembroke), Piero Vida (Jeky Roll), Mario Valgoi (Thomas Trader), Rik Battaglia (Captain), Clara Colosimo, Gérard Boucaron, Fernando Cerulli, Benito Stefanelli (Mortimer), Renato Baldini (Sheriff im Saloon), Roy Bosier (Jeremy), Friedrich von Ledebur (Priester), Mario Brega, Miriam Mahler, Carla Cassola, Vittorio Fanfoni, Furio Meniconi, Armando Bottini, Pietro Torrisi, Valerio Ruggeri*

Inhalt: Nobody behauptet von Lokomotive, er sei ein Halbblut. Lokomotive behauptet von Nobody, er sei ein Vollidiot. Aber in Wahrheit ist Nobody, wie längst bekannt, ein Genie der Gerissenheit, Schlagfertigkeit und Treffsicherheit. Und Lokomotive entstammt dem edelsten Häuptlingsgeschlecht der Apachen; sein seltsamer Name, in der Sprache der Apachen »Der Mann, der das Feuerross nahm«, rührt daher, dass er schon in jüngsten Jahren auf eine Eisenbahn sprang, um in die Städte und die Bordelle der Weißen zu dampfen. Obwohl sie sich ständig in den Haaren liegen, sind Nobody und Lokomotive das durchgeschlagendste Erfolgsgespann des Westens. Nichts zeigt das besser als die Geschichte mit Major Cabot. Dieser Offizier der Vereinigten Staaten, Kommandant eines Forts, hat im Lauf der Zeit 300.000 Dollar Regierungsgelder unterschlagen, die als Unterhaltsbeihilfe für die Indianer bestimmt waren. Jetzt naht eine Regie-

Klaus Kinski als Doc Foster

414

rungsrevision in Gestalt des Colonel Pembroke, und Major Cabot muss schlau sein.

Als Erstes lässt er den Indianerstamm ausrotten, damit dieser sich nicht beklagen kann, er habe die Dollars nicht bekommen. Als Nächstes schickt er den Banditen Jelly aus, den anreisenden Colonel Pembroke umzubringen, damit dieser keine Revision vornehmen kann.

Nobody und Lokomotive aber sind schlauer. Lokomotive verwandelt sich in Colonel Pembroke und begibt sich in das Fort, um die fraglichen Gelder sicherzustellen, und Nobody sichert seine An- und Abreise, damit die Beute auch nicht in falsche Hände kommt. Der falsche Colonel wird mit allen Ehren empfangen und dann gefangengesetzt – Major Cabot ist noch schlauer, als man annahm, er hat das Spiel von Nobody und Lokomotive durchschaut.

Der Gipfelpunkt seiner Schlauheit aber ist, dass er Nobody und Lokomotive benutzt, um seine betrügerischen Pläne zu einem guten Ende zu führen. Er zwingt Lokomotive, seine Rolle als Pembroke weiterzuspielen, mit der Geldkassette abzureisen und sich dann überfallen zu lassen; das ordnungsgemäß geklaute Geld wandert dann getrost wieder in seine Tasche. Nobody und Lokomotive müssen auf diesen Gipfelpunkt der Schlauheit nun einen wahren Mount Everest der Gerissenheit setzen, damit der schlaue Major Cabot am Schluss doch der Dumme ist.

Mit ein bisschen Anstrengung schaffen sie das auch. Allerdings müssen sie dazu einen ganzen Berg, durch den die Eisenbahnarbeiter eigentlich nur einen Tunnel graben wollen, vollständig in die Luft sprengen.

Film: Leider ist diese nur in Deutschland als »Nobody«-Fortsetzung konzipierte Komödie nicht auf der Höhe von »Il mio nome è nessuno« (»Mein Name ist Nobody«) und hat mit jenem Meisterwerk auch nur den Hauptdarsteller Terence Hill gemein. Laut diversen Quellen wurden damals die Negative dieses Films gestohlen und konnten nie wieder aufgefunden werden. Aus diesem Grunde mussten die Produzenten auf alternative Takes zurückgreifen, was man dem Film leider sehr stark ansieht. Außer einigen wenigen witzigen Szenen, unter anderem mit Klaus Kinski, wird dem Fan hier leider nicht sehr viel geboten. Nur die Musik Ennio Morricones, die schönen Landschaftsaufnahmen im Monument Valley und die Mitwirkung von Miou-Miou ent-

Terence Hill mag's gemütlich

schädigen ein bisschen für die Zeit, die man an diesem Film verbringt. Auch Terence Hill selbst spielte diese Rolle wesentlich liebloser als in seinem Tonino-Valerii-Western. Da können auch so Darsteller wie Raimund Harmstorf wenig retten. Das Drehbuch ist relativ dünn und ohne jegliche Höhepunkte. Schade, dass auch ein Top-Regisseur wie Damiano Damiani dieses Werk nicht retten konnte.

Presse: »Hier wollte man zweierlei: Sinnfällige Western-Scherze rund um den Star Terence Hill und obendrein einen Film für die entrechteten und betrogenen Indianer und gegen Militärs, die ihre Macht missbrauchen. Beides brachte man nicht auf einen Nenner, zumal man auch noch streikende (und dann doch wieder arbeitende) Eisenbahner mit ins Spiel brachte. Der Film lässt erneut über die Problematik deutsch/ausländischer Co-Produktionen nachdenken, bei denen der deutsche Kapital-Anteil offenbar nicht hoch genug ist, um bei der Filmgestaltung ernstlich mitreden zu können. Horst Wendlandt hat mit seinen auch international erfolgreichen Karl May-Verfilmungen bewiesen, dass er Filme dieses Genres zu machen versteht. Unvorstellbar, dass es bei einem Rialto-Film zu einem derartigen Sammelsurium schwer verständlicher Action-Szenen gekommen wäre. Das Rätselraten beginnt mit den Eingangsszenen und setzt sich mit dem Erscheinen von Klaus Kinski fort. Man erwartet, dass seine Begegnung mit Terence Hill eine handlungsfördernde Fortsetzung hat und merkt erst sehr spät, dass Kinski lediglich für eine Episode eingesetzt wurde. Bleibt als Positivum das Wiedersehen mit Terence Hill, der wieder einmal auf seine spezielle Art sympathisch ist und dem die Texter der Synchronisation viele verschroben heitere Sätze in den Mund legten.«

Georg Herzberg,
Filmecho/Filmwoche Heft 73, 1975

»Nobody ist der schnellsten und sichersten Schützen einer, aber vor allem ist er ein Schelm, der sich mit List und Scherzen durch den Wilden (Italo-)Westen schlägt. Er schaut mit blauen Augen so treuherzig in die Welt, als ob er nicht bis drei zählen könnte, und hat es doch faustdick hinter den Ohren. Zwar geht es ständig hart zu, aber fast pausenlos auch komisch, präziser: grotesk. Eine richtige Handlung entwickelt sich dabei nicht, ein überlanger Vor-Vorspann hat kaum Zusammenhang mit dem folgenden Film, die einzelnen Episoden erinnern eher an Fortsetzungs-Comics, entsprechen ihnen auch in der Geistigkeit der Geschichten. Manchmal kennt man sich überhaupt nicht mehr aus, aber das schadet nicht viel bei einem solchen Produkt, in dem es ja nur um die Präsentation eines beliebten Darstellers und die einzelnen Einfälle geht. Zur Persiflage stößt der Film nicht vor, dazu werden die Wildwestklischees – imgrunde sind sie gar nicht vorhanden – nicht ironisch entlarvt, sondern nur in Annäherung grotesk variiert. Klamaukheld Noboy hat zwar den alten legendären Wildwesthelden abgelöst (vgl. ›Mein Name ist Nobody‹, fd 18633), aber hier wurde dieser Einfall nicht weiter entwickelt. Dieser Nobody dient nur mehr dem Jux. Den inszenierte Damiano Damiani recht zielsicher, wenn auch mit der linken Hand.«

Erika Haala,
Film-Dienst FD 19608

»Alles über ›Nobody ist der Größte: Mein Name ist Nobody‹ war ein großer Spaß, ein großer Erfolg, eines der größten Kino-Geschäfte von 1974. Jetzt hat Sergio Leone einen neuen ›Nobody‹ produziert, wieder mit Terence Hill, noch größer, noch turbulenter, noch witziger als der erste Film. Deshalb heißt er auch ›Nobody ist der Größte‹.

Der Film entstand in italienisch-französisch-deutscher Gemeinschaftsproduktion. Der deutsche Produktionspartner war Horst Wendlandts Rialto, die deutschen Darsteller des Films sind Klaus Kinski, Raimund Harmstorf und Friedrich von Ledebur. Wie Nobody seinen Ruf erhärtet, der Größte im Westen zu sein. Nobody fordert den gefürchteten Poker-Spieler und Revolverhelden Doc Foster (Klaus Kinski) zu einem Duell heraus, bei dem Doc Foster zum Schluss als der Dumme dasteht. Dann macht Nobody sich auf die Suche nach seinen Freunden, Lokomotive und Lucy. Lokomotive behauptet von Nobody, er sei ein Vollidiot, weil Nobody von Lokomotive behauptet, er sei ein Halbblut; daraus kann man schon sehen, dass die beiden gute Freunde sind. Seinen seltsamen Namen hat der heimliche Apache Lokomotive daher, dass er schon in frühester Jugend auf das Feuerross sprang, um in die Städte und die Bordelle der Weißen zu dampfen. Lucy, ein wildes, schönes Kind, ist seine Freundin, was sie nicht hindert, dem schönen Nobody schöne Augen zu machen. Dieses wunderbare Trio macht sich nun daran, dem Kommandanten des Forts, der die Indianer ständig um ihr Hab und Gut bringt, einen monumentalen Streich zu spielen. Damit der Streich auch wirklich gelingt, müssen sie am Schluss einen ganzen Berg in die Luft sprengen.

Hier spricht Sergio Leone! »Die Kosten des Films belaufen sich auf dreieinhalb Milliarden Lire, und wichtig dabei ist die deutsche und französische Beteiligung. Warum machen wir einen so aufwendigen Film, während man in ganz Europa von einer Krise des Films spricht. Gerade wegen der Krise, und weil der amerikanische Film dabei ist, uns mit Kolossalproduktionen wie ›Erdbeben‹, ›Flammendes Inferno‹ und ›Der weiße Hai‹ den Markt wegzunehmen. Produktionen wie unser Film gehören also zu einer Marktstrategie, nicht nur von italienischer, sondern auch von deutscher und französischer Seite aus, damit der europäische Film überleben kann. Und wenn dieser Versuch gelingt, ist der Weg gebahnt für weitere großangelegte Projekte europäischer Zusammenarbeit.«

Wer ist Robert Charlebois? ›Robert Charlebois ist ein Name, der durstig macht‹, heißt es in einem Artikel einer französischen Zeitschrift über diese sensationelle Entdeckung von Sergio Leone. Was den Durst angeht, so sagt Robert Charlebois

selbst: ›Als ich fünf Jahre alt war, kriegte ich meine ersten nervösen Depressionen; deshalb habe ich mir damals das Biertrinken abgewöhnt.‹ Wie man sieht, ist Robert Charlebois ein Witzbold. Für Frankreich und Kanada ist der 1944 geborene Mann aus Montreal nur als Filmdarsteller eine Entdeckung; in seinem eigentlichen Metier als Chansonnier ist er in beiden Ländern längst ein beliebter Star. Angeblich zählen zu seinen Ahnen auch reinblütige Indianer. Vielleicht wirkt er deshalb in seiner Rolle als Lokomotive so durchschlagend echt.

Wie heißt Miou-Miou denn wirklich? Die 1950 geborene Pariserin behauptet, sie wisse schon selbst nicht mehr, wie ihr bürgerlicher Name lautet; schon die Kollegen ihrer ersten Theaterjahre (ihre ersten Theaterjahre fanden im Café de la Gare am Montparnasse statt) haben sie so gerufen, weil ihre Stimme wie das wohlige Miauen einer Katze klingt. Das stimmt. Dass sie ihren wirklichen Namen nicht mehr weiß, stimmt wahrscheinlich nicht. Aber das macht nichts: Miou-Miou passt gut zu ihr. Sie hat bis jetzt in acht Filmen gespielt, von denen der bekannteste ›Les Valseuses‹ ist. In ›Nobody ist der Größte‹ singt sie im schönsten Bordell von Las Vegas einen Choral und exerziert in der Wüste von New Me-

Terence Hill mit Robert Charlebois

TERENCE HILL

NOBODY IST GRÖSSTE

Terence Hill und Raimund Harmstorf

xiko einen Striptease, um eine Bande von Banditen wenigstens solange zu verwirren, bis Nobody zeigen kann, dass er der Größte ist.

Warum sieht der Westen in diesem Film so amerikanisch aus? Weil ein großer Teil der Außenaufnahmen zu diesem Film wie schon zu Leones ›Spiel mir das Lied vom Tod‹ und ›Mein Name ist Nobody‹ (jener Film wurde jedoch in New Mexico gedreht, Anm. d. Vf.) im Monument Valley in Arizona, unter Western-Fans auch bekannt als John-Ford-County, gedreht wurde. Sieben Wochen wurde dort gedreht, und in dieser Zeit entstanden herzliche Freundschaften zwischen der 45-köpfigen italienischen Film-Crew und den Navajo-Indianern, die dort zu Hause sind.

Terence Hill: ›Wie alle wahren Freundschaften basierten die italienisch-indianischen auf der Gastronomie. Während der Drehpausen wurde um die Wette gekocht. Bei den Navajos am beliebtesten war eine römische Nudelspezialität: I bucatini all'amatriciana, während wir sehr angetan waren von einer indianischen Maisspezialität mit besonderen Kräutern. Auch die indianischen Medizinmänner, die beileibe keine Scharlatane sind, waren sehr freundlich und haben uns mit guten Resultaten mittels Kräuteraufgüssen von Kopfschmerzen und anderen Beschwerden kuriert.‹ Über wen man sonst noch etwas wissen muss.

Inszeniert hat den Film Damiano Damiani, der einer der renommiertesten italienischen Filmemacher ist und mit ›Quien sabe?‹ (›Töte, Amigo!‹) einen der besten Italo-Western gedreht hat.

Damiani: ›Im Gegensatz zu meinen meisten anderen Filmen ist *Nobody ist der Größte* ein Film ohne Ideologie, eine phantasievolle, heitere, spritzige Story, fast eine Posse, in der, wie im Leben, die am besten lachen, die zuletzt lachen. Im übrigen glaube ich, dass der Reiz, den der Western noch heute auf das Publikum ausübt, hauptsächlich ein Reiz der Umwelt ist: der endlose Blick, der Himmel, die unendlich weiten Prärien sind ein Trost für die Menschen, die in den Städten leben, die von den Düften unserer Zivilisation vergiftet werden. Unser Western jedenfalls ist ein sauberer Spaß.‹

Kein Sergio Leone-Western ohne Ennio Morricone. Richtig. Leone: ›Künstlerisch gesehen, leben wir, Ennio und ich, in einer katholischen, das heißt unauflöslichen Ehe.‹ Morricones Musik zu ›Nobody ist der Größte‹ baut sich auf drei Motive auf, die mit den drei Helden der Handlung verbunden sind: das Nobody-Motiv, das Lokomotive-Motiv und Lucys Motiv.«

Pressemitteilung von Tobis-Film

KEOMA

Keoma – Melodie des Sterbens (Regie: Enzo Girolami)

Italien 1976
Erstaufführung in Italien: 25. *November 1976*
Deutscher Start: 27. *Januar 1977*

Besetzung: *Franco Nero (Keoma), Woody Strode (George), William Berger (William Shannon), Donald O'Brien (Caldwell), Olga Karlatos (junge Lisa), Giovanni Cianfriglia (Bandenmitglied), Orso Maria Guerrini (Butch), Gabriella Giacobbe (Die Hexe), Antonio Marsina (Lenny), Joshua Sinclair (Cham), Leon Lenor (Doktor), Wolfgang Soldati (Konföderierter Soldat), Victoria Zinny (Bordellbesitzer), Domenico Cianfriglia (Mitglied von Caldwells Bande), Pierangelo Civera (Pest Opfer), Roberto Dell'Acqua (Mitglied von Caldwells Bande), Gianni Loffredo (Cham), Riccardo Pizzuti (Pistolero), Angelo Ragusa (Mitglied von*

Caldwells Bande), Massimo Vanni (Konföderierter Soldat), Alfio Caltabiano

Inhalt: Keoma (Franco Nero) kehrt aus dem mörderischen Bürgerkrieg dorthin zurück, wo einmal sein Zuhause war. Die Farm ist verkommen, sein Stiefvater Shannon (William Berger) alt und ergraut. Seine drei Stiefbrüder sehen ihn mit größtem Unbehagen. Keoma hatte einst als Kleinkind ein Gemetzel überlebt und war von Shannon zusammen mit den eigenen Söhnen aufgezogen worden. Seine Stiefbrüder hatten ihn immer als Bastard betrachtet; sein Spielgefährte war George (Woody Strode), ein Sklave.

Durch den Krieg war die Gegend um die Farm mit Pocken verseucht. Die Angesteckten waren von marodierenden ehemaligen Soldaten abgesondert worden, die Angehörigen wurden

Franco Nero ist Keoma

in einer alten, fast zerstörten Minengegend mit Gewalt festgehalten.

Man kümmerte sich nicht um Hilfe oder Medikamente, dem alten Arzt war untersagt worden, sich einzumischen. Man wollte die Unglücklichen verrecken lassen.

In dieser Situation taucht Keoma auf und greift ein – auf seine ganz besondere Weise. Er befreit als Erstes eine junge schwangere Frau aus den Händen der Marodeure und Gewalttäter und verschafft den Eingeschlossenen und Dahinsiechenden etwas Luft und Ruhe. Er hilft dem alten Arzt durch einen Trick aus der Einkesselung herauszukommen, Medikamente zu besorgen und die Behörden zu verständigen.

Aber es sieht ganz so aus, als ob Keoma keine Chance hat. Die Übermacht der Gewalttätigen ist zu groß, auch seine Stiefbrüder stellen sich gegen ihn. Aber Keoma wäre nicht Keoma, wenn er aufgeben würde. Es gibt für ihn keine ausweglose Situation. Auch nicht, als sein Stiefvater Shannon, der ihm zu Hilfe eilt, getötet wird und er zunächst unterliegt und in die Hände der Mörderbande fällt. Seine feinen Stiefbrüder glauben schon tri-

umphieren zu können, aber sie haben die Rechnung ohne Keoma gemacht. Und während die junge Frau neues Leben gebiert, rechnet Keoma endgültig ab.

Film: Dies ist ohne Zweifel der beste Western, den Regisseur Enzo Girolami je abgeliefert hat. Es ist ihm hier das Kunststück gelungen, ein kleines Meisterwerk des Spätwestern zu schaffen. Umso erstaunlicher, als nach Aussagen von Franco Nero und Girolami kein fertiges Drehbuch vorlag, sondern die Szenen des nächsten Drehtags immer in der Nacht zuvor geschrieben wurden. Das Konzept für diese Geschichte stammt übrigens von keinem anderen als Luigi Montefiori, der auch als George Eastman bekannt wurde und in unzähligen Italo-Western mitspielte. Laut Aussagen von Girolami, dessen Lieblingsfilm dies übrigens ist, kopierte Girolami in diesem Film all jene Szenen, die er aus zahlreichen amerikanischen Western liebgewonnen hatte.

Die Zeitlupenaufnahmen in verschiedenen Geschwindigkeiten stammen zum Beispiel direkt aus Sam Peckinpahs »The Wild Bunch«. Auch was

Dreharbeiten mit Franco Nero

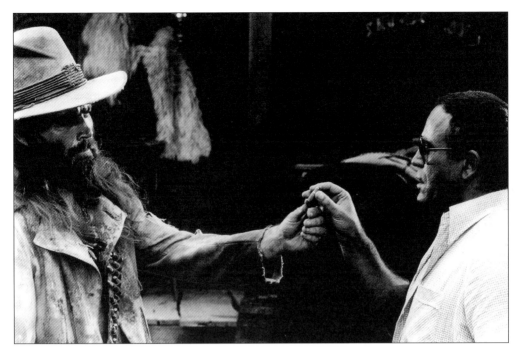

Franco Nero mit seinem Regisseur Enzo Girolami

die Musik des Films angeht, wurde Girolami von amerikanischen Western beeinflusst. Er hatte die Rohfassung des Films damals mit der Musik von Bob Dylans Soundtrack zu »Pat Garrett & Billy the Kid« unterlegt und bat die De Angelis Brüder, ihren Score in diesem Stil zu komponieren. Die schönen wilden Landschaftsaufnahmen zu diesem Film entstanden übrigens im Nationalpark der Abruzzo-Region nordöstlich von Rom, in den Elios Studios, die damals schon dem Verfall nahe waren, sowie zwei weiteren halb-verfallenen Western-Städten im Umkreis von Rom.

Presse: »Ursprünglich sollte er – hierzulande – als Django weiter über die Leinwand geistern, ist der Held doch Franco Nero. Aber dann entschied man sich, dem italienischen Original zu folgen und es bei Keoma zu lassen. Vielleicht wird auch durch diese ›Einführung‹ ein Name, ein Begriff und der neue Heroe des Westens ein Serienträger. Die Story ist gradlinig und dramatisch mit einigen epischen Einschlägen.

Aus einem mörderischen Krieg zum greisen Vater und drei ihn nicht eben liebenden Stiefbrüdern zurückgekehrt, versucht der vom Leben gebeutelte Edelmut, sich auf die Seite Hilfloser zu schlagen, hier von Pestkranken, denen die Gesellschaft ihren Beistand vorenthält. Trotz obligatorischer Härte umgeht die Kamera brutale Details, ohne auf die notwendigen Akzente dieses Genres zu verzichten. Dass Franco Nero dennoch nicht selten an seinen Django erinnert – wen wundert's?«   *Herbert G. Hegedo, Filmecho/Filmwoche Heft 12, 1977*

I QUATTRO DELL'APOCALISSE

Verdammt zu leben – verdammt zu sterben (Regie: Lucio Fulci)

Italien 1975
Erstaufführung in Italien: 12. August 1975
Deutscher Start: 15. April 1977

Besetzung: *Fabio Testi (Stubby Preston), Lynne Frederick (Emanuelle O'Neill, »Bunny«), Michael J. Pollard (Clem), Tomás Milian (Chaco), Harry Baird (Butt), Adolfo Lastretti (Reverend Sullivan), Bruno Corazzari (Lemmy), Giorgio Trestini (Der Mann in der Stadt ohne Frauen), Donald O'Brien (Der Sheriff), Salvatore Puntillo*

Inhalt: Während einer schrecklichen Nacht machen sich in der Stadt Salt Flat einige »respektable« Bürger, verkleidet mit Kapuzen, auf, die Stadt zu »säubern«. Mit allen Bürgern, die etwas »anders« sind, wird kurzer Prozess gemacht und

VERDAMMT ZU LEBEN· VERDAMMT ZU STERBEN
IM ADRIA-FILMVERLEIH

Fabio Testi als Stubby Preston

sie werden entweder erschossen, erhängt oder auf andere Arten getötet. Nur der Spieler Stubby, die junge schwangere Bunny, der schwarze Träumer Butt, der es liebt mit Geistern zu sprechen, und der Trunkenbold Clem überleben das Massaker. Die vier schließen sich zusammen und versuchen gemeinsam, die Stadt Sand City zu erreichen. Unterwegs treffen sie auf den wahnsinnigen Banditen Chaco, dem sie hilflos ausgeliefert sind und der nicht viel Zeit verstreichen lässt, bevor er Bunny vergewaltigt und Stubby foltert. Mit Glück gelingt es ihnen, Chaco zu entkommen und eine verlassene Stadt zu erreichen, wo Clem stirb, der von Chaco schwer verletzt wurde. Butt, der inzwischen total verrückt geworden ist, gibt seinen hungernden Freunden ein Stück Fleisch von Clems Leiche und bleibt alleine in der Stadt, um mit den Seelen der Toten zu sprechen.

Stubby bringt Bunny, die inzwischen nahe daran ist, ein Baby zu gebären, nach Altaville, einer Stadt ohne Frauen. Leider überlebt sie nicht die Geburt ihres Kindes. Nachdem Stubby die Männer der Stadt mit der Sorge um das Baby betraut hat, macht er sich wieder auf den Weg.

Unterwegs trifft er nochmals auf Chaco, den er ohne Mitleid tötet und damit die Rache für sich und seine Freunde vollendet. Schließlich reitet er in Begleitung eines streunenden Hundes in eine ungewisse Zukunft.

Film: Dieser Film, basierend auf einer Serie von Erzählungen von Francis Bret Harte, ist ein ziemlich intelligenter, jedoch trotzdem ungewöhnlicher Western, der eigentlich komplett aus dem Rahmen fällt. Die Geschichte konzentriert sich diesmal nicht auf das klassische »Gut gegen Böse«-Leitmotiv, die Hauptcharaktere sind hier vier menschliche Wracks, vier hoffnungslose Seelen ohne Zukunft. Dieser Dämmerungswestern erzählt die Geschichte von der Reise dieser vier Verlierer in den Tod und die Erlebnisse, die sie auf diesem Weg haben. Dieser Film ist eigentlich näher an Fulcis Horror-Filmen als an seinem ersten Western »Tempo di Massacro« (»Django – sein Gesangbuch ist der Colt«). »I quattro Dell'Apocalisse« (»Verdammt zu leben – verdammt zu sterben«) hat eigentlich keine Struktur, fast so wie sein hervorragender gotischer Horrorfilm »L'Aldilà« (»Die Geisterstadt der Zombies«), dessen Atmosphäre er hier angefangen von den Szenen des nächtlichen Massakers, in denen die »guten Bürger« beinahe als Ku-Klux-Klan verkleidet die Stadt »säubern«, bis hin zum kannibalistischen Butt, der mit den Toten spricht, fast vorwegnimmt. Die schrecklichen Gewohnheiten von Butt werden offengelegt, als Stubby herausfindet, dass er ihm und Bunny ein Stück Fleisch aus Clems Leichnam herausgeschnitten und zu essen gegeben hat. Aber der absolute, unmenschliche Höhepunkt der Brutalität wird in jenen Szenen gezeigt, als die Antihelden des Films von Chaco gefoltert werden. Tomás Milian spielt hier einen Superbösewicht, der sehr an den Charakter von Charles Manson erinnert. Speziell die beiden Szenen, in denen Chaco dem Sheriff bei lebendigem Leib ein Stück Fleisch aus dem Bauch schneidet, ihm einen Sheriff-Stern in die nackte Brust drückt und danach Bunny vergewaltigt, sind von einzigartiger Brutalität, die auch an die brutalen Szenen in »Se sei vivo spara« (»Töte

Django«) erinnern. Vertieft in eine quasi-metaphysische, zeitlose Atmosphäre, in denen sich eine Reihe von ultrabrutalen Szenen mit unglaublich lyrischen Momenten wie die Todesszene von Clem oder die Szene, in der Bunny stirbt, abwechseln, nimmt hier Lucio Fulci seine späteren Horrorfilme vorweg. Eine Szene, die man nie vergessen wird, ist auch die Schlussszene, in der Stubby wieder auf Chaco trifft und ihm zuerst

Fabio Testi

Fabio Testi vor dem Massaker

423

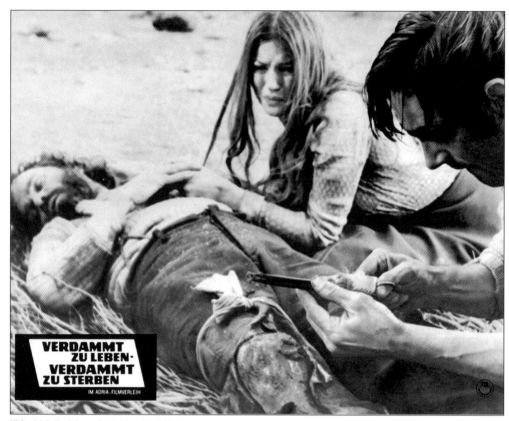

Michael J. Pollard, Lynne Frederick und Fabio Testi

das Gesicht zerschneidet, bevor er ihn kaltblütig erschießt. Diese Szene ist ein originelles Beispiel für ein konstruktives Ende, anders als alle anderen Schlussszenen, die man jemals zuvor in einem Italo-Western gesehen hat. Diese Szene entstand übrigens in der »Rancho Leone«, der berühmten Sweetwater Ranch aus »C'era una volta il West« (»Spiel mir das Lied vom Tod«).

Presse: »Vier haben in einer Western-Stadt eine Lynch-Nacht überlebt: Ein auf Haltung bedachter Spieler, ein gutmütiger Trunkenbold, ein geistesverwirrter Neger und ein schwangeres Sa-

loon-Mädchen. Zu ihnen gesellt sich ein Fünfter, ein Mörder. Am Ende leben nur der Spieler und das Kind.

Der zwischen Brutalität und Sentimentalität schwankende Film enthält wirksame Action-Szenen und gibt seinen Darstellern Spielchancen. Die ohnehin dünne Handlung wird aber dadurch beeinträchtigt, dass die Tempi ungleich verteilt sind. Wichtige Geschehnisse werden nur kurz registriert, bei anderen lässt man sich sehr viel Zeit. Immerhin: Freunde des Italo-Western werden auf ihre Kosten kommen.« *Georg Herzberg, Filmecho/Filmwoche Heft 28, 1977*

CALIFORNIA

Der Mann aus Virginia (Regie: Michele Lupo)

Italien / Spanien 1977
Erstaufführung in Italien: 16. Juli 1977
Deutscher Start: 16. September 1977

Besetzung: *Giuliano Gemma (California/Michael Random), Raimund Harmstorf (Rob Whittaker), Miguel Bosè (William Preston), Paola Bosè (Helen, Williams Schwester), William Berger (Mr. Preston), Chris Avram (Nelson), Robert Hundar [Claudio Undari] (Eric Plummer), Dana Ghia (Mrs. Preston), Ferdinando Murolo (Brook), Enzo Fiermonte (Der Nordstaatler, der seinen vermissten Sohn sucht), Mario Novelli, Nazzareno Zamperla, Andrea Aureli (Mann mit dem Fuhrwerk), Alfio Caltabiano, Franco Ressel (Full), Romano Puppo (Gary Luke), Malisa Longo (Jasmin), Franco Antonelli (Soldat mit der Harmonika), Piero Leri, Franco Fantasia, Piero Morgia*

Inhalt: Der aus dem amerikanischen Bürgerkrieg heimkehrende California (Giuliano Gemma) will seine Vergangenheit als gefürchteter Revolverheld inklusive seines Namens hinter sich lassen. Er nennt sich jetzt nur noch Michael Random, ein Name, den er einer Tabakmarke entliehen hat. Unterwegs schließt sich ihm der junge schwärmerische William Preston (Miguel Bosè) an, der auf dem Weg zu seiner Familie in Georgia ist. Die beiden erleben zusammen verschiedene Abenteuer in einem Land, das zerstört ist von der Gewalt des Bürgerkrieges. Eine Gruppe von Kopfgeldjägern unter der Führung von Robert Whittaker (Raimund Harmstorf) tötet hungernde Südstaatler, auf deren Kopf von der Regierung wegen Kleinstdelikten Prämien ausgesetzt wurden. Willy gelingt es im Laufe der Reise Michael Random zu überreden, mit zu seiner Familie zu kommen. Unterwegs treffen sie jedoch auf einen fanatischen Nordstaatler (Enzo Fiermonte) und dessen Söhne, denen sie nach einer grundlosen Schlägerei ein Pferd stehlen, um sich in Sicherheit zu bringen. In einem verlassenen kleinen Ort spüren die Nordstaatler die beiden auf, bringen Willy um und reiten weiter. Michael Random entschließt sich daraufhin, die Familie

seines toten Freundes aufzusuchen und ihnen die traurige Nachricht zu überbringen. Er wird von ihnen schließlich wie ein Sohn aufgenommen. Willys Schwester Helen (Paola Bosè) verliebt sich schließlich in den Freund ihres Bruders und Random entschließt sich, bei der Familie seines ermordeten Freundes zu bleiben.

Eines Tages, an dem Random mit seiner neuen Freundin in die nahegelegene Stadt fährt, überfällt gerade Whittaker mit seinen Leuten die Bank in dem Ort, da auch er auf Grund einer Gesetzesänderung zum Outlaw gestempelt wurde. Es entbrennt eine blutige Schießerei und auf Grund eines unglücklichen Zufalls fällt Helen als Geisel in die Hände von Whittaker und seinen Leuten, die mit ihr davonziehen. Nachdem er Helens Eltern von diesem tragischen Ereignis berichtet hat, macht er sich auf, die Suche nach seiner Freundin aufzunehmen, obwohl er davon

Giuliano Gemma als Michael Random, genannt California

425

ausgehen muss, dass diese Verbrecher sie schon umgebracht haben. Random wird wieder zum unerbittlichen Kämpfer, der er schon im Krieg war; sein einziges Ziel: Helen aus Whittakers Klauen zu befreien. Random lehrt Whittaker und seine Bande das Fürchten – in gnadenloser Jagd erledigt er einen nach dem anderen und trifft schließlich auf Whittaker, der ihm einen Deal vorschlägt.

Zum Schein schließt er sich mit Whittaker zusammen, jedoch nur um von diesem dessen Versteck in den Bergen zu finden, wo Helen versteckt sein soll. Nach einem Überfall führt ihn Whittaker schließlich in seinen Unterschlupf, wo er Helen endlich findet. Jetzt ist der große Tag der Abrechnung gekommen. Nachdem er Whittaker in einem harten Kampf getötet hat, muss er eine furchtbare Entdeckung machen: Helen, die Grauenvolles bei Whittaker und seinen Verbrechern durchmachen musste, ist völlig verändert – nichts erinnert mehr an das glückliche und unbefangene Mädchen, in das sich Michael Random einst verliebte. Trotzdem entscheiden sie sich, gemeinsam nach Hause zu gehen, einem hoffentlich friedlichen Leben entgegen.

Film: Hier handelt es sich um einen sehr dramatischen, schwermütigen Spätwestern von Michele Lupo, der beinahe so deprimierend wirkt wie Sergio Corbuccis »Il grande silenzio« (»Leichen pflastern seinen Weg«). Der frühere Revolverheld California ist müde geworden von all den Strapazen, die der Bürgerkrieg mit sich gebracht hat, und will sein früheres Leben vergessen. Er will nur in Ruhe gelassen werden und kümmert sich nicht um das, was um ihn herum passiert. Jedoch wird er jäh aus seiner Situation gerissen, da er feststellen muss, dass es sich lohnt, für seine Freunde zu kämpfen. Regisseur Michele Lupo fängt die Endstimmung des Bürgerkrieges perfekt ein, wozu auch Kameramann Alejandro Ulloa mit wunderbaren Herbstaufnahmen und Komponist Gianni Ferrio mit seinem unkonventionellen Score einiges beitragen. Die Darsteller sind perfekt gewählt, speziell Giuliano Gemma in der Hauptrolle ist sehr gut in der Rolle des müden Helden. Raimund Harmstorf ist ein überzeugender, korrupter Kopfgeldjäger, der seine Opfer am liebsten tot abliefert. Ihm zur Seite steht der Italo-Western-Veteran Robert Hundar (Claudio Undari).

Giuliano Gemma und Raimund Harmstorf

William Berger mimt einen überzeugenden Mr. Preston, Vater von William und Helen. Seine Frau wird von Dana Ghia dargestellt. Der Film enthält einige brutale Szenen wie z.B. das Erschießen unbewaffneter Südstaatler durch Whittaker und seine Bande. Besonders hart ist die Szene, in der die Nordstaaten-Familie den unschuldigen William Preston zuerst von hinten erschießt und dann aufhängt. Alles in allem ein sehr sehenswerter Spätwestern, der das Ende eines Genres perfekt darstellt. Der Film wurde übrigens wie unzählige zuvor teilweise in Italien und zum Großteil in Spanien in der Fels- und Hügellandschaft um Tabernas gedreht. Als Westernstadt wurde das »Decorados«-Westernset verwendet, einige Aufnahmen entstanden auch vor »Rancho Leone«.

Presse: »Die besiegte Südstaaten-Armee wird nach Hause geschickt, die Ex-Kriegsgefangenen treten ihren Heimweg in eine oft unsichere Zukunft an. Einzelgänger Random tut sich mit dem schwärmerischen Willy zusammen, der bei einem Feuergefecht hinterrücks erschossen wird. Random bricht nun zu Willys Eltern auf und wird an Sohnes statt angenommen und der Geliebte von Willys Schwester Helen. Als diese von dem durch die Nordstaaten angeheuerten Kopfgeldjäger Whittaker und seinen Mannen verschleppt wird, kommt es zum offenen Kampf zwischen Ex-Revolverheld Random und Whittakers Bande. Elegisch schöne und stimmungsvolle Bilder sowie eine getragen unaufdringliche Musikbegleitung machen dieses Spiel um Gut und Böse, das ganz subtil die Unsinnigkeit der Kriege anklagt, sehenswert. Insbesondere der Kampf am Schluss des Films zeichnet sich durch einige Überraschungsmomente aus, bei denen die Action-Fans auf ihre Kosten kommen werden.

Trotzdem ist es kein Film für Bahnhofs-Kinos, kein Italo-Western, bei dem nur das Sterben blutige Triumphe feiert.

Vielmehr wurde es ein – für Amerikaner möglicherweise fast heimatfilmhafter – nostalgischer Abgesang auf Recht und Ordnung wie auf den ›goldenen Westen‹ von der Güteklasse eines ›Keoma‹, bei dem allerdings gelegentlich ein grimmig dreinschauender ›Seewolf‹ kopfgeldjagend über die Leinwand tölpelt. Daran, und an der Tatsache, dass Giuliano Gemma wohl kaum mehr ein Zugname für heimische Kinofans ist, dürfte der Film bei seinen hiesigen Einsätzen kranken.« *Guntram Lenz,*
Filmecho/Filmwoche Heft 54, 1977

MANNAJA

Mannaja – Das Beil des Todes (Regie: Sergio Martino)

Italien 1977
Erstaufführung in Italien: 13. August 1977
Deutscher Start: 19. Januar 1979

Besetzung: *Maurizio Merli (Mannaja), Martine Brochard (Deborah MacGowan), John Steiner (Waller), Philippe Leroy (Ed McGowan), Salvatore Puntillo (Burt Craven), Donald O'Brien (Johnny), Sonia Jeanine (Angela), Rik Battaglia, Enzo Fiermonte, Nino Casale, Aldo Rendine, Aldo Maggio, Sergio Tardioli*

Inhalt: Mannaja, das bedeutet in der Indianersprache »das Beil«, so nennt sich der Mann, der eines Tages in dem kleinen Silberminenort Crashville auftaucht. Er hat einen Gefangenen bei sich, dem er mit seinem Handbeil die Hand abgeschlagen hat. Auf den Kopf dieses Gefangenen ist eine Belohnung von fünftausend Dollar ausgesetzt.

Als der Mann, der sich Mannaja nennt, diese Belohnung kassieren will, stößt er überall auf Widerstand.

Da ist zunächst Waller, der Boss der Silbermine, der ihn aus der Stadt jagen will. Mannaja überredet Waller zu einem Pokerspiel. Der Einsatz sind fünftausend Dollar. Mannaja setzt die Kopfprämie seines Gefangenen dagegen und gewinnt. Als er seinen Gewinn kassieren will, kommt es zu einer heftigen Auseinandersetzung zwischen Mannaja und den Leuten von Waller.

Es gelingt Mannaja schnell, sich mit seinem Handbeil den nötigen Respekt zu verschaffen. Er lässt seinen Gefangenen laufen und bleibt im Ort. Am selben Tage sucht er MacGowan, den Besitzer der Silbermine, auf. Er ist der eigentliche Grund dafür, dass Mannaja nach Crashville gekommen ist. Nun stehen sie sich gegenüber als erbitterte Feinde. Beide wissen, dass einer von ihnen in den nächsten Stunden sterben wird.

Als MacGowan den Fremden nach seinem Namen fragt, sagt dieser voller Bitterkeit: »Mein Name ist im Wind, der über das Grab meines Vaters weht!« MacGowan unterbricht ihn mit höhnischem Lachen. Und dann handelt Mannaja mit jener mörderischen Wildheit, die schon so vielen Menschen zum tödlichen Verhängnis wurde. Waller versucht, Mannaja durch einen Sprengstoffanschlag zu beseitigen. In letzter Minute rettet ihn eine vorbeiziehende Schaustellertruppe. Johnny und seine Mädchen kümmern sich um den Schwerverletzten.

Waller glaubt, seinen Gegner ausgeschaltet zu haben und entführt die einzige Tochter von MacGowan, um ihn damit zu zwingen, die Silbermine an ihn zu übergeben. In dieser Situation taucht Mannaja wieder bei MacGowan auf und bietet ihm seine Dienste an. Er bringt die mit Silber beladene Kutsche zu Waller, um Debra, die Tochter von MacGowan, dafür freizukaufen. Mannaja hält alle Trümpfe in der Hand, aber eines hat er dabei übersehen: das Mädchen, das in Wirklichkeit den teuflischen Plan, den Vater zu erpressen, zusammen mit Waller ausgearbeitet hatte. Mannaja hat das Silber vorsorglich vergraben, um Waller daran zu hindern, ihn nach der Übergabe

des Lösegeldes umzulegen. Aber Waller presst das Versteck aus ihm heraus und tötet Angela, zu der Mannaja eine tiefe Zuneigung gefasst hat. Dann lässt Waller Mannaja mit dem Gesicht zur Sonne in den Sand eingraben.

Er will seinen langsamen, aber grausamen Tod. Es ist Burt, der frühere Gefangene von Mannaja, der ihn ausgräbt und rettet. In einer Höhle versteckt, wartet Mannaja wochenlang darauf, dass sich seine Augen wieder an das normale Tageslicht gewöhnen – doch dann ist der Tag der Rache gekommen.

Film: Bei diesem Film handelt es sich um einen deutlichen Versuch, den Erfolg von Enzo Girolamis »Keoma« zu wiederholen, was ihm zum Teil auch gelingt. Dieser Spätwestern von Sergio Martino gehört zu den wenigen Filmen dieses Genres, die durch eine mittelalterliche Stimmung auffallen, angefangen von der apokalyptischen Stimmung, den nebeldurchzogenen, schlammigen Landschaften und dem Aussehen der Charaktere selbst. Auch die Musik der Gebrüder De Angelis erinnert sehr stark an ihre Arbeit für den Film »Keoma«. Maurizio Merli, hier in seiner einzigen Italo-Western-Rolle, sieht dem »Keoma«-Darstel-

ler Nero sehr ähnlich. Aber anders als in Girolamis Western verwendet Regisseur Martino hier keine phantastischen Elemente, sondern verlässt sich auf die gotischen Elemente des Films wie Nebelschwaden und unheimliche Landschaften.

Merkwürdigerweise teilt dieser Film mehr als nur ein paar Gemeinsamkeiten mit zwei Western aus den sechziger Jahren, »10.000 dollari per un massacro« (»10.000 blutige Dollar«) von Romolo Girolami und »Per 100.000 dollari ti ammazzo« (»Django der Bastard«) von Giovanni Fago, an denen Martino damals als ausführender Produzent und vielleicht sogar als kreative Kraft im Hintergrund beteiligt war.

In »Mannaja« wie auch in Fagos Film sehen wir den Held des Films, der unter Folter zusehen muss, wie seine Frau von Verbrechern ermordet wird, nachdem sie das Versteck der Beute erfahren haben. Aus Girolamis Film wurde die Liebesbeziehung zwischen dem Mädchen und dem Kidnapper übernommen, der sie dann überzeugt, bei ihm zu bleiben. Auf Grund seiner eigenständigen Regie gelingt es Sergio Martino trotzdem, von Girolamis Vorlage weit genug entfernt zu bleiben und eine neue, spannende Geschichte zu erzählen. Auch Martino spart nicht mit Gewalt in seinem Western, angefangen von der abgehackten Hand eines Flüchtigen mit der Waffe des deutschen Filmtitels über die Folterung Mannajas, der bis zum Hals eingegraben wird und dessen Augenlider mit Zündhölzern aufgespreizt werden, um ihn von der Sonne blenden zu lassen, bis hin zum brutalen Auspeitschen von Angela und anderen Prostituierten durch den von Philippe Leroy dargestellten bigotten Hausbesitzer.

Nicht vergessen sollte man auch John Steiner, der hier als von zwei unheimlichen schwarzen Hunden begleiteter sadistischer Waller eine hervorragende Rolle zum Besten gibt.

Presse: »Der seinerzeitige Sensationserfolg ›Für eine Handvoll Dollar‹ (1964, fd 13307, Regie: Sergio Leone) führte zu einer unerfreulichen Brutalisierung der Western. In zahlreichen Filmen, vornehmlich italienischer Prägung, wandten die Autoren mehr Scharfsinn auf die Darstellung ausgespielter Grausamkeiten auf als auf die Stimmigkeit der Handlung oder die Glaubwürdigkeit in der Psychologisierung der Personen. Insoweit ist ›Mannaja‹ ein ›würdiger‹ Nachfolger eines längst abgeklungen geglaubten Welle unerfreulicher Brutalschinken.

Ein großer Regisseur macht diesen Film zu einem Erlebnis

MAURIZIO MERLI
JOHN STEINER
Regie:
SERGIO MARTINO

MANNAJA
DAS BEIL DES TODES
SONJA JEANNINE · DONALD O'BRIEN · PHILIPPE LEROY
MUSIK VON GUIDO MAURIZIO DE ANGELIS

Genüsslich ergeht sich der Film, der seinen Regisseur verschweigt, um sich so auf den Vater der Italowestern, Sergio Leone, berufen zu können, in zahlreichen Grausamkeiten: Frauen werden blutig gepeitscht, Bluthunde auf Menschen gehetzt, Männer wahllos hingemetzelt. Die Story wiederholt das Grundmuster der zahllosen Rache-Epen in einfallsloser Weise, selbst die Kapitalismus-Diskussion, die früher von einigen Kritikern anhand der Italowestern entfacht wurde, enthält hier neue Nahrung, ohne allerdings neue Einsichten zu vermitteln. Nur in der Darstellung der Tötungsarten finden sich Variationen: So schwingt Mannaja in steinzeitlicher Weise sein scharfes Beil bei den Auseinandersetzungen mit seinen schießwütigen Gegnern. Bewusst wird auf die verdrängten Aggressionstriebe des Publikums gezielt: Während die Fahrgäste einer Postkutsche niedergemacht werden, erscheinen in ständigem Wechsel Bilder Beine schwingender Tanzmädchen aus dem nahen Städtchen. Durch diesen unterschwelligen Appell an niedere Instinkte erweist sich dieses Produkt als höchst gefährlich.«
Film-Dienst 21110
Joe Hill

SELLA D'ARGENTO

Silbersattel (Regie: Lucio Fulci)

Italien 1977
Erstaufführung in Italien: 20. April 1978
Deutscher Start: 27. April 1979

Besetzung: *Giuliano Gemma (Roy Blood), Sven Valsecchi (Thomas Barrett, Jr.), Ettore Manni (Thomas Barrett), Donald O'Brien (Fletcher), Aldo Sambrell (Garrincha), Geoffrey Lewis (Snake), Cinzia Monreale (Margaret Barrett), Philippe Hersent (Sheriff), Licinia Lentini (Shiba), Gianni di Luigi (Turner), Sergio Leonardi*

Inhalt: Der reiche Rancher Richard Barrett hat nach seinem Tode seinen beiden Kindern Thomas – Tommy (Sven Valsecchi) und Margaret (Cinzia Monreale) als Alleinerben ein großes Vermögen hinterlassen. Sein Bruder Nick Barrett erhielt keinen Pfennig. Thomas – Tommy Barrett ist ein Bengel von 14 Jahren, seine Schwester Margaret eine begehrenswerte junge Frau. Wenn beide weg wären, würde das Riesenvermögen dem Onkel zufallen, und der macht seine Pläne. Er verspricht dem Verwalter Turner (Gianni di Luigi) Margaret, wenn er den aufsässigen Tommy beseitigt. Turner und Margaret wären dann später an der Reihe. Alles würde wie Unfälle inszeniert, und der liebe Onkel dann ein reicher Mann.

Aber er weiß nicht, dass Roy Blood (Giuliano Gemma) in der Gegend ist, der noch ein Hühnchen mit der Familie Barrett zu rupfen hat.

Als zehnjähriger Bub hat er einen Mann erschießen müssen, um sein Leben zu retten, als seine Familie von den Barretts vertrieben und

Giuliano Gemma als Roy Blood nimmt die Verfolgung auf

getötet wurde. Geblieben ist ihm als Andenken an seinen Vater ein herrlicher Silbersattel. Roy Blood ist einsam und voller Rache. Sein Silbersattel und sein Revolver sind gefürchtete Anblicke.

Zufällig, und eigentlich wider Willen, rettet er das Leben des jungen Tommy, als der erste Versuch gemacht wurde, ihn zu töten. Die beiden werden langsam Freunde. Roy sieht ein, dass die Kinder für das seinerzeitige Massaker nicht verantwortlich gemacht werden können.

Von nun an passt er auf Tommy auf, zusammen mit seinem Weggefährten Snake (Geoffrey Lewis). Mit der Zeit dringen sie immer tiefer in die Zusammenhänge ein und durchschauen den teuflischen Plan, dem auch Margaret zum Opfer fallen sollte. Und so nehmen die Dinge ihren Lauf. Eine ganze Reihe Menschen müssen sterben, bis dem »lieben Onkel« das Handwerk gelegt werden kann.

Film: Dieser Spätwestern von Lucio Fulci erinnert ein wenig an den ein Jahr zuvor entstandenen Michele-Lupo-Western »California« (»Der Mann

Sven Valsecchi als Thomas Barrett Jr.

aus Virginia«), außer dass dieser Film nicht ganz so bedrückend und schwermütig wirkt wie jener. Die Art, mit der sich der kleine Junge Sven Valsecchi anbiedert, ist teilweise etwas übertrieben. Besonders interessant ist der von Geoffrey Lewis dargestellte Charakter Snake, der einen perfekten Kontrast zu Giuliano Gemmas ruhigem, einzelgängerischem Revolverhelden bildet.

Der Film wirkt teilweise etwas episodenhaft, es gelingt ihm jedoch trotzdem weitgehend, das Publikum zu unterhalten.

Auch in diesem Film hat man das Gefühl, dass die Helden von damals müde geworden sind und nicht mehr den alten Schwung und die Energie haben, die sie einst hatten. Die Action-Szenen sind spärlich gesät, jedoch immer leichenreich.

Die Musik stammt von Bixio, Frizzi und Tempera und erinnert ein wenig an den Stil der De Angeli-Brüder. Auch dieser, einer der letzten echten Italo-Western, wurde wieder in südspanischer Landschaft um Tabernas gedreht und verwendet auch die Sets von »Texas Hollywood/Decorados«, die bereits in dem Film »California« (»Der Mann aus Virginia«) Verwendung fanden.

Presse: »Kann es wirklich mehr als ein frommer Verleihwunsch sein, dass der Western nach fast zehn Jahren während Klamauk-Kastration wieder ›in‹ ist, dass also die Hauptzielgruppe jugendlicher Filmfans statt auf smart-ölige Discotypen von heute auf morgen auf knallharte Westmänner steht? Um dem Besucher diesen Übergang so ›schmerzlos‹ wie möglich zu machen, musste also ein menschlicher, hilfsbereit-sympathischer Westernheld erfunden werden, der zwar auch mal killt (ja killen muss, weil die Schlechtigkeit im Lande noch immer vorherrscht), darüber hinaus aber als Schutzengel eines minderjährigen Rotzbuben und dessen aparter großer Schwester ebenso glaubwürdig seinen Mann steht.

Ein solcher Zwitter ist Giuliano Gemma alias Roy Blood (!), der immer dann, wenn er in seinem Silbersattel den Tatort verlässt, eine Blutspur nach sich zieht, der es sich jedoch nie hätte träumen lassen, zum Beschützer Minderjähriger gegenüber erbschleicherischen Verwandten degradiert zu werden. In ›Silbersattel‹ aber bleibt ihm keine andere Wahl und so wird, wie schon im ›Mann aus San Fernando‹, einmal mehr die in Hollywoodfilmen oft als heiliges Tabu gepriesene Männerfreundschaft wieder einmal aufs Schönste ad absurdum geführt, auf ihre eigentliche Bedeutung

Giuliano Gemma als Roy Blood

reduziert. Auch wenn geschossen und geprügelt wird, was das Zeug hält und Dutzende schuftiger Statisten auf der Strecke bleiben (müssen?), so ist doch, da Regisseur Lucio Fulci wohltuenderweise oftmals auf unnötige Schaueffekte verzichtet hat (und dessen Film damit Gefahr läuft, von zu spät Gekommenen mit dem ›Langnese‹-Trailer verwechselt zu werden), auch ein zwitterhafter ›Soft-Western‹ entstanden, weder Fisch, noch Fleisch, weder Colt, noch Wasserspritzpistole. Eine streckenweise spannende Gangsterballade von vermeintlich Edlen wider Willen in einer schlimmen Zeit, deren Schauplatz mühelos auch Chicago oder das Weiße Haus sein könnte.«

Guntram Lenz,
Filmecho/Filmwoche Heft 28, 1979

Szene im südspanischen Texas-Hollywood

433

OCCHIO ALLA PENNA

Eine Faust geht nach Westen (Regie: Michele Lupo)

Italien / Deutschland 1980
Erstaufführung in Italien: 6. März 1981
Deutscher Start: 14. Mai 1981

Besetzung: *Bud Spencer [Carlo Pedersoli] (Bud), Amidou, Joe Bugner, Riccardo Pizzuti, Carlo Reali, Sara Franchetti, Piero Trombetta, Andrea Heuer, Renato Scarpa, Marilda Dona, Pino Patti, Tom Felleghy, Romano Puppo*

Inhalt: Bud und sein Freund »Adlerauge«, zwei ausgekochte Präriefüchse, sind ein eingespieltes Team. Das liebenswerte Duo lebt von seinem ungeheuren Reichtum, und der besteht aus viel, viel Phantasie, durch kleine Gaunereien ein angenehmes Leben zu führen. Freilich suchen sich die beiden nur solche aus, die ohnehin viel haben.

Der Zufall will es, dass sie sich in den Besitz einer seltsamen Reisetasche mogeln, deren Inhalt für Bud noch zu einer großen Überraschung werden wird. Unsere beiden Lebenskünstler machen sich aus dem Staub und gelangen nach Yucca, einem trostlosen Nest am Ende des Wilden Westens. Die friedlichen, aber einfältigen Einwohner halten die Neuankömmlinge für Mitglieder der gefürchteten Bande von Colorado-Slim, die die Farmer seit langem terrorisieren. Doch an seiner Tasche erkennt man, dass Bud der seit langem erwartete Doktor ist und »Adlerauge« sein Gehilfe. Und die beiden beschließen, ihre Rolle so

gut wie möglich zu spielen. Bald stehen die Patienten Schlange, denn der neue Wunderdoktor wartet mit sensationellen Radikalkuren auf, dass sich die Balken biegen. Nur Sheriff Bronson, ein vierschrötiger Geselle, traut dem neuen Doktor nicht über den Weg, genauso wenig wie Colorado-Slim und seine Spießgesellen, die unsere Freunde erst mal testen wollen und bald feststellen müssen, dass Bud mit seinen Fäusten und dem Colt genauso gut umzugehen weiß wie mit dem Rezeptblock.

Welche Mittel Colorado-Slim und seine Bande auch einsetzen, um das Duo wieder loszuwerden, es gelingt nicht. Bud und Adler arbeiten nach dem Motto: »Je mehr – je lieber« und die Bandenmitglieder wollen sich einfach nicht jeden Tag verhauen lassen. Doch dann ergibt sich für Colorado-Slim eine günstige Gelegenheit, alle Banken der Stadt an einem Tag auszuplündern und dann zu verschwinden: Man feiert das große Fest der Stadtgründung, an dem alles mitmacht, was Beine hat. Wie dieser Plan umgesetzt wird und wie er endet, wird hier freilich nicht verraten.

Film: Wesentlich unterhaltsamer als Terence Hills Alleingänge »... e poi lo chiamarono il magnifico« (»Verflucht, verdammt und Halleluja«) und »Un genio, due compari, un pollo« (»Nobody ist der Größte«) macht hier Bud Spencer eine blendende Figur und sorgt nochmals für das richtige Italo-Western-Flair der 70er Jahre. Dazu steuern vor

Bud Spencer und Joe Bugner

Bud Spencer in »Action«

allem die Regie Michele Lupos, die Musik Ennio Morricones und die schönen südspanischen Locations ihren Teil bei. Als weitere Darsteller sind der Ex-Boxer Joe Bugner, der Stuntman Antonio dell' Acqua und die attraktive Deutsche Andrea Heuer zu nennen. Dies ist der vorerst letzte Western, der noch auf der berühmten »Sweetwater«-Farm von »C'era una volta il West« (»Spiel mir das Lied vom Tod«) gedreht wurde. Auch die Stadt »El Paso«, die Carlo Simi damals für Leones zweiten Dollar-Western gebaut hatte, ist hier nochmals in voller Pracht zu sehen.

Presse: »Die letzten Solofilme Bud Spencers waren eher anödend als unterhaltsam. Hier endlich ist das schlagkräftige ›Schwergesicht‹ die Hauptfigur eines Abenteuerfilms, in dem sich Temperament auf weiten Strecken mit Witz verbindet und das

Bud Spencer

Westerngenre einer gelungenen Parodie verfällt. In pointiertem Galopp-Stil beginnt Buddys und seines indianischen Freundes ›Donnernder Adler‹ Ritt durch die Prärie, bis sie in einem weltverlorenen Städtchen anlangen, wo Buddy wegen eines mit ärztlichen Arbeitsmitteln gefüllten Koffers für einen Mediziner gehalten wird. Gutmütig kommt Buddy dem ›Wunderglauben‹ der Bewohner nach und kuriert ihre Wehwehchen mit fantasievollen Mixturen und kernigen Handgriffen. ›Doktors‹ Faust bewährt sich aber noch besser im Kampf gegen eine Bande, die unter der Führung des selbstverständlich rabenschwarz gewandeten ›Colorado-Slim‹ das Städtchen heimsucht. Am Ende verhindert Buddy mit Hilfe des ›Donnernden Adlers‹, dass der ständig schlimm lächelnde Colorado-Slim die Banken des Ortes ausräubert, während die Bevölkerung gerade den Gründungstag ihres Städtchens feiert. Und zum Erstaunen aller entlarvt Buddy auch noch den Sheriff als heimlichen Komplizen von Colorado-Slim. Sportsfreunde werden übrigens belustigt in der Rolle dieses ständig Prügel beziehenden Sheriffs den ehemaligen ungeschlagenen Europameister im Schwergewicht, Joe Bugner, wiedererkennen.

Die Handlung wird bei aller Einfachheit zum guten Transporteur einer zwerchfellkitzelnden Gagfülle. Natürlich sind die Gags und Klischeeverulkungen keine Neuerfindungen, sondern aus bekannten Westernspäßen abgekupfert.

Beispielsweise ist in den virtuosen und selten so witzig-munter dargebotenen Buddy-Keilereien die Musterreihe der furiosen Prügeleien aus Henry Hathaways ›Land der tausend Abenteuer‹ (fd 9808) unverkennbar. Aber es ist gekonnt ›nachgemacht‹, gibt dem Film Pfiff und Frische und überführt vor allem das, was so leicht bedenklichem Brutalklamauk verfallen könnte, in erheiternde Ansehnlichkeit.«

Günther Bastian,
Film-Dienst FD 22 958

»*Ausstattung wie bei Sergio Leone – Ausführung von Bud Spencer:* Ein gewaltiges Tal, umsäumt von karstigen Bergen, vertrocknet und von wüster Trostlosigkeit. Die Mittagsglut flimmert. Nur ein Schienenstrang, der sich in der Ferne des Horizonts verliert, zeugt davon, dass die Zivilisation auch hierher vorgedrungen ist.

Ein Indianer hält sein Ohr auf die Schiene. Eine explosive Situation. Atemlose Spannung im Publikum. Was wird passieren?

Diese Szene könnte aus einem neuen Western von Sergio Leone stammen. Diese Szene stammt aber aus einem neuen Western von Bud Spencer mit dem Titel ›Eine Faust geht nach Westen‹. Statt atemloser Spannung brüllendes Gelächter bei den Zuschauern. Was ist passiert? Nun, eine Kleinigkeit hat sich geändert. Der Indianer gibt seinem Freund Bud Spencer zu verstehen, dass sich ein Zug nähert und diesen Zug sieht man gleichzeitig in voller Größe auf ihn zufahren.

Groteske Späße dieser Art sind das Gütesiegel, mit dem Bud Spencer seine Millionen-Gemeinde immer wieder in Begeisterung versetzt.

Bud Spencer kämpft diesmal gegen die komplette Mannschaft des italienischen Stuntmen-Meisters Giorgio Ubaldi, die ›Miracolosi‹, 25 an der Zahl, die für ihre gewagten Bravourstücke einen Ehrenoskar verdient hätten.

Schon oft haben sie Bud Spencer in seinen Filmen begleitet, doch diesmal dürften sie ihr Meisterstück geliefert haben. Joe Bugner, ungeschlagener Ex-Europameister im Schwergewicht, präsentiert sich als verbrecherischer Sheriff Bronson, der unter anderem eine gewaltige Essenschlacht gegen Bud Spencer verliert und Amidou, so der Künstlername des Indianers, der Bud bei seinen harten Kämpfen mit pfiffigen Tricks zur Seite steht, dürfte wohl die sympathischste Neuentdeckung als Bud Spencers Partner sein.«

TV-Premiere, aus den Pressemitteilungen der Tobis-Filmkunst

JONATHAN DEGLI ORSI

Die Rache des weißen Indianers (Regie: Enzo Girolami)

Italien / Russland 1993
Erstaufführung in Italien: 20. April 1995
Deutscher Start: 1999

Besetzung: *Franco Nero (Jonathan Kowalski), Knifewing Segura (Chatow), Floyd »Red Crow« Westerman (Häuptling), John Saxon (Fred Goodwin), Melody Robertson (Shaya), David Hess (Maddock), Bobby Rhodes (Williamson), Clive Riche (Musiker)*

Inhalt: Die Geschichte wird in Rückblenden erzählt, die immer wieder zwischen Jonathans Kindheit und Erwachsenwerden wechseln. Nachdem er die blutige Ermordung seiner Eltern durch vier goldgierige Banditen beobachtet und knapp mit seinem Leben davonkommt, freundet sich der sechsjährige Jonathan zuerst mit einem Bärenjungen an und später mit einem weisen Indianerhäuptling (Floyd »Red Crow« Westerman). Der Häuptling zieht seinen weißen Adoptivsohn seinem eigenen Sohn, Chatow, vor und es entwickelt sich eine starke Rivalität

dieser beiden Jungen. Viele Jahre später streiten sich die beiden Männer Jonathan (Franco Nero) und Chatow (Knifewing Segura) immer noch, als ihr Vater, der weise Häuptling, im Sterben liegt. Nach unzähligen Jahren auf der Suche nach den Mördern seiner Eltern ist Jonathan innerlich leer und verbittert geworden. Seine Fähigkeiten mit Pfeil und Bogen sowie seine Hilfsbereitschaft Kranken und Schwachen gegenüber haben ihn zu einer Legende gemacht. Angeführt von dem rücksichtslosen Fred Goodwin (John Saxon) hat sich eine Bande von ölhungrigen Mördern in einem nahe gelegenen Westernstädtchen niedergelassen. Als Goodwin Öl in den heiligen indianischen Ruhestätten findet, entwickelt sich ein brutaler Kampf zwischen seinen Männern und den Indianern unter der Führung Jonathans. Als Jonathan die entführte Indianerin Shaya (Melody Robertson) aus der Stadt befreien will, wird er selbst zum Gefangenen von Goodwin und seinen Leuten. Der gottlose Goodwin lässt ihn an den Kirchturm »kreuzigen«, um ihn dort sterben zu lassen. Gerettet von einem reuevollen schwarzen Verbrecher (Bobby Rhodes) gelingt es Jonathan,

Enzo Girolami erklärt Knifewing Segura, Floyd »Red Crow« Westerman und France Nero eine Szene

437

Enzo Girolami mit Floyd »Red Crow« Westerman

einen nach dem anderen aus Goodwins Bande zu vernichten, bis er am Schluss Goodwin selbst gegenübersteht und ihn seiner gerechten Strafe zuführt. Goodwin war auch der Anführer der vier Männer, die damals Jonathans Eltern ermordet hatten.

Film: Man könnte diesen Film beinahe als inoffizielles Sequel zu »Keoma« betrachten. Die Geschichten beider Filme ähneln sich sehr, auch wenn es in diesem Film nicht zu einer Fehde innerhalb der Familie kommt. Auch die zahlreichen Rückblenden sowie die vielen Peckinpah-mäßigen Zeitlupenaufnahmen waren bereits in »Keoma« zu sehen. Auch in diesem Film verwendet Castellari wieder seine Technik, den Hauptdarsteller als Kind und als Erwachsenen in derselben Einstellung zu zeigen – quasi als Erinnerung an die Vergangenheit.

Im Großen und Ganzen ein würdiger Abschluss von Enzo Girolamis Western-Filmen. Die Darsteller sind glaubhaft, die Locations passend gewählt und die Action-Szenen unterhaltsam inszeniert.

Presse: »Action Regisseur Enzo G. Castellari (›The Great White‹) konnte dieses Lieblingsprojekt auf Grund von kürzlich veröffentlichten Hits wie ›Der mit dem Wolf tanzt‹ und ›Der letzte Mohikaner‹ verwirklichen. Trotz der indianischen Handlung fühlt sich ›Jonathan‹ viel mehr wie ein Nachfolger der glorreichen Sergio Leone Pferdeopern an, jedoch ohne dessen technische Innovationen … Obwohl ganze Horden von Menschen sterben, bevorzugt Castellari im Film ›Jonathan‹ aktionsgeladene Schießereien statt blutigen Realismus. Seine offensichtliche Liebe zum alten Westen zeigt sich in den detaillierten Sets (die auf einem Armeestützpunkt außerhalb Moskaus entstanden) und der liebevoll integrierten Indianerkultur. Mikhail Agranovichs Kamera fängt die stürmischen Himmel, Wälder, Flüsse und Steppen auf sehr realistische Weise ein – auch wenn man eine verdächtig hohe Anzahl an russischen Birken im Bild hat. Nero spielt einen prächtigen, nachdenklichen einsamen Wolf. Obwohl er im Gegensatz zu seinem Blutsbruder, dem gut aussehenden Segura, etwas zu alt wirkt, hat er eine Klasse, die ihn in peinlichen Situationen vor der Lächerlichkeit rettet wie bei der Tötung eines Trappers um einen Bär zu retten, oder an einem Kreuz hängend. Saxon ist selbstsicher als Gentleman-Bösewicht. Der Indianerstamm erinnert eher an Eskimos mit Ausnahme des hervorragenden Westerman und Segura, beides echte Indianer, und der attraktiven, aber stummen Robertson als Jonathans Freundin.« *Deborah Young*
Variety, 6. Juni 1994

DARSTELLER, REGISSEURE, DREHBUCHAUTOREN UND KOMPONISTEN

Biografien und Interviews, Filmografien und Diskografien. Die wohl umfangreichste Sammlung von Daten, Zahlen und Fakten über die Italo-Western!

IHRE SPRACHE WAR DER COLT
Die Darsteller – Biografien und Interviews

Addobbati, Giuseppe (Pseudonym: **John Mc Douglas**; geboren in Italien 1909): 1962: Le tre spade di Zorro (Ricardo Blasco); 1963: Tres hombres buenos (Joaquín Luis Romero Marchent); Cavalca e uccidi (José Luis Borau); 1964: Oeste Nevada Joe (Ignacio F. Iquino); Il ranch degli spietati (Jaime Jesus Balcázar, Roberto Bianchi Montero); 1965: Colorado Charlie (Roberto Mauri); Un dollaro bucato (Giorgio Ferroni); Deguejo (Giuseppe Vari); 1966: Le colt cantarono la morte e fu ... tempo di massacro (Lucio Fulci); 1967: L'ultimo killer (Giuseppe Vari); Con lui cavalca la morte (Giuseppe Vari); Un buco in fronte (Giuseppe Vari); Un uomo, un cavallo, una pistola (Luigi Vanzi); 1969: Dio perdoni la mia pistola (Leopoldo Savona, Mario Gariazzo)

Adorf, Mario (geboren am 8.9.1930 in Zürich/Schweiz): 1961: Le goût de la violence (Robert Hossein); 1963: Winnetou I (Harald Reinl); Der letzte Ritt nach Santa Cruz (Rolf Olsen); 1964: Die Goldsucher von Arkansas (Paul Martin, Alberto Cardone); 1966: Tierra de fuego (Jaime Jesús Balcázar, Mark Stevens); 1968: ... e per tetto un cielo di stelle (Giulio Petroni); 1969: Gli specialisti (Sergio Corbucci)

Akins, Claude (geboren am 25.5.1926 in Nelson, Georgia/USA; gestorben am 27.7.1994 in Altadena, Kalifornien/USA): 1966: Return of the seven (Burt Kennedy); 1970: Sledge (Vic Morrow, Giorgio Gentili)

Alonso, Chelo (Geburtsname: Isabella Garcia; geboren am 10.4.1933 in Central Lugareno/Kuba): 1966: Il buono, il brutto, il cattivo (Sergio Leone); 1968: Corri uomo corri (Sergio Sollima); 1969: La notte dei serpenti (Giulio Petroni)

Álvarez, Ángel (Geburtsname: Ángel Alvarez Fernández; geboren am 26.9.1906 in Madrid/Spanien; gestorben am 13.12.1983 in Madrid/Spanien): 1964: Le maledette pistole di Dallas (José María Zabalza, Pino Mercanti), 1966: Django (Sergio Corbucci); Navajo Joe (Sergio Corbucci); 1967: Dove si spara di più (Gianni Puccini); 1968: Réquiem para el gringo (José Luis Merino); Il mercenario (Sergio Corbucci); 1969: Il prezzo del potere (Tonino Valerii); 1972: Una ragione per vivere e una per morire (Tonino Valerii); Tedeum (Enzo Girolami); 1973: Verflucht dies America (Volker Vogeler)

Amber, Audrey (Geburtsname: Adriana Ambesi): 1964: Oeste Nevada Joe (Ignacio F. Iquino); 1966: Sette donne per una strage (Rudolf Zehetgruber, Gianfranco Parolini, Sidney W. Pink); 1965: La grande notte di Ringo (Mario Maffei); 1967: 10.000 dollari per un massacro (Romolo Girolami)

Anchóriz, Leo (Geburtsname: Leonardo de Anchóriz Fustel; geboren am 22.9.1932 in Almería/Spanien; gestorben am 17.2.1987 in Madrid/Spanien): 1965: Finger on the trigger (Sidney W. Pink); 1966: 7 pistole per i MacGregor (Franco Giraldi); 1967: 7 donne per i MacGregor (Franco Giraldi); 1968: Ammazzali tutti e torna solo (Enzo Girolami); I tre che sconvolsero il West (Enzo Girolami); 1969: Quei disperati che puzzano di sudore e di morte (Julio Buchs); O' Cangaçeiro (Giovanni Fago); 1972: Che c'entriamo noi con la rivoluzione? (Sergio Corbucci); 1973: Tutti per uno ... botte per tutti (Bruno Corbucci);1975: Cipolla Colt (Enzo Girolami)

Andress, Ursula (geboren am 19.3.1936 in Bern/Schweiz): 1971: Soleil rouge (Terence Young)

Mario Adorf

Andrews, Dana (geboren am 1.1.1909 in Collins, Mississippi/USA; gestorben am 17.12.1992 in Los Alamitos, Kalifornien/USA): 1975: La parola di un fuorilegge ... è legge! (Antonio Margheriti)

Anthony, Tony (Geburtsname: Roger Anthony Petitto; geboren am 16.10. 1937 in Clarksburg, West Virginia/USA): 1966: Un dollaro tra i denti (Luigi Vanzi); 1967: Un uomo, un cavallo, una pistola (Luigi Vanzi); 1969: Lo straniero di silenzio (Luigi Vanzi); 1971: Blindman (Ferdinando Baldi); 1975: Get Mean (Ferdinando Baldi); 1980: Comin' at Ya! (Ferdinando Baldi)

Antonelli, Laura (Geburtsname: Laura Antonaz; geboren am 28.11.1941 in Pola, Italien): 1970: Sledge (Vic Morroc, Giorgio Gentili)

Aranda, Ángel (geboren am 18.9.1934 in Jaén/Spanien): 1964: Le pistole non discutono (Mario Caiano); 1966: I crudeli (Sergio Corbucci); 1968: Fedra West (Joaquín Luis Romero Marchent); I fratelli di Arizona (Luciano Carlos); 1969: La legge della violenza (Gianni Crea); 1971: Los buitres cavarán tu fosa (Juan Bosch); 1972: Il mio nome è Scopone e faccio sempre cappotto (Juan Bosch)

Ardisson, George (Geburtsname: Giorgio Ardisson): 1964: Massacro al Grande Canyon (Sergio Corbucci); 1968: El Zorro (Guido Zurli); Chiedi perdono a Dio ... non a me (Vincenzo Musolino); 1969: Django sfida Sartana (Pasquale Squitieri); 1970: L'oro dei Bravados (Renato Savino)

Armstrong, Robert Golden (geboren am 7.4.1917 in Birmingham, Alabama/USA): 1973: Il mio nome è Nessuno (Tonino Valerii)

Arriaga, Simón: 1962: La sombra del Zorro (Joaquín Luis Romero Marchent); 1963: Fuera de la ley (León Klimovsky); 1964: Los pistoleros de Casa Grande (Roy Rowland); Minnesota Clay (Sergio Corbucci); 1966: I crudeli (Sergio Corbucci); Navajo Joe (Sergio Corbucci); Django (Sergio Corbucci); 1967: L'uomo venuto per uccidere (León Klimovsky); Comanche blanco (José Mendez Briz); 1968: Il mercenario (Sergio Corbucci); 1970: Vamos a matar compañeros (Sergio Corbucci); 1971: Condenados a vivir (Joaquín Luis Romero Marchent); 1972: Che c'entriamo noi con la rivoluzione? (Sergio Corbucci)

Askew, Luke (geboren 1937): 1969: La notte dei serpenti (Giulio Petroni)

Aumont, Tina (Geburtsname: Maria Christina Aumont; geboren am 14.2. 1946 in Hollywood, Kalifornien/USA): 1967: L'uomo, l'orgoglio, la vendetta (Luigi Bazzoni); 1973: Blu Gang (Luigi Bazzoni)

Avram, Chris (Geburtsname: Christea Avram; geboren am 28.8.1931 in Bukarest/Rumänien; gestorben am 10.1.1989 in Rom/Italien): 1971: I senza dio (Roberto Bianchi Montero); Django (Edoardo Mulargia); 1977: California (Michele Lupo)

Bach, Vivi (Geburtsname: Vivi Bak; geboren am 3.9.1939 in Kopenhagen/Dänemark): 1964: Le pistole non discutono (Mario Caiano)

Badessi, Giancarlo (Geburtsname: Giancarlo Badese): 1968: Tepepa (Giulio Petroni); 1969: La notte dei serpenti (Giulio Petroni); 1972: Partirono preti, tornarono ... curati (Stelvio Massi, Bianco Manini)

Bailey, David (geboren am 27.10.1933 in Newark, New Jersey/USA; gestorben am 25.11.2004 in Los Angeles, Kalifornien/USA): 1967: 7 donne per i MacGregor (Franco Giraldi)

Baker, Carroll (geboren am 28.5.1931 in Johnstown, Pennsylvania/USA): 1971: Captain Apache (Alexander Singer)

Baldassarre, Raffaele (Pseudonyme: **Ralph Baldwin/Baldwyn**): 1962: La sombra del Zorro (Joaquín Luis Romero Marchent); 1963: I tre spietati (Joaquín Luis Romero Marchent); Tres hombres buenos (Joaquín Luis Romero Marchent); Il segno del coyote (Mario Caiano); 1964: I sette del Texas (Joaquín Luis Romero Marchent); Per un pugno di dollari (Sergio Leone); Solo contro tutti (Antonio del Amo Algara); Aventuras del Oeste (Joaquín Luis Romero Marchent); 1965: Ocaso de un pistolero (Rafael Romero Marchent); El proscrito de Río Colorado (Maury Dexter); I quattro inesorabili (Primo Zeglio); Das Vermächtnis des Inka (Georg Marischka); I tre del Colorado (Amando de Ossorio); 1966: Un dollaro tra i denti (Luigi Vanzi); El Rojo (Leopoldo Savona); 1967: Un uomo, un cavallo, una pistola (Luigi Vanzi); 1968: Tutto per tutto (Umberto Lenzi); Anche nel West c'era una volta Dio (Marino Girolami); Il grande silenzio (Sergio Corbucci); Hora de morir (Joaquín Luis Romero Marchent); ¿Quién grita venganza? (Rafael Romero Marchent); Il suo nome gridava vendetta (Mario Caiano); Una pistola per cento bare (Umberto Lenzi); Il mercenario (Sergio Corbucci); Garringo (Rafael Romero Marchent); 1969: Lo straniero di silenzio (Luigi Vanzi); Quinto: non ammazzare (León Klimovsky); 1970: Arizona si scatenò ... e li fece fuori tutti! (Sergio Martino); Un par de asesinos (Rafael Romero Marchent); Ehi amigo ... sei morto! (Paolo Bianchini); 1971: I quattro pistoleri di Santa Trinità (Giorgio Cristallini); Il giorno del giudizio (Mario Gariazzo); Sei già cadavere amigo ... ti cerca Garringo! (Juan Bosch); Blindman (Ferdinando Baldi); Los buitres cavarán tu fosa (Juan Bosch); 1972: Un dólar de recompensa (Rafael Romero Marchent); La caza del oro (Juan Bosch); 1975: Get Mean (Ferdinando Baldi)

Baldini, Renato (Pseudonyme: **Ryan Baldwin, King Mac Queen**; geboren am 18.12.1921 in Rom/Italien): 1964:

Winnetou II (Harald Reinl); Unter Geiern (Alfred Vohrer); 1965: L'uomo che viene da Canyon City (Alfonso Balcázar); Dos pistolas gemelas (Rafael Romero Marchent); 1966: Joe l'implacabile (Antonio Margheriti); Clint, el solitario (Alfonso Balcázar); 1968: Ciccio perdona ... io no! (Marcello Ciorciolini); Carogne si nasce (Alfonso Brescia); 1969: Franco e Ciccio sul sentiero di guerra (Aldo Grimaldi); Sono Sartana, il vostro becchino (Giuliano Carnimeo); 1972: Il West ti va stretto amico ... è arrivato Alleluja (Giuliano Carnimeo); 1973: Di Tressette ce n'è uno tutti gli altri son nessuno (Giuliano Carnimeo)

Balducci, Franco: 1965: Gli uomini dal passo pesante (Alfredo Antonini, Mario Sequi); 1966: Wanted (Giorgio Ferroni); 1967: Lola Colt (Siro Marcellini); Il tempo degli avvoltoi (Fernando Cicero); I giorni dell'ira (Tonino Valerii); Vivo per la tua morte (Camillo Bazzoni); Un minuto per pregare, un instante per morire (Franco Giraldi); Preparati la bara! (Ferdinando Baldi); Da uomo a uomo (Giulio Petroni); 1968: ... e per tetto un cielo di stelle (Giulio Petroni); 1969: La notte dei serpenti (Giulio Petroni)

Balsam, Martin (geboren am 4.11.1914 in Bronx, NY/ USA; gestorben am 13.2.1996 in Rom/Italien): 1975: Cipolla Colt (Enzo Girolami)

Barboo, Luis (geboren am 20.3.1927 in Vigo, Pontevedra/Spanien): 1964: La carga de la policía montada (Ramón Torrado); Per un pugno di dollari (Sergio Leone); Fuerte perdido (José María Elorrieta); 1965: Una bara per lo sceriffo (Mario Caiano); Die Hölle von Manitoba (Sheldon Reynolds); Kid Rodelo (Richard Carlson); 1966: Sugar Colt (Franco Giraldi); La resa dei conti (Sergio Sollima); Kitosch, l'uomo che veniva dal nord (José Luis Merino); 1967: The bounty killer (Eugenio Martín); L'uomo venuto per uccidere (León Klimovsky); Dio perdona ... io no! (Giuseppe Colizzi); Gentleman Jo ... uccidi! (Giorgio Stegani); ¡El hombre que mató a Billy el Niño! (Julio Buchs); Giurò e li uccise ad uno ad uno (Guido Celano); Killer adios (Primo Zeglio); I vigliacchi non pregano (Mario Siciliano); 1968: Tutto per tutto (Umberto Lenzi); Ringo il cavaliere solitario (Rafael Romero Marchent); Anche nel West c'era una volta Dio (Marino Girolami); Il suo nome gridava vendetta (Mario Caiano); Uno dopo l'altro (Nick Nostro); ¿Quién grita venganza? (Rafael Romero Marchent); I tre che sconvolsero il West (Enzo Girolami); Garringo (Rafael Romero Marchent); 1969: Vivi o preferibilmente morti (Duccio Tessari); Quei disperati che puzzano di sudore e di morte (Julio Buchs); 1970: Arizona si scatenò ... e li fece fuori tutti! (Sergio Martino); 1971: Hannie Caulder (Burt Kennedy); Su le mani cadavere! Sei in arresto (León Klimovsky, Sergio Bergonzelli); 1973: Verflucht dies Amerika (Volker Vogeler); 1974: La pazienza ha un limite ... noi no! (Franco Ciferri); 1975: Potato Fritz (Peter Schamoni); 1978: Amore, piombo e furore (Monte Hellman); 1980: Comin' at Ya! (Ferdinando Baldi)

Bardot, Brigitte (geboren am 28.9.1934 in Paris/Frankreich): 1971: Les pétroleuses (Christian-Jaque)

Barker, Lex (Geburtsname: Alexander Crichlow Barker Jr.; geboren am 8.5.1919 in Rye, NY/USA; gestorben am 11.5.1973 in New York, NY/USA): 1962: Der Schatz im Silbersee (Harald Reinl); 1963: Winnetou I (Harald Reinl); Old Shatterhand (Hugo Fregonese); 1964: Winnetou II (Harald Reinl); 1965: Die Hölle von Manitoba (Sheldon Reynolds); Der Schatz der Azteken (Robert Siodmak); Winnetou III (Harald Reinl); Die Pyramide des Sonnengottes (Robert Siodmak); Viva Maria (Louis Malle); 1966: Winnetou und das Halbblut Apanatschi (Harald Philipp); Wer kennt Jonny R.? (José Luis Madrid); 1968: Winnetou und Shatterhand im Tal der Toten (Harald Reinl)

Barnes, Walter (geboren am 26.1.1918 in Parkersburg, West Virginia/USA; gestorben am 6.1.1998 in Woodland Hills, Kalifornien/ USA): 1962: Il segno di Zorro (Mario Caiano); 1963: Winnetou I (Harald Reinl); 1964: Unter Geiern (Alfred Vohrer); 1965: Duell vor Sonnenuntergang (Leopoldo Lahola); Der Ölprinz (Harald Philipp); 1966: La resa dei conti (Sergio Sollima); Winnetou und das Halbblut Apanatschi (Harald Philipp); Clint, el solitario (Alfonso Balcazar); 1967: La più grande rapina nel West (Maurizio Lucidi); Giarrettiera Colt (Gian Andrea Rocco); Il momento di uccidere (Giuliano Carnimeo)

Barta, János (Pseudonym: **John Bartha**): 1963: L'uomo della valle maledetta (Siro Marcellini); 1964: I sette del Texas (Joaquín Luis Romero Marchent); Solo contro tutti (Antonio del Amo Algara); 1965: Ocaso de un pistolero (Rafael Romero Marchent); I quattro inesorabili (Primo Zeglio); Johnny Oro (Sergio Corbucci); 1966: Il buono, il brutto, il cattivo (Sergio Leone); Killer calibro 32 (Alfonso Brescia); El Rojo (Leopoldo Savona); 1967: I lunghi giorni dell'odio (Gianfranco Baldanello); El desperado (Franco Rossetti); Quella sporca storia nel West (Enzo Girolami); 1968: Carogne si nasce (Alfonso Brescia); Ammazzali tutti e torno solo (Enzo Girolami); 1969: Ehi amico! C'è Sabata, hai chiuso! (Gianfranco Parolini); 1971: Lo chiamavano King (Giancarlo Romitelli, Renato Savino); È tornato Sabata ... hai chiuso un'altra volta! (Gianfranco Parolini); 1972: ... e poi lo chiamarono il magnifico (Enzo Barboni); Tequila! (Tulio Demicheli)

Battaglia, Rik (Geburtsname: Caterino Bertaglia; geboren am 18.2.1927 in Corbola, Rovigo/Italien): 1963: Old Shatterhand (Hugo Fregonese); 1964: Freddy und das Lied der Prärie (Sobey Martin); 1965: Der Schatz der Azteken (Robert Siodmak); Die Pyramide des Sonnengottes (Robert Siodmak); Winnetou III (Harald Reinl); Das Vermächtnis des Inka (Georg Marischka); 1966: Winnetou und sein Freund Old Firehand (Alfred Vohrer);

1967: I lunghi giorni dell'odio (Gianfranco Baldanello); 1968: Black Jack (Gianfranco Baldanello); Winnetou und Shatterhand im Tal der Toten (Harald Reinl); Spara, gringo, spara (Bruno Corbucci); 1970: L'oro dei bravados (Renato Savino); Ehi amigo ... sei morto! (Paolo Bianchini); 1971: Giù la testa (Sergio Leone); 1972: La lunga cavalcata della vendetta (Tanio Boccia); 1975: Un genio, due compari, un pollo (Damiano Damiani); 1977: Mannaja (Sergio Martino)

Benussi, Femi (Geburtsname: Eufemia Benussi; geboren 1948 in Jugoslawien): 1966: 3 pistole contro Cesare (Enzo Peri); 1967: Il tempo degli avvoltoi (Fernando Cicero); Nato per uccidere (Antonio Mollica); L'uomo venuto per uccidere (León Klimovsky); 1968: Requiem para el gringo (José Luis Merino); El Zorro (Guido Zurli); 1969: Quintana (Vincenzo Musolino); 1971: Se t'incontro t'ammazzo (Gianni Crea); 1974: Là dove non batte il sole (Antonio Margheriti)

Berger, William (Geburtsname: Wilhelm Berger; geboren am 20.1.1928 in Innsbruck/ Österreich; gestorben am 2.10.1993 in Los Angeles, Kalifornien/USA): 1965: La grande notte di Ringo (Mario Maffei); 1966: El Cisco (Sergio Bergonzelli); 1967: Faccia a faccia (Sergio Sollima); Oggi a me ... domani a te (Tonino Cervi); 1968: Il suo nome gridava vendetta (Mario Caiano); ... se incontri Sartana prega per la tua morte (Gianfranco Parolini); Una lunga fila di croci (Sergio Garrone); 1969: Ehi amico! C'è Sabata, hai chiuso! (Gianfranco Parolini); 1970: Sartana nella valle degli avvoltoi (Roberto Mauri); 1971: Gli fumavano le Colt ... lo chiamavano Camposanto (Giuliano Carnimeo); 1972: C'era una volta questo pazzo, pazzo, pazzo West (Vincenzo Matassi); 1973: È il terzo giorno arrivò il Corvo (Gianni Crea); Verflucht dies America (Volker Vogeler); 1976: Keoma (Enzo Girolami); 1977: California (Michele Lupo); 1985: Tex e il Signore degli abissi (Duccio Tessari); 1987: Django 2 – Il grande ritorno (Nello Rossati); 1991: Buch air confini del cielo (Tonino Ricci)

Berti, Aldo: 1965: Uno straniero a Sacramento (Sergio Bergonzelli); Perché uccidi ancora? (José Antonio de la Loma, Edoardo Mulargia); 1966: Ramon il messicano (Maurizio Pradeaux); Un dollaro tra i denti (Luigi Vanzi); Vayas con Dios, gringo (Edoardo Mulargia); 1967: Nato per uccidere (Antonio Mollica); El desperado (Franco Rossetti); 15 forche per un assassino (Nunzio Malasomma); 1968: C'era una volta il West (Sergio Leone); 1969: La taglia è tua ... l'uomo l'ammazzo io (Edoardo Mulargia); 1970: Sartana nella valle degli avvoltoi (Roberto Mauri); Ehi amigo ... sei morto! (Paolo Bianchini); 1971: Il mio

nome è Mallory »M« come morte (Mario Moroni); Lo ammazzo come un cane ... ma lui rideva ancora (Angelo Pannacciò); 1972: Spirito Santo e le 5 magnifiche canaglie (Roberto Mauri)

Beswick, Martine: 1966: Quien sabe? (Damiano Damiani); 1967: John il bastardo (Armando Crispino)

Blanc, Erika (Geburtsname: Enrica Bianchi Colombatto; Pseudonym: **Erika White,** geboren am 23.7.1942 in Brescia/Italien): 1965: Colorado Charlie (Roberto Mauri); Deguejo (Giuseppe Vari); 1966: Mille dollari sul nero (Alberto Cardone); Django spara per primo (Alberto De Martino); 1967: La più grande rapina nel West (Maurizio Lucidi); 1968: Spara, gringo, spara (Bruno Corbucci); 1970: Prima ti perdono ... poi t'ammazzo (Juan Bosch); C'è Sartana ... vendi la pistola e compra ti la bara! (Giuliano Carnimeo); Arriva Durango: paga o muori (Roberto Bianchi Montero); 1971: I senza Dio (Roberto Bianchi Montero); 1974: Là dove non batte il sole (Antonio Margheriti)

Bódalo, José (Geburtsname: José Bódalo Zúffoli; geboren am 24.3.1916 in Córdoba/Argentinien; gestorben am 24.7.1985 in Madrid/Spanien): 1965: 100.000 dollari per Lassiter (Joaquín Luis Romero Marchent); La grande notte di Ringo (Mario Maffei); 1966: Thompson 1880 (Guido Zurli); Django (Sergio Corbucci); 1967: Professionisti per un massacro (Fernando Cicero); Un treno per Durango (Mario Caiano); 1968: Uno dopo l'altro (Nick Nostro); Garringo (Rafael Romero Marchent); 1970: Vamos a matar compañeros (Sergio Corbucci); 1971: Captain Apache (Alexander Singer)

Bosic, Andrea: 1966: Uccidi o muori (Tanio Boccia); Arizona Colt (Michele Lupo); Per pochi dollari ancora (Giorgio Ferroni); 1967: Le due facce del dollaro (Roberto Bianchi Montero); I giorni della violenza (Alfonso Brescia); I giorni dell'ira (Tonino Valerii); 15 forche per un assassino (Nunzio Malasomma); Lo voglio morto (Paolo Bianchini); 1968: Pagó cara su muerte (León Klimovsky); 1971: Testa t'ammazzo, croce ... sei morto ... mi chiamano Alleluja (Giuliano Carnimeo)

Boyd, Rick (Geburtsname: Federico Boido): 1967: Ognuno per se (Giorgio Capitani); Faccia a faccia (Sergio Sollima); Bill il taciturno (Massimo Pupillo); Cjamango (Edoardo Mulargia); 7 winchester per un massacro (Enzo Girolami); Lo voglio morto (Paolo Bianchini); 1968: ... e per tetto un cielo di stelle (Giulio Petroni); I quattro dell'Ave Maria (Giuseppe Colizzi); Corri uomo corri (Sergio Sollima); 1969: Sono Sartana, il vostro becchino (Giuliano Carnimeo); Django sfida Sartana (Pasquale Squitieri); 1970: C'è Sartana ... vendi la pistola e compra ti la bara! (Giuliano Carnimeo); Roy Colt e Winchester Jack (Mario Bava); Buon funerale amigos! ... paga Sartana (Giuliano Carnimeo); L'oro dei Bravados (Renato Savino); Sartana nella valle degli avvoltoi (Roberto Mauri); Indio Black, sai che ti dico: sei un gran figlio di ... (Gianfranco Parolini); 1971: Uomo avvisato mezzo ammazzato ... parola di Spirito Santo (Giuliano Carnimeo); Lo chiamavano King (Giancarlo Romitelli, Renato Savino); Quel maledetto giorno della resa dei conti (Sergio Garrone); Testa t'ammazzo, croce ... sei morto ... mi chiamano Alleluja (Giuliano Carnimeo); Spara Joe ... e così sia! (Emilio Miraglia); 1972: Tutti fratelli nel West ... per parte di padre (Sergio Grieco); Jesse & Lester due fratelli in un posto chiamato Trinità (Renzo Genta); Partirono preti, tornarono ... curati (Stelvio Massi, Biancho Manini); 1973: Il mio nome è Shangai Joe (Mario Caiano); Ci risiamo, vero Provvidenza? (Alberto De Martino); Amico mio ... frega tu che frego io! (Demofilo Fidani); 1976: Una donna chiamata Apache (Giorgio Mariuzzo)

Boyd, Stephen (Geburtsname: William Millar; geboren am 4.7.1931 in Glengormley/Nord-Irland; gestorben am 2.6.1977 in Granada Hills/Kalifornien/USA): 1968: Shalako (Edward Dmytryk); 1971: Hannie Caulder (Burt Kennedy); 1972: Un hombre llamado Noon (Peter Collinson); Campa carogna ... la taglia cresce (Giuseppe Rosati); 1975: Potato Fritz (Peter Schamoni)

Braña, Frank (Geburtsname: Francisco Braña Pérez; geboren am 24.2.1934 in Pola de Allande, Asturias/Spanien): 1963: Cavalca e uccidi (José Luis Borau); El hombre de la diligencia (José María Elorrieta); 1964: La tumba del pistolero (Amando de Ossorio); El secreto del capitán O'Hara (Arturo Ruiz Castillo); I due violenti (Primo Zeglio); Per un pugno di dollari (Sergio Leone); La carga de la policía montada (Ramón Torrado); Joaquín Murrieta (George Sherman); Fuerte perdido (José María Elorrieta); 1965: El proscrito del río Colorado (Maury Dexter); Adiós gringo (Giorgio Stegani); Per qualche dollaro in più (Sergio Leone); Una bara per lo sceriffo (Maria Caiano); Mestizo (Julio Buchs); Ringo del Nebraska (Antonio Román, Mario Bava); 1966: Tierra de fuego (Jaime Jesús Balcázar, Mark Stevens); Sugar Colt (Franco Giraldi); Il buono, il brutto, il cattivo (Sergio Leone); Per il gusto di uccidere (Tonino Valerii); La resa dei conti (Sergio Sollima); 1967: The bounty killer (Eugenio Martín); ¡El hombre que mató a Billy el Niño! (Julio Buchs); Se sei vivo spara (Giulio Questi); L'uomo venuto per uccidere (León Klimovsky); Dio perdona ... io no! (Giuseppe Colizzi); Faccia a faccia (Sergio Sollima); Lo voglio morto (Paolo Bianchini); 15 forche per un assassino (Nunzio Malasomma); Requiescant (Carlo Lizzani); I vigliacchi non pregano (Mario Siciliano); 1968: Ringo il cavaliere solitario (Rafael Romero Marchent); Tutto per tutto (Umberto Lenzi); Una pistola per cento bare (Umberto Lenzi); La morte sull'alta collina (Alfredo Medori); C'era una volta il West (Sergio Leone); Garringo (Rafael Romero Marchent); 1969: Manos torpes (Rafael Romero Marchent); Il prezzo del potere (Tonino Valerii); 1970: Una nuvola di polvere ... un grido di morte ... arriva Sartana (Giuliano Carnimeo);

1971: El más fabuloso golpe del Far-West (José Antonio de la Loma); Los buitres cavarán tu fosa (Juan Bosch); In nome del padre, del figlio e della colt (Mario Bianchi); 1972: Dio in cielo ... Arizona in terra (Juan Bosch); Un dólar de recompensa (Rafael Romero Marchent); Il mio nome è Scopone e faccio sempre cappotto (Juan Bosch); 1973: Hai sbagliato ... dovevi uccidermi subito! (Mario Bianchi); Verflucht dies Amerika (Volker Vogeler); 1976: Si quieres vivir ... dispara (José María Elorrieta)

Brega, Mario (Pseudonym: **Richard Stuyvesant**; geboren am 5.03.1923 in Rom, gestorben am 23.07.1994 ebd.): 1963: Buffalo Bill, l'eroe del Far West (Mario Costa); 1964: Per un pugno di dollari (Sergio Leone); 1965: Per qualche dollaro in più (Sergio Leone); 1966: Il buono, il brutto, il cattivo (Sergio Leone); 1967: Un minuto per pregare, un istante per morire (Franco Giraldi); La più grande rapina nel West (Maurizio Lucidi); The bounty killer (Eugenio Martín); Da uomo a uomo (Giulio Petroni); 1968: Il grande silenzio (Sergio Corbucci); Il suo nome gridava vendetta (Mario Caiano); Una lunga fila di croci (Sergio Garrone); 1969: La taglia è tua ... l'uomo l'ammazzo io (Edoardo Mulargia); 1971: Se t'incontro t'ammazzo (Gianni Crea); È tornato Sabata ... hai chiuso un'altra volta! (Gainfranco Parolini); Amico, stammi lontano almeno un palmo ... (Michele Lupo); 1973: Il mio nome è Nessuno (Tonino Valerii); 1975: Un genio, due compari, un pollo (Damiano Damiani)

Brice, Pierre (Geburtsname: Pierre Louis de Bris; geboren am 6.2.1929 in Brest/Frankreich): 1962: Der Schatz im Silbersee (Harald Reinl); 1963: Winnetou I (Harald Reinl), Old Shatterhand (Hugo Fregonese); 1964: Winnetou II (Harald Reinl); Unter Geiern (Alfred Vohrer); 1965: Die Hölle von Manitoba (Sheldon Reynolds); Der Ölprinz (Harald Philipp); Winnetou III (Harald Reinl); Old Surehand (Alfred Vohrer); 1966: Winnetou und das Halbblut Apanatschi (Harald Philipp); Winnetou und sein Freund Old Firehand (Alfred Vohrer); 1968: Winnetou und Shatterhand im Tal der Toten (Harald Reinl); 1971: Una cuerda al amanecer (Manuel Esteba)

Bronson, Charles (Geburtsname: Charles Buchinsky; geboren am 3.11. 1921 in Ehrenfeld, Pennsylvania/USA; gestorben am 30.8.2003 in Los Angeles, Kalifornien/USA): 1967: La bataille de San Sebastian (Henri Verneuil); 1968: C'era una volta il West (Sergio Leone); 1971: Soleil Rouge (Terence Young); 1973: Valdez il mezzosangue (Duilio Coletti, John Sturges)

Brynner, Yul (Geburtsname: Taidje Khan; geboren am 7.7. 1915 in Vladivostok/Russland; gestorben am 10.10.1985

in New York, NY/USA): 1966: Return of the seven (Burt Kennedy); 1970: Indio Black, sai che ti dico: sei un gran figlio di ... (Gianfranco Parolini); 1971: Catlow (Sam Wanamaker)

Burton, Lee (Geburtsname: Guido Lollobrigida): 1965: 100.000 dollari per Ringo (Alberto De Martino); Uccidete Johnny Ringo (Gianfranco Baldanello); 1966: Django spara per primo (Alberto De Martino); 1967: L'uomo, l'orgoglio, la vendetta (Luigi Bazzoni); Vivo per la tua morte (Camillo Bazzoni); Preparati la bara! (Ferdinando Baldi); 1968: Joko, invoca Dio ... e muori! (Antonio Margheriti); Une corde, un Colt (Robert Hossein); 1969: E Dio disse a Caino ... (Antonio Margheriti); 1970: Roy Colt e Winchester Jack (Mario Bava); La belva (Mario Costa); 1971: Blu Gang (Luigi Bazzoni); Soleil rouge (Terence Young); Quel maledetto giorno della resa dei conti (Sergio Garrone); 1972: Campa carogna ... la taglia cresce (Giuseppe Rosati)

Byrnes, Edd (Geburtsname: Edward Breitenberger; geboren am 30.7.1933 in New York/USA): 1967: Professionisti per un massacro (Fernando Cicero); 7 winchester per un massacro (Enzo Girolami); Vado, l'ammazzo e torno (Enzo Girolami)

Caltabiano, Alfio (Pseudonyme: **Al Norton, Alf Thunder**): 1965: Colorado Charlie (Roberto Mauri); I 2 sergenti del generale Custer (Giorgio C. Simonelli); 1967: Ballata per un pistolero (Alfio Caltabiano); 1971: Il giorno del giudizio (Mario Gariazzo); 1972: Così sia (Alfio Caltabiano); Oremus, Alleluja e Così Sia (Alfio Caltabiano); 1976: Keoma (Enzo Girolami); 1977: California (Michele Lupo)

Calvo, Pepe (Geburtsname: José Calvo Selgado; geboren am 3.3.1916 in Madrid/Spanien; gestorben am 16.5.1980 in Las Palmas de Gran Canaria/Spanien): 1963: Gringo (Ricardo Blasco); 1964: Il ranch degli spietati (Jaime Jesús Balcázar, Roberto Bianchi Montero); Per un pugno di dollari (Sergio Leone); 1965: All'ombra di una Colt (Giovanni Grimaldi); Per mille dollari al giorno (Silvio Amadio); Perché uccidi ancora? (Edoardo Mulargia, José Antonio de la Loma); 1966: Per pochi dollari ancora (Giorgio Ferroni); 1967: I giorni dell'ira (Tonino Valerii); 1969: Due volte Giuda (Fernando Cicero); Il prezzo del potere (Tonino Valerii); 1971: Anda muchacho, spara! (Aldo Florio); Dans la poussière du soleil (Richard Balducci)

Camardiel, Roberto (Geburtsname: Roberto Camardiel Escudero; geboren am 29.11.1917 in Alagon, Zaragoza/Spanien; gestorben am 7.11.1986 in Madrid/Spanien): 1963: El Llanero (Jesús Franco); 1964: Joaquín Murieta (George Sherman); Solo contro tutti (Antonio del Amo Algara);

1965: 100.000 dollari per Lassiter (Joaquín Luis Romero Marchent); Adiós gringo (Giorgio C. Stegani); Johnny West il mancino (Gianfranco Parolini); Per qualche dollaro in più (Sergio Leone); I quattro inesorabili (Primo Zeglio); 1966: Arizona Colt (Michele Lupo); La resa dei conti (Sergio Sollima); 1967: 7 donne per i MacGregor (Franco Giraldi); Se sei vivo spara (Giulio Questi); Sette pistole per un massacro (Mario Caiano); Un treno per Durango (Mario Caiano); 1968: Anche nel West c'era una volta Dio (Marino Girolami); Quel caldo maledetto giorno di fuoco (Paolo Bianchini); 1969: La sfida dei MacKenna (León Klimovsky); Quinto: non ammazzare (León Klimovsky); 1970: Arizona si scatenò ... e li fece fuori tutti! (Sergio Martino); Uccidi, Django ... uccidi per primo! (Sergio Garrone); 1971: Amico, stammi lontano almeno un palmo ... (Michele Lupo); Si può fare ... amigo! (Maurizio Lucidi); Testa t'ammazzo, croce ... sei morto, mi chiamano Alleluja (Giuliano Carnimeo); 1972: Dio in cielo ... Arizona in terra (Juan Bosch); Il West ti va stretto amico ... è arrivato Alleluja (Giuliano Carnimeo); Tequila! (Tulio Demichelli)

Camaso, Claudio (Geburtsname: Claudio Volonté; gestorben 1977): 1967: 10.000 dollari per un massacro (Romolo Girolami); Giarrettiera Colt (Gian Andrea Rocco); John il bastardo (Armando Crispino); Per 100.000 dollari ti ammazzo (Giovanni Fago); 1968: Joko, invoca Dio ... e muori! (Antonio Margheriti)

Cameron, Jeff (Geburtsname: Giovanni Scarciofolo; gestorben 1985): 1967: 7 donne per i MacGregor (Franco Giraldi); La più grande rapina nel West (Maurizio Lucidi); Oggi a me ... domani a te (Tonino Cervi); 1968: Passa Sartana, è l'ombra della tua morte (Demofilo Fidani); 1969: ... e vennero in quattro per uccidere Sartana! (Demofilo Fidani); 1971: Per una bara piena di dollari (Demofilo Fidani); Giù la testa ... hombre! (Demofilo Fidani); Anche per Django le carogne hanno un prezzo (Luigi Batzella); 1972: La colt era il suo Dio (Luigi Batzella); Un bounty killer a Trinità (Aristide Massaccesi)

Claudio Camaso

Cameron, Rod (Geburtsname: Nathan Roderick Cox; geboren am 7.12.1910 in Calgary, Alberta/Kanada; gestorben am 21.12.1983 in Gainesville, Georgia/USA): 1964: Le pistole non discutono (Mario Caiano); Il piombo e la carne (Marino Girolami); 1966: Winnetou und sein Freund Old Firehand (Alfred Vohrer)

Candelli, Stelio (Pseudonym: **Stanley Kent**): 1965: Perché uccidi ancora? (Edoardo Mulargia, José Antonio de la Loma); Der letzte Mohikaner (Harald Reinl); 1970: Un uomo chiamato Apocalisse Joe (Leopoldo Savona); 1971: W Django (Edoardo Mulargia); 1972: La vita a volte è molto dura, vero Provvidenza? (Giulio Petroni); Trinità e Sartana figli di ... (Mario Siciliano); Alleluja e Sartana figli di ... Dio (Mario Siciliano)

Capitani, Remo (Pseudonym: **Ray O'Connor**): 1967: Dio perdona ... io no! (Giuseppe Colizzi); ... e venne il tempo di uccidere (Vincenzo Dell' Aquila); 1968: I quattro dell'Ave Maria (Giuseppe Colizzi); Sapevano solo uccidere (Tanio Boccia); 1970: Requiem per un bounty hunter (Mel Welles); La belva (Mario Costa); I vendicatori dell'Ave Maria (Adalberto Albertini); Lo chiamavano Trinità (Enzo Barboni); 1971: W Django (Edoardo Mulargia); Bastardo, vamos a matar (Luigi Mangini); Amico, stammi lontano almeno un palmo ... (Michele Lupo); 1972: Spirito santo e le 5 magnifiche canaglie (Roberto Mauri); Il grande duello (Giancarlo Santi); 1973: Kid il monello del West (Tonino Ricci); 1974: Carambola, filotto ... tutti in buca (Ferdinando Baldi)

Cardinale, Claudia (geboren am 15.4.1938 in Tunis/Tunesien): 1968: C'era una volta il West (Sergio Leone); 1971: Les pétroleuses (Christian-Jaque)

Castel, Lou (Geburtsname: Ulv Quarzéll; geboren am 28.5.1943 in Bogotá/Columbien): 1966: Quien Sabe? (Damiano Damiani); 1967: Requiescant (Carlo Lizzani); 1970: Matalo! (Cesare Canevari)

Castelnuovo, Nino (Geburtsname: Francesco Castelnuovo; geboren am 28.10.1936 in Lecco/Italien): 1966: Le colt cantarono la morte e fu ... tempo di massacro (Lucio Fulci); 1969: Un esercito di 5 uomini (Don Taylor, Italo Zingarelli)

Celi, Adolfo (geboren am 27.7.1922 in Messina, Sizilien/Italien; gestorben am 19.2.1986 in Rom/Italien): 1965: Yankee (Tinto Brass); 1967: Sentenza di morte (Mario Lanfranchi)

Chanel, Hélène (Pseudonym: **Sheryll Morgan**): 1960: Un dollaro di fifa (Giorgio C. Simonelli); 1964: Due mafiosi nel Far West (Giorgio Simonelli); 1966: Killer calibro 32 (Alfonso Brescia); 1967: Cjamango (Edoardo Mulargia); Con lui cavalca la morte (Giuseppe Vari); 2 rrringos nel Texas (Marino Girolami)

Charlebois, Robert (geboren am 25.6.1946 in Montreal, Quebec/Kanada): 1975: Un genio, due compari, un pollo (Damiano Damiani)

Citti, Franco (geboren am 23.4.1935 in Rom/Italien): 1967: Requiescant (Carlo Lizzani); 1968: Ammazzali tutti e torna solo (Enzo Girolami)

Clark, Ken (geboren am 4.6.1927 in Neffs/Ohio/USA): 1965: Ringo del Nebraska (Antonio Román, Mario Bava); La strada per Fort Alamo (Mario Bava); 1970: Sledge (Vic Morrow, Giorgio Gentili)

Clark, Montgomery (Geburtsname: Dante Posani): 1966: Djurado (Gianni Narzisi)

Cliver, Al (Geburtsname: Pierluigi Conti; geboren 1951 in Alexandria/Ägypten): 1976: Una donna chiamata Apache (Giorgio Mariuzzo)

Coburn, James (geboren am 31.8.1928 in Laurel, Nebraska/USA; gestorben am 18.11.2002 in Beverly Hills, Kalifornien/USA): 1971: Giù la testa (Sergio Leone); 1972: Una ragione per vivere e una per morire (Tonino Valerii)

Coby, Michael (Geburtsname: Antonio Cantafora, geboren 1943): 1969: E Dio disse a Caino ... (Antonio Margheriti); 1972: Un bounty killer a Trinità (Aristide Massaccesi);

Claudia Cardinale

Lou Castel

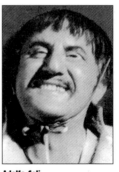
Adolfo Celi

Franco Citti

1973: Carambola (Ferdinando Baldi); 1974: Carambola, filotto ... tutti in buca (Ferdinando Baldi)

Collins, Alan (Geburtsname: Luciano Pigozzi, geboren am 10.1.1927 in Italien): 1967: I vigliacchi non pregano (Mario Siciliano); 1969: E Dio disse a Caino ... (Antonio Margheriti); Ehi amico! C'è Sabata, hai chiuso! (Gianfranco Parolini); 1970: Sartana nella valle degli avvoltoi (Roberto Mauri); 1971: Lo chiamavano King (Giancarlo Romitelli, Renato Savino); Il venditore di morte (Enzo Gicca Palli); Anda muchacho, spara! (Aldo Florio); 1986: Bianco apache (Bruno Mattei)

Connors, Chuck (Geburtsname: Kevin Joseph Connors; geboren am 10.4.1921 in Brooklyn, New York/USA; gestorben am 10.11.1992 in Los Angeles, Kalifornien/USA): 1968: Ammazzali tutti e torna solo (Enzo Girolami); 1970: La spina dorsale del diavolo (Burt Kennedy, Niksa Fulgozi); 1971: El desafío de Pancho Villa (Eugenio Martín)

Conversi, Spartaco (Pseudonyme: **Sean Convery, Spean Convery**): 1966: La resa dei conti (Sergio Sollima); Quien sabe? (Damiano Damiani); 7 dollari sul rosso (Alberto Cardone); Sette magnifiche pistole (Romolo Girolami); Tre colpi di winchester per Ringo (Emimmo Salvi); 1967: 20.000 dollari sul 7 (Alberto Cardone); Bill il taciturno (Massimo Pupillo); Le due facce del dollaro (Roberto Bianchi Montero); Un minuto per pregare, un istante per morire (Franco Giraldi); La morte non conta i dollari (Riccardo Freda); Preparati la bara! (Ferdinando Baldi); Sette pistole per un massacro (Mario Caiano); Vendo cara la pelle (Ettore Maria Fizzarotti); Vivo per la tua morte (Camillo Bazzoni); Voltati ... ti uccido! (Alfonso Brescia); 1968: Carogne si nasce (Alfonso Brescia); C'era una volta il West (Sergio Leone); Il grande silenzio (Sergio Corbucci); Tutto per tutto (Umberto Lenzi); Uno di più all'inferno (Giovanni Fago); 1969: Ehi amico! C'è Sabata, hai chiuso! (Gianfranco Parolini); Franco e Ciccio sul sentiero di guerra (Aldo Grimaldi); Quintana (Vincenzo Musolino); 1970: I vendicatori dell'Ave Maria (Adalberto Albertini); Shango la pistola infallibile (Edoardo Mulargia); 1972: ... e poi lo chiamarono il magnifico (Enzo Barboni); 1973: Sentivano uno strano, eccitante, pericoloso puzzo di dollari (Italo Alfaro)

Corazzari, Bruno: 1967: Da uomo a uomo (Giulio Petroni); Per 100.000 dollari ti ammazzo (Giovanni Fago); Vivo per la tua morte (Camillo Bazzoni); 1968: The Belle Starr story (Lina Wertmüller); Il mercenario (Sergio Corbucci); Quanto costa morire (Sergio Merolle); Il grande silenzio (Sergio Corbucci); I quattro dell'Ave Maria (Giuseppe Colizzi); C'era una volta il West (Sergio Leone); 1970: Sledge (Vic Morrow, Giorgio Gentili); Prima ti perdono ...poi t'ammazzo (Juan Bosch); Roy Colt e Winchester Jack (Mario Bava); Una nuvola di polvere ... un grido di morte ... arriva Sartana (Giuliano Carnimeo); Indio Black, sai che ti dico: sei un gran figlio di ... (Gianfranco Parolini); 1971: Quel maledetto giorno della resa dei conti (Sergio Garrone); 1975: I quattro dell'Apocalisse (Lucio Fulci)

Cord, Alex (Geburtsname: Alex Vispi; geboren am 3.5.1933 in Floral Park, Long Island, NY/USA): 1967: Un minuto per pregare, un istante per morire (Franco Giraldi)

Damon, Mark (Geburtsname: Alan Herskovitz; geboren am 22.4.1933 in Chicago, Illinois/USA): 1965: Johnny Oro (Sergio Corbucci); 1966: Johnny Yuma (Romolo Girolami); 1967: La morte non conta i dollari (Riccardo Freda); Un treno per Durango (Mario Caiano); Requiescant (Carlo Lizzani); 1968: Tutto per tutto (Umberto Lenzi); ¿Quién grita venganza? (Rafael Romero Marchent); 1971: Monta in sella figlio di ... (Tonino Ricci); 1972: Posate le pistole ... reverendo (Leopoldo Savona); Lo chiamavano Verità (Luigi Perelli)

Davila, Luis (Pseudonyme: **Anthony Clark, Louis Dawson**; Geburtsname: Héctor Gonzáles Ferrantino; geboren am 15.7.1927 in Buenos Aires/Argentinien; gestorben am 21.8.1998 in Buenos Aires/Argentinien): 1964: Relevo para un pistolero (Ramón Torrado); 1965: L'uomo che viene da Canyon City (Alfonso Balcázar); L'uomo dalla pistola d'oro (Alfonso Balcázar); 1966: Dinamita Jim (Alfonso Balcázar); 1968: La morte sull'alta collina (Alfredo Medori); 1970: Matalo! (Cesare Canevari); 1971: El desafío de Pancho Villa (Eugenio Martín)

James Coburn

Ken Clark

Chuck Connors

Mark Damon

Dawson, Anthony (geboren am 18.10.1916 in Edinburgh, Schottland/UK; gestorben am 8.1.1992): 1967: Da uomo a uomo (Giulio Petroni); 1968: ... e per tetto un cielo di stelle (Giulio Petroni); 1971: Soleil Rouge (Terence Young)

Dell'Acqua, Alberto (Pseudonyme: **Cole Kitosch, Robert Widmark, Al/Albert Waterman**): 1966: 7 pistole per i MacGregor (Franco Giraldi); Texas, addio (Ferdinando Baldi); Killer calibro 32 (Alfonso Brescia); 1967: 7 donne per i MacGregor (Franco Giraldi); L'uomo, l'orgoglio, la vendetta (Luigi Bazzoni); I lunghi giorni dell'odio (Gianfranco Baldanello); Un minuto per pregare, un istante per morire (Franco Giraldi); 1968: Joko, invoca Dio ... e muori! (Antonio Margheriti); Ammazzali tutti e torna solo (Enzo Girolami); 1969: La collina degli stivali (Giuseppe Colizzi); 1970: I vendicatori dell'Ave Maria (Adalberto Albertini); 1972: Trinità e Sartana figli di ... (Mario Siciliano); Alleluja e Sartana figli di ... Dio (Mario Siciliano)

Del Pozo, Ángel (geboren am 14.07.1934; Pseudonyme: **Anthony Clark, Antony Clark**): 1962: Bienvenido, padre Murray (Ramón Torrado); 1965: La colt è la mia legge (Alfonso Brescia); Die Hölle von Manitoba (Sheldon Reynolds); 1966: Pampa salvaje (Hugo Fregonese); Per pochi dollari ancora (Giorgio Ferroni); La resa dei conti (Sergio Sollima); 1967: Faccia a faccia (Sergio Sollima); 1968: L'ira di Dio (Alberto Cardone); 1969: Il prezzo del potere (Tonino Valerii); 1971: Catlow (Sam Wanamaker); El desafío de Pancho Villa (Eugenio Martín); Dans la poussière du soleil (Richard Balducci); 1972: Un hombre llamado Noon (Peter Collinson);

Delon, Alain (geboren am 8.11.1935 in Sceaux, Hauts-de-Seine/Frankreich): 1971: Soleil Rouge (Terence Young); 1974: Zorro (Duccio Tessari)

Eastman, George (Geburtsname: Luigi Montefiori; geboren am 16.8.1942): 1966: 2 once di piombo (Maurizio Lucidi); 1967: Un poker di pistole (Giuseppe Vari); L'ultimo killer (Giuseppe Vari); Preparati la bara! (Ferdinando Baldi); Bill il taciturno (Massimo Pupillo); 1968: The Belle Starr story (Lina Wertmüller); Odia il prossimo tuo (Ferdinando Baldi); 1969: La collina degli stivali (Giuseppe Colizzi); Ciakmull, l'uomo della vendetta (Enzo Barboni); 1971: Bastardo, vamos a matar (Luigi Mangini); Quel maledetto giorno della resa dei conti (Sergio Garrone); W Django (Edoardo Mulargia); Amico, stammi lontano almeno un palmo ... (Michele Lupo); 1973: Tutti per uno ... botte per tutti (Bruno Corbucci)

Eastwood, Clint (geboren am 31.5.1930 in San Francisco, Kalifornien/USA): 1964: Per un pugno di dollari (Sergio Leone); 1965: Per qualche dollaro in più (Sergio Leone); 1966: Il buono, il brutto, il cattivo (Sergio Leone)

Elam, Jack (geboren am 13.11.1918 in Miami, Arizona/USA; gestorben am 20.10.2003 in Ashland, Oregon/USA): 1968: C'era una volta il West (Sergio Leone); Sonora (Alfonso Balcázar); 1970: The last rebel (Denys McCoy); 1971: Hannie Caulder (Burt Kennedy); 1990: Lucky Luke (Terence Hill)

Fajardo, Eduardo (Geburtsname: Eduardo Martínez Fajardo; geboren am 24.8.1918 in Mosteiro, Pontevedra/Spanien): 1965: La grande notte di Ringo (Mario Maffei); Una bara per lo sceriffo (Mario Caiano); 1966: Ringo, il volto della vendetta (Mario Caiano); Django (Sergio Corbucci); 1967: Sette pistole per un massacro (Mario Caiano); Gentlemen Jo ... uccidi! (Giorgio Stegani); Il tempo degli avvoltoi (Fernando Cicero); Killer adios (Primo Zeglio); 1968: Tutto per tutto (Umberto Lenzi); Il mercenario (Sergio Corbucci); Ad uno ad uno ... spietatamente (Rafael Romero Marchent); Pagó cara su muerte (León Klimovsky); Una pistola per cento bare (Umberto Lenzi); 1969: O' Cangaçeiro (Giovanni Fago); 1970: Vamos a matar compañeros (Sergio Corbucci); Un uomo chiamato Apocalisse Joe (Leopoldo Savona); Reza por tu alma ... y muere (Tulio Demicheli); Shango la pistola infallibile (Edoardo Mulargia); Uccidi, Django ... uccidi per primo! (Sergio Garrone); 1971: Anda muchacho, spara! (Aldo Florio); Il lungo giorno della violenza (Giuseppe Maria Scotese); El hombre de Rio Malo (Eugenio Martín); Viva la muerte ... tua! (Duccio Tessari); 1972: La banda J.& S. cronaca criminale del Far West (Sergio Corbucci); Tedeum (Enzo Girolami); Tequila! (Tulio Demicheli); Che c'entriamo noi con la rivoluzione? (Sergio Corbucci); 1973: Tutti per uno ... botte per tutti (Bruno Corbucci); Verflucht dies Amerika (Volker Vogeler); 1974: Das Tal der tanzenden Witwen (Volker Vogeler)

Fantasia, Franco (Pseudonyme: Frank Farrell, Frank Fantasia): 1962: Le tre spade di Zorro (Ricardo Blasco); 1963: Buffalo Bill, l'eroe del Far West (Mario Costa); 1965: I del Colorado (Amando De Ossorio); Un dollaro bucato (Giorgio Ferroni); 1966: Mille dollari sul nero (Alberto Cardone); 7 dollari sul rosso (Alberto Cardone); 1967: Sangue chiama sangue (Luigi Capuano); Vivo per la tua morte (Camillo Bazzoni); 1968: L'ira di Dio (Alberto Cardone); Il lungo giorno del massacro (Alberto Cardone); I nipoti di Zorro (Marcello Ciorciolini); Odia il prossimo tuo (Ferdinando Baldi); 1969: Veinte mil dólares por un cadáver (José María Zabalza); 1970: C'è Sartana ... vendi la pistola e comprati la bara! (Giuliano Carnimeo); Indio

Black, sai che ti dico: sei un gran figlio di ... (Gianfranco Parolini); 1971: Amico, stammi lontano almeno un palmo ... (Michele Lupo); È tornato Sabata ... hai chiuso un'altra volta! (Gianfranco Parolini); 1973: Carambola (Ferdinando Baldi); 1977: California (Michele Lupo)

Farnese, Alberto (Geburtsname: Alberto Quaglini; Pseudonym: **Albert Farley**; geboren am 3.6.1926 in Palombara Sabina/Italien): 1959: Il terrore dell'Oklahoma (Mario Amendola); 1965: Cinco pistolas de Texas (Juan Xiol Marchel); Un dollaro di fuoco (Nick Nostro); Río Maldito (Juan Xiol Marchel); 1966: Uccidi o muori (Tanio Boccia); 1970: I vendicatori dell'Ave Maria (Adalberto Albertini); Saranda (Manuel Esteba, Antonio Mollica); 1986: Bianco apache (Bruno Mattei); Scalps (Bruno Mattei)

Felleghy, Tom: 1964: Il ranch degli spietati (Jaime Jesús Balcázar, Roberto Bianchi Montero); 1965: La grande notte di Ringo (Mario Maffei); 1966: El Rojo (Leopoldo Savona); El Cisco (Sergio Bergonzelli); Vayas con Dios, gringo (Edoardo Mulargia); La resa dei conti (Sergio Sollima); Arizona Colt (Michele Lupo); Le colt cantarono la morte e fu ...tempo di massacro (Lucio Fulci); 1967: Lola Colt (Siro Marcellini); Nato per uccidere (Antonio Mollica); Le due facce del dollaro (Roberto Bianchi Montero); Se vuoi vivere ... spara! (Sergio Garrone); 1968: Quel caldo maledetto giorno di fuoco (Paolo Bianchini); 1971: Amico, stammi lontano almeno un palmo ... (Michele Lupo); Lo chiamavano King (Giancarlo Romitelli, Renato Savino); 1972: Los amigos (Paolo Cavara); 1974: Che botte, ragazzi! (Adalberto Albertini); 1977: California (Michele Lupo); 1980: Occhio alla penna (Michele Lupo)

Ferzetti, Gabriele (Geburtsname: Pasquale Ferzetti; geboren am 17.3.1925 in Rom/Italien): 1968: C'era una volta il West (Sergio Leone)

Fiermonte, Enzo (geboren am 17.7.1908 in Bari, Puglia/Italien): 1967: Vivo per la tua morte (Camillo Bazzoni); Al di là della legge (Giorgio Stegani); La più grande rapina nel West (Maurizio Lucidi); Un minuto per pregare, un istante per morire (Franco Giraldi); 1969: La collina degli stivali (Giuseppe Colizzi); I quattro del Pater Noster (Rug-

gero Deodato); Il pistolero dell'Ave Maria (Ferdinando Baldi); Ciakmull, l'uomo della vendetta (Enzo Barboni); 1971: La vendetta è un piatto che si serve freddo (Pasquale Squitieri); Continuavano a chiamarlo Trinità (Enzo Barboni); 1972: ... e poi lo chiamarono il magnifico (Enzo Barboni); Lo chiamavano Verità (Luigi Perelli); Campa carogna ... la taglia cresce (Giuseppe Rosati); 1977: Mannaja (Sergio Martino)

Flynn, Sean (geboren am 31.5.1941; gestorben am 6.4.1970 in Chi Pou/Kambodscha): 1962: Il segno di Zorro (Mario Caiano); 1965: Dos pistolas gemelas (Rafael Romero Marchent); 1966: Sette magnifiche pistole (Romolo Girolami)

Fonda, Henry (geboren am 16.5.1905 in Grand Island, Nebraska/USA; gestorben am 12.8.1982 in Los Angeles, Kalifornien/USA): 1968: C'era una volta il West (Sergio Leone); 1973: Il mio nome è Nessuno (Tonino Valerii)

Franchi, Franco (Geburtsname: Francesco Benenato; geboren am 18.9.1928 in Palermo, Sizilien/Italien; gestorben am 9.12.1992 in Rom/Italien): 1964: Due mafiosi nel Far West (Giorgio Simonelli); Per un pugno nell' occhio (Michele Lupo); 1965: I 2 sergenti del generale Custer (Giorgio Simonelli); 1966: I 2 figli di Ringo (Giorgio Simonelli); 1967: 2 rrringos nel Texas (Marino Girolami); Il bello, il brutto, il cretino (Giovanni Grimaldi); 1968: Ciccio perdona ... io no! (Marcello Ciorciolini); I nipoti di Zorro (Marcello Ciorciolini); 1969: Franco e Ciccio sul sentiero di guerra (Aldo Grimaldi); 1972: I 2 figli dei Trinità (Osvaldo Civirani); 1975: Il sogno di Zorro (Mariano Laurenti)

Frank, Horst (geboren am 28. 5.1929 in Lübeck/Deutschland; gestorben am 25.5.1999 in Heidelberg/Deutschland): 1963: Die Flußpiraten vom Mississippi (Jürgen Roland); 1964: Le pistole non discutono (Mario Caiano); Die schwarzen Adler von Santa Fé (Ernst Hofbauer, Alberto Cardone); 1967: Preparati la bara! (Ferdinando Baldi); Il momento di uccidere (Giuliano Carnimeo); Quella sporca storia nel West (Enzo Girolami); 1968: Odia il prossimo tuo (Ferdinando Baldi); 1972: Il grande

Gabriele Ferzetti **Henry Fonda** **Horst Frank** **Peter Graves**

duello (Giancarlo Santi); 1973: Carambola (Ferdinando Baldi)

Gaddi, Carlo (Pseudonym: **Charles Gate**): 1967: Pecos è qui: prega e muori (Maurizio Lucidi); Al di là della legge (Giorgio Stegani); Per 100.000 dollari ti ammazzo (Giovanni Fago); 1968: Réquiem para el gringo (José Luis Merino); Uno di più all'inferno (Giovanni Fago); 1969: Django il bastardo (Sergio Garrone); 1970: C'è Sartana ... vendi la pistola e comprati la bara! (Giuliano Carnimeo); 1971: Uomo avvisato mezzo ammazzato ... parola di Spirito Santo (Giuliano Carnimeo); 1972: Dio in cielo ... Arizona in terra (Juan Bosch); 1973: Hai sbagliato ... dovevi uccidermi subito! (Mario Bianchi)

Galli, Ida (Pseudonym: **Evelyn Stewart**; geboren 1942 in Sestola/Italien): 1965: Adiós gringo (Giorgio Stegani); Un dollaro bucato (Giorgio Ferroni); Perché uccidi ancora? (Edoardo Mulargia, José Antonio de la Loma); 1966: Sette magnifiche pistole (Romolo Girolami); Django spara per primo (Alberto De Martino); 1968: Il suo nome gridava vendetta (Mario Caiano); Quel caldo maledetto giorno di fuoco (Paolo Bianchini); Tre croci per non morire (Sergio Garrone); 1969: Ciakmull, l'uomo della vendetta (Enzo Barboni); 1971: I quattro pistoleri di Santa Trinità (Giorgio Cristallini); 1973: Lo chiamavano Tresette ... giocava sempre col morto (Giuliano Carnimeo)

Garko, Gianni (Pseudonym: **Gary Hudson**; Geburtsname: Giovanni Garcovich; geboren am 15.6.1935 in Zara/Jugoslawien): 1966: Mille dollari sul nero (Alberto Cardone); 1967: Per 100.000 dollari ti ammazzo (Giovanni Fago); 10.000 dollari per un massacro (Romolo Girolami); I vigliacchi non pregano (Mario Siciliano); 1968: ... se incontri Sartana prega per la tua morte (Gianfranco Parolini); 1969: Sono Sartana, il vostro becchino (Giuliano Carnimeo); 1970: Buon funerale amigos! ... paga Sartana (Giuliano Carnimeo); Una nuvola di polvere ... un grido di morte ... arriva Sartana (Giuliano Carnimeo); Un par de asesinos (Rafael Romero Marchent); 1971: Uomo avvisato mezzo ammazzato ... parola di Spirito Santo (Giuliano Carnimeo); Gli fumavano le Colt ... lo chiamavano Camposanto (Giuliano Carnimeo); Il venditore di morte (Enzo Gicca Palli); El hombre de Rio Malo (Eugenio Martin); 1972: Campa carogna ... la taglia cresce (Giuseppe Rosati)

Garner, James (Geburtsname: James Scott Bumgarner; geboren am 7.4.1928 in Norman, Oklahoma/USA): 1970: Sledge (Vic Morrow, Giorgio Gentili)

Garrone, Riccardo (Pseudonyme: **Rick Garrett**, **Richard Garrett**, **Dick Regan**; geboren am 1.1.1926 in Rom/Italien): 1965: Degueyo (Giuseppe Vari); I 2 sergenti del generale Custer (Giorgio C. Simonelli); 1967: Bang Bang Kid (Stanley Prager); Se vuoi vivere ... spara! (Sergio Garrone); 1968: Una lunga fila di croci (Sergio Garrone); 1969:

Django il bastardo (Sergio Garrone); 1970: Sledge (Vic Morrow, Giorgio Gentili); 1972: Che c'entriamo noi con la rivoluzione? (Sergio Corbucci); Tedeum (Enzo Girolami); Il West ti va stretto amico ... è arrivato Alleluja (Giuliano Carnimeo); 1973: Di Tresette ce n'è uno tutti gli altri son nessuno (Giuliano Carnimeo)

Gassman, Vittorio (geboren am 1.9.1922 in Genua, Ligurien/Italien; gestorben am 29.6.2000 in Rom/Italien): 1972: Che c'entriamo noi con la rivoluzione? (Sergio Corbucci)

Gemma, Giuliano (Pseudonym: **Montgomery Wood**; geboren am 2.9.1938 in Rom/Italien): 1964: Una pistola per Ringo (Duccio Tessari); 1965: Adiós gringo (Giorgio Stegani); Il ritorno di Ringo (Duccio Tessari); Un dollaro bucato (Giorgio Ferroni); 1966: Per pochi dollari ancora (Giorgio Ferroni); Arizona Colt (Michele Lupo); I lunghi giorni della vendetta (Florestano Vancini); Wanted (Giorgio Ferroni); 1967: I giorni dell'ira (Tonino Valerii); 1968: ... e per tetto un cielo di stelle (Giulio Petroni); 1969: Vivi o preferibilmente morti (Duccio Tessari); Il prezzo del potere (Tonino Valerii); 1971: Amico, stammi lontano almeno un palmo ... (Michele Lupo); 1974: Il bianco, il giallo, il nero (Sergio Corbucci); 1977: California (Michele Lupo); Sella d'argento (Lucio Fulci); 1985: Tex e il Signore degli abissi (Duccio Tessari)

George, Susan (geboren am 26.7.1950 in London, England): 1972: La banda J. & S. cronaca criminale del Far West (Sergio Corbucci)

Ghidra, Anthony (Geburtsname: Dragomir Gidre Bojanic; geboren am 13.6.1933 in Kragujevac, Serbien/Jugoslawien; gestorben am 11.11.1993 in Belgrad/Jugoslawien): 1964: Unter Geiern (Alfred Vohrer); 1967: Ballata per un pistolero (Alfio Caltabiano); L'ultimo killer (Giuseppe Vari); ... e venne il tempo di uccidere (Vincenzo Dell'Aquila); Un buco in fronte (Giuseppe Vari); 1968: Chiedi perdono a Dio, non a me (Vincenzo Musolino)

Giordano, Daniela (geboren 1948, Miss Italien 1967): 1968: Il lungo giorno del massacro (Alberto Cardone); Joe, cercati un posto per morire! (Giuliano Carnimeo); 1969: ... e vennero in quattro per uccidere Sartana! (Demofilo Fidani); La sfida dei MacKenna (León Klimovsky); Un esercito di 5 uomini (Don Taylor, Italo Zingarelli); 1970: Buon funerale amigos! ...paga Sartana (Giuliano Carnimeo); 1971: Il suo nome era Pot ...ma ...lo chiamavano Allegria (Demofilo Fidani); I quattro pistoleri di Santa Trinità (Giorgio Cristallini); 1972: Scansati ... a Trinità arriva Eldorado (Demofilo Fidani, Aristide Massaccesi, Diego Spataro); Trinità e Sartana figli di ... (Mario Siciliano)

Girolami, Enio (Pseudonym: **Thomas Moore**; geboren 1934 in Rom/Italien): 1964: Il piombo e la carne (Marino Girolami); Die schwarzen Adler von Santa Fé (Ernst Hofbauer,

INTERVIEW MIT GIANNI GARKO

Wir trafen Gianni Garko am 20. Juli 2002 in seiner Penthouse-Wohnung in Rom.

Wie sind Sie dazu gekommen, in italienischen Western zu spielen?

Als Sergio Leone 1964 in Almería/Spanien seinen ersten Western drehte, arbeitete ich gerade an dem Film »Saul e David« unter der Regie von Marcello Baldi. Ich spielte David. Das war ein teurer biblischer Film von San Paolo Films mit großartigen Kostümen. Wir kamen in der Gegend von Almería an, wo es eine Wüste gab, die der in Israel sehr ähnlich war. Wir filmten nur 2 bis 3 Stunden am Tag, als die Sonne im Zenit stand, denn danach waren die Lichtverhältnisse nicht mehr gut genug. Es musste aussehen wie in Israel. Die Produktion hatte sehr viel Geld. Im Hotel traf ich dann einen Mann, der gerade von Dreharbeiten zurückkehrte und auf einem Barhocker saß und der mir bekannt vorkam. Und tatsächlich, der Mann sagte mir, er sei Sergio Leone, der gerade dabei war, seinen ersten Film zu drehen. So setzte ich mich zu ihm und fragte ihn, an was er denn gerade arbeite. Sergio erzählte mir, er mache einen kleinen Western, in dem der Bösewicht von Gian Maria Volonté dargestellt würde. Und als wir so miteinander ins Gespräch vertieft waren, kam plötzlich ein großer schlanker Mann in den Raum und Leone sagte mir, das sei sein Hauptdarsteller, der Amerikaner Clint Eastwood. Als ich meinen Produzenten am nächsten Tag fragte, was für ein Film das sei, an dem Leone arbeite, sagte er mir, es sei ein kleiner Western mit fast keinem Budget, denn er hätte ihnen sogar mit Explosionsmitteln aushelfen müssen, da sie sich selber nichts leisten konnten. Leone schien in diesem Film an akutem Geldmangel zu leiden, denn die Produzenten schienen nicht nur knausrig zu sein, sondern waren auch mit ihren Zahlungen längst überfällig. Als ich meine Arbeit an »Saul e David« beendete und der Film in Post-Produktion war, habe ich angefangen für Giorgio Strella zu arbeiten, einen großartigen Regisseur aus Mailand. Er war der größte italienische Theater-Regisseur, der inzwischen leider verstorben ist. Das Stück

war sehr erfolgreich in Mailand und wurde sogar in Salzburg aufgeführt. Ich sah den Film »Per un pugno di dollari« (»Für eine Handvoll Dollar«) im Kino – der Film war ein enormer Erfolg. Der Film, den ich gemacht habe, »Saul e David«, hatte es sehr schwer, Kinos zu finden, die ihn zeigen wollten, da es sich um einen religiösen Film handelte und alle italienischen Filmemacher zu dieser Zeit nur italienische Western drehten. Andere Filme fanden nicht sehr viel Beachtung. Als mein Theatervertrag nach zwei Jahren auslief, entschloss ich mich, ein Foto von mir in Westernkostüm, mit Bart und mit Zigarillo machen zu lassen und ein Anruf ließ nicht lange auf sich warten. Mein erster Western war »Mille dollari sul nero« (»Sartana«). Mario Siciliano, der Produzent, rief mich an und sagte, er bräuchte einen versierten Theaterschauspieler, der in seinem Film den Bösewicht darstellen sollte. Und so spielte ich diese Person General Sartana – einen Verrückten. Der Film wurde von Lisa Film in München koproduziert und war ein riesiger Erfolg in Deutschland. Normalerweise wurde ich als zweiter Darsteller nach Anthony Steffen gelistet, aber die Deutschen gaben mir Top-Credit mit John Garko als Sartana! Sie mochten den Bösewicht mehr und so startete meine Western-Karriere.

Wie verlief Ihre Karriere von da an in Bezug auf Western-Filme?

Nach »Mille dollari sul nero« (»Sartana«) spielte ich die Hauptrolle in zwei Western von Romolo Girolami und Giovanni Fago, zwei sehr interessanten Filmen. Ich machte diese beiden Filme »Per 100.000 dollari ti ammazzo« (»Django der Bastard«) und »10.000 dollari per un massacro« (»Zehntausend blutige Dollar«) mit dem Bruder von Gian Maria Volonté, Claudio Camaso, der meinen Gegner in beiden Filmen verkörperte. Diese Filme waren relativ billig produziert, jedoch trotzdem sehr gut gemacht, aber spielten nicht viel Geld ein, da damals der Markt von unzähligen Western überflutet wurde. Vielleicht lag es daran, dass die Stimmung des Films relativ düster und das Hauptthema beider Filme das Rachethema war. Der von mir dargestellte Held ist praktisch für die gesamte Länge des Films damit beschäftigt, Rache zu nehmen. Diese Art von Film war damals sehr populär, sogar in Leones erstem Western »Per un pugno di dollari« (»Für eine Handvoll Dollar«), in dem sich ja Clint Eastwood auch an den Banditen rächen will. Aber in jenem Film gab es eben noch einen zweiten Mechanismus und zwar den des Manipulateurs. Eastwood spielt den Manipulateur, der die beiden Banden gegeneinander ausspielt und dann am Ende allein übrig bleibt. Das war es, was den ersten Leone-Western von der Masse der Western abhob. Das Publikum hatte langsam genug von den simplen Rachethemen und wollte etwas Neues. Ich verstand dieses Konzept sofort und als Produzent Aldo Addobbati an mich herantrat und mir anbot, einen Western für ihn zu machen, stellte ich die Bedingung, dass ich den Film nur machen würde, wenn mir das Drehbuch gefiele. Nachdem ich den Vertrag unterzeichnet hatte, zeigte er mir das deutsche Sartana-Filmplakat (»Mille dollari sul nero«) und sagte mir, dass unser neuer Film den Namen Sartana im Titel haben wird. Daraufhin verlangte ich eine höhere Gage und Addobbati gab sie mir auch. Addobbati brachte mir also ein Drehbuch nach dem anderen und ich lehnte sie alle ab, da alle nur von Rache handelten und sie mir nicht gefielen. Addobbati schlug sodann vor, dass ich ihm eine Idee für einen Western liefern sollte. Da rief ich zwei Freunde von mir an, die beide als Drehbuchautoren arbeiteten und erzählte ihnen, dass ich keine typische Rachegeschichte haben möchte, sondern eine Geschichte mit dem Konzept des »Diener zweier Herren«, in denen der Held des Films zwischen zwei Banden steht und sie gegeneinander ausspielt. Sie schrieben dann eine Geschichte, aber nur einer der beiden, Renato Izzo, blieb an dem Projekt. Die beiden wollten nicht mehr zusammen arbeiten und Renato schrieb dann die Geschichte für »... se incontri Sartana prega per la tua morte« (»Sartana – bete um deinen Tod«). Die Regisseure, mit denen ich den Western zuerst geplant hatte, waren nicht mehr frei, da sie in der Zwischenzeit ein anderes Angebot erhielten, so rief Addobbati Gianfranco Parolini an und teilte ihm mit, er müsse dringend wegen eines Filmprojektes mit ihm sprechen und Parolini war sehr glücklich mit dem Drehbuch und brachte einen Hauch James-Bond-Gefühl zum Film. Parolini war sehr erfolgreich mit Filmen wie »I fantastici tre supermen« (»Die drei Supermänner räumen auf«), die alle im Stil der James-Bond-Filme mit Karate-Elementen teilweise in Asien gedreht wurden. Der Sartana-Charakter wurde von mir und Parolini kreiert. Ich ließ Parolini wissen, dass ich nicht wie ein typischer Cowboy gekleidet sein wollte, sondern eleganter und wie ein Spieler mit einem weißen Hemd. Parolini hatte die Idee mit dem Cape, welches den amerikanischen Mandrake-Cartoons nachempfunden wurde, die einst in Italien sehr erfolgreich waren. Der Charakter des Sartana kam zum Teil von diesen Mandrake-Cartoons und der Name wurde einem tatsächlich einst existierenden mexikanischen General mit Namen Santana nachempfunden. Und in dem Film »Mille dollari sul nero« (»Sartana«) wurde daraus dann Sartana, da dieser Charakter sehr verrückt und böse war und an Richard Widmarks Rolle des Bösewichts in »Kiss of death« (»Der Todeskuß«) erinnerte. In »Mille dollari sul nero« (»Sartana«) hatte ich auch die Idee mit dem Medaillon, das ich um den Hals trug und vor jedem Kampf küsste. Das versinnbildlichte den Todeskuss. Ich wollte eigentlich damals das Porträt meiner filmischen Mutter in dem Medaillon, aber die Produzenten weigerten sich und so wurde daraus dann

ein Inka-ähnliches Symbol. So wurde Sartana geboren und wurde sehr erfolgreich, ich machte insgesamt vier Sartana-Filme. Ich fügte danach immer eine Klausel in meine Verträge, dass der Charakter des Films nicht Sartana genannt werden dürfe, wenn er nicht wie Sartana gekleidet sei. Aus diesem Grunde betitelte ein Produzent den Film »Un par de asesinos« (»Und Santana tötet sie alle«) mit Santana – der Charakter in diesem Film unterscheidet sich komplett vom Sartana-Charakter. Das Drehbuch zu jenem Film war bereits fertig und sie riefen mich an, um den Film zu machen. Es war viel zu spät, um den Charakter in den Sartana-Charakter umzuändern, aber sie wollten trotzdem einen Sartana-Film machen, ich stimmte jedoch nicht zu, was den Namen meines Charakters anging. Dumme Produzenten. Wir wissen, wie sie sind.

Was können Sie uns über »I vigliacchi non pregano« (»Schweinehunde beten nicht«) erzählen?

Bei »I vigliacchi non pregano« (»Schweinehunde beten nicht«) arbeitete ich wieder mit Mario Siciliano zusammen, der schon meinen ersten Western »Mille dollari sul nero« (»Sartana«) produzierte und bei diesem Film Regie führte. Das war ein sehr merkwürdiger und interessanter Film, wie eine Kollage aus verschiedenen Episoden. Mario Siciliano war ein Sizilianer, der Geschichten von Palladini über Sizilien mochte, die alle in episodenhaftem Stil erzählt wurden. Einer der Songs in diesem Western ist tatsächlich ein echtes sizilianisches Lied (Garko singt ein wenig).

Stimmt es, dass Sie insgesamt 14 Western drehten?

Gianni Garko heute

452

Ja, 14 Filme von mir sind Western. Ich wollte auch andere Filme machen – moderne Filme, und aus diesem Grund lehnte ich eine zweiteilige Filmreihe mit Giuliano Carnimeo ab und drehte stattdessen für Enzo Girolami den Film »Gli occhi freddi della paura« mit Giovanna Ralli, Fernando Rey und Frank Wolff. George Hilton übernahm dann die Parts, die ich abgelehnt hatte und wurde sodann auch für einige Sartana-Filme verpflichtet, die von Giuliano Carnimeo inszeniert wurden. Danach waren die italienischen Western am Ende und es wurden nur noch ganz selten Western gedreht wie »Keoma« im Jahr 1976 und »Tex e il Signore degli abissi« (»Tex und das Geheimnis der Todesgrotten«) im Jahr 1985.

Welchen Ihrer Western mögen Sie am liebsten?
Der Western, den ich am liebsten mag, ist »Mille dollari sul nero« (»Sartana«) oder vielleicht besser gesagt, wo ich einen interessanten Charakter spiele. Eine sehr gute Interpretation, fast ein bisschen wie Klaus Kinski.

Wie war Klaus Kinski?
Kinski war in einigen meiner Filme. Ich fand ihn ein bisschen verrückt, aber er hatte ein sehr starkes Erscheinungsbild. Auf dem Set mochte man ihn nicht sehr gerne und wenn es manchmal 5, 10 oder sogar 15 Takes benötigte, wollte er mehr Geld und erhielt es dann auch. Aber mit mir war er immer sehr professionell, ich möchte nicht sagen, übertrieben höflich, aber immer korrekt und ein Gentleman. Ich arbeitete sehr gut mit ihm zusammen, wie z.B. in »Cinque per l'inferno« von Gianfranco Parolini.

Wo wurden die Sartana-Filme gedreht?
Alle in Italien. Einige Außenaufnahmen wurden in La Manziana und in Tolfa gedreht. Weitere Aufnahmen entstanden in den Bergen von Alto Laszo, in der Villa Mussolini und in der Western-Stadt an der Via Tibertina bei Elios Studios, die vor fünf Jahren geschlossen wurden.

Welchen Sartana-Film mögen Sie am liebsten?
Der erste, »... se incontri Sartana prega per la tua morte« (»Sartana – bete um deinen Tod«) ist wahrscheinlich der beste in Bezug auf die Geschichte. Aber mir gefallen die späteren Sartana-Filme besser, da mein Charakter

besser entwickelt und interessanter wurde. Es gefallen mir alle ganz gut. Einer meiner Lieblingswestern ist »Gli fumavano le Colt ... lo chiamavano Camposanto« (»Ein Halleluja für Camposanto«). Ich spiele einen guten Charakter und habe einen guten Partner in William Berger. William Berger war ein sehr ruhiger Mensch. Er emigrierte in die USA, als er noch sehr jung war und war dort verheiratet, bevor er dann nach Italien kam. Ein sehr guter Schauspieler. Ich machte auch den Film »Shark rosso nell'oceano« mit ihm. Ich mochte den Charakter des Silver in »Il venditore di morte« (»Sarg der blutigen Stiefel«) sehr gerne, der dem Charakter des Sartana etwas ähnlich war, jedoch mit mehr Komödie. Mir gefiel auch die Rolle des jungen Cowboys, den ich in »... e continuavano a fregarsi il milione di dollari« (»Matalo«) spielte, die nicht schlecht war für einen Film mit diesem schlechten Regisseur.

Können Sie sich an eine erinnerungswürdige Episode aus der Zeit der Italo-Western erinnern?
Ich erinnere mich noch gut an den ersten Sartana-Film »... se incontri Sartana prega per la tua morte« (»Sartana – bete um deinen Tod«), als ich Sidney Chaplin zum ersten Mal sah. Ich bin ein großer Filmfan und als ich noch jünger war, liebte ich es unzählige Filme anzusehen. Ich sehe mir noch immer Filme an, aber nicht so viele wie früher. Ich hatte zahlreiche Erinnerungen an Charlie Chaplin und als ich Sidney Chaplin auf dem Set ankommen sah, sah er seinem Vater so sehr ähnlich in seiner Eleganz und seinem Auftreten, dass ich sprachlos war. Ich konnte es kaum glauben, dem Sohn eines der größten Darsteller aller Zeiten gegenüberzustehen. In meinem Sartana-Kostüm, sah ich ihn an und sagte gar nichts und er sagt plötzlich: »Hallo Mr. Garko.« Ich murmelte irgendetwas und reichte ihm meine Hand. Während der gesamten Dreharbeiten versuchte ich immer, in seiner Nähe zu sitzen und mit ihm zu sprechen, aber er war sehr schweigsam.

Wir bedankten uns für das Gespräch und verabschiedeten uns von Gianni Garko.

Alberto Cardone); 1966: I crudeli (Sergio Corbucci); Pochi dollari per Django (León Klimovsky, Enzo Girolami); 1967: 2 rrringos nel Texas (Marino Girolami); Quella sporca storia nel West (Enzo Girolami); 1968: Anche nel West c'era una volta Dio (Marino Girolami); 1970: Reverendo Colt (León Klimovsky, Marino Girolami); 1993: Jonathan degli orsi (Enzo Girolami)

Django il bastardo (Sergio Garrone); 1971: I senza Dio (Roberto Bianchi Montero); Uomo avvisato mezzo ammazzato ... parola di Spirito Santo (Giuliano Carnimeo); Testa t'ammazzo, croce ... sei morto, mi chiamano Alleluja (Giuliano Carnimeo); 1972: I bandoleros della dodicesima ora (Alfonso Balcázar); Il West ti va stretto amico ... è arrivato Alleluja (Giuliano Carnimeo)

Gozlino, Paolo: (Pseudonym: **Paul Stevens**); 1966: Clint, el solitario (Alfonso Balcázar); 1968: Joko, invoca Dio ... e muori! (Antonio Margheriti); Uno dopo l'altro (Nick Nostro); Uno di più all'inferno (Giovanni Fago); 1969:

Graves, Peter (Geburtsname: Peter Aurness; geboren am 18.3.1926 in Minneapolis, Minnesota/USA; Bruder von James Arness): 1969: Un esercito di 5 uomini (Don Taylor, Italo Zingarelli)

Hahn, Jess (geboren am 29.10.1921 in Terre Haute, Indiana/USA; gestorben am 30.6.1998 in Dinard, Ille-et-Vilaine/Frankreich): 1963: Dinamite Jack (Jean Bastia); 1971: El hombre de Rio Malo (Eugenio Martín); 1972: Il grande duello (Giancarlo Santi)

Hallyday, Johnny (Geburtsname: Jean-Philippe Smet; geboren am 15.6.1943 in Paris/Frankreich): 1969: Gli specialisti (Sergio Corbucci)

Halsey, Brett (Pseudonym: **Montgomery Ford**; Geburtsname: Charles Oliver Hand; geboren am 20.6.1933 in Santa Ana, Kalifornien/USA): 1965: Uccidete Johnny Ringo (Gianfranco Baldanello); 1967: Oggi a me ... domani a te (Tonino Cervi); 1968: L'ira di Dio (Alberto Cardone); 20.000 dollari sporchi di sangue (Alberto Cardone); 1970:

Roy Colt e Winchester Jack (Mario Bava)

Hardin, Ty (Geburtsname: Orton Whipple Hungerford II; geboren am 1.6.1930 in New York, NY/USA): 1963: L'uomo della valle maledetta (Siro Marcellini); 1966: Pampa salvaje (Hugo Fregonese); 1967: Custer of the West (Robert Siodmak); 1971: Sei jellato amico, hai incontrato Sacramento (Giorgio Cristallini); Acquasanta Joe (Mario Gariazzo); Il giorno del giudizio (Mario Gariazzo); Quel maledetto giorno della resa dei conti (Sergio Garrone)

Hargitay, Mickey (Geburtsname: Miklos Hargitay; geboren am 6.1.1926 in Budapest/Ungarn): 1965: Lo sceriffo che non spara (Renato Polselli, José Luis Monter); Uno straniero a Sacramento (Sergio Bergonzelli); 1966: Tre colpi di winchester per Ringo (Emimmo Salvi); 1967: Cjamango (Edoardo Mulargia); 1970: Giunse Ringo e ... fu tempo di massacro (Mario Pinzauti)

Harris, Brad (geboren am 16.7.1933 in St. Anthony, Idaho/USA): 1963: Die Flußpiraten vom Mississippi (Jürgen Roland); 1964: Die schwarzen Adler von Santa Fe (Ernst Hofbauer, Alberto Cardone); 1967: L'uomo venuto per uccidere (León Klimovsky); 1970: Wanted Sabata (Roberto Mauri); Arriva Durango: paga o muori (Roberto Bianchi Montero); 1971: Seminoò morte ... lo chiamavano il castigo di Dio! (Roberto Mauri)

Harris, Richard (Geburtsname: Richard St. John Harris; geboren am 1.10.1930 in Limerick/Irland; gestorben am 25.10.2002 in London, England): 1971: A man in the wilderness (Richard C. Sarafian); 1982: Triumph of a man called horse (John Hough); 1993: Silent Tongue (Sam Shepard)

Harrison, Richard (Pseudonym: **James London**; geboren am 26.5.1935 in Salt Lake City, Utah/USA): 1963: I tre spietati (Joaquín Luis Romero Marchent); Gringo (Ricardo Blasco); 1965: 100.000 dollari per Ringo (Alberto De Martino); 1966: Ramon il messicano (Maurizio Pradeaux); El Rojo (Leopoldo Savona); 1968: Uno dopo l'altro (Nick Nostro); Joko,

invoca Dio ... e muori! (Antonio Margheriti); Anche nel West c'era una volta Dio (Marino Girolami); 1970: Reverendo Colt (León Klimovsky, Marino Girolami); Prima ti perdono ... poi t'ammazzo (Juan Bosch); 1971: Lo chiamavano King (Renato Savino, Giancarlo Romitelli); Lo sceriffo di Rockspring (Mario Sabatini); Acquasanta Joe (Mario Gariazzo); Sei già cadavere amico ... ti cerca Garringo! (Juan Bosch); Spara Joe ... e così sia! (Emilio Miraglia); 1972: La lunga cavalcata della vendetta (Tanio Boccia); Jesse & Lester due fratelli in un posto chiamato Trinità (Renzo Genta); Los fabulosos de Trinidad (Ignacio F. Iquino)

Heflin, Van (Geburtsname: Emmett Evan Heflin Jr.; geboren am 13.12.1910 in Walters, Oklahoma/USA; gestorben am 23.7.1971 in Hollywood, Kalifornien/USA): 1967: Ognuno per se (Giorgio Capitani)

Herter, Gerhard (Geburtsname: Gérard Herter): 1966: La resa dei conti (Sergio Sollima); 1967: Le due facce del dollaro (Roberto Bianchi Montero); Vado, l'ammazzo e torno (Enzo Girolami); Professionisti per un massacro (Fernando Cicero); 1968: Quel caldo maledetto giorno di fuoco (Paolo Bianchini); Uno di più all'inferno (Giovanni Fago); 1970: Indio Black, sai che ti dico: sei un gran figlio di ... (Gianfranco Parolini)

Heston, John (Pseudonyme: **George Heston, Antonio Staccioli**; Geburtsname: Ivano Staccioli; geboren 1927 in Siena/Italien; gestorben 1995): 1965: 30 Winchester per El Diablo (Gianfranco Baldanello); 1966: I 2 figli di Ringo (Giorgio Simonelli); Tre colpi di winchester per Ringo (Emimmo Salvi); 1967: Dio li crea ... io li ammazzo! (Paolo Bianchini); Vado, l'ammazzo e torno (Enzo Girolami); 1968: I nipoti di Zorro (Marcello Ciorciolini); 1971: Los buitres cavarán tu fosa (Juan Bosch); Gli fumavano le Colt ... lo chiamavano Camposanto (Giuliano Carnimeo); 1973: Hai sbagliato ... dovevi uccidermi subito! (Mario Bianchi)

Hill, Craig (Geburtsname: Craighill Fowler; geboren am 5.3.1927 in Los Angeles, Kalifornien/USA): 1965: Ocaso de un pistolero (Rafael Romero Marchent); 1966: Per il gusto di uccidere (Tonino Valerii); 1967: Ric e Gian alla

INTERVIEW MIT GIULIANO GEMMA

Wir trafen Giuliano Gemma am 20. Juli 2002 in der Hotel-Lobby in Roseto degli Abruzzi, wo er an einem örtlichen Filmfestival als Gast teilnahm.

Wie startete Ihre Karriere als Star des Italo-Western?

Ich war damals in den frühen sechziger Jahren schon in zahlreichen Sandalen-Filmen zu sehen, unter anderem machte ich im Jahr 1961 auch den Film »Arrivano a Titani« unter der Regie von Duccio Tessari, der dann als Assistent für Sergio Leone an dessen erstem Western »Per un pugno di dollari« (»Für eine Handvoll Dollar«) arbeitete.

Jener Film war es auch, der in Italien damals eine ganze Welle von Western-Filmen auslöste. Mit den Erfahrungen, die Tessari bei Leones Western sammeln konnte, fand er es an der Zeit, auch selbst einen Western zu inszenieren und kam auf mich zurück, da wir sehr gut zusammenarbeiteten. Noch im selben Jahr drehten wir dann »Una pistola per Ringo« (»Eine Pistole für Ringo«) in Spanien, der ein großer Erfolg wurde. Der Film wurde von der damals sehr erfolgreichen Produktionsfirma Balcazar produziert, die dann auch den Nachfolgefilm mit mir und Tessari produzierte.

Sie haben ja Mitte der sechziger Jahre unzählige Western gedreht?

Ja, der Erfolg des ersten Ringo-Films hat mir quasi die Türen geöffnet und ich wurde von unzähligen Produzenten gebeten, in deren Western-Filmen mitzuspielen.

Es ging dann Schlag auf Schlag, »Adiós Gringo«, »Il ritorno di Ringo« (»Ringo kommt zurück«), »Un dollaro bucato« (»Ein Loch im Dollar«), »Per pochi dollari ancora« (»Tampeko«) usw. Das war eine großartige Zeit.

Mit welchen Regisseuren haben Sie am liebsten zusammengearbeitet?

Das waren alles gute Regisseure und ich arbeitete mit allen sehr gut zusammen. Sie waren alle sehr professionell und die sind ja heute bekannt, weil sie damals wirklich sehr gut vorbereitet waren.

Es war damals nicht einfach, gute Western zu machen und oftmals waren die Budgets auch niedrig und die Regisseure mussten das fehlende Geld durch Kreativität wettmachen.

Spielten Sie gerne in diesen Western?

Ja, ich mochte sie sehr, weil sie so abenteuerlich waren und ich schon als Kind immer Western mochte. Ein Western gibt einem Schauspieler die Möglichkeit, wieder ein Kind zu sein und all seine Fantasien und Träume auszuleben.

Sie sind ja auch Bildhauer, wie wir vor kurzem Ihrer Website entnehmen konnten?

Giuliano Gemma damals ...

... und heute

Ja, ich war Bildhauer, bevor ich meine Schauspieler-karriere begonnen habe und habe mich neben meiner Schauspielerkarriere fortwährend mit dieser Arbeit beschäftigt. Ich arbeite gerade an einer Charlie-Chaplin-Figur für eine Galerie.

Vor kurzem hatte ich eine Ausstellung in Taormina auf Sizilien während des dortigen Sergio-Leone-Festivals.

Was haben Sie für Erinnerungen an Lee Van Cleef und William Berger?

Lee Van Cleef war sehr nett, das einzige Negative war, dass er manchmal betrunken war, entweder zu viel Whiskey oder Bier, sonst war er immer sehr nett. Aber wenn er betrunken war, änderte sich sein Charakter schlag-artig. William Berger war auch sehr nett und ziemlich in sich gekehrt.

Würden Sie nochmals einen Western machen?

Natürlich, vor ein paar Jahren schrieb ich zusammen mit jemandem ein Drehbuch und habe es dann auch an Bavaria Film in München geschickt, jedoch von dort nie eine Antwort erhalten.

Tonino Valerii wäre ein sehr guter Regisseur für dieses Projekt gewesen. Aber wer weiß, vielleicht kommt eines Tages doch noch ein neuer Italo-Western zustande.

Wir bedankten uns für das Gespräch und verabschiedeten uns von Giuliano Gemma.

---

conquista del West (Osvaldo Civirani); 15 forche per un assassino (Nunzio Malasomma); Lo voglio morto (Paolo Bianchini); Sette pistole per un massacro (Mario Caiano); 1968: Tre croci per non morire (Sergio Garrone); All'ultimo sangue (Paolo Moffa); 1971: Il giorno del giudizio (Mario Gariazzo); Domani passo a salutare la tua vedova ... parola di Epidemia (Juan Bosch); Los buitres cavarán tu fosa (Juan Bosch); In nome del padre, del figlio e della colt (Mario Bianchi); 1972: Spirito santo e le 5 magnifiche canaglie (Roberto Mauri); Scansati ... a Trinità arriva Eldorado (Demofilo Fidani, Aristide Massaccesi, Diego Spataro); Un animale chiamato ... uomo! (Roberto Mauri)

Hill, Terence (Geburtsname: Mario Girotti; geboren am 29.3.1939 in Venedig/Italien): 1964: Winnetou II (Harald Reinl); Unter Geiern (Alfred Vohrer); 1965: Der Ölprinz (Harald Philipp); Duell vor Sonnenuntergang (Leopoldo Lahola); Old Surehand (Alfred Vohrer); 1967: Little Rita nel west (Ferdinando Baldi); Dio perdona ... io no! (Giuseppe Colizzi); Preparati la bara! (Ferdinando Baldi); 1968: I quattro dell'Ave Maria (Giuseppe Colizzi); 1969: La collina degli stivali (Giuseppe Colizzi); 1970: Lo chiamavano Trinità (Enzo Barboni); La collera del vento (Mario Camus); 1971: Continuavano a chiamarlo Trinità (Enzo Barboni); 1972: ... e poi lo chiamarono il magnifico (Enzo Barboni); 1973: Il mio nome è Nessuno (Tonino Valerii); 1975: Un genio, due compari, un pollo (Damiano Damiani); 1990: Lucky Luke (Terence Hill); 1994: Botte di natale (Terence Hill)

Hilton, George (Geburtsname: Jorge Hill Acosta y Lara; geboren am 16.6.1934 in Montevideo/Uruguay): 1966: Kitosch, l'uomo che veniva dal nord (José Luis Merino); Le colt cantarono la morte e fu ... tempo di massacro (Lucio Fulci); I 2 figli di Ringo (Giorgio Simonelli); 1967: Ognuno per se (Giorgio Capitani); Il tempo degli avvoltoi (Fernando Cicero); La più grande rapina nel West (Maurizio Lucidi); Vado, l'ammazzo e torno (Enzo Girolami);

Professionisti per un massacro (Fernando Cicero); Un poker di pistole (Giuseppe Vari); Il momento di uccidere (Giuliano Carnimeo); 1968: T'ammazzo! ... raccomandati a Dio (Osvaldo Civirani); Uno di più all'inferno (Giovanni Fago); 1969: Quei disperati che puzzano di sudore e di morte (Julio Buchs); 1970: C'è Sartana ... vendi la pistola e comprati la bara! (Giuliano Carnimeo); 1971: Testa t'ammazzo, croce ... sei morto, mi chiamano Alleluja (Giuliano Carnimeo); 1972: Il West ti va stretto amico ... è arrivato Alleluja (Giuliano Carnimeo); 1973: Lo chiamavano Tresette ... giocava sempre col morte (Giuliano Carnimeo); Di Tresette ce n'è uno tutti gli altri son nessuno (Giuliano Carnimeo); 1974: Der kleine Schwarze mit dem roten Hut (Franz Antel); 1975: Ah sì? ... e io lo dico a Zzzzorro! (Franco Lo Cascio); 1977: El Macho (Marcello Andrei)

Hossein, Robert (Geburtsname: Robert Hosseinoff; geboren am 30.12.1927 in Paris/Frankreich): 1961: Le goût de la violence (Robert Hossein); 1968: Une corde, un Colt (Robert Hossein); 1970: Le juge (Federico Chentrens, Jean Girault)

Huerta, Chris / Cris (Geburtsname: Crisanto Huerta Brieva; geboren am 26.1.1935 in Lissabon/Protugal): 1964: Fuerte perdido (José María Elorrieta); I due violenti (Primo Zeglio); Aventuras del Oeste (Joaquín Luis Romero Marchent); 1965: I quattro inesorabili (Primo Zeglio); 1966: 7 pistole per i MacGregor (Franco Giraldi); Navajo Joe (Sergio Corbucci); 1967: Dos cruces en Danger Pass (Rafael Romero Marchent); Comanche blanco (José Mendez Briz); Bandidos (Massimo Dallamano); 1968: ... e per tetto un cielo di stelle (Giulio Petroni); Ad uno ad uno ... spietatamente (Rafael Romero Marchent); 1969: Vivi o preferibilmente morti (Duccio Tessari); 1970: Reverendo Colt (León Klimovsky, Marino Girolami); Reza por tu alma ... y muere (Tulio Demicheli); Un par de asesinos (Rafael Romero Marchent);1971: Uomo avvisato mezzo ammazzato ... parola di Spirito Santo (Giuliano Carnimeo); Les pétroleuses

Robert Hundar

Thomas Hunter

John Ireland

(Christian-Jaque); Captain Apache (Alexander Singer); A town called Hell (Robert Parrish); Un colt por 4 cirios (Ignacio F. Iquino); Amico, stammi lontano almeno un palmo ... (Michele Lupo); Domani passo a salutare la tua vedova ... parola di Epidemia (Juan Bosch); 1972: Ninguno de los tres se llamaba Trinidad (Pedro Luis Ramírez); Los fabulosos de Trinidad (Ignacio F. Iquino); 1973: Tutti per uno ... botte per tutti (Bruno Corbucci); Lo chiamavano Tresette ... giocava sempre col morto (Giuliano Carnimeo); Die Tresette ce n'è uno tutti gli altri son nessuno (Giuliano Carnimeo); 1974: Das Tal der tanzenden Witwen (Volker Vogeler); Il bianco, il giallo, il nero (Sergio Corbucci)

Hundar, Robert (Pseudonym: **Bob Hunter**; Geburtsname: Claudio Undari): 1962: La sombra del Zorro (Joaquín Luis Romero Marchent); 1963: Tres hombres buenos (Joaquín Luis Romero Marchent); I tre spietati (Joaquín Luis Romero Marchent); Cavalca e uccidi (José Luis Borau); 1964: Solo contre tutti (Antonio del Amo Algara); I sette del Texas (Joaquín Luis Romero Marchent); 1965: I quattro inesorabili (Primo Zeglio); 100.000 dollari per Lassiter (Joaquín Luis Romero Marchent); 1966: Ramon il messicano (Maurizio Pradeaux); 1967: Un buco in fronte (Giuseppe Vari); Un hombre y un Colt (Tulio Demicheli); Con lui cavalca la morte (Giuseppe Vari); 1968: Hora de morir (Joaquín Luis Romero Marchent); Il suo nome gridava vendetta (Mario Caiano); 1969: Ehi amico! C'è Sabata, hai chiuso! (Gianfranco Parolini); 1971: Condenados a vivir (Joaquín Luis Romero Marchent); 1972: Il mio nome è Scopone e faccio sempre cappotto (Juan Bosch); La caza del oro (Juan Bosch); 1973: Il mio nome è Shangai Joe (Mario Caiano); 1975: Giubbe rosse (Aristide Massaccesi); Zanna Bianca e il cacciatore solitario; La Spacconata; 1977: California (Michele Lupo)

Hunter, Jeffrey (Geburtsname: Henry Herman McKinnies Jr.; geboren am 25.11.1926 in New Orleans, Louisiana/USA; gestorben am 27.5.1969 in Los Angeles, Kalifornien/USA): 1964: Joaquín Murietta (George Sherman); 1967: The christmas kid (Sidney W. Pink); 1968: Joe, cercati un posto per morire! (Giuliano Carnimeo)

Hunter, Thomas: 1966: Un fiume di dollari (Carlo Lizzani); 3 pistole contro Cesare (Enzo Peri); 1971: Carlos

Huston, John (Geburtsname: John Marcellus Huston; geboren am 5.8.1906 in Nevada/Missouri/USA; gestorben am 28.8.1987 in Rhode Island/USA): 1970: La spina dorsale del diavolo (Burt Kennedy, Niksa Fulgozi); 1971: A man in the wilderness (Richard C. Sarafian)

Incontrera, Annabella (geboren am 11.6.1943 in Mailand/Italien): 1967: Un poker di pistole (Giuseppe Vari); 1969: Quei disperati che puzzano di sudore e di morte (Julio Buchs); La sfida dei MacKenna (León Klimovsky); 1971: È tornato Sabata ... hai chiuso un'altra volta! (Gianfranco Parolini)

Ireland, John (geboren am 30.1.1914 in Vancouver, British Columbia/Kanada; gestorben am 21.3.1992 in Santa Barbara, Kalifornien/USA): 1967: Odio per odio (Domenico Paolella); 1968: Tutto per tutto (Umberto Lenzi); Quel caldo maledetto giorno di fuoco (Paolo Bianchini); Vendetta per vendetta (Mario Colucci); Una pistola per cento bare (Umberto Lenzi); Quanto costa morire (Sergio Merolle); Corri uomo corri (Sergio Sollima); T'ammazzo! ... raccomandati a Dio (Osvaldo Civirani); 1969: La sfida dei MacKenna (León Klimovsky); 1973: Dieci bianchi uccisi da un piccolo indiano (Gianfranco Baldanello)

Israel, Victor (Geburtsname: José María Soler Vilanova; geboren am 13.6.1929 in Barcelona/Spanien): 1961: Tierra brutal (Michael Carreras); 1964: Los cuatreros (Ramón Torrado); 1965: Yankee (Tinto Brass); Die Hölle von Manitoba (Sheldon Reynolds); 1966: The Texican (Lesley Selander, José Luis Espinosa); Dinamita Jim (Alfonso Balcázar); Sugar Colt (Franco Giraldi); 1967: Comanche blanco (José Mendez Briz); 7 donne per i MacGregor (Franco Giraldi); Bandidos (Massimo Dallamano); Killer adiós (Primo Zeglio); 1968: I fratelli di Arizona (Luciano Carlos); Una pistola per cento bare (Umberto Lenzi); I tre che sconvolsero il West (Enzo Girolami); ... e per tetto un cielo di stelle (Giulio Petroni); 1970: Vamos a matar compañeros (Sergio Corbucci); 1971: Catlow (Sam Wanamaker); Uomo avvisato mezzo ammazzato ... parola di Spirito Santo (Giuliano Carnimeo); Viva la muerte ... tua! (Duccio Tessari); 1972: Il West ti va stretto amico ... è arrivato Alleluja (Giuliano Carnimeo); Che c'entriamo noi con la rivoluzione? (Sergio Corbucci); 1974: Il bianco, il giallo, il nero (Sergio Corbucci)

INTERVIEW MIT GEORGE HILTON

Wir trafen George Hilton am 19. Juli 2002 in seiner Penthouse-Wohnung in Rom.

Wie haben Sie Ihre Schauspielerkarriere gestartet?
Ich wurde in Uruguay in Ponte Nevaro geboren, wo ich auch aufwuchs und dann in Ponte Nevaro beim Theater und beim Radio arbeitete. Danach ging ich nach Buenos Aires und arbeitete dort beim Fernsehen und beim Theater. 1963 kam ich dann nach Italien, wo ich dann mit einem Lucio-Fulci-Western bekannt wurde.

Das war dann »Tempo di massacro«, oder?
Ja, das war der Film »Le colt cantarono la morte e fu... tempo di massacro« (»Django – sein Gesangbuch war der Colt«) unter der Regie von Lucio Fulci und mit Franco Nero in der Hauptrolle. Der Film war sehr erfolgreich und die Leute im Kino liebten ihn sehr und gaben sogar lautstarken Beifall am Ende des Films. Nach diesem Film wurde ich von einem sehr wichtigen Filmregisseur namens Michelangelo Antonioni angerufen, wir trafen uns und ich sah mir einige seiner Filme an, die mir sehr gut gefielen.

Wie war die Zusammenarbeit mit Franco Nero, dessen Bruder Sie ja spielten?
Die Zusammenarbeit war sehr gut. Für mich ist jedoch Tomás Milian der beste Westerndarsteller. Er lebt jetzt in Miami. Ich habe lange nicht mehr mit ihm gesprochen, er ist jedoch inzwischen dick geworden. Wir sahen uns sehr ähnlich, aber er hat jetzt keine Haare mehr. Er hat ein sehr gutes Herz und für mich ist er der Beste.

Mit welchem Regisseur arbeiteten Sie am liebsten?
In Lucio Fulcis Western spielte ich meine Lieblingsrolle, Lucio Fulci selbst war jedoch sehr eigensinnig und es war schwierig mit ihm zu arbeiten. Die beste Zusammenarbeit war mit Enzo Girolami alias Enzo G. Castellari. Er ist sehr gut, jedoch grundverschieden von Lucio Fulci, der immer böse und sehr nervös war.

Wie war die Zusammenarbeit mit Klaus Kinski?

Ich arbeitete sehr gut mit ihm zusammen, obwohl andere nicht viel Gutes über ihn zu berichten wussten. Wir unternahmen sogar gemeinsame Ausflüge. Er war ein Freund der Familie.

Wissen Sie etwas über den Darsteller Charles Southwood?
Er machte zwei oder drei Western und ich machte zwei mit ihm. Er war ein Amerikaner, jedoch möglicherweise nicht sehr bekannt; ich arbeitete auch mit Edd Byrnes, einem anderen Amerikaner.

Erinnern Sie sich an William Berger?
Ich machte einen oder zwei Filme mit ihm und er war ebenfalls aus Österreich; er lebte in Rom.

Wie waren die Amerikaner Frank Wolff und Edd Byrnes?
Frank Wolff war ein großartiger Darsteller und sehr schwierig. Einfach anders. Sehr traurig. Edd Byrnes war zu niemandem nett. Seine Karriere war nach diesen drei Western vorbei.

Warum sind Sie nicht nach Amerika gegangen?
Weil ich dazu sehr gutes Englisch hätte sprechen müssen. Sehen Sie sich Schauspieler wie Ricardo Montalban oder Fernando Lamas an, die ich beide kannte; sie spielten immer spanische oder mexikanische Rollen, weil die Amerikaner von einem verlangen, dass man perfektes Englisch spricht.

Es ist sehr schwierig, ohne Akzent zu sprechen, aber vielleicht war es besser, dass ich nicht nach Amerika ging. Ich kam durch Zufall nach Italien und habe dann eine Italienerin geheiratet, von der ich geschieden bin; wir haben zusammen eine Tochter, die nichts mit Film zu tun haben will.

Welchen Charakter spielten Sie am liebsten, z.B. Halleluja?
Um ganz ehrlich zu sein, ich mag Western nicht so sehr, ich glaube, ich bin eher ein Komiker. Ich komme vom Theater und bevorzuge Komödien und andere Arten von Filmen, aber keine Western. Ich sehe mir nie Western an, ich weiss ist es schrecklich.

Erzählen Sie uns etwas über Ihre Rolle in »Quei disperati che puzzano di sudore e di morte« (»Um sie war der Hauch des Todes«).
Ich mag den Film sehr gerne, denn der Regisseur Julio Buchs war sehr gut. Er ist auch schon verstorben. Er war eine sehr gute Person und ich habe gerne mit ihm zusammengearbeitet. Gott sei ihm gnädig. Auch mit Ernest Borgnine habe ich sehr gerne zusammengearbeitet. Ich mag diese tragischen Filme und Komödien, da ich meiner Meinung nach exzentrisch oder eklektisch bin und diese verschiedenen Rollen spielen kann. Ich mag jene Filme, aber ich mag keine Western, Pferde, Reiten und Bäng Bäng, nein, das mag ich einfach nicht.

Aber Sie sind trotzdem sehr gut und überzeugend!
Weil ich ein Schauspieler bin – wenn sie mich bezahlen, muss ich spielen, richtig?
Wie hat sich Italiens Filmindustrie seit den 60er und 70er Jahren Ihrer Meinung nach verändert?
Es ist jetzt alles ganz anders. Ich sehe jetzt andere Arten von Filmen von jungen Leuten wie Nanni Moretti oder Gabriele Muccino, die Zeit der Western ist leider schon lange vorbei und auch Thriller werden fast keine mehr gedreht, die ich ja auch gemacht habe.

Alles hat sich sehr verändert und jetzt ist es schwierig, eine gute Rolle zu finden und es gibt fast keine Rollenangebote mehr. In den USA haben es die Schauspieler besser. Gary Cooper machte z.B. Western, Dramen, Komödien usw., aber hier gibt es nichts. Es ist schwierig, wenn man es hier zu einem gewissen Ruhm gebracht hat und man dann nicht mehr angerufen wird. Die jungen Regisseure von heute kennen uns gar nicht mehr und machen ganz andere Arten von Filmen. Der größte Erfolg des letzten Jahres war der Film »L'ultimo bacio«, ein wirklich wunderschöner Film und was noch hinzukommt, die jungen Leute mochten ihn wirklich sehr. Der zweitbeste Film und ebenfalls sehr erfolgreich war »Le fati ignoranti« des türkischen Regisseurs Ferzan Ozpetek, eine italienisch-französische Koproduktion mit der großartigen Darstellerin Margherita Buy und Stefano Accorsi, der auch in dem Film »L'ultimo bacio« die Hauptrolle spielte.

Ein sehr guter Darsteller. Die klassischen Filme heute sind Filme wie Sergio Leones »Il buono, il brutto, il cattivo« (»Zwei glorreiche Halunken«).
Wie waren die Darsteller Lee Van Cleef und Clint Eastwood?
Ich kannte Lee Van Cleef nicht sehr gut. Wir waren keine guten Freunde, aber ich glaube, er trank ziemlich viel. Clint Eastwood ist großartig und für mich ist er, obwohl wir nie zusammenarbeiteten, ein großartiger Darsteller und Regisseur.

George Hilton heute ...

Er war für mich nie ein wirklich großer Darsteller. Er lebt in Rio de Janeiro und sein richtiger Name ist Antonio De Teffè.

Der beste Western-Darsteller war Tomás Milian und danach kamen Franco Nero, Giuliano Gemma und Gianni Garko.

Wir bedankten uns für das Gespräch und verabschiedeten uns von George Hilton.

Karis, Vassili (Geburtsname: Vassili Karamesinis): 1966: I 5 della vendetta (Aldo Florio); 1970: Wanted Sabata (Roberto Mauri); 1971: ... e lo chiamarono Spirito Santo (Roberto Mauri); Lo chiamavano King (Giancarlo Romitelli, Renato Savino); È tornato Sabata ... hai chiuso un'altra volta! (Gianfranco Parolini); Seminò la morte ... Io chiamavano castigo di Dio (Roberto Mauri); 1972: Il magnifico West (Gianni Crea); Spirito Santo e le 5 magnifiche canaglie (Roberto Mauri); Un animale chiamato ... uomo! (Roberto Mauri); 1986: Scalps (Bruno Mattei)

Kelly, Brian (geboren am 14.02.1931 in Detroit, Michigan/USA; gestorben am 12.02.2005 in Voorhees, New Jersey/USA): 1968: Spara, gringo, spara (Bruno Corbucci)

Kendall, Tony (Geburtsname: Luciano Stella; geboren am 22.8.1936): 1963: Die Flußpiraten vom Mississippi (Jürgen Roland); 1964: Die schwarzen Adler von Santa Fe (Ernst Hofbauer, Alberto Cardone); 1968: L'odio è il mio Dio (Claudio Gora); 1969: Django sfida Sartana (Pasquale Squitieri); 1970: I vendicatori dell'Ave Maria (Adalberto Albertini); 1971: Rimase uno solo e fu la morte per tutti! (Edoardo Mulargia); Una pistola per cento croci (Carlo Croccolo)

Kennedy, Arthur (geboren am 17.2.1914 in Worcester, Massachusetts/USA; gestorben am 5.1.1990 in Branford, Connecticut/USA): 1964: Joaquín Murrieta (George Sherman); 1967: Un minuto per pregare, un istante per morire (Franco Giraldi)

Klaus Kinski

John Phillip Law

Peter Lee Lawrence

Kinski, Klaus (Geburtsname: Nikolaus Günther Nakszynski; geboren am 18.10.1926 in Zoppot, Danzig/Deutschland (heute Sopot, Gdańsk/Polen); gestorben am 23.11.1991 in Lagunitas, Kalifornien/USA): 1963: Der letzte Ritt nach Santa Cruz (Rolf Olsen); 1964: Winnetou II (Harald Reinl); 1965: Per qualche dollaro in più (Sergio Leone); 1966: Quien sabe? (Damiano Damiani); 1967: Ognuno per se (Giorgio Capitani); L'uomo, l'orgoglio, la vendetta (Luigi Bazzoni); 1968: Il grande silenzio (Sergio Corbucci); ... se incontri Sartana prega per la tua morte (Gianfranco Parolini); 1969: Sono Sartana, il vostro becchino (Giuliano Carnimeo); Due volte Giuda (Fernando Cicero); E Dio disse a Caino ... (Antonio Margheriti); 1970: La belva (Mario Costa); 1971: Giù le mani ... carogna! – Django Story (Demofilo Fidani); Prega il morto e ammazza il vivo (Giuseppe Vari); Per una bara piena di dollari (Demofilo Fidani); Lo chiamavano King (Giancarlo Romitelli, Renato Savino); La vendetta è un piatto che si serve freddo (Pasquale Squitieri); Il venditore di morte (Enzo Gicca Palli); Giù la testa ... hombre! (Demofilo Fidani); 1972: Il ritorno di Clint il solitario (Alfonso Balcázar, George Martin); 1973: Il mio nome è Shangai Joe (Mario Caiano); 1974: Che botte, ragazzi! (Adalberto Albertini); 1975: Un genio, due compari, un pollo (Damiano Damiani)

Koch, Marianne (geboren am 19.8.1931 in München/Deutschland): 1963: Der letzte Ritt nach Santa Cruz (Rolf Olsen); 1964: Per un pugno di dollari (Sergio Leone); 1965: Die Hölle von Manitoba (Sheldon Reynolds); 1966: Tierra de fuego (Jaime Jesús Balcázar, Mark Stevens); Wer kennt Jonny R.? (José Luis Madrid); Clint, el solitario (Alfonso Balcázar)

Konopka, Magda (geboren 1943 in Italien): 1968: ... e per tetto un cielo di stelle (Giulio Petroni); 1969: La notte dei serpenti (Giulio Petroni); 1971: Blindman (Ferdinando Baldi)

Law, John Phillip (geboren am 7.9.1937 in Hollywood, Kalifornien/USA): 1967: Da uomo a uomo (Giulio Petroni)

Lawrence, Peter Lee (Pseudonym: **Arthur Grant**; Geburtsname: Karl-Otto Hirenbach; geboren am 21.2.1945 in Deutschland; gestorben am 19.4.1974 in Italien): 1965: Per qualche dollaro in più (Sergio Leone); 1966: Killer calibro 32 (Alfonso Brescia);1967: ¡El hombre que mató a Billy el Niño! (Julio Buchs); I giorni della violenza (Alfonso Brescia); Dove si spara di più (Gianni Puccini); 1968: Garringo (Rafael Romero Marchent); La morte sull'alta collina (Alfredo Medori); Una pistola per cento bare (Umberto Lenzi); Ad uno ad uno ... spietatamente (Rafael Romero Marchent); 1969: Manos torpes (Rafael Romero Marchent); 1970: La muerte busca un hombre (José Luis Merino); Reza por tu alma ... y muere (Tulio Demicheli); 1971: I quattro pistoleri di Santa Trinità (Giorgio Cristallini); Su le mani cadavere! Sei in arresto (León Klimovksy, Sergio Bergonzelli); 1972: Dio in cielo ... Arizona in terra (Juan Bosch); Un dólar de recompensa (Rafael Romero Marchent)

Leroy, Philippe (Geburtsname: Leroy Beaulieu; geboren am 15.10.1930 in Paris/Frankreich): 1965: Yankee (Tinto Brass); 1971: Padella calibro 38 (Antonio Secchi); 1977: Mannaja (Sergio Martino)

Lorenzon, Livio (Pseudonyme: **Elio Arden, Charles K. Lawrence, Charlie Lawrence**; geboren am 6.5.1923 in Triest/Italien; gestorben am 23.12. 1971 in La Tisana/Italien): 1959: La sceriffa (Roberto Bianchi Montero); Il terrore dell'Oklahoma (Mario Amendola); 1964: Jim il primo (Sergio Bergonzelli); 1965: La colt è la mia legge (Alfonso Brescia); Colorado Charlie (Roberto Mauri); 1966: Vayas con Dios, gringo (Edoardo Mulargia); Il buono, il brutto, il cattivo (Sergio Leone); Texas, addio (Ferdinando Baldi); 1967: Giurò e li uccise ad uno ad uno (Guido Celano); Little Rita nel west (Ferdinando Baldi); Cjamango (Edoardo Mulargia); 2 rrringos nel Texas (Marino Girolami); 1968: Crisantemi per un branco di carogne (Sergio Pastore); I quattro dell'Ave Maria (Giuseppe Colizzi); 1969: Dio perdoni la mia pistola (Mario Gariazzo, Leopoldo Savona)

Lulli, Folco (geboren am 3.7.1912 in Florenz/Italien; gestorben am 23.5.1970 in Rom/Italien): 1962: Il segno di Zorro (Mario Caiano); 1968: Anche nel West c'era una volta Dio (Marino Girolami); Spara, gringo, spara (Bruno Corbucci)

Lulli, Piero (Pseudonym: **Peter Carter**; geboren am 1.2.1923 in Florenz/Italien; gestorben am 23.6.1991 in Rom/Italien): 1962: Il segno di Zorro (Mario Caiano); La sombra del Zorro (Joaquín Luis Romero Marchent); 1963: Buffalo Bill, l'eroe del Far West (Mario Costa); Il segno del coyote (Mario Caiano); 1964: Il piombo e la carne (Marino Girolami); 1965: Ringo del Nebraska (Antonio Román, Mario Bava); Ocaso de un pistolero (Rafael Romero Marchent); 1966: Per il gusto di uccidere (Tonino Valerii); Kitosch, l'uomo che veniva dal nord (José Luis Merino); El Rojo (Leopoldo Savona); 1967: Se sei vivo spara (Giulio Questi); I giorni dell'ira (Tonino Valerii); Dove si spara di più (Gianni Puccini); Per 100.000 dollari ti ammazzo (Giovanni Fago); Cjamango (Edoardo Mulargia); El desperado (Franco Rossetti); Dio li crea ... io li ammazzo! (Paolo Bianchini); Sette pistole per un massacro (Mario Caiano); 1968: Ringo il cavaliere solitario (Rafael Romero Marchent); Joe, cercati un posto per morire! (Giuliano Carnimeo); Una pistola per cento bare (Umberto Lenzi); ¿Quién grita venganza? (Rafael Romero Marchent); 1969: Un esercito di 5 uomini (Don Taylor, Italo Zingarelli); Il pistolero dell'Ave Maria (Ferdinando Baldi); 1970: L'oro dei Bravados (Renato Savino); C'è Sartana ... vendi la pistola e comprati la bara! (Giuliano Carnimeo); Una nuvola di polvere ... un grido di morte ... arriva Sartana (Giuliano Carnimeo); 1971: El más fabuloso golpe del Far-West (José Antonio de la Loma); 1973: Il mio nome è Shangai Joe (Mario Caiano); Il mio nome è Nessuno (Tonino Valerii); 1974: Carambola, filotto ... tutti in buca (Ferdinando Baldi); Der kleine Schwarze mit dem roten Hut (Franz Antel)

Machiavelli, Nicoletta (geboren 1945 in Florenz/Italien): 1966: Navajo Joe (Sergio Corbucci); Un fiume di dollari (Carlo Lizzani); 1967: Giarrettiera Colt (Gian Andrea Rocco); Un minuto per pregare, un istante per morire (Franco Giraldi); 1968: Odia il prossimo tuo (Ferdinando Baldi); Una lunga fila di croci (Sergio Garrone)

McGee, Vonetta (geboren am 14.1.1948): 1968: Il grande silenzio (Sergio Corbucci)

Madison, Guy (Geburtsname: Robert Ozell Mosely; geboren am 19.1.1922 in Bakersfield, Kalifornien/USA; gestorben am 6.2.1996 in Palm Springs, Kalifornien/USA): 1963: Old Shatterhand (Hugo Fregonese); 1964: Sfida a Rio Bravo (Tulio Demicheli); 1965: Das Vermächtnis des Inka (Georg Marischka);1966: Il figlio di Django (Osvaldo Civirani); I 5 della vendetta (Aldo Florio); 1967: I lunghi giorni dell'odio (Gianfranco Baldanello); 7 winchester per un massacro (Enzo Girolami); Bang Bang Kid (Stanley Prager); 1970: Reverendo Colt (León Klimovsky, Marino Girolami)

Mann, Leonard (Geburtsname: Leonardo Manzella, geboren am 1.3.1947 in Rom/Italien): 1969: Il pistolero dell'Ave Maria (Ferdinando Baldi); Ciakmull, l'uomo della vendetta (Enzo Barboni); 1971: La vendetta è un piatto che si serve freddo (Pasquale Squitieri)

Manni, Ettore (Pseudonym: **Fred Carter**; geboren am 6.5.1927 in Rom/Italien; gestorben am 27.7.1979 in Rom/Italien): 1965: Johnny Oro (Sergio Corbucci); 1966: Starblack (Giovanni Grimaldi); 1967: Nato per uccidere (Antonio Mollica); Un uomo, un cavallo, una pistola (Luigi Vanzi); 1968: All'ultimo sangue (Paolo Moffa); 1969: Sono Sartana, il vostro becchino (Giuliano Carnimeo); 1970: Inginocchiati straniero ... i cadaveri non fanno ombra! (Demofilo Fidani); Arrivano Django e Sartana ... è la fine! (Demofilo Fidani); 1973: Valdez il mezzosangue (Duilio Coletti, John Sturges); 1977: Sella d'argento (Lucio Fulci)

Mark, Robert (Geburtsname: Roger Francke; Pseudonyme: **Rodd Dana, Jon Christian Eagle, Christian Franck**; geboren am 08.08.1934 in Vernal, Utah/USA): 1966: Uccidi o muori (Tanio Boccia); 1967: Dio non paga il sabato (Tanio Boccia)

Marshall, Mike (geboren am 13.09.1944 in Hollywood, Kalifornien/USA; gestorben am 01.06.2005 in Caen, Calvados, Frankreich): 1967: Con lui cavalca la morte (Giuseppe Vari); Vendo cara la pelle (Ettore Maria Fizzarotti)

Martell, Peter (Geburtsname: Pietro Martellanza; geboren 1938 in Bozen/Italien): 1965: 100.000 dollari per Lassiter (Joaquín Luis Romero Marchent); 1966: 2 once di piombo (Maurizio Lucidi); 1967: Lola Colt (Siro Marcellini); Dove si spara di più (Gianni Puccini); Dos cruces en Danger Pass (Rafael Romero Marchent); Dio li crea ... io li ammazzo! (Paolo Bianchini); I lunghi giorni dell'odio (Gianfranco Baldanello); 1968: Ringo il cavaliere solitario (Rafael Romero Marchent); Il lungo giorno del massacro (Alberto Cardone); Chiedi perdono a Dio, non a me (Vincenzo Musolino); 1969: Ciakmull, l'uomo della vendetta (Enzo Barboni); Il pistolero dell'Ave Maria (Ferdinando Baldi); 1970: Giunse Ringo e ... fu tempo di massacro (Mario Pinzauti); 1971: Il suo nome era Pot ... ma ... lo chiamavano Allegria (Demofilo Fidani); 1974: La pazienza ha un limite ... noi no! (Franco Ciferri)

Martin, George (Geburtsname: Francisco Martínez Celeiro): 1963: Fuera de la ley (León Klimovsky); El hombre de la diligencia (José María Elorrieta); 1964: Oeste Nevada Joe (Ignacio F. Iquino); I due violenti (Primo Zeglio); La tumba del pistolero (Amando de Ossario); Una pistola per Ringo (Duccio Tessari); 1965: Il ritorno di Ringo (Duccio Tessari); I tre del Colorado (Amando de Ossario); 1966: Thompson 1880 (Guido Zurli); Per il gusto di uccidere (Tonino Valerii); Clint, il solitario (Alfonso Balcázar); 1967: Professionisti per un massacro (Fernando Cicero); 15 forche per un assassino (Nunzio Malasomma); 1968: Sonora (Alfonso Balcázar); 1971: Attento gringo ... è tornato Sabata! (Alfonso Balcázar); 1972: Il ritorno di Clint il solitario (Alfonso Balcázar, George Martin)

Martin, José Manuel (geboren am 24.5.1924 in Casavieja/Spanien): 1961: Tierra brutal (Michael Carreras); 1964: Le pistole non discutono (Mario Caiano); Los pistoleros de Casa Grande (Roy Rowland); Minnesota Clay (Sergio Corbucci); Una pistola per Ringo (Duccio Tessari); 1965: Quattro dollari di vendetta (Jaime Jesús Balcázar); ¡Uncas! El fin de una raza (Mateo Caño); L'uomo che viene da Canyon City (Alfonso Balcázar); 1966: Arizona Colt (Michele Lupo); 7 dollari sul rosso (Alberto Cardone); I 5 della vendetta (Aldo Florio); Per il gusto di uccidere (Tonino Valerii); Quien sabe? (Damiano Damiani); Django spara per primo (Alberto De Martino); 1967: Dio perdona ... io no! (Giuseppe Colizzi); 15 forche per un assassino (Nunzio Malasomma); Un minuto per pregare, un istante per morire (Franco Giraldi); Lo voglio morto (Paolo Bianchini); 1968: Uno dopo l'altro (Nick Nostro); 1969: Quei disperati che puzzano di sudore e di morte (Julio Buchs); 1970: La collera del vento (Mario Camus); Arizona si scatenò ... e li fece fuori tutti! (Sergio Martino); 1971: Amico, stammi lontano almeno un palmo ... (Michele Lupo); Condenados a vivir (Joaquín Luis Romero Marchent); Bastardo, vamos a matar (Luigi Mangini); El hombre de Rio Malo (Eugenio Martín)

Mason, James (geboren am 15.5.1909 in Huddersfield, Yorkshire, England/UK; gestorben am 27.7.1984 in Lausanne/Schweiz): 1971: El hombre de Rio Malo (Eugenio Martín)

Mell, Marisa (Geburtsname: Marlies Theres Moitzi; geboren am 24.2.1939 in Graz/Österreich; gestorben am 16.5.1992 in Wien/Österreich): 1963: Der letzte Ritt nach Santa Cruz (Rolf Olsen); 1971: Amico, stammi lontano almeno un palmo ... (Michele Lupo); 1972: Tutti fratelli nel West ... per parte di padre (Sergio Grieco)

Mercier, Michèle (Geburtsname: Jocelyne Mercier; geboren am 1.1.1939 in Nizza/Frankreich): 1968: Une corde, un Colt (Robert Hossein)

Milian, Tomás (Geburtsname: Tomás Quintin Rodriguez; geboren am 3.3.1937 in Kuba): 1966: La resa dei conti (Sergio Sollima); 1967: Sentenza di morte (Mario Lanfranchi); The bounty killer (Eugenio Martín); Se sei vivo spara (Giulio Questi); Faccia a faccia (Sergio Sollima); 1968: Tepepa (Giulio Petroni); Corri uomo corri (Sergio Sollima); 1969: O' Cangaçeiro (Giovanni Fago); 1970: Vamos a matar compañeros (Sergio Corbucci); 1972: La banda J. & S. cronaca criminale del Far West (Sergio Corbucci); La vita a volte è molto dura, vero Provvidenza? (Giulio Petroni); 1973: Ci risiamo, vero Provvidenza? (Alberto De Martino); 1974: Il bianco, il giallo, il nero (Sergio Corbucci); 1975: I quattro dell'Apocalisse (Lucio Fulci)

Miou-Miou (Geburtsname: Solvette Héry; geboren am 22.2.1950 in Paris/Frankreich): 1975: Un genio, due compari, un pollo (Damiano Damiani)

Mitchell, Cameron (Geburtsname: Cameron McDowell Mizell; geboren am 4.11.1918 in Dallastown, Pennsylvania/USA; gestorben am 6.7.1994 in Pacific Palisades, Kalifornien/USA): 1964: Jim il primo (Sergio Bergonzelli); Minnesota Clay (Sergio Corbucci)

Mitchell, Gordon (Geburtsname: Charles Allen Pendleton; geboren am 29.7.1923 in Denver, Colorado/USA; gestorben am 20.09.2003 in Marina Del Rey, Kalifornien/USA): 1966: Tre colpi di winchester per Ringo (Emimmo Salvi); Uccidi o muori (Tanio Boccia); Thompson 1880 (Guido Zurli); 1967: Little Rita nel west (Ferdinando Baldi); Nato per uccidere (Antonio Mollica); Al di là della legge (Giorgio Stegani); 1968: I fratelli di Arizona (Luciano Carlos); T'ammazzo! ... raccomandati a Dio (Osvaldo Civirani); Sapevano solo uccidere (Tanio Boccia); Carogne si nasce (Alfonso Brescia); 1969: Sono Sartana, il vostro becchino (Giuliano Carnimeo); 1970: Inginocchiati straniero ... i cadaveri non fanno ombra! (Demofilo Fidani); Arrivano Django e Sartana ... è la fine! (Demofilo Fidani); 1971: Se t'incontro t'ammazzo (Gianni Crea); Giù le mani ... carogna! – Django Story (Demofilo Fidani); Per una bara piena di dollari (Demofilo Fidani); Il suo nome era Pot ... ma ... lo chiamavano Allegria (Demofilo Fidani); Il giorno del giudizio (Mario Gariazzo); Giù la testa ...

Piero Lulli

Guy Madison

George Martin

Nicoletta Machiavelli

hombre! (Demofilo Fidani); 1972: C'era una volta questo pazzo, pazzo, pazzo West (Vincenzo Matassi); Scansati ... a Trinità arriva Eldorado (Demofilo Fidani, Aristide Massaccesi, Diego Spataro); 1973: Il mio nome è Shangai Joe (Mario Caiano); Allegri becchini ... arriva Trinità (Ferdinando Merighi); Amico mio ... frega tu che frego io! (Demofilo Fidani); 1974: La tigre venuta dal fiume Kwai (Franco Lattanzi)

Mitchum, James (geboren am 8.5.1941 in Bridgeport, Connecticut/USA): 1964: Massacro al Grande Canyon (Sergio Corbucci); 1965: Gli uomini dal passo pesante (Alfred Antonini, Mario Sequi)

Möhner, Carl (geboren am 11.08.1916 in Wien, Österreich; gestorben am 14.01.2005 in McAllen, Texas/USA): 1964: Jim il primo (Sergio Bergonzelli); 1965: 30 Winchester per El Diablo (Gianfranco Baldanello); L'uomo dalla pistola d'oro (Alfonso Balcázar)

Montalban, Ricardo (geboren am 25.11.1920 in Mexico City/Mexiko): 1970: La spina dorsale del diavolo (Burt Kennedy, Niksa Fulgozi)

Montés, Elisa (Geburtsname: Elisa Ruiz Penella; geboren am 15.12.1936 in Granada/Spanien): 1965: El proscrito de rio Colorado (Maury Dexter); 1966: Per un dollaro di gloria (Fernando Cerchio); Texas, addio (Ferdinando Baldi); 7 dollari sul rosso (Alberto Cardone); 1967: I vigliacchi non pregano (Mario Siciliano); 1971: Captain Apache (Alexander Singer)

Montgomery, George (Geburtsname: George Montgomery Letz; geboren am 29.8.1916 in Brady, Montana/USA; gestorben am 12.12.2000 in Rancho Mirage, Kalifornien/USA): 1965: El Proscrito de Río Colorado (Maury Dexter)

Morris, Kirk (Geburtsname: Adriano Bellini): 1967: Little Rita nel west (Ferdinando Baldi); 1968: Sapevano solo uccidere (Tanio Boccia)

Musante, Tony (geboren am 30.6.1936 in Bridgeport, Connecticut/USA): 1968: Il mercenario (Sergio Corbucci)

Navarro, Nieves (Pseudonym: **Susan Scott**): 1964: Una pistola per Ringo (Duccio Tessari); 1965: Il ritorno di Ringo (Duccio Tessari); 1966: La resa dei conti (Sergio Sollima); I lunghi giorni della vendetta (Florestano Vancini); El Rojo (Leopoldo Savona); 1970: Una nuvola di polvere ... un grido di morte ... arriva Sartana (Giuliano Carnimeo); Indio Black, sai che ti dico: sei un gran figlio di ... (Gianfranco Parolini); 1973: Hai sbagliato ... dovevi uccidermi subito! (Mario Bianchi)

Nell, Krista (Geburtsname: Doris Kristanell): 1966: Kitosch, l'uomo che veniva dal nord (José Luis Merino); 1968: Spara, gringo, spara (Bruno Corbucci); Uno di più all'inferno (Giovanni Fago); 1970: Arrivano Django e Sartana ... è la fine! (Demofilo Fidani); Uccidi, Django ... uccidi per primo! (Sergio Garrone); 1971: Quelle sporche anime dannate (Luigi Batzella); Sei jellato amico, hai incontrato Sacramento (Giorgio Cristallini); 1972: La colt era il suo Dio (Luigi Batzella)

Neri, Rosalba (geboren 1940 in Mailand/Italien): 1966: Johnny Yuma (Romolo Girolami); Arizona Colt (Michele Lupo); Dinamita Jim (Alfonso Balcázar); 1967: Wanted Johnny Texas (Emimmo Salvi); Vivo per la tua morte (Camillo Bazzoni); I giorni della violenza (Alfonso Brescia); I lunghi giorni dell'odio (Gianfranco Baldanello); Killer adios (Primo Zeglio); 1968: Sonora (Alfonso Balcázar); 1969: La taglia è tua ... l'uomo l'ammazzo io (Edoardo Mulargia); 1970: Arizona si scatenò ... e li fece fuori tutti! (Sergio Martino); 1971: Il giorno del giudizio (Mario Gariazzo); Attento gringo ... è tornato Sabata! (Alfonso Balcázar); Monta in sella figlio di ... (Tonino Ricci); 1973: Sentivano uno strano, eccitante, pericoloso puzzo di dollari (Italo Alfaro); Lo chiamavano Tresette ... giocava sempre col morto (Giuliano Carnimeo); Dieci bianchi uccisi da un piccolo indiano (Gianfranco Baldanello)

Nero, Franco (Geburtsname: Francesco Clemente Giuseppe Sparanero; geboren am 23.11.1941 in Bedonia, Parma/Italien): 1965: Gli uomini dal passo pesante (Alfredo Antonini, Mario Sequi); 1966: Django (Sergio Corbucci); Texas, addio (Ferdinando Baldi); Le colt cantarono

la morte e fu ... tempo di massacro (Lucio Fulci); 1967: L'uomo, l'orgoglio, la vendetta (Luigi Bazzoni); 1968: Il mercenario (Sergio Corbucci); 1970: Vamos a matar compañeros (Sergio Corbucci); 1971: Viva la muerte ... tua! (Duccio Tessari); 1972: Los amigos (Paolo Cavara); 1975: Cipolla Colt (Enzo Girolami); 1976: Keoma (Enzo Girolami); 1987: Django 2 – il grande ritorno (Nello Rossati); 1993: Jonathan degli orsi (Enzo Girolami)

Novelli, Mario (Pseudonym: **Anthony Freeman**): 1966: Texas, addio (Ferdinando Baldi); 1967: Ballata per un pistolero (Alfio Caltabiano); Dos cruces en Danger Pass (Rafael Romero Marchent); Un uomo, un cavallo, una pistola (Luigi Vanzi); 1968: Ringo il cavaliere solitario (Rafael Romero Marchent); 1970: Uccidi, Django ... uccidi per primo! (Sergio Garrone); 1971: Acquasanta Joe (Mario Gariazzo); Lo ammazzò come un cane ... ma lui rideva ancora (Angelo Pannacciò); Anda muchacho, spara! (Aldo Florio); Un uomo chiamato Dakota (Mario Sabatini); 1977: California (Michele Lupo)

Nusciak, Loredana (geboren 1940): 1965: L'uomo che viene da Canyon City (Alfonso Balcázar); 1966: 7 dollari sul rosso (Alberto Cardone); Django (Sergio Corbucci); 1967: 10.000 dollari per un massacro

(Romolo Girolami); 1968: Vendetta per vendetta (Mario Colucci); 1969: Dio perdoni la mia pistola (Mario Gariazzo, Leopoldo Savona)

O'Brien, Donal (Donald): 1968: Corri uomo corri (Sergio Sollima); 1971: Se t'incontro, t'ammazzo (Gianni Crea); Lo sceriffo di Rockspring (Mario Sabatini); 1972: Jesse & Lester due fratelli in un posto chiamato Trinità (Renzo Genta); La colt era il suo Dio (Luigi Batzella); Il giustiziere di Dio (Franco Lattanzi); C'era una volta questo pazzo, pazzo, pazzo West (Vincenzo Matassi); 1975: I quattro dell'Apocalisse (Lucio Fulci); 1976: Keoma (Enzo Girolami); 1977: Mannaja (Sergio Martino); Sella d'argento (Lucio Fulci)

Onorato, Glauco: (Pseudonym: **Richard Stark**): 1969: La collina degli stivali (Giuseppe Colizzi); 1971: W Django (Edoardo Mulargia); 1974: Carambola, filotto ... tutti in buca (Ferdinando Baldi)

Pacifico, Benito (Pseudonym: **Dennis Colt**): 1968: Passa Sartana, è l'ombra della tua morte (Demofilo Fidani); 1969: ... e vennero in quattro per uccidere Sartana! (Demofilo Fidani); 1970: Arrivano Django e Sartana ... è la fine! (Demofilo Fidani); Inginocchiati straniero ... i cadaveri non fanno ombra! (Demofilo Fidani); Quel maledetto giorno d'inverno (Demofilo Fidani); 1971: Era Sam Wallash ... lo chiamavano Così Sia (Demofilo Fidani);

Giù la testa ... hombre! (Demofilo Fidani); Giù le mani ... carogna! – Django Story (Demofilo Fidani); Per una bara piena di dollari (Demofilo Fidani); 1972: C'era una volta questo pazzo, pazzo, pazzo West (Vincenzo Matassi); Scansati ... a Trinità arriva Eldorado (Demofilo Fidani, Aristide Massaccesi, Diego Spataro); 1973: Amico mio ... frega tu che frego io! (Demofilo Fidani)

Palance, Jack (Geburtsname: Vladimir Palanuik; geboren am 18.2.1919 in Lattimer Mines, Pennsylvania/USA): 1968: Il mercenario (Sergio Corbucci); 1970: Vamos a matar compañeros (Sergio Corbucci); 1971: Si può fare ... amigo! (Maurizio Lucidi); 1972: Tedeum (Enzo Girolami); 1973: Blu Gang (Luigi Bazzoni); 1974:

Il richiamo del lupo (Gianfranco Baldonello); 1976: Diamante Lobo (Gianfranco Parolini)

Palmara, Mimmo (Pseudonym: **Dick Palmer**; geboren am 25.7.1928 in Cagliari, Sardinien/Italien): 1964: Le pistole non discutono (Mario Caiano); 1965: Johnny West il mancino (Gianfranco Parolini); Per mille dollari al giorno (Silvio Amadio); 1966: I 2 figli di Ringo (Giorgio Simonelli); 1967: Un poker di pistole (Giuseppe Vari); Il bello, il brutto, il cretino (Giovanni Grimaldi); Vivo per la tua morte (Camillo Bazzoni); ... e venne il tempo di uccidere (Vincenzo Dell'Aquila); 1968: Execution (Domenico Paolella); Black Jack (Gianfranco Baldanello); T'ammazzo! ... raccomandati a Dio (Osvaldo Civirani); 1969: Franco e Ciccio sul sentiero di guerra (Aldo Grimaldi); 1970: La spina dorsale del diavolo (Burt Kennedy, Niksa Fulgozi); 1971: Padella calibro 38 (Antonio Secchi); Una pistola per cento croci (Carlo Croccolo); ... e lo chiamarono Spirito Santo (Roberto Mauri); 1972: Spirito Santo e le 5 magnifiche canaglie (Roberto Mauri);

Pasolini, Pier Paolo (geboren am 5.3.1922 in Bologna, Emilia-Romagna/Italien; gestorben am 2.11.1975 in Ostia, Latinum/Italien): 1967: Requiescant (Carlo Lizzani)

Pazzafini, Nello (Pseudonyme: **Ted Carter, Red Carter**; Geburtsname: Giovanni Pazzafini; geboren am 15.05.1934; gestorben im Januar 1996): 1965: Adiós Gringo (Giorgio Stegani); Un dollaro bucato (Giorgio Ferroni); 1966: La resa dei conti (Sergio Sollima); Arizona Colt (Michele Lupo); Wanted (Giorgio Ferroni); Per pochi dollari ancora (Giorgio Ferroni); Killer calibro 32 (Alfonso Brescia); 1967: Sette pistole per un massacro (Mario Caiano); Vivo per la tua morte (Camillo Bazzoni); La morte non conta i dollari (Riccardo Freda); I giorni della violenza (Alfonso Brescia); Faccia a faccia (Sergio Sollima); Killer adios (Primo Zeglio); 1968: Joe, cercati un posto per morire!

INTERVIEW MIT FRANCO NERO

Wir führten dieses Interview mit Franco Nero per Telefon am 26. Juli 2002.

Wie startete Ihre Karriere im Italo-Western?

Ich wurde von John Huston entdeckt, der mir meine erste richtige Filmrolle in der Dino De Laurentiis-Produktion »La Bibbia« (»Die Bibel«) gab, in der ich die Figur des Abel verkörperte. John Huston habe ich sehr viel zu verdanken, er war es auch, der mir als Erster Unterricht in der englischen Sprache gab. Er gab mir Shakespeare-Bänder von diversen Darstellern, die ich dann alle phonetisch auswendig lernte, ohne auch nur ein Wort Englisch zu verstehen. John Huston war es, der mich als Darsteller für den von Albert Band alias Alfredo Antonini inszenierten Film »Gli uomini dal passo pesante« (»Die Trampler«) empfahl. John Huston war es auch, der mich dann später dem Regisseur Joshua Logan empfahl, als jener einen Darsteller für die Rolle des Lancelot in seiner »Camelot«-Verfilmung suchte. Mit John Hustons Hilfe erhielt ich also eine kleine Rolle als Charlie Garvin in »Gli uomini dal passo pesante« (»Die Trampler«), in dem ich übrigens unter dem Pseudonym Frank Nero spielte. Die Hauptrollen waren mit den Amerikanern Gordon Scott, Joseph Cotten und James Mitchum besetzt. Nach diesem Film saß ich eines Tages im Auto mit meinem Agenten und dem berühmten italienischen Regisseur Elio Petri und Petri bat mich, eine Hauptrolle in einem richtigen Western anzunehmen, aus dem dann der berühmte »Django« wurde. Nach »Django« machte ich dann einen anderen Western mit dem Titel »Le colt cantarono la morte e fu ... tempo di massacro« (»Django – sein Gesangbuch war der Colt«) mit dem Regisseur Lucio Fulci und danach den Western »Texas, addio«, der von dem gleichen Produzenten finanziert wurde wie »Django«. Aus diesem Grunde wurde ich

Franco Nero

auch in ein ähnliches Kostüm gesteckt, um einen ähnlichen Charakter darzustellen. In Deutschland wurden ja nach meinem »Django«-Film einige meiner Western und auch zahlreiche andere italienische Western mit dem »Django«-Zertifikat versehen, um auf dem Erfolg des echten »Django«-Films mitzuschwimmen. Nach »Texas, addio« wurde mir die Rolle des Lancelot in dem Film »Camelot« in den USA angeboten und so ging ich nach Amerika, wo ich dann auch Vanessa Redgrave, meine spätere Frau, kennen lernte. Später trat dann der ehemalige Kameramann Enzo Barboni an mich heran, der gerade ein neues Drehbuch für einen komischen Western fertig gestellt hatte, ich solle für ihn die Hauptrolle in seinem Western »Lo chiamavano Trinità« (»Die rechte und die linke Hand des Teufels«) spielen. Ich lehnte jedoch ab und sagte ihm, ich sei jetzt in Amerika und wollte andere Arten von Filmen machen.

Erzählen Sie uns doch ein bisschen etwas über Ihre Revolutionswestern!

Das ist eine andere witzige Geschichte. »Il Mercenario« (»Mercenario – der Gefürchtete«) sollte ursprünglich von dem Oskar-nominierten Regisseur Gillo Pontecorvo inszeniert werden. Die Geschichte stammte von den Oskar-nominierten Autoren Franco Solinas und Luciano Vincenzoni. Der Produzent des Films, Alberto Grimaldi, war zu jener Zeit gerade dabei, fünf Filme zu produzieren, »Satyricon« mit Fellini, den Film »Un tranquillo posto di campagna« von Elio Petri mit Vanessa Redgrave und mir, den Film »Queimada« sowie »Il Mercenario« und einen weiteren. Gillo Pontecorvo entschied sich dann dafür, keinen Western zu inszenieren, sondern lieber den Film »Queimada« mit Marlon Brando in Kolumbien zu drehen. Daraufhin rief Produzent Grimaldi Sergio Corbucci an und fragte ihn, ob er diesen Western inszenieren wolle. Dieser zögerte keinen Moment und akzeptierte dieses Angebot, wofür nicht zuletzt das großartige Drehbuch ausschlaggebend war. So kam dann alles zusammen.

Ich machte gerade den Film »Un tranquillo posto di campagna« mit Regisseur Elio Petri und Produzent Grimaldi sagte zu mir, ich sei der perfekte Darsteller für »Il Mercenario« (»Mercenario – der Gefürchtete«). Dann war es an der Reihe, meinen Co-Darsteller zu finden. Sergio Corbucci und ich sahen uns dann den kleinen amerikanischen Film mit dem Titel ›The incident‹ (»Incident ... und sie kannten kein Erbarmen«) an und sahen dort den Darsteller Tony Musante und entschieden uns sofort, ihn für die Rolle des Mexikaners zu nehmen. So entstand dann »Il Mercenario« (»Mercenario – der Gefürchtete«).

Welchen der beiden Revolutionswestern mögen Sie lieber?

Die sind beide großartig, irgendwie sind sie sich sehr ähnlich. Mit Humor und trotzdem einem tieferen Sinn. Ich mag sie wirklich beide sehr, ich finde, das sind zwei großartige Western.

Können Sie uns etwas über den Film »Jonathan degli orsi« (»Die Rache des weißen Indianers«) erzählen?

Ja, ich war auch einer der Produzenten dieses Films. Das ist wirklich der letzte Italo-Western. Zu jener Zeit wollte niemand mehr einen Western drehen und ich wollte diesen Film bereits vor »Dances with wolves« (»Der mit dem Wolf tanzt«) machen. Nach dem gigantischen Erfolg von »Dances with wolves« (»Der mit dem Wolf tanzt«) sprach ich dann mit Silvio Berlusconi, schüttelte seine Hand und erzählte ihm die Geschichte, worauf er uns dann das Geld gab, um diesen Film zu drehen. Wir haben den Film dann in Russland gedreht, denn das war der einzige Weg, diesen Film zu realisieren, da das Budget nicht besonders hoch war.

Wie begann Ihre Zusammenarbeit mit Enzo Girolami?

Das ist eine sehr amüsante Geschichte. Im Jahr 1972 sollte ich für Maurizio Lucidi in den USA den Film »L'ultima chance« machen. Er hat mir den Film versprochen und wollte eine wunderbare Darstellerin in dem Film haben, deren Namen ich nicht verraten möchte. Er kam dann also aus den USA mit einer Darstellerin zurück, über die ich nicht so erfreut war. Mittlerweile kam Enzo Girolami zum Filmset von »Los Amigos« (»Das Lied von Mord und Totschlag«), einem Western mit Tony Quinn, den ich für Metro-Goldwyn-Mayer machte, und schlug mir einen Film vor. Zu jener Zeit hielt ich nicht sehr viel von Enzo und seinem Auftreten mit großen Muskeln etc. Er imponierte mir überhaupt nicht und ich habe sein Angebot nicht wirklich ernst genommen. In der Zwischenzeit kam Maurizio Lucidi zu mir und sagte mir, er wisse jetzt, wieso ich seinen Film nicht machen möchte, denn er hätte gehört, dass Enzo Girolami wegen eines Filmes an mich herangetreten sei, aber Enzo sei schrecklich und ich solle unter keinen Umständen mit ihm arbeiten. In jenem Moment, als Maurizio Lucidi schlecht über Enzo sprach, akzeptierte ich Enzos Angebot. So startete meine Zusammenarbeit mit Enzo, die jetzt bereits 30 Jahren dauert. Wir haben inzwischen sehr viele Filme zusammen gemacht.

Was waren einige der wichtigsten Drehorte für »Keoma«?

Eine Gegend, an die ich mich sehr gut erinnere, ist Campo Seco oberhalb von Camerato Nuova im Nationalpark von Monti Simbruini. Camerato Nuova ist ein winzigkleines Städtchen an der Grenze zwischen Lazio und Abruzzo.

Welcher war Ihr Lieblingsregisseur?

Ich habe im Laufe meiner Karriere mit neun Regisseuren gearbeitet, die für den Oskar nomiert wurden oder einen Oskar gewannen. Aber der beste für mich war wahrscheinlich Luis Buñuel, mit dem ich 1970 »Tristana« drehte. Ich denke, er ist der beste Regisseur des letzten Jahrhunderts und ich sage Ihnen warum. Als Erstes war er ein unglaublicher Regisseur voll von schwarzem Humor. Ich glaube, er war der einzige Regisseur, der einen Film, der ursprünglich für acht Wochen geplant war, schon in sieben Wochen fertig stellte. Wenn ihm der Produzent sagte, er würde ihm 50 Extras geben, antwortete er, er würde nur zehn Extras benötigen. Er war der einzige Regisseur auf der Welt, der seine Filme in nur drei Tagen fertig schneiden konnte. Der einzige Regisseur auf der Welt, der nie Musik in seinen Filmen verwendete, statt dessen konnte man Hunde bellen, Glocken läuten, Piano-Musik aus einem Haus hören. Er war ein Genie von einem Regisseur. Und er liebte mich sehr, aber nannte mich nie Franco, weil er gegen die Diktatur Francos in Spanien war, sondern nannte mich immer Nero.

Welcher ist Ihr Lieblingsfilm?

Das ist dasselbe, wie wenn Sie eine Mutter fragen, die viele Kinder hat, welches Kind sie am liebsten hätte. Die Mutter wird natürlich sagen, dass sie alle Kinder gleich lieb hat. Und auf die gleiche Weise würde ich sagen, dass ich alle meine Filme gleich mag. Wenn ich dann darüber nachdenke und wirklich in mich kehre, so erinnere ich mich sehr gerne an einen meiner ersten Filme, den ich mit Freunden in meiner Anfangszeit gemacht habe. Wir fingen mit Dokumentarfilmen an, als ich 20 Jahre alt war, und als ich dann während »Camelot« in den USA war, riefen sie mich an und baten mich in ihrem Film mitzuspielen, für den sie nur mit meiner Mitwirkung die Gelder auftreiben konnten. So kam ich also aus den USA zurück, um für meine Freunde diesen Film zu machen. Einer dieser Freunde ist der dreifache Oskar-Gewinner Vittorio Storaro, der mit vielen wichtigen Hollywood-Legenden gearbeitet hat. Wir machten dann also diesen Film in Spanien mit dem Titel »L'uomo, l'orgoglio, la vendetta« (»Mit Django kam der Tod«) unter der Regie von Luigi Bazzoni, was nichts anderes war als eine Version von Prosper Mérimées »Carmen«. Das ist der Film, an den ich mich sehr, sehr gerne erinnere.

Möchten Sie in Zukunft noch einen Western drehen?

Ja, ich möchte gerne einen weiteren Western drehen, diesmal als Hommage an den Meister des Italo-Western Sergio Leone. Ich würde ihn gerne mit Enzo (Girolami) machen und wir planen bereits, ihn bald zu machen. Zur Zeit sind wir gerade dabei, das Geld für den Film aufzutreiben. Wir wollen natürlich auch amerikanische Darsteller verwenden und den Film als italienisch-deutsch-spanische Koproduktion drehen.

Wir bedankten uns für das Gespräch, Franco Nero musste gleich zu einem weiteren Termin.

(Giuliano Carnimeo); Carogne si nasce (Alfonso Brescia); Corri uomo corri (Sergio Sollima); Il pistolero segnato da Dio (Giorgio Ferroni); La morte sull'alta collina (Alfredo Medori); 1970: C'è Sartana ... vendi la pistola e comprati la bara! (Giuliano Carnimeo); 1971: Gli fumavano le Colt ... lo chiamavano Camposanto (Giuliano Carnimeo); Uomo avvisato mezzo ammazzato ... parola di Spirito Santo (Giuliano Carnimeo); Amico, stammi lontano almeno un palmo ... (Michele Lupo); Si può fare ... amigo! (Maurizio Lucidi); Quel maledetto giorno della resa dei conti (Sergio Garrone); Padella calibro 38 (Antonio Secchi); 1972: Alleluja e Sartana figli ... di Dio (Mario Siciliano); Il West ti va stretto amico ... è arrivato Alleluja (Giuliano Carnimeo); 1973: Amico mio ... frega tu che frego io! (Demofilo Fidani); Ci risiamo, vero Provvidenza? (Alberto De Martino); Lo chiamavano Tresette ... giocava sempre col morto (Giuliano Carnimeo); Carambola (Ferdinando Baldi); Di Tressette ce n'è uno tutti gli altri son nessuno (Giuliano Carnimeo); 1974: Carambola, filotto ... tutti in buca (Ferdinando Baldi); 1977: Mannaja (Sergio Martino)

Pellegrin, Raymond (geboren am 1.1.1925 in Nizza, Alpes-Maritimes/Frankreich): 1968: Quanto costa morire (Sergio Merolle)

Pesce, Franco (Pseudonyme: **Frank Oliveras, Graham Sooty**): 1964: Una pistola per Ringo (Duccio Tessari); 1965: Perché uccidi ancora? (Edoardo Mulargia, José Antonio De La Loma); 1966: Sette magnifiche pistole (Romolo Girolami); Tierra de fuego (Jaime Jesus Balcázar, Mark Stevens); 1967: Gentleman Jo ... uccidi! (Giorgio Stegani); I lunghi giorni dell'odio (Gianfranco Baldanello); 1968: ... se incontri Sartana prega per la tua morte (Gianfranco Parolini); Chiedi perdono a Dio, non a me (Vincenzo Musolino); Una pistola per cento bare (Umberto Lenzi); 1969: Il pistolero dell'Ave Maria (Ferdinando Baldi); 1970: Buon funerale amigos! ... paga Sartana (Giuliano Carnimeo); Una nuvola di polvere ... un grido di morte ... arriva Sartana (Giuliano Carnimeo); L'oro dei Bravados (Renato Savino); Roy Colt e Winchester Jack (Mario Bava); Shango la pistola infallibile (Edoardo Mulargia); 1971: Uomo avvisato mezzo ammazzato ... parola di Spirito Santo (Giuliano Carnimeo); 1972: Tutti fratelli nel West ... per parte di padre (Sergio Grieco)

Philbrook, James (geboren am 22.10.1924; gestorben am 24.10.1982): 1965: Finger on the trigger (Sidney W. Pink); Dos mil dólares por coyote (León Klimovsky); 1966: El hijo del pistolero (Paul Landres); 1967: Los siete de Pancho Villa (José María Elorrieta); 1968: Fedra West (Joaquín Luis Romero Marchent); 1976: Si quieres vivir ... dispara (José María Elorrieta)

Piaget, Paul: 1962: La sombra del Zorro (Joaquín Luis Romero Marchent); Bienvenido, padre Murray (Ramón Torrado);1963: Cuatro balazos (Augustin Navarro); Tres

hombres buenos (Joaquín Luis Romero Marchent); 1964: I sette del Texas (Joaquín Luis Romero Marchent); 1968: Hora de morir (Joaquín Luis Romero Marchent)

Pistilli, Luigi (geboren am 19.7.1929 in Grossetto/Italien; gestorben am 21.4.1996 in Mailand/Italien): 1965: Per qualche dollaro in più (Sergio Leone); 1966: Texas, Addio (Ferdinando Baldi); Il buono, il brutto, il cattivo (Sergio Leone); 100.000 dollari per Lassiter (Joaquín Luis Romero Marchent); 1967: Da uomo a uomo (Giulio Petroni); Bandidos (Massimo Dallamano); 1968: Il grande silenzio (Sergio Corbucci); 1969: La notte dei serpenti (Giulio Petroni)

Powers, Hunt (Geburtsname: Jack Betts; geboren in Miami, Florida/USA): 1966: Sugar Colt (Franco Giraldi); 1967: La più grande rapina nel West (Maurizio Lucidi); 1970: Inginocchiati straniero ... i cadaveri non fanno ombra! (Demofilo Fidani); Arrivano Django e Sartana ... è la fine! (Demofilo Fidani); Quel maledetto giorno d'inverno (Demofilo Fidani); 1971: Per una bara piena di dollari (Demofilo Fidani); Giù le mani ... carogna! – Django Story (Demofilo Fidani); Giù la testa ... hombre! (Demofilo Fidani)

Preston, Wayde (Geburtsname: William Erskine Strange; geboren am 10.9.1929 in Denver, Colorado/USA; gestorben am 6.2.1992 in Lovelock, Nevada/USA): 1967: Vivo per la tua morte (Camillo Bazzoni); Oggi a me ... domani a te (Tonino Cervi); 1968: L'ira di Dio (Alberto Cardone); Pagó cara su muerte (León Klimovsky); 1969: Dio perdoni la mia pistola (Mario Gariazzo, Leopoldo Savona); 1970: Sartana nella valle degli avvoltoi (Roberto Mauri); Sledge (Vic Morrow, Giorgio Gentili); Ehi amigo ... sei morto! (Paolo Bianchini)

Puente, Jesús (geboren am 18.12.1930 in Madrid, Spanien; gestorben am 26.10.2000 in Madrid, Spanien): 1963: El hombre de la diligencia (José María Elorrieta); 1964: Le maledette pistole di Dallas (José María Zabalza, Pino Mercanti); Per un pugno nell'occhio (Michele Lupo); Il ranch degli spietati (Jaime Jesus Balcázar, Roberto Bianchi Montero); I sette del Texas (Joaquín Luis Romero Marchent); El Zorro cabalga otra vez (Ricardo Blasco); 1965: Adiós gringo (Giorgio C. Stegani); 100.000 dollari per Lassiter (Joaquín Luis Romero Marchent); Ocaso de un pistolero (Rafael Romero Marchent); 1966: Sette pistole per i Mac Gregor (Franco Giraldi); 1967: Bandidos (Massimo Dallamano); Dos cruces en Danger Pass (Rafael Romero Marchent); L'uomo venuto per uccidere (León Klimovsky); 1968: Ringo il cavaliere solitario (Rafael Romero Marchent);

Puppo, Romano (Pseudonym: **Roman Barrett**): 1965: Gli uomini dal passo pesante (Alfredo Antonini, Mario Sequi); 1966: Le colt cantarono la morte e fu ... tempo di massacro (Lucio Fulci); Il buono, il brutto, il cattivo (Sergio Leone); La resa dei conti (Sergio Sollima); 1967: Al di là della legge (Giorgio Stegani); I giorni dell'ira (Tonino Valerii); I giorni della violenza (Alfonso Brescia); Little Rita nel west (Ferdinando Baldi); 1968: La morte sull'alta collina (Alfredo Medori); 1969: Ciakmull, l'uomo della vendetta (Enzo Barboni); La collina degli stivali (Giuseppe Colizzi); Ehi amico! C'è Sabata, hai chiuso! (Gianfranco Parolini); 1971: Anda muchacho, spara! (Aldo Florio); Continuavano a chiamarlo Trinità (Enzo Barboni); 1972: Los amigos (Paolo Cavara); Campa carogna ... la taglia cresce (Giuseppe Rosati); 1973: ... E il terzo giorno arrivò il Corvo (Gianni Crea); 1974: Il bianco, il giallo, il nero (Sergio Corbucci); 1975: Cipolla Colt (Enzo Girolami); 1977: California (Michele Lupo); 1978: Amore, piombo e furore (Monte Hellman); 1980: Occhio alla penna (Michele Lupo)

Purdom, Edmund (geboren am 19.12.1924 in Welwyn Garden City, Hertfordshire, England): 1963: Der letzte Ritt nach Santa Cruz (Rolf Olsen); 1964: Los cuatreros (Ramón Torrado); 1967: Giurò e li uccise ad uno ad uno (Guido Celano); 1968: Crisantemi per un branco di carogne (Sergio Pastore)

Quinn, Anthony (Geburtsname: Antonio Rudolfo Oaxaca Quinn; geboren am 21.4.1915 in Chihuahua/Mexiko; gestorben am 3.6.2001 in Boston, Massachusetts/USA): 1967: La bataille de San Sebastian (Henri Verneuil); 1972: Los amigos (Paolo Cavara)

Rabal, Francisco (Geburtsname: Francisco Rabal Valera; geboren am 8.3.1926 in Águilas, Murcia/Spanien; gestorben am 29.8.2001 in Bordeaux/Frankreich): 1963: Llanto por un bandido (Carlos Saura); 1965: Das Vermächtnis des Inka (Georg Marischka); 1966: I lunghi giorni della vendetta (Florestano Vancini); 1971: Si può fare ... amigo! (Maurizio Lucidi); 1975: Cacique Bandeira (Héctor Olivera)

Ralli, Giovanna (geboren am 2.1.1935 in Rom/Italien): 1961: Le goût de la violence (Robert Hossein); 1968: Il mercenario (Sergio Corbucci)

Rassimov, Rada: 1966: Il buono, il brutto, il cattivo (Sergio Leone); 1967: Non aspettare, Django, spara! (Edoardo Mulargia); 1969: Django il bastardo (Sergio Garrone)

Reed, Dean (geboren am 22.9.1938 in Denver, Colorado/USA; gestorben am 13.6.1986 in Zeuthen bei Berlin/Deutschland): 1967: Dio li crea ... io li ammazzo! (Paolo Bianchini); 1968: I nipoti di Zorro (Marcello Ciorciolini); 1970: Saranda (Manuel Esteba, Antonio Mollica); Indio Black, sai che ti dico: sei un gran figlio di ... (Gianfranco Parolini); 1971: Blindman (Ferdinando Baldi); 1975: Blutsbrüder (Werner W. Wallroth)

Reeves, Steve (geboren am 21.1.1926 in Glasgow, Montana/USA; gestorben am 1.5.2000 in Escondido, Kalifornien/USA): 1967: Vivo per la tua morte (Camillo Bazzoni)

Ressel, Franco (Geburtsname: Domenico Orobona; geboren am 8.2.1925 in Neapel/Italien; gestorben am 30.04.1985 in Rom/Italien): 1965: All'ombra di una Colt (Giovanni Grimaldi); 1966: Per il gusto di uccidere (Tonino Valerii); El Rojo (Leopoldo Savona); 1967: L'uomo, l'orgoglio, la vendetta (Luigi Bazzoni); 1968: T'ammazzo! ... raccomandati a Dio (Osvaldo Civirani); Il mercenario (Sergio Corbucci); 1969: Ehi amico! C'è Sabata, hai chiuso! (Gianfranco Parolini); 1970: Buon funerale amigos! ... paga Sartana (Giuliano Carnimeo); Sartana nella valle degli avvoltoi (Roberto Mauri); 1971: Continuavano a chiamarlo Trinità (Enzo Barboni); Gli fumavano le Colt ... lo chiamavano Camposanto (Giuliano Carnimeo); 1972: Tutti fratelli nel West ... per parte di padre (Sergio Grieco); I 2 figli dei Trinità (Osvaldo Civirani); 1973: Kid il monello del West (Tonino Ricci); 1977: California (Michele Lupo)

Rey, Fernando (Geburtsname: Fernando Casado Arambillet; geboren am 20.9.1917 in La Coruña/Spanien; gestorben am 9.3.1994 in Madrid/Spanien): 1961: Tierra brutal (Michael Carreras); 1965: Das Vermächtnis des Inka (Georg Marischka); 1966: El hijo del pistolero (Paul Landres); Navajo Joe (Sergio Corbucci); 1969: Il prezzo del potere (Tonino Valerii); 1970: Vamos a matar compañeros (Sergio Corbucci); La collera del vento (Mario Camus); 1971: A town called Hell (Robert Parrish)

Reynolds, Burt (Geburtsname: Burton Leon Reynolds Jr.; geboren am 11.2.1936 in Waycross, Georgia/USA): 1966: Navajo Joe (Sergio Corbucci)

Ribeiro, Catherine (geboren am 22.11.1941): 1963: Buffalo Bill, l'eroe del Far West (Mario Costa)

Richardson, John (geboren am 19.1.1934): 1967: John il bastardo (Armando Crispino); 1968: Execution (Domenico Paolella)

Rigaud, Georges / Jorge (Geburtsname: Pedro Jorge Rigato Delissetche; geboren am 11.8.1905 in Buenos Aires/Argentinien; gestorben am 17.1.1984 in Leganés, Madrid/Spanien): 1963: Cavalca e uccidi (José Luis Borau); 1965: Dos pistolas gemelas (Rafael Romero Marchent); Una bara per lo sceriffo (Mario Caiano); Finger on the trigger (Sidney W. Pink); Die Hölle von Manitoba (Sheldon Reynolds); La grande notte di Ringo (Mario Maffei); 1966: 7 pistole per i MacGregor (Franco Giraldi); Pampa Salvaje (Hugo Fregonese); Sugar Colt (Franco Giraldi); Sette donne per una strage (Rudolf Zehetgruber, Gianfranco Parolini, Sidney W. Pink); The Texican (Lesley Selander, Jose Luis Espinosa); 1967: 7 donne per i MacGregor (Franco Giraldi); 1968: Quel caldo maledetto giorno di fuoco (Paolo Bianchini); 1969: Vivi o preferibilmente morti (Duccio Tessari); Quei disperati che puzzano di sudore e di morte (Julio Buchs); 1971: A town called Hell (Robert Parrish); Uomo avvisato mezzo ammazzato ... parola di Spirito Santo (Giuliano Carnimeo); Amico, stammi lontano almeno un palmo ... (Michele Lupo); 1974: Là dove non batte il sole (Antonio Margheriti); Das Tal der tanzenden Witwen (Volker Vogeler)

Rizzo, Gianni (geboren 1925 in Brindisi/Italien; gestorben 1992): 1962: Zorro alla corte di Spagna (Luigi Capuano); 1967: Faccia a faccia (Sergio Sollima); 1968: ... se incontri Sartana prega per la tua morte (Gianfranco Parolini); Corri uomo corri (Sergio Sollima); 1969: Ehi amico! C'è Sabata, hai chiuso! (Gianfranco Parolini); 1970: Indio Black, sai che ti dico: sei un gran figlio di ... (Gianfranco Parolini); 1971: È tornato Sabata ... hai chiuso un'altra volta! (Gianfranco Parolini)

Robards, Jason (Geburtsname: Jason Nelson Robards Jr.; geboren am 26.7.1922 in Chicago, Illinois/USA; gestorben am 26.12.2000 in Bridgeport, Connecticut/USA): 1968: C'era una volta il West (Sergio Leone)

Rojo, Antonio Molino: 1962: Due contro tutti (Alberto De Martino, Antonio Momplet); 1964: 5.000 dollari sull'asso (Alfonso Balcázar); Aventuras del Oeste (Joaquín Luis Romero Marchent); I due violenti (Primo Zeglio); Per un pugno di dollari (Sergio Leone); 1965: Die Hölle von Manitoba (Sheldon Reynolds); Finger on the trigger (Sidney W. Pink); Quattro dollari di vendetta (Jaime Jesús Balcázar); Per qualche dollaro in più (Sergio Leone); 1966: 7 pistole per i MacGregor (Franco Giraldi); L'uomo che viene da Canyon City (Alfonso Balcázar); The Texican (Lesley Selander, Jose Luis Espinosa); I 5 della vendetta (Aldo Florio); La resa dei conti (Sergio Sollima); Il buono, il brutto, il cattivo (Sergio Leone); Per pochi dollari ancora (Giorgio Ferroni); 1967: ¡El hombre que mató a Billy el Niño! (Julio Buchs); Un minuto per pregare, un istante per morire (Franco Giraldi); 1968: Ammazzali tutti e torna solo (Enzo Girolami); C'era una volta il West (Sergio Leone); Garringo (Rafael Romero Marchent); 1969: Manos torpes (Rafael Romero Marchent); 1970: Saranda

(Antonio Mollica, Manuel Esteba); Prima ti perdono ... poi t'ammazzo (Juan Bosch); 1971: Un colt por 4 cirios (Ignacio F. Iquino); Una cuerda al amanecer (Manuel Esteba); Los buitres cavarán tu fosa (Juan Bosch); 1972: I bandoleros della dodicesima ora (Alfonso Balcázar)

Roland, Gilbert (Geburtsname: Luis Antonio Dámasco de Alonso; geboren am 11.12.1905 in Ciudad Juárez/Mexiko; gestorben am 15.5.1994 in Beverly Hills, Los Angeles, Kalifornien/USA): 1967: Ognuno per se (Giorgio Capitani); Vado, l'ammazzo e torno (Enzo Girolami); Quella sporca storia nel West (Enzo Girolami); 1968: Anche nel West c'era una volta Dio (Marino Girolami); Sonora (Alfonso Balcázar)

Rossi, Luciano (Pseudonym: **Edward G. Ross**; geboren am 28.11.1934 in Rom/Italien; gestorben am 25.05.2005 in Rom/Italien): 1966: Uno sceriffo tutto d'oro (Osvaldo Civirani); Django (Sergio Corbucci); Il figlio di Django (Osvaldo Civirani); Ramon il messicano (Maurizio Pradeaux); 1967: Bill il taciturno (Massimo Pupillo); La più grande rapina nel West (Maurizio Lucidi); Preparati la bara! (Ferdinando Baldi); Sentenza di morte (Mario Lanfranchi); 1968: Corri uomo corri (Sergio Sollima); L'odio è il mio Dio (Claudio Gora); 1969: Ciakmull, l'uomo della vendetta (Enzo Barboni); La collina degli stivali (Giuseppe Colizzi); Django il bastardo (Sergio Garrone); Il pistolero dell'Ave Maria (Ferdinando Baldi); 1970: C'è Sartana ... vendi la pistola e comprati la bara! (Giuliano Carnimeo); Lo chiamavano Trinità (Enzo Barboni); Sledge (Vic Morrow, Giorgio Gentili); 1971: Attento gringo ... è tornato Sabata! (Alfonso Balcázar); È tornato Sabata ... hai chiuso un'altra volta! (Gianfranco Parolini); Testa t'ammazzo, croce ... sei morto, mi chiamano Alleluja (Giuliano Carnimeo); 1972: Los amigos (Paolo Cavara); Jesse & Lester due fratelli in un posto chiamato Trinità (Renzo Genta); 1974: Zanna Bianca alla riscossa (Tonino Ricci)

Ryan, Robert (geboren am 11.11.1909 in Chicago, Illinois/USA; gestorben am 11.7.1973 in New York, NY/USA): 1967: Custer of the West (Robert Siodmak); Un minuto per pregare, un istante per morire (Franco Giraldi)

Giovanna Ralli

Jason Robards

Dean Reed

Antonio Sabáto

Sabàto, Antonio (geboren am 2.4.1943 in Montelepre/Italien): 1967: Odio per odio (Domenico Paolella); Al di là della legge (Giorgio Stegani); 1968: I tre che sconvolsero il West (Enzo Girolami); 1969: Due volte Giuda (Fernando Cicero); 1971: I senza Dio (Roberto Bianchi Montero); 1972: Tutti fratelli nel West ... per parte di padre (Sergio Grieco)

Salerno, Enrico Maria (geboren am 18.9.1926 in Mailand/Italien; gestorben am 18.9.1994 in Rom/Italien): 1966: 3 pistole contro Cesare (Enzo Peri); 1967: Un treno per Durango (Mario Caiano); Sentenza di morte (Mario Lanfranchi); Bandidos (Massimo Dallamano)

Sanbrell, Aldo (Pseudonym: **Aldo Sambrell**; Geburtsname: Alfredo Sánchez Brell; geboren am 23.2.1937 in Madrid/Spanien): 1963: Tres hombres buenos (Joaquín Luis Romero Marchent); Gringo (Ricardo Blasco); I tre spietati (Joaquín Luis Romero Marchent); El hombre de la diligencia (José María Elorrieta); Fuera de la ley (León Klimovsky); 1964: Per un pugno di dollari (Sergio Leone); Relevo para un pistolero (Ramón Torrado); Los pistoleros de Casa Grande (Roy Rowland); I due violenti (Primo Zeglio); La tumba del pistolero (Amando de Ossario); La carga de la policía montada (Ramón Torrado); Fuerte perdido (José María Elorrieta); 1965: Finger on the trigger (Sidney W. Pink); Per qualche dollaro in più (Sergio Leone); Die Hölle von Manitoba (Sheldon Reynolds); 100.000 dollari per Lassiter (Joaquín Luis Romero Marchent); All'ombra di una Colt (Giovanni Grimaldi); Ringo del Nebraska (Antonio Román, Mario Bava); 1966: Il buono, il brutto, il cattivo (Sergio Leone); El hijo del pistolero (Paul Landres); Dinamita Jim (Alfonso Balcázar); The Texican (Lesley Selander, José Luis Espinosa); Navajo Joe (Sergio Corbucci); I crudeli (Sergio Corbucci); Quien sabe? (Damiano Damiani); 1967: Vivo per la tua morte (Camillo Bazzoni); Faccia a faccia (Sergio Sollima); Un treno per Durango (Mario Caiano); Un minuto per pregare, un istante per morire (Franco Giraldi); 15 forche per un assassino (Nunzio Malasomma); 1968: Réquiem para el gringo (José Luis Merino); C'era una volta il West (Sergio Leone); 1969: Manos Torpes (Rafael Romero Marchent); 1970: Arizona si scatenò ... e li fece fuori tutti! (Sergio Martino); Uccidi, Django ... uccidi per primo! (Sergio Garrone); 1971: Su le mani cadavere! Sei in arresto (Sergio Bergonzelli, León Klimovsky); Hannie Caulder (Burt Kennedy); A town called Hell (Robert Parrish); Giù la testa (Sergio Leone); Amico, stammi lontano almeno un palmo ... (Michele Lupo); El hombre de Rio Malo (Eugenio Martín); 1972: Un hombre llamado Noon (Peter Collinson); Charley One-Eye (Don Chaffey); 1977: Sella d'argento (Lucio Fulci); 1985: Tex e il Signore degli abissi (Duccio Tessari); 1996: Aquí llega condemor el Pecador de la Pradera (Álvaro Sáenz de Heredia)

Sanchez, Pedro (Geburtsname: Ignazio Spalla): 1965: Un dollaro bucato (Giorgio Ferroni); 1966: Vayas con Dios,

gringo (Edoardo Mulargia); I 2 figli di Ringo (Giorgio Simonelli); Il figlio di Django (Osvaldo Civirani); 1967: Pecos è qui: prega e muori (Maurizio Lucidi); Vado, l'ammazzo e torno (Enzo Girolami); La morte non conta i dollari (Riccardo Freda); Cjamango (Edoardo Mulargia); Non aspettare, Django, spara! (Edoardo Mulargia); Quella sporca storia nel West (Enzo Girolami); 7 winchester per un massacro (Enzo Girolami); 1968: El Zorro (Guido Zurli); Chiedi perdono a Dio, non a me (Vincenzo Musolino); I nipoti di Zorro (Marcello Ciorciolini); Joko, invoca Dio ... e muori! (Antonio Margheriti); Pagó cara su muerte (León Klimovsky); 1969: Quintana (Vincenzo Musolino); Ehi amico! C'è Sabata, hai chiuso! (Gianfranco Parolini); 1970: Reverendo Colt (León Klimovsky, Marino Girolami); Indio Black, sai che ti dico: sei un gran figlio di ... (Gianfranco Parolini); 1971: È tornato Sabata ... hai chiuso un'altra volta! (Gianfranco Parolini); Domani passo a salutare la tua vedova ... parola di Epidemia (Juan Bosch); 1973: Sette monache a Kansas City (Marcello Zeani); Carambola (Ferdinando Baldi); 1974: Der kleine Schwarze mit dem roten Hut (Franz Antel); 1975: Zanna Bianca e il cacciatore solitario; La Spacconata

Sancho, Fernando (Geburtsname: Fernando Casade Arambillet; geboren am 7.1.1916 in Zaragoza/Spanien; gestorben am 31.7.1990 in Madrid/Spanien): 1962: Bienvenido, padre Murray (Ramón Torrado); 1963: Tres hombres buenos (Joaquín Luis Romero Marchent); I tre spietati (Joaquín Luis Romero Marchent); Il segno del coyote (Mario Caiano); 1964: I sette del Texas (Joaquín Luis Romero Marchent); Minnesota Clay (Sergio Corbucci); Sfida a Rio Bravo (Tulio Demicheli); Los cuatreros (Ramón Torrado); Una pistola per Ringo (Duccio Tessari); Due mafiosi nel Far West (Giorgio Simonelli); 5.000 dollari sull'asso (Alfonso Balcázar); 1965: 100.000 dollari per Ringo (Alberto De Martino); L'uomo che viene da Canyon City (Alfonso Balcázar); L'uomo dalla pistola d'oro (Alfonso Balcázar); Il ritorno di Ringo (Duccio Tessari); I due sergenti del genrale Custer (Giorgio Simonelli); 1966: 7 pistole per i MacGregor (Franco Giraldi); Arizona Colt (Michele Lupo); Sette magnifiche pistole (Romolo Girolami); Dinamita Jim (Alfonso Balcázar); La resa dei conti (Sergio Sollima); 7 dollari sul rosso (Alberto Cardone); Per il gusto di uccidere (Tonino Valerii); Clint, il solitario (Alfonso Balcázar); Django spara per primo (Alberto De Martino); 1967: Wanted Johnny Texas (Emimmo Salvi); 10.000 dollari per un massacro (Romolo Girolami); Voltati ... ti uccido! (Alfonso Brescia); Little Rita nel west (Ferdinando Baldi); Killer Kid (Leopoldo Savona); Per 100.000 dollari ti ammazzo (Giovanni Fago); Un hombre y un Colt (Tulio Demicheli); Odio per odio (Domenico Paolella); 15 forche per un assassino (Nunzio Malasomma); Sangue chiama sangue (Luigi Capuano); 1968: Tutto per tutto (Umberto Lenzi); Carogne si nasce (Alfonso Brescia); Hora de morir (Joaquín Luis Romero Marchent); Requiem para el gringo (José Luis Merino); L'ira di Dio (Alberto Cardone); ... se incontri Sartana prega per la tua morte (Gianfranco Parolini); Ciccio perdona ... io no! (Marcello Ciorciolini); 20.000 dollari sporchi di sangue (Alberto Cardone); 1970: Prima ti perdono ... poi t'ammazzo (Juan Bosch); 1971: Sei gia cadavere amico ... ti cerca Garringo! (Juan Bosch); El más fabuloso golpe del Far-West (José Antonio de la Loma); Attento gringo ... è tornato Sabata! (Alfonso Balcázar); Los buitres cavarán tu fosa (Juan Bosch); 1972: Tutti fratelli nel West ... per parte di padre (Sergio Grieco); Il ritorno di Clint il solitario (Alfonso Balcázar, George Martin); Los fabulosos de Trinidad (Ignacio F. Iquino); La caza del oro (Juan Bosch); Il mio nome è Scopone e faccio sempre cappotto (Juan Bosch)

Sanz, Paco (Geburtsname: Francisco Sanz): 1964: Relevo para un pistolero (Ramón Torrado); I sette del Texas (Joaquín Luis Romero Marchent); Aventuras del Oeste (Joaquín Luis Romero Marchent); Una pistola per Ringo (Duccio Tessari); Los cuatreros (Ramón Torrado); 1965: Ocaso de un pistolero (Rafael Romero Marchent); I quattro inesorabili (Primo Zeglio); L'uomo che viene da Canyon City (Alfonso Balcázar); 100.000 dollari per Ringo (Alberto De Martino); Yankee (Tinto Brass); 100.000 dollari per Lassiter (Joaquín Luis Romero Marchent); 1967: ¡El hombre que mató a Billy el Niño! (Julio Buchs); Faccia a faccia (Sergio Sollima); Dio perdona ... io no! (Giuseppe Colizzi); Se sei vivo spara (Giulio Questi); Un minuto per pregare, un istante per morire (Franco Giraldi); 1968: Tepepa (Giulio Petroni); Ad uno ad uno ... spietatamente (Rafael Romero Marchent); 20.000 dollari sporchi di sangue (Alberto Cardone); 1969: Il prezzo del potere (Tonino Valerii); 1970: Una nuvola di polvere ... un grido di morte ... arriva Sartana (Giuliano Carnimeo); Un par de asesinos (Rafael Romero Marchent); 1971: Amico, stammi lontano almeno un palmo ... (Michele Lupo); In nome del padre, del figlio e della colt (Mario Bianchi); Anda muchacho, spara! (Aldo Florio); 1973: Il mio nome è Shangai Joe (Mario Caiano)

Savalas, Telly (Geburtsname: Aristotélès Savalas; geboren am 21.1.1924 in Garden City, Long Island, New York/USA; gestorben am 22.1.1994 in Universal City, Kalifornien/USA): 1968: Land Raiders (Nathan H. Juran) 1971: A town called Hell (Robert Parrish); El desafío de

Pancho Villa (Eugenio Martín); 1972: Una ragione per vivere e una per morire (Tonino Valerii); La banda J. & S. cronaca criminale del Far West (Sergio Corbucci)

Saxson, Glenn (Geburtsname: Roel Bos; geboren am 5.3.1942 in Den Haag/Holland): 1966: Django spara per primo (Alberto De Martino); Vaya con Dios, gringo! (Edoardo Mulargia) 1967: Il magnifico Texano (Luigi Capuano); 1968: Carogne si nasce (Alfonso Brescia); Il lungo giorno del massacro (Alberto Cardone)

Scott, Gordon (Geburtsname: Gordon M. Werschkul; geboren am 3.8.1927 in Portland, Oregon/USA): 1963: Buffalo Bill, l'eroe del Far West (Mario Costa); 1965: Gli uomini dal passo pesante (Alfredo Antonini, Mario Sequi)

Scotti, Andrea (Pseudonym: **Andrew Scott**): 1963: I tre spietati (Joaquín Luis Romero Marchent); Old Shatterhand (Hugo Fregonese); Il segno del coyote (Mario Caiano); Buffalo Bill, l'eroe del Far West (Mario Costa); 1964: I due violenti (Primo Zeglio); 1965: Un dollaro bucato (Giorgio Ferroni); 1966: Starblack (Giovanni Grimaldi); Il figlio di Django (Osvaldo Civirani); 1967: Per 100.000 dollari ti ammazzo (Giovanni Fago); Le due facce del dollaro (Roberto Bianchi Montero); Lola Colt (Siro Marcellini); Lo voglio morto (Paolo Bianchini); Preparati la bara! (Ferdinando Baldi); 1968: Una pistola per cento bare (Umberto Lenzi); ... se incontri Sartana prega per la tua morte (Gianfranco Parolini); T'ammazzo! ... raccomandati a Dio (Osvaldo Civirani); 1970: Shango la pistola infallibile (Edoardo Mulargia); Indio Black, sai che ti dico: sei un gran figlio di ... (Gianfranco Parolini); 1971: Il venditore di morte (Enzo Gicca Palli); 1972: I 2 figli dei Trinità (Osvaldo Civirani)

Scratuglia, Ivan Giovanni (Pseudonyme: **Ivan Andrews, Giovanni Ivan Scratuglia, Ivan G. Scratuglia**): 1965: Perché uccidi ancora? (Edoardo Mulargia, José Antonio de la Loma); Gli uomini dal passo pesante (Alfredo Antonini, Mario Sequi); 1966: I lunghi giorni della vendetta (Florestano Vancini); Dinamita Jim (Alfonso Balcázar); Texas, addio (Ferdinando Baldi); Django (Sergio Corbucci); Thompson 1880 (Guido Zurli); I crudeli (Sergio Corbuc-

Aldo Sambrell

Pedro Sanchez

Fernando Sancho

Gordon Scott

ci); Killer calibro 32 (Alfonso Brescia); Il figlio di Django (Osvaldo Civirani); El Rojo (Leopoldo Savona); 1967: ... e venne il tempo di uccidere (Vincenzo Dell'Aquila); Ognuno per se (Giorgio Capitani); Dio li crea ... io li ammazzo! (Paolo Bianchini); Vivo per la tua morte (Camillo Bazzoni); Lola Colt (Siro Marcellini); Faccio a faccia (Sergio Sollima); Al di là della legge (Giorgio Stegani); Ballata per un pistolero (Alfio Caltabiano); Il bello, il brutto, il cretino (Giovanni Grimaldi); Le due facce del dollaro (Roberto Bianchi Montero); Un minuto per pregare, un istante per morire (Franco Giraldi); 15 forche per un assassino (Nunzio Malasomma); Preparati la bara! (Ferdinando Baldi); I vigliacchi non pregano (Mario Siciliano); 1968: Chiedi perdono a Dio, non a me (Vincenzo Musolino); ... e per tetto un cielo di stelle (Giulio Petroni); Vendetta per vendetta (Mario Colucci); Tutto per tutto (Umberto Lenzi); Sapevano solo uccidere (Tanio Boccia); I tre che sconvolsero il West (Enzo Girolami); Black Jack (Gianfranco Baldanello); Quel caldo maledetto giorno di fuoco (Paolo Bianchini); Execution (Domenico Paolella); C'era una volta il West (Sergio Leone)

Serato, Massimo (Pseudonym: **John Barracuda**; Geburtsname: Giuseppe Segato; geboren am 31.5.1916 in Oderzo, Veneto/Italien; gestorben am 22.12.1989 in Rom/Italien): 1963: L'invincibile cavaliere mascherato (Umberto Lenzi); 1964: Sfida a Rio Bravo (Tulio Demicheli); 1965: 100.000 dollari per Ringo (Alberto De Martino); 1967: Il bello, il brutto, il cretino (Giovanni Grimaldi); Il magnifico texano (Luigi Capuano); 1970: Una nuvola di polvere ... un grido di morte ... arriva Sartana (Giuliano Carnimeo); 1971: Uomo avvisato mezzo ammazzato ... parola di Spirito Santo (Giuliano Carnimeo); Anda muchacho, spara! (Aldo Florio)

Sernas, Jacques (geboren am 30.7.1925 in Kaunas/Litauen): 1966: Per pochi dollari ancora (Giorgio Ferroni)

Southwood, Charles (geboren am 30.08.1937 in Los Angeles, Kalifornien/USA): 1967: Straniero ... fatti, il segno della croce! (Demofilo Fidani); 1968: ... dai nemici mi guardo io! (Mario Amendola); 1970: C'è Sartana ... vendi la pistola e comprati la bara! (Giuliano Carnimeo); Roy Colt e Winchester Jack (Mario Bava); 1971: Testa t'ammazzo, croce ... sei morto, mi chiamano Alleluja (Giuliano Carnimeo)

Spencer, Bud (Geburtsname: Carlo Pedersoli; geboren am 31.10.1929 in Neapel/Italien): 1967: Dio perdona ... io no! (Giuseppe Colizzi); Al di là della legge (Giorgio Stegani); Oggi a me ... domani a te (Tonino Cervi); 1968: I quattro dell'Ave Maria (Giuseppe Colizzi); 1969: Un esercito di 5 uomini (Don Taylor, Italo Zingarelli); La collina degli stivali (Giuseppe Colizzi); 1970: Lo chiamavano Trinità (Enzo Barboni); 1971: Continuavano a chiamarlo Trinità (Enzo Barboni); Si può fare ... amigo! (Maurizio Lucidi); 1972: Una ragione per vivere e una per mori-

re (Tonino Valerii); 1980: Occhio alla penna (Michele Lupo); 1994: Botte di Natale (Terence Hill)

Steel, Alan (Pseudonym: **John Wyler**; Geburtsname: Sergio Ciani): 1964: Sansone e il tesoro degli Incas (Piero Pierotti); 1968: Sapevano solo uccidere (Tanio Boccia); 1972: Küçük kovboy (Guido Zurli)

Stefanelli, Benito: (Pseudonym: **Benny Reeves**); 1964: Per un pugno di dollari (Sergio Leone); 1965: Un dollaro bucato (Giorgio Ferroni); Per qualche dollaro in più (Sergio Leone); 100.000 dollari per Lassiter (Joaquín Luis Romero Marchent); 1966: La resa dei conti (Sergio Sollima); Il buono, il brutto, il cattivo (Sergio Leone); I crudeli (Sergio Corbucci); Per pochi dollari ancora (Giorgio Ferroni); 1967: Gentleman Jo ... uccidi! (Giorgio Stegani); I giorni dell'ira (Tonino Valerii); 1968: Il pistolero segnato da Dio (Giorgio Ferroni); ... e per tetto un cielo di stelle (Giulio Petroni); C'era una volta il West (Sergio Leone); 1969: Il prezzo del potere (Tonino Valerii); 1971: Giù la testa (Sergio Leone); Continuavano a chiamarlo Trinità (Enzo Barboni); 1972: Una ragione per vivere e una per morire (Tonino Valerii); 1973: Il mio nome è Nessuno (Tonino Valerii)

Steffen, Anthony (Geburtsname: Antonio De Teffè; geboren am 21.07.1929 in Rom/Italien; gestorben am 04.06.2004 in Rio de Janeiro, Brasilien): 1965: Der letzte Mohikaner (Harald Reinl); Una bara per lo sceriffo (Mario Caiano); Perché uccidi ancora? (Edoardo Mulargia, José Antonio de la Loma); 1966: Pochi dollari per Django (León Klimovsky, Enzo Girolami); Mille dollari sul nero (Alberto Cardone); 7 dollari sul rosso (Alberto Cardone); Ringo, il volto della vendetta (Mario Caiano); 1967: Un treno per Durango (Mario Caiano); Killer Kid (Leopoldo Savona); Gentleman Jo ... uccidi! (Giorgio Stegani); 1968: Il suo nome gridava vendetta (Mario Caiano); ¿Quién grita venganza? (Rafael Romero Marchent); Il pistolero segnato da Dio (Giorgio Ferroni); Una lunga fila di croci (Sergio Garrone); Garringo (Rafael Romero Marchent); 1969: Django il bastardo (Sergio Garrone); 1970: Shango la pistola infallibile (Edoardo Mulargia); Reza por tu alma ... y muere (Tulio Demicheli); Arizona si scatenò ... e li fece fuori tutti (Sergio Martino); Un uomo chiamato Apocalisse Joe (Leopoldo Savona); Uccidi, Django ... uccidi per primo! (Sergio Garrone); 1971: W Django (Edoardo Mulargia); 1972: La caza del oro (Juan Bosch); Tequila! (Tulio Demicheli); Il mio nome è Scopone e faccio sempre cappotto (Juan Bosch)

Steiger, Rod (geboren am 14.4.1925 in Westhampton, New York/USA; gestorben am 9.7.2002 in Los Angeles/USA): 1971: Giù la testa (Sergio Leone)

Stoppa, Paolo (geboren am 6.6.1906 in Rom/Italien; gestorben am 1.5.1988 in Rom/Italien): 1968: C'era una volta il West (Sergio Leone)

Strano, Dino (Pseudonym: **Dean Stratford**): 1966: I 2 figli di Ringo (Giorgio C. Simonelli); Thompson 1880 (Guido Zurli); Vayas con Dios, gringo (Edoardo Mulargia); 1967: Cjamango (Edoardo Mulargia); El desperado (Franco Rossetti); La morte non conta i dollari (Riccardo Freda); Non aspettare, Django, spara! (Edoardo Mulargia); Straniero ... fatti il segno della croce! (Demofilo Fidani); 1968: Chiedi perdono a Dio, non a me (Vincenzo Musolino); Passa Sartana, è l'ombra della tua morte (Demofilo Fidani); 1969: Ciakmull, l'uomo della vendetta (Enzo Barboni); La collina degli stivali (Giuseppe Colizzi); Quintana (Vincenzo Musolino); 1970: Quel maledetto giorno d'inverno (Demofilo Fidani); Il tredicesimo è sempre Giuda (Giuseppe Vari); 1971: Era Sam Wallash ... lo chiamavano Così Sia (Demofilo Fidani); Giù le mani ... carogna! – Django Story (Demofilo Fidani); Prega il morto e ammazza il vivo (Giuseppe Vari); Rimase uno solo e fu la morte per tutti (Edoardo Mulargia); Se t'incontro t'ammazzo (Gianni Crea); 1973: Allegri becchini ... arriva Trinità (Ferdinando Merighi); ... E il terzo giorno arrivò il Corvo (Gianni Crea)

Strode, Woody (geboren am 28.7.1914 in Los Angeles, Kalifornien/USA; gestorben am 31.12.1994 in Glendora, Kalifornien/USA): 1968: C'era una volta il West (Sergio Leone); Shalako (Edward Dmytryk); 1969: La collina degli stivali (Giuseppe Colizzi); Ciakmull, l'uomo della vendetta (Enzo Barboni); 1970: La spina dorsale del diavolo (Burt Kennedy, Niksa Fulgozi); 1976: Keoma (Enzo Girolami)

Stuart, Giacomo Rossi (Pseudonyme: **Jack Stuart, Jack Stewart, Jack Rossi Stuart**; geboren am 25.8.1931 in Todi/Italien; gestorben am 20.10.1994 in Rom/Italien): 1963: Gringo (Ricardo Blasco); 1964: I magnifici Brutos del West (Marino Girolami); 5.000 dollari sull'asso (Alfonso Balcázar); Massacro al Grande Canyon (Alfredo Antonini, Sergio Corbucci); 1965: Duell vor Sonnenuntergang (Leopoldo Lahola); Deguejo (Giuseppe Vari); 1968: El Zorro (Guido Zurli); 1969: Un esercito di 5 uomini (Don Taylor, Italo Zingarelli); 1970: Uccidi, Django ... uccidi per primo! (Sergio Garrone); 1971: Sei jellato amico, hai incontrato Sacramento (Giorgio Cristallini); Amico,

stammi lontano almeno un palmo ... (Michele Lupo); 1973: Il mio nome è Shangai Joe (Mario Caiano); 1974: Zorro (Duccio Tessari)

Suarez, José (geboren 1919 in Trueba, Asturias/Spanien; gestorben am 6.8.1981 in Moreda, Oviedo/Spanien): 1963: El Llanero (Jesús Franco); 1966: Texas, addio (Ferdinando Baldi); 1969: Il pistolero dell'Ave Maria (Ferdinando Baldi); Il prezzo del potere (Tonino Valerii); 1972: Una ragione per vivere e una per morire (Tonino Valerii)

Testi, Fabio (Pseudonym: **Stet Carson**; geboren am 2.8.1941 in Peschiera del Garda/Italien): 1967: Straniero ... fatti il segno della croce! (Demofilo Fidani); 1970: Quel maledetto giorno d'inverno (Demofilo Fidani); 1971: Anda muchacho, spara! (Aldo Florio); 1973: Dieci bianchi uccisi da un piccolo indiano (Gianfranco Baldanello); 1975: Giubbe rosse (Aristide Massaccesi); I quattro dell'Apocalisse (Lucio Fulci); 1978: Amore, piombo e furore (Monte Hellman)

Todd, Sean (Geburtsname: Ivan Rassimov; geboren am 7.5.1938 in Triest/Italien; gestorben am 13.03.2003 in Rom/Italien): 1967: Cjamango (Edoardo Mulargia); Se vuoi vivere ... spara! (Sergio Garrone); Non aspettare, Django, spara! (Edoardo Mulargia); I vigliacchi non pregano (Mario Siciliano); 1971: La vendetta è un piatto che si serve freddo (Pasquale Squitieri)

Torres, José: (Pseudonym: **John Torres**); 1965: 30 Winchester per El Diablo (Gianfranco Baldanello); Perché uccidi ancora? (José Antonio de la Loma, Edoardo Mulargia); Il ritorno di Ringo (Duccio Tessari); Deguejo (Giuseppe Vari); 1966: La resa dei conti (Sergio Sollima); 1967: Faccia a faccia (Sergio Sollima); Un poker di pistole (Giuseppe Vari); Vado, l'ammazzo e torno (Enzo Girolami); Preparati la bara! (Ferdinando Baldi); Da uomo a uomo (Giulio Petroni); 1968: Tutto per tutto (Umberto Lenzi); Corri uomo corri (Sergio Sollima); Tepepa (Giulio Petroni); 1969: Un esercito di 5 uomini (Don Taylor, Italo Zingarelli); Dio perdoni la mia pistola (Mario Gariazzo, Leopoldo Savona); Sono Sartana, il vostro becchino (Giuliano Carnimeo); Django sfida Sartana (Pasquale

Glenn Saxson

Bud Spencer

Anthony Steffen

Rod Steiger

Squitieri); 1970: Arriva Durango: pago o muori (Roberto Bianchi Montero); 1971: ... e lo chiamarono Spirito Santo (Roberto Mauri); Spara Joe ... e così sia! (Emilio Miraglia); Seminoò morte ... lo chiamavano il castigo di Dio! (Roberto Mauri); 1972: Spirito santo e le 5 magnifiche canaglie (Roberto Mauri)

Trintignant, Jean-Louis (geboren am 11.12.1930 in Piolenc/Frankreich): 1968: Il grande silenzio (Sergio Corbucci)

Ungaro, Goffredo: (Pseudonym: **Freddy Unger**); 1968: Black Jack (Gianfranco Baldanello); Joko, invoca Dio ... e muori! (Antonio Margheriti); 1969: O'Cangaçeiro (Giovanni Fago); 1971: Uomo avvisato mezzo ammazzato ... parola di Spirito Santo (Giuliano Carnimeo); Anda muchacho, spara! (Aldo Florio); 1972: Il West ti va stretto amico ... è arrivato Alleluja (Giuliano Carnimeo); I 2 figli dei Trinità (Osvaldo Civirani); 1980: Comin' at Ya! (Ferdinando Baldi)

Vadis, Dan (Geburtsname: Constantine Daniel Vafiadis; geboren am 3.1.1938 in Shanghai/China; gestorben am 11.6.1987 in Lancaster, Kalifornien/USA): 1963: Die Flußpiraten vom Mississippi (Jürgen Roland); 1965: Deguejo (Giuseppe Vari); 1966: Per pochi dollari ancora (Giorgio Ferroni); 1967: Un uomo, un cavallo, una pistola (Luigi Vanzi); 1969: Dio perdoni la mia pistola (Mario Gariazzo, Leopoldo Savona)

Valli, Romolo (geboren am 7.2.1925 in Reggio nell'Emilia/Italien; gestorben am 1.2.1980 in Rom/Italien): 1971: Giù la testa (Sergio Leone)

Van Cleef, Lee (geboren am 9.1.1925 in Somerville, New Jersey/USA; gestorben am 16.12.1989 in Oxnard, Kalifornien/USA): 1965: Per qualche dollaro in più (Sergio Leone); 1966: Il buono, il brutto, il cattivo (Sergio Leone); La resa dei conti (Sergio Sollima); 1967: I giorni dell'ira (Tonino Valerii); Al di là della legge (Giorgio Stegani); Da uomo a uomo (Giulio Petroni); 1969: Ehi amico! C'è Sabata, hai chiuso! (Gianfranco Parolini); 1971: Captain Apache (Alexander Singer); È tornato Saba-

ta ... hai chiuso un'altra volta! (Gianfranco Parolini); El hombre de Rio Malo (Eugenio Martín); 1972: Il grande duello (Giancarlo Santi); 1974: Là dove non batte il sole (Antonio Margheriti); 1975: La parola di un fuorilegge ... è legge! (Antonio Margheriti); 1976: Diamante Lobo (Gianfranco Parolini); Kid Vengeance (Joseph Manduke)

Van Husen, Dan (geboren am 30.04.1949 in Deutschland): 1968: I fratelli di Arizona (Luciano B. Carlos); 1969: Quei disperati che puzzano di sudore e di morte (Julio Buchs); Vivi o preferibilmente morti (Duccio Tessari); 1970: Arizona si scatenò ... e li fece fuori tutti! (Sergio Martino); La muerte busca un hombre (José Luis Merino); Una nuvola di polvere ... un grido di morte ... arriva Sartana (Giuliano Carnimeo); 1971: Captain Apache (Alexander Singer); Catlow (Sam Wanamaker); Condenados a vivir (Joaquín Luis Romero Marchent); El desafío de Pancho Villa (Eugenio Martín); El hombre de Rio Malo (Eugenio Martín); Viva la muerte ... tua! (Duccio Tessari); 1972: Alleluja e Sartana figli ... di Dio (Mario Siciliano); La banda J. & S. cronaca criminale del Far West (Sergio Corbucci); 1973: Verflucht dies Amerika (Volker Vogeler); 1974: Il bianco, il giallo, il nero (Sergio Corbucci); 1975: Cipolla Colt (Enzo Girolami); Potato Fritz (Peter Schamoni);

Van Nutter, Rik (Pseudonym: **Clyde Rogers**; geboren 1930): 1964: Aventuras del Oeste (Joaquín Luis Romero Marchent); 1966: Joe l'implacabile (Antonio Margheriti)

Venantini, Venantino (geboren am 17.4.1930 in Fabriano, Ancona/Italien): 1967: Bandidos (Massimo Dallamano); 1968: L'odio è il mio Dio (Claudio Gora); 1976: Una donna chiamata Apache (Giorgio Mariuzzo)

Vitelli, Simonetta (Pseudonym: **Simone Blondell**): 1967: Prega Dio ... e scavati la fossa! (Edoardo Mulargia); Straniero ... fatti il segno della croce! (Demofilo Fidani); 1968: Passa Sartana, è l'ombra della tua morte (Demofilo Fidani); 1969: ... e vennero in quattro per uccidere Sartana! (Demofilo Fidani); 1970: Arrivano Django e Sartana ... è la fine! (Demofilo Fidani); Inginocchiati straniero ... i cadaveri non fanno ombra! (Demofilo

Woody Strode

Fabio Testi

Jean Luis Trintignant

Lee Van Cleef

Fidani); Quel maledetto giorno d'inverno (Demofilo Fidani); 1971: Era Sam Wallash ... lo chiamavano Così Sia (Demofilo Fidani); Per una bara piena di dollari (Demofilo Fidani); W Django (Edoardo Mulargia); 1973: Amico mio ... frega tu che frego io! (Demofilo Fidani)

Volonté, Gian Maria (Pseudonym: **John Wells**; geboren am 9.4.1933 in Mailand/Italien; gestorben am 6.12.1994 in Florina/Griechenland): 1964: Per un pugno di dollari (Sergio Leone); 1965: Per qualche dollaro in più (Sergio Leone); 1966:Quien sabe? (Damiano Damiani); 1967: Faccia a faccia (Sergio Sollima)

Wallach, Eli (geboren am 7.12.1915 in Brooklyn, New York/USA): 1966: Il buono, il brutto, il cattivo (Sergio Leone); 1968: I quattro dell'Ave Maria (Giuseppe Colizzi); 1971: Viva la muerte ... tua! (Duccio Tessari); 1974: Il bianco, il giallo, il nero (Sergio Corbucci)

Wang, George: 1966: Per il gusto di uccidere (Tonino Valerii); El Cisco (Sergio Bergonzelli); 1967: Una colt in pugno al diavolo (Sergio Bergonzelli); 1968: Tepepa (Giulio Petroni); 1970: Buon funerale amigos! ... paga Sartana (Giuliano Carnimeo); Uccidi, Django ... uccidi per primo! (Sergio Garrone); 1972: La lunga cavalcata della vendetta (Tanio Boccia); Jesse & Lester due fratelli in un posto chiamato Trinità (Renzo Genta); 1973: Il mio nome è Shangai Joe (Mario Caiano)

Welles, Orson (geboren am 6.5.1915 in Kenosha, Wisconsin/USA; gestorben am 10.10.1985 in Hollywood, Kalifornien/USA): 1968: Tepepa (Giulio Petroni)

Wolff, Frank (geboren am 11.5.1928 in San Francisco, Kalifornien/USA; gestorben am 12.12.1971 in Rom/Italien): 1965: Cinco pistolas de Texas (Juan Xiol Marchel); 1966:

Pochi dollari per Django (León Klimovsky, Enzo Girolami); Un dollaro tra i denti (Luigi Vanzi); Ringo, il volto della vendetta (Mario Caiano); 1967: Il tempo degli avvoltoi (Fernando Cicero); Dio perdona ... io no! (Giuseppe Colizzi); 1968: C'era una volta il West (Sergio Leone); I tre che sconvolsero il West (Enzo Girolami); Ammazzali tutti e torno solo (Enzo Girolami); Il grande silenzio (Sergio Corbucci); 1969: Sono Sartana, il vostro becchino (Giuliano Carnimeo)

Wood, Ken (Geburtsname: Giovanni Cianfriglia): 1965: Gli uomini dal passo pesante (Alfredo Antonini, Mario Sequi); Johnny Oro (Sergio Corbucci); 1966: I 5 della vendetta (Aldo Florio); 1967: Killer Kid (Leopoldo Savona); Se vuoi vivere ... spara! (Sergio Garrone); 1968: All'ultimo sangue (Paolo Moffa); Ammazzali tutti e torna solo (Enzo Girolami); Tre croci per non morire (Sergio Garrone); Il pistolero segnato da Dio (Giorgio Ferroni); 1969: La sfida dei MacKenna (León Klimovsky); Ehi amico! C'è Sabata, hai chiuso! (Gianfranco Parolini); 1970: Indio Black, sai che ti dico: sei un gran figlio di ... (Gianfranco Parolini); 1971: W Django (Edoardo Mulargia); Blindman (Ferdinando Baldi); I senza Dio (Roberto Bianchi Montero); Amico, stammi lontano almeno un palmo ... (Michele Lupo); 1972: Spirito Santo e le 5 magnifiche canaglie (Roberto Mauri); La vita a volte è molto dura, vero Provvidenza? (Giulio Petroni); 1976: Keoma (Enzo Girolami)

Woods, Robert (geboren am 19.7.1936): 1964: 5.000 dollari sull'asso (Alfonso Balcázar); 1965: L'uomo che viene da Canyon City (Alfonso Balcázar); Quattro dollari di vendetta (Jaime Jesús Balcázar); 1966: 2 once di piombo (Maurizio Lucidi); Starblack (Giovanni Grimaldi); 7 pistole per i MacGregor (Franco Giraldi); 1967: Pecos è qui: prega e muori (Maurizio Lucidi); 1968: The Belle Starr story (Lina Wertmüller); Quel caldo maledetto giorno di fuoco (Paolo Bianchini); Black Jack (Gianfranco Baldanello); 1969: La taglia è tua ... l'uomo l'ammazzo io (Edoardo Mulargia); La sfida dei MacKenna (León Klimovsky); 1971: Il mio nome è Mallory »M« come morte (Mario Moroni); Un colt por 4 cirios (Ignacio F. Iquino);

Venantino Venantini

Orson Welles

Robert Woods

Frank Wolff

475

Era Sam Wallash ... lo chiamavano Così Sia (Demofilo Fidani); 1973: Hai sbagliato ... dovevi uccidermi subito! (Mario Bianchi); 1975: Zanna Bianca e il cacciatore solitario; La Spacconata

Zamperla, Nazzareno: (Pseudonym: **Nick Anderson**): 1964: Una pistola per Ringo (Duccio Tessari); 1965: Un dollaro bucato (Giorgio Ferroni); 1966: 7 pistole per i MacGregor (Franco Giraldi); 1967: 7 donne per i MacGregor (Franco Giraldi); Sette pistole per un massacro (Mario Caiano); 1969: La collina degli stivali (Giuseppe Colizzi); 1974: Il bianco, il giallo, il nero (Sergio Corbucci); 1975: Cipolla Colt (Enzo Girolami); 1977: Sella d'argento (Lucio Fulci)

Zuanelli, Marco: 1968: C'era una volta il West (Sergio Leone); 1969: Ehi amico! C'è Sabata, hai chiuso!; 1970: C'è Sartana ... vendi la pistola e comprati la bara! (Giuliano Carnimeo); L'oro dei Bravados (Renato Savino); 1971: Lo chiamavano King (Giancarlo Romitelli, Renato Savino)

MANIPULATOREN DER GEWALT

1. Die Regisseure – Biografien und Interviews

ENZO BARBONI

E. B. Clucher, geboren am 10.07.1922 in Rom;
gestorben am 23.03.2002 in Rom

Enzo Barboni diente ab 1942 zunächst als Kriegsbe-richterstatter an der deutsch-russischen Front. Danach arbeitete er sich vom einfachen Kameramann zum Chef-operateur empor, wo er zuerst mit Kollegen wie dem Tschechen Václav Vich und später für Leute wie Giusep-pe Rotunno und Robert Krasker arbeitete. Ab 1961 war Barboni nur noch als Chefkameramann tätig, wo er unter anderem für Sergio Corbucci zuerst einige Sandalenfilme und danach einige bemerkenswerte Italo-Western wie den Film »I crudeli« (»Die Grausamen«) sowie den Klassiker »Django« drehte.

Ab 1970 startete Barboni unter seinem Pseudonym E. B. Clucher seine Karriere als Regisseur und inszenierte mit seinem ersten Film »Ciakmull« [1970] (»Django und die Nacht der langen Messer«) noch einen Italo-Western der harten Sorte, bevor ihm dann mit den Megahits »Lo chia-mavano Trinità« [1970] (»Die rechte und die linke Hand des Teufels«) sowie »Continuavano a chiamarlo Trinità« [1971] (»Vier Fäuste für ein Halleluja«) mit Bud Spencer und Terence Hill in den Hauptrollen der große Durchbruch gelang. Er konzentrierte sich danach auf weitere Western- und andere Komödien, in denen er sehr oft wieder auf das erfolgreiche Spencer/Hill-Duo zurückgriff, jedoch auch mit einem weiteren Italo-Western-Star, Giuliano Gemma, Komödien drehte.

1994 versuchte er leider vergeblich, nochmals die Magie der erfolgreichen »Trinity«-Filme zurückzubringen in dem Film »Trinità & Bambino« (»Trinity & Babyface – Vier Fäuste gehen zum Teufel«), was sowohl an einer nicht besonders originellen Geschichte als auch an den völlig unbekannten Darstellern lag.

GIUSEPPE COLIZZI

(geboren 1925 in Rom;
gestorben am 23.08.1978 in Rom)

Nach seinem Studienabbruch begann Colizzi zunächst in der Welt umherzureisen und seine Erlebnisse in seinen ersten Roman einfließen zu lassen. Anfang der 50er Jahre kehrte er dann nach Rom zurück, um als Schriftsteller zu arbeiten. Schon sehr bald fand er heraus, dass im Rom der damaligen Zeit viel Arbeit für kreative Drehbuchautoren vorhanden war. Er gab sich jedoch sehr bald nicht mehr mit dem Schreiben zufrieden und arbeitete auch in an-deren Funktionen wie Aufnahmeleiter und ausführender Produzent an einer Reihe von Filmen mit. Im Jahr 1966 gelang ihm dann mit dem Drehbuch für »Dio perdona ...

Io no« (»Gott vergibt – Django nie«) der große Wurf und es wurde ihm sogar die Chance gegeben, diesen Film selbst in Szene zu setzen. Auf Grund des riesigen Erfolgs dieses Films hatte er keine Probleme, auch die beiden Quasi-Fort-setzungsfilme »I quattro dell'Ave Maria« (»Vier für ein Ave Maria«) und »La collina degli stivali« (»Hügel der blutigen Stiefel«) finanziert zu bekommen, die beide auch sehr er-folgreich waren. Coluzzi hat bereits in diesen frühen Jahren das komödiantische Talent von Bud Spencer und Terence Hill entdeckt, aus denen Enzo Barboni einige Jahre später dann das Super-Duo des italienischen Films machte. Nach diesen erfolgreichen Western drehte Colizi nur noch die Komödie »Arrivano Joe e Margherito« (»J & M – Dynamit in der Schnauze«), bevor er eine italienische Fernsehstation kaufte und aus seinen Erlebnissen das Drehbuch »Switch« entwickelte. Leider verstarb er schon wenig später im Alter von nur 53 Jahren an einem Herzleiden.

SERGIO CORBUCCI

(geboren am 06.12.1927 in Rom;
gestorben am 01.12.1990 in Rom)

Vor seinem Einstieg in die Filmbranche hat Sergio Corbucci in Rom Wirtschaftswissenschaften studiert, begann dann jedoch nach Kriegsende, als Filmkritiker zu arbeiten. Kurze Zeit später begann er als Regieassistent sein späteres Hand-werk zu lernen. Schon im Alter von nur 25 Jahren drehte er seinen ersten Spielfilm »Salvate mia figlia« und inszenierte dann für die nächsten zwölf Jahre Dramen, Komödien und Sandalenstreifen, bevor er mit dem 1963 gedrehten »Massacro al Grande Canyon« (»Keinen Cent für Ringos Kopf«) einen der ersten Italo-Western überhaupt schuf, noch ein Jahr vor Leones Erstlingswerk »Per un pugno di dollari« (»Für eine Handvoll Dollar«).

Mit seinen Spitzenwerken des Genres, angefangen von »Django« über »Il Mercenario« (»Mercenario, der Gefürch-tete«) bis hin zu »Il grande silenzio« (»Leichen pflastern seinen Weg«) und »Vamos a matar, compañeros« (»Laßt uns töten, compañeros«) etablierte sich Sergio Corbucci dann zusammen mit Sergio Leone als Meister des Italo-Western. Nach der Blütezeit des Italo-Western verlegte sich Sergio Corbucci dann auf klamaukhafte Komödien, die er leider weder stilsicher noch besonders gekonnt beherrschte.

Sergio Corbuccis jüngerer Bruder Bruno Corbucci, ge-boren am 23.10.1931 in Rom, hat mit »Spara, Gringo, spara« ebenfalls einen ernsthaften Italo-Western inszeniert, verlegte dann aber seinen Schwerpunkt auf Komödien aller Art und konnte mit den in Deutschland sehr erfolgreichen »Tony Marroni«-Filmen mit dem einstigen Italo-Western-Star Tomás Milian einige Erfolge verbuchen.

INTERVIEW MIT ENZO GIROLAMI

Wir trafen Enzo G. Castellari alias Enzo Girolami und seinen Sohn Andrea am 18. Juli 2002 um 16.00 Uhr in seinem Büro in Rom.

Erzählen Sie uns doch einmal aus Ihrer Sicht den Beginn des italienischen Western!

Alles fing damals in Deutschland an mit den Verfilmungen der Westerngeschichten des Autors Karl May. Pierre Brice war seit Anfang der 60er Jahre bereits in einer Anzahl von italienischen Filmen zu sehen, z.B. in »I piaceri del sabato notte« (»Call Girls«) oder »Akiko«, als sich Produzent Horst Wendlandt im Jahr 1962 dazu entschloss, ein Risiko einzugehen und mit Pierre Brice in der Rolle des Winnetou und Lex Barker in der Rolle des Old Shatterhand einen großen deutschen Western mit dem Titel »Der Schatz im Silbersee« zu produzieren.

Nach dem unglaublichen Erfolg dieses Films dauerte es nicht lange, bis sich einige geschäftstüchtige italienische Produzenten dazu entschlossen, zusammen mit spanischen Partnern ebenfalls eigene Western zu produzieren. Ich arbeitete dann in Barcelona selber als Assistent an einigen dieser Western, die dort in den Balcazar Studios entstanden. Die beiden Balcazar-Brüder waren sehr intelligent, denn sie fanden einen Weg mit sehr wenig Geld erfolgreiche Filme zu produzieren.

Eines meiner ersten Westernerlebnisse war als Assistent für den Regisseur José Luis Madrid für dessen Western »La spietata Colt del Gringo« (»Die ganze Meute gegen mich«) mit dem Darsteller Luigi Giuliani, der kurz zuvor mit Sophia Loren in der Vittoria De Sica-Episode »La Riffa« des Episodenfilms »Boccaccio '70« zu sehen war. Luigi Giuliani zog sich nach wenigen Filmen aus der Schauspielerei zurück, um ins Modegeschäft einzusteigen, mit dem er es dann zu beachtlichem Reichtum brachte. In einem Restaurant des Balcazar Hotels in Barcelona traf ich dann zufällig den Regisseur Alberto

Enzo Girolami mit dem Autor dieses Buches

De Martino, der gerade seinen ersten Western mit dem Titel »100.000 dollari per Ringo« mit dem Amerikaner Richard Harrison in der Hauptrolle abgedreht hatte.

Dieser Film wurde ein großer Erfolg und auch andere Produzenten begannen sich für diesen Regisseur zu interessieren. Ich fragte ihn, ob ich für ihn arbeiten könnte und er sagte mir, Giorgio Ubaldi arbeite bereits für ihn als Stunt-Koordinator und Assistant Director. Ich fragte ihn, ob ich für Ubaldi einspringen könnte, falls er einmal nicht zur Verfügung stünde, und De Martina hatte nichts einzuwenden. Er rief mich eines Tages in Rom an, da er gerade von Edmondo Amati den Auftrag für einen neuen Western mit dem Titel »Django spara per primo« (»Django – nur der Colt war sein Freund«) mit Giuliano Gemma erhalten hatte.

Ich erinnere mich noch an das Meeting in Edmondo Amatis Büro, als Edmondo zu Giuliano Gemma sagte: »Merke dir, Giuliano, das ist Alberto De Martinos Film!«, worauf Giuliano antwortete: »Nein, ich mache nur Giuliano-Gemma-Filme!«, worauf De Martino zu Amati sagte, er bräuchte nur ein gutes Gesicht, er könne diesen Western mit jedem Darsteller machen, der halbwegs gut aussähe. Die Wahl fiel schließlich auf den Holländer Glenn Saxson. Leider war er überhaupt nicht athletisch, weshalb ich gleich einen Spitznamen für ihn gefunden hatte: »Led Ass« (Blei-Arsch). Ich habe damals vergeblich versucht ihm beizubringen auf ein Pferd zu springen, leider ohne Erfolg. Er war auch kein besonders guter Schauspieler, hatte nur ein hübsches Gesicht. Zur selben Zeit machte Giuliano Gemma mit Giorgio Ferroni den Western »Per pochi dollari ancora« (»Tampeko«), der ebenfalls von Edmondo Amati produziert wurde.

Als ich die Dreharbeiten in Almería abgeschlossen hatte und in Madrid ankam, war Giorgio Ferroni immer noch mit den Dreharbeiten zu diesem Gemma-Western beschäftigt und der Production Manager jenes Films fragte mich, ob ich ihm bei einer großen Szene helfen könnte. Dies gab mir die Gelegenheit, noch länger in Spanien zu bleiben, wo ich mich so gerne aufhielt. Am nächsten Tag verabschiedete ich mich von Alberto De Martino, der nach Rom zurückflog, und begab mich auf das Set von Giorgio Ferroni. Wir drehten in den Bergen ca. 70 km außerhalb von Madrid in einer Gegend namens La Pedrizia und Colmenar Viejo, wo bereits Sergio Leones erster Western entstand. Ich wurde dann gebeten, eine große Szene mit hunderten berittenen Soldaten zu drehen, denn der Regisseur drehte zur selben Zeit eine Szene mit den Hauptdarstellern an einem anderen Drehort.

Stimmt es, dass Ihre erste Regie-Arbeit eigentlich »Pochi dollari per Django« (»Django kennt kein Erbarmen«) war?

Ja, aus Koproduktions-Gründen musste der Regisseur dieses Films aus Spanien kommen und aus diesem Grund wurde León Klimvosky als Regisseur angeführt. León Klimovsky war schon ein alter Mann, als wir diesen Film drehten und von Beruf Arzt und sehr kultiviert und gebildet.

Er war ursprünglich von Buenos Aires/Argentinien, ein wirklich sehr lieber Mensch, aber er hatte Angst vor dem Produzenten und stimmte ihm immer in jeder Entscheidung ohne Widerrede zu. Er war ein Jasager und immer sehr freundlich. Der Film war eine Koproduktion meines Vaters und der spanischen Firma und so wurde ich beauftragt, mich um den Film zu kümmern.

Was können Sie uns über Ihren Lieblingswestern »Keoma« erzählen?

Die Geschichte stammte von dem Darsteller George Eastman alias Luigi Montefiori, das Drehbuch wurde dann von den zwei Autoren Mino Roli und Nico Ducci geschrieben, leider war das Drehbuch nicht zu gebrauchen, das drei Tage nach Drehbeginn ankam.

Franco Nero und ich entschlossen uns dann, das Drehbuch jeden Tag für die Aufnahmen am nächsten Tag zu schreiben, was glücklicherweise sehr gut funktionierte. Ich nahm Szenen aus all meinen Lieblingsfilmen und versuchte, sie so gut wie möglich in diesen Film zu integrieren. Es machte unglaublich viel Spaß, diesen Film zu drehen.

Wie kamen Sie dazu, Woody Strode zu besetzen?

Woody Strode war damals gerade in Rom, ich weiß nicht, ob er an einem Film gearbeitet hat oder vielleicht nur Urlaub machte, er war jedenfalls ein guter Freund meines Produzenten Manolo Bolognini und so traf ich ihn und fragte ihn, ob er nicht in meinem Western »Keoma« eine Rolle spielen möchte und er sagte sofort zu.

Wir bedankten uns für das Gespräch und verabschiedeten uns von Enzo G. Castellari alias Enzo Girolami und seinem Sohn Andrea Girolami.

DAMIANO DAMIANI
(geboren am 23.07.1922 in Pasiano)

Während seines Studiums an der Akademie der Schönen Künste in Mailand startete Damiano Damiani 1946 als Dokumentarfilmer, bevor er als Drehbuchautor und Regieassistent Spielfilmkontakte knüpfte. 1959 drehte er dann seinen ersten Spielfilm, das zeitnahe Kriminaldrama »Il rossetto« (»Unschuld im Kreuzverhör«).

Bevor ihm mit dem Revolutionswestern »Quien Sabe?« (»Töte, Amigo«) im Jahr 1966 ein Meisterwerk des Italo-Western gelang, drehte er diverse unwichtige erotische Filmchen. Diesem Meisterwerk ließ er gleich ein weiteres folgen, und zwar den Mafiathriller »Il giorno della civettà« (»Der Tag der Eule«). Auf Grund dieses Erfolges konzentrierte sich Damiani in den folgenden Jahren auf sehr anspruchsvolle, intelligent gemachte Mafia- und Politthriller, bevor er auf die Bitte von Sergio Leone 1975 nochmals zum Italo-Western zurückkehrte. Leider zählt der dabei entstandene Film »Un genio, due compari, un pollo« (»Nobody ist der Größte«) nicht zu den besseren Filmen seiner Gattung und konnte den Erfolg seines früheren Westerns »Quien sabe?« (»Töte, Amigo«) nicht wiederholen. Seit den 80er Jahren arbeitete Damiani vermehrt im Fernsehen, wo er dann schließlich mit der Serie »La piovra« (»Allein gegen die Mafia«) einen Riesenhit landen konnte.

LUCIO FULCI
(geboren am 17.06.1927 in Rom; gestorben am 13.3.1996 in Rom)

Nach dem Zweiten Weltkrieg, in dem Lucio Fulci auf der Seite der Partisanen gekämpft hat, ließ er sich am Centro Sperimentale di Cinematografia im Regie-Fach ausbilden und begann zunächst, Dokumentarfilme herzustellen.

Anschließend arbeitete er als Co-Drehbuchautor mit dem Regisseur Stefano Vanzina zusammen und inszenierte dann 1959 mit der Gaunerkomödie »I ladri« (»Jeder Dieb braucht ein Alibi«) seinen ersten Spielfilm. In den anschließenden Jahren versuchte sich Fulci fast in jedem Genre, mit dem man Geld verdienen konnte.

Neben erotischen Komödien, Abenteuergeschichten und Agentenfilmen entstand dabei auch der Italo-Kultwestern »Le colt cantarono la morte e fu ... tempo di massacro« (»Django – sein Gesangbuch war der Colt«), der nicht nur Franco Neros Starruhm bestätigte, sondern auch George Hilton als neuen Stern im Himmel des Italo-Western aufgehen ließ. Einige weitere Filme in diesem Genre folgten in den 70er Jahren, bemerkenswert vor allem der Film »I quattro dell'Apocalisse« (»Verdammt zu leben – verdammt zu sterben«), der bereits in vielen Szenen seine spätere Vorliebe für Horror und Gewalt erkennen lässt.

Ende der 70er Jahre konzentrierte er sich dann vollkommen auf die inzwischen ziemlich berühmt-berüchtigten blutigen Horror- und Thrillerfilme, in denen die Ekeleffekte immer im Vordergrund zu stehen schienen.

ENZO GIROLAMI
(Enzo G. Castellari, geboren am 29.07.1938 in Rom)

Nachdem Enzo Girolami zuerst Architektur studierte und eine Karriere als Boxer begann, erhielt er in den Jahren 1958 und 1959 zwei Filmrollen in den Werken seines Vaters. Die Branche schien ihm Spaß zu machen und so entschied er sich, seine berufliche Karriere als zukünftiger Architekt oder Boxer an den Nagel zu hängen und als Regieassist zu arbeiten. Sein Regiedebüt gab Girolami zuerst inoffiziell im Jahr 1966 mit dem Italo-Western »Pochi dollari per Django« (»Django kennt kein Erbarmen«), der offiziell

INTERVIEW MIT SERGIO SOLLIMA

*Wir trafen Sergio Sollima am 17. Juli 2002 in seiner
Wohnung in Rom.*

Wie starteten Sie Ihre Karriere in der Filmbranche?
Ich fing als Filmkritiker und dann als Drehbuchautor
an, im Filmgeschäft tätig zu werden und schrieb zahlreiche Drehbücher, hauptsächlich zu Sandalenfilmen,
bevor ich in den sechziger Jahren dann meinen ersten
eigenen Film inszenierte. 1947 schrieb ich bereits das
erste italienische Buch über den amerikanischen Film.
Das erste Drehbuch für meine Agentenfilme schrieb ich
bereits bevor der erste James-Bond-Film gedreht wurde,
leider versuchte ich vergeblich, einen Produzenten dafür
zu finden, da dieses Genre damals als unverfilmbar und
nicht gewinnversprechend galt. Erst nach dem Erfolg der
James-Bond-Filme wurde mir dann auch die Chance gegeben, meine Agentenstorys als Regisseur umzusetzen.
Ich kann Ihnen nicht sagen, wie wenig mein erster Film
»Agente 3S3 per l'inferno« (»Agent 3 S 3 kennt kein
Erbarmen«) gekostet hat, weniger als eine Million Lire
zur damaligen Zeit. Wir filmten im Libanon, in Wien und
in Spanien, obwohl wir fast kein Geld zur Verfügung hatten. Die Produzenten verkauften die Rechte des Films an
die verschiedenen Koproduktionsfirmen im Austausch
für Filmaufnahmen in diesen Ländern. Wir filmten in
Spanien, wir entdeckten Pisa für den Film, vorher war
Pisa ziemlich unbekannt. Nach dem Erfolg dieses ersten
Spionagefilms inszenierte ich noch den Nachfolgefilm
»Agente 3S3 massacro al sole« (»Agent 3 S 3 pokert
mit Moskau«) mit dem gleichen Hauptdarsteller George Ardisson, den wir ebenfalls an vielen Schauplätzen
drehten. Nach diesen beiden Filmen kontaktierte mich
der Produzent Alberto Grimaldi, der bereits mit Sergio
Leones Western sehr erfolgreich war. Er sagte also zu

Sergio Sollima

mir, ich solle für ihn einen Western machen und ich
arbeitete zusammen mit Sergio Donati und Tulio Demicheli an dem Drehbuch, dessen Idee von Fernando
Morandi und Franco Solinas stammte. Die Hauptrolle
wurde von Lee Van Cleef gespielt, der zuvor gerade in
den beiden Sergio-Leone-Western »Per qualche dollaro
in più« (»Für ein paar Dollar mehr«) und »Il buono,
il brutto, il cattivo« (»Zwei glorreiche Halunken«) zu
sehen war. »La resa dei conti« (»Der Gehetzte der Sierra
Madre«) war der erste Lee-Van-Cleef-Western, der nach
Leones Western gedreht wurde.

Tomás Milian war ein großartiger Schauspieler. Er
war am Anfang eine Art Imitation von James Dean und
ein typischer Schauspieler vom »Actor's Studio« in New
York. Er stammte aus Kuba und war voll von Charisma.
Die Charaktere dieser Filme waren für mich immer sehr
wichtig. Nehmen wir z.B. den Charakter des Cuchillo,
der nicht schießen kann und sich deshalb auf den Umgang mit dem Messer spezialisiert hat, woher auch sein
Name kommt. Cuchillo war der erste Held in einem
Western, der aus der niedersten Schicht der Gesellschaft
kam, quasi ein besitzloser Peon, den die Not zum Dieb
gemacht hat. Aus diesem Grund musste dieser Charakter unbedingt von einem jungen, gut aussehenden
und charmanten Darsteller gespielt werden. »La resa dei
conti« (»Der Gehetzte der Sierra Madre«) wurde dann
ein riesiger Erfolg und in Amerika von Columbia in die
Kinos gebracht. Dann machte ich »Faccia a faccia« (»Von
Angesicht zu Angesicht«) und es war toll, Gian Maria
Volonté und wieder Tomás Milian zu haben, der diesmal
jedoch einen vollkommen anderen Charakter spielte,
nicht Cuchillo. Ich arbeitete sehr gut mit Gian Maria
Volonté, er war ein großartiger Schauspieler. Und auch
dieser Film war relativ erfolgreich, aber speziell jetzt so
viele Jahre später wächst seine Popularität sehr stark.
Ich mag diesen Film lieber als »La resa dei conti« (»Der
Gehetzte der Sierra Madre«), weil die Charaktere noch
besser gezeichnet sind und weil der Film komplett anders
ist als die üblichen Italo-Western.

*Wieso wurde Ihr dritter Western nicht von Alberto
Grimaldi produziert?*
»Corri uomo corri« wurde nicht von Grimaldi produziert, da dieser bereits mit einigen anderen Filmen alle
Hände voll zu tun hatte. Ich hätte zwei Jahre länger
warten müssen, bis er als Produzent für diesen Film frei
geworden wäre. So entschloss ich mich dann halt, den
Film mit dem nächstbesten Produzenten zu machen.
Leider hatten die beiden Produzenten Anna Maria Chretien und Alvaro Mancori nicht die finanziellen Mittel,
die Alberto Grimaldi zur Verfügung standen, und so
war dieser Film eine ziemlich schwierige Angelegenheit
für mich.

Was hielten Sie von Ihrem Kollegen Sergio Leone?
Sergio Leone war ein guter Freund von mir, aber natürlich gab es eine gewisse Art von Rivalität zwischen uns, wie es sie zwischen allen Regisseuren gibt. Sergio Leone war der Sohn eines bekannten Filmregisseurs und stand schon in seiner frühesten Kindheit auf den Filmsets in Rom – als er gerade mal drei Jahre alt war. Er wuchs praktisch auf den Filmsets auf und hatte aus diesem Grund eine unglaublich breit gestreute technische Erfahrung in Bezug auf das Filmemachen.

Ich sagte ihm immer, er sei einer der besten Regisseure, die ich je getroffen hätte, speziell was das Filmen von Szenen anging.

Wie würden Sie sich selber als Regisseur kategorisieren?
Ich versuchte nicht nur eine Geschichte gut zu filmen, sondern suchte nach guten Charakteren, guten Situationen und vor allem guten Geschichten, die ich filmen konnte. Da ich meine ersten Erfahrungen im Theater und als Autor gemacht habe, standen für mich die verschiedenen Charaktere immer im Vordergrund. Ich mag auch die Kategorisierung von Filmen nicht besonders, ich mag es nicht, dass man meine Filme in eine Kategorie drängt.

In Ihren Filmen spielen interessante Landschaften und Länder immer eine große Rolle?
Ich füllte meine Drehbücher für meine Filme immer mit Schauplätzen an, die ich gerne besuchen wollte. Wenn ich nach Spanien wollte, spielte der Film in Spanien, wenn ich nach New Orleans reisen wollte, spielte der Film in New Orleans und so ermöglichten mir diese Filme, an all diese Schauplätze zu reisen, die ich immer schon gerne sehen wollte. Mein Film »Il corsaro nero« (»Der schwarze Korsar«) mit dem Inder Kabir Bedi in der Hauptrolle wurde z.B. an Originalschauplätzen in Malaysia gedreht, der Action-Film »Città violenta« (»Brutale Stadt«) entstand z.B. unter anderem an Originalschauplätzen in San Francisco und in New Orleans. Meine Filme ermöglichten mir an die entferntesten Plätze der Erde zu kommen und sogar noch dafür bezahlt zu werden. Was kann man sich Besseres vorstellen?

Wir bedankten uns für das Gespräch und verabschiedeten uns von Regisseur Sergio Sollima.

---

dem gebürtigen Argentinier León Klimovsky zugerechnet wurde und dann ein Jahr später offiziell mit »7 winchester per un massacro« (»Die Satansbrut des Colonel Blake«), einem weiteren Western der italienischen Sorte.

Girolami blieb auch während seiner weiteren Jahre als Regisseur stets dem Western treu, obwohl er auch Filme anderer Genres inszenierte, insbesondere brutale Kriegsfilme à la »Rambo« sowie einige Endzeitstreifen, die in den Fußstapfen von John Carpenters »Escape from New York« (»Die Klapperschlange«) folgten und mehr Wert auf oberflächliche Effekte als auf gut geschriebene Drehbücher legten. In der zweiten Hälfte der 70er Jahre gelang Girolami mit dem Film »Keoma« ein kleines Meisterwerk des Italo-Westerns, der nicht nur inhaltlich, sonder auch formal von beachtlichem Interesse ist.

Fast 20 Jahre später brachte er dann seinen Lieblingsdarsteller Franco Nero nochmals in einer ähnlichen Rolle auf die Leinwand und zwar in der italienisch-russischen Koproduktion »Jonathan degli orsi« (»Die Rache des weißen Indianers«), der eine relativ gut geglückte Mixtur aus »Keoma« und »Dances with wolves« (»Der mit dem Wolf tanzt«) darstellte. In den letzten Jahren ist Girolami hauptsächlich im italienischen Fernsehen tätig.

SERGIO LEONE
(geboren am 3.1.1929 in Rom;
gestorben am 30.4.1989 in Rom)
Sergio Leone, dessen Eltern bereits sehr erfolgreich im Filmgeschäft tätig waren, kam zuerst als Darsteller im Film »Ladri di biciclette« (»Fahrraddiebe«) und als Regieassistent für eine Anzahl von Regisseuren wie Carmine Gallone, Luigi Comencini, Mario Soldati und Mario Camerini zum Film: Er assistierte auch renommierten Hollywood-Regisseuren wie Mervyn Le Roy (»Quo Vadis«), Fred Zinnemann (»Teresa«), Robert Wise (»Der Untergang von Troja«) und William Wyler (»Ben Hur«), bei dem er die ersten Westernerfahrungen sammelte, als dieser eine Szene mit Charlton Heston für den bereits fertig gestellten Edel-Western »The big country« (»Weites Land«) neu drehte, da ihm die bisherige Aufnahme nicht gefiel. 1958 schrieb Leone sein erstes Drehbuch und arbeitete erstmals 1959 als Second-Unit-Regisseur bei dem Monumentalfilm »Gli ultimi giorni di Pompei« (»Die letzten Tage von Pompei«).

1960 folgte sein Regie-Einstand mit dem Film »Il colosso di Rodi« (»Der Koloß von Rhodos«), einem der besseren Sandalenfilme mit dem Amerikaner Rory Calhoun in der

Sergio Leone

481

INTERVIEW MIT GIULIO PETRONI

Wir trafen Regisseur Giulio Petroni am Freitag, den 19. Juli 2002 im berühmten Café Rosati in Rom/Italien an der Plaza Popolo. Wie uns Petroni mitteilte, traf er dort damals auch Orson Welles, um mit ihm über seine Rolle in »Tepepa« zu sprechen.

Wie sind Sie dazu gekommen, Western-Filme zu drehen?
Ich habe damals ziemlich viele Dokumentarfilme gedreht. Dann wurden die Western in Italien populär und ich wurde gebeten, einen Western für die Produktionsfirma P.E.C. zu inszenieren. »Da uomo a uomo« (»Von Mann zu Mann«) mit Lee Van Cleef und John Phillip Law war fast überall, auch in Deutschland, ein riesiger Hit. Er war sogar in Japan wahnsinnig erfolgreich und ich sah ihn dann später am Broadway in New York, wo ihn das Publikum auch liebte. Das war ein klassischer Western. Ich machte dann andere Western, die reine Komödien waren, wie z.B. »... e per un tetto un cielo di stelle« (»Amigos«) mit Giuliano Gemma und Mario Adorf.
Wie war Giuliano Gemma?
Die Zusammenarbeit war sehr gut, Giuliano hat ein sehr gutes komödiantisches Talent und war auch in vielen anderen Komödien zu sehen. Er hat vom Drama bis zur Komödie alles gespielt, arbeitet aber jetzt nicht mehr. Er hat versucht, einen Western mit einer amerikanischen Firma zu machen, leider ging es jedoch schief. Es handelte sich um den Film »Il mio West«, in dem der Hauptcharakter einen florentinischen Akzent spricht. Der Film wurde bei La Spezia gedreht. Die Besetzung ließ leider sehr zu wünschen übrig, allen voran David Bowie.
Wo haben Sie Ihre Western gefilmt?
Die meisten meiner Filme entstanden in Spanien, so auch »Tepepa«, den wir fast ausschließlich in der Gegend von Almería filmten, aber auch bei Sevilla. Wir arbeiteten mit den dortigen Zigeunern, die sehr gut waren, denn

Giulio Petroni

die Mexikaner waren immer verärgert, wenn man sie in dieser Art darstellte wie Italiener, die immer nur als Spaghetti-Esser dargestellt werden.
Wie haben Sie Orson Welles kennen gelernt?
Ich traf Orson Welles in diesem Café (Café Rosati am Plaza Popolo in Rom), einem der berühmtesten Cafés in dieser Stadt. Wir verstanden uns auf Anhieb, obwohl Orson Welles für sein schwieriges Benehmen bekannt war. Ich kann Ihnen eine kleine Geschichte erzählen von den Dreharbeiten in Spanien zum Film »Tepepa«. An seinem ersten Arbeitstag kam er zum Set und der Produktionsmanager kam um ihn zu grüßen und sagte »Guten Morgen«, aber Orson Welles war schlecht gelaunt und antwortete nicht. Eine Assistentin kam zu ihm und fragte ihn, ob er sich an ihren Mann erinnern könne, der für ihn vor einigen Jahren als Sekretär gearbeitet hätte, worauf dieser verärgert antwortete: »So früh am Morgen können Sie mit mir nicht über Ihren Mann oder ähnliche Dinge sprechen!« Aber zur selben Zeit war Welles sehr nett und entschuldigte sich, wenn er auch nur fünf Minuten zu spät am Set erschien. Ich sagte ihm, dass ich ziemlich verlegen bin, der Regisseur an diesem Film zu sein und den berühmten Orson Welles zu inszenieren, worauf dieser antwortete: »Seien Sie nicht kindisch, seien Sie nicht kindisch!« Wir wurden dann gute Freunde. Manchmal gingen wir am Abend gemeinsam aus. Er sprach nur ein paar Worte Italienisch, aber wir sprachen auch ein bisschen Spanisch und Englisch miteinander. Er vermisste immer noch seine Ex-Frau Rita Hayworth, die er nie vergessen konnte und die er immer noch in seinem Herzen trug. Es war seine erste Frau. Als er mit mir drehte, lebte er mit einer Italienerin zusammen und sie hatten ihren Wohnsitz in London/England. Orson Welles war sehr nett und intelligent.
Welchen Ihrer Western mögen Sie am liebsten?
Ich machte fünf oder sechs Western und »Tepepa« war mein Lieblingsfilm.
Wie war es, mit Tomás Milian in »La vita a volte è molto dura, vero Provvidenza?« (»Providenza! Mausefalle für zwei schräge Vögel«) zu arbeiten?
Tomás Milian war ein unglaublich guter Komiker. Das war ja auch eine deutsche Koproduktion. Ich kann mich gar nicht mehr so an den Film erinnern. Der Film war sehr witzig, komisch ... er hatte eine lausige Handlung, war aber sehr unterhaltsam.
Fast Charlie-Chaplin-mäßig, oder?
Richtig, wir wollten damals mit dieser Providenza-Figur eine Hommage an Charlie Chaplin kreieren.
Haben Sie diesen Film auch in Spanien gedreht?
Ja, die Außenaufnahmen entstanden in Spanien, die Innenaufnahmen drehten wir hier in Rom, Elios oder Cinecittà, ich kann mich nicht mehr erinnern, ich glaube

aber Cinecittà. Der Film kam sehr gut an und die Produzenten machten eine Fortsetzung, aber ich hatte keine Lust dazu, den Film zu inszenieren. Es kam zu Streitigkeiten. Da Tomás Milian ein sehr eigener Schauspieler ist, ist es nicht leicht ihn zu inszenieren. Wenn man mit ihm arbeitet, kann man hervorragende Leistungen aus ihm herausholen, aber wenn man einen Film mit ihm macht und der Regisseur keine Kontrolle über ihn hat, dreht man sich nur im Kreis und es funktioniert nicht. In dieser Fortsetzung tat er Dinge ohne irgendwelche Glaubwürdigkeit und man nahm ihm den Part einfach nicht ab. Das machte die ganze Situation absurd.

Wie war Tomás Milian in »Tepepa«?
Er hatte eine sehr schwierige Rolle zu spielen, die eines harten mexikanischen Revolutionärs. Aber er war sehr gut in diesem Film. Ein Charakter mit viel Mut, der viele schreckliche Dinge tat. Der Film wurde auf Englisch gedreht und da Tomás Milian auf Grund seiner kubanischen Herkunft mit einem spanischen Akzent englisch sprach, war er perkekt als Mexikaner und wurde sogar in Mexiko in dieser Rolle akzeptiert. Der englische Schauspieler John Steiner spielte im Film einen englischen Arzt. Orson Welles sprach mit einem amerikanischen Akzent. Wir machten alle Nachvertonungsarbeiten in Rom. »Tepepa« war ein sehr langer und harter Film, da wir Szenen mit hunderten von Pferden und Reitern machen mussten und bei jeder Szenenwiederholung dauerte es ewig, alles wieder in die ursprüngliche Situation zu bringen.

Wie war Lee Van Cleef?
Ich hatte keine Beziehung zu ihm, wie ich sie zu Orson Welles hatte. Er trank sehr viel und war sehr reserviert. Ich fand es ziemlich schwierig mit ihm zu arbeiten. Als wir zusammen arbeiteten, hörte er gerade auf zu trinken und war ziemlich nervös und immer sehr gereizt. Als wir ihm zu Ehren eine Geburtstagsparty feierten, verzichtete er auf alkoholische Getränke und trank nur Coca-Cola. Er hatte auch große Angst davor, in Spanien mit dem Auto zu fahren. Ich erinnere mich an eine Episode, als wir in Italien in einem Studio ein paar Aufnahmen machten und er nahe an einem Pferd stand, das plötzlich eine kleine unvorhergesehene Bewegung machte und er sofort zu mir sagte: »Entweder Sie wechseln das Pferd aus oder Sie wechseln den Darsteller!« So wechselte ich das Pferd.

Wie war John Phillip Law?
Er war ein guter Junge. Seine Leidenschaft war es zu essen und zu essen – er war immer nur am Essen. In seinem Raum hatte er immer Boxen über Boxen voll mit gutem Essen! Ich habe ihn gerade kürzlich wieder einmal gesehen.

Erzählen Sie uns ein bisschen über Mario Adorf und Giuliano Gemma?
Vor der Kamera passten die beiden sehr gut zusammen. Giuliano war sehr umgänglich, aber einige andere Darsteller waren etwas schwieriger. Mario Adorf sprach Italienisch und Deutsch. Er hatte beide Staatsbürgerschaften und sprach perfekt Italienisch. Sein Vater war Italiener und seine Mutter Deutsche oder so ähnlich. Ich mag auch Terence Hill, der sehr viel im italienischen Fernsehen arbeitete. Er spielt die Rolle eines Priesters. Sogar Bud Spencer arbeitet noch. Er ist fast blind, aber arbeitet immer noch. Tomás Milian wurde ziemlich fett und lebt in Miami.

Haben Sie immer noch Kontakt zu einigen dieser Darsteller?
Nein, niemand bleibt in Kontakt. Ich habe seit Jahrzehnten von niemandem mehr gehört. Wenn ein Film abgeschlossen ist, ist es vorbei. Auch wenn sie während der Dreharbeiten die beste Beziehung zu einem Darsteller hatten, ist alles vorbei, wenn der Film abgedreht ist. Da geht dann wieder jeder seinen eigenen Weg.

Wir bedankten uns für dieses Gespräch und Herr Petroni machte einen makaberen Witz, dass er sich schon auf das Buch freuen würde, sollte er dann noch am Leben sein.

Hauptrolle. In den nächsten paar Jahren ließen die Angebote bis auf die Mitarbeit an zwei Drehbüchern und der Second-Unit-Regie von »Sodoma e Gomorra« (»Sodom und Gomorrha«) ein bisschen zu wünschen übrig.

Erst 1964 gelang es ihm nach harter Suche ein Produzentenpaar zu finden, das sein neues Lieblingsprojekt, einen Western nach dem Akira-Kurosawa-Film »Yojimbo« (»Der Leibwächter«) mit dem ursprünglichen Titel »Il magnifico straniero« (»Der großartige Fremde«) finanzieren würde.

Aus dem Film »Il magnifico straniero« wurde schließlich »Per un pugno di dollari« (»Für eine Handvoll Dollar«) und aus Sergio Leone ein Starregisseur, der die italienische Filmindustrie eigenhändig aus einer tiefen Krise holte und mit diesem Film die Türen für hunderte von weiteren Westernproduktionen öffnete. Ein Jahr später folgte »Per un qualche dollaro in più« (»Für ein paar Dollar mehr«) und im Jahr 1966 der abschließende Teil dieser Trilogie mit dem Titel »Il buono, il brutto, il cattivo« (»Zwei glorreiche Halunken«), der aufwändigste und längste Film dieser Reihe. Wie keinem anderen Regisseur gelang es Leone, aus wenig bekannten Darstellern Weltstars zu machen, wie man an den Beispielen Clint Eastwood, Lee Van Cleef und Charles Bronson sehen kann.

Im Jahr 1968 erhielt Sergio Leone auf Grund seiner bisherigen Erfolge endlich die Möglichkeit, für seinen neuen Western »C'era una volta il West« (»Spiel mir das Lied vom Tod«) im berühmten Ford County Monument Valley in Utah und Arizona zu drehen, das aus zahlreichen Filmen seines Regie-Idols weltbekannt wurde. Außerdem konnte er auf einige der renommiertesten Western-Darsteller

INTERVIEW MIT TONINO VALERII

Wir trafen Tonino Valerii am 20. Juli 2002 in der Hotel-Lobby in Roseto degli Abruzzi, wo er an einem örtlichen Filmfestival als Gast teilnahm.

Erzählen Sie uns doch bitte, wie Sie in den italienischen Western involviert wurden!
Ich arbeitete in den frühen sechziger Jahren für die Firma Jolly Film, wo ich als Post-Production Supervisor und auch für die Synchronisation von fremdsprachigen Filmen in die italienische Sprache zuständig war. Als Sergio Leone seinen ersten Western für Jolly Film drehte, kamen die Dailies immer von Spanien zuerst zu mir. Ich ging dann damit zu den Produzenten und sagte ihnen, dass Leone auf dem Weg sei, einen großartigen Film zu drehen. Und sie lachten mich aus und glaubten mir kein Wort. Als der Film dann ein solch gigantischer Erfolg wurde und in alle Sprachen synchronisiert wurde, war es wieder ich, der für die italienische Fassung zuständig war und bei dieser Gelegenheit traf ich Sergio Leone wieder. Für seinen nächsten Film »Per qualche dollaro in più« (»Für ein paar Dollar mehr«) fragte er mich, ob ich Lust hätte, für ihn als Assistent zu arbeiten und nahm dankend an. Das war der eigentliche Beginn meiner Karriere.

Ihr erster Film war »Per il gusto di uccidere« (»Lanky Fellow – der einsame Rächer«), erzählen Sie uns doch ein bisschen darüber?
Ich inszenierte meinen ersten Film, nachdem wir »Per qualche dollaro in più« (»Für ein paar Dollar mehr«) abgeschlossen hatten. Ein Produzent fragte Leone, ob ich die Fähigkeiten hätte, einen kleinen Western zu inszenieren und Leone empfahl mich dem Produzenten und sagte ihm, ich würde sehr gut mit ihm arbeiten und ich könne sehr gut reden und er sehe keine Probleme für mich, diesen Film zu machen. Daraufhin wurde ich als Regisseur für diesen ersten meiner Western engagiert.

Wie war Craig Hill?
Das ist eine interessante Geschichte. Ich wollte ursprünglich einen anderen, jüngeren Darsteller und dessen Name war Robert Blake. Eines Tages kam dieser junge Mann, ein Sohn vermögender Eltern, aus den USA in Italien an, stand aber komplett unter Drogen. In der ersten Nacht rief mich das Hotel an, in dem er untergebracht wurde, und bat mich sofort dorthin zu kommen. Nachdem ich dort ankam, mussten wir sofort nach einem Notarzt rufen und der arme Junge wurde sofort ins örtliche Spital eingeliefert. Dieser Vorfall brachte mich in eine brenzlige Situation und ich musste sehen, so schnell wie möglich einen Ersatz für meine Hauptrolle zu finden.

Ein Freund von mir ließ mich wissen, dass er einen amerikanischen Darsteller kenne, der gerade in Rom sei und in Amerika durch die TV-Serie »Whirlybirds« bekannt wurde, die auch in Italien sehr erfolgreich lief. Wir trafen uns mit ihm, aber er war etwas älter, als ich ihn mir für den Film vorgestellt hatte. Er war jedoch ein guter Schauspieler und sehr nett. Wir starteten unsere Zusammenarbeit und alles klappte prima. Als der Film sechs oder sieben Wochen später abgedreht war, wurde der andere Darsteller gerade aus dem Spital entlassen und fragte mich, wann wir mit dem Film beginnen würden. Ich lachte und sagte ihm, der Film sei bereits abgedreht und er fing an zu weinen. Ich war ein bisschen verlegen und sagte ihm, dass er es gewesen sei, der nicht mit mir arbeiten wollte und nicht umgekehrt. Der Film war ein großer Erfolg und daher riefen mich die Produzenten an, ich solle einen weiteren Western für sie drehen.

Ihr zweiter Western war »I giorno dell'ira« (»Der Tod ritt dienstags«)?
Richtig, ich schlug diesen Film den Produzenten vor und sie akzeptierten. Ich wollte Giuliano Gemma für diesen Film, kannte ihn jedoch noch nicht. Das ist wirklich Schicksal, denn eines Tages sah ich ihn in Rom in seinem Auto vor mir und ich hielt an und sagte ihm, ich sei Tonino Valerii und ich möchte, dass er in meinem Film die Hauptrolle spiele. Giuliano Gemma bat mich, ihm ein Drehbuch zu senden. Ich sagte ihm, dass ich meinen Produzenten schon lange gebeten hatte, ihm ein Drehbuch zu senden und Gemma antwortete, dass er nie eines erhalten hätte. Ich nahm Gemma mit zu meinem Haus und zeigte es ihm dort und er akzeptierte die Rolle noch am selben Abend.

Wie kamen Sie zu Lee Van Cleef?
Ich kannte ihn bereits von »Per qualche dollaro in più« (»Für ein paar Dollar mehr«), wo ich für Sergio Leone als Second Unit Director arbeitete. Ich rief ihn an und sagte ihm, ich würde gerne mit ihm arbeiten und ich würde einen wichtigen Western inszenieren und er stimmte zu. Wir kamen bei Leones Film sehr gut miteinander aus und arbeiteten auch bei meinem Western hervorragend zusammen.

Haben Sie alle Ihre Western in Spanien gedreht?
»I giorni dell'ira« (»Der Tod ritt dienstags«) wurde in Spanien und in Italien gedreht. Die Außenaufnahmen entstanden alle in Spanien und die Stadtszenen drehten wir in einer Westernstadt, die für diesen Film in Cinecittà gebaut wurde.

Wie kamen Sie dazu, »Il prezzo del potere« (»Blutiges Blei«) zu inszenieren?
Letztes Jahr im November wurde dieser Film an einem französischen Filmfestival als politischer Western gezeigt. Wie Sie ja wissen, war dieser Film sehr stark von dem Thema der Ermordung John F. Kennedys inspiriert. In Frankreich wurde der Film »Texas« genannt. Wie ich schon sagte, wurde dieser Film letzten November

in Paris bei diesem Festival gezeigt und kam dort sehr gut an. Sie zeigten dort auch »Il mio nome e Nessuno« (»Mein Name ist Nobody«) und »I giorni dell'ira« (»Der Tod ritt dienstags«). Ich mag »I giorni dell'ira« (»Der Tod ritt dienstags«) wirklich am liebsten, da er ein sehr reifes Thema behandelt. Letztes Jahr riefen mich ein paar amerikanische Produzenten an, die ein Remake dieses Films machen wollen. Ich kann mich nicht mehr an den Namen erinnern, aber es war eine Frau, die auch das Filmfestival in Montreal organisiert. Ich hörte von ihr nur durch einen befreundeten Rechtsanwalt, der sie in Montreal traf. Ich wurde auch von ein paar Amerikanern betreffend DVD-Veröffentlichungen zwei Mal kontaktiert, welche die Rechte zu diesem Film für den amerikanischen Markt kaufen wollten, die Rechte liegen jedoch normalerweise bei den Produzenten, in diesem Fall Chroscicki, seine Firma existiert jedoch nicht mehr. Ich glaube, die Rechte liegen jetzt bei Mediaset, der Firma von Silvio Berlusconi.

Sie verfügten ja immer über eine sehr gute Besetzung in Ihren Western?!

Ja, das stimmt, was die Besetzung betrifft, hatte ich meistens viel Glück. Die größte Besetzung hatte ich in dem Film »Una ragione per vivere e una per morire« (»Sie verkaufen den Tod«). Ich hatte James Coburn, Telly Savalas und Bud Spencer. James Coburn war ziemlich schwierig. Er war bereits ein großer Star und voller Allüren, ich hatte ständig Probleme mit ihm. Telly Savalas war wirklich sehr nett und es war eine Freude, mit ihm zu arbeiten. Dasselbe gilt für Bud Spencer. Mit Henry Fonda arbeitete ich in »Il mio nome è Nessuno« (»Mein Name ist Nobody«) und er war sehr gut. Henry Fonda war wie ein Vater zu mir. Als er den Film mit mir drehte, war er 68 Jahre alt. Er war älter und mit älteren Darstellern ist die Arbeit normalerweise wesentlich schwieriger, aber mit Fonda hatte ich keine Probleme.

Haben Sie sich bei dem Film »Una ragione per vivere e una per morire« (»Sie verkaufen den Tod«) bewußt an das Konzept von »The dirty dozen« (»Das dreckige Dutzend«) gehalten?

Ja, es ging um eine Gruppe von Männern, die zum Tode verurteilt waren und denen die Chance gegeben wurde, ihr Leben zu retten, indem sie an einer lebensgefährlichen Mission teilnahmen. Dieser Film war extrem schwierig zu inszenieren, eher wie ein epischer Film.

Wie war die Zusammenarbeit mit Riz Ortolani?

Hervorragend! Ortolani ist ein großartiger Musiker. Er ist einer der besten Filmkomponisten auf der Welt und eine großartige Persönlichkeit. Ich arbeitete sehr gut mit ihm zusammen. Er machte die Musik zu diesem Film und wir gaben ihm ein Orchester mit 72 Musikern. Solche Filme mit dieser Art von Orchestern werden heute nicht mehr gemacht.

Bei »Il mio nome è Nessuno« (»Mein Name ist Nobody«) haben Sie dann mit Ennio Morricone gearbeitet?

Ja, wir hatten eine Menge Spaß mit diesem Film. Ennio muss man sehr wenig sagen, er braucht sehr wenig Information, um etwas Großartiges auf die Beine zu stellen. Er braucht nur eine kleine Idee und kümmert sich dann um den Rest.

Erzählen Sie uns doch ein bisschen von den Dreharbeiten zu »Il mio nome è Nessuno« (»Mein Name ist Nobody«)!

Das war ein sehr schwieriger Film. Wir drehten elf Wochen in New Mexico, Colorado und New Orleans. Wir drehten in einem indianischen Dorf namens Acoma Pueblo. Wir drehten in White Sands, wo damals die ersten Atombombenversuche stattfanden. Als wir dort ankamen, begrüßten uns diese Leute mit Masken über ihren Gesichtern und sagten uns, dass genau hier die erste Atombombe getestet wurde. Sie sagten: »Keine Angst – keine Angst«, obwohl um uns herum überall Warntafeln wegen Radioaktivität angebracht waren.

Wer hatte die Idee zur Verwendung des Namens Sam Peckinpah auf dem Grabkreuz?

Wir machten das aus Spaß. Ich saß zusammen mit dem Drehbuchautor und Sergio Leone und Gastaldi in Leones Haus. Leone macht gerne diese Art von Witzen und ich glaube, wir waren auf der Suche nach einem amerikanischen Namen für das Grabkreuz und irgendjemand von uns kam auf die Idee, den Namen Sam

Tonino Valerii

485

Peckinpah zu verwenden. Sergio Leone liebte diese Idee und fand es sehr lustig. Er sagte, dass die Kritiker später sicher darauf hinweisen und irgendeinen tieferen Sinn darin suchen. Und so war es dann auch, alle Kritiker wiesen auf diese Szene hin und sahen darin irgendeinen tieferen Sinn. Der Friedhof in dem Indianerdorf war auf heiligem Boden und deshalb durften wir dort nicht filmen. Die Indianer hatten eine Lösung und schlugen vor, einen neuen Friedhof für den Film zu bauen – wozu sie schließlich eineinhalb Monate brauchten. Wir gingen das Risiko ein und tatsächlich schufen sie einen Friedhof, der dem echten bis hin zu den Kleinigkeiten glich. In New Orleans filmten wir das Duell zwischen Henry Fonda und Terence Hill an der Royal Street im French Quarter. Die weiteren Drehorte waren Silver City bei Grant und die bewährten Drehorte in Südspanien, wo wir das Set aus »C'era una volta il West« (»Spiel mir das Lied vom Tod«) verwendeten.

Stimmt es, dass Sergio Leone einige Szenen inszenierte?

Die Wahrheit sieht folgendermaßen aus: Nachdem wir in den USA alle Szenen fertiggedreht hatten, reisten wir nach Guadix/Südspanien, um dort den Rest zu drehen. Eine Kiste mit Kostümen, in denen auch die Kostüme von Henry Fonda waren, wurde entweder verloren oder

konnte aus irgendeinem Grund nicht gefunden werden. Sie tauchte dann neun Tage später auf. Henry Fonda hatte jedoch bereits einen neuen Termin und stand nur noch für relativ kurze Zeit zur Verfügung. Wir standen vor der Wahl, entweder die Szenen mit Fonda ganz zu streichen oder sie später mit einer Second-Unit nachzudrehen. Ich machte dann Sergio den Vorschlag, dass wir die Szenen aufteilen und mit beiden Hauptdarstellern gleichzeitig drehen würden. Leone übernahm dann die Szenen mit Terence Hill, unter anderem die Szene in der Bar und als er das Dynamit in die Satteltaschen steckt, während ich mit Henry Fonda einige Szenen an den Eisenbahngleisen drehte. Diese Arbeit erstreckte sich jedoch nur über eine Woche. Es ist immer so, dass, wenn einer von zwei Regisseuren berühmter ist als der andere, immer dem berühmteren alles kreditiert wird. Wenn Sie sich den Film ansehen, finden Sie allerdings keinen typischen Leone-Touch vor. Ich glaube, Leone machte den Leuten bewusst vor, er hätte heimlich die Regie dieser Filme übernommen, um diese dann besser verkaufen zu können.

Wir bedankten uns für das Gespräch und Tonino Valerii stellte uns Giuliano Gemma vor, der gerade von seinem Hotelzimmer in die Lobby kam.

Hollywoods zurückgreifen, was aus diesem Film einen der besten Western aller Zeiten werden ließ.

An dieser Stelle sollte auch erwähnt werden, dass ein großer Teil dieses Erfolges auf die Musik seines langjährigen Freundes und Komponisten Ennio Morricone zurückzuführen war.

Mit »Giù la testa« (»Todesmelodie«) lieferte Sergio Leone 1971 seinen letzten eigenhändig inszenierten Western ab, der leider im Vergleich zu seinen Vorgängern nicht mehr so erfolgreich war, was Leone auch dazu bewog, sich in den nächsten Jahren auf das Produzieren von Filmen zu konzentrieren. Unter der Regie von Leones Freund und Kollegen Tonino Valerii entstand 1973 der wunderbare Spätwestern »Il mio nome è Nessuno« (»Mein Name ist Nobody«), eine Art Schwanengesang auf das Italo-Western-Genre, für den auch Sergio Leone bei einigen Szenen als Regisseur fungierte.

Zwei Jahre später folgte dann mit »Un genio, due compari, un pollo« (»Nobody ist der Größte«) noch eine Art inoffizielle Fortsetzung unter der Regie von Damiano Damiani, die leider weit hinter dem ersten Nobody-Film zurückblieb. Erst im Jahr 1984 gelang es Leone, sein langjähriges Lieblingsprojekt »C'era una volta in America« (»Es war einmal in Amerika«) zu realisieren, das gleichzeitig sein letzter Film werden sollte. Dieser Film stellte den dritten und abschließenden Teil seiner »Amerika«-Trilogie dar, der 1968 mit »C'era una volta il West« (»Spiel mir das Lied vom Tod«) so erfolgreich begann.

Kurz vor der Unterzeichnung des Produktionsvertrags seines nächsten Films »Leningrad« verstarb Sergio Leone an Herzversagen.

DUCCIO TESSARI
(geboren am 11.10.1926 in Genua;
gestorben am 06.09.1994 in Rom)

Duccio Tessari studierte zuerst Jura und Chemie, bevor er als Fotograf und Produzent im Dokumentarfilmbereich sowie als Amateurdarsteller, Drehbuchautor und Co-Produzent tätig war. Ab 1959 war er für einige Zeit damit beschäftigt, Kulissen für die damals äußerst populären Sandalenfilme zu schaffen, bevor ihm 1961 die Chance geboten wurde, den Film »Arrivano i titani« (»Kadmos – Tyrann von Theben«) im selben Genre zu inszenieren, womit ihm ein gelungenes, ironisches und das Genre persiflierendes Werk gelang. Seit jenem Film arbeitete Tessari in allen möglichen kommerziellen Filmgenres und lieferte auch einige sehr gute Italo-Western mit Giuliano Gemma ab wie z.B. »Una pistola per Ringo« (»Eine Pistole für Ringo«), »Il ritorno di Ringo« (»Ringo kommt zurück«) und »Vivi o preferibilmente morti« (»Friß oder stirb«).

Nach vielen Jahren und vielen Filmen verschiedenster Art kehrte er 1985 noch einmal zu seinem geliebten Western-Genre zurück mit »Tex e il Signore degli abissi«, wieder mit seinem bevorzugten Darsteller Giuliano Gemma. Leider konnte dieser Film nicht an die Atmosphäre und Stimmung seiner früheren Italo-Western anknüpfen und so blieb ihm der Erfolg verwehrt. Tessari beendete seine Karriere mit einigen wenig originellen Abenteuerfilmen für das italienische Fernsehen.

SERGIO SOLLIMA

(geboren am 17.4.1921 in Rom)

Sergio Sollima begann seine filmische Laufbahn im Jahr 1959, wo er als Assistent von Regisseuren wie Domenico Paolella hauptsächlich an italienischen Sandalenfilmen arbeitete. Mitte der sechziger Jahre inszenierte Sollima drei Spionage-/Abenteuerfilme und begab sich danach in das interessante Genre der Italo-Western.

Seine drei Western, die alle Tomás Milian in der Hauptrolle eines mexikanischen Gesetzlosen hatten, enthielten alle antikapitalistische und antifaschistische Themen.

Der erste dieser Western, »La resa dei conti« (»Der Gehetzte der Sierra Madre«), der Lee Van Cleef in seiner ersten Italo-Western-Rolle nach seinen beiden Sergio-Leone-auftritten enthielt, wurde von Franco Solinas geschrieben, der auch das Drehbuch zu dem hochgelobten Film »La battaglia di Algeri« (»Schlacht um Algier«) und anderen Filmen von Gillo Pontecorvo schrieb. »La resa dei conti« (»Der Gehetzte der Sierra Madre«) mit seinen außerge-wöhnlichen Aufnahmen, hervorragenden Darstellern und einem großartigen Ennio Morricone Score wurde zu einem der wichtigsten Italo-Western, speziell im Bereich des politischen Western. Auf Grund dieses Erfolges entstand zwei Jahre später der Nachfolgefilm »Corri uomo corri« (»Lauf um dein Leben«), welcher wieder Tomás Milian in der Rolle des mexikanischen Banditen »Cuchillo« zeigte. Vorher drehte Sollima jedoch die außergewöhnliche Charakterstudie »Faccia a faccia« (»Von Angesicht zu Angesicht«) mit einer großartigen Besetzung von Tomás Milian, Gian Maria Volonté und dem gebürtigen Österreicher William Berger und einem superben Score von Ennio Morricone. Obwohl man sich an Sergio Sollima immer wegen seiner Italo-Western-Trilogie erinnern wird, hat er auch in den Siebzigern noch zahlreiche gute Filme inszeniert.

»Città violenta« (»Brutale Stadt«) ist wahrscheinlich einer seiner besten Filme mit Charles Bronson in einer seiner besten Rollen. Auch zu diesem Film hat Ennio Morricone die Musik beigesteuert. Weitere erwähnenswerte Werke Sollimas sind der Film »Revolver« und die epische Fortsetzung »Sandokan«. Im Jahr 1998 inszenierte Sergio Sollima dann noch eine Miniserie zu »Sandokan« mit dem Titel »Il figlio di Sandokan«.

2. Die Regisseure – Filmografien

Addiss, Justus: 1965: Il magnifico straniero

Albertini, Adalberto (Bitto) (Pseudonyme: **Al Albert, Stanley Mitchell, Albert Thomas, Albert J. Walker**; geboren am 14.7.1924 in Turin/Italien; gestorben am 22.02.1999 in Rom): 1970: I vendicatori dell'Ave Maria; 1974: Che botte, ragazzi!

Alfaro, Italo (geboren 1928 in Florenz/Italien; gestorben 1979 in Lausanne/Schweiz): 1973: Sentivano uno strano, eccitante, pericoloso puzzo di dollari

Amadio, Silvio 1965: Per mille dollari al giorno

Amendola, Mario (Pseudonym: **Irving Jacobs**; geboren am 8.12.1910; gestorben 1994): 1959: Il terrore dell'Oklahoma; 1968: ... da nemici mi guardo io!

Amoroso, Roberto: 1973: Kid il monello del West

Andrei, Marcello (Pseudonym: **Mark Andrew**): 1977: El Macho

Annakin, Ken (geboren am 10. 8. 1914 in Beverly, Yorkshire/England): 1972: Ruf der Wildnis

Antel, Franz (Pseudonym: **François Legrand**; geboren am 28.6.1918 in Wien/Österreich): 1974: Der kleine Schwarze mit dem roten Hut

Antonini, Alfredo (Pseudonym: **Albert Band**; geboren am 7.5.1924 in Paris/Frankreich; gestorben am 14.06.2002 in Los Angeles, Kalifornien/USA): 1965: Gli uomini dal passo pesante

Der Western mit dem größten Knalleffekt

Mein Leben hängt an einem Dollar

mit Charles Southwood, Julian Mateos, Alida Chelli, Mirko Ellis, John Heston u.a.
Regie: Irving Jacobs Ein Farbfilm in Coproduktion der REGAL FILM / SELENIA CINEMATOGRAFICA, Rom Constantin-Film

Regie: Mario Amendola

Austen, Olivier: 1990: Jesuit Joe

Backhaus, Helmut M. (gestorben am 5.5.1989 in München/Deutschland): 1965: Die Banditen vom Rio Grande

Baker, Roy Ward (geboren am 19.12. 1916 in London/England): 1961: Singer not the song

Balanos, José Antonio: 1973: Lucky Johnny

Balcázar, Alfonso (Geburtsname: Alfonso Balcázar Granata; Pseudonym: **Al Bagran**; geboren 1929 in Barcelona/Spanien; gestorben am 28.9.1993 in Barcelona/Spanien): 1964: 5.000 dollari sull'asso; 1965: L'uomo che viene da Canyon City; L'uomo dalla pistola d'oro; 1966: Dinamita Jim; Clint, el solitario; 1968: Sonora; 1971: Attento gringo ... è tornato Sabata!; 1972: Il ritorno di Clint il solitario; I bandoleros della dodicesima ora

Balcázar, Jaime Jesús (J.J.) (geboren am 27.01.1934 in Barcelona/Spanien; Bruder von Alfonso Balcázar): 1964: Il ranch degli spietati; 1965: Quattro dollari di vendetta; 1966: Tierra de fuego

Baldanello, Gianfranco (Pseudonym: **Frank G. Carrol**): 1965: 30 Winchester per El Diablo; Uccidete Johnny Ringo; 1967: I lunghi giorni dell'odio; 1968: Black Jack; 1973: Il figlio di Zorro; Una colt in mano al diavolo; Dieci bianchi uccisi da un piccolo indiano; 1974: Il richiamo del lupo

Baldi, Ferdinando (Pseudonyme: **Ferdy Baldwyn, Free Baldwyn, Ted Kaplan, Sam Livingston**; geboren am 19.5.1927 in Cava dei Tirreni, Salerno/Italien): 1966: Texas, addio; 1967: Little Rita nel west; Preparati la bara!; 1968: Odia il prossimo tuo; 1969: Il pistolero dell'Ave Maria; 1971: Blindman; 1973: Carambola; 1974: Carambola, filotto ... tutti in buca; 1975: Get Mean; 1980: Comin' at Ya!

Balducci, Richard (geboren 1929 in Paris/Frankreich): 1971: Dans la poussière du soleil

Barbera, Joe: 1983: Lucky Luke – Les Daltons en cavale

Barboni, Enzo (Pseudonym: **E.B. Clucher**; geboren am 10.07.1922; gestorben am 23.03.2002): 1969: Ciakmull – L'uomo della vendetta; 1970: Lo chiamavano Trinità; 1971: Continuavano a chiamarlo Trinità; 1972: ... e poi lo chiamarono il magnifico; 1995: Trinità & Bambino ... e adesso tocca a noi!

Bastia, Jean (geboren 1925 in Korsika): 1963: Dinamite Jack

Batzella, Luigi (Pseudonyme: **Paul Hamus, Dean Jones, Ivan Kathansky, Paolo Solvay**): 1971: Anche per Django le carogne hanno un prezzo; Quelle sporche anime dannate; 1972: La colt era il suo Dio

Bava, Mario (Pseudonyme: **John Foam, John M. Old**; geboren am 31.7.1914 in San Remo, Liguria/Italien; gestorben am 25.4.1980 in Rom/Italien): 1965: La strada per Fort Alamo; Ringo del Nebraska; 1970: Roy Colt e Winchester Jack

Baxter, John (geboren 1896 in Foots Cray, Kent/England; gestorben 1975): 1956: Ramsbottom rides again

Bazzoni, Camillo (Pseudonyme: **Alex Burks**; geboren am 29.12.1934 in Salsomaggiore, Parma/Italien): 1967: Vivo per la tua morte

Bazzoni, Luigi: 1967: L'uomo, l'orgoglio, la vendetta; 1973: Blu Gang

Beck, Walter (geboren am 19.9.1929 in Mannheim/Deutschland): 1976: Trini/Stirb für Zapata

Bergonzelli, Sergio (Pseudonym: **Serge Bergon**; geboren am 25.8.1924 in Alba, Cuneo/Italien): 1964: Jim il primo; 1965: Uno straniero a Sacramento; 1966: El Cisco; 1967: Una Colt in pugno al diavolo; 1971: Su le mani cadavere! Sei in arresto

Bianchi, Adelchi: 1968: Buckaroo

Bianchi, Mario (Pseudonyme: **Frank Bronson, Alan W. Cools, Robert Martin, Robert Moore, Renzo Spaziani**): 1971: In nome del padre, del figlio e della Colt; 1973: Hai sbagliato ... dovevi uccidermi subito!; Mi chiamavano Requiescant ... ma avevano sbagliato

Bianchini, Paolo (Pseudonym: **Paul Maxwell**): 1967: Dio li crea ... io li ammazzo!; Lo voglio morto; 1968: Quel caldo maledetto giorno di fuoco; 1970: Ehi amigo ... sei morto!

Blasco, Ricardo (Geburtsname: Ricardo Blasco Laguna; Pseudonym: **Richard Blask**; geboren am 30.4.1921 in Valencia/Spanien): 1962: Le tre spade di Zorro; 1963: Gringo; 1964: El Zorro cabalga otra vez

Boccia, Tanio (Pseudonym: **Amerigo Anton**): 1966: Uccidi o muori; 1967: Dio non paga il sabato; 1968: Sapevano solo uccidere; 1972: La lunga cavalcata della vendetta

Bohm, Hark (geboren am 18.5. 1939 in Hamburg/Deutschland): 1972: Tschetan, der Indianerjunge

Bondartschuk, Sergei (geboren am 25.9.1920 in Bjelosersk, Ukraine; gestorben am 20.10.1994 in Moskau/Russland): 1982: Krasnye kolokola, film pervyj – Meksika v ogne

Borau, José Luis (Geburtsname: José Luis Borau Moradell; Pseudonym: **J. L. Boraw**; geboren am 8.8.1929 in Zaragoza, Aragon/Spanien): 1963: Cavalca e uccidi

Bosch, Juan (Geburtsname: Juan Bosch Paula; Pseudonym: **John Wood**; geboren 1926 in Catalonia/Spanien;): 1970: Prima ti perdono ... poi t'ammazzo; 1971: Domani passo a salutare la tua vedova ... parola di Epidemia; Los buitres cavarán tu fosa; Sei già cadavere amico ... ti cerca Garringo!; 1972: Dio in ciela ... Arizona in terra; Il mio nome è Scopone e faccio sempre cappotto; La caza del oro; 1978: La ciudad maldita

Bozzetto, Bruno (geboren am 3.3. 1933 in Mailand/Italien): 1964: West and Soda

Brass, Tinto (Geburtsname: Giovanni Brass; geboren am 26.3.1933 in Venedig/Italien): 1965: Yankee

Brescia, Alfonso (Pseudonym: **Al Bradley**; geboren am 6.1.1930 in Rom/Italien; gestorben am 6.6.2001 in Rom/Italien): 1965: La colt è la mia legge; 1966: Killer Calibro 32; 1967: I giorni della violenza; Voltati ... ti uccido!; 1968: Carogne si nasce; 1975: Zanna Bianca e il cacciatore solitario; La Spacconata

Briz, José Mendez (Pseudonym: **Gilbert Kay**): 1967: Comanche blanco

Bruschini, Vito: 1978: Zanna Bianca e il grande Kid

Buchs, Julio (Geburtsname: Julio Buchs García; geboren am 10.3.1926 in Madrid/Spanien; gestorben am 20.1.1973 in Madrid/Spanien): 1965: Mestizo; 1967: ¡El hombre que mató a Billy el Niño!; 1969: Quei disperati che puzzano di sudore e di morte

Caiano, Mario (Pseudonyme: **Allan Grunewald, William Hawkins, Mike Perkins, Edoardo Re**; geboren am 13.2.1933): 1962: Il segno di Zorro; 1963: Il segno del coyote; 1964: Le pistole non discutono; 1965: Una bara per lo sceriffo; 1966: Ringo, il volto della vendetta; 1967: Un treno per Durango; Sette pistole per un massacro; 1968: Il suo nome gridava vendetta; 1973: Il mio nome è Shangai Joe

Calic, Zoran (geboren am 4.3.1931 in Belgrad/Jugoslawien): 1972: Un magnifico ceffo da galera

Caltabiano, Alfio: 1967: Ballata per un pistolero; 1972: Così sia; 1973: Oremus, Alleluja e Così Sia

Camus, Mario (Geburtsname: Mario Camús García; geboren am 20.4.1935 in Santander, Cantabrica/Spanien): 1970: La collera del vento

Canevari, Cesare (Pseudonym: **D. Brownson**; geboren 1927 in Mailand/Italien): 1964: Per un dollaro a Tucson si muore; 1970: Matalo!

Caño, Mateo Diaz (Geburtsname: Mateo Caño Jiménez; Pseudonym: **Matthew Cano**; geboren am 5.8.1913 in Madrid/Spanien): 1965: ¡Uncas! El fin de una raza

Regie: Alfio Caltabiano

489

Capitani, Giorgio (geboren 1927 in Paris/Frankreich): 1967: Ognuno per sé

Capuano, Luigi (Pseudonym: **Lewis King**): 1967: Il magnifico texano; Sangue chiama sangue

Cardone, Alberto (Pseudonym: **Albert Cardiff**): 1964: Die Goldsucher von Arkansas; Die schwarzen Adler von Santa Fé; 1966: 7 dollari sul rosso; Mille dollari sul nero; 1967: 20.000 dollari sul 7; 1968: Il lungo giorno del massacro; L'ira di Dio; 20.000 dollari sporchi di sangue

Carlos, Luciano B.: 1968: I fratelli di Arizona

Carlson, Richard (geboren am 29.4.1912 in Albert Lea, Minnesota/USA; gestorben am 24.11.1977 in Encino, Kalifornien/USA): 1965: Kid Rodelo

Carnimeo, Giuliano (Pseudonyme: **Anthony Ascott, Jules Harrison**): 1967: Il momento di uccidere; 1968: Joe, cercati un posto per morire!; 1969: Sono Sartana, il vostro becchino; 1970: Buon funerale amigos! ... paga Sartana; C'è Sartana ... vendi la pistola e comprati la bara!; Una nuvola di polvere ... un grido di morte ... arriva Sartana; 1971: Gli fumavano le Colt ... lo chiamavano Camposanto; Testa t'ammazzo, croce ... sei morto ... mi chiamano Alleluja; Uomo avvisato mezzo ammazzato ... parola di Spirito Santo; 1972: Il West ti va stretto amico ... è arrivato Alleluja; 1973: Fuori uno sotto un altro ... arriva il passatore; Lo chiamavano Tresette ... giocava sempre col morto; Di Tresette ce n'è uno tutti gli altri son nessuno

Regie: Sergio Corbucci

Carreras, Michael (geboren am 21.12.1927 in London/England; gestorben am 19.4.1994 in London/England): 1961: Tierra brutal

Castillo, Arturo Ruiz (geboren am 9.12.1910 in Madrid/Spanien; gestorben am 18.6.1994 in Madrid/Spanien): 1964: El secreto del capitán O'Hara

Cavara, Paolo (geboren am 4.7.1926 in Bologna/Italien; gestorben am 7.8.1982 in Rom/Italien): 1972: Los amigos

Celano, Guido (Pseudonym: **William First**; geboren am 19.4.1905 in Francavilla a Mare/Italien; gestorben am 7.3.1988 in Rom/Italien): 1967: Uccideva a freddo; Giurò e li uccise ad uno ad uno

Cerchio, Fernando Francesco (Pseudonym: **Fred Ringold**; geboren am 7.8.1914 in Lucerna San Giovanni/Italien): 1952: Il bandolero stanco; 1966: Per un dollaro di gloria; 1968: La morte sull'alta collina

Cervi, Tonino (Antonio) (geboren am 14.7.1929 in Rom/Italien; gestorben am 01.04.2002 in Siena/Italien; Sohn von Schauspieler Gino Cervi): 1967: Oggi a me ... domani a te

Chaffey, Don (geboren am 5.8.1917 in Hastings, East Sussex/England; gestorben am 13.11.1990 in Kawau Island/Neuseeland): 1972: Charley One-Eye

Chentrens, Federico (Pseudonym: **Richard Owens**): 1970: Le Juge

Chevalier, Pierre: 1973: Les filles du Golden Saloon; 1974: Convoi de femmes

Christian-Jaque (Geburtsname: **Christian Maudet**; geboren am 4.9.1904 in Paris;): 1971: Les pétroleuses

Cicero, Fernando (Nando) (geboren am 22.1.1931; gestorben am 30.7.1995): 1967: Professionisti per un massacro; Il tempo degli avvoltoi; 1969: Due volte Giuda

Ciferri, Franco (Pseudonym: **Frank Farrow**): 1974: La pazienza ha un limite ... noi no!

Cimber, Matt: 1984: Yellow Hair & Pecos Kid

Ciorciolini, Marcello (Pseudonyme: **James Harris, Frank Red**): 1968: Ciccio perdona ... io no!; I nipoti di Zorro

Civirani, Osvaldo (Pseudonym: **Richard Kean**; geboren am 19.5.1917 in Rom/Italien): 1966: Uno sceriffo tutto d'oro; Il figlio di Django; 1967: Ric e Gian alla conquista del West 1968: T'ammazzo! ... raccomandati a Dio; 1972: I 2 figli dei Trinità

Coletti, Duilio (Pseudonym: **John Bard**; geboren am 28.12.1906 in Penne/Italien; gestorben am 22.5. 1999 in Rom/Italien): 1973: Valdez il mezzosangue

Colizzi, Giuseppe (geboren 1925 in Rom/Italien; gestorben am 23.8.1978 in Rom/Italien): 1967: Dio perdona ... io no!; 1968: I quattro dell'Ave Maria; 1969: La collina degli stivali

Collinson, Peter (geboren am 1.4.1936 in Lincolnshire/England; gestorben am 16.12.1980 in Los Angeles, Kalifornien/USA): 1972: Un hombre Ilamado Noon

Colucci, Mario (Pseudonym: **Ray Calloway**): 1968: Vendetta per vendetta

Corbucci, Bruno (Pseudonym: **Frank B. Corlish**; geboren 1931 in Rom/Italien; gestorben am 7.9.1996): 1966:

Ringo e Gringo contro tutti; 1968: Spara, Gringo, spara; 1973: Tutti per uno ... botte per tutti

Corbucci, Sergio (Pseudonym: **Stanley Corbett**; geboren am 6.12.1927 in Rom/Italien; gestorben am 1.12.1990): 1964: Minnesota Clay; Massacro al Grande Canyon; 1965: Johnny Oro; 1966: Django; Navajo Joe; I crudeli; 1968: Il grande silenzio; Il mercenario; 1969: Gli specialisti; 1970: Vamos a matar compañeros; 1972: La banda J. & S. cronaca criminale del Far West; Che c'entriamo noi con la rivoluzione?; 1974: Il bianco, il giallo, il nero

Corcoran, Bill: 1998: Outlaw Justice

Costa, Mario (Pseudonym: **John W. Fordson**; geboren 1904 in Rom/Italien; gestorben am 22.10.1995 in Rom/Italien): 1963: Buffalo Bill, l'eroe del Far West; 1970: La belva

Crea, Gianni: 1969: La legge della violenza; 1971: Se t'incontro t'ammazzo; 1972: Il magnifico West; I sette del gruppo selvaggio, 1973: ... E il terzo giorno arrivò il Corvo

Crispino, Armando (geboren am 18.10.1925 in Biella/Italien): 1967: John il bastardo

Cristallini, Giorgio (Pseudonym: **George Warner**; geboren am 26.6.1921 in Perugina/Italien; gestorben am 2.12.1999 in Tavernelle di Panicale/Italien): 1971: I quattro pistoleri di Santa Trinità; Sei jellato amico, hai incontrato Sacramento

Croccolo, Carlo (Pseudonym: **Lucky Moore**; geboren am 9.4.1927 in Neapel/Italien): 1971: Una pistola per cento croci; Black Killer

D'Alessandro, Angelo: 1973: Jack London – La mia grande avventura

Dallamano, Massimo (Pseudonyme: **Jack Dalmas, Max Dillman**; geboren am 17.4.1917 in Mailand/Italien; gestorben am 4.11.1976): 1967: Bandidos

Damiani, Amasi (Pseudonym: **A. Van Dyke**): 1968: Una forca per un bastardo

Damiani, Damiano (geboren am 23.7.1922 in Pasiano, Prodenono, Friuli-Venezia Giulia/Italien): 1966: Quien sabe?; 1975: Un genio, due compari, un pollo

Daugherty, Herschel (geboren am 27.10.1910 in Indiana/USA; gestorben am 5.3.1993 in Encinitas, Kalifornien/USA): 1965: Il magnifico straniero

De Heredia, Álvaro Sáenz: 1996: Aquí llega condemor el Pecador de la Pradera

De La Loma, José Antonio (geboren am 4.3.1924 in Barcelona/Spanien; gestorben am 06.04.2004 in Barcelona, Spanien): 1965: Perche uccidi ancora?; 1971: El más fabuloso golpe del Far-West

De Martino, Alberto (Pseudonym: **Herbert Martin**; geboren am 12.6.1929 in Rom/Italien): 1962: Due contro tutti; 1964: Gli eroi di Fort Worth; 1965: 100.000 dollari per Ringo; 1966: Django spara per primo; 1973: Ci risiamo, vero Provvidenza?

De Ossorio, Amando (geboren 1918 in La Coruña/Spanien; gestorben im Oktober 1996): 1964: La tumba del pistolero; 1965: I tre del Colorado

Del Amo Algara, Antonio: 1964: Solo contro tutti

Dell'Aquila, Vincenzo (Enzo) (Pseudonym: **Vincent Eagle**): 1967: ... e venne il tempo di uccidere

Demicheli, Tulio (Geburtsname: Armando Bartolome Demicheli; geboren am 15.6.1914 in Buenos Aires/Argentinien; gestorben am 25.5.1992 in Madrid/Spanien): 1964: Sfida a Rio Bravo; 1967: Un hombre y un colt; 1970: Reza por tu alma ... y muere; 1972: Tequila!

Deodato, Ruggero (Pseudonym: **Roger Rockfeller**; geboren am 7.5.1939 in Potenza/Italien): 1969: I quattro del Pater Noster

Dexter, Maury (geboren 1927 in den USA): 1965: El proscrito de Río Colorado

Dmytryk, Edward (geboren am 4.9.1908 in Grand Forks, British Columbia/Kanada; gestorben am 1.7. 1999 in Encino, Kalifornien/USA): 1968: Shalako

Dobberke, Claus: 1977: Severino

Douglas, Kirk (Geburtsname: Issur Danielovitch Demsky; geboren am 9.12.1916 in Amsterdam, New York/USA): 1973: Un magnifico ceffo da galera

Dréville, Jean: 1961: La Fayette

Elorrieta, José María (Pseudonyme: **J. Douglas, Joseph De Lacy, Joe Lacy**; geboren am 1.2.1921 in Madrid/Spanien): 1963: El hombre de la diligencia; 1964: Fuerte perdido; 1967: Los siete de Pancho Villa; 1974: Si quieres vivir ... Dispara

Espinosa, José Luis: 1966: The Texican

Esteba, Manuel (Geburtsname: Manuel Esteba Gallego; geboren am 17.4.1941 in Barcelona/Spanien): 1970: Saranda; 1971: Una cuerda al amanecer

(YO SOY LA REVOLUCION)

¡QUIEN SABE?

GIAN MARIA VOLONTE · KLAUS KINSKI · LOU CASTEL

DIRECTOR DAMIANO DAMIANI música ENNIO MORRICONE

Regie: Damiano Damiani

Fago, Giovanni (Pseudonym: **Sidney Lean**): 1967: Per 100.000 dollari ti ammazzo; 1968: Uno di più all'inferno; 1969: O'Cangaçeiro

Fassbinder, Rainer Werner (geboren am 31.5.1945 in Bad Wörishofen/Deutschland; gestorben am 10.6.1982 in München/Deutschland): 1970: Whity

Fernandez, Ramon: 1980: Las mujeres de Jeremías

Ferreri, Marco (geboren am 11.5.1928 in Mailand/Italien; gestorben am 9.5.1997 in Paris/Frankreich): 1974: Touche pas la femme blanche

Ferroni, Giorgio (Pseudonyme: **Calvin Jackson Padget; Kelvin J. Paget;** geboren am 12.4.1908 in Perugina/Italien; gestorben 1981): 1942: Il fanciullo del West; 1965: Un dollaro bucato; 1966: Per pochi dollari ancora; Wanted; 1968: Il pistolero segnato da Dio

Fidani, Demofilo (Pseudonyme: **Danilo Dani, Miles Deem, Alex Demos, Philos Demos, Lucky Dickinson, Dennis Ford, Nedo La Fida, Sean O'Neil, Dick Spitfire;** geboren am 8.2.1913 in Cagliari/Italien; gestorben im März 1994 in Italien): 1967: Straniero ... fatti il segno della croce!; 1968: Ed ora ... raccomanda l'anima a Dio!; Passa Sartana, è l'ombra della tua morte; 1969: ... e vennero in quattro per uccidere Sartana!; 1970: Arrivano Django e Sartana ... è la fine!; Inginocchiati straniero ... i cadaveri non fanno ombra!; Quel maledetto giorno d'inverno; 1971: Era Sam Wallash ... lo chiamavano Così Sia; Il suo nome era Pot ... ma ... lo chiamavano Allegria; Per una bara piena di dollari; Giù le mani ... carogna! – Django Story; Giù la testa ...

Regie: Sergio Garrone

hombre!; 1972: Scansati ... a Trinità arriva Eldorado; 1973: Amico mio ... frega tu che frego io!

Fizzarotti, Ettore Maria (Pseudonym: **Mike Fitzgerald;** geboren 1916 in Neapel; gestorben 1985 in Rom): 1967: Vendo cara la pelle

Florio, Aldo: 1966: I 5 della vendetta; 1971: Anda muchacho, spara!

Franco, Jesús (Jess) (Pseudonyme: **Clifford Brown, Jess Frank, Frank Hollman, Franco Manera;** geboren am 12.5.1930 in Madrid/Spanien): 1962: La venganza del Zorro; 1963: El Llanero

Freda, Riccardo (Pseudonyme: **Robert Hampton, George Lincoln, Willy Pareto;** geboren am 24.2.1909 in Alexandria/Ägypten; gestorben am 20.12.1999 in Rom/Italien): 1967: La morte non conta i dollari

Fregonese, Hugo (geboren am 8.4.1908 in Mendoza/Argentinien; gestorben am 17.1.1987 in Buenos Aires/Argentinien): 1963: Old Shatterhand; 1966: Pampa salvaje

Fulci, Lucio (geboren am 17.6.1927 in Rom/Italien; gestorben am 13.3. 1996 in Rom/Italien): 1966: Le colt cantarono la morte e fu ...tempo di massacro; 1973: Zanna Bianca; 1974: Il ritorno di Zanna Bianca; 1975: I quattro dell'Apocalisse; 1977: Sella d'argento

Fulgozi, Niksa: 1970: La spina dorsale del diavolo

Gariazzo, Mario (Pseudonyme: **Roy Garrett, Robert Paget;** geboren am 4.6.1930 in Biella/Italien; gestorben im März 2002): 1969: Dio perdoni la mia pistola; 1971: Il giorno del giudizio; Acquasanta Joe

Garrone, Sergio (Pseudonyme: **Kenneth Freeman, Willy S. Regan;** geboren 1926 in Rom/Italien): 1967: Se vuoi vivere ... spara!; 1968: Tre croci per non morire; Una lunga fila di croci; 1969: Django il bastardo; 1970: Uccidi, Django ... uccidi per primo!; 1971: Quel maledetto giorno della resa dei conti

Gaup, Nils: 1995: Tashunga

Geissendörfer, Hans W. (geboren am 6.4.1941 in Augsburg/Deutschland): 1971: Carlos

Genta, Renzo: 1972: Jesse & Lester due fratelli in un posto chiamato Trinità

Gentili, Giorgio (Pseudonym: **Dan Ash**): 1970: Sledge

Giachin, Lucio: 1971: Il suo nome era pot ... ma ... lo chiamavano Allegria

Gilling, John (geboren am 29.5.1912 in London/England; gestorben 1985 in Spanien): 1958: The bandit of Zhobe

Giraldi, Franco (Pseudonyme: **Frank Garfield, Frank Prestland;** geboren am 11.7.1931 in Comeno/Italien): 1966: 7 pistole per i MacGregor; Sugar Colt; 1967: 7 donne per i MacGregor; Un minuto per pregare, un istante per morire

Girault, Jean (geboren am 9.5.1924 in Villenauxe-la-Grande, Aube/Frankreich; gestorben am 20.7.1982 in Paris/Frankreich): 1970: Le Juge

Girolami, Enzo (Pseudonyme: **Stephen M. Andrews, Enzo G. Castellari, E. G. Rowland;** geboren am 29.7.1938 in Rom/Italien): 1966: Pochi dollari per Django (Co-Regie mit León Klimovsky); 1967: 7 winchester per un massacro; Quella sporca storia nel West; Vado, l'ammazzo e torno; 1968: Ammazzali tutti e torna solo; I tre che sconvolsero il West; 1972: Tedeum; 1975: Cipolla Colt; 1976: Keoma; 1993: Jonathan degli orsi

Girolami, Marino (Pseudonyme: **Frank Martin, Franco Martinelli, Bernardo Rossi, Dario Silvestri, Fred Wilson**; Vater von Enzo Girolami und Darsteller Enio Girolami; geboren am 1.2.1914 in Rom/Italien; gestorben 1994): 1964: I magnifici Brutos del West; Il piombo e la carne; 1967: 2 rrringos nel Texas; 1968: Anche nel West c'era una volta Dio; 1970: Reverendo Colt

Girolami, Renzo: 1976: Più forte, sorelle

Girolami, Romolo (Pseudonym: **Romolo Guerrieri**; geboren am 5.12.1931 in Rom): 1966: Sette magnifiche pistole; Johnny Yuma; 1967: 10.000 dollari per un massacro

Girotti, Mario → **Hill, Terence**

Godal, Edward: 1928: Adventurous youth

Gora, Claudio (Geburtsname: **Emilio Giordana**; geboren am 27.7.1913 in Genua/Italien; gestorben am 13.3.1998 in Rom/Italien): 1968: L'odio è il mio Dio

Goscinny, René (geboren am 4.8.1926 in Paris/Frankreich; gestorben am 5.11.1977 in Paris/Frankreich): 1971: Lucky Luke; 1978: La ballade des Dalton

Grieco, Sergio (Pseudonyme: **Segri, Terence Hathaway**; geboren am 13.1.1917 in Codevigo/Italien; gestorben am 30.3.1982 in Rom/Italien): 1972: Tutti fratelli nel west ... per parte di padre

Grimaldi, Aldo (Arnaldo) (geboren 1942 in Catania, Sizilien/Italien; gestorben am 5.8.1990 in Rom): 1969: Franco e Ciccio sul sentiero di guerra

Grimaldi, Giovanni (Gianni) (geboren am 14.11.1917 in Catania, Sizilien/Italien; gestorben am 25.02.2001): 1965: All'ombra di una Colt; 1966: Starblack; 1967: Il bello, il brutto, il cretino

Groschopp, Richard: 1967: Chingachgook, die große Schlange

Gruel, Henri: 1978: La ballade des Dalton

Guzman, Roberto E.: 1930: The bad man

Naim, Philippe: 2004: Les Dalton

Harrison, Richard: 1972: Jesse & Lester due fratelli in un posto chiamato Trinità

Narvey, Anthony (geboren am 3.6.1931 in London, England): 1980: Eagle's Wing

Heinrich, Hans: 1961: Ruf der Wildgänse

Hellman, Monte (geboren am 12.7.1932 in New York, NY/USA): 1978: Amore, piombo e furore

Nendel, Günter: 1971: Der lange Ritt nach Eden

Henkel, Peter: 1970: Friß den Staub von meinen Stiefeln

Herbig, Michael »Bully« (geb. 29.4.1968 in München): 2001: Der Schuh des Manitu

Hill, Terence (Geburtsname: **Mario Girotti**; geboren am 29.3.1939 in Venedig/Italien): 1990: Lucky Luke; 1994: Botte di natale

Hofbauer, Ernst: 1964: Die schwarzen Adler von Santa Fè

Hossein, Robert (Geburtsname: **Robert Hosseinoff**; geboren am 30.12.1927 in Paris): 1961: Le goût de la violence; 1968: Une corde, un Colt

Hough, John: 1982: Triumphs of a Man called Horse

Huettner, Ralf: 1993: Texas – Doc Snyder hält die Welt in Atem

Ippolito, Ciro: 1984: Arrapaho

Iquino, Ignacio F. (Geburtsname: Ignacio Ferres Iquino; Sohn von Komponist Ramon Ferres und Darstellerin Teresa Iquino; Pseudonyme: **Steve McCoy, Steve MacCohy, John Marshall**; geboren am 25.10.1910 in Valls, Tarragona/Spanien; gestorben am 29.4.1994 in Barcelona/Spanien): 1964: Oeste Nevada Joe; 1971: Un colt por 4 cirius; 1972: Los fabulosos de Trinidad

Jugert, Rudolf: 1953: Jonny rettet Nebrador

Juran, Nathan (geboren am 1.9.1907 in Rumänien; gestorben am 25.10.2002 in Palos Verdes, Kalifornien/USA): 1968: Land raiders

Kelly, Nancy: 1990: Thousand pieces of gold

Kennedy, Burt (Pseudonym: **Z. X. Jones**; geboren am 3.9.1922 in Muskegon, Michigan/USA; gestorben am 15.2.2001 in Sherman Oaks, Kalifornien/USA): 1966: Return of the Seven; 1970: La spina dorsale del diavolo; 1971: Hannie Caulder

Klimovsky, León (geboren am 16.10.1906 in Buenos Aires/Argentinien; gestorben am 8.4.1996 in Madrid/Spanien): 1962: Torrejón City; 1963: Fuera de la ley; 1965: Dos mil dólares por coyote; 1966: Pochi dollari per Django; 1967: L'uomo venuto per uccidere; 1968: Pagó cara su muerte; 1969: Quinta: non ammazzare; La sfida dei MacKenna; 1970: Reverendo Colt; 1971: Su le mani cadavere! Sei in arresto

Regie: León Klimovsky

Knötzsch, Hans: 1988: Präriejäger in Mexiko: Benito Juarez; Präriejäger in Mexiko: Geierschnabel

Koch, Carlo: 1942: Una signora dell'ovest

Kolditz, Gottfried (geboren am 14.12.1922 in Altenbach/Deutschland; gestorben am 15.6.1982 in Ljubljana/Slowenien): 1968: Spur des Falken; 1973: Apachen; 1974: Ulzana

Kounen, Jan (geboren am 2.5.1964 in Utrecht/Holland): 2002: Blueberry

Kratzert, Hans: 1972: Tecumseh

Lahola, Leopold: 1965: Duell vor Sonnenuntergang

Landres, Paul: 1966: El hijo del pistolero

Lanfranchi, Mario (geboren am 30.6.1927 in Parma/Italien): 1967: Sentenza di morte

Lattanzi, Franco (geboren 1925 in Rom/Italien): 1972: Il giustiziere di Dio; Sei bounty killers per una strage; 1974: La tigre venuta dal fiume Kwai

Laurenti, Mariano (geboren am 15.4.1929 in Rom/Italien): 1975: Il sogno di Zorro

Lefranc, Guy: 1956: Fernand Cow-Boy

Lenzi, Umberto (Pseudonym: **Humphrey Humbert**; geboren am 6.8.1931 in Massa Marittima, Grosseto/Italien): 1968: Tutto per tutto; Una pistola per cento bare

Leone, Sergio (Pseudonym: **Bob Robertson**; geboren am 3.1.1929 in Rom/Italien; gestorben am 30.4.1989 in Rom/Italien): 1964: Per un pugno di dollari; 1965: Per qualche dollaro in più; 1966: Il buono, il brutto, il cattivo; 1968: C'era una volta il West; 1971: Giù la testa

Regie: Sergio Leone

Levin, Henry: 1968: The Desperados

Lizzani, Carlo (Pseudonym: **Lee W. Beaver**; geboren am 3.4.1922 in Rom/Italien): 1966: Un fiume di dollari; 1967: Requiescant

Lo Cascio, Franco (geboren 1947 in Rom/Italien): 1975: Ah sì ... e io lo dico a Zzzorro!

Lucidi, Maurizio (Pseudonym: **Maurice A. Bright**; geboren 1932 in Florenz/Italien): 1966: 2 once di piombo; 1967: Pecos è qui: prega e muori; La più grande rapina nel West; 1971: Si può fare ... amigo!

Lupo, Michele (Pseudonym: **Mike Fox**; geboren am 4.12.1932 in Corleone/Italien; gestorben am 27.6.1989 in Rom/Italien): 1964: Per un pugno nell'occhio; 1966: Arizona Colt; 1971: Amico, stammi lontano almeno un palmo ...; 1977: California; 1980: Occhio alla penna

McCoy, Denys: 1970: The last Rebel

McGann, William C.: 1930: The bad man

Mach, Josef: 1965: Die Söhne der großen Bärin

Madrid, José Luis (Geburtsname: **Jose Luis Madrid de la Viña**; geboren am 11.4.1933 in Madrid/Spanien): 1965: Tumba para un forajido; La spietata Colt del Gringo; 1966: Wer kennt Jonny R.?

Maffei, Mario (geboren 1918 in Rom/Italien): 1965: La grande notte di Ringo

Malasomma, Nunzio (geboren am 4.2.1894 in Caserta/Italien; gestorben am 12.1.1974 in Rom/Italien): 1967: 15 forche per un assassino

Malle, Louis (geboren am 30.10.1932 in Thumeries/Frankreich; gestorben am 24.11.1995 in Beverly Hills, Los Angeles, Kalifornien/USA): 1966: Viva María

Manduke, Joe (Joseph): 1976: Kid Vengeance

Mangini, Luigi (geboren 1921 in Rom/Italien; gestorben am 14.8.1991 in Rom/Italien): 1971: Bastardo, vamos a matar

Manini, Bianco: 1972: Partirono preti, tornarono ... curati

Marcellini, Siro (Pseudonyme: **Omar Hopkins, Sean Markson**; geboren am 16.9.1921 in Genzano/Italien): 1963: L'uomo della valle maledetta; 1967: Lola Colt

Marchal, Juan Xiol (Pseudonym: **Juan Xiol**; geboren am 14.9.1921 in Bilbao/Spanien; gestorben 1977 in Barcelona/Spanien): 1965: Cinco pistolas de Texas; Río Maldito

Margheriti, Antonio (Pseudonym: **Anthony Dawson**; geboren am 19.9.1930; gestorben am 04.11.2002 in Monterosi, Viterbo, Lazio/Italien): 1966: Joe l'implacabile; 1968: Joko, invoca Dio ... e muori; 1969: E Dio disse a Caino ...; 1974: Là dove non batte il sole; Whiskey e fantasmi; 1975: La parola di un fuorilegge ... è legge!

Marischka, Georg (geboren am 29.6.1922 in Wien/Österreich; gestorben am 9.8.1999 in München/Deutschland): 1965: Das Vermächtnis des Inka

Mariuzzo, Giorgio (Pseudonym: **George Mac Roots**): 1976: Una donna chiamata Apache

Martín, Eugenio (Geburtsname: Eugenio Martín Márquez; Pseudonym: **Gene Martin**; geboren 1925 in Granada/Spanien): 1967: The bounty killer; 1971: El hombre de Rio Malo; El desafío de Pancho Villa

494

Martin, George (Geburtsname: **Francisco Martínez Celeiro**): 1972: Demasiados muertos para Tex; Il ritorno di Clint il solitario; 1973: ... è così divennero i 3 supermen del West

Martin, Paul: 1964: Die Goldsucher von Arkansas; 1965: Graf Bobby, der Schrecken des Wilden Westens

Martin, Sobey (geboren am 27.06.1909; gestorben am 27.07.1978): 1964: Freddy und das Lied der Prärie

Martinenghi, Italo: 1973: ... è così divennero i 3 supermen del West

Martino, Sergio (Pseudonyme: **Martin Dolman, John Hamilton, Christian Plummer**; geboren am 19.7.1938 in Rom/Italien): 1970: Arizona si scatenò ... e li fece fuori tutti!; 1977: Mannaja

Massaccesi, Aristide (Pseudonyme: **Steve Benson, Alexander Borsky, Oliver J. Clarke, Joe D'Amato, Dario Donati, Oscar Faradine, David Hills, Kevin Mancuso, Peter Newton, Oscar Santaniello, Michael Wotruba**; geboren am 15.12.1936; gestorben am 23.1.1999 in Rom/Italien): 1972: Scansati ... a Trinità arriva Eldorado; Un bounty killer a Trinità; 1975: Giubbe rosse

Massi, Stelvio (Pseudonyme: **Newman Rostel, Max Steel**; geboren am 26.3.1929 in Civitanova Marche/Italien; gestorben am 26.03.2004 in Velletri, Italien): 1972: Partirono preti, tornarono ... curati

Matassi, Vincenzo (geboren 1933): 1972: C'era una volta questo pazzo, pazzo, pazzo West

Mattei, Bruno (Pseudonyme: **Vincent Dawn, Werner Knox**; geboren am 30.7.1931 in Rom/Italien): 1986: Bianco Apache; Scalps

Mattòli, Mario (geboren am 30.11.1898 in Tolentino, Marches/Italien; gestorben am 26.2.1980 in Rom/Italien): 1966: Per qualche dollaro in meno

Mauri, Roberto (Pseudonyme: **Robert Johnson, Robert Morris**; geboren 1924 in Castelvetrano/Italien): 1965: Colorado Charlie; 1967: La vendetta è il mio perdono; 1970: Wanted Sabata; Sartana nella valle degli avvoltoi; 1971: ... e lo chiamarono Spirito Santo; Seminò morte ... lo chiamavano il castigo di Dio!; 1972: Bada alla tua pelle, Spirito Santo!; Spirito Santo e le 5 magnifiche canaglie; Un animale chiamato ... uomo!; 1973: Corte marziale

Medford, Don (geboren 1917): 1971: The hunting party

Mercanti, Pino (Pseudonym: **Joseph Trader**): 1964: Tre dollari di piombo; Le maledette pistole di Dallas

Merighi, Ferdinando (Pseudonym: **Fred Lyon Morris**): 1973: Allegri becchini ... arriva Trinità

Merino, José Luis (Pseudonym: **Joseph Marvin**; geboren am 10.6.1927 in Madrid/Spanien): 1966: Kitosch, l'uomo che veniva dal nord; Per un pugno di canzoni; 1968: Réquiem para el gringo; Zorro il dominatore; 1970: La muerte busca un hombre; 1971: El Zorro de Monterrey; El Zorro, caballero de la justicia; 1980: Siete cabalgan hacia la muerte

Merolle, Sergio (geboren 1926 in Rom/Italien): 1968: Quanto costa morire

Miraglia, Emilio (Pseudonym: **Hal Brady**; geboren 1924 in Castrano/Italien): 1971: Spara Joe ... e così sia!

Moffa, Paolo (Pseudonym: **John Byrd**; geboren am 16.12.1915 in Rom/Italien): 1968: All'ultimo sangue

Mollica, Antonio (Nino) (Pseudonym: **Ted Mulligan**): 1967: Nato per uccidere; 1970: Saranda

Momplet, Antonio (geboren 1899 in Cádiz/Spanien; gestorben 1974 in Cadaqués, Gerona/Spanien): 1962: Due contro tutti

Monter, José Luis: 1965: Lo sceriffo che non spara

Montero, Roberto Bianchi (Geburtsname: Roberto Bianchi; Pseudonym: **Robert M. White**; geboren am 7.12.1907 in Rom/Italien; gestorben 1986): 1959: La sceriffa; 1964: Il ranch degli spietati; 1967: Le due facce del dollaro; 1970: Arriva Durango: paga o muori!; 1971: I senza Dio

Morayta, Miguel: 1967: La guerrillera de Villa

Moroni, Mario: 1971: Il mio nome è Mallory »M« come morte

Morris (Geburtsname: Maurice De Bévère): 1971: Lucky Luke; 1978: La ballade des Dalton; 1983: Lucky Luke – Les Daltons en cavale

Morrow, Vic (geboren am 14.2.1929 in Bronx, New York/USA; gestorben am 23.7.1982 in Indian Dunes, Kalifornien/USA): 1970: Sledge

Moullet, Luc (geboren 1932 in Frankreich): 1970: Une aventure de Billy le Kid

Regie: Joaquín Luis Romero Marchent

Mulargia, Edoardo (Pseudonym: **Edward G. Muller**; geboren am 10.12.1925 in Torpè/Italien): 1965: Perché uccidere ancora?; 1966: Vayas con Dios, gringo; 1967: Cjamango; Non aspettare, Django, spara!; 1969: La taglia è tua ... l'uomo l'ammazzo io; 1970: Shango la pistola infallibile; 1971: Rimase uno solo e fu la morte per tutti; W Django!

Musolino, Vincenzo (Pseudonym: **Vincent Glenn Davis**; geboren 1930 in Reggio Calabria/Italien; gestorben am 9.5.1969 in Rom/Italien): 1968: Chiedi perdono a Dio, non a me; 1969: Quintana

Narzisi, Gianni (geboren am 2.2.1929 in Palermo, Sizilien/Italien): 1966: Djurado

Navarro, Agustín: 1963: Cuatro balazos

Nostro, Nick (Pseudonym: **Nick Howard**): 1965: Un dollaro di fuoco; 1968: Uno dopo l'altro

Olivera, Héctor: 1975: Cacique Bandeira

Olsen, Rolf (gestorben am 3.4.1998 in München/Deutschland): 1963: Der letzte Ritt nach Santa Cruz; 1964: Heiß weht der Wind

Ozores Jr., Mariano: 1984: Al este del oeste

Palli, Enzo Gicca (Geburtsname: Lorenzo Gicca Palli; Pseudonym: **Enzo Gicca, Vincent Thomas**); 1971: Il venditore di morte

Pannacciò, Angelo (Elo) (Pseudonyme: **Gerard B. Lennox, Angelo A. Pann, Angel Valery, Mark Welles**; geboren 1930 in Foligno/Italien): 1971: Lo ammazzò come un cane ... ma lui rideva ancora

Regie: Edoardo Mulargia

Paolella, Domenico (Pseudonyme: **Paolo Dominici, Paul Fleming**; geboren am 15.10.1918; gestorben am 07.10.2002): 1967: Odio per odio; 1968: Execution

Parolini, Gianfranco (Pseudonyme: **John Eastwood, Frank Kramer**; geboren am 20.2.1930 in Rom/Italien): 1965: Johnny West, il mancino; 1968: ... se incontri Sartana prega per la tua morte; 1969: Ehi amico! C'è Sabata, hai chiuso!; 1970: Indio Black, sai che ti dico: sei un gran figlio di ...; 1971: E tornato Sabata ... hai chiuso un'altra volta!; 1976: Diamante Lobo

Parrish, Robert (geboren am 4.1.1916 in Columbus, Georgia/USA; gestorben am 4.12.1995 in Southampton, Long Island, New York/USA): 1971: A town called Hell

Pastore, Sergio (geboren 1932 in Rom/Italien; gestorben am 24.9.1987 in Rom/Italien): 1968: Crisantemi per un branco di carogne

Perelli, Luigi (geboren am 26.10.1937 in La Spezia/Italien): 1972: Lo chiamavano Verità

Peri, Enzo (geboren am 11.9.1939 in Palermo, Sizilien/Italien): 1966: 3 pistole contro Cesare

Petroni, Giulio (geboren am 21.9.1920 in Rom/Italien): 1967: Da uomo a uomo; 1968: ... e per tetto un cielo di stelle; Tepepa; 1969: La notte dei serpenti; 1972: La vita a volte è molto dura, vero Provvidenza?

Petzold, Konrad: 1969: Weiße Wölfe; 1970: Tödlicher Irrtum; 1971: Osceola; 1974: Kit & Co. – Lockruf des Goldes; 1983: Der Scout

Peyser, John (geboren am 10.8.1916 in New York, New York/USA; gestorben am 16.08.2002 in Woodland Hills, Kalifornien/USA): 1971: Cuatro cabalgaron

Philipp, Harald (gestorben am 5.7.1999): 1965: Der Ölprinz; 1966: Winnetou und das Halbblut Apanatschi

Pierotti, Piero (Pseudonym: **Peter E. Stanley**; geboren am 1.1.1912 in Pisa/Italien; gestorben am 4.5.1970 in Rom/Italien): 1964: Sansone e il tesoro degli Incas; 1966: Zorro il ribelle; 1968: Testa o croce

Pink, Sidney W. (geboren 1916; gestorben am 12.10.2002 in Pompano Beach, Flordia/USA): 1965: Finger on the Trigger; 1966: The christmas kid

Pinzauti, Mario (geboren am 1.5.1930 in Rom/Italien): 1970: Giunse Ringo e ... fu tempo di massacro; 1971: Vamos a matar Sartana

Polselli, Renato: (Pseudonym: **Leonide Preston**): 1965: Lo sceriffo che non spara

Pottier, Richard 1958: Sérénade au Texas

Pradeaux, Maurizio (geboren am 16.4.1931 in Rom/Italien): 1966: Ramon il messicano; 1974: I figli di Zanna Bianca

Prager, Stanley (Pseudonym: **Luciano Lelli**; geboren am 8.1.1917 in New York, New York/USA; gestorben am 18.1.1972 in Los Angeles, Kalifornien/USA): 1967: Bang Bang Kid

Puccini, Gianni (Pseudonym: **Jeff Mulligan**; geboren am 9.11.1914 in Mailand/Italien; gestorben am 3.12.1968 in Rom/Italien): 1967: Dove si spara di più

Pupillo, Massimo (Pseudonyme: **Max Hunter, Ralph Zucker**): 1967: Bill il taciturno

Questi, Giulio: 1967: Se sei vivo spara

Quintano, Gene: 1998: Dollar for the dead

Ramírez, Pedro Luis (Pseudonym: **Stan Parker**; geboren 1919 in Spanien): 1972: Ninguno de los tres se llamaba Trinidad

Rätz, Günter: 1990: Die Spur führt zum Silbersee

Reed, Dean (geboren am 22.9.1938 in Denver, Colorado/USA; gestorben am 13.6.1986 in Zeuthen b. Berlin): 1974: Kit & Co; 1975; 1975: Blutsbrüder; 1981: Sing, Cowboy, sing

Reinl, Harald (geboren am 9.7.1908 in Bad Ischl/Österreich; gestorben am 9.10.1986 in Puerto de la Cruz, Teneriffa/Spanien): 1962: Der Schatz im Silbersee; 1963: Winnetou I; 1964: Winnetou II; 1965: Winnetou III; Der letzte Mohikaner; 1968: Winnetou und Shatterhand im Tal der Toten; 1972: Der Schrei der schwarzen Wölfe; 1973: Die blutigen Geier von Alaska

Reyes, José Truchado: 1980: Chicano

Reynolds, Sheldon (Pseudonym: **Ralph Gideon**): 1965: Die Hölle von Manitoba

Ricci, Tonino (Pseudonyme: **Anthony Richmond; Tony Good**; Geburtsname: Teodoro Ricci; geboren am 23.10.1927 in Rom/Italien): 1971: Monta in sella figlio di ...; Storia di karatè, pugni e fagioli; 1974: Zanna Bianca alla riscossa; 1991: Buck ai confini del cielo; 1997: Buck e il braccialetto magico

Rocco, Gian Andrea: 1967: Giarrettiera Colt

Roenning, Joachim: 2006: Bandidas

Roland, Jürgen (geboren am 25.12.1925): 1963: Die Flußpiraten vom Mississippi

Román, Antonio (geboren am 9.11.1911 in Ourense/Spanien; gestorben am 16.6.1989 in Madrid/Spanien): 1965: Ringo del Nebraska

Romero Marchent, Joaquín Luis (Geburtsname: Joaquín Luis Romero Hernández Marchent; Pseudonyme: **Joaquín Romero Fernández, Joaquín Romero Hernández, Paul Marchenti**): 1954: El coyote; 1955: La justicia del coyote; 1962: L'ombra di Zorro; La sombra del Zorro; La venganza del Zorro; 1963: Tres hombres buenos; I tre spietati; 1964: I sette del Texas; Aventuras del Oeste; 1965: 100.000 dollari per Lassiter; 1966: El aventurero de Guaynas; 1968: Fedra West; Hora de morir; 1971: Condenados a vivir

Romero Marchent, Rafael (geboren am 3.5.1926 in Madrid/Spanien): 1965: Ocaso de un pistolero; Dos pistolas gemelas; 1967: Dos cruces en Danger Pass; 1968: Ringo il cavaliere solitario; Ad uno ad uno ... spietatamente; ¿Quién grita venganza?; Garringo; 1969: Manos torpes; 1970: Un par de asesinos; 1972: Un dólar de recompensa; El Zorro justiciero; 1980: El lobo negro; La venganza del lobo negro

Romitelli, Giancarlo (Pseudonym: **Don Reynolds**; geboren 1936 in Urbino/Italien): 1970: L'oro die Bravados; 1971: Lo chiamavano King

Rosati, Giuseppe (Nuni) (Pseudonym: **Aaron Leviathan**): 1972: Campa carogna ... la taglia cresce

Rossati, Nello (Pseudonyme: **Ted Archer, Nello Ferrarese**; geboren am 15.7.1942 in Adria/Italien): 1987: Django 2 – Il grande ritorno

Rossetti, Franco (Pseudonym: **Fred Gardner**; geboren am 1.10.1930 in Siena/Italien): 1967: El desperado

Rosso, Salvatore (geboren am 7.3. 1920 in Collegano/Italien): 1968: Uno straniero a Paso Bravo

Roussel, Gilbert (Pseudonym: **William Russell**): 1972: Les aventures galantes de Zorro

Rowland, Roy (geboren am 31.12.1910 in New York, New York/USA; gestorben am 29.6.1995): 1964: Los pistoleros de Casa Granda; 1965: Sie nannten ihn Gringo

Sabatini, Mario (Pseudonym: **Anthony Green**): 1972: Un uomo chiamato Dakota; Lo sceriffo di Rock Spring

Salvi, Emimmo (geboren am 23.1.1926 in Rom/Italien): 1966: Tre colpi di Winchester per Ringo; 1967: Wanted Johnny Texas

Sandberg, Espen: 2006: Bandidas

Santi, Giancarlo: 1973: Il grande duello

Santini, Alessandro: 1971: Al di la dell'odio

Sarafian, Richard C.: 1971: A man in the wilderness

Sasdy, Peter: 1976: Welcome to Blood City

Savona, Leopoldo (Pseudonym: **Leo Colman**; geboren 1922 in Lesola/Italien): 1966: El Rojo; 1967: Killer Kid; 1970: Un uomo chiamato Apocalisse Joe; 1972: Posate le pistole ... reverendo; Dio perdoni la mia pistola

Schamoni, Peter (geboren am 27.3.1934 in Berlin/Deutschland): 1976: Potato Fritz

Schneider, Helge: 1993: Texas – Doc Snyder hält die Welt in Atem

Scotese, Giuseppe Maria: 1971: Il lungo giorno della violenza

Regie: Giulio Questi

Secchi, Antonio (Pseudonym: **Tony Dry**; geboren 1924 in Genua/Italien): 1971: Padella calibro 38

Selander, Lesley (geboren am 26.5.1900 in Los Angeles, Kalifornien/USA; gestorben am 5.12.1979 in Los Alamitos, Kalifornien/USA): 1966: The Texican

Selpin, Herbert: 1939: Wasser für Canitoga

Sequi, Mario (Pseudonym: **Anthony Wileys**); 1965: Gli uomini dal passo pesante

Shepard, Sam (Geburtsname: Samuel Shepard Rogers; geboren am 5.11.1943 in Fort Sheridan, Illinois/USA): 1993: Silent Tongue

Sherman, George (geboren am 14.7.1908 in New York, gestorben am 15.3.1991 in Los Angeles/Kalifornien): 1964: Joaquín Murieta

Siciliano, Mario (Pseudonyme: **Lee Castle, Azzeri Luca Delli, Carlo Leone, Marlon Sirko**; geboren 1925 in Rom/Italien; gestorben 1987 in Rom/Italien): 1967: I vigliacchi non pregano; 1972: Trinità e Sartana figli di ...; Alleluia e Sartana figli ... di Dio

Simonelli, Giorgio C. (geboren am 23.11.1901 in Rom/Italien; gestorben am 3.10.1966 in Rom/Italien): 1960: Un dollaro di fifa; 1961: I magnifici tre; 1964: Due mafiosi nel Far West; 1965: I 2 sergenti del generale Custer; 1966: I 2 figli di Ringo

Simonelli, Giovanni: 1968: Passa Sartana, è l'ombra della tua morte

Singer, Alexander (geboren 1932 in New York, New York/USA): 1971: Captain Apache

Sein Colt spuckt den Tod

Giuliano Gemma
Blutiges Blei

Warren Vanders · Maria Cuadra
Rai Saunders · Benito Stefanelli
und **Van Johnson**

Ein FARBFILM

Regie:
Tonino Valerii

Regie: Tonino Valerii

Siodmak, Robert (geboren am 8.8.1900 in Dresden/Deutschland; gestorben am 10.3.1973 in Locarno/Schweiz): 1965: Der Schatz der Azteken; Die Pyramide des Sonnengottes; 1967: Custer of the West

Soldati, Mario: 1952: Il sogno di Zorro

Sollima, Sergio (Pseudonym: **Simon Sterling**; geboren am 17.4.1921 in Rom/Italien): 1966: La resa dei conti; 1967: Faccia a faccia; 1968: Corri uomo corri

Spataro, Diego: 1972: Scansati ... a Trinità arriva Eldorado

Squitieri, Pasquale (Pseudonym: **William Redford**; geboren am 27.11.1938 in Neapel/Italien): 1969: Django sfida Sartana; 1971: La vendetta è un piatto che si serve freddo

Stegani, Giorgio Casorati (Pseudonym: **George Finley**; geboren am 13.10.1928 in Mailand): 1965: Adiós gringo; 1967: Gentleman Jo ... uccidi!; Al di là della legge

Stevens, Marc: 1966: Tierra de fuego

Sturges, John (geboren am 3.1.1911 in Oak Park, Illinois/USA; gestorben am 18.8.1992 in San Luis Obispo, Kalifornien/USA): 1973: Valdez il mezzosangue

Taylor, Don (geboren am 13.12.1920 in Freeport, Pennsylvania/USA; gestorben am 29.12.1998 in Los Angeles, Kalifornien/USA): 1969: Un esercito di 5 uomini

Tchernia, Pierre: (Geburtsname: Pierre Tcherniakowski; geboren am 29.1.1928 in Paris/Frankreich): 1971: Lucky Luke

Tessari, Duccio (Geburtsname: Amadeo Tessari; geboren am 11.10.1926 in Genua/Italien; gestorben am 6.9.1994 in Rom/Italien): 1964: Una pistola per Ringo; 1965: Il ritorno di Ringo; 1969: Vivi o preferibilmente morti; 1971: Viva la muerte ... tua!; 1974: Zorro; 1985: Tex e il Signore degli abissi

Thomas, Gerald: 1965: Carry on Cowboy

Thomas, Ralph: 1957: Campbell's kingdom

Torrado, Ramón (Pseudonym: **Raymond Torrad**; geboren am 5.4.1905 in La Coruña/Spanien): 1962: Bienvenido, padre Murray; 1964: Los cuatreros; Relevo para un pistolero; La carga de la policía montada

Trenker, Luis: 1936: Der Kaiser von Kalifornien

Trimpert, Helge: 1985: Atkins

Vacca, Tom: 1985: Blood church

Valerii, Tonino (geboren am 20.5.1934): 1966: Per il gusto di uccidere; 1967: I giorni dell'ira; 1969: Il prezzo del potere; 1972: Una ragione per vivere e una per morire; 1973: Il mio nome è Nessuno

Van Peebles, Mario (geboren am 15.1.1957 in Mexico City/Mexiko): 1993: Posse

Vancini, Florestano (Pseudonym: **Stan Vance**; geboren am 24.8.1926): 1966: I lunghi giorni della vendetta

Vanzi, Luigi (Pseudonyme: **Roy Ferguson, Lewis Vance**): 1966: Un dollaro tra i denti; 1967: Un uomo, un cavallo, una pistola; 1969: Lo straniero di silenzio

Vanzina, Stefano (Pseudonym: **Steno**; geboren am 19.1.1915 in Rom/Italien; gestorben am 12.3.1988 in Rom/Italien): 1963: Gli eroi del West; 1964: I gemelli del Texas

Vari, Giuseppe (Pseudonyme: **Al/Walter Pisani, Jack/John/Joseph Warren**; gestorben am 1.10.1993): 1965: Deguejo; 1967: Un poker di pistole; Con lui cavalca la morte; L'ultimo killer; Un buco in fronte; 1970: Il tredicesimo è sempre Giuda; 1971: Prega il morto e ammazza il vivo; 1974: Il lupo dei mari

Verneuil, Henri (Geburtsname: Achod Malakian; geboren am 15.10.1920 in Rodosto/Türkei; gestorben am 11.1.2002 in Paris/Frankreich): 1967: La bataille de San Sebastian

Veronesi, Giovanni: 1998: Il mio west

Vogeler, Volker (geboren am 27.6.1930 in Bad Polzin/Deutschland; gestorben am 16.04.2005 in Hamburg/Deutschland): 1973: Verflucht dies Amerika; 1974: Das Tal der tanzenden Witwen

Vohrer, Alfred (geboren am 19.12.1918 in Stuttgart/Deutschland; gestorben am 3.2.1986 in München/Deutschland): 1964: Unter Geiern; 1965: Old Surehand; 1966: Winnetou und sein Freund Old Firehand

Wallroth, Werner W.: 1975: Blutsbrüder

Walsh, Raoul (Geburtsname: Albert Edward Walsh; geboren am 11.3.1887 in New York, New York/USA; gestorben am 31.12.1980 in Simi Valley, Kalifornien/USA): 1958: Sheriff of Fractured Jaw

Wanamaker, Sam (geboren am 14.6.1919 in Chicago, Illinois/USA; gestorben am 18.12.1993 in London/England) 1971: Catlow

Watrin, Pierre: 1978: La ballade des Dalton

Weiß, Ulrich: 1979: Blauvogel

Wertmüller, Lina (Pseudonyme: **George H. Brown, Nathan Wich**; Geburtsname: Arcanguela Felice Assunta W. Von Elgg; geboren am 14.8.1926 in Rom/Italien): 1968: The Belle Starr story

Wilson, Hugh (geboren am 21.8.1943 in Miami, Florida/USA): 1984: Rustler's Rhapsody

Winner, Michael (geboren am 30.10.1935 in London): 1971: Chato's land

Winterbottom, Michael (geboren am 29.3.1961 in Blackburn, Lancashire/England): 2000: The Claim

Yee, Yeo Ban: 1973: ... altrimenti vi ammucchiamo

Young, Terence (geboren am 20.6.1915 in Shanghai/China; gestorben am 7.9.1994 in Cannes/Frankreich): 1971: Soleil rouge

Zabalza, José María (Pseudonyme: **Harry Freeman, Charles Thomas**): 1964: Le maledette pistole di Dallas; 1969: Veinte mil dólares por un cadáver; 1970: Los rebeldes de Arizona; Plomo sobre Dallas; 1983: Al oeste de Rio Grande;

Zane, Angio (Pseudonym: **Auro D'Enza**): 1965: Okay sceriffo

Zeani, Marcello: 1973: Sette monache a Kansas City

Zeglio, Primo (Pseudonym: **Anthony Greepy**): 1963: L'uomo della valle maledetta; 1964: I due violenti; 1965: I quattro inesorabili; 1967: Killer adios

Zehetgruber, Rudolf (Pseudonym: **Cehett Grooper**): 1966: Sette donne per una strage

Zingarelli, Italo: 1969: Un esercito di 5 uomini

Zurli, Guido (Pseudonyme: **Jean Luret, Albert Moore, Frank Parker**): 1966: Thompson 1880; 1968: El Zorro; O tutto o niente

DIE GEWALT WAR IHR REZEPT

Die Drehbuchautoren und ihre Filme

Addessi, Giovanni: 1969: E Dio disse a Caino ...

Addiss, Justus: 1965: Il magnifico straniero

Agotay, Louis: 1963: Buffalo Bill, l'eroe del Far West

Alabiso, Mario: 1970: Un par de asesinos

Albertini, Adalberto (Pseudonyme: **Al Albert, Bitto Albertini, Stanley Mitchell, Albert Thomas, Albert J. Walker**): 1967: Una colt in pugno al diavolo; 1970: I vendicatori dell'Ave Maria; 1974: Che botte, ragazzi!

Alcocer, Santos: 1964: I gemelli del Texas

Alexander, Matt: 2002: Blueberry

Alfieri, Carlo Alberto: 1974: Che botte, ragazzi!

Almendros, Gregorio: 1964: Los cuatreros

Amadio, Silvio: 1965: Per mille dollari al giorno

Ambrogi, Silvano: 1984: Arrapaho

Amendola, Mario (Pseudonym: **Irving Jacobs**): 1952: Il sogno di Zorro; 1959: Il terrore dell'Oklahoma; La sceriffa; 1962: Le tre spade di Zorro; 1964: El Zorro cabalga otra vez; 1966: Uccidi o muori; Per un pugno di canzoni; 1967: Killer adios; Odio per odio; I giorni della violenza; 1968: Il grande silenzio; ... dai nemici mi guardo io!; Spara, gringo, spara; 1971: Padella calibro 38; 1972: La banda J. & S. cronaca criminale del Far West; 1973: Kid il monello del West; 1974: Il bianco, il giallo, il nero

Amoroso, Roberto (Pseudonyme: **Tony Good, Robert Lover**): 1965: Deguejo; 1966: El Rojo

An Den Berg, Schringo: 1993: Texas – Doc Snyder hält die Welt in Atem

Anchisi, Piero: 1968: L'odio è il mio Dio; 1969: Il pistolero dell'Ave Maria; 1971: Blindman

Andrei, Marcello (Pseudonym: **Mark Andrew**): 1977: El Macho

Andreoli, Giuseppe: 1968: Black Jack

Angelo, Luigi: 1967: Lola Colt; 1968: Odia il prossimo tuo; 1970: Le juge; 1971: Black Killer

Anthony, Tony: 1971: Blindman

Antonelli, Lamberto: 1967: Lola Colt

Antonini, Alfredo (Pseudonym: **Albert Band**): 1963: Gringo; 1964: Massacro al Grande Canyon; 1965: Gli uomini dal passo pesante

Arabia, Carlos: 1967: Lo voglio morto

Arcalli, Franco: 1967: Se sei vivo spara

Areal, Alberto: 1968: ... e per tetto un cielo di stelle

Argento, Dario: 1967: Oggi a me ... domani a te; 1968: Une corde, un Colt; 1969: Un esercito di 5 uomini

Arlorio, Giorgio: 1974: Zorro

Askey, Arthur: 1956: Rambsbottom rides again

Audouard, Yvan: 1956: Fernand Cow-Boy

Aured, Carlos: 1982: Triumph of a man called horse

Austen, Olivier: 1990: Jesuit Joe

Auz, Victor: 1966: Per il gusto di uccidere

Ayala, Fernando: 1975: Cacique Bandeira

Azcona, Rafael: 1971: Si può fare ... amigo!; 1972: Una ragione per vivere e una per morire; 1974: Touche pas la femme blanche

Azzella, William: 1966: Djurado

Balanos, José Antonio: 1973: Lucky Johnny

Balcázar, Alfonso (Pseudonym: **Al Bagran**): 1964: 5.000 dollari sull'asso; 1965: 100.000 dollari per Ringo; L'uomo dalla pistola d'oro; 1966: Clint, el solitario; Dinamita Jim; I 5 della vendetta; Sette magnifiche pistole; Tierra de fuego; La legge della violenza; 1971: Attento gringo ... è tornato Sabata!;1972: Hijos de pobres, pero deshonestos padres ... Le llamaban Calamidad; I bandoleros della dodicesima ora; 1973: Storia di karatè, pugni e fagioli

Balcazar, Jaime Jesús: 1966: Thompson 1880; 1967: Gentleman Jo ... uccidi!; Professionisti per un massacro; Due volte Giuda

Baldanello, Gianfranco (Pseudonym: **Frank G. Carrol**): 1965: 30 Winchester per El Diablo; 1967: I lunghi giorni dell'odio; 1968: Black Jack; 1973: Una colt in mano al diavolo; Il figlio di Zorro

Baldi, Ferdinando (Pseudonyme: **Ferdy Baldwyn, Free Baldwyn, Ted Kaplan, Sam Livingston**): 1966: Texas, addio; 1967: Little Rita nel west; Preparati la bara!; 1968: Odia il prossimo tuo; 1969: Il pistolero dell'Ave Maria; 1971: Blindman; 1973: Carambola; 1974: Carambola, filotto ... tutti in buca; 1975: Get Mean

Balducci, Richard: 1971: Dans la poussière du soleil

Ballor, George W.: 1967: Uccideva a freddo

Balluck, Don: 1971: Cuatro cabalgaron

Baracco, Adriano: 1967: Con lui cavalca la morte

Baratti, Bruno: 1967: Dove si spara di più

Barboni, Enzo (Pseudonym: **E. B. Clucher**): 1970: Lo chiamavano Trinità; 1971: Continuavano a chiamarlo Trinità; Gli fumavano le Colt ... lo chiamavano Camposanto; 1972: ... e poi lo chiamarono il magnifico

Barboni, Marcotullio: 1995: Trinità & Bambino ... e adesso tocca a noi!

Barni, Aldo: 1971: Quelle sporche anime dannate

Barreiro, Ramon: 1962: Torrejón city

Bartsch, Joachim: 1965: Der letzte Mohikaner; Winnetou III

Base, Ron: 1990: Jesuit Joe

Bastia, Jean: 1963: Dinamite Jack

Battaglia, Enzo: 1967: Dos cruces en Danger Pass

Battista, Lloyd: 1975: Get Mean; 1980: Comin' at Ya!

Battistrada, Lucio Manlio: 1967: Requiescant; John il bastardo; 1968: Uno straniero a Paso Bravo

Batzella, Luigi (Pseudonyme: **Paul Hamus, Dean Jones, Ivan Kathansky, Paolo Solvay**): 1971: Anche per Django le carogne hanno un prezzo

Baudry, Alain: 1965: ¡Uncas! El fin de una raza

Baxter, John: 1956: Rambsbottom rides again

Bazzoni, Luigi: 1967: L'uomo, l'orgoglio, la vendetta

Beichler, Margot: 1976: Trini/Stirb für Zapata

Benvenuti, Lamberto: 1968: Joe, cercati un posto per morire!

Bercovici, Eric: 1975: La parola di un fuorilegge ... è legge!

Bergonzelli, Sergio (Pseudonym: **Serge Bergon**): 1965: Uno straniero a Sacramento; 1966: El Cisco; 1967: Una colt in pugno al diavolo; 1971: Su le mani cadavere! Sei in arresto

Berling, Peter: 1973: Tutti per uno ... botte per tutti

Bernabei, Claudio: 1975: Giubbe rosse

Berruti, Giulio: 1975: Zanna Bianca e il cacciatore solitario

Bianchi, Mario (Pseudonyme: **Frank Bronson, Alan W. Cools, Robert Martin, Robert Moore, Renzo Spaziani**): 1973: Hai sbagliato ... dovevi uccidermi subito!

Bianchi, Paola: 1973: Hai sbagliato ... dovevi uccidermi subito!

Bianchini, Paolo (Pseudonym: **Paul Maxwell**): 1968: Quel caldo maledetto giorno di fuoco

Biedermann, Alfons: 2001: Der Schuh des Manitu

Bigliozzi, Nanda: 1973: Fuori uno sotto un altro ... arriva il passatore

Billian, Hans: 1964: Die Goldsucher von Arkansas

Bistolfi, Emo (Pseudonym: **Silver Blem**): 1952: Il bandolero stanco; 1964: Gli eroi di Fort Worth

Blackwell, Ken: 1982: Triumph of a man called horse

Blake, Nobert: 1972: Posate le pistole ... reverendo

Blasco, Ricardo (Pseudonym: **Richard Blask**): 1963: Gringo

Blond, Anthony: 1973: ... è così divennero i 3 supermen del West

Boccacci, Antonio: 1967: I giorni della violenza

Boccia, Tanio (Pseudonym: **Amerigo Anton**): 1967: Dio non paga il Sabato; 1968: Sapevano solo uccidere; 1972: La lunga cavalcata della vendetta

Bohm, Hark: 1972: Tschetan, der Indianerjunge

Bolzoni, Adriano (Pseudonym: **Mark Salter**): 1964: Minnesota Clay; 1965: L'uomo che viene da Canyon City; Ringo del Nebraska; Johnny Oro; 1966: 2 once di piombo; 1967: Un buco in fronte; Pecos è qui: prega e muori; Requiescant; 1968: Il mercenario; 1970: Il tredicesimo è sempre Giuda; 1971: Prega il morto e ammazza il vivo; 1972: Alleluja e Sartana figli ... di Dio; Trinità e Sartana figli di ...; Così sia; La banda J. & S. cronaca criminale del Far West; 1977: Sella d'argento

Bonamano, Valeria: 1964: Die schwarzen Adler von Santa Fé

Bondarchuck, Sergei: 1982: Krasnye kolokola, film pervyj – Meksika v ogne

Bonelli, Giorgio: 1985: Tex e il Signore degli abissi

Borde, Inge: 1978: Severino/Der Sohn des großen Häuptlings kehrt zurück – Severino

Bosch, Juan (Pseudonym: **John Wood**): 1971: Domani passo a salutare la tua vedova ... parola di Epidemia; 1971: Los buitres cavarán tu fosa; 1972: La caza del oro; Dio in cielo ... Arizona in terra; Il mio nome è Scopone e faccio sempre cappotto; 1978: La ciudad maldita

Boulanger, Daniel: 1971: Les pétroleuses

Boyce, Frank Cottrell: 2000: The Claim

Boyd, Jerold Hayden: 1965: Die Hölle von Manitoba

Bozzetto, Bruno: 1964: West and Soda

Brass, Tinto: 1965: Yankee

Brescia, Alfonso (Pseudonym: **Al Bradley**): 1965: La colt è la mia legge; 30 Winchester per El Diablo

Briley, John: 1980: Eagle's Wing

Briz, José Mendez (Pseudonym: **Gilbert Kay**): 1967: Comanche blanco

Brochero, Eduardo M.: 1963: L'uomo della valle maledetta; 1965: El proscrito de río Colorado; Kid Rodelo; La grande notte di Ringo; 1966: Ringo, il volto della vendetta; 1967: Sette pistole per un massacro; Dos cruces en Danger Pass; 1968: Tutto per tutto; Ad uno ad uno ... spietatamente; 1970: Una nuvola di polvere ... un grido di morte ... arriva Sartana; Matalo!; 1971: Il lungo giorno della violenza; Anda muchacho, spara!; 1973: Mi chiamavano Requiescant ... ma avevano sbagliato

Brocka, Lino (Pseudonym: **Lino Brocks**): 1968: I fratelli di Arizona

Brough, Walter: 1968: The Desperados

Brummell, Beau: 1970: Friß den Staub von meinen Stiefeln

Bruschini, Vito: 1978: Zanna Bianca e il grande Kid

Bucceri, Franco: 1968: O tutto o niente; 1977: California

Buchs, Julio: 1965: Mestizo; 1967: ¡El hombre que mató a Billy el Niño!; 1969: Quei disperati che puzzano di sudore e di morte

Buzzi, Gian Luigi: 1967: I giorni della violenza

Caiano, Mario (Pseudonyme: **Allan Grunewald, William Hawkins, Mike Perkins, Edoardo Re**): 1963: Tres hombres buenos; 1966: Ringo, il volto della vendetta; 1967: Un treno per Durango; 1968: Ringo il cavaliere solitario; Il suo nome gridava vendetta; 1973: Il mio nome è Shangai Joe

Calabrese, Franco: 1970: La belva

Calderoni, Franco: 1968: Quel caldo maledetto giorno di fuoco

Callegari, Gian Paolo: 1942: Il fanciullo del west

Caltabiano, Alfio: 1967: Ballata per un pistolero; 1972: Così sia; Oremus, Alleluja e Così Sia

Caminito, Augusto: 1966: I lunghi giorni della vendetta; 1967: L'ultimo killer; La più grande rapina nel West; Ognuno per sé; Un poker di pistole; Con lui cavalca la morte; Pecos è qui: prega e muori; 1973: Blu Gang

Camus, Mario: 1970: La collera del vento

Canevari, Cesare: 1964: Per un dollaro a Tucson si muore

Capriccioli, Massimiliano: 1966: Per pochi dollari ancora; Django spara per primo

Capuano, Luigi: 1967: Il magnifico Texano

Carboni, Fabio: 1974: La pazienza ha un limite ... noi no!

Cardone, Alberto (Pseudonym: **Albert Cardiff**): 1967: 20.000 dollari sul 7; 1968: Il lungo giorno del massacro; 20.000 dollari sporchi di sangue; L'ira di Dio; 1973: Mi chiamavano Requiescant ... ma avevano sbagliato

Carlos, Luciano B.: 1968: I fratelli di Arizona

Carnimeo, Giuliano: 1971: Testa, t'ammazzo, croce ... sei morto, mi chiamano Alleluja

Carpi, Fabio: 1997: Buck e il braccialetto magico

Carpi, Tito (Pseudonym: **Mathias McDonald**): 1964: I magnifici Brutos del West; 1965: Per mille dollari al giorno; 1966: Pochi dollari per Django; Django spara per primo; Il figlio di Django; 1967: Il momento di uccidere; Quella sporca storia nel West; Ric e Gian alla conquista del West; 7 winchester per un massacro; Vado, l'ammazzo e torno; La vendetta è il mio perdono;1968: Il suo nome gridava vendetta; Ammazzali tutti e torna solo; T'ammazzo! ... raccomandati a Dio; Anche nel West c'era una volta Dio; Ad uno ad uno ... spietatamente; 1969: Sono Sartana, il vostro becchino; 1970: C'è Sartana ... vendi la pistola e comprati la bara!; Una nuvola di polvere ... un grido di morte ... arriva Sartana; Reverendo Colt; 1971: Testa t'ammazzo, croce ... sei morto, mi chiamano Alleluja; Uomo avvisato mezzo ammazzato ... parola di Spirito Santo; 1972: Il West ti va stretto amico ... è arrivato Alleluja; Tedeum; 1973: Di Tresette ce n'è uno tutti gli altri son nessuno; Lo chiamavano Tresette ... giocava sempre col morto; Fuori uno sotto un altro ... arriva il passatore; Tutti per uno ... botte per tutti; 1991: Buck ai confini del cielo

Carrière, Jean-Claude: 1966: Viva Maria

Casaril, Guy: 1971: Les pétroleuses

Cascapera, Marcello: 1973: Sette monache a Kansas City

Cascino, Vincenzo (Pseudonym: **Vincent Cashino**): 1965: Lo sceriffo che non spara; 1967: El desperado; 1968: L'odio è il mio Dio; 1969: Lo straniero di silenzio; Il pistolero dell'Ave Maria; 1971: Blindman

Castell, Ramon Plana: 1980: Comin' at Ya!

Castellano, Franco (Pseudonyme: **Castellano, Franz Wieland**): 1972: La vita a volte è molto dura, vero Provvidenza?; 1973: Ci risiamo, vero Provvidenza?

Castellano, Franco: 1964: Le pistole non discutono

Castellari, Enzo G. → Girolami, Enzo

Castillo, Arturo Ruiz: 1964: El secreto del capitán O'Hara

Cavara, Paolo: 1972: Los amigos

Celano, Guido (Pseudonym: **William First**): 1967: Giurò e li uccise ad uno ad uno

Cerami, Vincenzo: 1966: Il pistolero dell'Ave Maria; 1967: El desperado; 1968: L'odio è il mio Dio; 1969: Lo straniero di silenzio; 1971: Blindman

Cerchio, Fernando (Pseudonym: **Fred Ringold**): 1966: Per un dollaro di gloria

Cervi, Tonino: 1967: Oggi a me ... domani a te

Chaffey, Don: 1972: Charley One-Eye

Chamorro, Pedro: 1955: La justicia del coyote

Champion, John C.: 1966: The Texican

Chase, Bordon: 1964: Los pistoleros de Casa Grande

Chase, Patricia: 1964: Los pistoleros de Casa Grande

Chentrens, Federico (Pseudonym: **Richard Owens**): 1970: Le juge

Chianetta, Oscar: 1967: I vigliacchi non pregano

Cianelli, Lewis E.: 1966: El aventurero de Guaynas

Cimber, Matt: 1984: Yellow Hair & Pecos Kid

Ciorciolini, Marcello (Pseudonyme: **James Harris, Frank Red**): 1964: Due mafiosi nel Far West; 1965: I 2 sergenti del generale Custer; 1966: I 2 figli di Ringo; 1968: Ciccio perdona ... io no!; I nipoti di Zorro

Ciuffini, Sabatino: 1969: Gli specialisti; 1972: Che c'entriamo noi con la rivoluzione?; La banda J. & S. cronaca criminale del Far West

Civirani, Osvaldo (Pseudonyme: **Glen Eastman, Richard Kean**): 1966: Il figlio di Django; Uno sceriffo tutto d'oro; 1967: Ric e Gian alla conquista del West; 1968: T'ammazzo! ... raccomandati a Dio; 1972: I 2 figli dei Trinità

Clausen, Murmel: 2001: Der Schuh des Manitu

Clerici, Gianfranco: 1966: Zorro il ribelle; 1985: Tex e il Signore degli abissi

Clydeburn, Paul: 1964: Heiß weht der Wind

Cobianchi, Franco: 1965: La colt è la mia legge; 1967: Se vuoi vivere ... spara!

Cobianchi, Luigi: 1968: Tre croci per non morire

Cobos, Juan: 1966: 7 dollari sul rosso; 1967: Bandidos

Colangeli, Roberto: 1970: Ehi amigo ... sei morto!

Coletti, Melchiade: 1966: 7 dollari sul rosso

Colizzi, Giuseppe: 1967: Dio perdona ... io no!; 1968: I quattro dell'Ave Maria; 1969: La collina degli stivali

Colnaghi, Ignazio (Pseudonym: **Ignatius Colnigee**): 1965: Okay sceriffo

Colombo, Enrico: 1970: La muerte busca un hombre

Coltellacci, Oreste: 1972: Lo chiamavano Verità; 1974: Der kleine Schwarze mit dem roten Hut

Colucci, Alberto: 1964: Oeste Nevada Joe

Colucci, Mario (Pseudonym: **Ray Colloway**): 1965: Un dollaro di fuoco; 1968: Vendetta per vendetta

Comas, Ramon: 1965: La colt è la mia legge

Contardi, Livia (Pseudonym: **Jane Brisbane**): 1965: La strada per Fort Alamo

Conti, Pierre: 1963: Buffalo Bill, l'eroe del Far West

Continenza, Alessandro: 1952: Il sogno di Zorro; 1963: Gli eroi del West; 1964: 5.000 dollari sull'asso; 1966: Django spara per primo; Per pochi dollari ancora; Sugar Colt; 1972: Oremus, Alleluja e Così Sia; 1974: Zanna Bianca alla riscossa

Corbucci, Bruno (Pseudonym: **Frank B. Corlish**): 1965: Quattro dollari di vendetta; 1966: Per qualche dollaro in meno; Django; 1967: Odio per odio; 1968: ... dai nemici mi guardo io!; Spara, gringo, spara; Il grande silenzio; 1973: Kid il monello del West; Tutti per uno ... botte per tutti; 1974: Il bianco, il giallo, il nero

Corbucci, Sergio (Pseudonyme: **Stanley Corbett, Gordon Wilson, Jr.**): 1961: I magnifici tre; 1964: Massacro al Grande Canyon; Minnesota Clay; 1966: Django; 1968: Il mercenario; Il grande silenzio; 1969: Gli specialisti; 1970: Vamos a matar compañeros; 1972: Che c'entriamo noi con la rivoluzione?; La banda J. & S. cronaca criminale del Far West

Corrigan, Lou: 1971: Los buitres cavarán tu fosa

Corvin, Anya: 1965: Duell vor Sonnenuntergang

Coscia, Marcello: 1971: Viva la muerte ... tua!; 1985: Tex e il Signore degli abissi

Costa, Mario (Pseudonym: **John W. Fordson**): 1970: La belva

Crea, Gianni: 1969: La legge della violenza; 1972: I sette del gruppo selvaggio; Il magnifico West

Crispino, Armando: 1967: John il bastardo; Requiescant

Cristallini, Giorgio (Pseudonym: **George Warner**): 1971: I quattro pistoleri di Santa Trinità; Sei jellato amico, hai incontrato Sacramento

Croccolo, Carlo (Pseudonym: **Lucky Moore**): 1971: Una pistola per cento croci

Cue, Baltasar Fernandez: 1930: The bad man

Cunilles, José Maria: 1986: Scalps

D'Alessandro, Angelo: 1973: Jack London – La mia grande avventura

D'Amico, Suso Cecchi: 1967: L'uomo, l'orgoglio, la vendetta

D'Avack, Massimo: 1970: La spina dorsale del diavolo; Sledge

Damiani, Damiano: 1975: Un genio, due compari, un pollo

Damiani, Mario: 1971: El Zorro de Monterrey; 1973: Dieci bianchi uccisi da un piccolo indiano

Daniele, Franco: 1971: Il giorno del giudizio

Daugherty, Herschel: 1965: Il magnifico straniero

David, Nicole: 1963: El Llanero

De Angelis, Pompeo: 1968: Corri uomo corri

De Blain, Luis: 1973: Hai sbagliato ... dovevi uccidermi subito!

De Boitselier, Henri Bral: 1972: Les aventures galantes de Zorro

De Concini, Ennio: 1967: La bataille de San Sebastian; 1975: I quattro dell'Apocalisse; 1978: Amore, piombo e furore

De Echariti, Miguel: 1974: Whiskey e fantasmi

De Heredia, Álvaro Sáenz: 1996: Aquí llega condemor el Pecador de la Pradera

De Juan, Pedro: 1964: Le pistole non discutono

De La Bayonas, José Luis: 1967: 15 forche per un assassino; Bang Bang Kid

De La Fuente, Juliana San José (Pseudonym: **Jackie Kelly**): 1970: Saranda; Prima ti perdono ... poi t'ammazzo; 1971: Un colt por 4 cirios; 1972: Los fabulosos de Trinidad; Ninguno de los tres se llamaba Trinidad

De La Loma, José Antonio: 1964: 5.000 dollari sull'asso;1965: L'uomo dalla pistola d'oro; 1966: I 5 della vendetta; The Texican; Tierra di fuego; Clint, el solitario; Dinamita Jim; 1967: Professionisti per un massacro; 1971: El más fabuloso golpe del Far-West

De Lope, Mariano: 1968: Uno dopo l'altro

De Los Arcos, Louis: 1965: Finger on the trigger

De Luca, Lorenzo: 1993: Jonathan degli orsi

De Martino, Alberto (Pseudonym: **Herbert Martin**): 1964: Gli eroi di Fort Worth; 1965: 100.000 dollari per Ringo

De Nesle, Robert: 1965: Johnny West il mancino

De Ossorio, Amando: 1964: La tumba del pistolero; 1965: I tre del Colorado; 1974: La pazienza ha un limite ... noi no!

De Reske, David: 1966: Winnetou und sein Freund Old Firehand

De Riso, Arpad (Pseudonym: **Robert Keaton**): 1964: Sansone e il tesoro degli Incas; 1965: Uccidete Johnny Ringo; 1967: Il magnifico texano; 1968: Garringo; 1971: In nome del padre, del figlio e della colt; I senza Dio; 1972: La colt era il suo Dio; Kücük Kovboy; 1973: Il figlio di Zorro; Storia di karatè, pugni e fagioli

De Rita, Massimo: 1970: Vamos a matar compañeros; 1971: Viva la muerte ... tua!; 1973: Valdez il mezzosangue

De Rosa, Mario: 1971: Anche per Django le carogne hanno un prezzo

De Ruggieriis, Dino: 1969: Quinto: non ammazzare

De Sailly, Claude: 1961: Le goût de la violence

De Santis, Gino: 1964: Il piombo e la carne

De Stefanis, Alberto: 1978: La ciudad maldita

De Teffè, Antonio: 1969: Django il bastardo; 1970: Shango la pistola infallibile

De Urrutia, Federico: 1962: Bienvenido, padre Murray; 1964: I due violenti; 1965: Dos mil dólares por coyote; I quattro inesorabili; 1966: Djurado; 1967: ¡El hombre que mató a Billy el Niño!; 1968: Hora de morir; 1969: Il pistolero dell'Ave Maria; Quei disperati che puzzano di sudore e di morte; 1971: Uomo avvisato mezzo ammazzato ... parola di Spirito Santo

De Witt, Jack: 1968: Une corde, un Colt; 1971: A man in the wilderness; 1982: Triumph of a man called horse

Degli Espinosa, Francesco: 1967: La vendetta è il mio perdono

Del Castillo, Angel: 1963: Fuera de la ley

Del Grosso, Remigio: 1966: Wanted; Per pochi dollari ancora; 1968: Il pistolero segnato da Dio

Dell'Aquila, Vincenzo (Pseudonym: **Vincent Eagle**): 1966: Uno sceriffo tutto d'oro;1967: ... e venne il tempo di uccidere; Professionisti per un massacro; 7 donne per i MacGregor; 1968: All'ultimo sangue;1969: Sono Sartana, il vostro becchino

Dell'Era, Gaetano: 1971: Anche per Django le carogne hanno un prezzo

Della Mea, Ivan: 1968: Tepepa

Demby, Lucia Drudi: 1972: Los amigos

Demicheli, Tulio: 1967: Un hombre y un Colt

Demoulins, Gilles: 1966: Per pochi dollari ancora

Denger, Fred: 1965: Der Ölprinz; 1966: Winnetou und das Halbblut Apanatschi

Dennis, Irving: 1966: Tierra di fuego

Di Geronimo, Bruno: 1971: Anda muchacho, spara!

Di Girolamo, Roberto: 1986: Scalps

Di Leo, Fernando (Pseudonym: **Fernando Lion**): 1965: Il ritorno di Ringo; 1966: Le colt cantarono la morte e fu ... tempo di massacro; Navajo Joe; Sugar Colt; I lunghi giorni della vendetta; Wanted; Johnny Yuma; 1967: Dio li crea ... io li ammazzo!; Pecos è qui: prega e muori; ... e venne il tempo di uccidere; Ognuno per sé; 7 donne per i MacGregor; Un poker di pistole; Con lui cavalca la morte; Al di là della legge; Odio per odio

Di Lorenzo, Edward: 1963: L'uomo della valle maledetta; 1965: Die Hölle von Manitoba

Di Martino Mansi, Oscar (Pseudonym: **Oscar De Mans**): 1970: Le juge

Di Nardo, Mario: 1964: Tre dollari di piombo; 1967: 15 forche per un assassino; 1969: Ciakmull, l'uomo della vendetta; Il pistolero dell'Ave Maria; 1970: Roy Colt e Winchester Jack

Dimsdale, Howard: 1958: Sheriff of Fractured Jaw

Diotallevi, Fabrizio: 1971: Una pistola per cento croci; Monta in sella figlio di …

Dolfi, Ottavio: 1972: Sei bounty killers per una strage

Donati, Lorenzo: 1995: Tashunga

Donati, Sergio: 1965: 100.000 dollari per Lassiter; 1966: La resa dei conti; 1967: Faccia a faccia; 1968: C'era una volta il West; 1971: Amico, stammi lontano almeno un palmo …; Giù la testa; 1975: Cipolla Colt; 1980: Occhio alla penna; 1995: Tashunga

Douglas, Mike: 1965: Okay sceriffo

Ducci, Nico: 1970: Matalo!; 1973: Carambola; 1974: Carambola, filotto … tutti in buca; 1976: Keoma; 1977: California

Ebeling, Wolfgang: 1967: Chingachgook, die große Schlange; 1972: Tecumseh; 1975: Blutsbrüder

Ebert, Fritz: 1970: Vamos a matar compañeros

Elmes, Guy: 1973: Zanna Bianca

Elorrieta, José María (Pseudonyme: **Joseph De Lacy, J. Douglas, Joseph Lacy**): 1963: El hombre de la diligencia; 1964: Fuerte perdido; 1971: Su le mani cadavere! Sei in arresto

Emmanuel, Jacques: 1963: Dinamite Jack

Emmanuele, Luigi: 1964: Le maledette pistole di Dallas; 1967: I lunghi giorni dell'odio

Eras, Jorge: 1982: Krasnye Kolokola – Meksika v ogne

Escribano, Antonio Gimenez: 1964: Los cuatreros; 1965: Tumba para un forajido

Essex, Henry: 1972: Los amigos

Estabrook, Howard: 1930: The bad man

Esteba, Manuel: 1971: Una cuerda al amanecer

Estevan, Antonio: 1965: La spietata Colt del Gringo

Estridge, Robin: 1957: Campbell's kingdom

Ezhof, Valentin: 1982: Krasnye kolokola – Meksika v ogne

Fago, Giovanni (Pseudonym: **Sidney Lean**): 1968: Uno di più all'inferno

Failoni, Claudio: 1968: Quel caldo maledetto giorno di fuoco

Farjon, Paul: 1967: Bill il taciturno

Fassbinder, Rainer Werner: 1970: Whity

Felt, Monica: 1971: La vendetta è un piatto che si serve freddo

Fenelli, Mario: 1973: Blu Gang

Fernández, Bernardo: 1973: Verflucht dies Amerika

Ferrando, Giancarlo: 1969: Lo straniero di silenzio

Ferraù, Alessandro: 1966: Il figlio di Django; 1967: Ric e Gian alla conquista del West

Ferri, Luciano: 1969: I quattro del Pater Noster

Ferreri, Marco: 1974: Touche pas la femme blanche

Ferroni, Giorgio (Pseudonyme: **Calvin Jackson Padget, Kelvin J. Paget**): 1942: Il fanciullo del west; 1965: Un dollaro bucato

Ferry, Jean: 1958: Sérénade au Texas

Fidani, Demofilo (Pseudonyme: **Danilo Dani, Miles Deem, Alex Demos, Philo Demos, Lucky Dickinson, Dennis Ford, Neda La Fida, Sean O'Neil, Dick Spitfire**): 1967: Straniero … fatti il segno della croce!; 1968: Passa Sartana, è l'ombra della tua morte; Ed ora … raccomanda l'anima a Dio!; 1969: … e vennero in quattro per uccidere Sartana!; 1970: Arrivano Django e Sartana … è la fine!; Inginocchiati straniero … i cadaveri non fanno ombra!; Quel maledetto giorno d'inverno; 1971: Giù le mani … carogna! – Django Story; Per una bara piena di dollari; Era Sam Wallash … lo chiamavano Così Sia; Giù la testa … hombre!; 1973: Amico mio … frega tu che frego io!

Finch, Scott: 1968: Shalako; 1971: Catlow; 1972: Un hombre llamado Noon

Finocchi, Augusto: 1966: Per pochi dollari ancora; Sugar Colt; Wanted; 1967: La più grande rapina nel West; 1968: Carogne si nasce; I tre che sconvolsero il West; Il pistolero segnato da Dio; Black Jack; 1969: I quattro del Pater Noster; 1972: Los amigos; 1973: Una colt in mano al diavolo; 1975: Ah sì? … e io lo dico a Zzzorro!; 1977: El Macho

Fiory, Odoardo: 1967: L'uomo venuto per uccidere; 1968: Pagò cara su muerte; Ad uno ad uno … spietatamente; 1975: Zanna Bianca e il cacciatore solitario

Fisz, Benjamin: 1971: A town called Hell

Fizarotti, Ettore Maria (Pseudonym: **Mike Fitzgerald**): 1967: Vendo cara la pelle

Flamini, Vincenzo: 1965: 100.000 dollari per Ringo; 1966: Django spara per primo

Fleischman, Albert Sidney: 1972: Un magnifico ceffo da galera

Florio, Aldo: 1971: Anda muchacho, spara!

Fodor, Ladislas: 1963: Old Shatterhand; 1965: Der Schatz der Azteken; Die Pyramide des Sonnengottes; 1966: Wer kennt Jonny R.?

Fogagnolo, Franco: 1967: 10.000 dollari per un massacro

Fondato, Marcello: 1963: I tre spietati; 1964: Solo contro tutti; I due violenti; 1965: I quattro inesorabili

Forqué, José Maria: 1972: La banda J. & S. cronaca criminale del Far West

Fos, Antonio: 1971: I senza Dio

Franchi, Fernando: 1968: Execution

Franciolini, Arnaldo: 1966: 7 dollari sul rosso

Franciosa, Massimo: 1971: Padella calibro 38; 1972: Che c'entriamo noi con la rivoluzione?

Franco, Jesús (Pseudonyme: **Clifford Brown, Jess Frank, Frank Hollman, Franco Manera**): 1954: El coyote; 1955: La justicia del coyote; 1962: La venganza del Zorro; 1963: El Llanero; 1974: Convoi de femmes

Frank, Hubert: 1972: Ruf der Wildnis

Freda, Riccardo (Pseudonyme: **Robert Hampton, George Lincoln, Willy Pareto**): 1967: La morte non conta i dollari

Fregonese, Hugo: 1966: Pampa salvaje; 1968: Joe, cercati un posto per morire!

Fulci, Lucio: 1974: Il ritorno di Zanna Bianca

Furlan, Rate: 1966: El Rojo

Galiana, Fernando: 1963: Cuatro balazos; 1967: La guerrillera de Villa

Gallardo, José: 1964: El Zorro cabalga otra vez

Gallego, César: 1980: Chicano

Ganz, Serge: 1967: La bataille de San Sebastian

Garfield, Warren: 1966: Un dollaro tra i denti

Garfinkle, Louis: 1967: Un minuto per pregare, un istante per morire

Gariazzo, Mario (Pseudonyme: **Roy Garrett, Robert Paget**): 1968: Il lungo giorno del massacro; 1969: Dio perdoni la mia pistola; 1971: Acquasanta Joe; In nome del padre, del figlio e della colt; Il giorno del giudizio

Garrone, Sergio (Pseudonyme: **Kenneth Freeman, Willy S. Regan**): 1965: Deguejo; 1967: Killer Kid; Se vuoi vivere … spara!; 1968: Una lunga fila di croci; Tre croci per non morire; 1969: Django il bastardo; 1970: Uccidi, Django … uccidi per primo!; 1971: Quel maledetto giorno della resa dei conti; Bastardo, vamos a matar

Gaspar, Luis: 1966: El aventurero de Guaynas; 1972: Un dólar de recompensa

Gasperini, Italo: 1968: L'ira di Dio

Gastaldi, Ernesto: 1966: Mille dollari sul nero; Arizona Colt; 1967: Per 100.000 dollari ti ammazzo; I giorni dell'ira; I vigliacchi non pregano; 10.000 dollari per un massacro; 1968: Uno di più all'inferno; 1970: Una nuvola di polvere … un grido di morte … arriva Sartana; 1972: Il grande duello; Una ragione per vivere e una per morire; 1973: Il mio nome è Nessuno; 1975: Un genio, due compari, un pollo

Geissendörfer, Hans W.: 1971: Carlos

Genta, Renzo: 1967: I giorni dell'ira; 1972: Jesse & Lester due fratelli in un posto chiamato Trinità

Gentili, Giorgio: 1967: Bang Bang Kid

Giachin, Luigi: 1971: Il suo nome era Pot … ma … lo chiamavano Allegria

Gianni, Fabrizio: 1969: La taglia è tua … l'uomo l'ammazzo io

Gianni, Luigi: 1971: Lo sceriffo di Rockspring

Gianviti, Roberto: 1964: Per un pugno nell'occhio; 1966: Uno sceriffo tutto d'oro; I 2 figli di Ringo; 1967: 2 rringos nel Texas; Professionisti per un massacro; 1968: I nipoti di Zorro; 1970: Buon funerale amigos! … paga Sartana; 1971: Los buitres cavarán tu fosa; 1973: Zanna Bianca; 1974: Il ritorno di Zanna Bianca

Gigliozzi, Giovanni: 1967: Giarrettiera Colt

Gilling, John: 1958: The bandit of Zhobe

Giovannini, Attilio: 1964: West and Soda

Giraldi, Franco (Pseudonyme: **Frank Garfield, Frank Prestland**): 1967: 7 donne per i MacGregor

Girault, Jean: 1970: Le juge

Girolami, Enzo: (Pseudonyme: **Stephen M. Andrews, Enzo G. Castellari, E. G. Rowland**): 1967: 7 winchester per un massacro; Quella sporca storia nel West; Vado,

l'ammazzo e torno; 1968: Ammazzali tutti e torna solo;1972: Tedeum; 1976: Keoma; 1993: Jonathan degli orsi

Girolami, Marino (Pseudonyme: **Frank Martin, Franco Martinelli, Bernardo Rossi, Dario Silvestri, Fred Wilson**): 1964: I magnifici Brutos del West; Il piombo e la carne; 1968: Ad uno ad uno … spietatamente; Anche nel West c'era una volta Dio

Girolami, Romolo (Pseudonym: **Romolo Guerrieri**): 1966: Johnny Yuma

Globus, Ken: 1976: Kid Vengeance

Goldberg, Sheila: 1991: Buck ai confini del cielo

Gonzalvez, Francisco: 1965: Sie nannten ihn Gringo

Gora, Claudio: 1968: L'odio è il mio Dio

Gordon, Bernard: 1967: Custer of the West

Goscinny, René: 1971: Lucky Luke; 1983: Lucky Luke – Les Daltons en cavale

Grabaldi, Ferni: 1985: Blood church

Gregoretti, Luciano: 1965: Per mille dollari al giorno; 1968: T'ammazzo! … raccomandati a Dio

Grieco, Sergio (Pseudonyme: **Terence Hathaway, Segri**): 1972: Tutti fratelli nel West … per parte di padre

Griffith, James J.: 1968: Shalako; 1971: Catlow

Grimaldi, Giovanni (Pseudonym: **Gianni Grimaldi**): 1961: I magnifici tre; 1965: All'ombra di una Colt; Quattro dollari di vendetta; 1966: Starblack; 1967: Il bello, il brutto, il cretino; 1969: Franco e Ciccio sul sentiero di guerra

Groth, Winfried: 1965: Das Vermächtnis des Inka

Guerra, Mario: 1952: Il bandolero stanco; 1960: Un dollaro di fifa; 1961: I magnifici tre; 1963: Cuatro balazos; Gli eroi del West; 1966: Ringo e Gringo contro tutti; Per qualche dollaro in meno; 1970: Arriva Durango: paga o muori

Guerra, Ugo: 1962: Due contro tutti; 1967: El desperado; 1968: 20.000 dollari sporchi di sangue; L'ira di Dio

Halevy, Julian: 1971: El desafío de Pancho Villa

Harrison, Paul: 1971: Cuatro cabalgaron

Harum, Helmut: 1966: Clint, el solitario

Hauff, Werner: 1966: Sette donne per una strage; 1968: … se incontri Sartana prega per la tua morte

Heine, Orthofer: 1974: Der kleine Schwarze mit dem roten Hut

Henaghan, James: 1967: The christmas kid

Hengge, Paul: 1975: Potato Fritz

Herbig, Michael: 2001: Der Schuh des Manitu

Hilger, Ina: 1967: Al di là della legge

Hill, Jess: 1994: Botte di natale

Hill, Lori: 1990: Lucky Luke

Hon, Ngai: 1973: … altrimenti vi ammucchiamo

Hopper, Hal: 1968: Shalako

Hossein, Robert: 1968: Une corde, un Colt

Huffaker, Clair: 1970: La spina dorsale del diavolo; 1973: Valdez il mezzosangue

Iglesias, Miguel: 1972: Tequila!

Ilido, Ramon: 1973: Ci risiamo, vero Provvidenza?

Incorcci, Agenore (Pseudonym: **AGE**): 1966: Il buono, il brutto, il cattivo

Ippolito, Ciro: 1984: Arrapaho

Iquino, Ignacio F. (Pseudonyme: **Steve McCoy, Steve Mac-Cohy, John Marshall**): 1964: Oeste Nevada Joe; 1965: Un dollaro di fuoco; 1969: La taglia è tua ... l'uomo l'ammazzo io; 1970: Prima ti perdono ... poi t'ammazzo; 1971: Sei già cadavere amico ... ti cerca Garringo!; Un colt por 4 cirios; 1972: Los fabulosos de Trinidad; Ninguno de los tres se llamaba Trinidad

Izzo, Renato: 1968: ... se incontri Sartana prega per la tua morte; O tutto o niente; 1969: Ehi amico! C'è Sabata, hai chiuso!; 1970: Indio Black, sai che ti dico: sei un gran figlio di ...; 1971: È tornato Sabata ... hai chiuso un'altra volta!; 1972: Il mio nome è Scopone e faccio sempre cappotto

Jarrico, Paul: 1966: Wer kennt Jonny R.?

Jerez, José Luis: 1965: Johnny West il mancino; Adiós gringo; 1969: O' Cangaçeiro

Josa, Enrique: 1972: Tequila!

Josipovici, Jean: 1971: Spara Joe ... e così sia!

Kai, Johannes: 1963: Die Flußpiraten vom Mississippi

Kampendonk, Gustav: 1964: Freddy und das Lied der Prärie

Karl, Günter: 1968: Spur des Falken; 1969: Weiße Wölfe; 1970: Tödlicher Irrtum; 1971: Osceola; 1974: Kit und Co – Lockruf des Goldes

Kavanian, Rick: 2001: Der Schuh des Manitu

Keindorff, Eberhard: 1964: Unter Geiern; 1965: Old Surehand

Kennedy, Burt (Pseudonym: **Z.X. Jones**): 1966: Return of the seven; 1971: Hannie Caulder

Kershaw, John: 1984: Yellow Hair & Pecos Kid

Keyes, Tom: 1973: Zanna Bianca

Kiefer, Warren: 1967: Al di là della legge

Klimovsky, León: 1969: La sfida dei MacKenna

Koch, Carlo: 1942: Una signora dell'Ovest

Koenig, Laird: 1971: Soleil rouge

Kolditz, Gottfried: 1973: Apachen; 1974: Ulzana; 1983: Der Scout

Kolditz, Stefan: 1985: Atkins

Kounen, Jan: 2002: Blueberry

Kowalsky, Frank: 1970: Sledge

Kratzert, Hans: 1972: Tecumseh

La Casa, Bautista: 1971: El Zorro de Monterrey

Lado, Aldo: 1968: Carogne si nasce

Lahola, Leopoldo: 1965: Duell vor Sonnenuntergang

Lamas, Fernando: 1965: Die Hölle von Manitoba

Lanfranchi, Mario: 1967: Sentenza di morte

Larraz, José Ramon: 1971: Attento gringo ... è tornato Sabata!

Lattanzi, Franco: 1972: Il giustiziere di Dio

Laurani, Salvatore: 1966: Quien sabe?

Leder, Bruno: 1967: Il momento di uccidere

Lenzi, Umberto (Pseudonym: **Humphrey Humbert**): 1968: Una pistola per cento bare

Leonard, Keith: 1972: Charley One-Eye

Leone, Sergio (Pseudonym: **Bob Robertson**): 1964: Per un pugno di dollari; 1965: Per qualche dollaro in più; 1966: Il buono, il brutto, il cattivo; 1968: C'era una volta il West; 1971: Giù la testa

Leoni, Guido: 1970: Saranda

Leoni, Roberto: 1977: California

Leto, Marco: 1968: ¿Quién grita venganza?; Una pistola per cento bare

Levi, Paolo: 1967: 7 donne per i MacGregor

Lewis, Jack: 1964: Die schwarzen Adler von Santa Fé

Li, Tu Lung: 1973: ... altrimenti vi ammucchiamo

Liberatore, Ugo: 1965: Gli uomini dal passo pesante; 1966: I crudeli; Per un dollaro di gloria; 1967: Un minuto per pregare, un istante per morire

Llovet, Enrique: 1968: I tre che sconvolsero il West; 1972: Campa carogna ... la taglia cresce

Logar, Juan: 1974: Il richiamo del lupo

Lombardo, Paolo: 1966: El Cisco; 1967: I giorni della violenza

Lowenthal, Wolf: 1975: Get Mean; 1980: Comin' at Ya!

Lucas, Luis: 1964: El Zorro cabalga otra vez

Lucidi, Maurizio (Pseudonym: **Maurice A. Bright**): 1966: 2 once di piombo

Lüddecke, Werner Jörg: 1953: Jonny rettet Nebrador

Ludwig, Jerry: 1975: La parola di un fuorilegge ... è legge!

Luotto, Gene: 1964: Sfida a Rio Bravo; 1980: Occhio alla penna

Maccari, Ruggero: 1952: Il sogno di Zorro; 1962: Due contro tutti

Madrid, José Luis: 1965: Tumba para un forajido

Maesso, José G.: 1961: Tierra brutal; 1966: I crudeli; 1967: The bounty killer; 1972: Tedeum

Maffei, Brunello: 1967: Giarrettiera Colt

Maffei, Mario: 1965: La grande notte di Ringo

Maggi, Giulio: 1975: Zanna Bianca e il cacciatore solitario; La Spacconata

Maiuri, Dino: 1970: Vamos a matar compañeros; 1971: Viva la muerte ... tua!; 1973: Valdez il mezzosangue

Makepeace, Anne: 1990: Thousand pieces of gold

Malatesta, Guido (Pseudonym: **James Reed**): 1962: Il segno di Zorro; 1965: Lo sceriffo che non spara; Una bara per lo sceriffo

Malle, Louis: 1966: Viva Maria

Mallorquí, José (Geburtsname: **José Mallorqui Figuerola**): 1962: La sombra del Zorro; 1963: Cavalca e uccidi; Il segno del coyote; Tres hombres buenos; Gli eroi del West; 1967: Killer adios; 1968: La morte sull'alta collina

Maltz, Albert: 1972: Un magnifico ceffo da galera

Mañas, Alfredo: 1980: Las mujeres de Jeremías

Mancori, Carlo: 1973: ... altrimenti vi ammucchiamo

Manera, John: 1968: Crisantemi per un branco di carogne

Mangini, Gino: 1967: I lunghi giorni dell'odio

Mangini, Luigi: 1971: Bastardo, vamos a matar; Quel maledetto giorno della resa dei conti

Mangione, Giuseppe (Pseudonyme: **Jone Mang, José Many**): 1966: Sugar Colt; Un dollaro tra i denti; 1967: Un uomo, un cavallo, una pistola

Manini, Bianco: 1972: Partirono preti, tornarono ... curati

Manse, Jean: 1963: Dinamite Jack

Marcellini, Siro (Pseudonyme: **Omar Hopkins, Sean Markson**): 1967: Lola Colt

Marchal, Juan Xiol (Pseudonym: **Juan Xiol**): 1965: Cinco pistolas de Texas; Río Maldito

Marchent, Joaquin Luis Romero (Pseudonyme: **Joaquin Romero Fernández, Joaquin Romero Hernández, Paul Marchenti**): 1962: La sombra del Zorro; La venganza del Zorro; 1963: I tre spietati; Tres hombres buenos; 1964: Aventuras del Oeste; I sette del Texas; 1965: Ocaso de un pistolero; 1966: El aventurero de Guaynas; 1968: Ammazzali tutti e torna solo; Fedra West; Garringo; Hora de morir; 1969: Manos Torpes; 1970: Arizona si scatenò ... e li fece fuori tutti!; Un par de asesinos; 1971: Condenados a vivir; 1980: El lobo negro; La venganza del lobo negro

Marchent, Rafael Romero: 1963: I tre spietati; 1968: ¿Quién grita venganza?; Hora de morir; 1972: El Zorro justiciero; 1980: El lobo negro; La venganza del lobo negro

Marchesi, Marcello: 1952: Il sogno di Zorro

Margheriti, Antonio (Pseudonym: **Anthony Dawson**): 1968: Joko, invoca Dio ... e muori!; 1969: E Dio disse a Caino ...; 1974: Là dove non batte il sole; Whiskey e fantasmi

Marina, Rafael: 1971: Vamos a matar Sartana; 1972: Demasiados muertos para Tex

Marino, Antonio: 1972: La vita a volte è molto dura, vero Provvidenza?

Marinucci, Vinicio: 1970: Prima ti perdono ... poi t'ammazzo

Marischka, Franz: 1965: Das Vermächtnis des Inka

Marischka, Georg: 1965: Die Pyramide des Sonnengottes; Das Vermächtnis des Inka; Der Schatz der Azteken

Mariuzzo, Giorgio: 1976: Una donna chiamata Apache

Marquina, Luis: 1962: Il segno di Zorro

Martin, Eugenio (Pseudonym: **Gene Martin**): 1967: The bounty killer; 1971: El hombre de Rio Malo

Martin, George: 1973: ... è così divennero i tre supermen del West

Martin, Leonardo: 1966: Per pochi dollari ancora

Martin, Louis: 1961: Le goût de la violence

Martinenghi, Italo: 1973: ... è così divennero i 3 supermen del West

Martinez, Carmen: 1965: Lo sceriffo che non spara

Martino, Francesco: 1968: ... e per tetto un cielo di stelle

Martino, Leonardo: 1973: Tutti per uno ... botte per tutti

Martino, Luciano: 1963: Buffalo Bill, l'eroe del Far West; 1967: 10.000 dollari per un massacro; 1970: Prima ti perdono ... poi t'ammazzo

Martino, Sergio (Pseudonyme: **Martin Dolman, John Hamilton, Christian Plummer**): 1977: Mannaja

Masi, Marco: 1971: Vamos a matar Sartana

Masó, Pedro: 1955: La justicia del coyote

Massaccesi, Aristide (Pseudonyme: **Steve Benson, Alexander Borsky, Oliver J. Clarke, Joe D'Amato, Dario Donati, Oscar Faradine, David Hills, Kevin Mancuso, Peter Newton, Oscar Santaniello, Michael Wotruba**): 1972: Un bounty killer a Trinità; 1975: Giubbe rosse

Masson, Nino: 1967: Prega Dio ... e scavati la fossa!

Matassi, Vincenzo: 1972: C'era una volta questo pazzo, pazzo, pazzo West

Mattei, Bruno (Pseudonyme: **Vincent Dawn, Werner Knox, Jimmy Mattheus, Jordan B. Mathews, Stephan Oblowsky,**): 1986: Scalps

Mattei, Mario: 1968: Black Jack

Mauri, Roberto (Pseudonym: **Robert Johnson, Robert Morris**): 1967: La vendetta è il mio perdono; 1970: Sartana nella valle degli avvoltoi; Wanted Sabata; 1971: ... e lo chiamarono Spirito Santo; Seminoò morte ... lo chiamavano il castigo di Dio!; 1972: Bada alla tua pelle, Spirito Santo!; Spirito Santo e le 5 magnifiche canaglie; Un animale chiamato ... uomo!; 1973: Corte marziale

Mazzei, Francesco: 1974: Convoi de femmes

Mellis, Louis: 2002: Blueberry

Mellone, Amedeo: 1966: 7 dollari sul rosso

Melson, John: 1966: Pampa salvaje

Melvyn, Glenn: 1956: Rambsbottom rides again

Merighi, Ferdinando (Pseudonym: **Fred Lyon Morris**): 1973: Allegri becchini ... arriva Trinità

Merino, José Luis (Pseudonym: **Joseph Marvin**): 1966: Kitosch, l'uomo che veniva dal nord; Per un pugno di canzoni; 1968: Quel caldo maledetto giorno di fuoco; 1970: La muerte busca un hombre; 1971: El Zorro, caballero de la justicia; El Zorro de Monterrey; 1980: Siete cabalgan hacia la muerte

Metz, Vittorio: 1942: Il fanciullo del west; 1968: I tre che sconvolsero il West; I nipoti di Zorro

Miali, Roberto: 1967: 20.000 dollari sul 7

Miehe, Ulf: 1973: Verflucht dies Amerika

Migliorini, Romano: 1967: Bandidos; 1972: Tutti fratelli nel West ... per parte di padre

Milizia, Francesco: 1975: Il sogno di Zorro

Miraglia, Emilio: 1971: Spara Joe ... e così sia!

Miret, Pedro: 1973: Lucky Johnny

Mitchell, Mike: 1966: El Rojo

Mitic, Gojko: 1973: Apachen; 1974: Ulzana

Moccia, Giuseppe (Pseudonyme: **Daniel Moock, Pipolo**): 1964: Le pistole non discutono; 1972: La vita a volte è molto dura, vero Provvidenza?; 1973: Ci risiamo, vero Provvidenza?

Moffa, Paolo (Pseudonym: **John Byrd**): 1968: All'ultimo sangue

Molla, José Luis Martinez: 1965: Mestizo; 1968: L'ira di Dio; 1969: Quei disperati che puzzano di sudore e di morte

Mollica, Antonio (Pseudonym: **Ted Mulligan**): 1967: Nato per uccidere

Mollo, Gumersindo: 1967: Dio perdona ... io no!

Molteni, Ambrogio (Pseudonym: **George Molten**): 1964: Jim il primo; 1966: Tre colpi di winchester per Ringo; 1967: Uccideva a freddo; 1968: El Zorro (La Volpe); 1970: Inginocchiati straniero ... i cadaveri non fanno ombra!; Uccidi, Django ... uccidi per primo!; Wanted Sabata; 1972: Sei bounty killers per una strage

Moncada, Santiago: 1969: Manos Torpes; 1970: Un par de asesinos; 1971: Condenados a vivir; 1974: Il bianco, il giallo, il nero

Mondello, Luigi: 1967: L'uomo venuto per uccidere

Monner, S. G.: 1963: Fuera de la ley

Montagnana, Luisa: 1971: Padella calibro 38

Montefiore, Luigi: 1971: Amico, stammi lontano almeno un palmo ...; 1976: Keoma

Monter, José Luis: 1965: Lo sceriffo che non spara

Montero, Roberto Bianchi (Pseudonym: Robert M. White): 1964: Il ranch degli spietati; 1971: Seminoò morte ... lo chiamavano il castigo di Dio!

Morandi, Armando: 1968: Il lungo giorno del massacro; 1974: La pazienza ha un limite ... noi no!

Morandi, Fernando: 1968: Uno straniero a Paso Bravo

Morayta, Miguel: 1967: La guerrillera de Villa; La bataille de San Sebastian

Moreno, David: 1965: Una bara per lo sceriffo; La grande notte di Ringo; 1966: 7 pistole per i MacGregor

Morheim, Lou: 1971: The hunting party

Moroni, Mario: 1968: Sapevano solo uccidere; 1971: Il mio nome è Mallory – »M« come morte

Morris: 1971: Lucky Luke; 1983: Lucky Luke – Les Daltons en cavale

Morris, Edmund: 1961: Tierra brutal

Morrison, Chem: 1964: Sfida a Rio Bravo

Morrow, Vic: 1970: Sledge

Morsella, Fulvio: 1975: Un genio, due compari, un pollo

Moullet, Luc: 1970: Une aventure de Billy le Kid

Mulargia, Edoardo (Pseudonym: Edward G. Muller): 1965: Perché uccidi ancora?; 1966: Vayas con Dios, gringo; 1967: Prega Dio ... e scavati la fossa!; 1969: La taglia è tua ... l'uomo l'ammazzo io; La sfida dei MacKenna; 1970: Shango la pistola infallibile; 1971: Rimase uno solo e fu la morte per tutti

Musolino, Vincenzo (Pseudonym: Vincent Glenn Davis): 1965: Perché uccidi ancora?; 1966: Vayas con Dios, gringo; 1967: Cjamango; Non aspettare, Django, spara!; 1968: Chiedi perdono a Dio, non a me; 1969: Quintana

Mussetto, Giovan Battista: 1967: Bandidos; 1972: Tutti fratelli nel West ... per parte di padre

Nachmann, Kurt: 1965: Graf Bobby, der Schrecken des Wilden Westens; 1972: Der Schrei der schwarzen Wölfe; 1973: Die blutigen Geier von Alaska

Narzisi, Gianni: 1966: Djurado

Natale, Roberto: 1967: Vivo per la tua morte; 1968: Odia il prossimo tuo

Natteford, Jack: 1965: Kid Rodelo

Navarro, Jesús: 1963: I tre spietati; 1964: I due violenti; 1965: La spietata Colt del Gringo; Ringo del Nebraska

Navarro, José Luis: 1964: Fuerte perdido; 1971: Su le mani cadavere! Sei in arresto

Nebot, Bautista Lacasca: 1964: La carga de la policía montada

Nero, Franco: 1993: Jonathan degli orsi

Norton, William: 1971: The hunting party

Nostro, Nick (Pseudonym: Nick Howard): 1968: Uno dopo l'altro

O'Hanlon, James: 1964: Joaquín Murieta

Ohl, Paul: 1995: Tashunga

Olivera, Héctor: 1975: Cacique Bandeira

Olsen, Rolf: 1966: Mille dollari sul nero

Onorati, Mariano: 1975: Il sogno di Zorro

Orme, Geoffrey: 1956: Rambsbottom rides again

Orthofer, Heinz: 1974: Der kleine schwarze mit dem roten Hut

Ortiz, Carlos: 1982: Krasnye kolokola – Meksika v ogne

Oxford, Robert: 1965: Graf Bobby, der Schrecken des Wilden Westens

Özlüer, Fuat: 1972: Kücük Kovboy

Ozores Jr., Mariano: 1984: Al este del oeste

Pace, Daniele: 1984: Arrapaho

Palli, Fulvio Gicca: 1967: Il tempo degli avvoltoi; 1969: La notte dei serpenti

Palli, Enzo Gicca (Pseudonyme: Enzo Gicca, Vincent Thomas): 1965: La strada per Fort Alamo; 1966: Killer calibro 32; 1968: Zorro il dominatore; 1969: La notte dei serpenti; 1971: Il venditore di morte

Pannacciò, Angelo (Elo) (Pseudonyme: Gerard B. Lennox, Angelo A. Pann, Angel Valery; Mark Welles): 1971: Lo ammazzò come un cane ... ma lui rideva ancora

Paolella, Domenico (Pseudonyme: Paolo Dominici, Paul Fleming): 1967: Odio per odio; 1968: Execution

Paradela, Pedro Gil: 1969: La sfida dei MacKenna

Parolini, Gianfranco (Pseudonyme: John Eastwood, Frank Kramer): 1965: Johnny West il mancino; 1968: ... se incontri Sartana prega per la tua morte; 1969: Ehi amico! C'è Sabata, hai chiuso!; 1970: Indio Black, sai che ti dico: sei un gran figlio di ...; 1971: È tornato Sabata ... hai chiuso un'altra volta!; 1976: Diamante Lobo

Pasca, Mario: 1966: Dinamita Jim

Passadore, Enzo: 1972: Il ritorno di Clint il solitario

Passalacqua, Pino: 1964: Solo contro tutti

Pastore, Sergio: 1968: Crisantemi per un branco di carogne

Patara, Corrado: 1967: Straniero ... fatti il segno della croce!

Patrizi, Massimo: 1969: Il prezzo del potere

Pazziloro, Fulvio: 1967: Sangue chiama sangue

Peri, Enzo: 1966: 3 pistole contro Cesare

Perrone, Filippo: 1973: Amico mio ... frega tu che frego io!

Pescatori, Vittorio: 1967: Giarrettiera Colt

Petersson, Harald G.: 1962: Der Schatz im Silbersee; 1963: Winnetou I; 1964: Winnetou II; 1965: Winnetou III

Petitclere, Denne Bart: 1971: Soleil rouge

Petrilli, Vittorio: 1968: Il grande silenzio

Petroni, Giulio: 1968: Tepepa; 1969: La notte dei serpenti; 1972: La vita a volte è molto dura, vero Provvidenza?

Pettus, Ken: 1968: Land raiders

Petzold, Konrad: 1974: Kit und Co – Lockruf des Goldes; 1983: Der Scout

Philipp, Harald: 1965: Der Ölprinz

Piccioni, Fabio: 1971: Se t'incontro t'ammazzo; 1972: Dio in cielo ... Arizona in terra

Pieraccioni, Leonardo: 1998: Il mio west

Pierotti, Piero: 1964: Sansone e il tesoro degli Incas; 1966: Zorro il ribelle; 1968: Testa o croce; 1973: Jack London – La mia grande avventura

Pietroletti, Glauco: 1975: Zanna Bianca e il cacciatore solitario

Pink, Sidney W.: 1965: Finger on the trigger

Pinzauti, Mario: 1970: Giunse Ringo e ... fu tempo di massacro

Pittorru, Fabio: 1977: El Macho

Poggi, Ferdinando: 1971: Acquasanta Joe

Poggi, Ottavio: 1967: Killer Kid

Polop, Francisco Lara: 1975: Ah sì? ... e io lo dico a Zzzorro!

Polselli, Renato (Pseudonym: **Leonide Preston**): 1965: Lo sceriffo che non spara; 1967: Bill il taciturno

Pope, Cassidy: 2002: Blueberry

Porter, Julio: 1963: Cuatro balazos

Pottier, Richard: 1958: Sérénade au Texas

Pradeaux, Maurizio: 1966: Ramon il messicano; 1971: I senza Dio

Prager, Stanley (Pseudonym: **Luciano Lelli**): 1967: Bang Bang Kid

Prestol, Lionel A.: 1965: Lo sceriffo che non spara

Prindle, James Don: 1963: Gringo; 1967: The bounty killer

Proietti, Biagio: 1968: Quanto costa morire

Prosperi, Franco (Pseudonyme: **Charles Price, Frank Shannon**): 1965: La strada per Fort Alamo; 1966: El aventurero de Guaynas; 1986: Bianco apache

Puente, José Vincente: 1970: La collera del vento

Puglia, Lidia: 1973: Sette monache a Kansas City

Püschel, Walter: 1971: Osceola

Questi, Giulio: 1967: Se sei vivo spara

Quintana, Gustavo: 1973: Fuori uno sotto un altro ... arriva il passatore

Quintano, Gene: 1980: Comin' at Ya!; 1998: Outlaw justice; Dollar for the dead

Raccioppi, Antonio: 1976: Una donna chiamata Apache

Ralston, Gilbert A. (Pseudonym: **Gilbert Alexander**): 1971: The hunting party

Rascel, Renato: 1952: Il bandolero stanco

Rätz, Günter: 1990: Die Spur führt zum Silbersee

Record, Tony: 1972: Un hombre llamado Noon

Redon, Jean: 1956: Fernand Cow-Boy

Reed, Dean: 1975: Blutsbrüder; 1981: Sing, Cowboy, sing

Reeves, Steve: 1967: Vivo per la tua morte

Reggiani, Franco: 1987: Django 2 – Il grande ritorno

Regnoli, Piero (Pseudonym: **Dean Craig**): 1966: Un fiume di dollari; Navajo Joe; 3 pistole contro Cesare; 1969: La legge della violenza; 1972: La vita a volte è molto dura, vero Provvidenza?; 1973: Sentivano uno strano, eccitante, pericoloso puzzo di dollari; Zanna Bianca; 1975: La Spaccanata

Reinecker, Herbert (Pseudonym: **Alex Berg**): 1963: Der Letzte Ritt nach Santa Cruz; 1964: Die Goldsucher von Arkansas; 1965: Sie nannten ihn Gringo; 1968: Winnetou und Shatterhand im Tal der Toten

Reiniger, Lotte: 1942: Una signora dell'Ovest

Remis, Manuel Martinez: 1967: Il magnifico Texano; 1968: Anche nel West c'era una volta Dio; 1969: Quinto: non ammazzare; 1970: Reverendo Colt; 1980: Chicano

Reves, Tibor: 1972: Ruf der Wildnis

Reyes, José Truchado: 1980: Chicano

Reynolds, Clarke: 1964: Los pistoleros de Casa Grande; 1965: Sie nannten ihn Gringo; 1966: El hijo del pistolero

Ribera, Daniel: 1964: El Zorro cabalga otra vez

Ricci, Tonino (Pseudonym: **Anthony Richmond**): 1971: Monta in sella figlio di ...; Per una bara piena di dollari; 1991: Buck ai confini del cielo

Richardson, Sy: 1993: Posse

Ridet, Luciana: 1967: La vendetta è il mio perdono

Rigel, Arturo: 1962: Il segno di Zorro

Rivera, Manuel: 1967: Comanche blanco

Rivero, Rodrigo: 1967: The christmas kid

Rizlang, Reinat: 1965: Lo sceriffo che non spara

Robbins, Bud: 1976: Kid Vengeance

Roberts, William: 1971: Soleil rouge

Robinson, Casey: 1962: Il segno di Zorro

Rocco, Gian Andrea: 1967: Giarrettiera Colt

Rodriguez, Carlos E.: 1968: Uno dopo l'altro

Rodriguez, Jesús: 1974: Il richiamo del lupo

Rodriguez, José Maria: 1967: 7 donne per i MacGregor; 1968: I tre che sconvolsero il West

Roli, Mino (Geburtsname: Erminio Pontiroli): 1965: La spietata Colt del Gringo; 1966: Sette donne per una strage; 1967: Al di là della legge; 1970: Matalo!; 1973: ... E il terzo giorno arrivò il Corvo; Carambola; 1974: Carambola, filotto ... tutti in buca; 1976: Keoma; 1977: California

Román, Antonio: 1965: Ringo del Nebraska

Román, María del Carmen Martínez: 1965: All'ombra di una Colt; 1966: Joe l'implacabile; 1967: Dove si spara di più; Voltati ... ti uccido!; 1968: Réquiem para el gringo; Zorro il dominatore; 1970: La muerte busca un hombre; 1971: El Zorro de Monterrey

Romano, Carlo: 1952: Il bandolero stanco

Römer, Rolf: 1970: Tödlicher Irrtum; 1972: Tecumseh

Rosati, Giuseppe (Pseudonym: **Aaron Leviathan**): 1972: Campa carogna ... la taglia cresce

Rossati, Nello (Pseudonyme: **Ted Archer, Nello Ferrarese**): 1971: Il giorno del giudizio; 1987: Django 2 – Il grande ritorno

Rossetti, Franco (Pseudonym: **Fred Gardner**): 1965: Johnny Oro; 1966: Django; Texas, addio;1967: El desperado; Little Rita nel west; Preparati la bara!

Rothwell, Talbot: 1965: Carry on Cowboy

Roux, Guillaume: 1973: Zanna Bianca

Rovi, Vincenzo: 1942: Il fanciullo del west

Roy, Jules: 1961: Le goût de la violence

Rubio, Miguel: 1970: La collera del vento

Sabatini, Lorenzo: 1970: The last Rebel

Sabatini, Mario (Pseudonym: **Anthony Green**): 1971: Un uomo chiamato Dakota

Saguera, Antonio: 1973: Jack London – La mia grande avventura

Salerno, Vittorio: 1966: Mille dollari sul nero; 1968: ¿Quién grita venganza?; 20.000 dollari sporchi di sangue; 1973: Mi chiamavano Requiescant ... ma avevano sbagliato

Salvi, Emimmo: 1966: Tre colpi di winchester per Ringo; 1967: Wanted Johnny Texas

Salvia, Rafael J.: 1962: Torrejón city

Salvioni, Giorgio: 1969: Vivi o preferibilmente morti

Sangermano, Angelo: 1968: El Zorro

Santini, Alessandro: 1971: Al di là dell'odio

Santini, Gino: 1967: 20.000 dollari sul 7

Santoni, Dino: 1968: Crisantemi per un branco di carogne

Saul, Oscar: 1972: Los amigos

Saura, Carlos: 1963: Llanto por un bandido

Savalas, Telly: 1971: El desafío de Pancho Villa

Savino, Renato: 1968: Joko, invoca Dio ... e muori!; 1970: L'oro dei Bravados; Ehi amigo ... sei morto!; 1971: Lo chiamavano King

Savona, Leopoldo (Pseudonym: **Leo Colman**): 1966: El Rojo; 1967: Killer Kid; 1969: Dio perdoni la mia pistola; 1970: Un uomo chiamato Apocalisse Joe; 1972: Posate le pistole ... reverendo

Scandariato, Romano: 1972: Scansati ... a Trinità arriva Eldorado; Un bounty killer a Trinità

Scardamaglia, Francesco: 1967: Il momento di uccidere; Quella sporca storia nel West; 1968: Ammazzali tutti e torna solo

Scardapane, Dario: 1993: Posse

Scarnicci, Giulio: 1960: Un dollaro di fifa; 1961: I magnifici tre; 1962: Due contro tutti; 1963: Gli eroi del West; 1964: I gemelli del Texas; 1966: Ringo e Gringo contro tutti

Scarpelli, Furio (Pseudonym: **Scarpelli**): 1966: Il buono, il brutto, il cattivo

Scavolini, Sauro: 1966: Johnny Yuma; 1967: 10.000 dollari per un massacro; 1971: Domani passo a salutare la tua vedova ... parola di Epidemia; Sei già cadavere amico ... ti cerca Garringo!

Schirò, Alessandro: 1971: Rimase uno solo e fu la morte per tutti

Schneck, Stephen: 1976: Welcome to Blood City

Schneider, Helge: 1993: Texas – Doc Snyder hält die Welt in Atem

Schwenzen, Per: 1961: Ruf der Wildgänse

Scinto, David: 2002: Blueberry

Scola, Ettore: 1962: Due contro tutti

Scolaro, Giovanni: 1968: Garringo; 1973: Storia di karatè, pugni e fagioli

Scolaro, Nino (Pseudonym: **Henry Wilson**): 1964: Die Goldsucher von Arkansas; 1965: Uccidete Johnny Ringo

Scuccuglia, Leo Romano: 1968: Buckaroo

Sebares, Manuel: 1962: Bienvenido, padre Murray; 1965: I quattro inesorabili; Dos mil dólares por coyote; 1966: Pochi dollari per Django; 1967: Los siete de Pancho Villa; 1968: 20.000 dollari sporchi di sangue; Hora de morir; 1976: Si quieres vivir ... dispara

Secchi, Antonio (Pseudonym: **Tony Dry**): 1971: Padella calibro 38

Sevilla, Esteban Cuenca: 1980: Comin' at Ya!

Sharp, Donald: 1964: Heiß weht der Wind

Shepard, Sam: 1993: Silent Tongue

Siano, Silvio: 1964: Tre dollari di piombo

Sibelius, Johanna: 1964: Unter Geiern; 1965: Old Surehand

Silori, Luigi: 1967: Giurò e li uccise ad uno ad uno

Silvestri, Alberto: 1965: Yankee; 1967: Le due facce del dollaro; 1970: La collera del vento; 1974: Il ritorno di Zanna Bianca

Simonelli, Giorgio: 1965: I 2 sergenti del generale Custer; 1968: Sonora

Simonelli, Giovanni (Pseudonym: **Simon O'Neil**): 1964: Il ranch degli spietati; 1965: Dos pistolas gemelas; L'uomo dalla pistola d'oro; 100.000 dollari per Ringo; Johnny West il mancino; 1966: Sette magnifiche pistole; Django spara per primo; Johnny Yuma; 1967: Vendo cara la pelle; Vado, l'ammazzo e torno; 1968: Fedra West; Uno dopo l'altro; 1970: Buon funerale amigos! ... paga Sartana; 1971: Attento gringo ... è tornato Sabata!; 1972: bandoleros della dodicesima ora; Il ritorno di Clint il solitario; Il West ti va stretto amico ... è arrivato Alleluja; 1972: Tedeum; 1974: Là dove non batte il sole; Zanna Bianca alla riscossa; Whiskey e fantasmi

Sirens, Bob: 1963: Fuera de la ley

Sirko, Marlon: 1967: I vigliacchi non pregano

Solinas, Franco: 1966: Quien sabe? 1968: Tepepa

Sollazzo, Amedeo: 1964: Per un pugno nell'occhio; 1965: I 2 sergenti del generale Custer; 1966: I 2 figli di Ringo; 1967: 2 rrringos nel Texas; 1968: Ciccio perdona ... io no!; Anche nel West c'era una volta Dio

Sollima, Sergio (Pseudonym: **Simon Sterling**): 1966: La resa dei conti; 1967: Faccia a faccia; 1968: Corri uomo corri

Soria, Florentino: 1970: Reza por tu alma ... y muere

Soriano, Vicente Escrivà: 1978: Amore, piombo e furore

Sorrentino, Elido: 1971: Lo sceriffo di Rockspring

Spataro, Diego: 1972: Scansati ... a Trinità arriva Eldorado

Spataro, Dino: 1971: Il suo nome era Pot ... ma ... lo chiamavano Allegria

Sperling, Milton: 1971: Captain Apache

Spina, Sergio: 1968: Il mercenario

Squittieri, Pasquale (Pseudonym: **William Redford**): 1969: Django sfida Sartana; 1971: La vendetta è un piatto che si serve freddo

Stegani, Giorgio Casorati (Pseudonym: **George Finley**): 1965: Un dollaro bucato; Adiós gringo; 1967: Al di là della legge

Stemmle, Robert A.: 1965: Der Schatz der Azteken; Die Pyramide des Sonnengottes

Stevens, Mark: 1965: Tierra de fuego

Stresa, Nino: 1963: Buffalo Bill, l'eroe del Far West; 1965: Colorado Charlie; 1967: Un hombre y un Colt; 1968: Tutto per tutto; 1970: Reza por tu alma ... y muere; 1971: W Django; 1972: El Zorro justiciero; Tequila!

Swanton, Harold: 1961: The Hellions

Tamayo, Manuel: 1962: Torrejón city

Tarabusi, Renzo: 1960: Un dollaro di fifa; 1961: I magnifici tre; 1962: Due contro tutti; 1963: Gli eroi del West; 1964: I gemelli del Texas; 1966: Ringo e Gringo contro tutti

Tarantini, Michele Massimo: 1974: Der kleine Schwarze mit dem roten Hut

Tchernia, Pierre: 1971: Lucky Luke; 1978: La ballade des Dalton; 1983: Lucky Luke – Les Daltons en cavale

Tefler, Jay: 1976: Kid Vengeance

Tessari, Duccio: 1964: Una pistola per Ringo; Per un pugno di dollari; 1965: Il ritorno di Ringo; 1967: Un treno per Durango; 1969: Vivi o preferibilmente morti; 1971: Viva la muerte ... tua!; 1985: Tex e il Signore degli abissi

Thomas, Basil: 1956: Rambsbottom rides again

Torrado, Ramón (Pseudonym: **Raymond Torrad**): 1964: Relevo para un pistolero; Los cuatreros; La carga de la policía montada

Trail, Amid: 1967: Uccideva a freddo

Trass, Gregor: 1965: Die Banditen vom Rio Grande

Trecca, Fabrizio Trifone (Pseudonym: **T.F. Karter**): 1973: Il mio nome è Shangai Joe

Trenker, Luis: 1936: Der Kaiser von Kalifornien

Tünas, Erdogan: 1972: Kücük Kovboy

Uribe, Imanol: 1998: Dollar for the dead

Valdés, H.S.: 1964: La tumba del pistolero

Valenza, Maria Rosa (Pseudonym: **Milla Vitelli**): 1968: Ed ora ... raccomanda l'anima a Dio!; 1969: ... e vennero in quattro per uccidere Sartana!; 1970: Arrivano Django e Sartana ... è la fine!; Quel maledetto giorno d'inverno; 1971: Era Sam Wallash ... lo chiamavano Così Sia; Giù la testa ... hombre!; 1973: Amico mio ... frega tu che frego io!

Valerii, Tonino: 1967: I giorni dell'ira; 1972: Una ragione per vivere e una per morire

Vani, Bruno: 1971: Al di là dell'odio

Vanzina, Stefano (Pseudonym: **Steno**): 1963: Gli eroi del West

Vari, Giuseppe (Pseudonyme: **Al/Walter Pisani, Jack/John/Joseph Warren**): 1965: Deguejo

Veo, Carlo (Pseudonym: **Charlie Foster**): 1966: Per un pugno di canzoni; 1967: ¡El hombre que mató a Billy el Niño!; 1971: Black Killer; 1972: Campa carogna ... la taglia cresce

Verde, Dino: 1966: I 2 figli di Ringo; 1968: I nipoti di Zorro

Verdugo, José Antonio: 1962: Torrejón city

Verdugo, Juan Antonio: 1973: Dieci bianchi uccisi da un piccolo indiano

Veronesi, Giovanni: 1998: Il mio west

Verucci, Franco: 1967: Le due facce del dollaro; 1970: La collera del vento

Vietri, Franco: 1976: Più forte, sorelle

Vighi, Vittorio: 1961: I magnifici tre; 1962: Due contro tutti; 1963: Cuatro balazos; Gli eroi del West; 1966: Per qualche dollaro in meno; Ringo e Gringo contro tutti; 1970: Arriva Durango: paga o muori

Villerot, Michèle: 1965: Adiós gringo

Vincenzoni, Luciano: 1965: Per qualche dollaro in più; 1966: Il buono, il brutto, il cattivo; 1967: Da uomo a uomo; 1968: Il mercenario; 1971: Giù la testa; 1975: Cipolla Colt

Vogeler, Volker: 1973: Verflucht dies Amerika; 1974: Das Tal der tanzenden Witwen

Vogelmann, Karl-Heinz: 1967: Requiescant

Von Theumer, Ernst Ritter: 1967: Ballata per un pistolero

Weiss, Johannes: 1973: Die blutigen Geier von Alaska

Weiss, Ulrich: 1979: Blauvogel

Welbeck, Peter: 1973: Zanna Bianca

Welles, Mel: 1970: Requiem per un bounty hunter

Welskopf-Henrich, Liselotte: 1965: Die Söhne der großen Bärin

Wertmüller, Lina (Pseudonyme: **George H. Brown, Nathan Wich**): 1968: The Belle Starr story

Wilde Jr., James: 1964: Jim il primo

Wilson, Gerald: 1971: Chato's land

Wilson, Hugh: 1984: Rustlers' Rhapsody

Winder, Michael: 1976: Welcome to Blood City

Yordan, Philip: 1971: Captain Apache; El hombre de Rio Malo

Zabalza, José María (Pseudonyme: **Harry Freeman, Charles Thomas**): 1969: Veinte mil dólares por un cadáver; 1970: Los rebeldes de Arizona; Plomo sobre Dallas; 1983: Al oeste de Río Grande

Zagni, Giancarlo: 1968: Execution

Zane, Angio (Pseudonym: **Auro D'Enza**): 1965: Okay sceriffo

Zapponi, Bernardino: 1968: ... e per tetto un cielo di stelle; 1969: O' Cangaçeiro

Zeglio, Primo (Pseudonym: **Anthony Greepy**): 1964: I due violenti; 1965: I quattro inesorabili; 1967: Killer adios

Zerlett-Olfenius, Walter: 1939: Wasser für Canitoga

Zibaso, Werner P.: 1963: Die Flußpiraten vom Mississippi; 1964: Die Goldsucher von Arkansas

Zimet, Julian: 1967: Custer of the West

Zuccarini, Enrico: 1971: Su le mani cadavere! Sei in arresto

Zurli, Guido (Pseudonyme: **Jean Luret, Albert Moore, Frank Parker**): 1968: El Zorro; O tutto o niente; 1973: Il figlio di Zorro

GEFILMT IN TECHNICOLOR & TECHNISCOPE
Die Kameraleute und ihre Filme

Achilli, Sante: 1967: John il bastardo

Affronti, Edmondo: 1962: Le tre spade di Zorro; 1964: Le maledette pistole di Dallas; 1965: Colorado Charlie

Agranovich, Mikhail: 1993: Jonathan degli orsi

Aguayo, José Fernandez: 1964: Los pistoleros de Casa Grande; Minnesota Clay; 1966: 7 dollari sul rosso; 1971: Viva la muerte ... tua!; 1974: Il richiamo del lupo

Albertini, Adalberto (Bitto): 1959: Il terrore dell'Oklahoma; 1962: Il segno di Zorro; 1965: Uno straniero a Sacramento

Albonico, Giulio: 1974: Zorro

Alcaine, José Luis: 1984: Rustlers' Rhapsody; 1998: Il mio west

Alcocer, Teresa: 1965: Die Hölle von Manitoba

Alcott, John: 1982: Triumph of a man called horse

Alekan, Henri: 1971: Soleil rouge

Amorós, Juan: 1995: Trinità & Bambino ... e adesso tocca a noi!

Andreu, Ricardo: 1967: Lo voglio morto

Appetito, Franco: 1972: Il giustiziere di Dio

Aquari, Giuseppe: 1966: Per qualche dollaro in meno; 1967: Dio non paga il sabato; 1968: Vendetta per vendetta; 1971: Il mio nome è Mallory – »M« come morte

Arata, Ubaldo: 1942: Una signora dell'Ovest

Arribas, Fernando: 1974: Das Tal der tanzenden Witwen; 1980: Comin' at Ya!; Las mujeres de Jeremías

Artigot, Raul: 1971: Monta in sella figlio di ...

Baena, Juan Julio: 1964: Due mafiosi nel Far West

Baistrocchi, Angelo: 1967: Giurò e li uccise ad uno ad uno; Uccideva a freddo

Baldanello, Gianfranco: 1973: Il figlio di Zorro

Ballesteros, Antonio L.: 1969: La taglia è tua ... l'uomo l'ammazzo io; 1971: Un colt por 4 cirius; 1972: Los fabulosos de Trinidad; Ninguno de los tres se llamaba Trinidad

Ballhaus, Michael: 1970: Whity; 1972: Tschetan, der Indianerjunge

Barboni, Enzo: 1964: Massacro al Grande Canyon; 1966: Django; Texas, addio; I crudeli; 1967: The bounty killer; Vivo per la tua morte; Little Rita nel west; Un treno per Durango; Preparati la bara!; 1968: Il suo nome gridava vendetta; 1969: Un esercito di 5 uomini

Barry, Maurice: 1956: Fernand Cow-Boy

Bazzoni, Camillo: 1967: L'uomo, l'orgoglio, la vendetta

Becker, Étienne: 1974: Touche pas la femme blanche

Bellero, Carlo: 1965: La grande notte di Ringo

Bentiviglio, Eugenio: 1969: Django sfida Sartana

Berenguer, Manuel: 1964: Il piombo e la carne; 1966: El hijo del pistolero; Pampa salvaje; 1971: A town called Hell

Bergamini, Giovanni (Gianni): 1967: Vado, l'ammazzo e torno; Odio per odio; 1969: Sono Sartana, il vostro becchino; 1974: Zanna Bianca alla riscossa; 1991: Buck ai confini del cielo; 1997: Buck e il braccialetto magico

Bergamini, Mario: 1971: Lo ammazzò come un cane ... ma lui rideva ancora

Bergier, Enrique: 1965: Finger on the trigger

Bergmann, Helmut: 1973: Apachen; 1974: Ulzana

Bernardini, Giuseppe: 1984: Arrapaho

Berutto, Enrico Betti: 1962: La sombra del Zorro

Borghesi, Antonio: 1968: Uno di più all'inferno

Borkmann, Eberhard: 1969: Weiße Wölfe; 1970: Tödlicher Irrtum

Bragado, Julio: 1996: Aquí llega condemor el Pecador de la Pradera

Brand, Peter: 1985: Atkins

Braumann, Wolfgang: 1972: Tecumseh

Brissaud, Gerard: 1974: Convoi de femmes

Brunelli, Ugo: 1966: Vayas con Dios, gringo; 1972: C'era una volta questo pazzo, pazzo, pazzo West

Bukowski, Bobby: 1990: Thousand pieces of gold

Burgos, Julio: 1986: Bianco apache; Scalps

Burmann, Hans: 1971: El más fabuloso golpe del Far-West

Cabrera, John: 1971: Captain Apache; 1972: Un hombre llamado Noon; Ruf der Wildnis; 1982: Triumph of a man called horse

Capo, J.: 1978: La ballade des Dalton

Capriotti, Mario: 1964: Sfida a Rio Bravo; 1965: L'uomo dalla pistola d'oro; 1966: Johnny Yuma; 1969: Lo straniero di silenzio; 1971: Un uomo chiamato Dakota; 1972: Un dólar de recompensa; Lo chiamavano Verità; 1974: Der kleine Schwarze mit dem roten Hut

Cardiff, Jack: 1972: Un magnifico ceffo da galera

Cariello, Alessandro: 1974: La pazienza ha un limite ... noi no!

Carlini, Carlo: 1965: ¡Uncas! El fin de una raza; 1966: La resa dei conti; 1967: Da uomo a uomo; 1968: ... e per tetto un cielo di stelle; 1970: The last Rebel; 1972: Partirono preti, tornarono ... curati

Caruso, Salvatore: 1970: Reverendo Colt

Centini, Maurizio: 1971: Lo ammazzò come un cane... malui rideva ancora

Ciccarese, Luigi: 1972: Un animale chiamato ... uomo!; 1973: Corte marziale; 1986: Bianco apache

Circillo, Claudio: 1967: I lunghi giorni dell'odio

Civirani, Osvaldo (Walter): 1966: Uno sceriffo tutto d'oro; Il figlio di Django; 1967: Ric e Gian alla conquista del West; 1968: T'ammazzo! ... raccomandati a Dio; I 2 figli dei Trinità

Conroy, Jack: 1993: Silent Tongue

Contini, Alfio: 1965: Yankee; 1967: Dio perdona ... io no!

Cooper, Wilkie: 1968: Land raiders

Cuadrado, Luis: 1971: Condenados a vivir; 1972: La Banda J. & S. cronaca criminale del Far West; 1973: Verflucht dies Amerika;1974: Il bianco, il giallo, il nero

D'Eva, Alessandro: 1966: Ringo e Gringo contro tutti; 1968: Ciccio perdona ... io no!; The Belle Starr story; 1971: I quattro pistoleri di Santa Trinità; 1972: La vita a volte è molto dura, vero Provvidenza?

D'Offizi, Sergio: 1967: Ognuno per se; Oggi a me ... domani a te; Dio li crea ... io li ammazzo!; 1970: Ehi amigo ... sei morto!

Dallamano, Massimo: 1963: Gringo; Buffalo Bill, l'eroe del far west; 1964: Le pistole non discutono; Per un pugno di dollari; 1965: Per qualche dollaro in più

De Keyzer, Bruno: 1995: Tashunga

De La Rica, José: 1983: Al oeste de Río Grande

De Robertis, Aldo: 1972: Tutti fratelli nel West ... per parte di padre

De Rozas, Julio Pérez: 1965: Río Maldito; Tumba para un forajido; 1966: Wer kennt Jonny R.?; 1971: Domani passo a salutare la tua vedova ... parola di Epidemia; 1972: Il mio nome è Scopone e faccio sempre cappotto; La caza del oro

Decae, Henri: 1966: Viva María

Del Zoppo, Federico: 1978: Zanna Bianca e il grande Kid

Delli Colli, Franco: 1967: Se sei vivo spara; La vendetta è il mio perdono; 1968: El Zorro; 1971: Giù la testa

Delli Colli, Tonino: 1966: Il buono, il brutto, il cattivo; 1968: C'era una volta il West; 1972: Los amigos

Desanzo, Juan Carlos: 1975: Cacique Bandeira

Deu Casas, Jaime: 1965: La spietata Colt del Gringo; 1968: Sonora; 1969: La legge della violenza; 1971: Attento gringo ... è tornato Sabata!; Lo ammazzò come un cane ... ma lui rideva ancora; 1972: Demasiados muertos para Tex; Hijos de pobres, pero deshonestos padres ... Le llamaban Calamidad; Il ritorno di Clint il solitario; I bandoleros della dodicesima ora; 1973: Storia di karatè, pugni e fagioli; ... è così divennero i 3 supermen del West

Di Cola, Emanuele: 1968: Ringo il cavaliere solitario; Zorro il dominatore; 1970: La muerte busca un hombre; 1971: El Zorro, caballero de la justicia

Di Giacomo, Franco: 1980: Occhio alla penna

Di Palma, Dario: 1962: Due contro tutti; 1969: Gli specialisti

Dumage, Eric: 1990: Jesuit Joe

Ensinger, Manfred: 1965: Die Banditen vom Rio Grande

Ferrando, Giancarlo: 1971: Los buitres cavarán tu fosa; 1972: Dio in cielo ... Arizona in terra

Filippini, Angelo: 1967: L'ultimo killer; El desperado; Quella sporca storia nel West

Filippino, Rino: 1967: ... e venne il tempo di uccidere

Fiore, Carlo: 1963: Il segno del coyote

Fiore, Gianni: 1998: Dollar for the dead

Fioretti, Mario: 1964: Il piombo e la carne; 1967: 2 rrringos nel Texas; 1968: Black Jack; 1970: Le juge

Fiume, Diego: 1965: Okay sceriffo

Flori, Jean Jacques: 1970: Une aventure de Billy le Kid

Foriscot, Emilio: 1963: El Llanero; 1965: La grande notte di Ringo; 1966: Per un dollaro di gloria; 1967: Un hombre y un colt; Bandidos; Faccia a faccia; 1968: Ad uno ad uno ... spietatamente; Pagó cara su muerte; 1971: In nome del padre, del figlio e della colt; Anda muchacho, spara!; 1973: Mi chiamavano Requiescant ... ma avevano sbagliato; 1976: Si quieres vivir ... dispara

Fraile, Alfredo: 1961: Tierra brutal; 1963: L'uomo della valle maledetta; 1964: I due violenti

Fraile, Francisco: 1967: Comanche blanco

Fraschetti, Silvio: 1969: La notte dei serpenti; 1971: Spara Joe ... e così sia!; 1972: I sette del gruppo selvaggio; 1973: Kid il monello del West; 1975: Zanna Bianca e il cacciatore solitario; La Spacconata

Frattari, Benito: 1968: Quanto costa morire

Fusi, Alberto: 1964: Per un pugno nell'occhio; 1968: Anche nel West c'era una volta Dio

Gantier, M.: 1978: La ballade des Dalton

Garroni, Romolo: 1964: Jim il primo; 1972: La lunga cavalcata della vendetta

Gatti, Marcello: 1965: La spietata Colt del Gringo; 1966: Sette donne per una strage; Wer kennt Jonny R.?; 1971: Bastardo, vamos a matar

Gengarelli, Amerigo: 1964: Jim il primo; 1967: Con lui cavalca la morte; Un buco in fronte

Gerardi, Roberto: 1970: La collera del vento

Giordani, Aldo: 1966: Uccidi o muori; El Rojo; 1967: Il bello, il brutto, il cretino; 1968: ... dai nemici mi guardo io!; 1970: Lo chiamavano Trinità; 1971: Continuavano a chiamarlo Trinità; 1972: ... e poi lo chiamarono il magnifico

Goldberger, Isidoro: 1965: I 2 sergenti del generale Custer

Gonnet, Jean: 1970: Une aventure de Billy le Kid

Grant, Arthur: 1956: Rambsbottom rides again

Greci, Aldo: 1963: Il segno del coyote; 1966: El Cisco; 1967: Una colt in pugno al diavolo; 1968: Il lungo giorno del massacro

Grisanti, Remo: 1963: L'uomo della valle maledetta

Gurfinkel, David: 1976: Kid Vengeance

Gürtop, Cetin: 1972: Kücük Kovboy

Hanisch, Otto: 1967: Chingachgook, die große Schlange; 1968: Spur des Falken; 1979: Blauvogel; 1983: Der Scout

Hardt, Horst: 1976: Trini/Stirb für Zapata; 1988: Präriejäger in Mexiko: Geierschnabel; Präriejäger in Mexiko: Benito Juarez

Heil, Raymond: 1973: Les filles du Golden Saloon

Heinrich, Hans: 1971: Osceola; 1974: Kit und Co – Lockruf des Goldes; 1975: Blutsbrüder; 1977: Severino; 1981: Sing, Cowboy, Sing

Heller, Otto: 1958: Sheriff of Fractured Jaw; 1960: Singer not the Song

Herrero, Jorge: 1980: El lobo negro; La venganza del lobo negro

Hold, Siegfried: 1963: Old Shatterhand; 1964: Freddy und das Lied der Prärie; 1965: Der Schatz der Azteken; Die Pyramide des Sonnengottes; Das Vermächtnis des Inka

Hölscher, Heinz: 1965: Der Ölprinz; 1966: Winnetou und das Halbblut Apanatschi; 1973: Die blutigen Geier von Alaska

Hubert, Roger: 1963: Dinamite Jack

Hume, Alan: 1965: Carry on Cowboy

Ippoliti, Silvano: 1965: Deguejo; 1966: Navajo Joe; 1968: Il grande silenzio; 1974: Il ritorno di Zanna Bianca

Izzarelli, Francesco: 1963: Die Flußpiraten vom Mississippi; 1965: Johnny West il mancino

Joulin, Lucien: 1958: Sérénade au Texas

Jura, Hans: 1964: Die schwarzen Adler von Santa Fe

Kalinke, Ernst W.: 1962: Der Schatz im Silbersee; 1963: Winnetou I; 1964: Winnetou II; 1965: Winnetou III; Der letzte Mohikaner; 1968: Winnetou und Shatterhand im Tal der Toten

Kalisnik, Janez: 1965: Duell vor Sonnenuntergang

Kästl, Rolf: 1963: Die Flußpiraten vom Mississippi

Kesson, Frank: 1930: The bad man

Ketterer, Sepp: 1965: Graf Bobby, der Schrecken des Wilden Westens

Knowles, Cyril J.: 1958: The bandit of Zhobe

Kuchler, Alvin H.: 2000: The Claim

Kuveiller, Luigi: 1970: Sledge

La Rosa, Girolamo: 1971: Una cuerda al amanecer

La Torre, Giuseppe: 1964: Oeste Nevada Joe; Il ranch degli spietati; 1965: Un dollaro di fuoco; 1967: Lola Colt; 1969: Quinto: non ammazzare

Lanzoni, Alvaro: 1971: Il giorno del giudizio; 1973: Una colt in mano al diavolo

Larraya, Federico G.: 1965: 100.000 dollari per Ringo; Die Hölle von Manitoba; 1966: El aventurero de Guaynas

Lederle, Franz X.: 1972: Der Schrei der schwarzen Wölfe

Leavitt, Sam: 1968: The Desperados

Léonar, Francois: 1971: Lucky Luke

Löb, Karl: 1963: Der letzte Ritt nach Santa Cruz; 1964: Unter Geiern; 1965: Old Surehand; 1966: Winnetou und sein Freund Old Firehand

Lopez, C. Alfonso: 1983: Lucky Luke – Les Daltons en cavale

Lotti, Angelo: 1967: Un poker di pistole; 1970: Il tredicesimo è sempre Giuda; 1971: La vendetta è un piatto che si serve freddo; 1972: I sette del gruppo selvaggio

Macasoli, Antonio: 1962: Il segno di Zorro; 1965: Finger on the Trigger; 1967: Bang Bang Kid

Maccoppi, Tonino: 1971: Su le mani cadavere! Sei in arresto; 1972: Spirito Santo e le 5 magnifiche canaglie

Mancini, Mario: 1967: La vendetta è il mio perdono; 1968: Chiedi perdono a Dio, non a me; 1970: Arriva Durango: paga o muori; Wanted Sabata; 1971: ... e lo chiamarono Spirito Santo; Seminoò morte ... lo chiamano il castigo di Dio!; Il suo nome era Pot ... ma ... lo chiamavano Allegria

Mancori, Alvaro: 1964: I magnifici Brutos del West; 1965: Gli uomini dal passo pesante

Mancori, Guglielmo: 1964: Sfida a Rio Bravo; 1965: Ringo del Nebraska; 1966: Starblack; Arizona Colt; 1967: Ballata per un pistolero; 1968: Corri uomo corri; O tutto o niente; 1970: Un par de asesinos; 1971: Lo chiamavano King; Quel maledetto giorno della resa dei conti; 1972: Oremus, Alleluja e Così Sia; Tequila!; 1973: Il mio nome è Shangai Joe; 1974: Che botte, ragazzi!

Mancori, Sandro: 1967: Killer Kid; Requiescant; Se vuoi vivere ... spara!; 1968: ...se incontri Sartana prega per la tua morte; Il pistolero segnato da Dio; Tre croci per non morire; 1969: Ehi amico! C'è Sabata, hai chiuso!; 1970: Sartana nella valle degli avvoltoi; Indio Black, sai che ti dico: sei un gran figlio di ...; 1971: È tornato Sabata ... hai chiuso un'altra volta!; 1973: Sentivano uno strano, eccitante, pericoloso puzzo di dollari; 1976: Diamante Lobo; 1987: Django 2 – il grande ritorno

Marín, Francisco: 1964: Una pistola per Ringo; 1965: Il ritorno di Ringo; 1966: Tierra de fuego; I lunghi giorni della vendetta; The Texican; 1967: Gentleman Jo ... uccidi; Professionisti per un massacro; 1968: Tepepa; Quel caldo maledetto giorno di fuoco; 1969: Due volte Giuda

Marine, Juan: 1965: Das Vermächtnis des Inka

Martelli, Otello: 1966: 3 pistole contro Cesare

Martinelli, Sergio: 1967: Dos cruces en Danger Pass

Martinez, Manuel: 1962: Bienvenido, padre Murray

Matula, Hanns: 1964: Heiß weht der Wind

Marzetti, Luciano: 1964: West and Soda

Masch, Geserdshawijn: 1983: Der Scout

Masciocchi, Marcello: 1965: 30 Winchester per El Diablo; Uccidete Johnny Ringo; 1966: Un dollaro tra i denti; 1967: Un uomo, un cavallo, una pistola; 1968: I quattro dell'Ave Maria; 1969: La collina degli stivali; 1971: W Django; 1972: El Zorro justiciero

Massaccesi, Aristide: 1969: Due volte Giuda; 1970: Arrivano Django e Sartana ... è la fine!; Inginocchiati straniero ...i cadaveri non fanno ombra!; 1971: Per una bara piena di dollari; Giù la testa ... hombre!; Amico, stammi lontano almeno un palmo ...; 1972: Un bounty killer a Trinità (auch Regie & Drehbuch); Scansati ... a Trinità arriva Eldorado (auch Regie); 1975: Giubbe rosse (auch Regie & Drehbuch)

Massi, Stelvio: 1965: All'ombra di una Colt; 1966: Per il gusto di uccidere; 1967: Le due facce del dollaro; Vendo cara la pelle; 15 forche per un assassino; Il momento di uccidere; 1969: Dio perdoni la mia pistola; Il prezzo del potere; 1970: Buon funerale amigos ... paga Sartana; C'è Sartana ... vendi la pistola e comprati la bara!; 1971: Gli fumavano le Colt ... lo chiamavano Camposanto; Testa t'ammazzo, croce ... sei morto, mi chiamano Alleluja; 1972: Il west ti va stretto amico ... è arrivato Alleluja; 1973: Lo chiamavano Tresette ... giocava sempre col morto

Mella, Eloy: 1964: Gli eroi di Fort Worth; 1965: La colt è la mia legge

Menczer, Erico: 1973: Zanna Bianca

Menzies Jr., Peter: 1993: Posse

Merino, Manuel: 1964: Los pistoleros de Casa Grande; 1965: Sie nannten ihn Gringo; El proscrito de río Colorado; Kid Rodelo; 1966: Joe l'implacabile

Miche, Jean: 1971: Lucky Luke

Mila, Miguel Fernández: 1964: La tumba del pistolero; Joaquín Murrieta; 1965: Ocaso de un pistolero; I quattro inesorabili; 1966: Djurado; 1967: ¡El hombre que mató a Billy el Niño!; 1969: Manos Torpes; 1970: Arizona si scatenò ... e li fece fuori tutti!; 1971: Uomo avvisato mezzo ammazzato ... parola di Spirito Santo; 1974: La pazienza ha un limite ... noi no!

Millan, Antonio: 1971: El más fabuloso golpe del Far-West

Modica, Antonio: 1970: I vendicatore dell'Ave Maria; 1971: Rimase uno solo e fu la morte per tutti; El Zorro de Monterrey; 1972: Jesse & Lester due fratelli in un posto chiamato Trinità; Un magnifico ceffo da galera

Monreal, Victor: 1965: Cinco pistolas de Texas; Un dollaro di fuoco; Quattro dollari di vendetta; 1966: Thompson 1880; Sette magnifiche pistole; I 5 della vendetta; Dinamita Jim; Clint, el solitario

Montagnani, Giorgio: 1971: Anche per Django le carogne hanno un prezzo; Quelle sporche anime dannate; 1972: La colt era il suo dio; 1973: Allegri becchini ... arriva Trinità

Montuori, Mario: 1952: Il sogno di Zorro; 1967: Dove si spara di più; 1969: Il pistolero dell'Ave Maria; Ciakmull, l'uomo della vendetta

Moore, Ted: 1958: The bandit of Zhobe; 1968: Shalako

Morabito, Claudio: 1973: Amico mio ... frega tu che frego io!

Morbidelli, Pietro: 1985: Tex e il Signore degli abissi

Morris, Reginald H.: 1976: Welcome to Blood City

Müller, Robby: 1971: Carlos

Nagata, Tetsuo: 2002: Blueberry

Nannuzzi, Armando: 1973: Valdez il mezzosangue; Il mio nome è Nessuno

Natalucci, Vitaliano: 1964: El Zorro cabalga otra vez; 1965: Perché uccidi ancora?; 1967: Cjamango; Non aspettare, Django, spara!; 1969: Quintana; 1970: Giunse Ringo e ... fu tempo di massacro; 1971: Se t'incontro t'ammazzo

Nieva, Alfonso: 1963: El hombre de la diligencia; 1964: El secreto del capitán O'Hara; 1966: Ringo e Gringo contro tutti; 1967: Los siete de Pancho Villa; Voltati ... ti uccido!; 1968: Uno straniero a Paso Bravo; 1971: I senza Dio

Ochoa, José María: 1980: Chicano

Ortas, Julio: 1964: Le pistole non discutono; Per un pugno nell'occhio; El Zorro cabalga otra vez; 1965: Una bara per lo sceriffo; All'ombra di una Colt; 1966: Ringo, il volto della vendetta; 1967: L'uomo venuto per uccidere; Killer adios; Sette pistole per un massacro; 1968: La morte sull'alta collina; 1970: Una nuvola di polvere ... un grido di morte ... arriva Sartana; Un uomo chiamato Apocalisse Joe; Matalo!

Pacheco, Godofredo: 1972: Campa carogna ... la taglia cresce; 1973: Valdez il mezzosangue

Pacheco, Mario: 1965: Per mille dollari al giorno; 1968: Uno dopo l'altro; L'ira di Dio; Réquiem para el gringo; 20.000 dollari sporchi di sangue

Pacheco, Rafael: 1962: La sombra del Zorro; La venganza del Zorro; 1963: Tres hombres buenos; I tre spietati; 1964: Aventuras del Oeste; 1966: Per pochi dollari ancora; 1967: Faccia a faccia; 1968: Hora de morir; 1971: Cuatro cabalgaron; 1973: Hai sbagliato ... dovevi uccidermi subito!; Tutti per uno ...botti per tutti

Pallottini, Riccardo: 1965: Johnny Oro; 1966: Le colt cantarono la morte e fu ...tempo di massacro; Django spara per primo; 1967: La più grande rapina nel West; 1968: Joko, invoca Dio ... e muori!; Joe, cercati un posto per morire!; 1969: E Dio disse a Caino ...; I quattro del Pater Noster; 1970: L'oro dei Bravados; 1971: Blindman; 1972: Così sia; 1975: La parola di un fuorilegge ... è legge!

Panetti, Pasqual: 1973: Allegri becchini ... arriva Trinità

Paniagua, Cecilio: 1967: Custer of the West; 1971: The hunting party

Parapetti, Mario: 1966: Tre colpi di winchester per Ringo; 1967: Bill il taciturno; 1976: Più forte, sorelle

Parolin, Aiace: 1965: Lo sceriffo che non spara; 1967: Un minuto per pregare, un istante per morire; 1973: Carambola; 1974: Carambola filotto ... tutti in buca; 1976: Keoma

Paynter, Robert: 1971: Chato's land

Perino, Mario: 1975: Get Mean

Persin, Henri: 1968: Une corde, un Colt; 1971: Les pétroleuses

Pesce, Sergio: 1942: Il fanciullo del west; 1959: La sceriffa

Philips, Alex: 1967: La guerrillera de Villa; 1973: Lucky Johnny

Piersanti, Franco: 1984: Yellow Hair & Pecos Kid

Pina, J.R.: 1983: Lucky Luke – Les Daltons en cavale

Pinelli, Aldo: 1966: Pochi dollari per Django; 1967: 7 winchester per un massacro

Pinori, Giuseppe: 1972: Bada alla tua pelle, Spirito Santo!

Pogány, Gábor: 1967: La morte non conta i dollari

Pointis: 1978: La ballade des Dalton

Prengel, Diethard: 1993: Texas – Doc Snyder hält die Welt in Atem

Puig, Juan Gelpi: 1975: Ah sì? ... e io lo dico a Zzzorro!

Raffaldi, Giovanni (Gianni): 1971: Lo sceriffo di Rockspring; Vamos a matar Sartana; 1972: Il magnifico West; 1973: ... E il terzo giorno arrivò il Corvo

Reale, Roberto: 1964: 5.000 dollari sull'asso

Regis, Giorgio: 1971: Padella calibro 38

Reimer, Peter: 1971: Großstadtprärie

Ribes, Federico: 1998: Outlaw justice

Ricci, Aldo: 1968: ¿Quién grita venganza?; Garringo; 1970: Reza por tu alma ... y muere

Richardson, C.: 1964: Per un dollaro a Tucson si muore

Rinaldi, Antonio: 1970: Roy Colt e Winchester Jack

Ripoll, Pablo: 1964: Fuerte perdido; 1965: Dos mil dólares por coyote; 1967: Il magnifico texano; 1968: Anche nel West c'era una volta Dio; 1973: Zanna Bianca; Fuori uno sotto un altro ... arriva il passatore

Robin, Jacques: 1961: Le goût de la violence

Rojas, Manuel: 1969: Vivi o preferibilmente morti; 1972: Tedeum

Rossi, Fausto: 1966: Kitosch, l'uomo che veniva dal nord; 1967: I giorni della violenza; Il tempo degli avvoltoi; 1968: Carogne si nasce; Sapevano solo uccidere; 1971: Sei jellato amico, hai incontrato Sacramento

Rotunno, Giuseppe: 1978: Amore, piombo e furore

Rubini, Sergio: 1975: Il sogno di Zorro; 1976: Una donna chiamata Apache

Ruiz, Manuel: 1973: Kung Fu nel pazzo West

Ruzzolini, Giuseppe: 1971: Giù la testa; 1973: Il mio nome è Nessuno; 1975: Un genio, due compari, un pollo

Salvati, Sergio: 1972: Deserto di fuoco; 1975: I quattro dell'Apocalisse; 1977: Sella d'argento

Sánchez, Francisco: 1965: Mestizo; 1969: La sfida dei Mac-Kenna

Sanga, Mario: 1973: Jack London – La mia grande avventura

Sanjuán, Manuel Hernández: 1962: Torrejón city; 1963: Fuera de la ley; 1964: I gemelli del Texas; Tre dollari di piombo; 1967: The christmas kid; 1980: Siete cabalgan hacia la muerte

Santini, Giampaolo: 1971: Il lungo giorno della violenza

Santini, Gino: 1966: Mille dollari sul nero; 1967: 20.000 dollari sul 7; I vigliacchi non pregano; Giarrettiera Colt; 1968: Uno straniero a Paso Bravo; 1969: Django il bastardo; 1970: Shango la pistola infallibile; 1972: Trinita e Sartana figli di ...; Alleluja e Sartana figli ... di Dio; 1978: La ciudad maldita

Santoni, Clemente (Tino): 1952: Il bandolero stanco; 1960: Un dollaro di fifa; 1963: Gli eroi del West; 1965: Quattro dollari di vendetta; 1966: I 2 figli di Ringo; 1967: Sangue chiama sangue; 1968: Crisantemi per un branco di carogne; I nipoti di Zorro

Saodalan, Felipe: 1968: I fratelli di Arizona

Sbrenna, Mario: 1963: Cavalca e uccidi; 1973: Sette monache a Kansas City

Scaife, Edward: 1971: Catlow; Hannie Caulder

Scavarda, Aldo: 1965: L'uomo che viene da Canyon City; 1968: Execution

Scavolini, Romano: 1972: Posate le pistole ... reverendo

Schneeberger, Hans: 1953: Jonny rettet Nebrador

Schuh, Stephan: 2001: Der Schuh des Manitu

Schwartz, Howard: 1965: Il magnifico straniero

Secchi, Antonio (Toni): 1965: Un dollaro bucato; 1966: Un fiume di dollari; Wanted; Quien sabe?; 1967: Sentenza di morte

Sempere, Francisco: 1965: Adiós gringo; 1969: Quei disperati che puzzano di sudore e di morte

Serafin, Enzo: 1967: I giorni dell'ira; Al di là della legge; 1968: Odia il prossimo tuo

Solano, Domingo: 1984: Al este del oeste

Stallich, Jan: 1964: Die Goldsucher von Arkansas

Steward, Ernest: 1957: Campbell's kingdom

Storaro, Vittorio: 1973: Blu Gang

Suzuki, Tadasu G.: 1971: Dans la poussière du soleil

Tafani, Carlo: 1990: Lucky Luke; 1994: Botte di natale

Talbot, Kenneth: 1972: Charley One-Eye

Terzano, Ubaldo: 1965: La strada per Fort Alamo

Testi, Fulvio: 1965: 100.000 dollari per Lassiter; I tre del Colorado; 1966: Killer calibro 32; Per un pugno di canzoni; 1968: Fedra West

Thirard, Armand: 1967: La bataille de San Sebastian

Tiezzi, Augusto: 1964: Sansone e il tesoro degli Incas; 1966: Zorro il ribelle

Tonti, Aldo: 1970: La spina dorsale del diavolo; 1971: Si può fare ... amigo!

Tonti, Giorgio: 1971: Domani passo a salutare la tua vedova ... parola di Epidemia

Torres, Ricardo: 1954: El coyote; 1955: La justicia del coyote; 1962: Due contro tutti; Bienvenido, padre Murray; 1963: Il segno del coyote; Cuatro balazos; 1964: La carga de la policía montada; Los cuatreros; Relevo para un pistolero

Tovoli, Luciano: 1969: ... e vennero in quattro per uccidere Sartana!

Transunto, Gianfranco: 1990: Lucky Luke

Trasatti, Luciano: 1968: L'odio è il mio Dio; 1969: E Dio disse a Caino ...; 1970: Saranda; Prima ti perdono ... poi t'ammazzo; La belva; 1971: Sei gia cadavere amico... ti cerca Garringo!; 1977: El Macho

Trenker, Floriano: 1971: Sei già cadavere amico ... ti cerca Garringo!

Troiani, Oberdan: 1966: Ramon il messicano; 1967: Nato per uccidere; 1968: Buckaroo

Tuch, Walter: 1961: Ruf der Wildgänse

Tuzar, Jaroslav: 1965: Die Söhne der großen Bärin

Ulloa, Alejandro: 1966: 7 pistole per i MacGregor; Sugar Colt; 1967: Odio per odio; 7 donne per i MacGregor; 1968: Tutto per tutto; Una pistola per cento bare; I tre che sconvolsero il West; Ammazzali tutti e torna solo; Il mercenario; 1969: O'Cangaçeiro; 1970: Vamos a matar compañeros; 1971: El hombre de Rio Malo; El desafío de Pancho Villa; 1972: Una ragione per vivere e una per morire; Che c'entriamo noi con la rivoluzione?; 1973: Ci risiamo, vero Provvidenza?; 1974: Là dove non batte il sole; Whiskey e fantasmi; 1975: Cipolla Colt; 1977: California

Valle, Gaetano: 1970: Uccidi, Django ... uccidi per primo!; 1971: Al di là dell'odio

Van Der Wat, Keith: 1970: Friß den Staub von meinen Stiefeln

Variano, Giovanni: 1971: Se t'incontro, t'ammazzo; 1972: Sei bounty killers per una strage

Villa, Franco: 1961: I magnifici tre; 1966: 2 once di piombo; 1967: Pecos è qui: prega e muori; Prega Dio ... e scavati la fossa!; Straniero ... fatti il segno della croce!; 1968: All'ultimo sangue; Ed ora ... raccomanda l'anima a Dio!;

Passa Sartana, è l'ombra della tua morte; Una lunga fila di croci; 1970: Quel maledetto giorno d'inverno; Un uomo chiamato Apocalisse Joe; 1971: Black Killer; Era Sam Wallash ... lo chiamavano Così Sia; Giù le mani ... carogna! – Django Story; Prega il morto e ammazza il vivo; Il venditore di morte; Una pistola per cento croci; Acquasanta Joe; 1973: ... E il terzo giorno arrivò il Corvo

Villaseñor, Leopoldo: 1969: Veinte mil dólares por un cadáver; 1970: Los rebeldes de Arizona; Plomo sobre Dallas; 1973: Dieci bianchi uccisi da un piccolo indiano

Vincent, Johan: 1972: Les aventures galantes de Zorro; 1973: Les filles du Golden Saloon

Vitrotti, Franco: 1965: Dos pistolas gemelas

Vogel, Paul: 1966: Return of the seven

Vulpiani, Mario: 1964: El Zorro cabalga otra vez; 1969: La notte dei serpenti; 1972: Il grande duello

Williams, Billy: 1980: Eagle's Wing

Wirth, Wolf: 1975: Potato Fritz

Yang, Hsun: 1973: ... altrimenti vi ammuchiamo

Yusov, Vadim: 1982: Krasnye kolokola, film pervyj – Meksika v ogne

Zanni, Federico: 1967: 10.000 dollari per un massacro; Per 100.000 dollari ti ammazzo; 1973: Di Tresette ce n'è uno tutti gli altri son nessuno; 1977: Mannaja

Ziervogel, Lutz: 1971: Der lange Ritt nach Eden

Zuccoli, Fausto: 1964: I sette del Texas; Solo contro tutti; 1965: Ocaso de un pistolero; 1968: Spara, gringo, spara; Testa o croce; 1969: Franco e Ciccio sul sentiero di guerra

SIE SCHUFEN DIE MELODIEN DES TODES
Die Komponisten – Biografien und Interviews

Alessandro (Sandro) Alessandroni
(geboren am 30.08.1933 in Rom)
Alessandroni studierte an der Universität für Volkswirt-
schaft und genoss ironischerweise nie eine formale Mu-
sikausbildung. Seine Entwicklung in der Musikwelt resultierte rein aus seinem persönlichen Interesse.

In den frühen Jahren seiner musikalischen Karriere
trat er in verschiedenen Night-Clubs in Deutschland als
Sänger und Pianist auf. Nach seiner Rückkehr nach Italien gründete er ein Quartett im Stile der Four Freshmen
mit dem Namen The Four Caravels. Das weibliche Mitglied dieser Formation war seine Frau, eines der anderen
Mitglieder Guido Cincerelli, der später zuständig für die
Filmmusik bei RCA in Rom war.

Alessandroni genoss eine enge Beziehung und Freundschaft zu Ennio Morricone aus der Zeit, als sie beide noch
kleine Jungen waren. Aus diesem Grund war es Alessandroni, der von Ennio Morricone beauftragt wurde, bei »Per
un pugno di dollari« (»Für eine Handvoll Dollar«) für den
Soundtrack die Gitarre zu spielen und seine einzigartigen
Pfeiftöne beizusteuern. Die Band The Four Caravels wurde vergrößert und auf Morricones Anraten entstanden die
einzigartigen Cantori Moderni. Von diesem Zeitpunkt an
wuchsen Alessandronis Ruhm und Ruf wie auch die Größe der »Cantori Moderni«, die zuletzt zwischen 12 und
16 Mitglieder aufwiesen. Alessandroni und sein Chor haben einen einzigartigen Beitrag zur Welt des Italo-Western
geleistet – das unvergleichbare, einsame Pfeifen auf sehr
vielen Italo-Western-Soundtracks ist das von Alessandroni
und die großartige Chorbegleitung ist mit Sicherheit meist
von Cantori Moderni.

Man könnte behaupten, dass in einer derartigen Partnerschaft die individuellen Klänge von Leuten wie Morricone, Cipriani und Fidenco sicherlich zu einem großen
Teil von diesem Mann beeinflusst wurden. Um ein wirklich großartiges Beispiel für Alessandronis Chor-Arrange-
ments vor Augen zu haben, sollte man sich einmal den
Titelsong von »Navajo Joe« anhören.

Luis Enriquez Bacalov
(geboren am 20.08.1937 in Rom)
Obwohl Bacalov sehr stark mit dem Genre des Italo-Western verbunden ist, stammt er nicht aus Italien, sondern
aus Spanien. Er lebte und arbeitete jedoch den größten
Teil seines Lebens in Italien und seine enge Verbundenheit
mit vielen italienischen Komponisten resultierte in der
Entwicklung eines einzigartigen italienischen Stils.

Bacalov startete seine Karriere in der Zusammenarbeit
mit Alessandro Alessandroni und Ennio Morricone. In
den frühen 60er Jahren gründete er eine Band mit dem
Namen Luis Enriquez and His Electronic Men, ähnlich
dem englischen Äquivalent The Tornadoes, welche mit
dem Instrumentaltitel »Telstar« an die Spitze der englischen Charts galoppierte.

Eigentlich war Bacalov von Herzen ein Pianist wie
viele berühmte italienische Komponisten und gründete
schließlich sein eigenes Orchester. Viele seiner Kompositionen haben einen definitiven Morricone-Einfluss, welcher sicherlich von dem italienischen Repertoire-System
der Komposition herrührt. Morricone hat die Musik zum
Film »Quien sabe?« (»Töte, Amigo«) überwacht, welche
von Bacalov komponiert wurde.

Stelvio Cipriani
(geboren am 20.08.1937 in Rom)
Stelvio Cipriani erhielt sein Diplom am Conservatorio
di Santa Cecilia. In seinen frühen Jahren dirigierte er das
Orchester der berühmten italienischen Pop-Sängerin Rita
Pavone. Den Großteil seiner Zeit verbrachte er allerdings
damit, Filmmusik und Popmusik zu komponieren. Er war
sogar beauftragt, für Orson Wells bei NBC zu komponieren. Cipriani lebte für einige Zeit in New York, wo er ein
guter Freund von Dave Brubeck war.

Viel von Ciprianis Musik, obwohl sehr originell, enthält viele musikalische Konventionen des Italo-Western:
beispielsweise Trompetensolos für Duelle, choralisches
Grunzen und Grölen verbunden mit elektrischer Gitarre.

  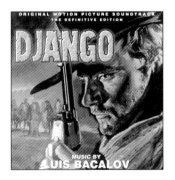

Der Soundtrack zum Film »Blindman« verwendet einen markdurchdringenden Schrei in der gleichen Art, in der Alessandronis Schrei im Film »Il buono, il brutto, il cattivo« (»Zwei glorreiche Halunken«) verwendet wurde.

Man kann ohne Zweifel sagen, dass viele von Ciprianis Kompositionen die Handschrift des italienischen Repertoire-Systems tragen, oder anders ausgedrückt, Cipriani gehört zu der Morricone-, Nicolai-, Fidenco-, Alessandroni-Schule der Filmkomposition.

Guido & Maurizio De Angelis
(geboren am 22.09.1944 und
22.11.1947 in Rocca di Papa, Italien)
Die beiden Brüder starteten ihre Karriere als Gitarrenspieler, bevor Maurizio dann Komposition sowie Harmonie und sein Bruder Guido Flöte studierte. So wurde aus ihrer Vorliebe ihr Beruf und sie tourten durch Italien mit einer Gruppe namens Black Stones, die später dann in G & M umgetitelt wurde. Nach 1967 spielten sie beide in Orchestern und machten Aufnahmen für berühmte Filmmusikkomponisten wie Ennio Morricone, Riz Ortolani, Armando Trovaioli und viele andere. Sie schufen auch Arrangements für berühmte italienische Sänger.

Im Jahr 1970 trafen sie den italienischen Darsteller Nino Manfredi, für den sie den berühmten Song »Tanto pè cantà« arrangierten. So erhielten sie dann den Auftrag für ihren ersten Soundtrack, Nino Manfredis Film »Per Grazia Ricevuta«, welcher sehr erfolgreich war. Weitere Erfolge folgten, unter anderem die Italo-Western-Scores »... continuavano a chiamarlo Trinità« (»Vier Fäuste für ein Hallelujah«), »Keoma« und »Mannaja«.

Francesco De Masi
(geboren am 11.01.1930 in Rom;
gestorben am 06.11.2005 in Rom)
Francesco De Masi studierte Komposition in San Pietro a Maiella in Neapel. Er hat seit den 60er Jahren ziemlich viel für den Film komponiert und ist sehr interessiert an klassischer Orchestrierung. Seine Kompositionen für den Italo-Western können leicht identifiziert werden durch die vorrangige Benutzung von Cembalo bzw. Spinett, elektrischem Bass und elektrischer Gitarre.

De Masis Stil ist sofort erkennbar als typisch Italo-Western in derselben Art, wie Dimitri Tiomkin und Frankie

Laine untrennbar mit dem amerikanischen Western verbunden sind. De Masi bringt sehr selten das opernhafte Gefühl für die Grandiosität des Westens zum Tage wie die Scores von Morricone oder Rustichelli, aber sein Beitrag zum Italo-Western ist immens.

Pino Donaggio
(geboren am 24.11.1941 in Burano, Italien)
Donaggio war in den 60er Jahren ein berühmter Sänger, der auch Songs wie »Io che non vivo«, die von den berühmtesten Künstlern der Welt wie Elvis Presley, Tom Jones, Shirley Bassey etc. gesungen wurden, sowie »Come sinfonia«, »Il cane di stoffa« und »Pera matura« interpretierte.

In den 70ern fing Donaggio an, Filmmusiken wie »A shocking red December in Venice« zu komponieren, für den Regisseur Roeg einen Musikkomponisten suchte, der einen typischen Hauch von Venedig musikalisch vermitteln konnte und sofort der Musik Donaggios verfiel. Daraufhin folgte »A Whisper in the Dark« von Marcello Aliprandi, für den er Jahre später auch die Musik zum Film »Death in the Vatican« komponierte. Zufälligerweise hörte Filmregisseur Brian De Palma einen dieser Soundtracks und ab jenem Zeitpunkt stand für ihn fest, wen er in Zukunft mit den Kompositionen seiner Filmmusiken beauftragen würde.

Aus dieser äußerst fruchtbaren Zusammenarbeit entstanden musikalische Meisterwerke wie »Dressed to Kill«, »Blow Out«, »Body Double« und »Raising Cain«.

Gianni Ferrio
(geboren am 16.11.1924 in Vicenza, Italien)
Gianni Ferrio wurde 1924 in Vicenza geboren, wo er dann auch Musik studierte. Ursprünglich hatte er vor, Medizin zu studieren, aber es dauerte nicht sehr lange, bis ihm klar wurde, dass ihm Musik viel mehr zusagte. In seiner frühen Karriere komponierte er Songs für Teddy Reno und war auch in einigen Radio-Sendungen. Erst 1960 begann er für das Medium Film zu komponieren. Im Unterschied zu seinen Kollegen gehörte er nicht dem italienischen Repertoire-System an. Er arbeitete nicht viel mit anderen Kollegen zusammen. Sein Stil ist sehr originell und seine besondere Benutzung von Schlagzeug, Gitarre und leichten Blasinstrumenten machten es ihm möglich, eine höchst effektive Form der Komposition zu kultivieren.

1966 schuf er mit Ennio Morricone den Score für »Per Pochi Dollari Ancora« (»Tampeko«), welcher, obwohl er grundsätzlich von Gianni Ferrio stammt, auch starke Einflüsse von Ennio Morricones Themen erkennen lässt.

Nico Fidenco
(geboren am 24.01.1933 in Rom)
Nico Fidenco startete seine Karriere als Popsänger, bevor er als Komponist für Film und Fernsehen Bekanntheit erlangte. Fidenco hat des Öfteren mit Alessandro Alessandroni und den Cantori Moderni und schließlich mit dem italienischen Repertoire-System der Komposition in Italien gearbeitet. Seine Werke sind beeinflusst von Alessandro Alessandroni und möglicherweise auch Ennio Morricone. Viele etablierte Italo-Western-Konventionen können in seinen Kompositionen wiedergefunden werden. Er benutzt zum Beispiel sehr oft fliegende Trompetensolos für Duelle und für die gewissen ruhigen Momente in den Filmen. In seinem Score für »John il Bastardo« (in Deutschland leider nicht gelaufen) kann man Alessandronis bekannten »Per un pugno di dollari« (»Für eine Handvoll Dollar«)-Gesang hören. Grunzen, Peitschenknallen und Glockenklänge bilden auch bei ihm den panoramischen Hintergrund seiner Kompositionen. Er hat sogar die einzigartige Stimme von Gianna Spagnolo verwendet. Fidencos Kompositionen sind ohne Frage sehr originell.

Die Filmmusik dieses Komponisten kann sicherlich als Meilenstein dieses Genres angesehen werden. Nico Fidenco hat fast ohne Ausnahmen für das Italo-Western- und das Abenteuer-Genre komponiert.

Benedetto Ghiglia
(geboren am 27.12.1921 in Florenz, Italien)
Der aus Florenz stammende Benedetto Ghiglia wuchs in einem höchst artistischen Umfeld auf. Sein Vater Oscar Ghiglia war ein international bekannter klassischer Gitarrist. Bis ungefähr 1969 war Benedetto ein sehr aktiver Filmkomponist, der sich seither mehr seiner eigenen, individuellen Arbeit gewidmet hat. Sein Stil ist auch sehr einzigartig mit einem eher leichten Sound von treibendem Schlagzeug und elektrischer Gitarre. Sein Score für »Un dollaro tra i denti« (»Ein Dollar zwischen den Zähnen«), welcher eigentlich nicht wirklich wie Morricones Stil klingt, ist eine Zusammenfassung von allem, was typisch

für den italienischen Western-Sound ist, angefangen von Peitschenknallen über elektrische Gitarre, Glockenläuten und Spannen von Gewehrhähnen. Ghiglia hat nicht sehr viele Scores für dieses Genre komponiert, aber die wenigen sind sehr originell und wichtig.

Francis Lai
(geboren am 26.04.1932 in Nizza, Frankreich)
Er begann seine Musikerkarriere als Musiker für diverse Orchester aus seiner Gegend. In Marseille entdeckte er den Jazz und traf Claude Goaty, einen populären Sänger der 50er Jahre, der ihn mit nach Paris nahm. Dort lernte er Künstler kennen, die seine Arbeit mit ihren Ideen ziemlich beeinflussten. Viele seiner Kompositionen wurden von den Künstlern Juliette Gréco und Yves Montand gesungen und durch seine Mitgliedschaft im Orchester Michel Magne lernte er Edith Piaf kennen, für die er einige Songs schrieb, unter anderem »Le droit d'aimer« und »L'homme de Berlin«.

Filmregisseur Claude Lelouch führte zu einem Wendepunkt in Francis Lais künstlerischem Leben. Mit Filmen wie »Un homme, une femme«, »Love Story«, »La bonne année«, »Vivre pour vivre« und anderen erzielte er außergewöhnliche Erfolge und einige Oscars für die beste Filmmusik von »Un homme, une femme« und »Love Story«. 1974 begab sich Lai auf eine Tournee mit dem Royal Philharmonic Orchestra of London und während eines Konzertes in der Royal Albert Hall spielte er zum ersten Mal auf einem elektronischen Akkordeon.

Mit über 80 Filmmusiken und über 500 Songs kann man seine künstlerische Karriere mehr als gelungen bezeichnen.

Angelo Francesco Lavagnino
(geboren am 22.02.1909 in Genua, Italien; gestorben am 21.08.1987 in Gavi, Italien)
Lavagnino, der seinen Studienabschluss am Giuseppe-Verdi-Konservatorium in Mailand in den Fächern Violine und Komposition erwarb, verdient einen besonderen Platz im Bereich der Filmmusik mit seinen Beiträgen zu Dokumentarfilmen. Er gab Dokumentationen eine neue Dimension, indem er weder komplizierte folkloristische Themen schuf, noch passive Elemente aus bestimmten Musikkulturen adaptierte, sondern die typischen musika-

INTERVIEW MIT FRANCESCO DE MASI

Wie starteten Sie als Komponist in der italienischen Filmindustrie?

Ich war immer noch beschäftigt mit meinem Studium in Neapel, als ich mich ziemlich für die Idee begeisterte, Filmmusik zu schreiben. Mein Lehrer Achille Lango, der auch mein Onkel war, wurde darum gebeten, einen Soundtrack für einen Film zu komponieren und er bat mich, mit ihm nach Rom zu gehen, um ihm dabei zu assistieren. Es war während dieser Zeit als Assistent für ihn, als ich mich dazu entschloss, eine Karriere als Komponist für die Filmindustrie zu starten. So verließ ich Neapel und reiste nach Rom, wo ich dann im Jahr 1951 meinen ersten Filmscore für einen Dokumentarfilm mit dem Titel »Fiat Panis« schrieb.

Während der nächsten sieben Jahre arbeiteten Sie an zahlreichen Dokumentarfilmen?

Ich erinnere mich besonders an eine Reihe von Filmen. Ich reiste dafür zum Drehplatz nach Argentinien und blieb dort für ca. acht Monate mit der Crew, es gelang mir, Dokumente über die lokale Musik zu sammeln. Das war sehr nützlich und half mir sehr bei der Komposition des Soundtracks.

Der Film, an dem ich ursprünglich für diese Serie gearbeitet hatte, hieß »Dagli appennini alle ande«, bei der Folco Quilici Regie führte, alle Folgen handelten über Polynesien.

Sie haben mit »Arizona Colt« einen Italo-Western-Soundtrack komponiert, der auch außerhalb Italiens Aufmerksamkeit erregte?

Ich komponierte das Thema und auch einige Stücke des Scores für »Arizona Colt« zusammen mit Alessandro Alessandroni, das war das erste Mal, dass ich mit ihm zusammengearbeitet habe, und glücklicherweise dauerte diese Zusammenarbeit auch für andere Soundtracks an und wir entwickelten eine gute Freundschaft. Mit einem Musiker wie Alessandro zu arbeiten, ist immer interessant, und sicherlich immer stimulierend.

Wie viel Zeit gab man Ihnen normalerweise, einen Western-Soundtrack zu komponieren?

Ich kann nur sagen, nicht genug Zeit, es ist immer dasselbe, wenn es um das Komponieren von Musik für einen Film geht, die Regisseure wollen die Musik, bevor du angefangen hast daran zu arbeiten, und das ist dasselbe bei jedem Filmgenre, nicht nur Western, ich glaube, dass ich für »Arizona Colt« drei Wochen zur Verfügung hatte.

Glauben Sie, dass es für Sammler genügend Musik von Ihnen auf Tonträgern gibt?

Es wurden zahlreiche Platten auf den Markt gebracht und es wurden auch viele wiederveröffentlicht, aber da ich die Musik für 211 Spielfilme und hunderte von Dokumentationen komponiert habe, glaube ich, dass nicht all meine Arbeiten zugänglich gemacht wurden, es gibt auch eine Reihe von Jazz-Aufnahmen mit ausgezeichneten Solisten und auch einige Musiken für Fernsehfilme, die meiner Meinung nach von Interesse wären.

Waren Sie selber daran interessiert, Titelsongs in Ihre Soundtracks zu integrieren, oder wurde Ihnen das von den Produzenten oder Regisseuren der Filme vorgeschrieben?

Ich glaube, dass es leichter ist, die Musik zu identifizieren, speziell das Titelthema, wenn man einen Song im Soundtrack hat, das trifft speziell für Western zu.

Sie sind ja jetzt seit über 50 Jahren in diesem Geschäft. Gibt es irgendwelche Filmgenres, zu denen Sie sich besonders hingezogen fühlen?

Lassen Sie mich mal sagen, dass ich allergisch gegen dumme oder vulgäre Filme bin. Ich habe nicht wirklich Präferenzen für ein bestimmtes Genre, im Gegenteil, ich glaube, es ist interessant, jedes Mal die besten Lösungen für die verschiedenen Genres von Filmen zu finden.

Haben Sie Ihre eigenen Instrumentierungen vorgenommen, oder haben Sie manchmal auf einen Arrangeur zurückgegriffen?

Normalerweise kümmere ich mich selbst um die Instrumentierung meiner Scores, ich bin gewohnt, in einem großen Stil zu schreiben, fast einen kompletten Score in einer Rohversion, auf Grund von Zeitmangel verwende ich manchmal einen Instrumentator, aber der muss normalerweise nur die letzte Fassung von all meinen Bemerkungen auf der Rohversion schreiben.

Was halten Sie von der neuen Generation von Filmmusik-Komponisten in Italien?

Mit Ausnahme von einigen sehr gut vorbereiteten jungen Komponisten ist die Auswahl an neuen Komponisten,

521

die heute an Filmen in Italien arbeiten, ein bisschen traurig. Den meisten von ihnen fehlt gutes technisches Wissen und es fehlt ihnen auch die Technik des Filmmusik-Komponierens, diese Leute improvisieren nur in ihrer Arbeit. Sie haben wenig Erfahrung und wenig oder gar keine Phantasie und es fehlt ihnen auch der Mut, der gebraucht wird, um im Filmgeschäft zu arbeiten; sie scheinen sich zu sträuben zu experimentieren oder etwas Neues zu versuchen.

Erzählen Sie uns doch ein bisschen von Ihrer Arbeit außerhalb der Filmindustrie?

Ich habe kürzlich mit dem Orchester des Sante Cecilia Konvervatorium eine Tournee in die USA gemacht, wir sind auch in Kanada aufgetreten, ich war der musikalische Direktor für Oper und symphonische Musik. Ich komponiere auch Kammer- und symphonische Musik für Konzertsaal-Auftritte und habe einige von dieser auf EDI-PAN Records veröffentlicht, das ist das Label, das ich mit dem inzwischen verstorbenen Bruno Nicolai gegründet habe und das jetzt von seiner Familie gemanagt wird; einige meiner klassischen Kompositionen sind auch auf dem Pentaflowers Label erschienen.

Wurden Sie von bestimmten Komponisten beeinflusst in Bezug auf die Weise, wie Sie komponieren?

Ich glaube, dass jeder, der behauptet, er wäre nicht von der Musik anderer beeinflusst worden, offensichtlich nicht die Wahrheit sagt oder ein Genie ist. Ich wurde von vielen Komponisten beeinflusst, von Palestrina bis Stockhausen, jeder hat mich stimuliert. Ich war immer an der harmonischen Welt von Ravel interessiert, im Themenaufbau von Schostakowitsch und auch dem Gegenstück Hindemith. Diese sind sicherlich die Haupteinflüsse für meine symphonische Musik, würde ich sagen, meine Jazz-Einflüsse stammen, glaube ich, von Leuten wie Stan Kenton und all seinen Nachfolgern der kalifornischen Schule. Ich muss allerdings zugeben,

dass ein Zusammentreffen, das ich mit dem großen Filmmusik-Komponisten Angelo Francesco Lavagnino hatte, einen kritischen Teil meiner musikalischen Ausbildung ausmacht und auch eine wichtige Lektion in den technischen Aspekten der Filmmusik-Komposition. Ich studierte bei ihm an der Accademia Chigiana von Sienna und arbeitete dann für einige Jahre als sein Assistent. Er hat mir alle wichtigen Elemente des Jobs mit absoluter Genauigkeit vermittelt. Das ist meiner Meinung nach der einzige Weg gute Ergebnisse zu erreichen.

Schreiben Sie immer noch für das Kino?

Ja, das tue ich, aber nur, wenn der Film gut ist oder die Bedingungen stimmen. Es muss für mich so sein, damit ich in der Lage bin, einen Score zu produzieren, der gut für die Produktion ist. Damit meine ich, dass ich nicht daran interessiert bin, mit inadequaten Mitteln zu arbeiten wie z.B. Keyboards, Synthesizern, Computern usw. außer wenn sie als Teil eines echten Orchesters verwendet werden.

Was halten Sie eigentlich von Synthesizern?

Ich bin der Meinung, dass die Musik von innen kommen sollte, und nicht mit künstlichen Hilfsmitteln produziert. Aus diesem Grund mag ich eigentlich elektronische Mittel nicht besonders. Der Sound, der von einem vollen Orchester geschaffen wird, ist die beste Methode, Musik zu hören. Ebenso wenig verwende ich zur Zusammenstellung meiner musikalischen Ideen ein Keyboard, ich ziehe es vor, mir meine Musik ohne irgendwelche Soundvorschläge auszudenken.

Verwendeten Sie jemals ein Pseudonym, wenn Sie Musik für Filme komponierten?

In unangenehmen Situationen lehnte ich es immer ab, Kompromisse einzugehen; z.B. die Filme, die typisch für die 70er Jahre waren und auf Striptease-Shows und verschiedenen vulgären Situationen basierten, wurden von mir immer abgelehnt. Unglücklicherweise konnte

522

ich auf Grund von bestehenden Musikverlag-Verträgen nicht verhindern, dass einige Filme mit bestehender Musik von mir vertont wurden. In diesen Fällen beharrte ich darauf, dass mein Name in Frank Mason umgeändert wurde.

Haben Sie jemals daran gedacht, Filmmusik-Konzerte zu geben?

Ich habe einige Konzerte in Italien gegeben, wo ich Filmmusik mit in das Programm integriert habe, aber ich habe nie ein reines Filmmusik-Konzert gegeben. Ich weiß, dass andere Komponisten einige meiner Kompositionen in ihrem Programm gespielt hatten. Ich glaube, in Sorrento wird regelmäßig ein Konzert abgehalten, wo auch Filmmusik von mir gespielt wird.

Haben Sie bei Ihrer Arbeit an Filmmusik gerne in einer bestimmten Reihenfolge gearbeitet?

Zum Ersten finde ich, dass es für einen Komponisten sehr wichtig ist, in einem Film so früh wie möglich involviert zu sein, ein Drehbuch zu haben und daran zu arbeiten.

Es gibt dem Komponisten einen Einblick in die Geschehnisse und ermöglicht es ihm auch festzustellen, an welchen Stellen Musik gebraucht werden könnte. Das findet leider nur selten statt, an den meisten Filmen, an denen ich gearbeitet habe, fing ich während der Dreharbeiten an oder sogar erst, als der Film bereits in einer Rohfassung vorlag.

Wenn ich einen Film zum ersten Mal sehe, ist das ein ziemlich emotionales Erlebnis, währenddessen ich die meisten Ideen erhalte und auch Vorschläge vom Regisseur oder dem Produzenten, was mir später behilflich ist, den kompletten Score umzusetzen. Um auf die Reihenfolge zu sprechen zu kommen: Zuerst versuche ich ein Hauptthema zu schreiben, was mir dann beim Rest des Soundtracks behilflich ist. Ich finde, dass, wenn ich ein Hauptthema und vielleicht einige andere Stücke habe, die zu den Hauptcharakteren des Films passen, ich viel

leichter den Rest des Scores schreiben kann. Ich arbeite normalerweise in chronologischer Reihenfolge, so dass die Musik den Abläufen des Films folgt.

Wie sind Sie in das Projekt »Making the grade« involviert worden, wo Sie einige Stücke der Musik von Basil Poledouris dirigiert haben?

Die Zusammenarbeit mit Poledouris an diesem Soundtrack entstand aus der Tatsache, dass dieser Score auf Grund von ökonomischen Gesichtspunkten in Rom aufgenommen wurde. Es ist viel billiger, in Italien aufzunehmen als z.B. in den USA. Aus irgendeinem Grund war es Basil nicht möglich, selber zu dirigieren, so bat mich der Contractor Donato Salone, ein guter Freund von mir, das Orchester zu dirigieren.

Ich habe sehr nette Erinnerungen an die Zusammenarbeit mit Basil und ich betrachte ihn als einen ausgezeichneten Komponisten.

Interview geführt von John Mansell © 1998/2001

---

lischen Charakteristiken bestimmter Länder identifizierte und sie bestmöglichst in seinen Kompositionen umsetzte. Um dies zu erreichen und einen »typischen Sound« zu kreieren, nutzte er alle modernen technologischen Möglichkeiten. Bei ihm war der wichtigste Mitarbeiter nicht der Orchesterleiter, sondern der Sound-Ingenieur. Dies hat ihn jedoch nie davon abgehalten, großartige orchestrale Kompositionen zu schaffen. Im klassischen Bereich schrieb er ein Konzert für Violine und Orchester und eine Messe für Chor und Orchester. Seine Arbeit für die Filmindustrie begann im Jahr 1951 für den von Orson Welles bearbeiteten Film »Othello«. Ab jenem Zeitpunkt schrieb er die Musik für hunderte von Filmen.

Zu seinen wichtigsten Arbeiten im Bereich des Italo-Western gehören sicherlich »Oggi a me ... domani a te!«

(»Heute ich – morgen du«) und »Réquiem para el gringo« (»Requiem für Django«).

Franco Micalizzi

Wie so viele andere Komponisten, die in Italien während der 60er und 70er Jahre starteten, begann auch Franco Micalizzi seine musikalische Karriere mit dem Instrumentieren italienischer Western. Der Film »Il pistolero dell'Ave Maria« (»Seine Kugeln pfeifen das Todeslied«) war im Prinzip ein B-Western ohne weitgehende Einflüsse, der außerhalb Italiens nur sehr limitiert gezeigt wurde.

Die Musik zum Film entstand in Zusammenarbeit von Micalizzi und seinem Kollegen Roberto Pregadio, die hier einen typischen Ennio-Morricone-mäßigen Sound kreierten, der im Hauptthema alle gängigen Klischees des Italo-Western-Sounds einschließt: Pfeifen, Trompeten-solos sowie ein Chor.

Ennio Morricone
(geboren am 11.10.1928 in Rom)
Ennio Morricone erhielt ein Diplom für Trompete, Kom-position, Direktion und Chor am Conservatorio di Santa Cecilia. Er studierte Komposition, wie auch Bruno Nico-lai, mit Goffredo Petrassi. Anfänglich studierte und arbei-tete er auf dem Gebiet der ernsten Musik und nicht viele wissen, dass er nicht nur Musik für ein Ballett, »Requiem For Destiny«, sondern auch Quartette, Konzerte und viele andere Arten von symphonischen Kompositionen erschaf-fen hat. Seine Komposition »Suoni Per Dino« war 1969 im Finale des Festivals für zeitgenössische Musik in Venedig.

Obwohl Morricone vor dem Soundtrack zum Film »Per un pugno di dollari« bereits die Musik für den Film »Grin-go« komponierte, war es schlussendlich die Filmmusik für Sergio Leones ersten Western, durch die Morricone Be-kanntheit erlangte und auf die sich Morricones Karriere stützte.

Es wurde von vielen Leuten behauptet, Morricone sei die Verkörperung des Italo-Western. Es ist ihm gelungen, einen komplett neuen Dialog zwischen Film und Musik zu kreieren. Dieser Dialog funktioniert so gut, dass ein Soundtrack von Morricone neue Dimensionen zu einem Film beisteuern kann, die ohne seine Musik nicht vorstell-bar wären. Sein einzigartiger Sound, welcher in vielen Italo-Western die Benutzung von Percussion und Chor be-inhaltet, hat nicht nur zu unzähligen Imitationen geführt, sondern wurde auch als eines der typischen Merkmale des Italo-Western identifiziert. Eigentlich hat das Publi-kum erst nach langer Zeit realisiert, dass Morricone nicht nur Italo-Western-Musik komponieren kann. Sein gigan-tischer musikalischer Output grenzt an das Unglaubliche und ist fast durchgehend von sehr hoher Qualität. Seine zahlreichen Kompositionen für viele andere Filmgenres sind ebenfalls brillant und seine ernsteren Themen wie z.B. »Ecce Homo« und »A Quiet Place in the Country« zeigen das volle Ausmaß seines außergewöhnlichen musi-kalischen Talents. Seine Musik ist so überwältigend, dass es schwierig ist, darüber objektiv zu schreiben. Es besteht jedoch kein Zweifel, dass Morricone geniale musikalische Fähigkeiten besitzt.

Bruno Nicolai
(geboren am 26.05.1926 in Rom;
gestorben am 16.08.1991 in Rom)
Der Name Bruno Nicolai war für viele Jahre sehr stark mit dem Namen Ennio Morricone verbunden. Lange Zeit glaubte man sogar, Ennio Morricone und Bruno Nicolai seien ein und dieselbe Person.

Der Hauptgrund für diese Annahme war sicherlich die Tatsache, dass der musikalische Stil beider Komponisten sehr stark verwandt ist. Neben Ennio Morricone ist Bruno Nicolai sicherlich der wichtigste Name in der Filmmusik des Italo-Western. Merkwürdigerweise stand Bruno Ni-colai jedoch die meiste Zeit im Schatten seines viel be-rühmteren Kollegen und Freundes Ennio Morricone.

Bruno Nicolai erhielt seine Ausbildung in der römischen Schule des Goffredo Petrassi. Nicolais musikalische Karri-ere verlief parallel mit Morricones und die beiden haben nicht nur zusammen komponiert, Nicolai dirigierte auch den Großteil von Morricones Werk. Es ist schwierig, die beiden getrennt voneinander zu betrachten. Bruno Nico-lai experimentierte mit seiner Musik genauso wie Ennio Morricone. Beide scheinen eine ähnliche Logik des Fort-schreitens in der Komposition zu teilen. Nicolais musika-lischer Dialog für das Kino basiert auf der gleichen Be-ziehung wie Morricones. Unter Nicolais Kompositionen finden sich zahlreiche unverwechselbar originale Themen und zeigen die Arbeit eines Mannes, welche unabhängig vom italienischen Reportoire-System ist.

Die Filmmusiken zu »Una Giornata Spesa Bene« und dem Italo-Western »Corri Uoma Corri« (»Lauf um dein Leben«) sind sehr originell, aber besonders die Musiken zu den Filmen »The Land Raiders« (»Fahr zur Hölle, Gringo«) und »Indio Black« (»Adios Sabata«) sind typisch im Stil von Ennio Morricone arrangiert. Als Morricone einmal in Rom interviewt wurde, sagte er, er würde nie die Musik anderer Komponisten hören und nie ins Kino gehen aus Angst, zu stark beeinflusst zu werden. Es ist allgemein bekannt, dass von Nicolai oft verlangt wurde, im Morricone-Stil zu komponieren. Auf Grund der sehr nahen Zusammenarbeit mit Ennio Morricone kann man schließen, dass Nicolais Arbeit sicherlich sehr stark von Morricones Stil beeinflusst war und er war sich dessen sicher auch bewusst. Bruno Nicolai war ein großartiger Komponist, gar keine Frage, und die Beziehung, die er zu

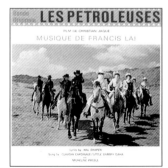

INTERVIEW MIT NICO FIDENCO

Ist es wahr, dass Sie nie eine formale Ausbildung als Musiker genossen haben?

Ja, ich habe durch mein vieles Zuhören und das Beisammensein mit Musikern und Sängern viel über Musik gelernt. Ich hörte zu und sah zu und dabei begann ich viel aufzunehmen.

Was hat Sie dazu bewogen, Musik für die Filmindustrie zu schreiben?

Als ich noch als Sänger arbeitete, sang ich verschiedene Cover-Versionen von Filmsongs wie »EXODUS«, »Moon River«, »Susie Wong« und »What A Sky«. Diese Aufnahmen waren in Italien sehr populär und mein Interesse an Filmmusik stieg. So entschied ich mich damals zu versuchen, selber einige Sachen zu schreiben, der Film hat mich immer interessiert, sogar als ich viel jünger war, und selber ein Teil der Kinowelt zu sein, war für mich ein wahrgewordener Traum. Das ganze Drumherum des Kinos hat mich immer interessiert und kürzlich habe ich an einem Schauspielkurs am Centro Sperimentale di Cinematografica in Rom teilgenommen. Also lerne ich immer noch.

An welchem Filmprojekt haben Sie als Erstes gearbeitet?

Sie werden wahrscheinlich nicht überrascht sein, wenn ich Ihnen sage, dass es ein Western war, für den ich meinen ersten Auftrag erhielt, es war der Film »All'ombra di una colt« (»Pistoleros«). Dies war ein kleiner Film, verglichen mit den Filmen von Sergio Leone, und es gab zu jener Zeit sehr viele Western wegen des Erfolgs der Dollar-Filme von Leone. Der Film wurde nicht mal außerhalb von Italien gezeigt, zumindest nicht zur Zeit der Uraufführung, vielleicht gab es in den letzten Jahren Vorführungen davon in anderen Ländern im Fernsehen, ich bin mir nicht sicher. Das Thema für den Film wurde usprünglich auf einer 45er Single aufgenommen, die sich in Italien sehr gut verkaufte, ungefähr zehntausend Stück, was damals sehr gut war.

Wie war es für Sie, mit Alessandro Alessandroni und seinem IL CANTORI MODERNI zusammenzuarbeiten?

Ich habe eigentlich nie wirklich mit Alessandroni zusammengearbeitet in Bezug auf das Komponieren von Musik, aber ich engagierte seinen Chor für einige meiner Filmmusiken, ich glaube »John il bastardo« war einer von ihnen und ich habe den Chor auch bei Soundtracks wie »The Texican« (»Der Mann aus Texas«) und »El ›Che‹ Guevara« verwendet. Ich habe auch Nora Orlandi und ihren Chor für Filmmusiken engagiert, Alessandroni und sein Chor sind sehr gut und er ist ein Virtuose mit seinem Gitarrenspiel und seinem Pfeifen, welches sehr originell und kennzeichnend ist, deshalb wollte ihn jeder für seine eigenen Soundtracks engagieren.

Er ist ein sehr guter Freund von Giacomo Dell'Orso, der mit mir als Dirigent an vielen meiner Scores gearbeitet hat.

Wie sah die Arbeitsbeziehung mit Dell'Orso aus?

Wegen meiner fehlenden musikalischen Ausbildung nahm Giacomo meine musikalischen Aufzeichnungen und instrumentierte sie, er hat meine Ideen musikalisch in etwas sehr Besonderes übersetzt.

Er war auch zuständig für das Dirigieren des Orchesters, obwohl ich manchmal auch mit einem anderen Dirigenten namens Willy Brezza gearbeitet habe. Aber es war Giacomo, der meine musikalischen Ideen fruchtbar machte, er ist auch ein sehr guter Freund und wir haben mehr als 35 Jahre zusammengearbeitet.

Hat Dell'Orso auch selber Filmmusiken komponiert?

Ja, ein paar, und sie waren sehr gut, ich glaube, dass »Nerone e Poppea« eine seiner bekanntesten Arbeiten war, und natürlich hat seine Frau Edda Dell'Orso einen gigantischen Eindruck in der italienischen Filmmusik-Gemeinschaft hinterlassen, ihre Stimme ist wunderbar, beide sind sehr unterbewertet.

Gibt es andere Filmmusik-Komponisten, die Sie besonders interessant oder originell finden?

Ja, viele. Ich mag Henry Mancini besonders gern. Ich glaube, es war seine Musik, die ich in meinen Scores für die »Emanuelle«-Filme reproduzieren wollte, sehr leicht und beschwingt, voll von Melodie. Ich habe auch versucht, Dimitri Tiomkins Musik in meine Western-Scores aufzunehmen, und natürlich Morricone selbst und sein musikalisches Können sind Inspiration für alle von uns.

Halten Sie Ihre Western-Filmmusiken für gut?

Zur damaligen Zeit, denke ich, dass die Musik, die ich für diese Western der 60er und 70er komponierte, gut war. Aber Stile und Meinungen verändern sich über die Jahre und viele Western, die damals populär waren, als sie gedreht wurden, sind heute sehr schwer und mühsam anzusehen. Brutale Filme von damals werden heute als ziemlich zahm angesehen und ich vermute, dass auch Musik mit der Zeit und veränderten Einstellungen leiden kann. Vielleicht wie viele der italienischen Western haben auch meine Scores die Zeit nicht gut überstanden, vielleicht sollte ich Sie als Sammler fragen?

Ich denke, sie klingen so gut wie damals, als ich Sie zum ersten Mal hörte.

Danke.

Haben Sie irgendwelche Lieblingsfilmmusiken?

Von mir selbst?

Ja, oder von einem anderen Komponisten.

Ich glaube, dass die Musik, die ich für »Emanuelle nera« geschrieben habe, wahrscheinlich mein Favorit ist, und ich denke, dass dies auch mein bester Score ist oder zumindest der erinnerungswürdigste. Was die anderen Komponisten angeht, wieder alles von Mancini.

Als ursprünglicher Sänger versuchten Sie immer einen Song in Ihre Soundtracks mit aufzunehmen?

Nicht immer, es hing wirklich vom entsprechenden Film ab, ob ein Song hineinpasste, oder ob der Produzent/Regisseur des Films danach verlangte. Ich glaube, Western brauchten einen Song, das wurde zurückgeführt auf die alten amerikanischen Western, als die Titel fast immer von einem Lied begleitet wurden. Aber in anderen Arten von Filmen wie den Striptease-Filmen, an denen ich arbeitete, war eigentlich kein Song notwendig.

Was würden Sie sagen, von wem Sie Ihre Inspiration bekamen, wenn Sie einen Score für einen Film schrieben?

Hauptsächlich von den Bildern und auch den Situationen, die sich aus der Geschichte ergaben, oder sogar von einem Charakter oder Charakteren im Film. Da ist jedoch ein Problem; wenn der Film nicht gut ist, ist es manchmal sehr schwierig, davon inspiriert zu werden. Es hängt wirklich davon ab, was ich musikalisch damit erreichen will. Meine Inspiration mag sogar von etwas

anderem als vom Film selber herkommen, es kommt eben drauf an, jeder Film ist anders.

Während der 60er und 70er Jahre haben verschiedene italienische Komponisten Pseudonyme verwendet, aus Morricone wurde z.B. Dan Savio in »Per un pugno di dollari« (»Für eine Handvoll Dollar«) und Bruno Nicolai unterschrieb manchmal mit dem Namen Roberto Nicolasi. Haben auch Sie manchmal ein Pseudonym verwendet?

Nein, ich habe nie einen Bedarf in all dem gesehen und ich kann ehrlich sagen, dass ich nicht verstehe, wieso irgendjemand einen anderen Namen verwenden würde. Vielleicht sind sie nicht stolz auf die Musik, die sie geschrieben haben, oder der Film ist schlecht wenn das der Fall war, hätten sie den Job nicht annehmen sollen, ich habe immer versucht, nur in einigermaßen guten Filmen involviert zu sein, aber ich habe nie meinen Namen geändert.

Was halten Sie von den großen Mengen an CDs, die in letzter Zeit von älteren italienischen Soundtracks veröffentlicht wurden, manchmal zum ersten Mal, nachdem sie jahrelang in den Archiven der Plattenfirmen lagen?

Es ist einleuchtend, dass die Plattenfirmen viel aus ihren Katalogen auf CD veröffentlichen wollen, nachdem alle Leute immer gewillt sind, Dinge zu kaufen, die besser sind als das, was sie bereits haben. Jedermann scheint heutzutage einen CD-Player zu haben. Ich finde, je mehr veröffentlicht werden, desto besser, obwohl ich das Gefühl habe, dass ich nicht besonders gut auf CD vertreten bin. Italienische Soundtracks auf LP wurden sehr schnell gestrichen, so erhalten jetzt viele Sammler die Gelegenheit, durch diese Wiederauflagen auf CD diese Musik zum ersten Mal zu hören.

Was haben Sie für die Zukunft geplant?

Ich schaue nie wirklich in die Zukunft, schaue nicht weiter als bis zum nächsten Tag was immer die Zukunft bringt, bringt sie, ich halte mich beschäftigt, aber ich schreibe nicht mehr so viel für Filme wie früher.

Interview geführt von John Mansell © 2000/2001

Ennio Morricone hatte, ist sehr einzigartig. Seine Musik hat sicherlich sehr viel zum Erfolg und einzigartigen Ruf des Italo-Western-Genres beigetragen. Leider sind bisher nur sehr wenige seiner Werke auf CD veröffentlicht worden.

Riz Ortolani
(geboren am 25.03.1931 in Pesaro, Italien)
Riz Ortolani wurde in eine große Musikerfamilie hineingeboren. Geboren in Pesaro, schloss er sein Musikstudium dort am städtischen Konservatorium ab. Ortolani erlangte Weltruhm mit seiner Musik für den Film »Mondo Cane«, mit dem ausgezeichneten Song »More«. Ortolani hat seinen eigenen höchst originellen Ansatz zur Komposition, welcher prinzipiell auf der üppigen Verwendung von Streichersätzen basiert. Man muss nur die Filmmusik zu »The Yellow Rolls-Royce« (»Der gelbe Rolls-Royce«) mit der Musik von »Mondo Cane« vergleichen, um zu realisieren, dass er seinen Stempel ebenso auf seiner Musik hat wie Ennio Morricone. Unglücklicherweise eignen sich seine sanften, romantischen Töne nicht immer für die harte Brutalität des Italo-Western.

»Al di là della Legge« (»Die letzte Rechnung zahlst du selbst«) ist beispielsweise ziemlich missglückt, wogegen seine Musik zum Film »I giorni dell'Ira« (»Der Tod ritt dienstags«) zu den absoluten Spitzenwerken des Genres gehört.

Daniele Patucchi
Patuchi unterbrach sein Studium der klassischen Musik im Alter von 18 Jahren, um einem Trio beizutreten, welches in verschiedenen italienischen und internationalen Städten wie Johannesburg, Beirut, Paris, Amsterdam und vielen anderen auftrat. Im Jahr 1967 kehrte er nach Italien zurück, wo er als selbstständiger Doppelbass-Spieler in unzähligen Aufnahme-Sessions für Film Musik und Plattenaufnahmen tätig war.

Er spielte für bekannte Filmmusik-Komponisten wie Ennio Morricone, Riz Ortolani, Armando Trovaioli, Henry Mancini und viele andere.

Im Jahr 1969 dirigierte er die Opéra Comique in Paris für ein Musical von Oswald Russel. Noch im selben Jahr entstand sein erster Soundtrack und seit jener Zeit hat er den Doppelbass zur Seite gelegt, um sich ganz dem

Komponieren, Arrangieren und Dirigieren zu widmen. Zu seinen wichtigsten Filmscores gehören »Los Amigos« (»Das Lied von Mord und Totschlag«), »Men and Sharks«, »Bread and Chocolate« und »Turbo Time«.

Gian Piero Piccioni
(geboren am 06.12.1921 in Turin, Italien; gestorben am 23.07.2004 in Rom)
Piccioni graduierte mit einem Jura-Abschluss an der Universität von Florenz. In der Nachkriegszeit dirigierte er unter dem Pseudonym Piero Morgan das berühmte 013 Jazz Orchester vor den Mikrophonen Radio Romas. Piccioni war einer der ersten italienischen Filmmusik-Komponisten, der Jazz-Elemente in seinen Filmmusiken verarbeitete. Seit 1952 konnte man seinen Namen in zahlreichen Vorspännen von wichtigen Filmen wie »Viaccia« von Regisseur Mauro Bolognini, »Grim Reaper« von Regisseur Bernardo Bertolucci, »L'assassino« von Regisseur Elio Petri und zahlreichen Filmen des Regisseurs Sergio Corbucci, unter anderem dem Western »Minnesota Clay«, sehen. Piccioni vermied die meisten der typischen Italo-Western-Musikelemente, welche von seinen Kollegen verwendet wurden. Dadurch wurden seine Melodien noch origineller und innovativer. So verzichtete Piccione z.B. ganz auf das typische Pfeifen und das Geschrei, welches in vielen der typischen Italo-Western-Scores zu hören ist, und stützte sich mehr auf die konventionellen Instrumente wie großes Orchester, Trompete, Streichersätze und Holzblasinstrumente. Obwohl seine Kompositionen sicherlich aus der italienischen Komponistenschule stammen, sind sie sicherlich die amerikanischsten von allen Komponisten, die für dieses Genre tätig waren.

Carlo Rustichelli
(geboren am 24.12.1916 in Carpi, Italien; gestorben am 12.11.2004 in Rom)
Rustichelli erhielt ein Diplom in Pianoforte in Bologna und ein Diplom für Komposition in Rom. Er hat seit 1942 in der Filmbranche gearbeitet und konsequenterweise einen sehr originellen Stil entwickelt. Sein Stil ist überwiegend klassisch orientiert. Die meisten seiner Italo-Western-Kompositionen haben ein sehr starkes episches Gepräge wie in dem superben »Ognuno per se« (»Das Gold von Sam Cooper«), oder seine Kompositionen ha-

INTERVIEW MIT FRANCO MICALIZZI

Erzählen Sie uns doch etwas über Ihre Anfänge in Bezug auf die Filmmusik?

Die Musik zum Film »Il pistolero dell'Ave Maria« (»Seine Kugeln pfeifen das Todeslied«) war meine Einführung in die Filmmusik, ich komponierte diesen Score zusammen mit meinem guten Freund Roberto Pregadio, wir nahmen die Musik im Herbst 1969 auf und der Film kam 1970 in die Kinos (die Uraufführung des Films fand am 17. Oktober 1969 statt, Anm. d. Vf.), später arbeitete ich wieder mit ihm an »I due volti della padra« (in Deutschland nicht gelaufen) und »Lo chiamavano Trinità« (»Die rechte und die linke Hand des Teufels«). Ich muss zugeben, dass wir den Score in einem Stil schrieben, der sehr dem von Morricone glich, jedoch waren zu jener Zeit viele italienische Soundtracks in Western zu hören, die alle an Morricone angelehnt waren. Sie wurden mit dem größten Respekt für den Meister komponiert, schließlich war er zusammen mit Sergio Leone der Erfinder des italienischen Western-Sounds. Jeder Produzent und Regisseur in Italien hoffte, Ennio Morricone für die Musik seiner Produktionen zu gewinnen, aber der große Komponist konnte nur an einer bestimmten Anzahl von Filmen arbeiten, so ergab es sich, dass die Filmemacher versuchten, Leone zu imitieren und baten ihre Komponisten, Ennio Morricones Sound nachzuahmen. Das ist genau das, was beim Film »Il pistolero dell'Ave Maria« (»Seine Kugeln pfeifen das Todeslied«) passierte. Wir engagierten sogar Musiker und andere Künstler, die für Morricone gearbeitet hatten, um den Sound so hinzubekommen. Zum Beispiel pfeift Alessandro Alessandroni auf dem Score, das Trompetensolo stammt von Michele Lacerenza, beide spielten

zuvor bei Morricones Western Scores, wir verwendeten auch den Chor Il Cantori Moderni.

Ein Jahr später wurde Micalizzi gebeten, die Musik für die Italo-Western-Komödie »Lo chiamavano Trinità« (»Die rechte und die linke Hand des Teufels«) zu schreiben, der Film war wirklich der erste seiner Art, eine Mixtur aus Italo-Western und Komödie, was vorher noch nie jemand in Angriff genommen hatte. Dies war auch der Anfang einer langen Serie von Komödien mit Terence Hill und Bud Spencer (ihre Zusammenarbeit in den Colizzi-Filmen kann man eigentlich nicht als reine Komödien bezeichnen) und es war dieser Film, der die Soundtrack-Sammler auf Franco Micalizzi aufmerksam machte. Die Musik zum Film passt nicht nur unheimlich gut zur Handlung, sondern ist auch für sich ein Hörgenuss sondergleichen.

Warum haben Sie nach diesem gigantischen Erfolg eigentlich nicht auch für die Fortsetzungsfilme die Musik geschrieben?

Als der Score für den Film »Lo chiamavano Trinità« (»Die rechte und die linke Hand des Teufels«) fertig gestellt und aufgenommen wurde, gab es unglücklicherweise einige Missverständnisse betreffend der Musikrechte, dies war zwischen mir und dem Filmproduzenten Italo Zingarelli. Dies hatte leider unsere Freundschaft zerstört und ich glaube, dass dies der Grund war, wieso ich nicht gebeten wurde, für die Fortsetzungsfilme die Musik zu schreiben. Ich bin froh sagen zu können, dass dieses Missverständnis Gott sei Dank inzwischen aufgeklärt werden konnte und wir wieder zusammenarbeiten werden, was besser jetzt als gar nie passiert ist, wie man sagt. (Italo Zingarelli verstarb jedoch schon am 29. April 2000.)

Wie sind Sie eigentlich an den Auftrag für »Lo chiamavano Trinità« (»Die rechte und die linke Hand des Teufels« gekommen)?

Die großen Komponisten jener Zeit waren nicht wirklich an diesem Film interessiert, die Idee einer Kombination von Komödie und Italo-Western hat damals nicht wirklich großen Beifall gefunden, außer natürlich beim Produzenten des Films und mir; ich glaube, dass viele der damaligen Komponisten – Ennio Morricone eingeschlossen – ein bisschen besorgt waren, dass dieser Film zur großen Blamage für dieses Genre werden könnte. So entschlossen sich die Produzenten, ein Risiko einzugehen und boten mir den Score an.

Wer traf die Entscheidung, dass der Film einen Titelsong benötigen würde, eines der Highlights dieses Scores?

Es war eine Gemeinschaftsentscheidung zwischen dem Regisseur E. B. Clucher, dem Produzenten und mir. Wir haben die Möglichkeiten eines Songs über die Haupttitel diskutiert und uns entschieden, dass ein Song möglicherweise mehr Aufmerksamkeit auf den Film lenken würde.

Wieso wurde dieser Song in Englisch gesungen?

Es herrschte damals in Italien die Meinung, dass wenn amerikanische oder englische Darsteller die Hauptrollen in italienischen Western übernehmen würden, diese Filme bessere Erfolgschancen hätten und wenn diese Filme außerhalb Europas verkauft wurden, galt diese Meinung auch für die Filmmusik; also dachte man, dass ein Film mit einem englischen Song mehr Chancen auf Erfolg hätte. Ich glaube, bis zu einem bestimmten Punkt trifft dies sicherlich zu und die 45er Single des »Lo chiamavano Trinità« (»Die rechte und die linke Hand des Teufels«)-Songs verkaufte sich sehr gut in Italien und viele Singles wurden auch in die USA und nach England exportiert. Ein sehr guter Freund von mir in England, Lally Scott, hat den Text dazu geschrieben, er hat genau verstanden, was ich wollte und was ich erreichen wollte. Traurigerweise starb Lally vor ein paar Jahren bei einem Bootsunfall in Liverpool; der Song ist eine Übertreibung aller anderen Westernsongs, wie ja auch der Film selber eine Parodie anderer Western, amerikanischer wie auch italienischer, darstellt.

Der Komponist stand während der 70er Jahre auch außerhalb Italiens ein bisschen im Rampenlicht, als er die Musik zum romantischen Drama »L'ultima neve di primavera« (in Deutschland nicht gelaufen) komponierte. Der Film war ziemlich erfolgreich und auch Micalizzis Musik konnte als Hit angesehen werden. Diese Musik war in einem ähnlichen Stil Morricones geschrieben und war sehr üppig und reich, Stücke daraus wurden auf RCA Original Cast in Italien veröffentlicht und verkauften sich einigermaßen gut. Nach diesem Erfolg komponierte Micalizzi etwas Ähnliches, und zwar die Musik für den Film »Lucrezia giovane« (in Deutschland nicht gelaufen), ebenfalls ein auf die Tränendrüsen drückendes Drama und auf Grund des Erfolgs beim Publikum wurde die Musik zum Film in Italien auf dem Cinevox Label veröffentlicht. Aber abgesehen von diesen beiden Alben sowie der Musik zu »Lo chiamavano Trinità« (»Die rechte und die linke Hand des Teufels«) und dem zweitklassigen Exorzisten-Nachahmer »Chi sei?« (in Deutschland nicht gelaufen) existieren von Micalizzi fast keine Aufnahmen auf Tonträgern.

Sind Sie etwas enttäuscht darüber, dass Ihre Filmmusik auf Tonträgern fast gar nicht erhältlich ist?

Ich finde, dass möglicherweise mehr von meinen Filmmusiken auf Tonträgern hätte veröffentlicht werden sollen, tatsächlich hat RCA eine Best-of-LP auf den Markt gebracht, die verschiedene Themen meiner Filmmusiken enthielt, die jedoch noch nicht als CD erschienen ist, aber Soundtracks sind meines Wissens nicht ein großer Profitmacher für die Plattenfirmen und ich glaube, dass es außerhalb Italiens sehr schwierig sein

wird, irgendwelche meiner Soundtracks zu finden; ein Grund dafür ist natürlich, dass viele dieser Filme, an denen ich gearbeitet habe, nie außerhalb Italiens veröffentlicht wurden, so hatten die Leute natürlich auch keine Ahnung davon. Nur Leute wie Sie wissen überhaupt von deren Existenz. Musikverlage waren ebenfalls nicht an Soundtracks interessiert, wenn sie die Möglichkeit hatten, sich mit profitableren Dingen wie populärer Musik zu beschäftigen.

Haben Sie jemals daran gedacht, Ihre Musik auf Ihrem eigenen Label zu veröffentlichen, wie es zahlreiche andere Komponisten tun?

Nein, nicht wirklich, wenn ich ehrlich sein soll, glaube ich nicht, dass ich viele CDs verkaufen würde. Soundtracks haben einen sehr kleinen Markt und sind sehr teuer in der Herstellung. Diese sind sehr kompliziert zu veröffentlichen, da sind so viele Sachen, die beachtet werden müssen wie z.B. Wiederveröffentlichungsrechte, es kann am Ende ein Alptraum werden. Es ist besser, solche Sachen den großen Firmen wie RCA, CAM und BEAT zu überlassen. Obwohl die beiden Western Scores, über die wir gerade gesprochen haben, »Lo chiamavano Trinità« und »Il pistolero dell'Ave Maria«, gerade von einer englischen Plattenfirma, die Kontakte nach Italien hat, auf CD veröffentlicht wurden und »Lucretia Giovane« wurde von BEAT auf den Markt gebracht, ebenfalls mein Score für »Stridulum«, der von RCA herausgebracht wurde, aber nur in Italien. Während der letzten paar Jahre habe ich mich darauf konzentriert, für den Ariola-Musikkatalog Musik zu schreiben, am Ende wird dies so ca. 60 CDs ergeben. Ich bin auch dabei, für meine eigene Produktionsfirma zu produzieren, die The New Tea Dance Music Company genannt wird, eine Sammlung für einen Musikkatalog, der ca. 20 CDs umfassen sollte.

Nachdem Sie ja Ihre eigene Produktionsfirma besitzen, gehören die Rechte der Filmmusiken Ihnen?

Die Musik, die ich fürs Kino geschrieben habe, ist normalerweise im Besitz der Filmfirma, die den Film produziert hat, oder des Musikverlags, der den Soundtrack finanziert hat. Auch dies kann von Projekt zu Projekt anders sein. Aber normalerweise sind es die Musikverlage, die das Copyright eines Filmsoundtracks in Italien besitzen.

Wie kamen Sie dazu, Musik fürs Kino zu schreiben?

Ich hatte schon immer eine große Vorliebe fürs Kino und auch Musik war und ist für mich immer noch wichtig. So interessierte ich mich natürlich speziell für die Musik in Filmen.

Das Kino war eine sehr wichtige kulturelle Quelle für Leute meiner Generation, ich war fasziniert, wie die Musik in den Filmen funktionierte und das ist es, was mich dazu getrieben hat, Musik für das Kino zu komponieren. Die Idee, das zu tun, machte mich wahnsinnig neugierig.

Gab es andere musikalische Talente in Ihrer Familie?
Nein, es war keine Tradition in unserer Familie, professionell in Musik involviert zu sein; obwohl ich mich von klein auf für Musik interessierte, konnte ich mich nur privat mit Musik beschäftigen und das war gegen Ende meiner Ausbildung auf dem Gymnasium. Ich erlangte den Großteil meines musikalischen Wissens aus eigener Erfahrung und auch durch das Studieren und Hören von Werken anderer wichtiger Musiker und Komponisten.

Wurden Sie überhaupt von irgendwelchen Komponisten beeinflusst?
Natürlich, ich wurde sehr von allen Arten des Jazz und auch von den romantischen russischen Komponisten beeinflusst und schlussendlich wurde ich in die Stilrichtungen und Techniken meiner Freunde und Kollegen wie Ennio Morricone, Piero Piccioni und Armando Trovajoli hineingezogen, die alle sehr große Referenzpunkte für mich waren.

Schrieben Sie jemals einen Score unter einem Pseudonym?
Nein, das habe ich nicht gemacht, aber ich weiß, dass dies etwas war, das viele Komponisten von Zeit zu Zeit in Italien taten. Es gab viele Gründe dafür, der wichtigste war meiner Meinung nach, dass der Komponist entweder mit seiner Arbeit oder dem Film nicht zufrieden war. Ich schrieb meine Filmscores immer unter meinem richtigen Namen, sogar wenn ich der Meinung war, dass sie nicht so gut waren.

Wie war die Zusammenarbeit mit Edda Dell'Orso oder Alessandro Alessandroni?
Edda ist ein unglaubliches Talent, mit ihr zu arbeiten ist wunderbar, ihre Stimme und ihr großes Talent in der Schaffung einer sinnlichen und lyrischen Atmosphäre sind einzigartig. Alessandroni ist ebenfalls ein großes Talent, er ist so vielseitig, makelloses Pfeifen, präzises Gitarrenspiel und sein Chor steht keinem nach.

Bevorzugten Sie bestimmte Filmgenres, zu denen Sie die Musik komponierten?
Das Schöne am Komponieren von Filmmusik ist, dass man die Möglichkeit hat, in allen Genres zu arbeiten, eine Woche konnte man an einem Western arbeiten, in der nächsten an einer Liebesgeschichte oder an einem Thriller, etc. Jedes Genre hat seine eigenen stimulierenden Möglichkeiten für einen Komponisten. Ich glaube nicht, dass es einen bestimmten Typ von Film gibt, an dem ich lieber oder weniger gerne arbeite, das Problem ist, die richtige Lösung für jeden Film zu finden, die richtige Idee für die Musik eines jeden Films ist immer schwierig zu finden, und dies erfordert Arbeit, Konzentration und natürlich Talent.

Denken Sie, dass die Instrumentierung ein wichtiger Teil des Komponierens ist und instrumentieren Sie all Ihre eigene Musik?
Es ist ein sehr wichtiger Teil des Kompositionszyklus und ja, ich kümmere mich selbst um alle Instrumentierungen für die Musik, die ich komponiert habe, ich würde niemals jemand anderen mit dieser raffinierten Arbeit beauftragen.

Haben Sie auch all Ihre eigene Musik immer selber dirigiert oder haben Sie manchmal einen Dirigenten beauftragt?
Manchmal beauftrage ich einen Dirigenten, aber ich dirigiere auch selber, das hängt vom jeweiligen Film oder Budget des Projekts ab.

Wie haben Sie ihre musikalischen Ideen entwickelt, am Piano, oder haben Sie auch Synthezizer verwendet?
Früher habe ich all meine Ideen am Piano ausprobiert, aber wie so viele andere Komponisten auch sitze ich jetzt an meinem Computer, der dem Komponisten die besten Instrumente zur Verfügung stellt, aber da jeder weiß, dass das einzig Wichtige die originelle Idee ist, spielt es eigentlich keine Rolle, wie man zum Endprodukt gelangt. Keine Anzahl von Computern oder Synthezizern kann ohne Ideen nützlich sein.

Was ist Ihre Meinung in Bezug auf die kurzen Deadlines für die Ablieferung eines Filmscores?
Hier in Italien sagt der Regisseur oder Produzent dem Komponisten, dass er die Musik gestern braucht und ich bin mir sicher, dass dies auch in anderen Ländern so ist, Musik ist oft das Letzte, an das gedacht wird, was ziemlich ärgerlich ist, da die Musik manchmal einen Film oder eine Szene in einem Film retten oder zerstören kann. Manchmal hatte ich weniger als zehn Tage, um einen Score fertig zu stellen und das beinhaltet das Komponieren und das Aufnehmen eines Scores für den Film.

Ich bin der Meinung, dass einem Komponisten viel mehr Zeit gegeben werden müsste und dass der Komponist in einen Film so früh wie möglich involviert werden sollte, gleich am Anfang mit dem Drehbuch zum Beispiel. Dies gibt dem Komponisten eine Möglichkeit herauszufinden, um was es bei dem Film geht und bestimmte Themen für die jeweiligen Charaktere des Films zu entwickeln. Musik kann auch während der Filmaufnahmen gespielt werden, was natürlich den Darstellern und dem Regisseur hilft, die richtige Atmosphäre zu schaffen.

Wie denken Sie über Temp-Tracks von Filmen, helfen Sie Ihnen oder stören sie eher Ihre eigenen Ideen?
Ich glaube, das ist eine ziemlich nutzlose Übung, die Verwendung eines Temp-Tracks ist meiner Meinung nach ein äußerst störendes Unding, das man einem Komponisten antun kann.

Und was wird die Zukunft bringen?
Wie ich bereits erwähnt habe, nehme ich zur Zeit ziemlich viel Musik für verschiedene Musikkataloge auf und das benötigt eine Menge Zeit, in Italien geht es der Filmindustrie nicht sehr gut auf Grund der Entwicklung

des Fernsehens, es gibt jetzt so viele Kanäle, die solch eine Vielfalt an Filmen, Dokumentationen usw. zeigen, so dass die Leute nicht mehr so oft ins Kino gehen wie früher. Dies hat die Filmindustrie ziemlich geschädigt und das große italienische Kino effektiv versenkt. Ich hoffe, dass neue Gesetze bald die weiteren Entwicklungen aller Arten von Kunst und Unterhaltung ausgleichen werden.

Interview geführt von John Mansell © 2001

ben ein ungewöhnliches italienisches romantisches Gefühl (im volkstümlichen Sinn) wie in »La collina degli stivali« (»Hügel der blutigen Stiefel«) oder »I quattro dell'Ave Maria« (»Vier für ein Ave Maria«) .

Rustichellis Musik ist eigentlich untypisch für die damalige Italo-Western-Musik, die sich im Allgemeinen an dem populär gewordenen Stil seines Landsmannes Ennio Morricone orientierte. Rustichelli verwendete vielmehr Elemente der klassischen Musik und gab so den Filmbildern eine größere Dramatik.

Carlo Savina
(geboren am 02.08.1919 in Turin)
Savina erhielt seinen Abschluss in Komposition, Violine, Piano, Orgel und Orchester in Turin, bevor er für 14 Jahre als Orchesterleiter für das staatliche italienische Fernsehen RAI tätig war. Gleich danach startete er seine äußerst aktive Karriere als Filmmusik-Komponist und schuf die Musik für über 200 Filme, unter anderem zahlreiche Meisterwerke der Italo-Western-Musik wie »Joko invoca Dio ... e muori« (»Fünf blutige Stricke«) oder »Comin' at Ya!« (»Alles fliegt dir um die Ohren«). Leider waren die meisten dieser Filme künstlerisch und inhaltlich nicht so qualitativ hochwertig wie die Musik. Erwähnenswert ist sicherlich die Tatsache, dass Carlo Savina einer der wichtigsten Orchesterdirigenten der Filmmusik ist, der berühmte Filmmusiken wie »Ben Hur« (Plattenversion), »Sodom und Gomorrah«, »El Cid«, »The Godfather – Part 1«, »Romeo and Juliet« und »Tess« dirigierte.

Er war Nino Rotas Orchesterdirigent und hat bei allen Federico-Fellini-Filmen mitgearbeitet. Er war ebenfalls als Dirigent für Filmmusiken von Miklòs Ròzsa, Stephen Sondheim, Bill Conti, Philippe Sarde, Dimitri Tiomkin und Stanley Myers tätig und hat mit solch renommierten Orchestern wie dem Santa Cecilia Orchester in Rom, den Orchestern von Athen, Paris, Barcelona, Madrid, Los Angeles und vielen mehr gearbeitet. Für viele Jahre hatte er wichtige Funktionen in diversen Verbänden und war bis 1993 administrativer Berater der Società Italiana Autori ed Editori (SIAE).

Armando Trovaioli
(geboren am 02.09.1917)
Trovaioli, der am Santa Cecilia Konservatorium graduierte, hat eine Vorliebe für flinke, elegante und klare Orchestrierungen und nicht zufällig gehört George Gershwin zu

INTERVIEW MIT GIAN PIERO PICCIONI

Wie fingen Sie es an, einen Westernscore zu komponieren?

Meine Inspiration für die Musik in Western-Filmen kam hauptsächlich von Komponisten wie Dimitri Tiomkin, seine Scores für die Hollywood-Western werden als Klassiker angesehen. Natürlich kopierte ich seinen Stil nicht direkt, aber tat es ihm hoffentlich gleich, während ich meinem eigenen kompositorischen Instinkt folgte.

Wollten Sie schon von jeher Musik fürs Kino schreiben?

Nein, ich wollte eigentlich in die Komposition von reiner Musik involviert werden. Damit meine ich Jazz, Filmmusik kam später.

Welches war Ihr erstes Engagement für die Filmindustrie?

Mein erster Film-Score kam 1950/1951. Er war für einen Film mit dem Titel IL MONDO LE CONDANNA, der von Gianni Franciolini als Regisseur gedreht wurde.

Von welchem Komponisten oder Artisten wurden Sie am meisten beeinflusst?

Wie ich bereits erwähnte, definitiv von Dimitri Tiomkin, aber ich habe viel aus den Arbeiten von Debussy und Honegger entnehmen können, hinzu kommt die Jazz-Seite von Sachen, wo Duke Ellington und Bill Holman eine große Rolle spielten.

Verwendeten Sie für Ihre Arbeiten je ein Pseudonym, wenn Sie die Musik für Filme komponierten?

Ja, ziemlich oft sogar. Einige Mal verwendete ich die Namen Piero Morgan oder Peter Morgan, zu einer Zeit, als man die italienischen Filme mehr amerikanisieren wollte, Regisseure baten mich auch darum und manchmal fand ich die Filme nicht gut genug, nachdem sie fertig gestellt waren. Gott sei Dank ist mir das nicht allzu oft passiert.

Haben Sie bestimmte Filmgenres, z.B. Western oder Kriminalfilme, bevorzugt?

Eigentlich bevorzuge ich Filme, die in der Gegenwart spielen, die romantischen und mysteriösen davon gefallen mir besonders, dann kann ich entweder Jazz oder einen klassischen Score schreiben und manchmal ist es mir auch gelungen, die beiden Stile zu kombinieren, was sehr interessant ist.

Haben Sie jemals ein Engagement abgelehnt oder wurde einmal einer Ihrer Scores abgelehnt?

Ich habe eine Anzahl von Filmen und anderen Projekten abgelehnt, hauptsächlich weil das Projekt nicht gut war; einer meiner Scores wurde abgelehnt, und zwar für den Film L'UOMO CHE RIDE, der auf einer Geschichte von Victor Hugo basierte und bei dem Sergio Corbucci Regie führte.

Corbucci sagte mir eigentlich, dass er die Arbeit mochte, die ich für den Film machte, aber der Produzent, dessen Namen ich vergessen habe und der nicht weiter wichtig ist, entschied sich dafür, einen anderen Komponisten die Musik schreiben zu lassen.

Ich war damals ziemlich jung und unerfahren, so habe ich seine Entscheidung nicht in Frage gestellt, unnötig zu erwähnen, dass ich seither zahlreiche Scores für Filme komponierte und er anderen Arbeiten nachging, die mehr auf seiner Linie lagen, Toiletten reinigen, glaube ich.

Haben auch Sie immer wieder auf dieselben Orchester und Musiker zurückgegriffen und mit anderen Komponisten zusammengearbeitet?

Ja, das ist richtig, viele Komponisten arbeiteten Seite and Seite, das wurde hauptsächlich während der Periode praktiziert, als die Italo-Western sehr populär waren.

Ich glaube nicht, dass ich mit so vielen gearbeitet habe wie z.B. Morricone oder Trovajoli, aber ich habe ein paar Mal mit Alessandro Alessandroni gearbeitet, dies war jedoch hauptsächlich für Fernsehmusik, sein Chor ist in der Tat sehr gut und als Performer ist er selber makellos.

Wie viel Zeit wurde Ihnen in der Regel gegeben, um einen kompletten Filmscore abzuliefern?

Normalerweise wurde mir ein Zeitrahmen von 10 – 14 Tagen eingeräumt, um meine Arbeit abzuschließen, aber dies hing natürlich auch vom einzelnen Film oder der Einstellung des Filmregisseurs und des Produzenten ab. Es war auch abhängig davon, welche Art von Musik gebraucht wurde, ob ich sie für ein spezielles Instrument schreiben oder einen Chor einschließen musste etc., hinzu kommt, wie Sie ja wissen, dass viele Regisseure sich bis zur letzten Minute nicht um die Musik sorgen und in Folge dessen wurde mir dann gesagt, dass die Musik bereits GESTERN gebraucht wurde.

*Wie wurden Sie in MINNESOTA CLAY invol-
viert?*

Sergio Corbucci fragte mich einfach, der Film war sehr
gut, aber unglücklicherweise wurde er gleichzeitig mit
PER UN PUGNO DI DOLLARI (»Für eine Handvoll
Dollar«) in die Kinos gebracht, deshalb wurde er übersehen und war nicht so erfolgreich wie Leones Western.

*Haben Sie Ihre Arbeiten selber instrumentiert oder
haben Sie einen Arrangeur verwendet?*

Ich muss zugeben: Ich arbeite nicht immer an meinen
eigenen Instrumentierungen, sehr oft bleibt einfach zu
wenig Zeit dafür, so habe ich einen Arrangeur.

Wie ich Ihnen bereits gesagt habe, wollen die Regisseure die Musik meistens schon gestern und es nervt
mich ein bisschen, dass die Musik oftmals das Letzte
ist, das bei einem Film berücksichtigt wird. Einer meiner
ersten Arrangeure war Ennio Morricone, er war auch
der beste, den ich jemals verwendete.

*Wie haben Sie Ihre musikalischen Ideen verar-
beitet?*

Ich verwende ein Piano, dann nehme ich die Themen
auf, die ich zusammengestellt habe, danach fange ich
an, diese zu entwickeln und niederzuschreiben. Aber
manchmal schreibe ich die Themen auch direkt in mein
Manuskript.

*Was sind Ihre Lieblingsfilmmusiken, entweder
von Ihnen selbst oder von einem anderen Komponisten?*

Zwei meiner Scores mag ich besonders, C'ERA, UNA
VOLTA, der außerhalb von Italien MORE THAN A
MIRACLE genannt wurde und bei dem Francesco Rosi
Regie führte, mit Sophia Loren und Omar Sharif in den
Hauptrollen. Ich mag auch LIGHT AT THE EDGE
OF THE WORLD, inszeniert vom Engländer Kevin
Billington mit Kirk Douglas und Yul Brynner in den
Hauptrollen.

Gab es bei dem letztgenannten Film irgendwelche

*Probleme (wegen der unsinnig geschnittenen inter-
nationalen Versionen des Films)?*

Nein, überhaupt nicht, aber ich habe den Film gesehen,
bevor er so schlimm geschnitten wurde. Ich mochte die
Arbeit an diesem Film wirklich und wie bereits gesagt,
finde ich die Musik dazu eine meiner besten Arbeiten im
Bereich der Filmmusik. Der Regisseur war sehr zufrieden
mit meiner Arbeit an diesem Film, er war tatsächlich
so beeindruckt von einem der Teile, für die ich Musik
komponierte, dass er verlangte, alle Soundeffekte aus
diesem Teil des Films zu entfernen, so dass meine Musik
mehr im Vordergrund stand.

*Sie waren zusammen mit einigen anderen promi-
nenten Komponisten einer der Gründer von General Music oder GDM, wie die Firma heute genannt
wird?*

Ich war eigentlich der Gründer der Firma, es war eine
Plattenfirma, aber noch wichtiger eine Firma für Musikrechte. Die anderen Komponisten, die an der Gründung
der Firma beteiligt waren, sind Ennio Morricone, Luis
Bacalov und Armando Trovajoli. Enrico De Melias, der
jetzt auch Morricones Manager ist, war auch ein Partner
in der Firma. Die Firma ist heute noch immer aktiv und
fing damit an, einige ihrer ältesten Soundtracks wieder
auf den Markt zu bringen, einige auf ihrem eigenen
Label und andere als Lizenzgeber an verschiedene internationale Firmen.

*Sind Sie der Meinung, dass genügend Musik von
Ihnen auf CD erhältlich ist?*

Nein, niemals genug. (lacht)

*Sind Sie zur Zeit in irgendwelchen Film- oder Fern-
sehprojekten involviert?*

Kürzlich habe ich mit meinem guten Freund Alberto
Sordi an einem Film gearbeitet, einem Dokumentarfilm,
der sich mit der Philosophie und Soziologie von Fußball
beschäftigt, er wird im italienischen Fernsehsender RAI
und hoffentlich rund um die Welt gezeigt werden.

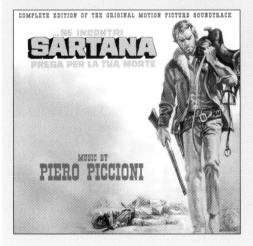

War es Ihre Idee, den Film IL MOMENTO DEL-LA VERITA oder MOMENT OF TRUTH auf diese einzigartige Weise, einer Fusion von Jazz und symphonischem Orchester, zu komponieren?
Die Ideen für diese Musik stammten alle von mir, ich war zuständig für die Musik für diesen Film.
Wann würden Sie am liebsten in ein Projekt involviert werden?
So schnell wie möglich, aber eigentlich ist es nicht gut, bevor der Film in seinem Rohschnitt vorliegt; wenn man mir ein Drehbuch gibt, ist das fast nutzlos für mich, da sich die Drehbücher bis zum Zeitpunkt der Produktion immer wieder ändern.
Wie komponieren Sie einen Film, in Reihenfolge von Anfang bis Ende, zuerst größere Cues oder wie gehen Sie an die Arbeit?
Eigentlich bevorzuge ich, am Ende eines Films anzufangen, ich habe dann die Möglichkeit, den Höhepunkt des Films zu sehen und entwickle dann den Rest der Musik von da an, vielleicht scheint dies ein bisschen merkwürdig für Sie zu sein, da viele andere Komponisten von

Anfang bis zum Ende komponieren, aber ich finde, dass dies für mich der beste Weg zu arbeiten ist.
Haben Sie alle Ihre Filmmusiken selber dirigiert oder nur einige davon?
Ich dirigiere mindestens 80 % meiner Musik für die Filme, aber es gab auch Zeiten, wo die Umstände so waren, dass es für mich unmöglich war, selber zu dirigieren, so habe ich dann eben jemanden, der mit dem Orchester arbeitet, während ich im Aufnahmeraum bin, aber ich überwache dennoch die Musikaufnahme und wenn ich mit etwas nicht zufrieden bin, ändere ich es.
Als letzte Frage, was war das größte Orchester, das Sie jemals engagiert haben?
Das größte Orchester, mit dem ich bisher gearbeitet habe, war mit 97 Musikern, welches ein sechzig Mann starkes Streichorchester enthielt, dies war für ein Ballett »Stress«, welches im Lyric Theater in Palermo/Sizilien aufgeführt wurde.

Interview geführt von John Mansell © 1999/2000

seinen Lieblingskomponisten. Seine Jazz-Wurzeln haben schon immer sein musikalisches Talent beeinflusst. Er war sehr aktiv am Theater, wo er z.B. für Garinei & Giovannini »Rugantino, Ciao, Rudy« und »Aggiungi un Posto a Tavola« komponierte, zwei der berühmtesten italienischen Musicals.

Sein Talent bot ihm die Möglichkeit, bereits Anfang der 50er Jahre für die italienische Filmindustrie zu arbeiten, für die er musikalische Meisterwerke wie für den Vittorio-De-Sica-Film »La Ciociara« oder Dino Risis »Profumo di Donna« schuf.

Leider wurde er nur einmal engagiert, die Musik für einen italienischen Western zu komponieren, dafür wurden wir jedoch mit dem wunderbaren Score für »I lunghi giorni della vendetta« (»Der lange Tag der Rache«) belohnt.

Piero Umiliani
(geboren am 17.07.1926; gestorben am 14.02.2001)
Komponist Piero Umiliani schuf mit »Roy Colt & Winchester Jack« einen Soundtrack, der weg geht von den typischen Italo-Western-Clichés mehr hin zum Beat-Stil, der damals ziemlich in Mode kam. Die Arrangements mit dem Schwerpunkt auf Orgel, Schlagzeug, elektrischer Gitarre, Blechinstrumente und Bass sind nichts anderes als »Lounge«-Musik.

ERWÄHNENSWERTE MUSIKER

Edda Dell'Orso

Wenn man ein Kapitel über die Musik der Italo-Western und deren Komponisten schreibt, darf eine Person sicherlich nicht vergessen werden: Edda Dell'Orso. Ihre einzigartige Stimme hat viele Soundtracks italienischer Filme veredelt, sie hat für die wichtigsten Filmkomponisten und -dirigenten Italiens gearbeitet.

Edda Dell'Orso erwarb einen Abschluss für Piano am Konservatorium von Sante Cecilia in Rom. Sie begann ihre vielseitige musikalische Karriere, indem sie ihre großen Talente für die Musik von italienischen Fernseh- und Kinofilmen zur Verfügung stellte und Alessandro Alessandroni und seinen berühmten Chor Il Cantori Moderni traf. Sie etablierte sich jedoch sehr schnell als eine der führenden Vokalistinnen innerhalb der italienischen Filmmusikszene.

Ennio Morricone gelang es, ihre großen Talente am besten zur Geltung zu bringen und zwar in den Filmen von Sergio Leone. Den Filmmusik-Sammlern fiel Edda Dell'Orso erstmals auf, als sie 1966 mit Sergio Leone und Ennio Morricone an der Musik zu »Il buono, il brutto, il cattivo« (»Zwei glorreiche Halunken«) arbeitete.

Später kamen dann das wunderschöne Hauptthema aus dem Film »C'era una volta il West« (»Spiel mir das Lied vom Tod«) sowie unvergessliche Themen zu »Giù la testa« (»Todesmelodie«) und dann »C'era una volta in America« (»Es war einmal in Amerika«), allesamt Klassiker der Filmmusik.

Edda Dell'Orso hat jedoch außer für Ennio Morricone auch für zahlreiche andere Filmmusik-Komponisten wie z.B. Nico Fidenco und Armando Trovajoli gearbeitet.

Gianna Spagnolo

Die einzigartige Stimme von Gianna Spagnolo wurde sehr effizient von vielen Komponisten wie Morricone und Fidenco eingesetzt, um einen unverwechselbaren, typischen Italo-Western-Sound zu kreieren. Spagnolos Stimme im Soundtrack des Films »The Hills run red« verleiht der Musik eine gewisse Erdverbundenheit und Einzigartigkeit.

Franco De Gemini

Ennio Morricone ist bekannt dafür, sich mit vielen Spitzenmusikern zu umgeben, und hier sollte auch der Name Franco De Gemini genannt werden.

Seine Beherrschung der Mundharmonika ist schon fast legendär und unter Morricones Leitung kreiert er damit eine fast metaphysische Dimension.

Michele Lacerenza

Das Trompetenspiel von Michele Lacerenza darf ebenfalls nicht unerwähnt bleiben, schuf er doch für Ennio Morricone in »Per pugno di dollari« (»Für eine Handvoll Dollar«) einen Hauptbestandteil für den Sound des Italo-Western.

COMPILATIONS

Nachstehend sind für den Italo-Western-Musikfan einige der wichtigsten Compilation-CDs abgebildet. Besonders die auf dem japanischen KING RECORDS Label erschienenen Compilation-CDs SPAGHETTI WESTERN ENCYCLOPEDIA VOL. 1 – 4 sowie die auf dem US-Label DRG erschienenen Compilation-CDs SPAGHETTI WESTERNS dürften für den Musikliebhaber dieser Me-

lodien von größter Bedeutung sein, da auf diesen Tonträgern zahlreiche, äußerst melodiöse Tracks zu hören sind und auf »Lückenfüller« großteils verzichtet wurde. Die DRG-CDs enthalten zum Großteil Material aus dem Cinevox-Archiv, während man auf den Japanischen CDs zum Teil äußerst rare, damals nur auf Single erschienene Titelsongs findet.

DIE KOMPONISTEN UND IHRE FILME

Abril, Antón García: 1961: Tierra brutal; 1966: Texas, addio; 1969: Manos Torpes; 1971: El desafío de Pancho Villa

Agulló, Alfonso: 1980: El lobo negro; La venganza del lobo negro

Alessandroni, Alessandro (Sandro): 1969: La taglia è tua ... l'uomo l'ammazzo io; 1971: Su le mani cadavere! Sei in arresto; 1973: Di Tresette ce n'è uno tutti gli altri son nessuno; 1975: Zanna Bianca e il cacciatore solitario; La Spacconata

Alonso, Odón: 1954: El coyote; 1955: La justicia del coyote

Angel, Antonio Ramírez: 1962: Le tre spade di Zorro

Angelo, Gioacchino: 1964: Le maledette pistole di Dallas; Tre dollari di piombo; 1965: Colorado Charlie

Armand, Erik: 1990: Jesuit Joe

Arteaga, Ángel (Pseudonym: **Ramirez Pagan Angel**): 1964: El Zorro cabalga otra vez; 1965: Die Hölle von Manitoba

Ashton, Tony: 1970: The last Rebel

Auzépi, Michèle: 1966: Tierra de fuego

Bacalov, Luis Enríquez: 1966: Django; Sugar Colt; Quien sabe?; 1967: La più grande rapina nel West; 1968: La morte sull'alta collina; 1969: I quattro del Pater Noster; Il prezzo del potere; 1970: L'oro dei Bravados; 1971: Lo chiamavano King; Monta in sella figlio di ...; Si può fare ... amigo!; 1972: Partirono preti, tornarono ... curati; Un hombre llamado Noon; Il grande duello

Banner, Bux: 1985: Blood church

Barber, Frank: 1966: El hijo del pistolero

Bardotti, Sergio: 1972: Il grande duello

Barranco, José: 1980: Siete cabalgan hacia la muerte

Bastia, Pascal: 1963: Dinamite Jack

Becce, Giuseppe: 1936: Der Kaiser von Kalifornien

Bernaola, Carmelo A.: 1971: Condenados a vivir; 1974: Das Tal der tanzenden Witwen

Bernstein, Elmer: 1966: Return of the seven

Biliaev, Alexander: 1993: Jonathan degli orsi

Bixio, Franco: 1973: Carambola; 1974: Carambola, filotto ... tutti in buca; 1975: Get Mean; I quattro dell'Apocalisse; 1977: Sella d'argento

Bizzi, Franco: 1967: La vendetta è il mio perdono

Bodie, Pat: 1971: Vamos a matar Sartana

Bolling, Claude: 1971: Lucky Luke; 1978: La ballade des Dalton; 1983: Lucky Luke – Les Daltons en cavale

Boneschi, Giampiero: 1964: West and Soda

Bongusto, Fred: 1968: Uno dopo l'altro

Borodo, Zvi: 1965: Duell vor Sonnenuntergang

Böttcher, Martin: 1962: Der Schatz im Silbersee; 1963: Winnetou I; 1964: Unter Geiern; Winnetou II; 1965: Der Ölprinz; Old Surehand; Winnetou III; 1966: Winnetou und das Halbblut Apanatschi; 1968: Winnetou und Shatterhand im Tal der Toten

Brandner, Ernst: 1971: Carlos

Brezza, Willy: 1967: Odio per odio; 1972: Hijos de pobres, pero deshonestos padres ... Le llamaban Calamidad; I bandoleros della dodicesima ora

Brocardi, Franco: 1973: ... altrimenti vi ammucchiamo

Bruhn, Christian: 1965: Die Banditen vom Rio Grande

Budd, Roy: 1971: Catlow; 1976: Welcome to Blood City

Buendía, Manuel Moreno: 1964: El secreto del capitán O'Hara

Buonocore, Aldo: 1973: Fuori uno sotto un altro ... arriva il passatore

Cameron, John: 1972: Charley One-Eye; Un magnifico ceffo da galera

Canfora, Bruno: 1965: ¡Uncas! El fin de una raza

Capuano, Giosafat (Giosy): 1967: Le due facce del dollaro

Capuano, Mario: 1967: Le due facce del dollaro; 1968: Ciccio perdona ... io no!

Caruso, Pippo: 1965: Uccidete Johnny Ringo

Ceccarelli, Luigi: 1986: Bianco apache; Scalps

Chiaramello, Giancarlo: 1972: Scansati ... a Trinità arriva Eldorado

Chiari, Mauro: 1974: Che botte, ragazzi!

Christine, Jan: 1966: Uno sceriffo tutto d'oro

Ciacci, Enrico: 1967: Vendo cara la pelle

Cipriani, Stelvio: 1967: The bounty killer; Un uomo, un cavallo, una pistola; 1969: La legge della violenza; Lo straniero di silenzio; 1970: La belva; 1971: Blindman; Se t'incontro t'ammazzo; Testa t'ammazzo, croce ... sei morto, mi chiamano Alleluja; El más fabuloso golpe del Far-West; 1972: I sette del gruppo selvaggio; Il magnifico West; Il West ti va stretto amico ... è arrivato Alleluja; 1974: Il richiamo del lupo

Claman, Dolores: 1971: Captain Apache

Clinton, George S.: 1998: Dollar for the dead

Colombier, Michel: 1993: Posse

Continiello, Ubaldo: 1967: Lola Colt; 1975: Il sogno di Zorro

Contreras, Federico: 1967: Los siete de Pancho Villa

Costantino, Fabio: 1993: Jonathan degli orsi

Curti, Stefano: 1997: Buck e il braccialetto magico

De Angelis, Guido & Maurizio: 1971: Continuavano a chiamarlo Trinità; 1972: ... e poi lo chiamarono il magnifico; Tedeum; 1973: Valdez il mezzosangue;1974: Der kleine Schwarze mit dem roten Hut; Il bianco, il giallo, il nero; Zorro; 1975: Cipolla Colt; 1976: Keoma; 1977: Mannaja

De Los Rios, Waldo: 1966: Pampa salvaje; 1971: A town called Hell; El hombre de Rio Malo

De Luca, Nando: 1976: Più forte, sorelle

De Masi, Francesco: 1962: La sombra del Zorro; L'ombra di Zorro; 1963: Il segno del coyote; L'uomo della valle maledetta; Tres hombres buenos; 1964: I due violenti; I magnifici Brutos del West; Il ranch degli spietati; Per un pugno nell'occhio; Die Goldsucher von Arkansas; 1965: La spietata Colt del Gringo; Una bara per lo sceriffo; 1966: Arizona Colt; Ringo, il volto della vendetta; 7 dollari sul rosso; 1967: ... e venne il tempo di uccidere; Dos cruces en Danger Pass; Il magnifico texano; Il momento di uccidere; L'uomo venuto per uccidere; Quella sporca storia nel West; 15 forche per un assassino; Sangue chiama sangue; Sette pistole per un massacro; 7 winchester per un massacro; Vado, l'ammazzo e torno; 1968: Ammazzali tutti e torna solo; Quanto costa morire; Ringo il cavaliere solitario; Sonora; 1969: La sfida dei MacKenna; 1970: C'è Sartana ... vendi la pistola e comprati la bara!; 1971: El Zorro, caballero de la justicia; Quel maledetto giorno della resa dei conti; 1976: Kid Vengeance

De Pablo, Luis: 1973: Verflucht dies Amerika

De Senneville, Paul: 1974: Convoi de femmes

De Sica, Manuel: 1972: Lo chiamavano Verità

Dehmel, Willy: 1953: Jonny rettet Nebrador

Delerue, George: 1966: Viva Maria

Deramont, Robert: 1973: ... è così divennero i 3 supermen del West

Derevitsky, Alexander: 1965: Deguejo

Di Stefano, Felice: 1965: Lo sceriffo che non spara; Perché uccidi ancora?; Uno straniero a Sacramento; 1966: Ramon il messicano; Vayas con Dios, gringo; 1967: Cjamango; Nato per uccidere; Non aspettare, Django, spara!; 1968: Chiedi perdono a Dio, non a me; 1969: Quintana; 1970: Giunse Ringo e ... fu tempo di massacro; 1971: Lo sceriffo di Rockspring; Rimase uno solo e fu la morte per tutti

Di Stefano, Gianfranco: 1970: Shango la pistola infallibile; 1971: Lo sceriffo di Rockspring; Rimase uno solo e fu la morte per tutti

Donaggio, Pino: 1978: Amore, piombo e furore; 1994: Botte di natale; 1998: Il mio west

Dorff, Steve: 1984: Rustlers' Rhapsody

Douglas, Johnny: 1964: Los pistoleros de Casa Grande; 1965: Kid Rodelo

Dumont, Charles: 1968: The Belle Starr story

Duran, Alonso: 1965: Dos mil dólares por coyote

Dvořák, Anton (Geburtsname: Antonín Leopold Dvořák): 1975: Potato Fritz

Dynamo: 1971: El Zorro de Monterrey

Eisbrenner, Werner: 1953: Jonny rettet Nebrador

Elorrieta, Javier: 1976: Si quieres vivir ... dispara

Escobar, Amadeo: 1942: Il fanciullo del west

Escobar, Enrique: 1964: Oeste Nevada Joe; 1965: Cinco pistolas de Texas; Río Maldito; Un dollaro di fuoco; La spietata Colt del Gringo; 1970: Prima ti perdono ... poi t'ammazzo; Saranda; 1971: Sei già cadavere amico ... ti cerca Garringo!; Un colt por 4 cirius; 1972: Los fabulosos de Trinidad; Ninguno de los tres se llamaba Trinidad

Espeita, José: 1972: Demasiados muertos para Tex

Esperón, Manuel: 1967: La guerrillera de Villa

Esposito, Carlo: 1971: Un uomo chiamato Dakota; 1972: La lunga cavalcata della vendetta

Fabor, Giorgio: 1964: Due mafiosi nel Far West

Falenito, Juan: 1965: Okay sceriffo

Farnon, Robert: 1958: Sheriff of Fractured Jaw; 1968: Shalako

Farran, Ramón: 1996: Aquí llega condemor el Pecador de la Pradera

Ferrio, Gianni: 1960: Un dollaro di fifa; 1962: Due contro tutti; 1963: Gli eroi del West; 1964: I gemelli del Texas; Massacro al Grande Canyon; 1965: Un dollaro bucato; 1966: Djurado; El aventurero de Guaynas; Ringo e Gringo contro tutti; Wanted; Per pochi dollari ancora; 1967: ¡El hombre que mató a Billy el Niño!; El desperado; Sentenza di morte; 1968: Joe, cercati un posto per morire!; 1969: Quei disperati che puzzano di sudore e di morte; Vivi o preferibilmente morti; 1970: Reverendo Colt; Sledge; I vendicatori dell'Ave Maria; 1971: Amico, stammi lontano almeno un palmo ...; Viva la muerte ... tua!; 1972: Oremus, Alleluja e Così Sia; 1973: Mi chiamavano Requiescant ... ma avevano sbagliato; 1977: California; 1985: Tex e il Signore degli abissi

Fidenco, Nico: 1965: All'ombra di una Colt; 1966: Dinamita Jim; Per il gusto di uccidere; The Texican; 1967: Bang Bang Kid; John il bastardo; Lo voglio morto; 1968: All'ultimo sangue; 1971: Il suo nome era Pot ... ma ... lo chiamavano Allegria; 1972: Campa carogna ... la taglia cresce

Fielding, Jerry: 1971: Chato's land

Fischer, Günther: 1972: Tecumseh; 1976: Trini/Stirb für Zapata; 1977: Severino

Fischetti, Italo: 1969: ... e vennero in quattro per uccidere Sartana!

Franco, Pippo: 1968: L'odio è il mio Dio

Frizzi, Fabio: 1975: Get Mean; I quattro dell'Apocalisse; 1977: Sella d'argento

Fusco, Giovanni: 1967: Giarrettiera Colt

Gardot, Gilbert: 1972: Les aventures galantes de Zorro

Garvarentz, Georges: 1982: Triumph of a man called horse

Ghant: 1965: 30 Winchester per El Diablo

Ghiglia, Benedetto: 1965: Adiós gringo; Quattro dollari di vendetta; 1966: El Rojo; Starblack; Un dollaro tra i denti

Gietz, Heinz: 1964: Die Goldsucher von Arkansas; 1965: Graf Bobby, der Schrecken des Wilden Westens; Sie nannten ihn Gringo

Gigante, Marcello: 1964: Jim il primo; 1966: Thompson 1880; 1967: Dio li crea ... io li ammazzo!; Prega Dio ... e scavati la fossa!; Straniero ... fatti il segno della croce!; Wanted Johnny Texas; Allegri becchini ... arriva Trinità; 1973: Il figlio di Zorro; Corte marziale

Giombini, Marcello: 1965: 100.000 dollari per Lassiter; I quattro inesorabili; 1966: Per qualche dollaro in meno; 3 pistole contro Cesare; 1967: Ballata per un pistolero; 1968: ¿Quién grita venganza?; Garringo; Tutto per tutto; 1969: Ehi amico! C'è Sabata, hai chiuso!; 1970: Reza por tu alma ... y muere; Un par de asesinos; 1971: Acquasanta Joe; È tornato Sabata ... hai chiuso un'altra volta!; Il lungo giorno della violenza; 1972: Il mio nome è Scopone e faccio sempre cappotto; La caza del oro

Goldsmith, Jerry: 1975: La parola di un fuorilegge ... è legge!

Gomez, Carlos Castellanos: 1965: La colt è la mia legge

Gori, Lallo (Geburtsname: Cariolano Gori): 1966: 2 once di piombo; Le colt cantarono la morte e fu ... tempo di massacro; 1967: Con lui cavalca la morte; Il bello, il brutto, il cretino; Pecos è qui: prega e muori; Un poker di pistole; 1968: Black Jack; Buckaroo; Carogne si nasce; Execution; Passa Sartana, è l'ombra della tua morte; Zorro il dominatore; 1970: Arriva Durango: paga o muori; Arrivano Django e Sartana ... è la fine!; Inginocchiati straniero ... i cadaveri non fanno ombra!; Quel maledetto giorno d'inverno; 1971: Era Sam Wallash ... lo chiamavano Così Sia; Giù la testa ... hombre!; Giù le mani ... carogna! – Django Story; Per una bara piena di

dollari; 1972: El Zorro justiciero; Posate le pistole ... reverendo; Tequila!; 1973: Amico mio ... frega tu che frego io!

Grover, David: 1990: Lucky Luke

Gruska, Jay: 1998: Outlaw justice

Guerin, E.: 1980: El lobo negro; La venganza del lobo negro

Guycen, 1972: Tutti fratelli nel West ... per parte di padre

Halletz, Erwin: 1963: Der letzte Ritt nach Santa Cruz; 1964: Heiß weht der Wind; 1965: Der Schatz der Azteken; Die Pyramide des Sonnengottes

Harris, Johnny: 1971: A man in the wilderness

Heinz, Gerhard: 1972: Der Schrei der schwarzen Wölfe

Heras, Joaquin Gutierrez: 1982: Krasnye kolokola – Meksika v ogne

Hess, David Alexander: 1991: Buck ai confini del cielo

Hosalia, Hans-Dieter: 1973: Apachen

Hossein, André: 1961: Le goût de la violence; 1968: Une corde, un Colt

Ian, Janis: 1971: Cuatro cabalgaron

Jarre, Maurice: 1971: Soleil rouge

Jones, Kenneth V.: 1958: The bandit of Zhobe

Juniper: 1973: Storia di karatè, pugni e fagioli

Jürgens, Udo: 1975: Potato Fritz

Kehrt, Jürgen: 1985: Atkins

Kojucharov, Vasco Vasil (Pseudonyme: **Vassili Kojukarov, Vassili Vasco**): 1967: Se vuoi vivere ... spara!; 1968: Ad uno ad uno ... spietatamente; Una lunga fila di croci; Tre croci per non morire; 1969: Dio perdoni la mia pistola; Django il bastardo; Sono Sartana, il vostro becchino; 1970: Wanted Sabata; 1971: Anche per Django le carogne hanno un prezzo; Seminò morte ... lo chiamavano il castigo di Dio!; Una cuerda al amanecer; Spara Joe ... e così sia!; 1972: La colt era il suo dio; Un bounty killer a Trinità

Kreuder, Peter: 1939: Wasser für Canitoga

Lacarenza, Michele: 1966: Mille dollari sul nero; 1968: 20.000 dollari sporchi di sangue; Il lungo giorno del massacro; L'ira di Dio

Lai, Francis: 1971: Dans la poussière du soleil; Les pétroleuses

Lane, Frankie: 1965: Il magnifico straniero

Lavagnino, Angelo Francesco: 1952: Il bandolero stanco; 1964: 5.000 dollari sull'asso; Aventuras del Oeste;

Sansone e il tesoro degli Incas; Sfida a Rio Bravo; Solo contro tutti; 1965: Das Vermächtnis des Inka; Gli uomini dal passo pesante; I 2 sergenti del generale Custer; Johnny West il mancino; L'uomo che viene da Canyon City; L'uomo dalla pistola d'oro; Ocaso de un pistolero; 1966: Kitosch, l'uomo che veniva dal nord; Zorro il ribelle; 1967: Dio non paga il sabato; Oggi a me ... domani a te; 1968: Réquiem para el gringo; Sapevano solo uccidere; T'ammazzo! ... raccomandati a Dio; Una pistola per cento bare; Uno straniero a Paso Bravo; Vendetta per vendetta; 1969: Gli specialisti

Ledrut, Jean: 1967: Comanche blanco

Leonerbert: 1974: La pazienza ha un limite ... noi no!

Levy, S.: 1983: Lucky Luke – Les Daltons en cavale

Linos, Alfonso: 1980: Chicano; Siete cabalgan hacia la muerte

López, Francis: 1958: Sérénade au Texas

Lord, Jon: 1970: The last Rebel

Louiguy, Georges: 1956: Fernand Cow-Boy

Louvre, C.: 1959: La sceriffa

Macchi, Egisto: 1967: Bandidos

Maglione, Budy: 1976: Una donna chiamata Apache

Mainetti, Stefano: 1995: Trinità & Bambino ... e adesso tocca a noi!

Malkin, Gary: 1990: Thousand pieces of gold

Mancuso, Elsio: 1967: Se vuoi vivere ... spara!; 1968: Ad uno ad uno ... spietatamente; Tre croci per non morire; Una lunga fila di croci; 1969: Dio perdoni la mia pistola; Django il bastardo; Sono Sartana, il vostro becchino; 1970: Uccidi, Django ... uccidi per primo!; 1971: Al di là dell'odio; Quelle sporche anime dannate

Mansfield, Kevin: 1970: Friß den Staub von meinen Stiefeln

Marchetti, Gianni: 1967: I vigliacchi non pregano; 1969: Veinte mil dólares por un cadáver; 1971: El más fabuloso golpe del Far-West

Marocchi, Marcello: 1967: Vendo cara la pelle

Martelli, Augusto: 1970: La collera del vento; La muerte busca un hombre; Sartana nella valle degli avvoltoi

Mattes, Willy: 1963: Die Flußpiraten vom Mississippi

Meccia, Gianni: 1973: Sentivano uno strano, eccitante, pericoloso puzzo di dollari

Meyer, Wolfgang: 1968: Spur des Falken

Micalizzi, Franco: 1970: Lo chiamavano Trinità; 1971: Padella calibro 38; Sei jellato amico, hai incontrato Sacramento

Michelini, Luciano: 1971: Lucky Johnny

Migliardi, Mario: 1970: Matalo!; 1971: Il venditore di morte; Prega il morto e ammazza il vivo

Minerbi, Marcello: 1971: Una pistola per cento croci

Monti, Elvio: 1972: Alleluja e Sartana figli ... di Dio

Montorio, Daniel: 1964: Los cuatreros; Relevo para un pistolero

Morcillo, Fernando Garcia: 1963: El hombre de la diligencia; 1964: Fuerte perdido; 1965: Dos mil dólares por coyote; 1967: The christmas kid

Morricone, Ennio (Pseudonyme: **Leo Nichols, Dan Savio**): 1963: Gringo; 1964: Le pistole non discutono; Per un pugno di dollari; Una pistola per Ringo; 1965: Il ritorno di Ringo; Per qualche dollaro in più; 1966: I crudeli; Il buono, il brutto, il cattivo; La resa dei conti; Navajo Joe; Per pochi dollari ancora; 7 pistole per i MacGregor; Un

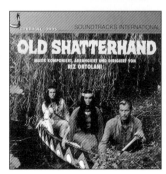

fiume di dollari; 1967: Da uomo a uomo; Faccia a faccia; La bataille de San Sebastian; 7 donne per i MacGregor; Gentleman Jo ... uccidi!; 1968: ... e per tetto un cielo di stelle; C'era una volta il West; Il grande silenzio; Il mercenario; Tepepa; 1969: Un esercito di 5 uomini; 1970: Vamos a matar compañeros; 1971: Giù la testa; Il giorno del giudizio; 1972: Che c'entriamo noi con la rivoluzione?; Il ritorno di Clint il solitario; La banda J. & S. cronaca criminale del Far West; La vita a volte è molto dura, vero Provvidenza?; 1973: Ci risiamo, vero Provvidenza?; Il mio nome è Nessuno; 1975: Un genio, due compari, un pollo; 1980: Occhio alla penna

Moullet, Patrice: 1970: Une aventure de Billy le Kid

Nascimbene, Mario: 1942: Una signora dell'Ovest; 1952: Il sogno di Zorro

Neef, Wilhelm: 1965: Die Söhne der großen Bärin; 1967: Chingachgook, die große Schlange; 1970: Tödlicher Irrtum; 1971: Osceola

Nicolai, Bruno: 1965: 100.000 dollari per Ringo; 1966: Django spara per primo; El Cisco; 1967: Gentleman Jo ... uccidi!; I giorni della violenza; 1968: Corri uomo corri; Land raiders; 1970: Arizona si scatenò ... e li fece fuori tutti!; Buon funerale amigos! ... paga Sartana; Indio Black, sai che ti dico: sei un gran figlio di ...; Un uomo chiamato Apocalisse Joe; Una nuvola di polvere ... un grido di morte ... arriva Sartana; 1971: Anda muchacho, spara!; Domani passo a salutare la tua vedova ... parola di Epidemia; Gli fumavano le Colt ... lo chiamavano Camposanto; Los buitres cavarán tu fosa; Uomo avvisato mezzo ammazzato ... parola di Spirito Santo; 1972: Dio in cielo ... Arizona in terra; 1973: Ci risiamo, vero Provvidenza?; Die blutigen Geier von Alaska; Il mio nome è Shangai Joe; Lo chiamavano Tresette ... giocava sempre col morto

Nieto, Pepe: 1971: Captain Apache

Nyman, Michael: 2000: The Claim

O'Hearn, Patrick: 1993: Silent Tongue

Olea, Antonio Pérez: 1964: Joaquín Murieta; 1965: Mestizo

Olias, Lotar: 1964: Freddy und das Lied der Prärie

Oliviero, Nino: 1965: Ringo del Nebraska

Orlandi, Nora: 1966: Clint, el solitario; Johnny Yuma; 1967: 10.000 dollari per un massacro; La morte non conta i dollari; Per 100.000 dollari ti ammazzo; 1972:

Un dólar de recompensa; 1973: ... E il terzo giorno arrivò il Corvo

Ortolani, Riz: 1963: Cavalca e uccidi; I tre spietati; Old Shatterhand; 1964: I sette del Texas; 1967: Al di là della legge; I giorni dell'ira; Requiescant; 1968: Hora de morir; 1969: Ciakmull, l'uomo della vendetta; La notte dei serpenti; O' Cangaçeiro; 1971: The hunting party; 1972: Una ragione per vivere e una per morire

Pagán, José: 1962: Le tre spade di Zorro

Pagano, Mario: 1973: Jack London – La mia grande avventura

Parada, Manuel: 1959: Il terrore dell'Oklahoma; 1962: Bienvenido, padre Murray; La venganza del Zorro; La sombra del Zorro; Due contro tutti; 1963: Tres hombres buenos; Cuatro balazos; L'uomo della valle maledetta; 1964: Gli eroi di Fort Worth; 1965: El proscrito de río Colorado; 1967: I vigliacchi non pregano; 1968: Ringo il cavaliere solitario

Parker, Clifton: 1957: Campbell's kingdom

Patucchi, Daniele: 1971: Black Killer; Lo ammazzò come un cane ... ma lui rideva ancora; Una cuerda al amanecer; 1972: Così sia; Los amigos

Peguri, Gino: 1965: Per mille dollari al giorno; 1966: Sette magnifiche pistole; 1967: Dove si spara di più; 1968: Uno di più all'inferno; El Zorro; O tutto o niente; 1973: Sette monache a Kansas City

Perret, Pierre: 1970: Le juge

Pes, Carlos: 1967: Professionisti per un massacro; 1969: Due volte Giuda

Piccioni, Piero: 1964: Minnesota Clay; 1968: ... se incontri Sartana prega per la tua morte; Fedra West; Quel caldo maledetto giorno di fuoco; 1970: La spina dorsale del diavolo; 1971: Attento gringo ... è tornato Sabata!; In nome del padre, del figlio e della colt; 1972: Il giustiziere di Dio; Sei bounty killers per una strage; 1973: Una colt in mano al diavolo

Piersanti, Franco: 1984: Yellow Hair & Pecos Kid

Pisano, Berto: 1967: Bill il taciturno; Killer Kid; 1968: Uno dopo l'altro

Pisano, Franco: 1962: Due contro tutti

Plenizio, Gianfranco: 1967: Giarrettiera Colt; 1975: Ah sì? ... e io lo dico a Zzzorro!; 1987: Django 2 – Il grande ritorno

Poitevin, Robby: 1966: Killer calibro 32; 1967: Little Rita nel west; La morte non conta i dollari; 1968: Il suo nome gridava vendetta; Odia il prossimo tuo

Polito, Enrico: 1966: Per un pugno di canzoni

Polizzi, Natali: 1978: Zanna Bianca e il grande Kid

Pregadio, Roberto: 1967: L'ultimo killer; Un buco in fronte; 1968: Ciccio perdona ... io no!; 1969: Franco e Ciccio sul sentiero di guerra; Il pistolero dell'Ave Maria; 1971: I quattro pistoleri di Santa Trinità; Il mio nome è Mallory – »M« come morte

Preverman, Len: 1958: The bandit of Zhobe

Raben, Peer: 1970: Whity; 1972: Tschetan, der Indianerjunge

Rabenalt, Peter: 1979: Blauvogel

Reed, Dean: 1981: Sing, Cowboy, sing

Reitano, Franco: 1967: 20.000 dollari sul 7

Renis, Tony: 1973: Blu Gang

Reverberi, Giampiero: 1967: Una colt in pugno al diavolo

Reverberi, Gianfranco: 1967: Preparati la bara!

Riche, Clive: 1993: Jonathan degli orsi

Rodríguez, Ariel: 1975: Cacique Bandeira

Rogers, Alan: 1965: Carry on Cowboy

Rogers, Eric: 1965: Carry on Cowboy

Romitelli, Sante Maria: 1968: Spara, gringo, spara; 1972: I 2 figli dei Trinità; 1976: Diamante Lobo

Romoino, Marcello: 1977: El Macho

Rosso, Nino: 1965: Yankee

Rowland, Bruce: 1995: Tashunga

Rustichelli, Carlo (Pseudonym: **Angel Oliver Piña**): 1963: Buffalo Bill, l'eroe del Far West; 1964: Gli eroi di Fort Worth; 1965: La grande notte di Ringo; 1966: Uccidi o muori; 1967: Dio perdona ... io no!; L'uomo, l'orgoglio, la vendetta; Ognuno per sé; Un hombre y un Colt; Un minuto per pregare, un istante per morire; Un treno per Durango; 1968: ... dai nemici mi guardo io!; I quattro dell'Ave Maria; I tre che sconvolsero il West; Il pistolero segnato da Dio; 1969: La collina degli stivali; 1970: I vendicatori dell'Ave Maria; 1971: Bastardo, vamos a matar; 1972: Ruf der Wildnis; 1973: Tutti per uno ... botte per tutti; Zanna Bianca; 1974: Zanna Bianca alla riscossa; 1975: Giubbe rosse

Ruvolo, Mauro: 1997: Buck e il braccialetto magico

Saban, Haim: 1983: Lucky Luke – Les Daltons en cavale

Salina, Franco: 1966: I 5 della vendetta

Sanjust, Gianni: 1967: 20.000 dollari sul 7

Santucci, Francesco: 1972: C'era una volta questo pazzo, pazzo, pazzo West

Sarde, Philippe: 1974: Touche pas la femme blanche

Sasse, Karl-Ernst: 1968: Spur des Falken; 1974: Kit und Co – Lockruf des Goldes; Ulzana; 1975: Blutsbrüder; 1983: Der Scout; 1988: Präriejäger in Mexiko: Benito Juarez; Präriejäger in Mexiko: Geierschnabel

Satrova, Ana: 1969: Veinte mil dólares por un cadáver; 1970: Plomo sobre Dallas; Los rebeldes de Arizona; 1983: Al oeste de Río Grande

Savina, Carlo: 1964: Il piombo e la carne; 1965: I tre del Colorado; Johnny Oro; 1966: Joe l'implacabile; Per un dollaro di gloria; Pochi dollari per Django; Sette donne per una strage; 1967: Giurò e li uccise ad uno ad uno; Vivo per la tua morte; 2 rringos nel Texas; 1968: Anche nel West c'era una volta Dio; Joko, invoca Dio ... e muori!; Pagó cara su muerte; Testa o croce; 1969: E Dio disse a Caino ...; 1970: Ehi amigo ... sei morto!; l tredicesimo è sempre Giuda; I vendicatori dell'Ave Maria; 1971: ... e lo chiamarono Spirito Santo; I senza Dio; 1972: Bada alla tua pelle, Spirito Santo!; Jesse & Lester due fratelli in un posto chiamato Trinità; Spirito Santo e le 5 magnifiche canaglie; Trinità e Sartana figli di ...; Un animale chiamato ... uomo!; 1973: Hai sbagliato ... dovevi uccidermi subito!; 1974: Il ritorno di Zanna Bianca; Là dove non batte il sole; 1980: Comin' at Ya!

Savio, Totò: 1984: Arrapaho

Schneider, Helge: 1993: Texas – Doc Snyder hält die Welt in Atem

Schrager, Rudy: 1965: Il magnifico straniero

Schröder, Aaron: 1990: Lucky Luke

Sciascia, Armando: 1964: Per un dollaro a Tucson si muore; 1966: Tre colpi di winchester per Ringo

Scott, John: 1995: Tashunga

Segall, Bernardo: 1967: Custer of the West

Segura, Gregorio García: 1962: Il segno di Zorro; Torrejón city; 1965: Dos pistolas gemelas; 1966: Sette donne per una strage; 1984: Al este del oeste

Segura, Knifewing: 1993: Jonathan degli orsi

Serio, Renato: 1980: Las mujeres de Jeremías

Silvestri, Enzo: 1966: Tierra de fuego

Simonetti, Enrico: 1973: Kid il monello del West

Sola, José: 1965: Finger on the trigger

Svoboda, Karel: 1981: Sing, Cowboy, sing

Tallino, Claudio: 1967: Killer adios

Tempera, Vince: 1968: Ed ora ... raccomanda l'anima a Dio!; 1973: Carambola; 1974: Carambola, filotto ... tutti in buca; 1975: Get Mean; I quattro dell'Apocalisse; 1977: Sella d'argento

Thomas, Peter: 1965: Der letzte Mohikaner; 1966: Winnetou und sein Freund Old Firehand

Thorne, Ken: 1971: Hannie Caulder

Tommasi, Amedeo: 1967: I lunghi giorni dell'odio

Toussaint, Olivier: 1974: Convoi de femmes

Trovajoli, Armando: 1966: I lunghi giorni della vendetta

Tudó, Federico Martinez: 1965: Tumba para un forajido; 1966: Wer kennt Jonny R.?

Umali, Restie: 1968: I fratelli di Arizona

Umiliani, Piero: 1965: La strada per Fort Alamo; 1966: I 2 figli di Ringo; Il figlio di Django; 1967: Ric e Gian alla conquista del West; Il tempo degli avvoltoi; 1968: Crisantemi per un branco di carogne; I nipoti di Zorro; 1969: Django sfida Sartana; Quinto: non ammazzare; 1970: Roy Colt e Winchester Jack; Reverendo Colt; 1971: La vendetta è un piatto che si serve freddo; W Django; 1973: Dieci bianchi uccisi da un piccolo indiano

Vandor, Ivan: 1967: Se sei vivo spara

Vasile, Paolo: 1974: Whiskey e fantasmi

Villa, Carlos: 1980: El lobo negro; La venganza del lobo negro

Wengenmayr, Ralf: 2001: Der Schuh des Manitu

Whitaker, David: 1968: The Desperados

White, Daniel J.: 1963: El Llanero; Fuera de la ley; 1964: La carga de la policía montada; La tumba del pistolero; 1973: Les filles du Golden Saloon

Wilden, Gert: 1964: Die schwarzen Adler von Santa Fé

Wilder Brothers, The: 1967: Uccideva a freddo

Wilhelm, Rolf A.: 1961: Ruf der Wildgänse

Wilkinson, Marc: 1980: Eagle's Wing

Zambrini, Bruno: 1973: Sentivano uno strano, eccitante, pericoloso puzzo di dollari

Zauli, Franco: 1972: Alleluja e Sartana figli ... di Dio

ITALO WESTERN LOCATIONS 2005

Nuevo Baztan *(50 km östlich von Madrid)*
Sugar Colt; Un genio, due compari, un pollo; 7 donne per i MacGregor; Il Mercenario; Un hombre y un Colt; Viva la muerte … tua!; Un fiume di dollari; **Texas, addio.**

Contreras *(220 km nördlich von Madrid)*
Il buono, il brutto, il cattivo

Carazo *(210 km nördlich von Madrid)*
Il buono, il brutto, il cattivo

Manzanares El Real *(55 km nordwestlich von Madrid)*
Per qualche dollaro in più; **La resa dei conti; Il buono, il brutto, il cattivo;** Faccia a Faccia; Minnesota Clay; Johnny Oro; Django; Adios Gringo; Ringo il volto della vendetta; Arizona si scatenò … e li fice fuori tutti!; Un fiume di dollari; All'ombra di una Colt

Ciudad Encantada bei Cuenca *(165 km östlich von Madrid)*
Quella sporca storia nel West; **Il Mercenario;** Der letzte Mohikaner

Pechina *(wenige km nördlich von Almería)*
Dio perdona, io no; Un minuto per pregare, un istante per morire; Joko, invoca Dio … e muori!; Tierra brutal; Le pistole non discutono; Texas, addio; Un tren para Durango; Il Mercenario; La resa dei conti; Spara Gringo Spara

Umgebung von Tabernas *(ca. 30 km nördlich von Almería)*
Corri uomo corri; Lo voglio morto; Soleil Rouge; Il bianco, il giallo, il nero; Tepepa

Fonelas *(14 km nördlich von Guadix)*
Navajo Joe; Sette pistole per i Mac Gregor; Vado, l'ammazzo e torno

Las Salinillas bei Tabernas *(ca. 25 km nördlich von Almería)*
Adios Sabata; **Spara Gringo Spara;** Da uomo a uomo; The bounty killer; Ammazzali tutti e torno solo; **La spina dorsale del diavolo;** La resa dei conti; Corri uomo Corri; Un hombre y un Colt; Arizona Colt; Sugar Colt; Der letzte Mohikaner; Mille dollari sul nero; Blindman; Una ragione per vivere e una per morire; Django spara per primo; Johnny Yuma; 10.000 dollari per un massacro; Per 100.000 dollari t'ammazzo; Vamos à matar, Compañeros; **Tepepa;** Il mio nome è Shangai Joe; Lo voglio morto; The hunting party, etc.

Tabernas *(ca. 33 km nördlich von Almería)*
Tepepa

Contreras

544

Cortijo del Fraile *(ca. 30 km östlich von Almería)*
Il buono, il brutto, il cattivo; **Quién sabe?**

Cortijo del Romeral *(ca. 43 km östlich von Almería)*
Una pistola per Ringo; **La resa dei conti**; Johnny Yuma,
Lo voglio morto

Polopos & El Puntal
(ca. 60 km nordöstlich von Almería)
Johnny Yuma; Il Mercenario; Sledge; The hunting party;
100 rifles; John il bastardo; J & S – storia criminale del
Far West; **Quien sabe?**; Dio perdona, io no; Un tren para
Durango

WESTERNSTÄDTE IN SPANIEN UND ITALIEN

Espluegas City (Barcelona)
Una pistola per Ringo (Eine Pistole für Ringo) (1964);
5.000 dollari sull'asso (Die Gejagten der Sierra Nevada)
(1964); Il ritorno di Ringo (Ringo kommt zurück) (1965);
100.000 dollari per Ringo (100.000 Dollar für Ringo)
(1965); L'uomo dalla pistola d'oro (Der Mann, der kam,
um zu töten) (1965); Perché uccidi ancora (Jetzt sprechen
die Pistolen) (1965); I lunghi giorni della vendetta (Der

lange Tag der Rache) (1966); Sette magnifiche pistole
(Sancho – dich küsst der Tod) (1966); Professionisti per un
massacro (Ein Stoßgebet für drei Kanonen) (1967); Gentleman Jo... uccidi! (Shamango) (1967); Sonora (Für ein
paar Leichen mehr) (1968); Sei jellato amico, hai incontrato Sacramento (Man nennt ihn Sacramento) (1971)

Hoyo de Manzanares (Madrid)
Gringo (Drei gegen Sacramento) (1963); Le pistole non
discutono (Die letzten zwei vom Rio Bravo) (1964); Per
un pugno di dollari (Für eine Handvoll Dollar) (1964);
Minnesota Clay (Minnesota Clay) (1964); All'ombra di
una colt (Pistoleros) (1965); Per qualche dollaro in più
(Für ein paar Dollar mehr) (1965); Una bara per lo sceriffo (Eine Bahre für den Sheriff) (1965); Matalo! (Willkommen in der Hölle) (1970); Anda muchacho, spara!
(Knie nieder und friß Staub) (1971); Tequila! (Fuzzy, halt
die Ohren steif!) (1972); Mi chiamavano Requiescant
... ma avevano sbagliato (Sing mir das Lied der Rache)
(1973)

Colmenar Viejo (Madrid)
Per qualche dollaro in più (Für ein paar Dollar mehr)
(1965); Il buono, il brutto, il cattivo (Zwei glorreiche Halunken) (1966); La resa dei conti (Der Gehetzte der Sierra Madre) (1966); Navajo Joe (An seinen Stiefeln klebte

Nuevo Baztan

Blut) (1966); Pochi dollari per Django (Django kennt kein Erbarmen) (1966); Una nuvola di polvere ... un grido di morte ... arriva Sartana (Sartana kommt) (1970); Un par de asesinos (... und Santana tötet sie alle) (1970); Su le mani cadavere! Sei in arresto (Sando Kid spricht das letzte Halleluja) (1971); La banda J. & S. cronaca criminale del Far West (Die rote Sonne der Rache) (1972)

Mini Hollywood (El Paso Set) (Almería)
Per qualche dollaro in più (Für ein paar Dollar mehr) (1965); Il buono, il brutto, il cattivo (Zwei glorreiche Halunken) (1966); Navajo Joe (An seinen Stiefeln klebte Blut) (1966); Per il gusto di uccidere (Lanky Fellow – der einsame Rächer) (1966); Sugar Colt (Rocco – der Mann mit den zwei Gesichtern) (1966); Ognuno per sé (Das Gold von Sam Cooper) (1967); Il Mercenario (Mercenario – der Gefürchtete) (1968); I quattro dell'Ave Maria (Vier für ein Ave Maria) (1968); La collina degli stivali (Hügel der blutigen Stiefel) (1969); Indio Black, sai che ti dico: sei un gran figlio di... (Adios Sabata) (1970); The hunting party (Leise weht der Wind des Todes) (1971); Il bianco, il giallo, il nero (Stetson – drei Halunken erster Klasse) (1974); Occhio alla penna (Eine Faust geht nach Westen) (1980); Rustler's Rhapsody (Rhapsodie in Blei) (1984)

Texas-Hollywood (Almería)
Il prezzo del potere (Blutiges Blei) (1969); Blindman (Blindman, der Vollstrecker) (1971); Amico, stammi lontano almeno un palmo (Ben und Charlie) (1971); Soleil rouge (Rivalen unter roter Sonne) (1971); California (Der Mann aus Virginia) (1977); Tex è il segnore degli abissi (Tex und das Geheimnis der Todesgrotten) (1985); Trinità & Bambino ... e adesso tocca a noi! (Trinity und Babyface) (1995)

Las Salinillas (Almería)
Sugar Colt (Rocco – der Mann mit den zwei Gesichtern) (1966); Ognuno per sé (Das Gold von Sam Cooper) (1967); Da uomo a uomo (Von Mann zu Mann) (1967); Sentenza di morte (Django – unbarmherzig wie die Sonne) (1967); The bounty killer (Ohne Dollar keinen Sarg) (1967); Ammazzali tutti e torna solo (Töte sie alle und kehr allein zurück) (1968)

Chino Town (Almería)
Valdez il mezzosangue (Wilde Pferde) (1973); Comin' at ya (Alles fliegt Dir um die Ohren) (1980); Tex è il signore degli abissi (Tex und das Geheimnis der Todesgrotten) (1985); Straight to Hell (Straight to hell – fahr' zur Hölle) (1986)

Nuevo Baztán

546

Manzanares El Real

Ciudad Encantada bei Cuenca

Carazo

547

Umgebung von Tabernas

Fonelas

Pechina

Flagstone Set (La Calahorra, Guadix)

C'era una volta il West (Spiel mir das Lied vom Tod) (1968); Il prezzo del potere (Blutiges Blei) (1969); Il mio nome è nessuno (Mein Name ist Nobody) (1973); Un genio, due compari, un pollo (Nobody ist der Größte) (1975)

Dino de Laurentiis Studio (Rom)

Navajo Joe (An seinen Stiefeln klebte Blut) (1966); Un fiume di dollari (Eine Flut von Dollars) (1966); Bandidos (Bandidos) (1967); Un minuto per pregare, un istante per morire (Mehr tot als lebendig) (1967); ... e per tetto un cielo di stelle (Amigos) (1968); Joko, invoca Dio ... e muori! (Fünf blutige Stricke) (1968)

Elios Studios (Rom)

Johnny Oro (Ringo mit den goldenen Pistolen) (1965); Per qualche dollaro in più (Für ein paar Dollar mehr) (1965); Il buono, il brutto, il cattivo (Zwei glorreiche Halunken) (1966); 7 dollari sul rosso (Django – die Geier stehen Schlange) (1966); Django (Django) (1966); Le colt cantarono la morte e fu... tempo di massacro (Django

– sein Gesangbuch war der Colt) (1966); Little Rita nel West (Blaue Bohnen für ein Halleluja) (1967); Il grande Silenzio (Leichen pflastern seinen Weg) (1968); ... se incontri Sartana prega per la tua morte (Sartana – bete um deinen Tod) (1968); Gli Specialisti (Fahrt zur Hölle, ihr Halunken) (1969)

Cinecittà Studios (Rom)

Per qualche dollaro in più (Für ein paar Dollar mehr) (1965); Arizona Colt (Arizona Colt) (1966); I crudeli (Die Grausamen) (1966); Un dollaro tra i denti (Ein Dollar zwischen den Zähnen) (1966); Texas Addio (Django, der Rächer) (1966); I 5 della vendetta (Die unerbittlichen Fünf) (1966); Da uomo a uomo (Von Mann zu Mann) (1967); Dove si spara di più (Glut der Sonne) (1967)

Cave Studios (Rom)

... e vennero in quattro per uccidere Sartana! (Sie kamen zu viert um zu töten) (1969); Arrivano Django e Sartana ... è la fine! (Django und Santana kommen) (1970); Per una bara piena d i dollari (Adios Companeros) (1971)

Pechina

549

Las Salinillas bei Tabernas

Las Salinillas bei Tabernas

Tabernas

Cortijo del Fraile

Cortijo del Romeral

Polopos & El Puntal

Espluegas City (Barcelona)

Colmenar Viejo (Madrid)

Texas-Hollywood (Almeria)

Mini Hollywood (El Paso Set) (Almeria)

Las Salinillas (Almeria)

Hoyo de Manzanares (Madrid)

Flagstone Set (La Calahorra, Guadix)

Chino Town (Almeria)

Dino De Laurentiis Studio (Rom)

Elios Studios (Rom)

Cinecittà Studios (Rom)

Cave Studio (Rom)

DIE GUTEN, DIE SCHLECHTEN &
DIE GRÄSSLICHEN

Die Übersicht aller Italo-Western

Für die Ihnen vorliegende Neuauflage meines Buches wurden umfangreiche Recherchen angestellt und viele Fehler behoben. Ebenfalls mussten einige Filme aus diversen Gründen aus der Auflistung genommen werden. Beispielsweise waren in der Erstauflage einige Filme doppelt aufgeführt, da diese unter verschiedenen Titeln erschienen waren. Neuzeitwestern wurden ebenfalls entfernt. Es konnten auch viele weitere Drehorte gefunden werden, so dass diese Informationen jetzt ebenfalls umfangreicher sind. Sehr viele Soundtracks sind dazugekommen, was beweist, dass sich dieses Genre noch immer großer Beliebtheit erfreut.

... altrimenti vi ammucchiamo (1973) ET: Kung Fu Brothers in the wild west; IT: ... altrimenti vi ammucchiamo/Kung Fu nel pazzo west; FT: Winchester, Kung Fu et Karaté/Deux Chinois dans l'Ouest; HL: Italien/Hongkong (Golden Harvest Company Ltd. – Hongkong/ Eureka International); OL: 90 (2474 m); P: Yean Ban Yee, Edoard Sarlui; R: Yeo Ban Yee; B: Tu Lung Li, Carlo Mancori, Ngai Hon; K: Hsun Yang (Technicolor – Techniscope); M: Franco Brocardi; D: William Berger, Jason Pai Piau, Po Chih Leo, Donald O'Brien, Sally Leh, Thompson Kao Kang, Joe Chan, Rang Chin Ho, Winnie Tang, Wu Choun Hu, Tang Kwoksze, Attilio Dottesio; I: Zwei in Hongkong getrennte Brüder treffen sich im Wilden Westen und müssen dort eine Gemeinde von den kriminellen Machenschaften eines bösen Samurai befreien.

Acquasanta Joe (1971) DT: Weihwasser Joe; ET: Holy water Joe; IT: Acquasanta Joe; ST: Los violentos de Texas; FT: Acquasanta Joe; HL: Italien (Cineproduzioni Daunia 70); UA: 11.12.71; OL: 96 (2630 m); DEA: 13.7.73; DL: 94 min; FSK: 18; P: Mario Gariazzo; R: Mario Gariazzo; B: Ferdinando Poggi, Mario Gariazzo (I: Mario Gariazzo); K: Franco Villa (Cinemascope – Eastmancolor); M: Mar-

cello Giombini; DO: Italien (Elios Film Studio Rom); D: Ty Hardin, Richard Harrison, Lincoln Tate, Silvia Monelli, Fidel Green (Fedele Gentile), Pietro Ceccarelli, Tuccio Musumeci, Dante Maggio, Anthony Freeman, Lee Banner (Giulio Baraghini), Alfredo Rizzo; I: Kopfgeldjäger jagt hinter seinem von Banditen aus einer Bank geraubten Geld her. *Ziemlich schlechter Gariazzo-Western mit konfuser Handlung.*

Ad uno ad uno ... spietatamente (1968) DT: Einer nach dem anderen, ohne Erbarmen; ET: One against one ... no mercy; IT: Ad uno ad uno ... Spietatamente; ST: Uno a uno, sin piedad; FT: Un par un, sans pitié; HL: Italien/Spanien (Nike Cinematografica – Napoli/Copercines Cooperativa Cinematográfica – Madrid); UA: 24.8.68; OL: 88 (2408 m); DEA: 18.9.84 (DFF2); DL: 85 min; P: Roberto Santini; R: Rafael Romero Marchent; B: Odoardo Fiory, Marino Girolami, Eduardo M. Brochero, Tito Carpi (I: Eduardo Manzanos Brochero); K: Emilio Foriscot (Panoramico – Eastmancolor); M: Vasco Vasil Kojucharov, Elsio Mancuso; CD: Tre croci per non morire/Se vuoi vivere ... Spara!/Ad uno ad uno spietatamente (BEAT CDCR 53): 11 tracks; DO: Spanien (Hoyo de Manzanares, Almería) D: Peter Lee Lawrence, William Bogard, Dianik Zurakowska, Eduardo Fajardo, Miguel Del Castillo, Aurora Bautista, Lucio De Santis, Chris Huerta, Alfonso Rojas; I: Chico und sein korrupter Partner Grayson kommen in eine kleine Stadt im Westen, wo Grayson sogleich versucht, die Macht an sich zu reißen und den bisherigen Herrscher Jack Hawkins zur Übergabe zu zwingen. Chico weiß das zu verhindern.

Adiós gringo (1965) DT: Adios Gringo; ET: Adios gringo; IT: Adios gringo; ST: Adiós, gringo; FT: Adios gringo; HL: Italien/Spanien/Frankreich (Dorica Film – Rom/Explorer Film '58/Fono Roma/Trébol Film C. C. – Madrid/

Les Films Corona – Nanterre); **UA**: 22. 12. 65; **OL**: 103 (2835 m); **DEA**: 26. 8. 66; **DL**: 98 min; **FSK**: 16; **P**: Bruno Turchetto; **R**: Giorgio C. Stegani; **B**: Giorgio Stegani, José Luis Jerez, Michèle Villerot (**I**: Harry Wittington (»Adios«); **K**: Francisco Sempere (Doryscope – Eastmancolor); **M**: Benedetto Ghiglia; **S**: »Adios Gringo« – gesungen von Fred Bongusto (deutsche Version von Jürgen Herbst); **CD**: Adios gringo/Un dollaro tra i denti (CAM CSE-800-119): 16 tracks; SW Encyclopedia Vol. 1 (KICP 433): 2 tracks; Wanted – Dead or Alive (CAM 900-020): 1 track; **DO**: Spanien (El Atazar, Manzanares el Real), Italien (Elios Film Studio Rom); **D**: Giuliano Gemma, Evelyn Stewart, Roberto Camardiel, Peter Cross (Pierre Cressoy), Grant Laramy (Germano Longo), Jesus Puente, Jean Martin, Max Dean (Massimo Righi), Monique Saint Claire; **I**: Ein zu Unrecht steckbrieflich verfolgter Cowboy findet in der mexikanischen Steinwüste ein von Gangstern gemartetes Mädchen, rettet ihm das Leben und bringt die Gangster zur Strecke. *Zahmer, actionloser Giuliano-Gemma-Western.*

Ah sì? ... e io lo dico a Zzzorro! (1975) **ET**: Who's afraid of Zorro; **IT**: Ah sì? ... e io lo dico a Zzzorro!; **ST**: Nuevas aventuras del Zorro; **HL**: Italien/Spanien (I.C.I. – Iniziativa Cinematografiche Internazionali – Rom/Epoca Films – Madrid); **UA**: 3.7.75; **OL**: 92 (2543 m); **P**: Otello Finocchio; **R**: Franco Lo Cascio; **B**: Augusto Finocchi, Francisco Lara Polop (**I**: Augusto Finocchi); **K**: Juan Gelpi Pulg (Panoramico – Eastmancolor); **M**: Gianfranco Plenizio; **D**: George Hilton, Lionel Stander, Charo Lopez, Rod Licari, Antonio Pica, Gino Pagnani, Tito Garcia, Flora Carosello; **I**: Da Zorro auf Grund einer Verletzung unfähig ist, neue Heldentaten zu vollbringen, wird ein Tölpel von einem Priester dazu überredet, in Zorros Kostüm zu schlüpfen und mit den Bösen aufzuräumen. *Missglückter Versuch einer Westernkomödie.*

Al di là della legge (1967) **DT**: Die letzte Rechnung zahlst du selbst; **ET**: Beyond the law; **IT**: Al di là della legge; **ST**: Mas alla de la ley; **FT**: Pas de pitié pour les salopards; **HL**: Italien/Deutschland (Sancro Siap – Rom/Roxy Film

– München); **UA**: 10.4.68; **OL**: 115 (3170 m); **DEA**: 30.8.68; **DL**: 93 min; **FSK**: 16; **P**: Alfonso Sansone, Enrico Chroscicki; **R**: Giorgio C. Stegani; **B**: Mino Roli, Giorgio Stegani, Fernando Di Leo, Warren Kiefer, Ina Hilger (**I**: Werner Kiefer); **K**: Enzo Serafin (Techniscope – Technicolor); **M**: Riz Ortolani; **CD**: Day of Anger/Beyond the Law (RCA OST 110): 8 tracks; **DO**: Spanien (Almería), Italien (Elios Film Studio Rom); **D**: Lee Van Cleef, Antonio Sabàto, Lionel Stander, Graziella Granata, Bud Spencer, Carlo Gaddi, Ann Smyrner, Herbert Fux, Günter Stoll, Gordon Mitchell, Al Hoosman; **I**: Ein Gauner wandelt sich zum Hüter der Ordnung und bringt eine Gangsterbande zur Strecke. *Bester Western von Giorgio Stegani mit bartlosem Bud Spencer.*

Al di là dell'odio (1971) **ET**: Beyond the frontiers of hate; **IT**: Al di là dell'odio; **FT**: Au-delà de la haine; **HL**: Italien (Globars Film – Rom); **OL**: 81 (2228 m); **P**: Gaetano Ferri; **R**: Alessandro Santini; **B**: Bruno Vani, Alessandro Santini; **K**: Gaetano Valle (Techniscope – Technicolor); **M**: Elsio Mancuso; **D**: Jeff Cameron, Stefania Nelli, George Cavendish, Cameron Steel, Laila Shed, Ivan Greeve, Nick Morelli, Vincenzo Basile, Patrizia Mayer, Carla Mancini, Franco Marletta, Gianfranco Ciabatti; **I**: Zwei überlebende Kinder eines Indianermassakers wachsen getrennt auf, das Mädchen bei den Indianern, der Junge bei den Weißen. Als Erwachsene treffen sie sich wieder. *»Soldier Blue« auf Italienisch. Missglückter Versuch eines ambitionierten Italo-Western.*

Allegri becchini ... arriva Trinità (1973) **ET**: They called him Trinity; **IT**: Allegri becchini ... arriva Trinità; **FT**: Django, ton tour viendra; **HL**: Italien (Nomentana Film/Grifo International Film); **UA**: 19.12.73; **OL**: 88 (2430 m); **P**: Giulio Giuseppe Negri, John Turner; **R**: Ferdinando Merighi; **B**: Ferdinando Merighi (**I**: Ferdinando Merighi); **K**: Pasqual Panetti, Giorgio Montagnani (Normal – Color); **M**: Marcello Gigante; **D**: Dean Stratford, John Brown, Gordon Mitchell, Lucky Mc Murray, Custer Gail, Veronica Sava, Mario Dardanelli, Lorenzo Piani, Franco Perrella; **I**: Chad Randall ist auf der Suche nach den fünf Mördern seiner Schwester. Er findet einen nach dem anderen und tötet sie alle. *Einer der schlechtesten Italo-Western überhaupt.*

Alleluja e Sartana figli di ... Dio (1972) **DT**: 100 Fäuste für ein Vaterunser; **ET**: Halleluja and Sartana strike again; **IT**: Alleluja e Sartana figli di ... di Dio; **ST**: Les llamaban Aleluya y Sartana; **FT**: Alleluia et Sartana, fils de ...; **HL**: Italien/Deutschland (Metheus Film – Rom/Lisa Film – München); **UA**: 22. 12. 72; **OL**: 101 (2770 m); **DEA**: 29. 12. 72; **DL**: 81 min; **FSK**: 12; **P**: Mario Siciliano, Otto Retzer; **R**: Mario Siciliano; **B**: Adriano Bolzoni (**I**: Kurt Nachmann); **K**: Gino Santini (Techniscope – Technicolor); **M**: Elvio Monti, Franco Zauli; **S**: Titelsong gesungen von Elvio Monti; **D**: Robert Widmark (Alberto dell'Acqua), Ron Ely, Uschi Glas, Alan Abbott (Ezio Marano), Wanda Vismara, Stelio Candelli, Dan May (Dante Maggio), Angelika Ott, Enzo

Andronico, Lars Bloch, Dan Van Husen, Domenico Maggio, Carlo Mancini, Man Fury (Furio Meniconi); **I:** Als Prediger verkleideter Pistolero und sein Kumpan lehren Banditen das Fürchten, die ein Städtchen terrorisieren. *Eine deutsch-coproduzierte Western-Farce sondergleichen.*

All'ombra di una Colt (1965) DT: Pistoleros; **ET:** In a colt's shadow; **IT:** All'ombra di una Colt; **ST:** Plazo para morir; **FT:** Un mercenaire reste à tuer; **HL:** Italien/Spanien (Hercules Cinematografica – Rom/Hispamer Films – Madrid); **UA:** 10.12.65; **OL:** 84 (2303 m); **DEA:** 7.10.66; **DL:** 82 min; **FSK:** 16; **P:** Vincenzo Genesi; **R:** Giovanni Grimaldi; **B:** Giovanni Grimaldi Maria del Carmen Martinez Roman; (**I:** Aldo Barni, Aldo Luxardo); **K:** Julio Ortas, Stelvio Massi (Cromoscope – Eastmancolor); **M:** Nico Fidenco; **S:** »All'ombra di una colt« und »Finché il mondo sarà« – gesungen von I Cantori Moderni; **CD:** Ringo il Texano/All'ombra di una colt/Per il gusto di uccidere/Dinamite Jim (RCA OST 129): 4 tracks; **DO:** Spanien (Alcala de Henares, Hoyo de Manzanares, Manzanares el Real); **D:** Stephen Forsythe, Conrado Sanmartin, Anne Sherman, Helga Linè, Franco Ressel, Frankie Liston, Pepe Calvo, Aldo Sambrell, Xan Das Bolas, Rafael Albaicin, Javier Rivera, Sancho Gracia, Andrea Scotti, Graham Sooty; **I:** Ein Revolverheld versucht, mit dem Lohn für den Schutz eines Dorfes vor einer Verbrecherbande als Farmer ein neues Leben anzufangen und muss sich gegen korrupte Bürger und seinen eigenen Schwiegervater durchsetzen. *Unterhaltsamer, harter Frühwestern von Komödienregisseur Gianni Grimaldi.*

All'ultimo sangue (1968) DT: Den Geiern zum Fraß; **ET:** Bury them deep; **IT:** All'ultimo sangue; **FT:** Jusqu'à la dernière goutte de sang; **HL:** Italien (Società Ambrosiana Cinematografica – S.A.C., Rom/Arborea – Cagliari); **UA:** 18.7.68; **OL:** 98 (2702 m); **DEA:** 15.10.70; **DL:** 86 min; **FSK:** 18; **P:** Paolo Moffa, Oscar Santaniello; **R:** Paolo Moffa; **B:** Vincenzo Dell'Aquila, Paolo Moffa; **K:** Franco Villa (Cromoscope – Eastmancolor); **M:** Nico Fidenco; **CD:** SW Encyclopedia Vol. 3 (KICP 435): 1 track; Wanted – Dead or Alive (CAM 900-020): 1 track; **D:** Craig Hill, Ettore Manni, Ken Wood, José Greci, Alberto Bucchi, Francesco Santovetti, Luciano Doria, Ruggero Salvatori, Giuseppe Sorrentino, Silvano Zuddas; **I:** Zwei Revolverhelden im Kampf um einen geraubten Goldtransport, den sich amerikanische und mexikanische Banditen streitig machen. *Durchschnittswestern von Paolo Moffa.*

Amico mio ... frega tu che frego io! (1973) DT: Colorado – Zwei Halunken im Goldrausch; **ET:** Anything for a friend; **IT:** Amico mio ... frega tu che frego io!; **HL:** Italien (Tarquinia Internazionale Cinematografica); **UA:** 18.2.73; **OL:** 94 (2580 m); **DEA:** 3.12.99 (Kabel 1); **DL:** 89 min; **P:** Demofilo Fidani; **R:** Demofilo Fidani; **B:** Demofilo Fidani, Maria Rosa Valenza, Filippo Perrone; **K:** Claudio Morabito (Panoramico – Eastmancolor); **M:** Lallo Gori; **DO:** Italien; **D:** Red Carter (Ettore Manni), Bud Randall, Sleepy Warren, Angela Portaluri, Rick Boyd, Gordon Mitchell, Simone Blondell, Carla Mancini, Raimondo Toscano, Dennis Colt, Custer Gail; **I:** *Schlechter, aber trotzdem unterhaltsamer*

Film über zwei Kleinganoven des Trashregisseurs Demofilo Fidani.

Amico, stammi lontano almeno un palmo ... (1971) DT: Ben und Charlie/Zwei linke Hände in der rechten Tasche/Zwei Himmelhunde im Wilden Westen; ET: Ben and Charlie; **IT:** Amico, stammi lontano almeno un palmo ...; **ST:** Les llamaban y les llaman: dos sinverguenzas; **FT:** Méfie-toi Ben, Charlie veut ta peau/Ben et Charlie; **HL:** Italien (Juppiter Generale Cinematografica – Rom); **UA:** 4.2.72; **OL:** 121 (3330 m); **DEA:** 28.4.72; **DL:** 120; **FSK:** 18; **P:** Franco Committeri; **R:** Michele Lupo; **B:** Luigi Montefiore, Sergio Donati (**I:** Luigi Montefiore); **K:** Aristide Massaccesi (Techniscope – Technicolor); **M:** Gianni Ferrio; **S:** »Let it rain, let it pour« – gesungen von Stefan Grossman; **CD:** Amico, stammi lontano almeno un palmo (Digitmovies CDDM027): 23 track; Spaghetti-Westerns Vol. 1 (DRG 32905): 6 tracks; **DO:** Spanien (Almería); **D:** Giuliano Gemma, George Eastman, Vittorio Congia, Giacomo Rossi Stuart, Marisa Mell, Luciano Lorcas (Catenacci), Giovanni Pazzafini, Remo Capitani, Aldo Sambrell, Franco Fantasia, Tom Felleghi, Géorges Rigaud, Antonio Casas, Roberto Camardiel; **I:** Die erfolglosen Versuche zweier befreundeter Gangster, mit Falschspiel und Räubereien zu Geld zu kommen. *Sehr unterhaltsame Italo-Western-Parodie mit einem tollen Buddy-Team: Giuliano Gemma + George Eastman.*

Los amigos (1972) DT: Das Lied von Mord und Totschlag/Spiel mir das Lied von Mord und Totschlag; ET: Deaf Smith and Johnny Ears; **IT:** Los amigos; **ST:** Los amigos; **FT:** Los amigos; **HL:** Italien (Compagnia Cinematografica Prima/Co-Film – Milano); **UA:** 29.3.73; **OL:** 98 (2705 m); **DEA:** 16.8.73; **DL:** 92 min; **FSK:** 16; **P:** Joseph Janni, Luciano Perugia; **R:** Paolo Cavara; **B:** Paolo Cavara, Augusto Finocchi, Lucia Drudi Demby, Oscar Saul, Henry Essex (**I:** Oscar Saul, Harry Essex); **K:** Tonino Delli Colli (Normal – Technicolor); **M:** Daniele Patucchi; **S:** »The ballad of Deaf & Ears« und »Even if you are not the first one« – gesungen von Ann Collin; **CD:** Los amigos (CAM CSE 075): 9 tracks; SW Encyclopedia Vol. 4 (KICP 436): 1 track; Wanted – Dead or Alive (CAM 900-020): 2 tracks; **DO:** Italien; **D:** Anthony Quinn, Franco Nero, Pamela Tiffin, Ira Von Fürstenberg, Adolfo Lastretti, Franco Graziosi, Tom Felleghy, Renato Romano, Antonio Fàa Di Bruno, Francesca Benedetti, Cristina Airoldi, Romano Puppo; **I:** Um die unabhängig gewordene Republik Texas vor mordenden Gegnern zu schützen, heuert ihr Präsident zwei bewährte Kämpfer an. Dabei fällt dem taubstummen Partner die mit Bravour ausgeübte Führungsrolle zu. *Einziger Western von Cavara, ist trotz der hervorragenden Besetzung leider nur mäßig unterhaltsam.*

Ammazzali tutti e torna solo (1968) DT: Töte alle und kehr allein zurück/Töte sie alle und komm' allein zurück; ET: Kill them all and come back alone; **IT:** Ammazzali tutti e torna solo; **ST:** Mátalos y vuelve; **FT:** Tuez-les tous et revenez seul; **HL:** Italien/Spanien (Fida Cinematografica – Rom/Centauro Film – Madrid); **UA:** 31.12. 68; **OL:** 99 (2730 m); **DEA:** 27.2.70; **DL:** 92 min; **FSK:** 18; **P:** Edmondo

Amati; **R:** Enzo Girolami; **B:** Tito Carpi, Enzo Girolami, Francesco Scardamaglia, Joaquin Luis Romero Marchent (**I:** Tito Carpi); **K:** Alejandro Ulloa (Techniscope – Technicolor), **M:** Francesco De Masi, **S:** »Gold«, »Come Mai« – gesungen von Raoul; **CD:** Sartana non perdona/Vado ... L'ammazzo e torno/Ammazzali tutti e torna solo (BEAT CDCR 22): 12 tracks; Spaghetti-Westerns Vol. 4 (DRG 32932): 2 tracks; SW Encyclopedia Vol. 3 (KICP 435): 2 tracks; **DO:** Spanien (Almería, Colmenar Viejo, Pantano del Alberche), Italien; **D:** Chuck Connors, Frank Wolff, Franco Citti, Leo Anchóriz, Men Fury (Furio Meniconi), Ken Wood, Robert Widmark, Alberto Dell'Acqua, Hercules Cortes, John Barta, Antonio Molino Rojo, Alfonso Rojas; **I:** Im Auftrag der Südstaaten-Armee versuchen sieben Gangster, sich einer Ladung Goldes zu bemächtigen, die von Nordstaatlern in einem Pulvermagazin gelagert wird. *Einer der besten und actionreichsten Western von Enzo Girolami.*

⌀ **Amore, piombo e furore (1978) ET:** China 9, Liberty 37; **IT:** Amore, piombo e furore; **ST:** Clayton Drumm/Los Pistoleros; **HL:** Italien/Spanien (C.E.C. – Compagnia Europea Cinematografica – Rom/Aspa Producciónes Cinematográficas – Madrid); **UA:** 4.8.78; **OL:** 96 (2627 m); **P:** Gianni Bozzacchi, Valerio De Paolis; **R:** Monte Hellman; **B:** Ennio De Concini, Vicente Escrivà Soriano (**I:** Ennio De Concini); **K:** Giuseppe Rotunno (Cinemascope – Technicolor); **M:** Pino Donaggio; **S:** »China 9 love ballad« – gesungen von Ronee Blakely; **CD:** Amore, piombo e furore (Prometheus PCD 117): 16 tracks; Requiem für Ringo (Tsunami T0S 0301): 1 track; Spaghetti-Westerns Vol. 1 (DRG 32905): 2 tracks; **DO:** Spanien; **D:** Fabio Testi, Warren Oates, Jenny Agutter, Sam Peckinpah, Luis Prendes, Isabel Mestres, Gianrico Tondinelli, Charlie Bravo, Helga Line, Romano Puppo, Luis Barboo, Mattieu Ettori, Yvonne Sentis; **I:** Der berüchtigte Revolverheld Shaw wird von einigen Eisenbahnmagnaten angeheuert, den Farmer Sebanek zu töten, um deren Land zu erhalten. Stattdessen hilft er diesem, sich gegen den Terror dieser Verbrecher zur Wehr zu setzen. *Der Italo-Western-Versuch von Monte Hellmann ist Geschmackssache. Sowieso nur den Wenigsten bekannt, ist er für einige ein überzeugender und un-*

Ammazzali tutti e torna solo

gewöhnlicher Western, für die meisten Anderen allerdings einfach nur zum Gähnen langweilig. Auch Regie-Legende Sam Peckinpah ist in einer kleinen Rolle zu sehen.

○**Anche nel West c'era una volta Dio (1968) ET:** Between God, the Devil and a Winchester; **IT:** Anche nel West c'era una volta Dio; **ST:** Entre Dios y el diablo; **FT:** Un colt et le diable; **HL:** Italien/Spanien (Circus Film – Rom/R.M. Films – Madrid); **UA:** 7. 10. 68; **OL:** 91 (2490 m); **P:** Marino Girolami, Rafael Marina; **R:** Marino Girolami; **B:** Marino Girolami, Amedeo Sollazzo, Tito Carpi, Manuel Martinez Remis (**I:** Robert Luis Stevenson (»Die Schatzinsel«); **K:** Pablo Ripoll, Alberto Fusi (Techniscope – Eastmancolor); **M:** Carlo Savina; **S:** »Heart of Stone« – gesungen von Raoul; **DO:** Spanien (Seseña, Titulcia), Italien (Elios Film Studio Rom); **D:** Gilbert Roland, Richard Harrison, Enio Girolami, Folco Lulli, Raf Baldassarre, Dominique Boschero, Roberto Camardiel, Humberto Sempere, Luis Barboo, Rocco Lerro, Xan Das Bolas, Enzo G. Castellari, José Maria Ecenarro; **I:** Der abtrünnige Südstaatenoffizier Bob Ford hat mit seiner Bande eine Kirche ausgeräumt und wird nun von dem gefürchteten Pedro Butch und einigen anderen gejagt. *Einigermaßen unterhaltsamer Western von Komödienregisseur Marino Girolami, frei nach Stevensons »Schatzinsel«.*

Anche per Django le carogne hanno un prezzo (1971) DT: Auch Djangos Kopf hat seinen Preis; **ET:** Even Django has his price; **IT:** Anche per Django le carogne hanno un prezzo; **ST:** Tambien la corona tiene un precio; **FT:** Pour Django, les salauds ont un prix; **HL:** Italien (Constitution Films); **UA:** 8.5.71; **OL:** 92 (2540 m); **DEA:** 11.6.99 (Kabel 1); **DL:** 83 min; **P:** Diego Alchimede; **R:** Luigi Batzella; **B:** Mario De Rosa, Gaetano Dell'Era, Luigi Batzella; **K:** Giorgio Montagnani (Telestampa – Eastmancolor); **M:** Vasco Vasil Kojucharov; **DO:** Italien; **D:** Jeff Cameron, John Desmont, Esmeralda Barros, Gengher Gatti, Edilio Kim, Angela Portaluri, Dominique Badou, William Mayor, Mark Devis, Mario De Rosa, Franco Daddi, Laila Shed, El Meteco, Rinaldo Zamperla; **I:** Django ist auf der Fährte der Gebrüder Cortez, die nicht nur die Bank von Silver City überfallen, sondern auch seine Verlobte entführt haben. *Luigi Batzellas erster und bester Western schafft es trotzdem nicht so recht, eine geradlinige Geschichte zu erzählen.*

⌀ **Anda muchacho, spara! (1971) DT:** Knie nieder und friß Staub; **ET:** Dead men ride; **IT:** Anda muchacho, spara!; **ST:** El sol bajo la tierra; **FT:** Ma dernière balle sera pour toi; **HL:** Italien/Spanien (Italian International Film/Roberto Cinematografica/Transeuropa Film – Rom/Coop. Copercines – Madrid); **UA:** 16.8.71; **OL:** 96 (2650 m); **DEA:** 23.6.72; **DL:** 98 min; **FSK:** 18; **P:** Alfredo Nicolai, Eduardo M. Brochero; **R:** Aldo Florio; **B:** Aldo Florio, Bruno Di Geronimo, Eduardo M. Brochero; **K:** Emilio Foriscot (Techniscope – Eastmancolor); **M:** Bruno Nicolai; **CD:** Anda muchacho, spara/Django spara per primo (CAM 508952-2): 15 tracks; SW Encyclopedia Vol. 4

(KICP 436): 2 tracks; **DO:** Spanien (Alcala de Henares, Hoyo de Manzanares, Colmenar Viejo); **D:** Fabio Testi, Charo Lopez, José Calvo, Ben Carrà, Eduardo Fajardo, Massimo Serato, José Nieto, Alan Collins, Roman Barrett (Romano Puppo), Daniel Martin, Goffredo Unger, Mario Morales; **I:** Ein Einzelgänger vernichtet ebenso ungerührt wie systematisch eine Horde von Banditen. *Aldo Florios zweiter Western zeigt hier Fabio Testi in einem harten Actionfilm, der sehr gut unterhält.*

Un animale chiamato ... uomo! (1972) **ET:** Animal called Man; **IT:** Un animale chiamato ... uomo!; **FT:** Cet homme est un animal; **HL:** Italien (Lattes Cinematografica – Rom); **UA:** 23.12.72; **OL:** 85 (2345 m); **P:** Mano Vincenzo; **R:** Roberto Mauri; **B:** Roberto Mauri; **K:** Luigi Ciccarese (Panoramico – Eastmancolor); **M:** Carlo Savina; **DO:** Italien; **D:** Vassili Karis, Lillian Bray, Craig Hill, Gilberto Galimberti, Roberto Dell'Acqua, Omero Capanna, Paolo Magalotti, Sergio Serafin; **I:** Komödie um einen Banditen, der einen Schießwettbewerb gewinnt und den traditionellen Gewinner verärgert. *Ziemlich lahme Westernkomödie von Roberto Mauri.*

Arizona Colt (1966) **DT:** Arizona Colt/Halleluja Companeros; **ET:** Arizona Colt/The man from nowhere; **IT:** Arizona Colt; **ST:** Arizona Colt; **FT:** Arizona Colt; **HL:** Italien/Frankreich (Leone Film – Rom/Orphée Productions – Paris); **UA:** 27.8.66; **OL:** 101 (2780 m); **DEA:** 24.2.67; **DL:** 93 min; **FSK:** 18; **P:** Elio Scardamaglia; **R:** Michele Lupo; **B:** Ernesto Gastaldi (I: Ernesto Gastaldi, , Luciano Martino); **K:** Guglielmo Mancori (Techniscope – Technicolor); **M:** Francesco De Masi; **S:** »Arizona Colt« – gesungen von Raoul; »From the West« – gesungen von I Cantori Moderni **CD:** Arizona Colt/Johnny Yuma (RCA OST 124): 20 tracks; Wanted – Dead or Alive (CAM 900-020): 1 track; **DO:** Spanien (Almería), Italien (Cinecittà Studio Rom); **D:** Giuliano Gemma, Corinne Marchand, Fernando Sancho, Roberto Camerdiel, Giovanni Pazzafini, Rosalba Neri, Gérard Lartigau, Mirko Ellis, Gianni Solaro, Valentino Macchi, Renato Chiantoni, Tom Felleghi, Andrea Bosic, José Manuel Martin; **I:** Abenteuer eines Pistoleros, der um den Preis von 500 Dollar und einer Liebesnacht den

Mord an der Tochter eines Saloon-Besitzers rächen soll. *Einer der allerbesten und härtesten Michele-Lupo-Western mit einem hervorragenden Giuliano Gemma.*

Arizona si scatenò ... e li fece fuori tutti! (1970) **DT:** Der Tod sagt Amen/An den Galgen, Hombre; **ET:** Arizona/Arizona Colt returns/Arizona returns; **IT:** Arizona si scatenò ... e li fece fuori tutti!; **ST:** Arizona vuelve; **FT:** Arizona se déchaîne; **HL:** Italien/Spanien (Devon Film – Rom/Coop. Astro/General Sanjuro 29 – Madrid); **UA:** 14.8.70; **OL:** 101 (2790 m); **DEA:** 5.8.71; **DL:** 94 min; **FSK:** 18; **P:** Luciano Martino, Vittorio Galiano; **R:** Sergio Martino; **B:** Joaquín Luis Romero Marchent (I: Ernesto Gastaldi); **K:** Miguel F. Mila (Techniscope – Eastmancolor); **M:** Bruno Nicolai; **DO:** Spanien (Manzanares el Real), Italien; **D:** Anthony Steffen, Roberto Camerdiel, José Manuel Martin, Aldo Sambrell, Rosalba Neri, Marcella Michelangeli, Luis Barboo, Gildo Di Marco, Raf Baldassarre, Emilio Delle Piane, Silvio Bagolini, Enrico Marciani; **I:** Eine Mörderbande wird von einem Schießkünstler im Alleingang ausgerottet. *Mittelmäßiger Versuch eines »Arizona«-Sequels, leider lange nicht auf der Höhe des Originals. Antony Steffen ist kein Giuliano Gemma und Sergio Martino kein Michele Lupo.*

Arrapaho (1984) **IT:** Arrapaho; **HL:** Italien (Lux Internationale Cinematografica – Rom); **OL:** 98 (2695 m); **P:** Ciro Ippolito; **R:** Ciro Ippolito; **B:** Ciro Ippolito, Silvano Ambrogi, Daniele Pace (I: Ciro Ippolito); **K:** Giuseppe Bernardini (Panoramico – Eastmancolor); **M:** Totò Savio; **D:** Alfredo Cerruti, Tini Cansino, Armando Marra, Toto Savio, Daniele Pace, Giancarlo Bigazzi, Clara Bindi, Diego Cappuccio, Benedetto Casillo, Fiore De Rienzo, Roberta Fregonese, Gregorio Gandolfo, Maurizio Governa; **I:** Die komischen Abenteuer über die sexuellen Rituale von zwei Indianerstämmen, den Arrapahos und den Frocehiennies.

Arriva Durango: paga o muori (1970) **ET:** Durango is coming, pay or die; **IT:** Arriva Durango: paga o muori; **FT:** Durango encaisse ou tue; **HL:** Italien (Three Stars Film); **UA:** 5.3.71; **OL:** 100 (2750 m); **P:** Gisleno Procaccini; **R:** Roberto Bianchi Montero; **B:** Mario Guerra, Vittorio Vighi; **K:** Mario Mancini (Cinemascope – Eastmancolor); **M:** Lallo Gori; **DO:** Italien; **D:** Brad Harris, José Torres, Gisela Hahn, Gino Lavagetto, Maretta, Andrea Scotti, Attilio Dottesio, Gino Reni, Roberto Messina, Franco Pasquetto, Emilio Zago, Claudio Trionfi, Irio Fantini, Giovanni Gianfriglia; **I:** In Tucson wird Durango vom Stadtboss Ferguson ins Gefängnis gesteckt. Bandit El Tuerto verhilft ihm zur Flucht, um danach mit ihm eine Goldladung von Ferguson zu stehlen, die jener den armen Bürgern von Tucson abgeluchst hat. *Uninteressanter Billigstwestern von Roberto Bianchi Montero.*

Arrivano Django e Sartana ... è la fine! (1970) **DT:** Django und Sartana kommen; **ET:** Django and Sartana are coming ... it's the end; **IT:** Arrivano Django e Sartana ... è la fine!;

GIULIANO GEMMA ARIZONA COLT

FT: Sartana, si ton bras gauche te gêne, coupe-le; HL: Italien (Tarquinia Internazionale Cinematografica); UA: 20.11.70; OL: 96 (2630 m); DEA: 26.9.97 (Kabel 1); DL: 89 min; P: Demofilo Fidani; R: Demofilo Fidani; B: Demofilo Fidani, Maria Rosa Valenza (I: Demofilo Fidani); K: Aristide Massaccesi (Panoramico – Eastmancolor); M: Lallo Gori; DO: Italien (Cave Studio Rom); D: Hunt Powers, Chet Davis (Victoriano Gazzara), Simone Blondell, Dennis Colt, Celso Faria, Dean Reese (Attilio Dottesio), Gordon Mitchell, Paul Ross, Krista Nell, Custer Gail, Mariella Palmich, Mario Cappuccio, Giglio Gigli, Mario Dardanelli; I: Django und Sartana auf der Jagd nach dem »verrückten Kelly« und seiner Bande, die einen Goldschatz und die Tochter eines reichen Ranchers entführt haben. *Parallelfilm zu »Inginocchiati straniero ... i cadaveri non fanno ombra!« – genauso schlecht vom Meister des Trashwestern Demofilo Fidani.*

Attento gringo ... è tornato Sabata! (1971) ET: Luck Morgan you won't get that gold/Watch out gringo; Sabata will return; IT: Attento gringo ... è tornato Sabata!; ST: Demasiados muertos para Tex; Judas ... Toma tus monedas!; FT: Garetoi, Gringo, voilà Sabata; HL: Italien/Spanien (Empire Films – Rom/Balcázar Producciones Cinematográficas – Barcelona); OL: 89 (2450 m); P: Alfonso Balcázar; R: Alfonso Balcázar; B: Giovanni Simonelli, José Ramon Larraz, Alfonso Balcázar; K: Jaime Deu Casas (Techniscope – Eastmancolor); M: Piero Piccioni; DO: Spanien; D: George Martin, Vittorio E. Richelmy, Fernando Sancho, Rosalba Neri, Daniel Martin, Osvaldo Genazzani, Luciano Rossi, Juan Fairen, Manuel Bronchud, Manuel Gaz; I: Die Geschichte eines Goldraubs und einiger armer Siedler, die auf ihrem Friedhof einen Schatz entdecken.

Aventuras del Oeste (1964) DT: Die letzte Kugel traf den Besten; ET: Seven hours of gunfire; IT: Sette ore di fuoco; ST: Aventuras del Oeste; FT: Sept heures de feu/La dernière aventure de Buffalo Bill; HL: Spanien/Italien/Deutschland (Centauro Films – Madrid)/P.E.A. – Produzioni Europee Associate di Grimaldi Maria Rosaria e C. – Napoli/Constantin Film – München); UA: 21.1.65; OL: 93 (2545 m); DEA: 9.7.65; DL: 76 min; FSK: 12; R: Joaquín Luis Romero Marchent; B: Joaquín Luis Romero Marchent; K: Rafael Pacheco (Techniscope – Eastmancolor); M: Angelo Francesco Lavagnino; DO: Spanien (Colmenar Viejo, Manzanares el Real); D: Clyde Rogers (Rik van Nutter), Adrian Hoven, Elga Sommerfeld, Gloria Milland, Carlos R. Marchent, Helga Line, Alfonso Rojas, Antonio Molina Rojo, Francisco Sanz, Raf Baldassarre, Chris Huerta; I: Italo-Western über den Kampf zwischen Siedlern und Indianern, denen von schurkischen Weißen Waffen verkauft werden. *Früher, an den amerikanischen Vorbildern orientierter Western von Joaquín Luis Romero Marchent.*

Bada alla tua pelle, Spirito Santo! (1972) IT: Bada alla tua pelle, Spirito Santo!; HL: Italien (Cepa-Cinematografica); UA:

7.5.72; OL: 89 (2455 m); R: Roberto Mauri; B: Roberto Mauri; K: Giuseppe Pinori (Cinescope – Eastmancolor); M: Carlo Savina; DO: Italien (Elios Film Studio Rom); D: Vassili Karis, Daria Norman, Ray O'Connor, Craig Hill, José Torres, Ken Wood, Augusto Funari, Omero Capanna, Aldo Berti, Lilian Tyrel, Tom Fellighi, Vittorio Fanfoni, Dina Franchi, Malfisa Macelloni; I: Spirito Santo legt sich mit dem Banditen Diego d'Asburgo und Colonel John Mills an, die sich alle eine Goldladung unter den Nagel reißen wollen. *Ultra-Lowbudget-Western von Mauri, gehört zu den besseren Filmen dieses Billigregisseurs.*

○ **Ballata per un pistolero (1967)** DT: Rocco – der Einzelgänger von Alamo; ET: Ballad of a gunfighter; IT: Ballata per un pistolero/Pistole nella polvere; ST: Balada de un pistolero; FT: Ballade d'un pistolero; HL: Italien/Deutschland (Giano Film/Pro-Di Cinematografica – Rom/TEFI Filmproduktion – München); UA: 19.4.67; OL: 98 (2685 m); DEA: 3.11.67; DL: 98 min; FSK: 18; P: Alfredo Nicolai, Ernst Ritter Von Theumer; R: Alfio Caltabiano; B: Alfio Caltabiano, Ernst Ritter Von Theumer (I: Alfio Caltabiano); K: Guglielmo Mancori (Ultrascope – Eastmancolor); M: Marcello Giombini; S: »Ballata per un pistolero« – gesungen von Peppino Gagliardi; CD: Ballata per un pistolero (GDM 2064): 22 tracks; SW Encyclopedia Vol. 1 (KICP 433): 1 track; DO: Jugoslawien; D: Anthony Ghidra, Angelo Infanti, Anthony Freeman, Al Northon (Alfio Caltabiano), Dan May (Dante Maggio), Monica Teuber, Ivan G. Scratuglia, Ellen Schwiers, Peter Jacob (Pietro Ceccarelli), Hermann Nehlsen, Nicola Balini; I: Ein Mann, der 15 Jahre unschuldig im Gefängnis saß, rächt sich an seinem Feind und entlarvt dabei eine berüchtigte Bande. *Der beste von drei Alfio-Caltabiano-Western zeigt eine interessante Rache-Geschichte.*

La banda J. & S. cronaca criminale del Far West (1972) DT: Die rote Sonne der Rache; ET: Sonny and Jed; IT: La banda J.& S. cronaca criminale del Far West; ST: Los hijos del día y de la noche; FT: Far West Story; HL: Italien/Deutschland/Spanien (Roberto Loyola Cinematografica – Rom/Terra Filmkunst – München/Berlin/Orfeo P.C. – Madrid); UA: 11.8.72; OL: 97 (2660 m); DEA: 24.11.72; DL: 97 min; FSK: 18; P: Roberto Loyola; R: Sergio Corbucci; B: Sergio Corbucci, Mario Amendola, Sabatino Ciuffini, Adriano Bolzoni, José Maria Forqué (I: Sergio Corbucci); K: Luis Cuadrado (Cinescope – Technicolor); M: Ennio Morricone; CD: Professione figlio/La banda J & S cronaca criminale del far west/Le monachine (CAM CSE 050): 6 tracks; SW Encyclopedia Vol. 4 (KICP 436): 2 tracks; Wanted – Dead or Alive (CAM 900-020): 2 tracks; DO: Spanien (Almería, Polopos, Colmenar Viejo); D: Tomás Milian, Susan George, Telly Savalas, Eduardo Fajardo, Rossana Yanny, Franco Giacobini, Herbert Fux, Werner Pochath, Gene Collins, Laura Betti, Victor Israel, Pilar Climent, Luis Aller, Fabian Conde, Alvaro De Luna; I: Raubendes, gewalttätiges Banditenpärchen wird von einem Sheriff weniger des Gesetzes als der persönlichen

Rache wegen gejagt. *Offensichtlich mit der linken Hand gedrehter Versuch einer Bonnie & Clyde-Western-Persiflage von Italo-Western-Profi Sergio Corbucci.*

Bandidos (1967) DT: Bandidos; ET: Bandidos/You die … I live; IT: Bandidos; ST: Bandidos; FT: Bandidos; HL: Italien/Spanien (E.P.I.C. – Edizioni Produzioni Internazionali Cinematografiche – Rom/Hesperia Films – Madrid); UA: 15.10. 67; OL: 93 (2570 m); DEA: 2.8.68; DL: 95 min; FSK: 18; P: Solly V. Bianco; R: Massimo Dallamano; B: Romano Migliorini, Giovan Battista Mussetto, Juan Cobos (I: Juan Cobos, Luis Laso); K: Emilio Foriscot (Techniscope – Technicolor); M: Egisto Macchi; S: »La ballata del treno« – gesungen von Nico Fidenco; DO: Spanien, Italien (Dino de Laurentiis Studio Rom); D: Enrico Maria Salerno, Terry Jenkins, Maria Martin, Venantino Venantini, Chris Huerta, Marco Guglielmi, Victor Israel, Roberto Messina, Valentino Macchi, Antonio Pica, Luigi Pistilli, Jesus Puente; I: Ein Kunstschütze, dem bei einem Eisenbahnüberfall von seinem ehemaligen Kompagnon beide Hände zerschossen wurden, zieht sich einen jungen Rächer heran. *Spitzenwestern von Sergio Leones Kameraprofi Massimo Dallamano – leider sein einziger Beitrag zum Genre.*

Il bandolero stanco (1952) IT: Il bandolero stanco; HL: Italien (Iris Film); P: Ezio Gagliardo, Emo Bistolfi; R: Fernando F. Cerchio; B: Emo Bistolfi, Renato Rascel, Carlo Romano, Mario Guerra; K: Tino Santoni (Normal – Color); M: Angelo Francesco Lavagnino; DO: Italien; D: Renato Rascel, Lauretta Masiero, Lia Di Leo, Tino Buazzelli, Gigi Bonos, Franco Jamonte, Silvio Bagolini, Mimmo Craig, Peppino Ferrara, Rodolfo Solinas, Bianca Maria Mascolo, Arnaldo Arnaldi, Rig De Sonay, Gabriella Graziotto; I: Die Missgeschicke von Pepito, einem armen Bauern, der im alten Westen nach Gold sucht.

I bandoleros della dodicesima ora (1972) ET: Now they call him Amen; IT: Bandoleros della dodicesima ora; ST: Les llamaban calamidad; HL: Italien/Spanien (Variety Film – Rom/Balcázar Producciones Cinematográficas

– Barcelona); OL: 90 (2479 m); P: Francisco Balcazar; R: Alfonso Balcázar; B: Giovanni Simonelli, Alfonso Balcázar (I: Alfonso Balcázar); K: Jaime Deu Casas (Panoramico – Eastmancolor); M: Willy Brezza; S: »Sundown sun« – gesungen von Dreambags D: Michael Forest, Fred Harrison (Fernando Bilbao), Gigi Bonos, Malisa Longo, Paolo Gozlino, Antonio Almorós, Antonio Molino Rojo, Fernando Rubio, Luigi Antonio Guerra, Indio Gonzales; I: Ein Kopfgeldjäger wird in einen Weidekrieg verwickelt und hilft einigen Farmern im Kampf gegen eine Bande von Verbrechern.

Bang Bang Kid (1967) DT: Bang Bang Kid ET: Bang Bang Kid; IT: Bang Bang Kid; ST: Bang Bang Kid; HL: Italien/Spanien/USA (Domino Film – Rom/L.M. Films – Madrid)/Westside International Films (New York); UA: 19.11.67; OL: 88 (2410 m); DEA: September 1999 (DF1); DL: 84 min; P: Sidney Pink, Mirko Purgatori; R: Stanley Prager, Giorgio Gentili; B: Stanley Prager, José Luis De Las Bayonas; K: Antonio Macasoli (Normal – Technicolor); M: Nico Fidenco; D: Guy Madison, Sandra Milo, Tom Bosley, Riccardo Garrone, José Maria Caffarel, Dianik Zurakowska, Giustino Durano, Luciano Bonanni, Ben Tatar, Pino Ferrara, Ennio Antonelli, Natale Nazareno; I: Mit Hilfe eines Sheriff-Roboters werden der Tyrann Bear Bullock und seine Banditen aus der Stadt Limerick gejagt und die Bürger können wieder beruhigt schlafen. *Unglaublich schlechter Pseudo-Italo-Western von Stanley Prager, der hier das Italo-Pseudonym Luciano Lelli verwendete.*

Una bara per lo sceriffo (1965) DT: Eine Bahre für den Sheriff/Joe Logan sieht rot; ET: Coffin for the Sheriff; IT: Una bara per lo sceriffo; ST: Una tumba para el sheriff; FT: Un cercueil pour le shérif; HL: Italien/Spanien (Nike Cinematografica – Napoli/Estela Films – Madrid); UA: 23.12.65; OL: 90 (2484 m); DEA: 21.1.67; DL: 80 min; FSK: 18; P: Luigi Mondello; R: Mario Caiano; B: Guido Malatesta, David Moreno; K: Julio Ortas (Cinemascope – Eastmancolor); M: Francesco De Masi; S: »A lone and angry Man« – gesungen von Peter Tevis; CD: Il ranch degli spietati/Una bara per lo sceriffo (BEAT CDCR 44): 8 tracks; Spaghetti-Westerns Vol. 4 (DRG 32932): 2 tracks; DO: Spanien (Hoyo de Manzanares, Manzanares el Real, Alcala de Henares); D: Anthony Steffen, Eduardo Fajardo, Jorge Rigaud, Armando Calvo, Arthur Kent, (Arturo Dominici), Luciana Gilli, Miguel Del Castillo, Tomás Torres, Jesus Tordesillas, Maria Vico, Francisco Braña, Bob Johnson, Santiago Rivero, Rafael Vaquero; I: Ein texanischer Sheriff, dessen Frau von einer Gangsterbande vergewaltigt und ermordet wurde, spürt die Täter auf und hält blutige Abrechnung. *Guter, harter Rachewestern von Genre-Routinier Mario Caiano.*

Bastardo, vamos a matar (1971) DT: Kopfgeld für Chako; ET: Bastard, go and kill; IT: Bastardo, vamos a matar; ST: Chaco; FT: Chaco; HL: Italien (I.C.P. – International Cine Productions – Rom/Sal Cinco – Madrid); UA:

6.3.71; **OL:** 97 (2675 m); **R:** Luigi Mangini; **B:** Sergio Garrone, Luigi Mangini (**I:** Sergio Garrone); **K:** Marcello Gatti (Totalscope – Eastmancolor); **M:** Carlo Rustichelli; **D:** George Eastman, Lincoln Tate, Antonella Steni, Remo Capitani, Tomas Rudy, José Manuel Martin, Franco Lantieri, Jesus Guzman, Carlos Julia, Giorgio Dolfin, Furio Meniconi, Dario Pino, Scilla Gabel, Vincenzo Norvese, Renzo Moneta; **I:** Ein Kopfgeldjäger hilft einem jungen Mexikaner gegen einen reichen Landbesitzer, der dem Mexikaner die Schuld an einem Verbrechen in die Schuhe geschoben hat. *Dieser harte Western ist der einzige Genrebeitrag von Luigi Mangini mit schöner Farbfotografie von Aristide Massaccesi.*

La bataille de San Sebastian (1967) DT: San Sebastian/Die Hölle von San Sebastian; **ET:** Guns for San Sebastian; **IT:** I cannoni di San Sebastian; **ST:** Los cañones de San Sebastian; **FT:** La bataille de San Sebastian; **HL:** Frankreich/Italien (C.I.P.R.A. – Paris/Filmes Cinematografica – Rom/Películas Ernesto Enriquez – México); **UA:** 18.10.68; **OL:** 117 (3218 m); **DEA:** 12.9.68; **DL:** 115 (gekürzte Fassung: 105); **FSK:** 12; **P:** Jacques Bar; **R:** Henri Verneuil; **B:** Serge Ganz, Miguel Morayta, Ennio De Concini (**I:** William Barby Faherty [»A Wall for San Sebastian«]; **K:** Armand Thirard (Franscope – Metrocolor); **M:** Ennio Morricone; **CD:** Hang 'em high/Guns for San Sebastian (Sony Music AK 47705): 13 tracks; Guns for San Sebastian/Dark of the Sun (Chapter III Records CHA 0134): 13 tracks; **DO:** San Miguel de Allende (Durango/Mexiko); **D:** Charles Bronson, Anthony Quinn, Anjanette Comer, Sam Jaffé, Silvia Pinal, Jorge Martinez De Hoyos, Jaime Fernandez, Rosa Furman, Jorge Russek, Leon Askin, José Chavez, Ivan Desny, Fernand Gravey, Pedro Armendariz Jr., Pancho Cordova; **I:** Mexikanisches Dorf wird aufgrund der Bedrohung durch Indianer und Banditen von einem als Priester verkleideten Banditen verteidigt. *Etwas langatmiges in Mexiko gefilmtes französisch-italienisches Westerndrama von Henri Verneuil mit Starbesetzung.*

⊘**The Belle Starr story (1968) DT:** Mein Körper für ein Pokerspiel/Die Killerlady/Die Belle-Starr-Story; **ET:** Belle Star

La bataille de San Sebastian

Story; **IT:** The Belle Starr story/Il mio corpo per un poker; **FT:** L'histoire de Belle Starr; **HL:** Italien (Mercurfin Italiana – Milano); **UA:** 15.3.68; **OL:** 103 (2828 m); **DEA:** 11.10.68; **DL:** 100 min; **FSK:** 16; **P:** Gianni Varsi, Oscar Righini; **R:** Lina Wertmüller; **B:** Lina Wertmüller (**I:** Nathan Wich = Lina Wertmüller); **K:** Alessandro D'Eva (Panavision – Eastmancolor); **M:** Charles Dumont; **S:** »No time for love« – gesungen von Elsa Martinelli; **DO:** Jugoslawien; **D:** Elsa Martinelli, Robert Woods, George Eastman, Francesca Righini, Dan Harrison, Bruno Corazzari, Vladimir Medar, Eugene Walter, Remo De Angelis, Orso Maria Guerini; **I:** Weil sie ihren Vater als den Mörder ihrer Mutter entlarvt hat und sich und ihre Freundin vor ihm retten will, wird eine wagemutige Schöne zum gefürchteten Revolverweib. *Dieser einigermaßen unterhaltsame Western wurde von Lina Wertmüller unter dem Pseudonym Nathan Wich in Jugoslawien gedreht.*

Il bello, il brutto, il cretino (1967) ET: The handsome, the ugly, and the stupid; **IT:** Il bello, il brutto, il cretino; **ST:** El guapo, el feo y el cretino; **HL:** Italien/Deutschland (Claudia Cinematografica – Rom/Tefi Film – München); **UA:** 13.8.67; **OL:** 92 (2520 m); **P:** Gino Mordini; **R:** Giovanni Grimaldi; **B:** Giovanni Grimaldi; **K:** Aldo Giordani (Panoramico – KodakColor); **M:** Lallo Gori; **D:** Franco Franchi, Ciccio Ingrassia, Mimmo Palmara, Brigitte Petry, Lothar Günther, Ivan Giovanni Scratuglia, Bruno Scipioni, Eugenio Galadini, Gino Buzzanca, Pietro Ceccarelli; **I:** Die beiden Komiker Franco Franchi und Ciccio Ingrassia auf den Spuren von Sergio Leones »Il buono, il brutto, il cattivo«. *Von Komödien-Profi Gianni Grimaldi gedrehte typische Franco & Ciccio-Western-Farce.*

La belva (1970) DT: Die Bestie; **ET:** The beast/Rough Justice; **IT:** La belva; **FT:** Le goût de la vengeance; **HL:** Italien (Nadir Cinematografica – Rom); **UA:** 12.9.70; **OL:** 103 (2840 m); **DEA:** Video (Spectrum); **DL:** 84 min; **P:** Paolo Prestano; **R:** Mario Costa; **B:** Mario Costa, Franco Calabrese (**I:** Mario Costa); **K:** Luciano Trasatti (Techniscope – Eastmancolor); **M:** Stelvio Cipriani; **DO:** Italien; **D:** Klaus Kinski, Gabriella Giorgelli, Steven Tedd, Fiona Florence, Paul Sullivan, Giovanni Pallavicino, Giuliano Raffaelli, Cristina Josani, Ivana Novak, Gioia Garson, Andrea Aureli, Vittorio Mangano, Bruno Ariè; **I:** Der irrsinnige Triebtäter Johnny Laster versucht auf allerlei Arten vergeblich, an das große Geld oder Frauen zu kommen. *Auch Schauspieler-Genie Kinski kann dieses miese Machwerk nicht retten.*

Bianco apache (1986) ET: White Apache; **IT:** Bianco apache; **ST:** Apache Kid; **FT:** Bianco Apache; **HL:** Italien/Spanien (Beatrice Films – Rom/Multivideo – Barcelona); **OL:** 100 (2760 m); **R:** Bruno Mattei; **B:** Franco Prosperi (**I:** Roberto Di Girolamo); **K:** Julio Burgos, Luigi Ciccarese (Panoramico – Color); **M:** Luigi Ceccarelli; **DO:** Spanien (Almería, Manzanares el Real); **D:** Sebastian Harrison, Lola Forner, Alberto Farnese, Charlie Bravo, Cinzia De Ponti, Charles Borromel, Luciano Pigozzi, José Moreno, Emilio

Linder, Beny Cardoso, Ignacio Carreño, Alberto Farnese; **I:** Ein kleiner Junge wird nach einem Massaker bei den Apachen aufgezogen und steht dann als Halbindianer zwischen den Fronten. *Missglückter Versuch eines Plädoyers gegen Rassismus in diesem Spätwestern von Bruno Mattei mit Richard Harrisons Sohn in der Hauptrolle.*

Il bianco, il giallo, il nero (1974) DT: Stetson – Drei Halunken erster Klasse/Drei Halunken erster Klasse/Samurai/Stetson; **ET:** The white, the yellow, and the black; **IT:** Il bianco, il giallo, il nero; **ST:** El blanco, el amarillo, el negro; **FT:** Le blanc, le jaune et le noir; **HL:** Italien/Spanien/Frankreich (Tritone Cinematografica – Rom/Mundial Film – Madrid/Filmel – Paris); **UA:** 17.1.75; **OL:** 100 (2750 m); **DEA:** 27.2.75; **DL:** 111 min; **FSK:** 12; **P:** Tommaso Sagone; **R:** Sergio Corbucci; **B:** Mario Amendola, Bruno Corbucci, Santiago Moncada (**I:** Antonio Troisio, Marcello Coscia); **K:** Luis Cuadrado (Cinemascope – Technicolor); **M:** Guido & Maurizio De Angelis; **S:** »Bump«, »White, yellow and black« – gesungen von Dilly Dilly; **DO:** Spanien (Almería, Seseña, Colmenar Viejo), Italien; **D:** Giuliano Gemma, Tomás Milian, Eli Wallach, Jacques Berthier, Ideo Saito, Lorenzo Robledo, Frank Nuyen, Chris Huerta, Manuel De Blas, Romano Puppo, Edgardo Biagetti, Tito Garcìa, Nazzareno Zamperla; **I:** Ein sich als Samurai wähnender japanischer Stallknecht, ein Sheriff und ein Gauner auf der Suche nach einem geraubten Pony, wobei sie sich des Lösegeldes wegen gegenseitig übertölpeln und auch noch von anderen hereingelegt werden. *Statt diesem mit der linken Hand inszenierten Film hätte Sergio Corbucci lieber noch einen Revolutionswestern drehen sollen.*

Bill il taciturno (1967) DT: Django tötet leise; **ET:** Django kills softly; **IT:** Bill il taciturno; **FT:** Django le taciturne; **HL:** Italien/Frankreich (Europea Distribuzione di Salvatore Prignano e C. – Napoli/Films Jacques Leitienne – Paris); **UA:** 29.4. 67; **OL:** 98 (2707 m); **DEA:** 3.5.68; **DL:** 98 min; **FSK:** 18; **P:** Alberto Puccini; **R:** Massimo Pupillo; **B:** Renato Polselli, Paul Farjon (**I:** Renato Polselli); **K:** Mario Parapetti (Panoramico – Eastmancolor); **M:** Berto Pisano; **S:** »Chi non è conte« – gesungen von Annarita Spinaci; **D:** George Eastman, Liana Orfei, Edwin G. Ross (Luciano Rossi), Mimmo Maggio, Peter Hellman, Claudio Biava, Paul Maru, Spartaco Conversi, Antonio Toma, Martial Boschero, Rick Boyd, Giovanna Lenzi, Ilona Drash, Enrico Manera, Federico Pietrabuna; **I:** Einsamer Westmann hetzt zwei Banden aufeinander und tötet die Überlebenden. *Mittelmäßiger Western von Massimo Pupillo.*

Black Jack (1968) DT: Auf die Knie, Django (... und leck mir die Stiefel/Django spielt das Lied vom Tod); **ET:** Black Jack; **IT:** Black Jack (Un uomo per cinque vendette)/Black Joe; **ST:** Un bandolero chamado Black Jack; **FT:** Black Joe/A genoux, Django; **HL:** Italien (Cinematografica Mercedes/Ronbi International Films – Rom); **UA:** 24.10.68; **OL:** 99 (2715 m); **DEA:** 4.12.69; **DL:** 95 min; **FSK:** 18; **P:** Fernando Franchi; **R:** Gianfranco Baldanello; **B:** Giuseppe Andreoli, Augusto Finocchi, Gianfranco Baldanello, Mario Mattei (**I:** Giuseppe Andreoli); **K:** Mario Fioretti (Widescreen – Eastmancolor); **M:** Lallo Gori; **DO:** Italien (Elios Film Studios Rom), Israel (Desert Studios); **D:** Robert Woods, Lucienne Bridou, Rik Battaglia, Federico Chentrens, Dalia, Larry Dolgin, Nino Fuscagni, Sascia Krusciarska, Mimmo Palmara, Ivan Scratuglia, Freddy Unger, Giovanni Bonadonna, Romano Magnino; **I:** Der blutige Rachefeldzug eines Revolverhelden gegen seine einstigen, inzwischen zu Feinden gewordenen Kumpane bei einem Bankraub. *Dieser Rachewestern ist der beste Genrebeitrag von Gianfranco Baldanello – hier ist auch der Held so böse wie die Kriminellen.*

Black Killer (1971) DT: Black Killer; **ET:** Black killer; **IT:** Black Killer; **FT:** Black Killer; **HL:** Italien (Virginia Cinematografica – Rom); **UA:** 27.11.71; **OL:** 101 (2780 m); **DEA:** 9.5.86 (RTL plus); **DL:** 93 min; **P:** Oscar Santaniello; **R:** Carlo Croccolo; **B:** Luigi Angelo, Carlo Veo; **K:** Franco Villa (Cinemascope – Eastmancolor); **M:** Daniele Patucchi; **DO:** Italien; **D:** Klaus Kinski, Fred Robsham (Victoriano Gazzara), Tiziania Dini, Claudio Trionfi, Marina Mulligan (Marina Malfatti), Antonio Cantafora, Dan May (Dante Maggio), Carlo Croccolo, Paul Crain (Enzo Pulcrano), Jerry Ross, Robert Danish, Ted Jones (Lino Caluero), Dick Foster; **I:** Der scharfschießende, in Schwarz gekleidete Anwalt Thomas Webb und der Kopfgeldjäger Burt Collins legen den O'Hara-Brüdern das Handwerk, die die Stadt Tanston unter ihrer Kontrolle haben. *Etwas besserer Film als Croccolos anderer Western »Una pistola per cento croci«, auch auf Grund der Beteiligung von Klaus Kinski.*

Blindman (1971) DT: Blindman, der Vollstrecker; **ET:** Blindman; **IT:** Blindman/Il cieco/Il pistolero cieco; **ST:** El justi-

ciero ciego; **FT:** Blindman, le justicier aveugle; **HL:** USA/
Italien (ABKO Co. – New York/Primex Italiana/Produzi-
one Atlas Consorziate – Rom); **UA:** 11.11.71; **OL:** 105
(2895 m); **DEA:** 8.6.72; **DL:** 102 min; **FSK:** 18; **P:** Tony
Anthony, Saul Swimmer; **R:** Ferdinando Baldi; **B:** Vin-
cenzo Cerami, Piero Anchisi, Tony Anthony, Ferdinando
Baldi (**I:** Tony Anthony); **K:** Riccardo Pallottini (Techni-
scope – Technicolor); **M:** Stelvio Cipriani; **CD:** Blindman
(Digitmovies CDDM 044): 17 tracks; **S:** »Blindman« – gesungen von Ringo Starr; **DO:** Spanien (Almería); **D:** Tony
Anthony, Ringo Starr, Lloyd Battista, Agneta Eckmeyr,
Magda Konopka, Raf Baldassarre, Tito Garcia, Tomas
Rudy, Renato Romano, David Dreyer, Shirley Corrigan,
Janine Reynaud, Marisa Solinas, Fortunato Arena, Lucretia Love, Isabella Savona; **I:** Blinder Revolverheld erledigt allein eine ganze Räuberbande, die 50 weiße Frauen
gekidnappt hat. *Unglaublich unterhaltsamer, mit einem
großartigen Cipriani-Score unterlegter Italo-Western mit
einem glänzenden Tony Anthony als Titelheld.*

Blood church (1985) ET: Blood church; **IT:** Blood church;
HL: Italien (Grabaldi Pictures Ltd.); **OL:** 112 (3085 m);
P: Ferni Grabaldi, Tom Vacca; **R:** Tom Vacca; **B:** Ferni
Grabaldi; **M:** Buxx Banner; **D:** Gaithor Brownne, Car-

The bounty killer

mella N. Hall, Buxx Banner, Woo Manchini, Mikel Short,
Christina Mariloni, Fiad Riapter, Arturo Vecinia, Vito
Gallanti, Doug Graves, Mic Nuggette; **I:** Pancho Villa
versucht eine gestohlene Glocke zu einer Kirche an der
mexikanisch-amerikanischen Grenze zurückzubringen.

Blu Gang (1971) ET: Brothers Blue; **IT:** Blu Gang (...e vis-
sero per sempre felici e ammazzati); **ST:** Los hermanos
azules; **FT:** Blue gang – et ils vecurent longtemps, heu-
reux et ... tues/Le gang des frères blue; **HL:** Italien/Frank-
reich (Felix Cinematografica – Rom/P.E.C.F. – Paris);
UA: 10.5.73; **OL:** 91 (2505 m); **P:** Franco Rossellini; **R:**
Luigi Bazzoni; **B:** Augusto Caminito, Mario Fenelli; **K:**
Vittorio Storaro (Technicolor – Eastmancolor); **M:** Tony
Renis; **S:** »Go man« – gesungen von Marva Jan Marrow;
D: Jack Palance, Antonio Falsi, Guido Mannari, Tina Aumont, Maurizio Bonuglia, Paul Jabara, Maria Michi, Carla Wittig, Giancarlo Terzaroli, Antonio Gradoli, Guido
Lollobrigida; **I:** Fünf Brüder, die gerade einen Geldraub
durchgeführt haben, werden einer nach dem anderen von
einem erbarmungslosen Armeeoffizier aufgespürt und
der gerechten Strafe zugeführt. *Italo-Western-Version von
»Butch Cassidy and the Sundance Kid«.*

Botte di natale (1994) DT: Die Troublemaker; ET: The
f(n)ight before Christmas/The troublemakers; **IT:** Botte
di natale; **ST:** Y en nochebuena se armo el belen!; **FT:**
Petit papa Baston; **HL:** Italien/Deutschland (Rialto Film
Preben Philipsen – Berlin); **OL:** 106 min; **DEA:** 16.3.95;
DL: 104 min; **FSK:** 6; **P:** Horst Wendlandt; **R:** Terence
Hill; **B:** Jess Hill; **K:** Carlo Tafani (Cinemascope – Color);
M: Pino Donaggio; **CD:** Botte di natale (EPC 478431-
2): 29 tracks; **DO:** USA; **D:** Terence Hill, Bud Spencer,
Neil Summers, Ruth Buzzi, Anne Kasprik, Eva Hassmann,
Ron Carey, Fritz Sperberg, Radha Delamarter, Jonathan
Tucker, Paloma Von Broadley, Samantha Waidler; **I:** Der
Scharfschütze Travis wird von seiner Mutter gebeten, zu-
sammen mit seinem Bruder Moses, einem Kopfgeldjäger,
das Weihnachtsfest bei ihr zu verbringen. *Wenig geglückter
Versuch, die »Trinity«-Erfolge der siebziger Jahre nochmals
zu neuem Leben zu erwecken.*

○ **The bounty killer (1966) DT: Ohne Dollar keinen Sarg/ ... der
keine Gnade kennt/Särge ohne Leichen/Der Kopfgeldjä-
ger; ET:** The ugly Ones; **IT:** The bounty killer; **ST:** El
precio de un hombre; **FT:** Les tueurs de l'Ouest; **HL:**
Italien/Spanien (Discobolo Film – Rom/Tecisa – Madrid);
UA: 4.11.66; **OL:** 95 (2605 m); **DEA:** 9.2.67; **DL:** 95
min; **FSK:** 18; **P:** Liliana Biancini; **R:** Eugenio Martín;
B: James Don Prindle, José Gutiérrez Maesso, Eugenio
Martín; **K:** Enzo Barboni (Panoramico – Eastmancolor);
M: Stelvio Cipriani; **S:** »They call it Gold« – gesungen von
Don Powell; **CD:** The bounty killer/Un uomo, un cavallo,
una pistola/Nevada (CAM CSE-800-147): 9 tracks; SW
Encyclopedia Vol. 1 (KICP 433): 2 tracks; Wanted – Dead
or Alive (CAM 900-020): 1 track; **DO:** Spanien (Almería);
D: Richard Wyler, Tomás Milian, Ella Karin, Hugo Blan-

co, Manolo Zarzo, Glenn Foster (Enzo Fiermonte), Charo Bermejo, Antonio Cintado, Ricardo Palacios; **I:** Ein Kopfgeldjäger bringt einen gefürchteten Banditen zur Strecke und kassiert dafür 3000 Dollar. *Der mit Abstand beste Western von Eugenio Martín, in dem Tomás Milian ein unglaublich intensives Italo-Western-Debüt abliefert.*

Un bounty killer a Trinità (1972) DT: Kopfgeld/Kopfgeld für einen Killer; **ET:** A bounty hunter at Trinity/Bounty hunter in Trinity; **IT:** Un bounty killer a Trinità; **ST:** Un bounty killer en Trinidad/Un asesino en Trinidad; **FT:** Un bounty killer à Trinita; **HL:** Italien (Transglobe Italiana – Rom); **UA:** 23.12.72; **OL:** 87 (2395 m); **DEA:** Video (Silwa); **DL:** 82 min; **P:** Oscar Santaniello; **R:** Aristide Massaccesi; **B:** Romano Scandariato, Aristide Massaccesi; **K:** Aristide Massaccesi (Cinemascope – Eastmancolor); **M:** Vasco Vasil Kojucharov; **DO:** Italien; **D:** Jeff Cameron, Paul McCren (Enzo Pulcrano), Pat Minar (Marina Malfatti), Attilo Dottesio, Ted Jones (Lino Calogero), Carla Mancini, Silvio Klein, Emanuele Seguino, Antonio Cantafora; **I:** Der Armbrust als Waffe verwendende Kopfgeldjäger Alan Boyd wird angeheuert, eine Bande von Verbrechern zu erledigen, die ein kleines Städtchen terrorisieren. *Dieser Massaccesi-Western, der auch Szenen aus »Black Killer« enthält, ist noch schlechter als typische Fidani-Trashwestern.*

Buck ai confini del cielo (1991) DT: Bucks größtes Abenteuer; **ET:** Buck at the edge of heaven; **IT:** Buck ai confini del cielo; **ST:** Las aventuras de Tim y Buck; **HL:** Italien (Media Creative Entertainment – Rom); **OL:** 93 min; **DEA:** 16.11.94 (RTL 2); **DL:** 85 min; **P:** Gianluca Curti, Franco DiNunzio; **R:** Tonino Ricci; **B:** Tito Carpi, Sheila Goldberg, Tonino Ricci (**I:** Jack London (»White Fang«); **K:** Giovanni Bergamini (Normal – Color); **M:** David Alexander Hess; **DO:** Italien (Madonna di Campiglio); **D:** John Savage, David A. Hess, Jennifer Youngs, Jesse Alexander, Rik Battaglia, William Berger, Alberto Dell'Acqua, Ottaviano Dell'Acqua, Mino Sferra, Franco Fantasia, Carlo Mucari, Bobby Rhodes, Pierangelo Pozzato, Barbara Catturanini, Adams Craig; **I:** Der Trapper Dan und seine Freunde sind auf der Fährte von Charles Bauman und seiner Bande, der seine Familie auf dem Gewissen hat. *Von Tonino Ricci inszenierter, total missglückter »Wolfsblut«-Nachfolgefilm, gedreht in Madonna Di Campiglio.*

Buck e il braccialetto magico (1997) DT: Mein treuer Freund Buck; **ET:** Buck at the edge of heaven/Buck and the magic bracelet; **IT:** Buck e il braccialetto magico; **HL:** Italien/USA (Gruppo Minerva International – Rom/PM Entertainment Group – Hollywood); **OL:** 105 (2560 m); **DEA:** 28.2.99 (RTL 2); **DL:** 95 min; **P:** Gianluca Curti; **R:** Tonino Ricci; **B:** Fabio Carpi (**I:** Jack London (»White Fang«); **K:** Giovanni Bergamini (Normal – Kodak Color); **M:** Stefano Curti, Mauro Ruvolo; **D:** Matt McCoy, Abby Dalton, Felton Perry, Beatrice Macola, Jane Alexander, Frankie Nero, Antonio Cantafora, Conrad Nichols, Bob-

by Rhodes, Mino Sferra, Marcello Arnone, Gianluca Petrazzi, Giovanni Turco, Elio Giacobini, Lino Cantafora; **I:** Als ein Vater mit seinem Sohn bei ihrer Goldmine von einer Banditenbande überfallen werden, kommen ihnen ein Trapper, der Wolfshund Buck und ein Indianer zu Hilfe. *Von Tonino Ricci inszenierter, weiterer missglückter »Wolfsblut«-Sequels.*

Buckaroo (Il winchester che non perdona, 1968) DT: Bucaroo – Galgenvögel zwitschern nicht; **ET:** Winchester does not forgive; **IT:** Buckaroo (Il Winchester che non perdona); **FT:** Buckaroo ne pardonne pas; **HL:** Italien (Magister Film – Rom); **UA:** 28.10.67; **OL:** 92 (2528 m); **DEA:** 3.10.69; **DL:** 89 min; **FSK:** 16; **P:** Umberto Borsato; **R:** Adelchi Bianchi; **B:** Leo Romano Scuccuglia (Normal – Eastmancolor); **K:** Oberdan Troiani (Normal – Eastmancolor); **M:** Lallo Gori; **S:** »Buckaroo« – gesungen von Dean Reed; **CD:** Buckaroo (Il winchester che non perdona, BEAT CDCR 42): 20 tracks; Spaghetti-Westerns Vol. 4 (DRG 32932): 2 tracks; **DO:** Italien; **D:** Dean Reed, Monica Brugger, Livio Lorenzon, Ugo Sasso, Omero Gargano, Gualtiero Rispoli, Angela Di Leo, Jean Louis, Carla Petrillo; **I:** Ein blonder Pistolero erledigt mit einigen Helfern einen verbrechrischen Goldminenbesitzer und dessen Bande. *Obskurer Western von Adelchi Bianchi mit dem US-Protestler Dean Reed in der Titelrolle.*

Un buco in fronte (1967) DT: Ein Loch in der Stirn; **ET:** A hole in the forehead; **IT:** Un buco in fronte; **FT:** Quand je tire, c'est pour tuer; **HL:** Italien (Tigielle 33); **UA:** 25.5.68; **OL:** 87 (2397 m); **DEA:** 26.2.71; **DL:** 87 min; **FSK:** 18; **P:** Antonio Lucatelli, Francesco Giorgi; **R:** Giuseppe Vari; **B:** Adriano Bolzoni; **K:** Amerigo Gengarelli (Techniscope – Technicolor); **M:** Roberto Pregadio; **CD:** L'ultimo killer/Un buco in fronte (GDM 2020): 10 tracks; Spaghetti-Westerns Vol. 2 (DRG 32909): 7 tracks; **DO:** Italien; **D:** Anthony Ghidra, Robert Hundar, Rosy Zichel, Jhon Bryan, Giorgio Gargiullo, John McDouglas, Luigi Marturano, Bruno Cattaneo, Mario Dardanelli, Gino Marturano, Elsa Janet Waterston; **I:** Banden und Einzelgänger als Gegner bei der Jagd nach einem in einem Kloster versteckten Schatz. *Durchschnittlicher, langatmiger Western von Giuseppe Vari, von dem man schon Besseres gesehen hat.*

Buffalo Bill, l'eroe del Far West (1963) DT: Das war Buffalo Bill; **ET:** Buffalo Bill, hero of the far west; **IT:** Buffalo Bill, l'eroe del Far West; **ST:** El heroe del oeste; **FT:** Buffalo Bill, le héros du Far-West/L'attaque de Fort Adams; **HL:** Italien/Frankreich/Deutschland (Filmes Cinematografica – Rom/Films Corona – Paris/Gloria Film – München); **UA:** 19.11.64; **OL:** 95 (2605 m); **DEA:** 22.1.65; **DL:** 89 min; **FSK:** 12; **P:** Solly V. Bianco; **R:** Mario Costa; **B:** Nino Stresa, Luciano Martino, Louis Agotay, Pierre Conti (**I:** Nino Stresa); **K:** Massimo Dallamano (Techniscope – Technicolor); **M:** Carlo Rustichelli; **DO:** Spanien; **D:** Gordon Scott, Jan Hendriks, Ingeborg Schöner, Catherine Ribeiro, Andrea Scotti, Piero Lulli, Mirko Ellis, Hans von Borsody, Roldano Lupi, Mario Brega; **I:** Buffalo Bill im Kampf mit einem aufständischen Indianerhäuptling, der von weißen Gangstern mit Waffen beliefert wird. *Im Stil der Winnetou-Filme gedrehter früher Italo-Western von Mario Costa mit »Tarzan« Gordon Scott als Buffalo Bill.*

Los buitres cavarán tu fosa (1971) DT: Jeff Sullivan – senkrecht zur Hölle (geplanter Kinotitel); **ET:** And the crows will dig your grave; **IT:** I corvi ti scaveranno la fossa; **ST:** Los buitres cavarán tu fosa; **FT:** Gringo ... les aigles creusent ta tombe; **HL:** Spanien/Italien (Midega Films – Madrid/Devon Film – Rom); **UA:** 11.8.71; **OL:** 91 (2495 m); **P:** Miguel De Echarri; **R:** Juan Bosch; **B:** Juan Bosch, Roberto Gianviti, Lou Corrigan (I: Juan Bosch); **K:** Giancarlo Ferrando (Panoramico – Eastmancolor); **M:** Bruno Nicolai; **CD:** The Western Film Music of Bruno Nicolai (SAIMEL 3995210): 12 tracks; **DO:** Spanien (Almería), Italien (Elios Film Studio Rom); **D:** Craig Hill, Fernando Sancho, Maria Pia Conte, Angel Aranda, Dominique Boschero, Frank Braña, Indio Gonzales, Raf Baldassarre, Ivano Staccioli, Antonio Molino Rojo, Carlos Rende, Monica Montiel, Juan Torres; **I:** Ein episodenreiches Katz-und-Maus-Spiel um einen Kopfgeldjäger, der eine Verbrecherbande davon abhält, eine Goldladung in ihre Gewalt zu bringen.

○ **Buon funerale amigos! ... paga Sartana (1970) DT: Sartana – noch warm und schon Sand drauf; ET:** Have a good funeral, my friend; **IT:** Buon funerale amigos! ... paga Sartana; **ST:** Buen funeral amigo ... Paga Sartana; **FT:** Bonnes funérailles amis, Sartana paiera; **HL:** Italien/Spanien (Flora Film/National Cinematografica – Rom/Hispamer Films – Madrid); **UA:** 8.10.70; **OL:** 96 (2640 m); **DEA:** 4.6.71; **DL:** 96 min; **FSK:** 18; **P:** Sergio Borelli; **R:** Giuliano Carnimeo; **B:** Giovanni Simonelli, Roberto Gianviti (I: Giovanni Simonelli); **K:** Stelvio Massi (Techniscope – Technicolor); **M:** Bruno Nicolai; **CD:** Buon funerale amigos! ... paga Sartana/Gli fumavano le colt ... Lo chiamavano Camposanto (BEAT CDCR 39): 11 tracks; Spaghetti-Westerns Vol. 4 (DRG 32932): 2 tracks; **DO:** Malien; **D:** Gianni Garko, Antonio Vilar, Daniela Giordano, Ivano Staccio-

Il buono, il brutto, il cattivo

li, Franco Ressel, George Wang, Luis Induñi, Federico Boido, Franco Pesce, Rocco Lerro, Helga Liné, Roberto Dell'Acqua, Attilio Dottesio; **I:** Rücksichtslose Auseinandersetzung um vermeintlich goldhaltiges Land, die ein gerissener Gauner unter Zurücklassung unzähliger Leichen für sich entscheidet. *Sehr unterhaltsamer, von einem hervorragenden Bruno-Nicolai-Score untermalter Sartana-Film mit dem einzig echten Sartana Gianni Garko.*

○ **Il buono, il brutto, il cattivo (1966) DT: Zwei glorreiche Halunken; ET:** The good, the bad, and the ugly; **IT:** Il buono, il brutto, il cattivo; **ST:** El bueno, el feo y el malo; **FT:** Le bon, la brute et le truand; **HL:** Italien (P.E.A. – Produzioni Europee Associate di Grimaldi Maria Rosaria e C. – Napoli); **UA:** 23.12.66; **OL:** 180 (4955 m); **DEA:** 15.12.67; **DL:** 159 (Kino), 176 (DVD: DC); **FSK:** 18; **P:** Alberto Grimaldi; **R:** Sergio Leone; **B:** Furio Scarpelli, Agenore Incorcci, Luciano Vincenzoni, Sergio Leone (I: Luciano Vincenzoni, Sergio Leone); **K:** Tonino Delli Colli (Techniscope – Technicolor); **M:** Ennio Morricone; **S:** »The story of a soldier« – gesungen von Il Cantori Moderni; **CD:** Il buono, il brutto, il cattivo (GDM Club 7001): 21 tracks; The good, the bad & the ugly (EMI CDP 748408-2): 11 tracks; La trilogia del dollaro (RCA ND 74021): 11 tracks; **DO:** Spanien (Almería, Guadix, Covarrubias, Carazo, San Pedro de Arlanza, Manzanares el Real), Italien (Elios Film Studio Rom); **D:** Clint Eastwood, Lee Van Cleef, Eli Wallach, Aldo Giuffré, Mario Brega, Chelo Alonso, Luigi Pistilli, Rada Rassimov, Enzo Petito, Livio Lorenzon, Al Muloch, Frank Braña; **I:** Abenteuerliche Schatzsuche inmitten des amerikanischen Bürgerkriegs. Ein mysteriöser Fremder (der Gute), ein mexikanischer Revolvermann (der Brutale), und ein sadistischer Killer (der Böse) kämpfen gegen- und miteinander um 200.000 Golddollar. *Einer der besten Western aller Zeiten, dessen perfekte Musik sicherlich zu den bekanntesten Arbeiten Morricones gehört.*

○ **California (1977) DT: Der Mann aus Virginia/Spiel das Lied von Californien; ET:** California; **IT:** California; **ST:** California; **FT:** Adios California; **HL:** Italien/Spanien (Uranos Cinematografica – Rom/Belma Cinematografica – Rom/José Frade P. C. – Madrid); **UA:** 16.7.77; **OL:** 100 (2746 m); **DEA:** 16.9.77; **DL:** 98 min; **FSK:** 18; **P:** Manolo Bolognini; **R:** Michele Lupo; **B:** Mino Roli, Nico Ducci, Franco Bucceri, Roberto Leoni (I: Franco Bucceri, Roberto Leoni); **K:** Alejandro Ulloa (Techniscope – Eastmancolor); **M:** Gianni Ferrio; **CD:** SW Encyclopedia Vol. 4 (KICP 436): 1 track; **DO:** Spanien (Almería), Italien; **D:** Giuliano Gemma, William Berger, Malisa Longo, Raimund Harmstorf, Chris Avram, Paola Bosè, Dana Ghia, Alfio Caltabiano, Robert Hundar, Miguel Bosè, Tom Felleghy, Franco Ressel, Diana Lorys; **I:** Ein vom Bürgerkrieg heimkommender Südstaaten-Soldat muss sich gegen eine Anzahl von Kopfgeldjägern, welche von der Nordstaaten-Armee beauftragt worden sind, zur Wehr setzen. *Sehr guter, düsterer Spätwestern von Michele Lupo.*

Campa carogna ... la taglia cresce (1972) DT: Vier Teufelskerle/ Vier Teufelskerle – Tot oder lebendig!; ET: Those dirty dogs!; IT: Campa carogna ... la taglia cresce; ST: Los cuatro de Fort Apache; FT: La charge des diables; HL: Italien/Spanien (Horse Film – Rom/Plata Films – Madrid); UA: 1.3.73; OL: 94 (2580 m); DEA: 18.4.74; DL: 85 min; FSK: 16; P: Julio Parra; R: Giuseppe Rosati; B: Carlo Veo, Giuseppe Rosati, Enrique Llovet; K: Godofredo Pacheco (Cinemascope – Eastmancolor); M: Nico Fidenco; S: »The wind in my face« – gesungen von Stephen Boyd; CD: SW Encyclopedia Vol. 4 (KICP 436): 1 track; DO: Spanien (Almería); D: Gianni Garko, Stephen Boyd, Howard Ross, Harry Baird, Simon Andreu, Teresa Gimpera, Daniele Vargas, Alfredo Mayo, Gabriella Giorgelli, Enzo Fiermonte, Helga Liné, Antonella Dogan, Nazzareno Natale, Lee Burton (Guido Lollobrigida), Andrea Scotti; I: Drei US-Kavalleristen und ein Mohammedaner heben ein mexikanisches Waffenlager aus. *Der einzige Genrebeitrag von Giuseppe Rosati zeigt Gianni Garko als Koran-zitierenden Kopfgeldjäger in diesem unterhaltsamen Western.*

Carambola (1973) DT: Vier Fäuste schlagen wieder zu; ET: Carambola; IT: Carambola; ST: Carambola; FT: Mon nom est Trinita; HL: Italien (Aetos Produzioni Cinematografiche – Rom/B.R.C. – Produzione Film – Rom); UA: 13.9.74; OL: 99 (2730 m); DEA: 21.2.75; DL: 94 min; FSK: 12; P: Armando Todaro, Manolo Bolognini; R: Ferdinando Baldi; B: Mino Roli, Nico Ducci, Ferdinando Baldi (I: Mino Roli, Nico Ducci); K: Aiace Parolin (Cinemascope – Eastmancolor); M: Franco Bixio, Vince Tempera; S: »You can fly« und »Milk serenade« – gesungen von Dream Bags; CD: Spaghetti-Westerns Vol. 1 (DRG 32905): 3 tracks; Carambola/Carambola, filotto ... tutti in buca (Digitmovies CDDM 054): 13 tracks; DO: Italien; D: Paul Smith, Michael Coby, Horst Frank, William Bogard, Pino Ferrara, Franco Fantasia, Pedro Sanchez, Luciano Catenacci, Melissa Chimenti, Gaetano Russo, Nello Pazzafini, Giancarlo Bernini; I: Zwei gutmütige Brüder ziehen aus, Viehdiebstahl und Postkutschenüberfall zu lernen, nutzen jedoch ihre Schlagfertigkeit, um Armen aus der Patsche und Ganoven ins Gefängnis zu helfen. *Mäßig erfolgreicher Versuch, die Bud Spencer/Terence Hill-Komödien zu kopieren.*

Carambola, filotto ... tutti in buca (1974) DT: Vier Fäuste und ein heißer Ofen; ET: Carambola's philosophy: in the right pocket; IT: Carambola, filotto ... tutti in buca; ST: Les llamaban los hermanos de Trinidad; FT: Si ce n'est toi, c'est donc ton frère/Carambola; HL: Italien (Aetos Produzioni Cinematografiche – Rom); UA: 22. 2. 75; OL: 98 (2695 m); DL: 84 min; FSK: 12; P: Armando Todaro; R: Ferdinando Baldi; B: Ferdinando Baldi, Nico Ducci, Mino Roli (I: Mino Roli, Nico Ducci); K: Aiace Parolin (Cinemascope – Technicolor); M: Franco Bixio, Vince Tempera; S: »Sky's motor-bike« und »Coby and Len« – gesungen von Dream Bags; CD: Spaghetti-Westerns Vol. 1 (DRG 32905): 2 tracks; Carambola/Carambola, filotto… tutti in buca (Digitmovies CDDM 054): 14 tracks; DO: Italien; D: Paul Smith, Michael Coby, Clauco Onorato, Gabriella Andreini, Enzo Monteduro, Benjamin Lev, Rodolfo Licari, Ray O'Connor (Remo Capitani), Pino Ferrara, Piero Lulli, Emilio Messina; I: Die Jagd von Armee und Gangsterbande auf ein Motorrad mit Beiwagen, das zwei clevere Gauner einem vertrottelten Colonel entwendet haben. *Mäßig erfolgreicher Versuch, die Bud Spencer/Terence Hill-Komödien zu kopieren.*

Carogne si nasce (1968) DT: Die Stunde der Aasgeier/Lynching (geplanter Kinotitel); ET: If one is born a swine; IT: Carogne si nasce; FT: Lynching; HL: Italien (Silpal Cinematografica/Pegaso – Milano/Roma); UA: 21.11.68; OL: 89 (2438 m); DEA: Video (Mondial); DL: 87 min; P: Alberto Silvestri; R: Alfonso Brescia; B: Aldo Lado, Augusto Finocchi; K: Fausto Rossi (Cromoscope – Eastmancolor); M: Lallo Gori; D: Glenn Saxson, Gordon Mitchell, Renato Baldini, John Bartha, Philippe Hersent, Nello Pazzafini, Ferruccio Viotti, Paolo Magalotti, Edgardo Siroli, Lucio Rosato, Spartaco Conversi, Antonio Monselesan; I: Viehzüchter und Politiker terrorisieren eine Westernstadt, und auch das herbeigerufene Militär schlägt sich zunächst auf die Seite der Unterdrücker. Erst durch das Auftauchen eines Fremden wendet sich das Blatt. *Alfonso Brescias letzter Genrebeitrag ist leider nur mäßig unterhaltsam, jedoch handwerklich ordentlich inszeniert.*

Cavalca e uccidi (1963) DT: Gesetz der Bravados; ET: Ride and kill; IT: Cavalca e uccidi; ST: Brandy; FT: Chevauche et tue/Pour un whiskey de plus; HL: Italien/Spanien (P.E.A. – Produzione Europee Associate di Grimaldi Maria Rosaria e C. – Napoli/Fénix Films – Madrid); UA: 30.4. 64; OL: 88 (2421 m); DEA: 3.6.65; DL: 83 min; FSK: 12; P: Rafael Merin; R: José Luis Borau; B: José Mallorquí; K: Mario Sbrenna (Totalscope – Eastmancolor); M: Riz Ortolani; DO: Spanien (Almería, Hoyo de Manzanares, Titulcia) D: Alex Nicol, Robert Hundar, Margaret Grayson (Maite Blasco), Renzo Palmer, Pauline Baards (Paola Barbara), Antonio Casas, George Rigaud, Natalia Silva, Luis Induñi, John McDouglas (Giuseppe Addobbati), Manuel Ayuso, José Canalejas, Frank Braña, Anthony Graddwell (Antonio Gradoli), Mark Johnsson, Alfonso Rojas; I: Von Verbrechern beherrschte Stadt in Arizona wird durch den neuen Sheriff, einen bis dahin als Trinker bekannten Schwächling, vom Terror der Banditen befreit. *Sehr früher unterhaltsamer Italo-Western von José Luis Borau.*

La caza del oro (1972) DT: Zwei ausgekochte Halunken; ET: Too much Gold for one Gringo; IT: Lo credevano uno stinco di santo; ST: La caza del oro; FT: Il n'y a plus de saints au Texas; HL: Spanien/Italien (P.C. Cine XX – Barcelona/P.E.A. – Produzione Europee Associate di Grimaldi Maria Rosaria e C. – Napoli); UA: 19.8. 72; OL: 97 (2660 m); DEA: 29.7.87 (RTL plus); DL: 90 min; FSK: 12; P: Alberto De Stefanis; R: Juan Bosch; B: Juan Bosch; K: Julio Pérez De Rozas (Techniscope – Technicolor); M:

Marcello Giombini; **DO:** Spanien (Esplugas de Llobregat, Fraga), Italien; **D:** Anthony Steffen, Daniel Martin, Fernando Sancho, Tania Alvarado, Robert Hundar, Manuel Guitian, Gustavo Re, Indio Gonzales, Ricardo Moyan, Juan M. Solano, Luis Induñi, Juan Torres; **I:** Ein amerikanischer Revolverheld und ein mexikanischer Bandit sind beide auf der Suche nach einem verschollenen Goldschatz, die sich in einer Heiligenstatue befindet.

C'è Sartana ... vendi la pistola e comprati la bara! (1970) DT: Django – schieß mir das Lied vom Sterben/Django und Sabata – wie blutige Geier/Django und Sartana – wie blutige Geier/Django – die Gier nach Gold; **ET:** I am Sartana, trade your guns for a coffin/A fistful of death; **IT:** C'è Sartana ... vendi la pistola e comprati la bara!; **ST:** Vende la pistola y comprate la tumba; **FT:** Django arrive, préparez vos cercueils; **HL:** Italien (Colt Produzioni Cinematografiche – Rom/Hispamer Film – Madrid); **UA:** 7.8.70; **OL:** 99 (2720 m); **DEA:** 26.11.70; **DL:** 89 min; **FSK:** 18; **P:** Franco Palaggi; **R:** Giuliano Carnimeo; **B:** Tito Carpi; **K:** Stelvio Massi (Techniscope – Technicolor); **M:** Francesco De Masi; **CD:** Il segno del Coyote/C'è Sartana ... Vendi la pistola e comprati la bara! (BEAT CDCR 40): 7 tracks; Spaghetti-Westerns Vol. 4 (DRG 32932): 2 tracks; **DO:** Italien; **D:** George Hilton, Charles Southwood, Erika Blanc, Piero Lulli, Linda Sini, Nello Pazzafini, Carlo Gaddi, Aldo Barberito, Mario Zuanelli, Lu Kamante (Luciano Rossi), Rick Boyd, Gigi Bonos, Spartaco Conversi, Umberto Di Grazia; **I:** Drei Banditen und einige Einzelgänger kämpfen teils mit, teils gegeneinander um einen Goldtransporte. *Dieser von George Hilton gespielte Sartana erinnert eher an Django in diesem unterhaltsamen Western von Giuliano Carnimeo.*

C'era una volta il West (1968) DT: Spiel mir das Lied vom Tod; **ET:** Once upon a time in the west; **IT:** C'era una volta il West; **ST:** Hasta que llego su hora; **FT:** Il était une fois dans l'Ouest; **HL:** Italien (Finanziaria San Marco/Rafran Cinematografica/Paramount Pictures – Los Angeles); **UA:** 21.12.68; **OL:** 177 (4869 m); **DEA:** 14.8.69; **DL:** 164 min, 169 (DC); **FSK:** 16; **P:** Bino Cicogna, Fulvio Morsella; **R:** Sergio Leone; **B:** Sergio Donati, Sergio Leone (I: Dario Argento, Bernardo Bertolucci, Sergio Leone); **K:** Tonino Delli Colli (Techniscope – Technicolor); **M:** Ennio Morricone; **CD:** C'era una volt il West (GDM 2062): 27 tracks; C'era una volta il West (Japan BVCP-1038): 13 tracks; Once upon a time in the West (RCA 4736-2-R): 13 tracks; C'eras una volta il West (RCA OST 143): 20 tracks; **DO:** Spanien (Almería, Guadix), USA (Monument Valley); **D:** Henry Fonda, Claudia Cardinale, Charles Bronson, Jason Robards, Frank Wolff, Gabriele Ferzetti, Paolo Stoppa, Jack Elam, Woody Strode, Aldo Sambrell, Fabio Testi, Lionel Stander, Keenan Wynn, Al Mulock, Spartaco Conversi; **I:** Junger Harmonikaspieler und älterer Westmann bringen einen vielfachen Mörder zur Strecke und führen das Erbe einer hingemordeten Familie fort. *Dieser Leone-Klassiker taucht regelmäßig in den Top-100-Filmlisten aller Zeiten auf und gilt als bester Italo-Western aller Zeiten.*

C'era una volta questo pazzo, pazzo, pazzo West (1972) ET: Once upon a time in the wild, wild west; **IT:** C'era una volta questo pazzo, pazzo, pazzo West; **ST:** Aquel loco, loco Oeste; **FT:** Les ravageurs de l'Ouest; **HL:** Italien – Emat Cinematografica); **UA:** 17.10.73; **OL:** 85 (2340 m); **P:** Giuseppe Frontano; **R:** Vincenzo Matassi; **B:** Vincenzo Matassi (I: Giuseppe Frontani); **K:** Ugo Brunelli (Vistavision – Eastmancolor); **M:** Francesco Santucci; **DO:** Italien; **D:** Gordon Mitchell, Vincent Scott, Dennis Colt, Malisa Longo, Lucky Mc Murray, Fiorella Magalotti, Dada Gallotti, Mauro Vestri, Pepé Pugliese, Pino Frontati, Attilio Tosato; **I:** Zwei sich fortwährend streitende Brüder kommen in eine Stadt, die von einer Bande beherrscht wird und räumen dort richtig auf. *Wird von Genrekennern aus aller Welt als schlechtester Italo-Western aller Zeiten eingestuft.*

C'era una volta il West

100.000 dollari per Lassiter (1965) DT: 100.000 Dollar für einen Colt/Das letzte Wort hat der Colt; ET: Dollars for a fast gun; IT: 100.000 dollari per Lassiter; ST: La muerte cumple condena; FT: Cent mille dollars pour Lassiter; HL: Italien/Spanien – P.E.A. – Produzioni Europee Associate di Grimaldi Maria Rosaria e C. – Napoli/Centauro Films – Madrid); UA: 10.3. 66; OL: 100 (2750 m); DEA: 26.8.66; DL: 85 min; FSK: 16; P: Alberto Grimaldi, Felix Duran Aparicio; R: Joaquín Luis Romero Marchent; B: Sergio Donati (I: Sergio Donati, Joaquín Romero Hernandez); K: Fulvio Testi (Totalscope – Eastmancolor); M: Marcello Giombini; DO: Spanien (Almería, Manzanares el Real); D: Robert Hundar, Pamela Tudor, Luigi Pistilli, Andrew Ray (Andrea Aureli), José Bodalo, Jesus Puente, Roberto Camardiel, Aldo Sambrell, Benito Stefanelli, Livia Contardi, Robert Johnson Jr., Francisco Sanz, Andrea Aureli, Carlos Romero Marchent, Dina Loy, Giovanni Petti; I: Zwei Banditen, die sich einst nach einem gemeinsamen Coup entzweiten, treffen sich nach zehn Jahren wieder und rechnen blutig miteinander ab, wobei ein junger Draufgänger schließlich das Geld einstreicht. *Teilweise spannend inszenierter Western von Joaquín Luis Romero Marchent.*

100.000 dollari per Ringo (1965) DT: 100.000 Dollar für Ringo; ET: One hundred thousand dollars for Ringo; IT: 100.000 dollari per Ringo; ST: Sangre sobre Texas; FT: 100.000 dollars pour Ringo; HL: Italien/Spanien (Fida Cinematografica – Rom/P.C. Balcázar – Barcelona); UA: 18.11.65; OL: 98 (2700 m); DEA: 21.10.66; DL: 94 min; FSK: 18; P: Edmondo Amati; R: Alberto De Martino; B: Alberto De Martino, Giovanni Simonelli, Vincenzo Flamini, Alfonso Balcázar; K: Federico G. Larraya (Techniscope – Technicolor); M: Bruno Nicolai; S: »Ringo came to fight« gesungen von Bobby Solo; CD: 100.000 dollari per Ringo (Edipan PAN CDS 2501): 16 tracks; 100.000 dollari per Ringo (GDM Club CD 7009): 30 tracks; Spaghetti-Westerns Vol. 2 (DRG 32909): 1 track; SW Encyclopedia Vol. 1 (KICP 433): 1 track; DO: Spanien (Esplugas de Llobregat, Fraga); D: Richard Harrison, Fernando Sancho, Gérard Tichy, Eleonora Bianchi,

Lee Burton (Guido Lollobrigida), Massimo Serato, Monica Randall, Paco Sanz, Luis Induñi, Victor Vilanova, Loris Loddi, Rafael Albaicin, Tomas Torres, Francisco Sanz, Cesar Ojinaga, Pedro Rodriguez De Quevedo; I: Die Schieß- und Prügelabenteuer eines Mannes, der einen Rachefeldzug gegen einen Bandenchef und dessen Terror führt. *Guter, spannender Alberto De Martino-Western, untermalt von einem großartigen Bruno-Nicolai-Score.*

Che botte, ragazzi! (Il ritorno di Shanghai Joe, 1974) DT: Zwei durch Dick und Dünn; ET: Shangai Joe; IT: Che botte, ragazzi! (Il ritorno di Shanghai Joe); HL: Italien/Deutschland (C.B.A. Produttori e Distributori Associati – Rom/

100.000 dollari per Lassiter

KG Divina Film – München); UA: 28. 2. 75; OL: 90 (2475 m); DEA: 27. 5. 77; DL: 83 min; FSK: 12; P: Ennio Onorati, Gerd Scheede; R: Adalberto Albertini; B: Adalberto Albertini, Carlo Alberto Alfieri; K: Guglielmo Mancori (Cinemascope – Technicolor); M: Mauro Chiari; S: »Shanghai Joe«, gesungen von Dream Bags; D: Klaus Kinski, Chen Lie, Tommy Polgar, Karin Field, Fausto Ulisse, Primiano Muratori, Paul Sholer, Nguyen Duong, Chiang Ling, Attilio Dottesio; I: Ein geschmeidiger Karatekünstler und ein tollpatschiger, bärenstarker Quacksalber sorgen in einem terrorisierten Städtchen für Recht und Ordnung. *Lahme Fortsetzung des auch nicht besonders unterhaltsamen ersten »Shanghai Joe«-Films, wieder mit Klaus Kinski in einer Gastrolle.*

Che c'entriamo noi con la rivoluzione? (1972) DT: Bete, Amigo;

ET: What am I doing in the middle of the revolution?; IT: Che c'entriamo noi con la rivoluzione?; ST: ¿Qué nos importa la revolución?; FT: Mais qu'est-ce que je viens foutre au milieu de cette revolution?; HL: Italien/Spanien (Fair Film – Rom/Midega Films – Madrid); UA: 19.12.72; OL: 101 (2790 m); DEA: 29.12.94 (ZDF); DL: 100 min; P: Mario Cecchi Gori, Luciano Luna; R: Sergio Corbucci; B: Sergio Corbucci, Massimo Franciosa, Sabatino Ciuffini (I: Sergio Corbucci); K: Alejandro Ulloa (Panoramico – Eastmancolor); M: Ennio Morricone; CD: I crudeli/Che c'entriamo noi con la rivoluzione? (GDM 2009): 3 tracks; Spaghetti-Westerns Vol. 2 (DRG 32909): 1 track; SW Encyclopedia Vol. 4 (KICP 436): 2 tracks; Fantastic World of SW (VCDS 7016): 1 track; DO:Spanien (Tembleque); D: Vittorio Gassman, Paolo Villaggio, Eduardo Fajardo, Leo Anchóriz, Rossana Yanni, Riccardo Garrone, Simon Arriaga, Victor Israel, Diana Sorel, Werner Pochath, Carmen Pericolo, José Canalejas; I: Der drittklassige Schauspieler Guido Guidi landet zusammen mit dem frommen Pater Albino inmitten der mexikanischen Revolution. *Mittelmäßige, während der mexikanischen Revolution spielende Sergio-Corbucci-Satire, unterstützt von einem guten Ennio-Morricone-Score.*

Chiedi perdono a Dio, non a me (1968) DT: Django – den Colt an der Kehle/Django – er kam um zu töten/Blutiger

Zorn/Brennender Hass; ET: May God forgive you ... but I won't; IT: Chiedi perdono a Dio, non a me; FT: Demande pardon à Dieu; HL: Italien (Cio Film/Intercontinental Production – Roma/Marina di Belvedere Marittimo – CS); UA: 13.8.68; OL: 89 (2434 m); DEA: 24.3.70; DL: 88 min; FSK: 18; P: Vincenzo Musolino; R: Vincenzo Musolino; B: Vincenzo Musolino; K: Mario Mancini (Cromoscope – Eastmancolor); M: Felice Di Stefano; D: George Ardisson, Anthony Ghidra, Peter Martell, Cristina Iosani, Pedro Sanchez, Jean Louis, Lilli Lembo, Gaetano Cimarosa, Luigi Pavese, Dante Maggio, Ivan Giovanni Scratuglia, Susanna Martinkova, Riccardo Pizzutti, Franco Pesce, Dean Stratford; I: Revolverheld bringt die Mörder seiner Angehörigen zur Strecke. *Mittelmäßiger Rachewestern von Vincenzo Musolino mit Giorgio (George) Ardisson in der Hauptrolle, der auch in einigen italienischen Agentenfilmen mitwirkte.*

Ci risiamo, vero Provvidenza? (1973) ET: Here we go again,

eh Providence?; IT: Ci risiamo, vero Provvidenza?; ST: El bruto, el listo y el capitán/Otra vez, verdad, Provvidenza; FT: Nous en irons n'est ce pas Providence?/Nous y reviola n'est-ce pas, Providence?; HL: Italien/Frankreich/Spanien (Oceania Produzioni Internazionali Cinematografiche-zuerst – Rom/Les Films Corona – Paris/Producciónes Cinematográficas D.I.A. – Madrid); UA: 8.11.73; OL: 101 (2790 m); P: Alfonso Donati, Luciano Catenacci; R: Alberto De Martino; B: Franco Castellano, Giuseppe Moccia, Ramon Ilido (I: Franco Castellano, Giuseppe Moccia); K: Alejandro Ulloa (Cinemascope – Eastmancolor); M: Ennio Morricone, Bruno Nicolai; CD: Spaghetti-

Western (RCA 74321 26495-2): 3 tracks; Western Trio (GDM 2052): 7 tracks; **D:** Tomás Milian, Gregg Palmer, Carole André, Rick Boyd, Luciano Catenacci, Angel Ortiz, Manuel Gallardo, Yu Ming Lun, Dante Maggio, Nello Pazzafini, Paolo Ferrari, Nadia Cocconcelli, Antonella Cocconcelli; **I:** Der Kopfgeldjäger Providenza und Hurrican Kid müssen diesmal 500.000 Dollar auftreiben, um seine Angebetete nicht an einen unsympathischen Offizier zu verlieren. *Relativ gute Fortsetzung des Giulio-Petroni-Klamaukwesterns mit dem gleichen Titeldarsteller Tomás Milian.*

Ciakmull, l'uomo della vendetta (1969) DT: Django – die Nacht der langen Messer/Ein Toter rechnet ab/Ciakmull; **ET:** Chuck Moll/The unholy four; **IT:** Ciakmull, l'uomo della vendetta; **ST:** Puerta abierta al infierno/Bailando con la luna; **FT:** Ciak Mull, le bâtard de Dodge City; **HL:** Italien (B.R.C. – Produzione Film/P.A.C. – Produzioni Atlas Cinematografica – Milano); **UA:** 11.3.70; **OL:** 94 (2585 m); **DEA:** 7.8.70; **DL:** 95 min; **FSK:** 16; **P:** Manolo Bolognini; **R:** Enzo Barboni; **B:** Mario Di Nardo (**I:** Franco Rossetti); **K:** Mario Montuori (Panoramico – Eastmancolor); **M:** Riz Ortolani; **DO:** Italien; **D:** Leonard Mann, Woody Strode, Luca (Luigi) Montefiori, Peter Martell, Helmut Schneider, Dino Strano, Evelyn Stewart, Andrew Ray (Andrea Aureli), Enzo Fiermonte; **I:** Django, der durch einen Anschlag seines Bruders sein Gedächtnis verloren hat, kehrt nach drei Jahren in seinen Heimatort zurück, findet nach und nach die Erinnerung an seine Vergangenheit wieder und rechnet mit den Schuldigen ab. *Enzo Barbonis erster Western ist ein dunkler, dramatischer Herbstwestern mit einer tollen Besetzung.*

Ciccio perdona ... io no! (1968) ET: Ciccio forgives, I don't; **IT:** Ciccio perdona ... io no!; **HL:** Italien (West Film – Rom); **UA:** 26.9.68; **OL:** 99 (2730 m); **P:** Italo Zingarelli; **R:** Marcello Ciorciolini; **B:** Amedeo Sollazzo, Marcello Ciorciolini; **K:** Alessandro D'Eva (Normal – Eastmancolor); **M:** Roberto Pregadio, Mario Capuano; **D:** Franco Franchi, Ciccio Ingrassia, Fernando Sancho, Adriano Micantoni, Mario Maranzana, Gia Sandri, Renato Baldini, Luca Sportelli, Gianni Solaro; **I:** Franco und Ciccio rauben einen Schatz des Banditen El Diablo, den dieser wiederum dem Militär gestohlen hat. *Franco & Ciccio-Persiflage auf die Bud Spencer/Terence Hill-Komödien.*

Cinco pistolas de Texas (1965) ET: $ 5 for Ringo; **IT:** 5 dollari per Ringo; **ST:** Cinco pistolas de Texas; **FT:** Cinq rafales pour Ringo; **HL:** Spanien/Italien (I.F.I. España – Barcelona/Moncayo Films/Cineproduzioni Associate – Rom); **UA:** 23.7.66; **OL:** 98 (2700 m); **P:** Ignacio F. Iquino; **R:** Juan Xiol Marchal; **B:** Juan Xiol Marchal (**I:** Ignacio F. Iquino); **K:** Víctor Monreal (Techniscope – Eastmancolor); **M:** Enrique Escobar; **S:** »El amor pedriás«, »Vivir un largo invierno« und »Te daré mi amor« – gesungen von Enrique Escobar; **DO:** Spanien (Fraga, Candasnos, Castelldefels,

Esplugas de Llobregat); **D:** Julio Perez Tabernero, Vicky Lagos, Alberto Farnese, Albert Farley, Miguel Gil, Maria Pia Conte, Gaspar Gonzalez, Javier Conde, Romano Giomini, Fernando Rubio, Angel Lombarte, Cesar Ojinaga, Juan Manuel Simon; **I:** Der Revolverheld Lester Sands wird von einigen Farmern dazu angeheuert, ihr Land gegen mexikanische Banditen zu schützen.

I 5 della vendetta (1966) DT: Die unerbittlichen Fünf; **ET:** Five giants from Texas; **IT:** I 5 della vendetta; **ST:** Los cinco de la venganza; **FT:** Les 5 de la vendetta; **HL:** Italien/Spanien (Miro Cinematografica – Rom/P.C. Balcázar – Barcelona); **UA:** 12.10.66; **OL:** 101 (2778 m); **DEA:** 25.8.67; **DL:** 97 min; **FSK:** 18; **P:** Roberto Capitani; **R:** Aldo Florio; **B:** Alfonso Balcázar, José Antonio De La Loma (**I:** Aldo Florio, Alfonso Balcazar); **K:** Victor Monreal (Panoramico – Eastmancolor); **M:** Franco Salina; **DO:** Spanien (Esplugas de Llobregat), Italien (Cinecittà Studio Rom); **D:** Guy Madison, Monica Randall, Mariano Vidal Molina, José Manuel Martin, Vassili Karis, Antonio Molino Rojo, Giovanni Cianfriglia, Gianni Solaro; **I:** Fünf Männer rächen den Tod eines heimtückisch ermordeten Freundes und verhelfen seiner Frau wieder zu ihrem Kind und Besitz. *Mittelmäßiger Western von Aldo Florio, weit entfernt von der Qualität seines zweiten Films in diesem Genre.*

5.000 dollari sull'asso (1964) DT: Die Gejagten der Sierra Nevada; **ET:** Five thousand dollars on one ace; **IT:** 5.000 dollari sull' asso; **ST:** Pistoleros de Arizona/Los pistoleros de Arizona; **FT:** Cinq mille dollars sur l'as; **HL:** Italien/Spanien/Deutschland (Fida Cinematografica – Rom/P. C. Balcázar – Barcelona/International Germania Film – Köln); **UA:** 31.12.64; **OL:** 91 (2510 m); **DEA:** 11.6.65; **DL:** 79 min; **FSK:** 16; **P:** Edmondo Amati; **R:** Alfonso Balcázar; **B:** Alessandro Continenza, José Antonio De La Loma, Alfonso Balcázar (**I:** Alessandro Continenza); **K:** Roberto Reale (Technicope – Technicolor); **M:** Angelo Francesco Lavagnino; **S:** »A gambling man« – gesungen von Don Powell/»Die Gejagten der Sierra Nevada« – gesungen von Ralf Paulsen, »Kein Gold am Blue River« – gesungen von Ronny; **CD:** 5000 dollari sull'asso (CAM CSE 116): 17 tracks; SW Encyclopedia Vol. 2 (KICP 434): 1 track; Wanted – Dead or Alive (CAM 900-020): 1 track; **DO:** Spanien (Candasnos, Esplugas de Llobregat, Mallos de Riglos); **D:** Robert Woods, Fernando Sancho, Frank Stewart, Helmut Schmid, Maria Sebaldt, Antonio Molino

571

Rojo, Paco Sanz, Hans Nielsen, Fernando Rubio; **I:** Ein Pokerspieler, der den halben Anteil einer Ranch gewann, erweist sich als Freund des den zweiten Anteil besitzenden Geschwisterpaares und befreit die Stadt von einem Erpresser. *Guter, spannender und zynischer Italo-Western von Alfonso Balcázar mit Robert Woods in einer seiner ersten Rollen.*

Cipolla Colt (1975) DT: Zwiebel-Jack räumt auf; **ET:** Cry onion/Spaghetti Western!; **IT:** Cipolla Colt; **ST:** El cibollero/Los locos del oro negro; **HL:** Italien/Spanien/ Deutschland (Compagnia Cinematografica Champion – Rom/C.I.P.I. Cinematográfica – Madrid/T.I.T. Filmproduktion – München); **UA:** 25.8.75; **OL:** 96 (2640 m); **DEA:** 13.2.76; **DL:** 91 min; **FSK:** 12; **P:** Giancarlo Pettini, Miguel De Echarri; **R:** Enzo Girolami; **B:** Sergio Donati, Luciano Vincenzoni; **K:** Alejandro Ulloa (Panoramico – Eastmancolor); **M:** Guido & Maurizio De Angelis; **DO:** Spanien (Almería); **D:** Franco Nero, Martin Balsam, Sterling Hayden, Dick Butkus, Leo Anchoriz, Romano Puppo, Emma Cohen, Nazzareno Zamperla, Duilio Cruciani, Georges Rigaud, Manuel Zarzo, Massimo Vanni, Helmut Brasch, Fernando Castro, Antonio Pica; **I:** Ein Westerner befreit einen Ort in Texas um 1910 von der Terrorherrschaft eines Ölspekulanten. *Der mit Abstand schlechteste Western von Genre-Veteran Enzo Girolami, auch Franco Neros schlechtester Genrebeitrag.*

La ciudad maldita (1978) ET: Red harvest; **IT:** La notte rossa del Falco; **ST:** La ciudad maldita; **HL:** Spanien/Italien (Films Dara – Barcelona/P.E.A. – Produzioni Europee Associate di Grimaldi Maria Rosaria e C. – Napoli); **UA:** 29.11.78; **OL:** 91 (2512 m); **P:** José María Cunillés, Antonio Girasanti, Luis Marín; **R:** Juan Bosch; **B:** Juan Bosch, Alberto De Stefanis; **K:** Gino Santini (Panoramico – Eastmancolor); **DO:** Spanien (Almería, Madrid); **D:** Chet Bakon, Diana Lorys, Roberto Camardiel, Daniel Martin, Nat Graywood, Adolfo Thous, Luciano Pigozzi, Edoardo Bea, Francisco Clement, Francisco Casares, Manuel Alberdi, Lone Fleming, Antonio Mayans, Antonio Molino Rojo; **I:** Ein Detektiv findet in einer Geheimmission heraus, wer der wahre Bösewicht in dem Westernstädtchen Personville ist.

Cipolla Colt

Cjamango (1967) DT: Django – Kreuze im blutigen Sand; **ET:** Cjamango; **IT:** Cjamango; **ST:** La codicia del botin; **FT:** Les deux pistolets de Cjamango; **HL:** Italien (Cio Film/Intercontinental Production – Roma/Marina di Belvedere Marittimo – CS); **UA:** 9.8.67; **OL:** 87 (2379 m); **DEA:** 23.5.69; **DL:** 87 min; **FSK:** 18; **P:** Vincenzo Musolino; **R:** Edoardo Mulargia; **B:** Vincenzo Musolino; **K:** Vitaliano Natalucci (Techniscope – Technicolor); **M:** Felice Di Stefano; **D:** Sean Todd (Ivan Rassimov), Mickey Hargitay, Hélène Chanel, Livio Lorenzon, Pedro Sanchez, Piero Lulli, Rick Boyd, Bill Jackson (Gino Buzzanca), Ivan Giovanni Scratuglia, Nino Musco, Giorgio Sabatini, Fred Coplan, Sergio Sagnotti; **I:** Django erobert einen gewonnenen und ihm bei einem Überfall geraubten Goldschatz zurück, indem er zwei Banden gegeneinander hetzt. Am Ende wird ihm das Gold jedoch endgültig abgenommen – von einem Ranger der Nordstaatenarmee, dem es rechtmäßig gehört. *Einer der besten Edoardo-Mulargia-Western mit einem glänzenden Sean Todd alias Ivan Rassimov in der Titelrolle.*

Clint, el solitario (1966) DT: Tal der Hoffnung/Ein Mann kommt zurück (geplanter Kinotitel); **ET:** Clint the Nevada loner/Nevada Clint; **IT:** Clint il solitario; **ST:** Clint, el solitario; **FT:** Clint, l'homme de la vallée sauvage; **HL:** Spanien/Italien/Deutschland (P.C. Balcázar – Barcelona/ Lux Film – Rom/International Germania Film – Köln); **UA:** 2.2.67; **OL:** 91 (2503 m); **DEA:** 9.7.90 (PRO 7); **DL:** 88 min; **P:** Valentin Sallent; **R:** Alfonso Balcázar; **B:** José Antonio De La Loma, Helmut Harum, Alfonso Balcázar (**I:** José Antonio De La Loma, Alfonso Balcázar); **K:** Vic-

Kein Wort zu viel – kein Schuß zu wenig

DJANGO
Kreuze im blutigen Sand

mit Sean Todd

Mickey Hargitay · Hélène Chanel
Livio Lorenzon · Piero Lulli ...
Giusva Fioravanti
Regie: Edward G. Muller

tor Monreal (SuperTechnirama – Technicolor); **M:** Nora Orlandi; **CD:** Clint il solitario (GDM 2063): 15 tracks; **DO:** Spanien; **D:** George Martin, Marianne Koch, Paolo Gozlino, Gerhard Riedman, Pinkas Braun, Francisco José Huetos, Fernando Sancho, Walter Barnes, Xan Das Bolas, Renato Baldini, Luis Barboo, Gustavo Re; **I:** Obwohl er in Notwehr handelte, wandert Rancher Clint Harrison ins Gefängnis. Jahre später, als er entlassen wird, sind seine Frau und der Rest der Familie unter mysteriösen Umständen verschwunden.

La collera del vento (1970) DT: Der Teufel kennt kein Halleluja; ET: Trinity sees red/Revenge of Trinity; **IT:** La collera del vento; **ST:** La cólera del viento; **FT:** La colère du vent/Trinita voit rouge; **HL:** Italien/Spanien (Fair Film – Rom/Cesáreo González P.C. – Madrid); **UA:** 4.12.70; **OL:** 102 (2800 m); **DEA:** 20.10.72; **DL:** 93 min; **FSK:** 16; **P:** Marciano De La Fuente; **R:** Mario Camus; **B:** Alberto Silvestri, Miguel Rubio, Franco Verucci, José Vincente Puente, Mario Camus (**I:** Manuel Marinero); **K:** Roberto Gerardi (Panoramico – Eastmancolor); **M:** Augusto Martelli; **S:** »Free« – gesungen von Augusto Martelli; **CD:** La collera del vento (Digitmovies CDDM 014): 17 tracks; Spaghetti-Westerns Vol. 1 (DRG 32905): 1 track; **DO:** Spanien (Almonte, Rociana, Niebla, Coto de Donana, Playa de Matalascanas, El Rocío, Villarrasa, Sevilla); **D:** Terence Hill, Maria Grazia Buccella, Mario Prado, Maximo Valverde, Fernando Rey, Angel Lombarte, Carlo Alberto Cortina, Maximo Valverde, William Layton, José Manuel Martin, Manuel De Blas, Carlos Otero; **I:** Ein Killer im Dienst eines Großgrundbesitzers stellt sich angesichts sozialer Auseinandersetzungen mit erwachendem kritischen Bewusstsein auf die Seite ausgebeuteter Landarbeiter und verliert sein Leben. *Qualitativ besseres Sozialdrama im Gewande eines Italo-Western.*

La collina degli stivali (1969) DT: Hügel der blutigen Stiefel/ Zwei hau'n auf den Putz/Hügel der Stiefel/Boot Hill; ET: Boot Hill/Trinity rides again; **IT:** La collina degli stivali; **ST:** La colina de las botas; **FT:** La colline des bottes/L'or de Liberty-Ville; **HL:** Italien (Crono Cinematografica/Finanziaria San Marco B.R.C.); **UA:** 20.12.69; **OL:** 99 (2734

m); **DEA:** 28.8.70; **DL:** 86 (Kino), 94 (DVD); **FSK:** 16; **P:** Manolo Bolognini; **R:** Giuseppe Colizzi; **B:** Giuseppe Colizzi; **K:** Marcello Masciocchi (Techniscope – Technicolor); **M:** Carlo Rustichelli; **CD:** La collina degli stivali (Digitmovies CDDM 020): 28 tracks; Spaghetti-Westerns Vol. 1 (DRG 32905): 1 track; **DO:** Spanien (Almería); **D:** Terence Hill, Bud Spencer, Lionel Stander, Woody Strode, Alberto Dell'Acqua, Victor Buono, Eduardo Ciannelli, Luigi Montefiori, Enzo Fiermonte, Nazzareno Zamperla, Edward Ciannelli, Glauco Onorato, Leslie Bailey, Luciano Rossi, Arnaldo Fabrizio; **I:** Junger Pistolero bekämpft mit drei Gefährten und einigen Zirkusartisten eine Gangsterbande, die sich mit Gewalt und Terror in den Besitz von Schürfrechten an einer Goldmine gesetzt hat. *Unterhaltsamer letzter Teil der Colizzi-Trilogie mit hervorragender Besetzung.*

Colorado Charlie (1965) DT: Colorado Charlie/Charlie, die Bestie von Colorado (geplanter Kinotitel); **ET:** Colorado Charlie; **IT:** Colorado Charlie/Un meticcio chiamato Cimitero; **FT:** Colorado Charlie/La loi de l'Ouest; **HL:** Italien (European Films Productions – Rom); **UA:** 2.10.65; **OL:** 96 (2650 m); **DEA:** Video (Inter-Pathe/Polygram); **DL:** 89 min; **P:** Francesco Paolo Prestano; **R:** Roberto Mauri; **B:** Nino Stresa; **K:** Edmondo Affronti (Panavision – Eastmancolor); **M:** Gioacchino Angelo; **S:** »Cita a las tres« – gesungen von Michelangelo Mignano; **D:** Jacques Berthier, Charlie Lawrence (Livio Lorenzon), Barbara Hudson (Brunella Bovo), Erika Blanc, Luigi Ciavarro, Andrew Ray (Andrea Aureli), Paolo Solvay, Ferdinando Angelini, Hugo Arden (Ugo Sasso), John McDouglas (Giuseppe Addobbati); **I:** Ein Sheriff heiratet die Witwe eines Erschossenen, die dem Kreislauf der Gewalt entkommen will. Sie veranlasst ihn zunächst, einem bewaffneten Konflikt aus dem Weg zu gehen, gibt ihm in einer Notsituation jedoch schließlich doch seine Waffe. *Ziemlich langweiliger erster Western von Billigfilmer Roberto Mauri.*

Le colt cantarono la morte e fu … tempo di massacro (1966) DT: Django – sein Gesangbuch war der Colt/Django – der Hauch des Todes; ET: Massacre time/The brute and the beast; **IT:** Le colt cantarono la morte e fu … tempo di massacro; **ST:** Las pistolas cantaron a muerte; **FT:** Le temps du massacre/La ville sans shérif; **HL:** Italien (Colt Produzioni Cinematografiche – Rom/Produzioni Cinematografiche L.F./Mega Film – Bari/Rom); **UA:** 10.8.66; **OL:** 102 (2800 m); **DEA:** 12.5.67; **DL:** 86 min; **FSK:** 18; **P:** Oreste Coltellacci; **R:** Lucio Fulci; **B:** Fernando Di Leo; **K:** Riccardo Pallottini (Cromoscope – Eastmancolor); **M:** Lallo Gori; **S:** »A man alone« – gesungen von Sergio Endrigo; **CD:** SW Encyclopedia Vol. 1 (KICP 433): 1 track; **DO:** Italien (Elios Film Studio Rom); **D:** Franco Nero, George Hilton, John McDouglas (Giuseppe Addobbati), Aysanoa Runachagua, Tom Felleghy, Nino Castelnuovo, Lynn Shayne (Linda Sini), Rina Franchetti, Romano Puppo, Chang Yu, Franco Morici, Aysanoa Runachagua, Attilio Severini; **I:** Django nimmt mit seinem Bruder brutale Ra-

DJANGO
Sein Gesangbuch
war der Colt

che für sich und seine Freunde. *Hervorragendes Western-Debüt von Horror-Kultregisseur Lucio Fulci.*

La colt è la mia legge (1965) DT: Stirb aufrecht, Gringo!; ET: Colt is the law; IT: La colt è la mia legge; ST: La ley del Colt; HL: Italien/Spanien (UCI – Unione Cinematografica Italiana – Rom/Cine 3 Produzione Cinematografica – Rom/Procensa Films – Madrid); UA: 20.8.65; OL: 98 (2700 m); DEA: 21.10.66; DL: 87 min; FSK: 12; P: Gian Bistolfi R: Alfonso Brescia; B: Alfonso Brescia, Ramon Comas, Ramon Comas, Franco Cobianchi; K: Eloy Mella (Panoramico – Eastmancolor); M: Carlos Castellanos Gomez; D: Anthony Clark (Angel del Pozo), Michael Martin (Miguel de la Riva), Luciana Gilli, Peter White (Franco Cobianchi), Milo Quesada, Grant Laramy (Germano Longo), Jim Clay (Aldo Cecconi), Stella Finney, Charles Johnson (Livio Lorenzon), José Riesgo; I: Zwei FBI-Agenten entlarven den reichsten Bürger eines Prärienestes als Chef einer gefährlichen Verbrecherbande. *Der erste von vier mittelmäßigen Italo-Western von Alfonso Brescia.*

La colt era il suo Dio (1972) DT: Der Colt des Rächers/Nur der Colt war sein Gott; ET: God is my Colt .45; IT: La colt era il suo Dio; FT: Le colt était son dieu; HL: Italien/Deutschland (Produzioni Cinematografiche Internazionali Virginia/Regina Film – München); UA: 18.11. 72; OL: 87 (2390 m); DEA: 19.11.99 (Kabel 1); DL: 80 min; P: Theo Maria Werner; R: Luigi Batzella; B: Arpad De Riso; K: Giorgio Montagnani (Panoramico – Eastmancolor); M: Vasco Vasil Kojucharov; DO: Italien; D: Jeff Cameron, Christa Nell, Esmeralda Barros, Mark Davis (Gianfranco Clerici), John Turner (Gino Turini), Giulio Baraghini, Attilio Dottesio, William Mayor, Mauro Mannatrizio, Aniello Palladino, Alessandro Perrella, Irio Fantini, Donald O'Brien; I: Army Captain Mike Jackson kommt in seine Heimatstadt zurück und muss dort die Herrschaft des bösen Colin brechen. *Der deutsche Titel »Nur Gott war sein Colt« ist eigentlich Unsinn. Im Original heisst der Film nämlich »Nur der Colt war sein Gott«. Dieser schwache Western wurde aus den beiden anderen Western des Regisseurs Batzella zusammengeschnitten und neu synchronisiert.*

Una colt in mano al diavolo (1973) ET: When the devil holds a gun; IT: Una colt in mano al diavolo; FT: Un colt dans la main du diable; HL: Italien (G.I.N.A.R. Film); UA: 05.1.73; OL: 89 (2435 m); R: Gianfranco Baldanello; B: Augusto Finocchi, Gianfranco Baldanello (I: Augusto Finocchi); K: Alvaro Lanzoni (Techniscope – Technicolor); M: Piero Piccioni; CD: Io non perdono uccido/Una colt in mano a diavolo/In nome del padre, del figlio e della colt/Il giustiziere di dio (GDM Club 7006): 4 tracks; Spaghetti-Westerns Vol. 2 (DRG 32909): 2 tracks; DO: Italien; D: Robert Woods, William Berger, José Torres, George Wang, Mila Stanic, Harry Baird, Fiorella Mannoia, Nino Fuscagni, Fred Kent, Giovanna Mainardi, Attilio Dottesio, Antonio Dimitri, Mario Dardanelli; I: Zwei Männer, Lieutenant Carson und Raubein Scott, werden auserwählt, sich in eine Bande von Verbrechern einzuschleusen, die einige Goldsucher gekidnappt haben. *Mittelmäßiger Gianfranco-Baldanello-Western, von dem man schon Besseres gesehen hat.*

Una colt in pugno al diavolo (1967) DT: Pronto Amigo – ein Colt in der Hand des Teufels; ET: Colt in the hand of the devil; IT: Una colt in pugno al diavolo; FT: Un colt dans le poing du diable; HL: Italien (Film Epoca 67); UA: 24.11.67; OL: 98 (2696 m); DEA: 27.11.70; DL: 93 min; FSK: 16; P: Sergio Bergonzelli; R: Sergio Bergonzelli; B: Sergio Bergonzelli, Adalberto Albertini; K: Aldo Greci (Panoramico – Eastmancolor); M: Giampiero Reverberi; S: »A devil was an angel« – gesungen von Mino Reitano; CD: Ringo il cavaliere solitario/Una colt in pugno al diavolo/L'ultimo Mercenario (BEAT CDCR 32): 4 tracks; Spaghetti-Westerns Vol. 4 (DRG 32932): 2 tracks; DO: Italien; D: Bob Henry, Marisa Solinas, George Wang, Gerardo Rossi, Lucretia Love, Luciano Benetti, Renato Chiantoni, Attilio Severini, Artemio Antonini, Ivan Giovanni Scratuglia, Cam Arnell, Franco Gulà; I: Ein amerikanischer Exoffizier ermöglicht die Überwältigung von Banditen durch ein Kavallerieregiment, indem er sich mit einem mexikanischen Bandenboss befreundet. *Mittelmäßiger Western von Sergio Bergonzelli.*

Un colt por 4 cirios (1971) ET: My colt, not yours; IT: La mia colt ti cerca ... quatro ceri ti attendo; ST: Un colt por 4 cirios; FT: Quattre salopards pour Garringo; HL: Spanien/Italien (I.F.I. España – Barcelona/Kiber Cinematografica – Rom); UA: 15.11. 73; OL: 89 (2450 m); P: Julia De La Fuente, Ignacio F. Iquino; R: Ignacio F. Iquino; B: Ignacio F. Iquino, Juliana San José De La Fuente (I: Lou Carrigan); K: Antonio L. Ballesteros (Panoramico – Eastmancolor); M: Enrique Escobar; DO: Spanien (Castelldefels); D: Robert Woods, Chris Huerta, Maria Martin, Luis Ciges, Antonio Molino Rojo, Giorgio Stefanelli, Indio Gonzales, Angel Lombarte, Cesar Ojinaga, Fernando Rubio, Olga Omar, Vidal Molina, Irene d'Astrea, Ricardo Moyan, Esteban Dalmases; I: Sheriff Garringo kämpft gegen Stadt-Boss Jefferson, der mit Mafiamethoden die Stadt regiert. *Furchtbar konfuser Film ohne erinnerbare Szene.*

Comin' at Ya! (1980) DT: Alles fliegt dir um die Ohren; ET: Comin' at Ya!; IT: Comin' at Ya!; ST: Yendo hacia ti; FT: Western en relief; HL: Spanien/USA/Italien (Universum Film – Madrid/CAU Productions – Hollywood); DEA: 18.12.81; DL: 92 min; FSK: 16; P: Tony Anthony, Bruce Talbot, Stan Torchia; R: Ferdinando Baldi; B: Lloyd Battista, Gene Quintano, Esteban Cuenca Sevilla, Ramon Plana Castell, Wolf Lowenthal (I: Tony Anthony); K: Fernando Arribas (Dimensionscope 3-D – Technicolor); M: Carlo Savina; CD: Comin' at Ya (Private Pressing): 13 tracks; DO: Spanien (Almería); D: Tony Anthony, Victoria Abril, Gene Quintano, Ricardo Palacios, Lewis Gordon, Dan Barry (Joaquin Gomez), Buxx Banner, Luis Barboo, Charly Bravo; I: Ein Cowboy befreit seine ihm vom TrArialtar entführte Braut aus den Händen skrupelloser Mädchenhändler. *Der erste 3-D-Italo-Western der Filmgeschichte bietet gute Unterhaltung und enthält kreative Kamera-Einstellungen und einen hervorragenden Carlo-Savina-Score.*

Con lui cavalca la morte (1967) DT: Tödlicher Ritt nach Sacramento/Tödlicher Ritt; ET: Death rides alone; IT: Con lui cavalca la morte; HL: Italien (Italcine T.V./Picienne); UA: 11.11.67; OL: 81 (2228 m); DEA: 25.4.75; DL: 79 min; FSK: 16; P: Gabriele Silvestri, Franco Palombi; R: Giuseppe Vari; B: Augusto Caminito, Fernando Di Leo, Adriano Baracco (I: Augusto Caminito, Fernando Di Leo); K: Amerigo Gengarelli (Cromoscope – Eastmancolor); M: Lallo Gori; CD: Inginocchiati straniero … I cadaveri non fanno ombra/Con lui cavalca la morte (BEAT CDCR 56): 11 tracks; DO: Italien; D: Mike Marshall, Hélène Chanel, Robert Hundar, Paolo Giusti, Andrea Bosic, Carole André, John McDouglas (Giuseppe Addobbati), Paola Natale, Luisa Della Noce; I: Ein Bewerber um das Amt des Senators versucht, einen Ponyexpressreiter umzubringen, der mit ihn belastenden Dokumenten unterwegs ist. *Durchschnittswestern von Giuseppe Vari.*

Continuavano a chiamarlo Trinità (1971) DT: Vier Fäuste für ein Halleluja/Der Kleine und der müde Joe; ET: Trinita is still my name; IT: Continuavano a chiamarlo Trinità; ST: Le seguian llamando Trinidad; FT: On continue à l'appeler Trinità; HL: Italien (West Film – Rom); UA: 21.10.71; OL: 126 (3454 m); DEA: 25.2.72; DL: 127 min; FSK: 12; P: Italo Zingarelli; R: Enzo Barboni; B: Enzo Barboni; K: Aldo Giordani (Cromoscope – Technocrome); M: Guido & Maurizio De Angelis; S: »Trinity stand tall« und »Remember« – gesungen von Gene Roman; DO: Italien; D: Terence Hill, Bud Spencer, Yanti Sommer, Enzo Tarascio, Emilio Delle Piane, Pupo De Luca, Gérard Landry, Enzo Fiermonte, Dana Ghia, Benito Stefanelli, Franco Ressel, Harry Carey Jr., Tony Norton; I: Zwei gutmütige Brüder ziehen aus, Viehdiebstahl und Postkutschenüberfall zu lernen, nutzen jedoch ihre Schlagfertigkeit, um Armen aus der Patsche und Ganoven ins Gefängnis zu helfen. *Der zweite und unterhaltsamere »Trinity«-Film von Enzo Barboni mit dem Traumgespann Terence Hill und Bud Spencer.*

Convoi de femmes (1974) DT: Convoy der Frauen; ET: Convoy of women; FT: Convoi de femmes; HL: Frankreich/Italien (Eurociné – Paris/Julia – Rom); P: Daniel Lesoeur; R: Pierre Chevalier; B: Jesús Franco, Francesco Mazzei; K: Gerard Brissaud (Normal – Color); M: Paul De Senneville, Olivier Toussaint; D: Claude Boisson, Michel Carrel, Anna Gladysek, Marianne Remont, Claud Plaud, Paul Muller, Gilbert Servien, Gilda Arnacio, Marie-France Brouquet, Gilles Brissac; I: Eine Gruppe französischer Frauen wird gekidnappt und an die Briten verkauft, wo sie als Bräute in die amerikanischen Kolonien transportiert werden. *Sexfilmchen, das sich als Trapperfilm ausgibt. Trotzdem langweilig.*

Une corde, un Colt (1968) DT: Friedhof ohne Kreuze; ET: Cemetery without crosses/The rope and the colt; IT: Cimitero senza croci; ST: Una cuerda, un Colt; FT: Une corde, un Colt; HL: Frankreich/Italien (Films Copernic – Paris/Loisirs du Monde – Paris/Fono Roma – Rom); UA: 19.4. 69; OL: 90 (2471 m); DEA: 27.2.70; DL: 84 min; FSK: 16; P: Jean-Charles Raffini, Jean-Pierre Labatut; R: Robert Hossein; B: Dario Argento, Robert Hossein, Claude DeSailly; K: Henri Persin (Panavision – Eastmancolor); M: André Hossein; S: »The rope and the colt« – gesungen von Scott Walker; DO: Spanien (Almería); D: Robert Hossein, Michèle Mercier, Anne-Marie Balin, Lee Burton (Guido Lollobrigida), Daniele Vargas, Serge Marquand, Pierre Collet, Michel Lemoine, Benito Stefanelli, Angel Alvarez, Chris Huerta, Pierre Hatet, Philippe Baronnet, Ivano Staccioli, Lorenzo Robledo; I: Abgetretener Re-

Continuavano a chiamarlo Trinità

575

volverheld hilft einer jungen Witwe bei der Rache an der Familie, die ihren Mann erhängt hat und erfährt am eigenen Leibe die Richtigkeit seines Ausspruchs, dass Rache niemals befriedigt. *Hervorragender düsterer Franco-Italo-Western von Robert Hossein, der auch gleich die Hauptrolle in dem Film übernommen hat, dessen sehr gute Musik von seinem Vater André Hossein stammt.*

℗ **Corri uomo corri (1968)** DT: **Lauf um dein Leben**; ET: **Run man, run**; IT: Corri uomo corri; ST: Corre Cuchillo corre; FT: Saludos, hombre; HL: Italien (Mancori & Chretien); UA: 29.8.68; OL: 119 (3273 m); DEA: 11.9.69; DL: 101 (Kino), 119 (DVD); FSK: 18; P: Alvaro Mancroi, Anna Maria Chretien; R: Sergio Sollima; B: Sergio Sollima, Pompeo De Angelis (I: Sergio Sollima); K: Guglielmo Mancori (Cromoscope – Eastmancolor); M: Bruno Nicolai; S: »Espanto en el corazon« – gesungen von Peter Boom CD: Corri uomo corri (CAM CSE 070): 17 tracks; SW Encyclopedia Vol. 3 (KICP 435): 2 tracks; Wanted – Dead or Alive (CAM 900-020): 2 tracks; DO: Spanien (Almería, El Argamazon); D: Tomás Milian, Donald O'Brien, John Ireland, Marco Guglielmi, Rick Boyd, Linda Veras, Chelo Alonso, José Torres, Edward Ross (Luciano Rossi), Nello Pazzafini , Dan May (Dante Maggio), Umberto Di Grazia, Joe Murayama, Attilio Dottesio, Orso Maria Guerrini, Federico Boido, Calisto Calisti; I: Junger straffälliger Mexikaner, als Messervirtuose »Stechmücke« genannt, gerät unfreiwillig in mexikanische Machtkämpfe, wobei er einen revoltierenden Politiker befreit, der ihm das Auffinden eines Drei-Millionen-Goldschatzes

Corri uomo corri

ermöglicht. *Der letzte von drei hervorragend gemachten Sergio-Sollima-Western, wieder mit dem Kubaner Tomás Milian in der Hauptrolle.*

Corte marziale (1973) ET: The Court Martial/The man with the golden Winchester; IT: Corte marziale/L'uomo dal winchester d'oro; HL: Italien (Vipa Film – Rom); UA: 12.2.74; OL: 94 (2580 m); R: Roberto Mauri; B: Roberto Mauri; K: Luigi Ciccarese (Panoramico – Eastmancolor); M: Marcello Gigante; DO: Italien; D: Vassili Karis, Craig Hill, Salvatore Billa, Margaret Rose Keil, Tom Felleghi, Cesare Di Vito, Lorenzo Piani, Ada Pometti, Mauro Mannatrizio; I: Ein Armeeleutnant muss sich gegen Verdächtigungen und eigene Vorgesetzte wehren. *Aus den beiden Roberto Mauri Filmen »… e lo chiamarono Spirito Santo« und »Bada alla tua pelle, Spirito Santo« zusammengeschustert.*

Così sia (1972) DT: **Dein Wille geschehe, Amigo**; ET: **Man called Amen**; IT: Così sia; ST: A Dios rogando ... y con los puños dando/Dos golfos en el oeste/Le llamaban Amen; FT: Trinita tire e dit ... amen; HL: Italien (Laser Film – Rom); UA: 11.8.72; OL: 95 (2620 m); DEA: 12.1.73; DL: 93; FSK: 16; R: Alfio Caltabiano; B: Alfio Caltabiano, Adriano Bolzoni (I: Alfio Caltabiano); K: Riccardo Pallottini (Technicope – Eastmancolor); M: Daniele Patucchi; DO: Italien (Elios Film Studio Rom); D: Luc Merenda, Sydne Rome, Alf Thunder (Alfio Caltabiano), Tano Cimarosa, Mila Beran, Renato Cestié, Dante Maggio, Furio Meniconi, Fortunato Arena, Edda Ferronao, Mimmo Poli, Tano Cimarosa; I: Banditen erneuern ihr ehemaliges Komplizentum für einen Bankraub, bei dem sie als Genasführte nur Falschgeld erbeuten. *Relativ schwache Alfio-Caltabiano-Westernkomödie mit Luc Merenda in der Hauptrolle.*

Crisantemi per un branco di carogne (1968) ET: Chrysanthemums for a bunch of swine; IT: Crisantemi per un branco di carogne; HL: Italien (S.C.A.A. – Società Cinematografica Artisti Alleati); OL: 98; P: Ezio Trapanese; R: Sergio Pastore; B: Sergio Pastore, Dino Santoni, Gianni Manera; K: Tino Santoni (Normal – Eastmancolor); M: Piero Umiliani; DO: Italien; D: Edmund Purdom, Gianni Manera, Marilena Possenti, Ivano Davoli, Livio Lorenzon, Joseph Logan, Aiche Nana; I: Ein Banditenboss entführt eine Dorfschönheit kurz vor deren Heirat und versteckt sich mit ihr und seiner Bande in einem Kloster. Ein Priester weigert sich, die beiden zu verheiraten und verfolgt die Bande, nachdem diese sich aus dem Staub machen. *Fast völlig unbekannter Western von Giallo-Regisseur Sergio Pastore.*

℗ **I crudeli (1966)** DT: **Die Grausamen**; ET: **The Hellbenders**; IT: I crudeli; ST: Los despiadados; HL: Italien/Spanien (Alba Cinematografica – Rom/Tecisa Film – Madrid); UA: 2.2.67; OL: 92 (2517 m); DEA: 14.2.68; DL: 92; FSK: 18; P: Albert Band; R: Sergio Corbucci; B: Ugo Liberatore, José Gutiérez Maesso (I: Alfredo Antonioni, Ugo Liberatore); K: Enzo Barboni (Panoramico – Eastmancolor); M: Ennio Morricone; CD: I crudeli (Screen Trax CDST 334): 17 tracks; I crudeli/Che c'entriamo noi con la rivoluzione? (GDM 2009): 10 tracks; Spaghetti-Westerns Vol. 2 (DRG 32909): 1 track, SW Encyclopedia Vol. 2 (KICP 434): 2 tracks; Fantastic World of SW (VCDS 7016): 4 tracks; DO: Spanien (Almería, Aldea del Fresno, Seseña, Titulcia, Torrelaguna, Alberche, Colmenar Viejo, Manzanares el Real), Italien (Cinecittà Studios Rom); D: Joseph Cotten, Norma Bengell, Julian Mateos, Angel Aranda, Claudio Gora, Gino Pernice, Maria Martin, Julio Peña, Enio Girolami, Claudio Scarchilli, Aldo Sambrell, Benito Stefanelli, José Nieto; I: Ein ehemaliger Südstaatenoffizier plündert mit seinen Söhnen die Kriegskasse der Nordstaaten-Armee, um im Süden eine neue schlagkräftige Armee gegen die Yankees aufbauen zu können. *Kultwestern von Sergio Corbucci mit dem »Citizen Kane«-bewährten Joseph Cotten in der Rolle eines nicht aufgebenden Südstaaten-Offiziers.*

Cuatro balazos (1963) DT: Der Rächer von Golden Hill; ET: Shots ring out; IT: Il vendicatore di Kansas City; ST: Cuatro balazos; FT: Quatre balles pour Joe; HL: Spanien/Italien (Coop. Fénix Films – Madrid/Cineproduzione Emo Bistolfi – Rom); UA: 29.6.64; OL: 98 (2700 m); DEA: 6.8.65; DL: 79; FSK: 12; P: Santos Alcocer; R: Agustín Navarro; B: Mario Guerra, Vittorio Vighi, Julio Porter, Fernando Galiana (I: Fernando Galiana, Julio Porter); K: Ricardo Torres (Panoramico – Eastmancolor); M: Manuel Parada; S: »Sonaron cuatro balazos« – gesungen von »Ferrusquilla«; DO: Spanien (Hoyo de Manzanares, Barranco de la Hoz); D: Fernando Casanova, Paul Piaget, Barbara Nelli, Francisco Morán, Fernando Montes, Angela Cavo, Liz Poitel, Miguel Del Castillo, José Marco, Juan Cortés, José Angel Espinosa; I: Draufgänger von zweifelhaftem Ruf gerät in Verdacht, seine unschuldig als Mörderin verurteilte Schwester durch Morde zu rächen. *Gut fotografierter durchschnittlicher Italo-Western der frühen Jahre.*

I crudeli

Una cuerda al amanecer (1971) ET: You are a traitor and I'll kill you; IT: Sei una carogna ... e t'ammazzo!; ST: Una cuerda al amanecer; HL: Spanien/Italien (Ciresa P.C. – Barcelona/Universalia Vision – Rom); P: Elio Pannaccio, Isidro Esteba; R: Manuel Esteba; B: Manuel Esteba; K: Girolamo La Rosa (Panoramico – Eastmancolor); M: Vasco Vasil Kojucharov, Daniele Patucci; D: Fernando Sancho, Pierre Brice, Raúl Aparici, Marta Flores, Antonio Molino Rojo, Mónica Randall, Steven Tedd, Johnny Fairen, Gaspar Gonzales, Sergio Aparici, Manuel Muniz, Alberto Vila; I: Ein Regierungsbeamter wird in den Westen geschickt, um dort einen Landdisput zu bereinigen.

... dai nemici mi guardo io! (1968) DT: Mein Leben hängt an einem Dollar; ET: Three silver dollars; IT: ... dai nemici mi guardo io!; ST: De mis enemigos me ocupo yo; FT: Mes ennemis, je m'en garde; HL: Italien (Selenia Cinematografica/Regalfilm); UA: 16.8. 68; OL: 88 (2431 m); DEA: 30.5.69; DL: 97; FSK: 16; P: Luigi Rovere; R: Mario Amendola; B: Mario Amendola, Bruno Corbucci (I: Bruno Corbucci); K: Aldo Giordani (Panoramico – Eastmancolor); M: Carlo Rustichelli; S: »Where is my fortune« – gesungen von Ivo Cerutti; DO: Spanien (Almería) D: Charles Southwood, Julian Mateos, Alida Chelli, Mirko Ellis, John Heston (Ivano Staccioli), Pietro Ceccarelli, Dada Gallotti, Marco Rual, Maria Mizar, Piero Morgia, Ivan Giovanni Scratuglia, Roberto Biciocchi, Vladimiro Tuicovich, Luigi Scavran, Arrigo Peri; I: Der Rivalenkampf um drei Dollarstücke, deren Zahlen-Chiffren den Weg zu einem vergrabenen Kriegsschatz markieren, führt keinen der Beteiligten zum Ziel. *Der Amerikaner Charles Southwood versucht sich in einem eher gemächlich vor sich hin kriechenden Western von Mario Amendola. Leider sind nur wenige Teile des Films unterhaltsam.*

Da uomo a uomo (1967) DT: Von Mann zu Mann/Die Rechnung wird mit Blei bezahlt; ET: Death rides a horse; IT: Da uomo a uomo; ST: De hombre a hombre; FT: La mort était au rendez-vous; HL: Italien (P.E.C. – Produzione Esecutiva Cinematografica/Sancro International); UA: 31.8.67; OL: 122 (3367 m); DEA: 8.3.68; DL: 116; FSK: 18; P: Alfonso Sansone, Henryk (Enrico) Chroscicki; R: Giulio Petroni; B: Luciano Vincenzoni; K: Carlo Carlini (Techniscope – Technicolor); M: Ennio Morricone; S: »Da uomo a uomo« – gesungen von Raoul; CD: Da uomo a uomo (GDM 2040): 16 tracks; Death rides a horse/A pistol for Ringo/The return of Ringo (RCA OST 107): 8 tracks; Spaghetti-Western (RCA 74321 26495-2): 4 tracks; Italo-Westerns Vol. 3 (DRG 32929): 1 track; DO: Spanien (Almería), Italien (Cinecittà Studio Rom); D: Lee Van Cleef, John Phillip Law, Anthony Dawson, Luigi Pistilli, Mario Brega, José Torres, Felicita Fanny, Archie Savage, Ignazio Leone, Bruno Corazzari, Carlo Pisacane, Romano Puppo, Elena Hall, Nino Vingelli; I: 15 Jahre nach der Ermordung seiner Familie rächt sich ein Überlebender an den Banditen, wobei ihm ein betrogener Betrüger zur Seite steht. *Dieser von Giulio Petroni inszenierte*

Da uomo a uomo

harte Rachewestern ist, untermalt von einem exzellenten Morricone-Score, einer der besten Italo-Western und bietet eine Paraderolle für Lee Van Cleef.

Deguejo (1965) DT: Für Dollars ins Jenseits; ET: De Guello; IT: Deguejo; HL: Italien (Garfilm); UA: 4.2.66; OL: 101 (2786 m); DEA: 28.4.67; DL: 86; FSK: 18; P: Sergio Garrone; R: Giuseppe Vari; B: Roberto Amoroso, Giuseppe Vari, Sergio Garrone (I: Sergio Garrone); K: Silvano Ippoliti (Normal – Eastmancolor); M: Alexander Derevitsky; D: Giacomo Rossi Stuart, Dan Vadis, Ghia Arlen, Rosy Zichel, José Torres, Dan Vargas, Aura Batis, Erika Blanc, Mila Stanic, John McDouglas (Giuseppe Addobbati), Mirella Pamphili, Susan Terry (Silvana Jachino), Eve Neill, Loris Loddi; I: Eine Hand voll »ehrbarer« Revolverhelden verteidigt ein Dorf voller Frauen gegen geldgierige, mordlüsterne Banditen. *Dieser Italo-Western ist der erste und beste Film innerhalb dieses Genres, der von Giuseppe Vari inszeniert wurde.*

Di Tresette ce n'è uno tutti gli altri son nessuno (1973) DT: Dicke Luft in Sacramento/Der Dicke, das Schlitzohr und drei Halleluja; ET: The crazy bunch; IT: Di Tresette ce n'è uno tutti gli altri son nessuno; HL: Italien (Dania Film); UA: 27.4.74; OL: 99 (2710 m); DEA: 3.4.75; DL: 92; FSK: 16; P: Mino Loy; R: Giuliano Carnimeo; B: Tito Carpi; K: Federico Zanni (Cinemascope – Eastmancolor); M: Alessandro Alessandroni; CD: Di Tresette ce n'è uno, tutti gli altri son nessuno (Hexacord HCD 09): 8 tracks; DO: Italien (Elios Film Studio Rom); D: George Hilton, Tony Norton, Memmo Carotenuto, Nello Pazzafini, Umberto D'Orsi, Riccardo Garrone, Renato Baldini, Dante Maggio, Enzo Maggio, Gino Pagnani, Aldo Cecconi, Ettore Arena, Dante Cleri; I: Zwei Gauner machen sich auf die Suche nach der Beute aus einem Postraub. *Der extremste, jedoch sicherlich bei weitem nicht der beste von Carnimeos Spaßwestern.*

Diamante Lobo (1976) DT: Der Colt Gottes; ET: God's gun; IT: Diamante Lobo; ST: El dia de la venganza; FT: Les impitoyables; HL: Israel/Italien (Golan-Globus); OL: 95; DEA: März 1982 Video (ITT Contrast); DL: 96; P: Irwin Yablans, Menahem Golan; R: Gianfranco Parolini; B: Gianfranco Parolini (I: John Fonseca); K: Sandro Mancori (Normal – Telecolor); M: Sante Maria Romitelli; DO: Israel; D: Lee Van Cleef, Jack Palance, Leif Garrett, Richard Boone, Sybil Danning, Robert Lipton, Zili Carni, Heinz Bernard, Didi Lukov, Ricardo Davo, Chin Chin, Rafi Ben Ami; I: Revolvermann rächt den Tod seines Bruders, eines Priesters, in dessen Soutane. *Unglaublich schwachsinniger Spätwestern des sonst bewährten Gianfranco Parolini.*

Dieci bianchi uccisi da un piccolo indiano (1973) DT: Zehn Cowboys und ein Indianerboy/Zehn Bleichgesichter und ein Indianerboy; ET: Blood river/Ten white victims of the little indian; IT: Dieci bianchi uccisi da un piccolo indiano; ST: Pasión salvaje; HL: Italien/Spanien (Filmar Compagnia Cinematografica – Rom/Productions Cine (Madrid); UA: 18.8.74; OL: 88 (2414 m); P: Gino Rossi; R: Gianfranco Baldanello; B: Mario Damiani, Juan Antonio Verdugo (I: Mario Damiani); K: Leopoldo Villaseñor (Cinemascope – Technicolor); M: Piero Umiliani; DO: Italien; D: Fabio Testi, John Ireland, Rosalba Neri, Luisa Rivelli, Michael Riviere (Miguel de la Riva), Daniel Martin, José Canalejas, Vittorio Richelmy, Maria Teresa Zago, Luis Induñi, Attilio Dottesio, Sergio Sagnotti; I: Ein Indianer, der als Junge die Auslöschung seines Stammes überlebt hat, rächt sich an Abel Webster und seinen Leuten, die das Massaker angerichtet und darauf eine Siedlung erbaut haben. *Der beste Western von Gianfranco Baldanello und gleichzeitig einer der wenigen, in denen Indianer eine wesentliche Rolle spielen.*

10.000 dollari per un massacro (1967) DT: 10.000 blutige Dollar/Django – 10.000 blutige Dollar; ET: Ten thousand dollars blood money; IT: 10.000 dollari per un massacro; ST: 10.000 dólares por un masacro; FT: Le temps des vautours; HL: Italien (Zenith Cinematografica/Flora Film); UA: 3.3.67; OL: 96 (2649 m); DEA: 8.3.68; DL: 98; FSK: 16; P: Mino Loy, Luciano Martino; R: Romolo Girolami; B: Franco Fogagnolo, Ernesto Gastaldi, Luciano Martino, Sauro Scavolini (I: Franco Fogagnolo, Ernesto Gastaldi, Luciano Martino); K: Federico Zanni (Techniscope – Technicolor); M: Nora Orlandi; S: »Basta così« – gesungen von Pier Giorgio Farina; CD: SW Encyclopedia Vol. 3 (KICP 435): 2 tracks; Bonus-Soundtrack CD von »Django Italo Western Box« (CAM 515329-2): 18 tracks; DO: Spanien (Almería), Italien (Elios Film Studio Rom); D: Gary Hudson (Gianni Garko), Loredana Nusciak, Claudio Camaso, Adriana Ambesi, Fidel Gonzales, Fernando Sancho, Franco Lantieri, Massimo Sarchielli, Joel Hardy (Pinnuccio Ardia), Renato Montalbano, Mirko Valentin; I: Ein Kopfgeldjäger tötet einen Banditen erst, nachdem dieser beim gemeinsamen Überfall auf einen Goldtransport Verrat begangen und seine Geliebte ermordet hat. *Guter, spannender Kopfgeldjäger-Western von Romolo Girolami mit Gianni Garko in einer seiner ersten Rollen.*

10.000 dollari per un massacro

Dinamita Jim (1966) ET: Dynamite Jim; **IT:** Dinamite Jim; **ST:** Dinamita Jim; **FT:** Dynamite Jim; **HL:** Spanien/Italien (P.C. Balcázar – Barcelona/Lux Film – Rom/S.I.A.P. – Società Italiana Attuazione Progetti – Rom); **UA:** 12.8.66; **OL:** 86 (2374 m); **P:** Antonio Liza, Remo Odevaine; **R:** Alfonso Balcázar; **B:** Alfonso Balcázar, José Antonio De La Loma, Mario Pasca; **K:** Victor Monreal (Deltascope – Eastmancolor); **M:** Nico Fidenco; **S:** »Dinamite Jim« – gesungen von Cantori Moderni di A. Alessandroni; **CD:** Ringo il Texano/All'ombra di una colt/Per il gusto di uccidere/Dinamite Jim (RCA OST 129): 6 tracks; **DO:** Spanien (Fraga, Esplugas de Llobregat); **D:** Luis Dávila, Fernando Sancho, Rosalba Neri, Aldo Sambrell, Maria Pia Conte, Carlo M. Sola, Pajarito, Osvaldo Genazzani, Miguel De La Riva, Ivan Giovanni Scratuglia, Victor Israel, Joaquin Diaz, José Castillo Escalona; **I:** Während des amerikanischen Bürgerkrieges versucht der Nordstaatenspion Dynamite Jim eine Goldladung von Mexiko durch die Südstaaten in ein Unionsfort in Iowa zu bringen.

Dinamite Jack (Terrore del Texas, 1963) DT: Dynamit Jack; **ET:** Dynamite Jack; **IT:** Dinamite Jack; **FT:** Dynamite Jack; **HL:** Frankreich/Italien (Bertrand Federation Int./Radici); **OL:** 100; **DEA:** 19. 10. 62; **DL:** 106; **FSK:** 12; **P:** J.P. Bertrand; **R:** Jean Bastia; **B:** Jean Manse, Jacques Emmanuel, Jean Bastia; **K:** Roger Hubert (Normal – Eastmancolor); **M:** Pascal Bastia; **D:** Fernandel, Eleonore Vargas, Adrienne Corri, Daniel Ivernel, Lucien Raimbourg, Jess Hahn, George Lycan; **I:** Westernkomödie mit Fernandel in einer Doppelrolle als Gangster und harmloser Goldsucher. *Schwache Westernkomödie mit dem italienischen Komiker Fernandel, bekannt aus den »Don Camillo«-Filmen.*

Dio in cielo ... Arizona in terra (1972) ET: God in Heaven ... Arizona on Earth; **IT:** Dio in cielo ... Arizona in terra; **ST:** Una bala marcada; **FT:** Je signe avec du plomb ... Garringo; **HL:** Italien/Spanien (Lea Film – Rom/Coop. Astro – Madrid); **UA:** 4.8.72; **OL:** 91 (2490 m); **P:** Ricardo Sanz, Vittorio Galiano; **R:** Juan Bosch; **B:** Juan Bosch, Fabio Piccioni (**I:** Juan Bosch, Daniel Ortosoli); **K:** Giancarlo Ferrando (Panoramico – Eastmancolor); **M:** Bruno Nicolai; **DO:** Italien (Rom); **D:** Peter Lee Lawrence, Roberto Camardiel, Maria Pia Conte, Frank Braña, Luis Induñi, Juan Torres, Indio Gonzales, Carlo Gaddi, Dada Galloti, José Castillo Escalona, Gustavo Re, Franco Pesce; **I:** Die alte Geschichte, noch mal erzählt. Der Kopfgeldjäger Arizona hilft einem älteren Farmer gegen den Terror von Austin Styles und seiner Bande.

Dio li crea ... io li ammazzo! (1967) DT: Bleigericht/Bleichgesicht; **ET:** God made them ... I kill them; **IT:** Dio li crea ... io li ammazzo!; **FT:** Dieu les crée, moi je les tue; **HL:** Italien (Cinecris); **UA:** 29.4.68; **OL:** 92 (2535 m); **DEA:** 5.6.70; **DL:** 77; **FSK:** 18; **P:** Gabriele Crisanti; **R:** Paolo Bianchini; **B:** Fernando Di Leo; **K:** Sergio D'Offizi (Cromoscope – Eastmancolor); **M:** Marcello Gigante; **S:** »God creates them, I kill them« – gesungen von Dean Reed; **D:** Dean Reed, Peter Martell, Piero Lulli, Agnès Spaak, Linda Veras, Ivano Staccioli, Fidel Gonzales, Ivan Giovanni Scratuglia, Piero Mazzinghi, Rosella Bergamonti; **I:** Agent entlarvt einige Bürger der ehrenwerten Gesellschaft eines kleinen Grenzstädtchens als Planer mehrerer Bankeinbrüche und Morde. *Belangloser erster Western von Paolo Bianchini mit dem später in die DDR ausgewanderten Amerikaner Dean Reed in der Hauptrolle.*

Dio non paga il sabato (1967) DT: Die sich in Fetzen schießen; **ET:** God does not pay on Saturday; **IT:** Dio non paga il sabato; **FT:** Dieu ne paie pas le samedi; **HL:** Italien/Spanien (Danny Film/R.K. Cinematografica – Rom/Coop. Coperfilm – Madrid); **UA:** 15.8.67; **OL:** 92 (2533 m); **DEA:** 15.10.71; **DL:** 87; **FSK:** 18; **P:** Marcello Lucchetti, Zelkio Kunkera, Eduardo Manzanos; **R:** Tanio Boccia; **B:** Tanio Boccia; (**I:** Mino Roli); **K:** Giuseppe Aquari (Totalscope – Eastmancolor); **M:** Angelo Francesco Lavagnino; **S:** »The price of gold« – gesungen von Roberto Matano; **CD:** Gli specialisti (EVB): 4 tracks; **D:** Robert Mark, Larry Ward, Max Dean, Maria Silva, Daniela Igliozzi, Vivi Gioi, Howard Beniconi, Furio Meniconi, Paola Natale, Luis Ferrin, José Bastida; **I:** Banditen liefern sich blutige Kämpfe um geraubtes Gold und Geld. *Dieser Western ist nicht nur der beste aller Tanio-Boccia-Filme, sondern bildete auch die Vorlage für den drei Jahre später entstandenen Kultfilm »Matalo!« von Cesare Canevari.*

Dio perdona ... io no! (1967) DT: Gott vergibt – Django nie/ Gott vergibt – Wir beide nie!/Zwei vom Affen gebissen; **ET:** God forgives, I don't; **IT:** Dio perdona ... io no!; **ST:** Tu perdonas ... yo no; **FT:** Dieu pardonne, moi pas/Trinita ne pardonne pas; **HL:** Italien/Spanien (Crono Cinematografica – Rom/Producciones Exibidora Films – Madrid); **UA:** 31.10.67; **OL:** 113 (3096 m); **DEA:** 30.1.69; **DL:** 100 (Kino), 109 (DVD); **FSK:** 18; **P:** Enzo D'Ambrosio, José Antonio Perez Giner; **R:** Giuseppe Colizzi; **B:** Giuseppe Colizzi, Gumersindo Mollo (**I:** Giuseppe Colizzi); **K:** Alfio Contini (Techniscope – Technicolor); **M:** Carlo Rustichelli; **CD:** Wanted – Dead or Alive (CAM 900-020): 1

Dio in cielo ... Arizona in terra

track; Dio perdona ... io no! (Digitmovies CDDM 051): 24 tracks; **DO:** Spanien (Almería, Polopos-El Puntal); **D:** Terence Hill, Bud Spencer, Frank Wolff, Gina Rovere, José Manuel Martin, Luis Barboo, Tito Garcia, Frank Braña, Paco Sanz, Arturo Fuento, Antonio Decembrino, Antonietta Fiorito, Remo Capitani, Bruno Arie, Rufino Ingles; **I:** Django ist von einem Raubmörder hereingelegt worden. Es gelingt ihm, zusammen mit einem Freund, sich zu rächen. *Der erste von insgesamt drei spannenden Western von Regisseur Giuseppe Colizzi, in dem man zum ersten Mal Bud Spencer und Terence Hill als Stars eines Western sieht.*

Dio non paga il sabato

Dio li crea ... io li ammazzo

Dio perdona ... io no!

Dio perdoni la mia pistola (1969) DT: Django – Gott vergib seinem Colt; ET: God will forgive my pistol; IT: Dio perdoni la mia pistola; FT: Dieu pardonne à mon pistolet; HL: Italien (Società Ambrosiana Cinematografica – S.A.C./Arborea – Cagliari); UA: 7.8.69; OL: 88 (2410 m); DEA: 17.9.71; DL: 94; FSK: 18; P: Paolo Moffa, Aldo Addobbati; R: Leopoldo Savona, Mario Gariazzo; B: Leopoldo Savona, Mario Gariazzo; K: Stelvio Massi (Cromoscope – Eastmancolor); M: Vasco Vasil Kojucharov, Elsio Mancuso; S: »The unforgettable gun«; D: Wayde Preston, Loredana Nusciak, Dan Vadis, Giuseppe Addobbati, José Torres, Livio Lorenzon, Joe De Santis, Arturo Dominici, Nino Marchetti, Irio Fantini, Antonietta Fiorito, Fedele Gentile; I: Ein Texas-Ranger forscht nach den wahren Tätern eines Postraubs, für den ein anderer gehängt werden soll. *Durch sehr verwickelte Produktionsbedingungen (über 3 Jahre!) etwas konfuser Film.*

Django (1966) DT: Django; ET: Django; IT: Django; ST: Django; FT: Django; HL: Italien/Spanien (B.R.C. – Produzione Film – Rom/Tecisa – Madrid); UA: 6.4.66; OL: 93 (2557 m); DEA: 2.11.66; DL: 88; FSK: 18; P: Manolo Bolognini; R: Sergio Corbucci; B: Franco Rossetti, Bruno Corbucci, Sergio Corbucci (I: Bruno Corbucci, Sergio Corbucci); K: Enzo Barboni (Panoramico – Eastmancolor); M: Luis Enríquez Bacalov; S: »Django« – gesungen von Rocky Roberts; CD: Django (King Records/Japan KICP 2591): 19 tracks; The Italian Western of Luis Baca-

lov (VCDS 7014): 6 tracks; Django (Alhambra A 8930): 18 tracks; Django (Screen Trax CDST 322): 24 tracks; Spaghetti-Westerns Vol. 2 (DRG 32909): 1 track; SW Encyclopedia Vol. 2 (KICP 434): 2 tracks; DO: Spanien (Manzanares el Real, Colmenar Viejo, Torremocha de Jarama, El Atazar), Italien (Elios Film Studio Rom); D: Franco Nero, José Bodalo, Loredana Nusciak, Angel Alvarez, Jimmy Douglas (Gino Pernice), Rafael Albaicin, Eduardo Fajardo, Luciano Rossi, Simon Arriaga, Erik Schippers, José Canalecas, Ivan Giovanni Scratuglia; I: Ehemaliger Nordstaatensoldat im Kampf zwischen zwei unerbittlichen Banden im Grenzgebiet zwischen Mexiko und Texas. *Sergio Corbucci liefert hier sein erstes Meisterwerk des Italo-Western ab.*

Django 2 – Il grande ritorno (1987) DT: Djangos Rückkehr; ET: Django strikes again; IT: Django 2 – Il grande ritorno; ST: El regreso de un héroe; HL: Italien (Dania Film/Filmes International/National Cinematografica/Reteitalia – Segrate, MI); UA: 3.12.87; OL: 100 (2740 m); DEA: 22.10.87; DL: 95; FSK: 16; R: Nello Rossati; B: Nello Rossati, Franco Reggiani; K: Sandro Mancori (Panoramico – Telecolor); M: Gianfranco Plenizio; D: Franco Nero, Donald Pleasence, Christopher Connelly, William Berger, Licia Lee Lyon (Liciana Lentini), Robert Posse, Alessandro Di Chio, Rodrigo Obregon, Micky, Bill Moore, Consuelo Reina; I: Revolverheld Django, zwischenzeitlich zum friedliebenden Mönch geworden, verlässt sein Kloster, um einem sadistischen Despoten, der Bauern versklavt

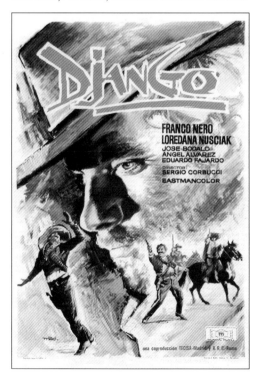

und seine Tochter entführt, den Garaus zu machen. *Leider ziemlich missglückter Versuch einer Django-Fortsetzung – mehr Rambo als Django.*

○ **Django il bastardo (1969)** DT: Django und die Bande der Bluthunde/Höllenhunde gehetzt bis zum Verrecken/Django, der Bluthund/Die Bande der Bluthunde/Django, der Bastard; ET: Django the bastard; IT: Django il bastardo; ST: El bastardo; FT: Django contre la horde des salopards; HL: Italien (S.E.P.A.C. – Società Europea Produzioni Associate Cinematografiche/Tigielle 33); UA: 8.11. 69; OL: 101 (2780 m); DEA: 05.1.71; DL: 99; FSK: 18; P: Pino De Martino; R: Sergio Garrone; B: Sergio Garrone, Antonio De Teffé; K: Gino Santini (Techniscope – Technicolor); M: Vasco Vasil Kojucharov, Elsio Mancuso; DO: Italien; D: Anthony Steffen, Lu Kamante (Luciano Rossi), Paolo Gozlino, Rada Rassimov, Furio Meniconi, Jean Louis, Teodoro Corrà, Riccardo Garrone, Carlo Gaddi, Tomas Rudy, Emy Rossi Scotti; I: Django legt als patriotischer Rächer drei verräterische Offiziere und ihre zahllosen Helfer um. *Sehr guter und düsterer Sergio-Garrone-Western mit Anthony Steffen in einer seiner besten Rollen nach eigenem Drehbuch.*

Django sfida Sartana (1969) ET: Django challenges Sartana; IT: Django sfida Sartana; ST: Django desafia a Sartana; FT: Django défie Sartana; HL: Italien (B.C.R. Produzioni Cinematografiche/P.A.C. – Produzioni Atlas Cinematografica – Milano); UA: 30.4.70; OL: 97 (2680 m); P: Roberto Bezzi; R: Pasquale Squitieri; B: Pasquale Squitieri; K: Eugenio Bentivoglio (Normal – Eastmancolor); M: Piero Umiliani; S: »They called him Django«; CD: Django/Django spara per primo/Django sfida Sartana/Viva Django (Private Pressing): 1 track; DO: Italien; D: Tony Kendall, George Ardisson, José Torres, Doro Corrà, John Alvar, Adler Gray, Bernard Faber, Salvatore Billa, Fulvio Mingozzi, Rick Boyd; I: Django und Sartana sind Jagd nach dem gewissenlosen Singer, der nicht nur Djangos Bruder ermordet und seine eigene Bank ausgeraubt, sondern auch ○ seine Nichte entführt hat. *Belangloser Django-Abklatsch von Pasquale Squitieri.*

○ **Django spara per primo (1966)** DT: Django – nur der Colt war sein Freund; ET: Django shoots first; IT: Django spara per primo; ST: Yo soy Trinidad/Django una pistola que apesta a dolares; FT: Django tire le premier; HL: Italien (Fida Cinematografica); UA: 28.10.66; OL: 92 (2523 m); DEA: 14.6.68; DL: 87; FSK: 16; P: Edmondo Amati; R: Alberto De Martino; B: Tito Carpi, Alessandro Continenza, Massimiliano Capriccioli, Vincenzo Flamini, Giovanni Simonelli; K: Riccardo Pallottini (Techniscope – Technicolor); M: Bruno Nicolai; S: »Dance of danger« – gesungen von Dino; CD: Anda muchacho, spara/Django spara per primo (CAM 508952-2): 13 tracks; Django/Django spara per primo/Django sfida Sartana/Viva Django (Private Pressing): 6 tracks; DO: Spanien (Almería), Italien (Elios Film Studio Rom, Anzio); D: Glenn Saxson, Fernando Sancho, Evelyn Stewart, Nando Gazzolo, Alberto Lupo, Erika Blanc, Lee Burton (Guido Lollobrigida), Marcello Tusco, Valentino Macchi, George Eastman; I: Django kämpft mit dem ehemaligen Komplizen seines Vaters, weil dieser ihn um eine beträchtliche Geldsumme betrügen will. *Sehr unterhaltsamer, von einem guten Bruno-Nicolai-Score untermalter Italo-Western von Alberto De Martino und gleichzeitig Glenn Saxsons beste Western-Rolle.*

Djurado (1966) ET: Djurado; IT: Djurado; ST: Jim Golden Poker; FT: El Dyurado/Djurado; HL: Italien/Spanien (Studio 7 – Rom/Coop. Astro – Madrid); UA: 20.8.66; OL: 87 (2405 m); P: Ernesto Fegarotti; R: Gianni Narzisi; B: Gianni Narzisi, William Azzella, Federico De Urrutia; K: Miguel F. Mila (Panoramico – Eastmancolor); M: Gianni Ferrio; S: »Solo il vento lo sa« – gesungen von Gianni Meccia; D: Montgomery Clark (Dante Posani), Scilla Gabel, Mary Jordan (Mariangela Giordano), Isarco Ravaioli, Margaret Lee, Luis Induñi, Goyo Lebrero, Peter Adamov, Loris Bazzocchi, Mirella Panfili; I: Ein Bandit namens Duncan terrorisiert ein mexikanisches Dorf, bis er sich mit Djurado einlässt, der die Ordnung wieder herstellt. *Belangloser Western von Gianni Narzisi.*

○ **Un dólar de recompensa (1972)** ET: Prey of vultures; IT: La preda e l'avvoltoio; ST: Un dólar de recompensa/La presa y la buitre; FT: Tu seras la proie des vautours; HL:

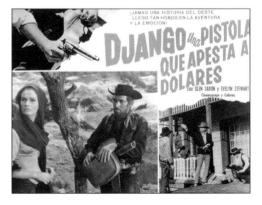

Spanien/Italien (Copercines Cooperativa Cinematográfica – Madrid/Devon Film – Rom); **UA:** 24.4.72; **OL:** 93 (2555 m); **P:** Eduardo Manzanos; **R:** Rafael Romero Marchent; **B:** Luis Gaspar; **K:** Mario Capriotti (Panoramico – Eastmancolor); **M:** Nora Orlandi; **DO:** Spanien (Hoyo de Manzanares, Manzanares el Real, Colmenar Viejo), Italien; **D:** Peter Lee Lawrence, Orchidea De Santis, Carlos Romero Marchent, Andres Mejuto, Eduardo Calvo, Raf Baldassare, Frank Braña, Dada Gallotti; **I:** Kunstmaler Kit, ein ehemaliger Revolverheld, kommt in eine Stadt und verliebt sich dort in die Tochter des Mannes, der seinen Vater auf dem Gewissen hat. *Einer der letzten Peter-Lee-Lawrence-Western, der von Marchent unter Verwendung von viel Archivmaterial in nur zwei Wochen gedreht wurde, weshalb auch Leute wie Craig Hill und Anthony Steffen kurz auftauchen.*

Un dollaro bucato (1965) DT: Ein Loch im Dollar; ET: One silver dollar/Blood for a silver dollar; **IT:** Un dollaro bucato; **ST:** Un dolar agujereado; **FT:** Le dollar troué; **HL:** Italien/Frankreich (Dorica Film – Rom/Explorer Film '58 – Rom/Fono Roma – Rom/Films Concordia – Paris/Films Corona – Nanterre); **UA:** 8.8.65; **OL:** 98 (2700 m); **DEA:** 16.3.66; **DL:** 96; **FSK:** 16; **P:** Bruno Turchetto; **R:** Giorgio Ferroni; **B:** Giorgio Ferroni, Giorgio Stegani; **K:** Antonio Secchi (Cinemascope – Eastmancolor); **M:** Gianni Ferrio; **S:** »Un dollaro bucato« – gesungen von Lydia McDonald und Fred Bongusto & song »Give me bach« gesungen von Liana McDonald; **CD:** Un dollaro bucato/Sentenza di morte/Vivi o preferibilmente morti (CAM-494580-2): 11 tracks; SW Encyclopedia Vol. 2 (KICP 434): 2 tracks; Wanted – Dead or Alive (CAM 900-020): 1 track; **DO:** Italien; **D:** Giuliano Gemma, Evelyn Stewart, Peter Cross (Pierre Cressoy), Tor Altmayer (Tullio Altamura), Max Dean (Massimo Righi), Frank Farrel (Franco Fantasia), Frank Liston (Franco Lantieri), John McDouglas (Giuseppe Addobbati), Benny Reeves (Benito Stefanelli), Jean Martin (Gino Marturano), Nicholas St. John (Nazzareno Zamperla), Andrew Scott (Andrea Scotti), Peter Surtess (Nello Pazzafini); **I:** Ehemaliger Offizier der amerikanischen Südstaaten-Armee rächt den Tod seines Bruders, den er in Unwissenheit durch einen hinterhältigen Trick einer Gangsterbande erschossen hat. *Handwerklich gut gemachter Western, der den US-Vorbildern näher ist als seinen italienischen.*

Un dollaro di fifa (1960) IT: Un dollaro di fifa; **ST:** Dos valientes a la fuerza; **HL:** Italien (Cineproduzione Emo Bistolfi – Rom); **P:** Emo Bistolfi, Renato Torrini; **R:** Giorgio C. Simonelli; **B:** Mario Guerra, Renzo Tarabusi, Giulio Scarnicci (**I:** Mario Guerra); **K:** Tino Santoni (Panoramico – Eastmancolor); **M:** Gianni Ferrio; **S:** »Oh, chérie« – gesungen von Tony Renis, andere Songs von Mara Garbo und Quartetto 2+2; **D:** Ugo Tognazzi, Walter Chiari, Hélène Chanel, Leonora Ruffo, Dominique Boschero, Mario Carotenuto, Aroldo Tieri, Renato Mambor, Nando Angelini, Arturo Dominici; **I:** Zwei Kleinganoven schwindeln

sich durch den Wilden Westen, indem sie Wundertränke verkaufen. Schließlich entgehen sie nur knapp dem Galgen. *Der erste italienische Western von Giorgio C. Simonelli, der sich hauptsächlich auf Franco & Ciccio-Filmkomödien konzentrierte.*

Un dollaro di fuoco (1965) DT: Keinen Dollar für dein Leben; ET: Dollar of fire; **IT:** Un dollaro di fuoco; **ST:** Un dólar de fuego; **FT:** Pas d'orchidées pour le sheriff/Pour un dollar d'amour; **HL:** Italien/Spanien (Cineproduzioni Associate – Rom/I.F.I. España – Barcelona); **UA:** 10.3.66; **OL:** 98 (2700 m); **DEA:** 7.4.67; **DL:** 79; **FSK:** 18; **R:** Nick Nostro; **B:** Mario Colucci, Ignacio F. Iquino; **K:** Giuseppe La Torre, Victor Monreal (Technirama – Technicolor); **M:** Enrique Escobar; **D:** Michael (Miguel de la) Riva, Diana Grason (Dada Gallotti), Albert Farley (Alberto Farnese), Indio Gonzales, Jack Rocks (Moises Rocha), Mario Maranzana, Diana Sorel, Carlos Otero, Roberto Font; **I:** Eine von Banditen und korrupten »Honoratioren« terrorisierte Stadt im Westen wird vom Sheriff mit Hilfe der Bürger gesäubert. *Mittelmäßiger Action-Western von Nick Nostro.*

Un dollaro tra i denti (1966) DT: Ein Dollar zwischen den Zähnen; ET: A stranger in town; **IT:** Un dollaro tra i denti; **FT:** Un dollar entre les dents; **HL:** Italien/USA (Primex Italiana – Rom/Taka Productions – New York); **UA:** 13.1.67; **OL:** 86 (2363 m); **DEA:** 13.10.67; **DL:** 90; **FSK:** 18; **P:** Roberto Infascelli, Massimo Gualdi; **R:** Luigi Vanzi; **B:** Giuseppe Mangione, Warren Garfield; **K:** Marcello Masciocchi (Widescreen – Eastmancolor); **M:** Benedetto Ghiglia; **CD:** Un dollaro tra i denti (King Records/Japan KICP 2596): 15 tracks; Adios gringo/Un dollaro tra i denti (CAM CSE-800-119): 9 tracks; SW Encyclopedia Vol. 2 (KICP 434): 2 tracks; **DO:** Italien (Cinecittà Studio Rom); **D:** Tony Anthony, Frank Wolff, Gia Sandri, Raf Baldassarre, Jolanda Modio, Aldo Berti, Enrico Cappellini, Arturo Corso, Antonio Marsina, Angela Minervini; **I:** Ein Einzelgänger ermordet eine ganze mexikanische Bande, um sich in den Besitz des von ihr geraubten Goldes zu setzen. *Sehr unterhaltsamer kleiner Italo-Western auf den Spuren von Sergio Leones »Per un pugno di dollari«, in dem man Tony Anthony als zynischen Westernhelden genießen darf.*

Domani passo a salutare la tua vedova ... parola di Epidemia (1971) DT: Meine Kanone, mein Pferd ... und deine Witwe; ET: My horse, my gun, your widow; **IT:** Domani passo a salutare la tua vedova ... parola di Epidemia; **ST:** Tu fosa será la exacta ... amigo; **FT:** Mon cheval, mon colt, ta veuve; **HL:** Italien/Spanien (Lea Film – Rom/P.C. Astro (Madrid); **UA:** 11. 8. 72; **OL:** 92 (2520 m); **DEA:** 24. 1. 74; **DL:** 87; **FSK:** 12; **P:** Vittorio Galiano; **R:** Juan Bosch; **B:** Juan Bosch, Sauro Scavolini (**I:** Juan Bosch); **K:** Giorgio Tonti, Julio Perez De Rozas (Panoramico – Eastmancolor); **M:** Bruno Nicolai; **S:** »I guess I gotta get my gun«; **DO:** Italien (Elios Film Studio Rom); **D:** Craig Hill, Claudie Lange, Chris Huerta, Luis Induñi, Pedro Sanchez, Carlo Gaddi,

Richard Melvill (Rosario Borelli); **I:** Ein Gauner-Quartett versucht sich gegenseitig Gold abzujagen. *Dümmliche Westernkomödie ohne jeglichen Reiz von Juan Bosch.*

Una donna chiamata Apache (1976) DT: Apache Woman; **ET:** Apache woman; **IT:** Una donna chiamata Apache; **ST:** Una mujer llamada Apache; **FT:** Une fille nommée Apache; **HL:** Italien (National Cinematografica/Zenith Cinematografica – Rom); **UA:** 10.12.76; **OL:** 89 (2455 m); **DEA:** 24.11.78; **DL:** 80; **FSK:** 18; **P:** Enzo Doria; **R:** Giorgio Mariuzzo; **B:** Giorgio Mariuzzo, Antonio Raccioppi; **K:** Sergio Rubini (Panoramico – Eastmancolor); **M:** Budy Maglione; **S:** »Apache Woman« – gesungen von Judy Hill; **DO:** Italien; **D:** Al Cliver, Yara Kewa (Clara Hopf), Rick Boyd, Mario Maranzana, Corrado Olmi, Roque Oppedisano, Peter MacSing, Ely Galleani, Frank Warner, Robert Thomas, Eugen Bertil, Henry Kalter, Nadir Brown; **I:** Spätwestern über die Liebe zwischen einem Soldaten der US-Kavallerie und einer Apachin, die tragisch endet. *Giorgio Mariuzzos brutaler Western begibt sich auf die Spuren von Ralph Nelsons »Soldier Blue«, jedoch ohne Erfolg.*

Dos cruces en Danger Pass (1967) ET: Two crosses at Danger Pass; **IT:** Due croci a Danger Pass; **ST:** Dos cruces en Danger Pass; **FT:** Deux croix pour un implacable; **HL:** Spanien/Italien (Copercines Cooperativa Cinematográfica – Madrid/United Pictures – Rom); **UA:** 28.9.67; **OL:** 86 (2366 m); **P:** Eduardo Manzanos; **R:** Rafael Romero Marchent; **B:** Enzo Battaglia, Eduardo M. Brochero (**I:** Enzo Battaglia); **K:** Sergio Martinelli (Panoramico – Eastmancolor); **M:** Francesco De Masi; **S:** »Without Name« – gesungen von Raoul; **DO:** Spanien (Manzanares el Real, Colmenar Viejo, Hoyo de Manzanares), Italien (Rom), **D:** Peter Martell, Anthony Freeman, Nuccia Cardinali, Luis Gaspar, Armando Calvo, Mara Crux, Jesus Puente, Dianik Zurakowska, Antonio Pica, Miguel Del Castillo; **I:** Aus dem einzigen Überlebenden eines Banditenüberfalls wird ein gefürchteter Revolvermann, der dann mit den Mördern abrechnet.

Dos pistolas gemelas (1965) DT: 6 Kugeln für Gringo; **ET:** A woman for Ringo; **IT:** Una donna per Ringo; **ST:** Dos pistolas gemelas; **FT:** Pas de pitié pour Ringo; **HL:** Spanien/Italien (Producciónes Benito Perojo – Madrid/Luxor Film/Transmonde Film – Rom); **UA:** 23.4.66; **OL:** 93 (2569 m); **DEA:** 23.6.67; **DL:** 84; **FSK:** 18; **P:** Miguel Tudela, Luigi Nannerini; **R:** Rafael Romero Marchent; **B:** Giovanni Simonelli (**I:** Manuel Sebares); **K:** Francesco Vitrotti (Panoramico – Eastmancolor); **M:** Gregorio García Segura; **DO:** Spanien (Almería, Colmenar Viejo); **D:** Sean Flynn, Milly Bay, Phyllis Bay (Emilia + Pilar Bayona), Jorge Rigaud, Beni Deus, Rogelio Madrid, Renato Baldini, Luis Induñi, Giacomo Furia, José Orjas, Dolores Gerrero, Rosella Bergamonti, José Sepulveda, Ricardo Rodriguez; **I:** Zwillingsschwestern erben eine Ranch und müssen sich gegen Viehdiebe und Mordgesellen zur Wehr setzen. *Halbherziger Western mit Musicalelementen von Rafael Romero Marchent.*

Un dollaro tra i denti

Domani passo a salutare la tua vedova ... parola di Epidemia

Là dove non batte il sole (1974) DT: In meiner Wut wieg' ich vier Zentner/Kung Fu im Wilden Westen/Zwei Satansbraten am Fliegenfänger/Blood Money – in meiner Wut wieg' ich vier Zentner/The stranger and the gunfighter; ET: The stranger and the gunfighter/Blood money; IT: Là dove non batte il sole; ST: El Kárate, el Colt y el impostor; FT: La brute, le Colt et le karaté; HL: Italien/Spanien/Hongkong (Compagnia Cinematografica Champion – Rom/Midega Films – Madrid/Shaw Brothers – Hong-Kong/Harbor Productions – New York); UA: 11.1.75; OL: 103 (2825 m); DEA: 12.2.75; DL: 98; FSK: 18; P: Carlo Ponti, Gustave Berne, Run Run Shaw; R: Antonio Margheriti; B: Antonio Margheriti, Giovanni Simonelli (I: Barth Jules Sussman); K: Alejandro Ulloa (Panavision – Technicolor); M: Carlo Savina; DO: Spanien (Almería, Guadix, Daganzo), Hongkong; D: Lee Van Cleef, Lo Lieh, Erika Blanc, Patty Shepard, Femi Benussi, Keren Yeh, Julian Ugarte, Lionel Stander, Manuel De Blas, Goyo Peralta, Ricardo Palacios, Jorge Rigaud, Barta Barry, Alfredo Boorman, Al Tung, Paul Costello, Anita Farra; I: Drei Rivalen auf der Jagd nach einem im Westen der USA angesammelten Vermögen, das ein mittlerweile umgekommener Chinese verwaltet hat. *Sehr amüsanter und unterhaltsamer Western von Antonio Margheriti mit einem hervorragenden Lee Van Cleef.*

⊘ Dove si spara di più (1967) DT: Glut der Sonne; ET: Fury of Johnny Kid; IT: Dove si spara di più; ST: La furia de Johnny Kidd; FT: Un doigt sur la gâchette; HL: Italien/Spanien (Framer Film – Rom/Hispamer Films – Madrid); UA: 2.3.67; OL: 89 (2440 m); DEA: 6.10.72; DL: 87; FSK: 18; P: Francesco Merli; R: Gianni Puccini; B: Bruno Baratti, Maria Del Carmen Martinez Roman; K: Mario Montuori (Techniscope – Technicolor); M: Gino Peguri; DO: Spanien (Manzanares el Real, Aranjuez, Colmenar Viejo), Italien (Cinecittà Studio Rom); D: Peter Lee Lawrence, Paul Naschy, Cristina Galbo, Peter Martell, Luis Induñi, Piero Lulli, Andres Mejuto, Angel Alvarez, Maria Cuadra, José Rubio, Rufino Ingles, Eulalia Tenorio, Paolo Magalotti, Ana Maria Noe, Mirella Pamphili, Javier Rivera; I: »Romeo und Julia« im Wilden Westen. *Relativ unbekannter Rache-Western von Gianni Puccini.*

Due contro tutti (1962) ET: The terrible sheriff; IT: Due contro tutti; ST: El sheriff terrible; HL: Italien/Spanien (Cineproduzione Emo Bistolfi – Rom/Coop. Copercines – Madrid); UA: 4.12.62; OL: 97 (2670 m); P: Emo Bistolfi, Renato Tonini, Norberto Soliño; R: Alberto De Martino, Antonio Momplet; B: Ugo Guerra, Vittorio Vighi, Ettore Scola, Ruggero Maccari, Giulio Scarnicci, Renzo Tarabusi (I: Ugo Guerra, Vittorio Vighi); K: Dario Di Palma, Ricardo Torres (Panoramico – Eastmancolor); M: Franco Pisano, Gianni Ferrio, Manuel Parada; S: »Era un Bullivan« und »Cotton twist« – gesungen von Gianni Ferrio; D: Walter Chiari, Raimondo Vianello, Aroldo Tieri, Mac Ronay, Licia Calderon, Maria Silva, Antonio Molino Rojo, Felix Fernandez, José Calvo, Miguel Angel Castillo; I: Zwei Brüder kommen nach Golden City, um dort ein Vermögen zu machen. Leider müssen sie sich zuerst mit dem Bürgermeister Fats Missouri anlegen, der den Einwohnern Geld und Land abjagt. *Ziemlich verrückte, jedoch trotzdem unterhaltsame Western-Komödie von De Martino und Momplet.*

Le due facce del dollaro (1967) DT: Django – sein Colt singt sechs Strophen/Stinkende Dollar; ET: Two Sides of the Dollar; IT: Le due facce del dollaro; FT: Poker d'as pour Django; HL: Italien/Frankreich (Tigielle 33 – Rom/Films du Griffon – Paris); UA: 28.12.67; OL: 94 (2591 m); DEA: 21.8.70; DL: 94; FSK: 16; P: Antonio Lucatelli, Francesco Giorgi; R: Roberto Bianchi Montero; B: Alberto Silvestri, Franco Verucci; K: Stelvio Massi (Totalscope – Eastmancolor); M: Giosafat Capuano, Mario Capuano; CD: SW Encyclopedia Vol. 4 (KICP 436): 2 tracks; DO: Italien; D: Monty Greenwood (Maurice Poli), Jacques Herlin, Gabriella Giorgelli, Gerard Herter, Andrea Bosic, Andrew Scott (Andrea Scotti), Mario Maranzana, Tom Felleghi, Valentino Macchi, Ivan Giovanni Scratuglia; I: Nach erfolgreichem Goldraub geraten die Bandenmitglieder auf der Flucht über die Verteilung der Beute in Streit, was zu tödlichen Auseinandersetzungen führt. *Relativ interessanter, unterhaltsamer Western von Roberto Bianchi Montero mit einem hörenswerten Score von Giosafat und Mario Capuano.*

I 2 figli di Ringo (1966) ET: Two Sons of Ringo; IT: I 2 figli di Ringo; HL: Italien (Flora Film/Variety Film); UA: 7.12.66; OL: 105 (2890 m); P: Leo Cevenini, Vittorio Martino; R: Giorgio C. Simonelli; B: Marcello Ciorciolini, Roberto Gianviti, Dino Verde, Amedeo Sollazzo; K: Tino Santoni (Techniscope – Technicolor); M: Piero Umiliani; DO: Italien; D: Franco Franchi, Ciccio Ingrassia, Gloria Paul, George Hilton, Pedro Sanchez, Mimmo Palmara, Umberto D'Orsi, Ivano Staccioli, Fulvia Franco, Lee Burton, Enzo Andronico, Armando Carnini; I: Die zwei Komiker kommen als Revolverhelden in eine Stadt und führen sich ziemlich wild auf, bis ein echter Kopfgeldjäger auftaucht, der ihnen vorschlägt, sich als die Söhne des berüchtigten Ringo auszugeben und das Erbe ihres Vaters anzutreten. *Ein weiterer Western-Spaß mit Franco & Ciccio, wieder unter der Regie von Giorgio Simonelli.*

I 2 figli dei Trinità (1972) DT: Vier Fäuste für zwei linke Brüder/Zwei Mafiosi im Wilden Westen; ET: Two Sons of Trinity; IT: I 2 figli dei Trinità; FT: Les deux fils de Trinita; HL: Italien (Production International Film); UA: 26.7.72; OL: 101 (2780 m); DEA: 3.8.73; DL: 86; FSK: 12; R: Osvaldo Civirani; B: Osvaldo Civirani; K: Osvaldo Civirani (Cinemascope – Eastmancolor); M: Sante Maria Romitelli; DO: Italien; D: Franco Franchi, Ciccio Ingrassia, Lucretia Love, Franco Ressel, Fortunato Arena, Angelo Susani, Antonio Guerra, Freddy Unger, Andrew Scott (Andrea Scotti), Gianni Pulone, Fulvio Pellegrino; I: Zwei italienische Komiker schlagen sich mit mehr Glück als Verstand durch einen Westen mit vollautomatischen

Pferdewaschanlagen, Pferdegaragen usw. Franco & Ciccio diesmal auf den Spuren der »Trinity«-Filme unter der Regie von Osvaldo Civirani.

Due mafiosi nel Far West (1964) ET: Two gangsters in the wild west; **IT:** Due mafiosi nel Far West; **ST:** Dos pistoleros; **HL:** Italien/Spanien (Fida Cinematografica – Rom/Epoca Films – Madrid); **UA:** 30.6.64; **OL:** 101 (2790 m); **P:** Edmondo Amati; **R:** Giorgio C. Simonelli; **B:** Marcello Ciorciolini (I: Marcello Ciorciolini, Giorgio Simonelli); **K:** Juan Julio Baena (Panoramico – Eastmancolor); **M:** Giorgio Fabor; **DO:** Spanien (Manzanares el Real, Colmenar Viejo), Italien (Elios Film Studio Rom); **D:** Franco Franchi, Ciccio Ingrassia, Fernando Sancho, Aroldo Tieri, Hélène Chanel, Aña Casarès, Aldo Giuffré, Adriano Micantoni, Luis Peña, Ignazio Spalla; **I:** Zwei Brüder reisen von Italien in die USA, um das Erbe ihrer verstorbenen Onkel anzutreten, die ihnen eine Goldmine überschrieben, bevor sie Opfer eines Mordanschlags wurden. *Weiterer Western-Klamauk des Komikerpaars Franco & Ciccio, wieder unter der Regie von Giorgio C. Simonelli.*

2 once di piombo (1966) DT: Jonny Madoc/Jonny Madoc, der Scharfschütze/American Bull; **ET:** My name is Pecos; **IT:** 2 once di piombo (Il mio nome è Pecos); **FT:** Mon nom est Pécos; **HL:** Italien (Italcine T.V.); **UA:** 22.12.66; **OL:** 79 (2160 m); **DEA:** 23.6.67; **DL:** 84; **FSK:** 18; **P:** Franco Palombi, Gabriele Silvestri; **R:** Maurizio Lucidi; **B:** Adriano Bolzoni, Maurizio Lucidi (I: Adriano Bolzo-

ni); **K:** Franco Villa (Techniscope – Eastmancolor); **M:** Lallo Gori; **S:** »My name is Pecos« – gesungen von Bob Smart; »Dal sud verrà qualcuno« – gesungen von Franco Fajila & the Beats; **CD:** SW Encyclopedia Vol. 3 (KICP 435): 1 track; **D:** Robert Woods, Norman Clark (Pier Paolo Capponi), Lucia Modugno, Peter Carsten, Christiana Josani, Max Dean (Massimo Righi), Luigi Casellato, Peter Martell, Renato Mambor, Corinne Fontaine, Dario De Grassi, George Eastman; **I:** Mexikanischer Revolverheld bringt eigenhändig eine brutale Räuber- und Mörderbande im texanisch-mexikanischen Grenzgebiet zur Strecke. *Unterhaltsamer Italo-Western von Maurizio Lucidi mit Robert Woods in seiner Paraderolle als Johnny Madoc (im Original Pecos).*

2 rrringos nel Texas (1967) DT: Zwei Trottel gegen Django; **ET:** Two R-R-Ringos from Texas; **IT:** 2 rrringos nel Texas; **ST:** Dos forateros en Texas; **HL:** Italien (Circus Film – Rom/Fono Roma – Rom); **OL:** 94; **P:** Francesco Orefici; **R:** Marino Girolami; **B:** Amedeo Sollazzo, Roberto Gianviti (I: Amedeo Sollazzo, Roberto Gianviti, Marino Girolami); **K:** Mario Fioretti (Techniscope – Eastmancolor); **M:** Carlo Savina; **S:** »Siamo rimasti in tre«; **CD:** Spaghetti-Westerns Vol. 2 (DRG 32909): 3 tracks; Italo-Westerns Vol. 3 (DRG 32929): 1 track; **D:** Franco Franchi, Ciccio Ingrassia, Enio Girolami, Gloria Paul, Livio Lorenzon, Hélène Chanel, Enzo Andronico, Silvio Bagolini, Gina Mascetti, Rossella Bergamonti; **I:** Zwei in die Wirren des Krieges zwischen den amerikanischen Nord- und Südstaaten geratenen Trotteln wird von einem sprechenden Pferd namens Django geholfen. *Ein weiterer von unzähligen Western-Klamaukfilmen mit dem Komikerduo Franco & Ciccio.*

I 2 sergenti del generale Custer (1965) DT: Zwei Sergeanten des General Custer; **ET:** Two sergeants of General Custer; **IT:** I 2 sergenti del generale Custer; **ST:** Dos rivales en Fuerte Alamo (Dos evalidos de Fort Alamo); **HL:** Italien/Spanien (Fida Cinematografica – Rom/P.C. Balcázar – Barcelona); **UA:** 13.8.65; **OL:** 100 (2760 m); **DEA:** 20. 2. 76; **DL:** 97; **FSK:** 12; **P:** Edmondo Amati; **R:** Giorgio C. Simonelli; **B:** Marcello Ciorciolini, Giorgio Simonelli, Amedeo Sollazzo (I: Marcello Ciorciolini); **K:** Isidoro

Goldberger (Techniscope – Eastmancolor); **M:** Angelo Francesco Lavagnino; **DO:** Spanien (Madrid), Italien; **D:** Franco Franchi, Ciccio Ingrassia, Fernando Sancho, Riccardo Garrone, Margaret Lee, Moira Orfei, Ernesto Calindri, Franco Giacobini, Nino Terzo; **I:** Im amerikanischen Bürgerkrieg werden zwei Trottel und zwei Intellektuelle als Spione eingesetzt. Am Ende siegt die Blödheit über die Intelligenz. *Weiterer Klamauk-Western mit Franco und Ciccio.*

I due violenti (1964) DT: Das Gesetz der Zwei; **ET:** Two Gunmen; **IT:** I due violenti; **ST:** Los rurales de Texas; **FT:** Les deux violents; **HL:** Italien/Spanien (P.E.A. – Produzioni Europee Associate di Grimaldi Maria Rosaria e C. – Napoli/Arturo González P.C. – Madrid); **UA:** 8.10.64; **OL:** 94 (2595 m); **DEA:** 23.4.65; **DL:** 95; **FSK:** 16; **P:** Alberto Grimaldi, Alfredo Fraile; **R:** Primo Zeglio; **B:** Jesús Navarro, Marcello Fondato, Primo Zeglio, Federico De Urrutia (I: Jesus Maria Navarro); **K:** Alfredo Fraile (Totalscope – Eastmancolor); **M:** Francesco De Masi; **S:** »Red River valley«; **D:** Alan Scott, George Martin, Susy Andersen, Mary A. Badmayev, José Nieto, Mike Brendel, Andrew Scott (Andrea Scotti), José Jaspe, Silvia Solar, Luis Induñi, Frank Braña, Aldo Sambrell; **I:** Des Mordes Verdächtiger sucht auf eigene Faust den wirklichen Mörder. *Früher italienischer Western, der die amerikanischen Edelwestern der 50er Jahre kopiert.*

Due volte Giuda (1969) DT: 2 x Judas/Kugeln tragen keine Unterschrift; **ET:** Twice a Judas; **IT:** Due volte Giuda; **ST:** Dos veces Judas; **FT:** Deux fois traître; **HL:** Italien/Spanien (Colt Produzioni Cinematografiche – Rom/Medusa Distribuzione – Rom/P.C. Balcázar – Barcelona); **UA:** 1.9.69; **OL:** 96 (2632 m); **DEA:** 27.2.70; **DL:** 96; **FSK:** 16; **P:** Luis Marin; **R:** Fernando Cicero; **B:** Jaime Jesús Balcázar; **K:** Francisco Marín, Aristide Massaccesi (Cinemascope – Eastmancolor); **M:** Carlos Pes; **DO:** Spanien, Italien; **D:** Klaus Kinski, Antonio Sabàto, Cristina Galbo, Pepe Calvo, Franco Leo, Linda Sini, Emma Baron, Franco Beltrame, Claudia Rivelli, Narciso Ibañez Menta, Damian Rabal, Carlos Ronda, José Palomo, Ettore Broschi; **I:** Der junge Westernheld, der sein Gedächtnis verloren hat, entlarvt auf der Suche nach seiner Identität seinen besitzgierigen Halbbruder als den Urheber eines Familienmassakers. *Unterhaltsamer Italo-Western, in dem der Held unter Amnesie leidet und versucht, seine Identität festzustellen.*

... è così divennero i 3 supermen del West (1973) ET: Three supermen of the west; **IT:** ... è così divennero i 3 supermen del west; **ST:** Tres superhombres en el Oeste; **HL:** Italien/Spanien (Cinesecolo – Milano/Produzione Cinematografica Roma Film – Anzio/Rofilm – Rom/Transcontinental Film – Madrid); **OL:** 95 (2614 m); **P:** Claudio Grassetti; **R:** Italo Martinenghi, George Martin; **B:** Italo Martinenghi, Anthony Blond, George Martin; **K:** Jaime Deu Casas (Panoramico – KodakColor); **M:** Robert Deramont; **DO:**

Due volte Giuda

Spanien (Seseña), Italien; **D:** George Martin, Sal Borgese, Frank Braña, Agata Lys, Gigi Bonos, Chris Huerta, Angelo Santaniello, Fred Harrison (Fernando Bilbao), Pedro Sanchez, Fernando Sancho, Antonio Casas; **I:** Drei Supermänner müssen einer Zeitmaschine hinterherreisen, mit die geniale Wissenschaftler in die Zeit des Wilden Westens gereist sind, um dort einen Banditenboss unschädlich zu machen. *Der dritte Teil der bizarren, aber trotzdem unterhaltsamen »tre supermen«-Filme mit einigen Western-Szenen wurde von Italo Martinenghi inszeniert.*

E Dio disse a Caino ... (1969) DT: Satan der Rache; **ET:** And God said to Cain; **IT:** E Dio disse a Caino ...; **ST:** Y Dios dijo a Cain; **FT:** Et le vent apporta la violence/Un homme, un cheval, un fusil; **HL:** Italien/Deutschland (Produzione D.C.7 – Rom/Peter Carsten Produktion – München); **UA:** 5.2.70; **OL:** 98 (2705 m); **DEA:** 5.2. 71; **DL:** 91 (Kino), 96 (DVD); **FSK:** 16; **P:** Giovanni Addessi, Peter Carsten; **R:** Antonio Margheriti; **B:** Antonio Margheriti, Giovanni Addessi (I: Giovanni Addessi); **K:** Luciano Trasatti, Riccardo Pallottini (Techniscope – Technicolor); **M:** Carlo Savina; **S:** »Rocks, blood and sand« – Don Powell; **CD:** E Dio disse a Caino (BEAT CDCR 46): 22 tracks; Spaghetti-Westerns Vol. 4 (DRG 32932): 2 tracks; **DO:** Italien; **D:** Klaus Kinski, Peter Carsten, Antonio Cantafora, Marcella Michelangeli, Lee Burton (Guido Lollobrigida), Alan Collins, Maria Luisa Sala; **I:** Nach zehn Jahren wird ein Engländer durch Amnestie aus der Haft entlassen und nimmt unbarmherzig Rache an seinem früheren Freund, der ihn um seinen Besitz und unschuldig ins Gefängnis gebracht hat. *Der beste Antonio-Margheriti-Western mit Klaus Kinski in seiner einzigen Helden-Rolle.*

... E il terzo giorno arrivò il Corvo (1973) DT: Crow; **ET:** On the third day arrived the Crow; **IT:** ... E il terzo giorno arrivò il Corvo/Arriva! Il Crow; **HL:** Italien (Harlindel Film); **UA:** 21.7.73; **OL:** 85 (2327 m); **DEA:** Video (UW); **DL:** 83; **P:** Maurizio Mannoia; **R:** Gianni Crea; **B:** Mino Roli; **K:** Franco Villa, Gianni Raffaldi (Widescreen – Eastmancolor); **M:** Nora Orlandi; **DO:** Italien (Elios Film Studio Rom); **D:** Lincoln Tate, William Berger, Dean Stratford, Fiorella Mannoia, Lorenzo Fineschi, Richard Melvill (Rosario Borelli), Lars Bloch, Edda Di Benedetto, Pippo

Tuminelli, John Turrel, Maurizio Mannoia, Perry Dell; **I:** Sally und ihre Brüder sind Privatdetektive und dabei auf der Suche nach einer Ladung Gold von der Lawson Mining Company. Sie kommen dahinter, dass Lawson selbst hinter diesem Raub steckt und legen ihm das unsaubere Handwerk. Für diesen Film fand eine Szene des Gianni Crea Westerns »Se t'incontro t'ammazzo« Verwendung. *Gewohnt schlechter Western der untersten Kategorie von Gianni Crea.*

... e lo chiamarono Spirito Santo (1971) ET: He was called the Holy Ghost; **IT:** ... e lo chiamarono Spirito Santo; **FT:** Son nom est Sacramento; **HL:** Italien (Cepa-Cinematografica); **UA:** 26.11.71; **OL:** 101 (2789 m); **P:** Franco Vitolo; **R:** Roberto Mauri; **B:** Roberto Mauri; **K:** Mario Mancini (Cinemascope – Eastmancolor); **M:** Carlo Savina; **DO:** Italien (Elios Film Studio Rom); **D:** Vassili Karis, Dick Palmer (Mimmo Palmara), Hunt Powers, Margaret Rose (Keil), José Torres, Vittorio Fanfoni, Lina Franchi, Aristide Caporale, Lorenzo Piani, Bruno Salvi; **I:** Bandido Spirito Santo wird von einem Sheriff aus dem Straflager geholt, um bei einem Prozess in Tucson auszusagen, dann jedoch von den Leuten eines Großranchers aus den Händen des Sheriffs befreit, um bei einem Goldraub mitzumachen. *Der beste von allen Roberto-Mauri-Western, der einzige seiner sieben Genrebeiträge, den man sich ansehen kann.*

... e per tetto un cielo di stelle (1968) DT: Amigos/Amigos – Die (B)engel lassen grüßen; **ET:** A sky full of stars for a roof; **IT:** ... e per tetto un cielo di stelle; **ST:** Por techo las estrellas; **FT:** Ciel de plomb; **HL:** Italien (Documento Film – Rom); **UA:** 14.8.68; **OL:** 103 (2832 m); **DEA:** 30.8.68; **DL:** 86; **FSK:** 16; **P:** Gianni Hecht Lucari; **R:** Giulio Petroni; **B:** Alberto Areal, Francesco Martino, Bernardino Zapponi; **K:** Carlo Carlini (Cromoscope – Eastmancolor); **M:** Ennio Morricone; **CD:** ... e per tetto un cielo di stelle (Hexacord HCD-16): 25 tracks; The Hills run red/E per tetto un cielo di stelle (RR 13 – Private Pressing): 6 tracks; **DO:** Spanien (Almería), Italien (Dino de Laurentiis Studio Rom); **D:** Giuliano Gemma, Mario Adorf, Magda Konopka, Anthony Dawson, Rick Boyd, Sandro Dori, Franco

Balducci, Peter Branco, Franco Lantieri, Ivan G. Scratuglia, Angiolino Rizzieri; **I:** Ein gerissener Abenteurer und ein einfältiger Goldgräber werden Freunde und bestehen gemeinsam gefährliche Abenteuer. *Unterhaltsame Western-Komödie von Giulio Petroni, vor allem sehenswert wegen Mario Adorf und einem guten Morricone-Score.*

... e poi lo chiamarono il magnifico (1972) DT: Verflucht, verdammt und Halleluja/Ein Gentleman im Wilden Westen; **ET:** Man of the east; **IT:** ... e poi lo chiamarono il magnifico; **ST:** Y despues le llamaron Magnifico; **FT:** El magnifico; **HL:** Italien/Frankreich (P.E.A. – Produzioni Europee Associate di Grimaldi Maria Rosaria e C. – Napoli/Productions Artistes Associés – Paris/Jadran Film – Zagreb); **UA:** 9.9.72; **OL:** 106 (2908 m); **DEA:** 28.9.72; **DL:** 126; **FSK:** 12; **P:** Alberto Grimaldi; **R:** Enzo Barboni; **B:** Enzo Barboni; **K:** Aldo Giordani (Techniscope – Technicolor); **M:** Guido & Maurizio De Angelis; **S:** »Don't lose control« und »Jesus come to my heart« – gesungen von Guido & Maurizio De Angelis; **CD:** ... e poi lo chiamarono il magnifico (GDM 2034): 18 tracks; **DO:** Jugoslawien; **D:** Terence Hill, Gregory Walcott, Yanti Sommer, Harry Carey Jr., Dominic Barto, Enzo Fiermonte, Pupo De Luca, Riccardo Pizzuti, Luigi Casellato, Sal Borgese, Dante Cleri, Margherita Horowitz, Salvatore Baccaro; **I:** Sohn eines verkrachten englischen Lords wird als Nachfolger seines Vaters Mitglied eines Ganovenquartetts. *Unterhaltsame Western-Parodie von Enzo Barboni im Stil seiner »Trinity«-Filme, diesmal jedoch nur mit Terence Hill.*

○**È tornato Sabata ... hai chiuso un'altra volta! (1971) DT:** Sabata kehrt zurück/Die Rückkehr von Sabata; **ET:** Return of Sabata; **IT:** È tornato Sabata ... hai chiuso un'altra volta!; **ST:** Texas 1870; **FT:** Le retour de Sabata; **HL:** Italien/Frankreich/Deutschland (P.E.A. – Produzioni Europee Associate di Grimaldi Maria Rosaria e C. – Napoli/Productions Artistes Associés – Paris/Artemis Film – Berlin); **UA:** 3.9.71; **OL:** 105 (2890 m); **DEA:** 18.5.72; **DL:** 108; **FSK:** 16; **P:** Alberto Grimaldi; **R:** Gianfranco Parolini; **B:** Renato Izzo, Gianfranco Parolini; **K:** Sandro Mancori (Techniscope – Technicolor); **M:** Marcello Giombini; **CD:** Ehi amico ... C'è Sabata, hai chiuso!/È tornato Sabata ... Hai chiuso un' altra volta (GDM 2024): 10 tracks; **DO:** Italien (Elios Film Studio Rom); **D:** Lee Van Cleef, Reiner Schöne, Annabella Incontrera, Pedro Sanchez, Giampiero Albertini, Gianni Rizzo, Nick Jordan, Vassili Karis, Steffen Zacharias, Jacqueline Alexandre, Luciano Rossi, Carlo Reali, Günther Stoll, Pia Giancaro, Dante Cona, Janos Bartha; **I:** Schieß- und Trickkünstler Sabata nimmt einem betrügerischen Iren den zusammengerafften Goldschatz ab. *Bis auf die grandiose Eingangssequenz leider enttäuschende Fortsetzung des ersten »Sabata«-Films mit einem gut aussehenden Lee Van Cleef.*

○ **... e venne il tempo di uccidere (1967) DT:** Einladung zum Totentanz; **ET:** A time and place for killing/Tequila Joe;

IT: ... e venne il tempo di uccidere; FT: La loi des colts; HL: Italien (C.R. Cinematografica); UA: 5.4.68; OL: 95 (2605 m); DEA: 1.10.71; DL: 91; FSK: 18; P: Renzo Renzi, Otello Cocchi; R: Vincenzo Dell'Aquila; B: Fernando Di Leo, Vincenzo Dell'Aquila; K: Rino Filippino (Panoramico – Eastmancolor); M: Francesco De Masi; S: »A man alone« – gesungen von Raoul; CD: L'uomo della valle maledetta/La sfida die MacKenna/ ... E venne il tempo di uccidere (BEAT CDCR 47): 8 tracks; Italo-Westerns Vol. 4 (DRG 32932): 2 tracks; D: Anthony Ghidra, Jean Sobieski, Dick Palmer (Mimmo Palmara), Furio Meniconi, Felicità Fanni, Fidel Gonzales, Claudio Ruffini, Frank Fargas, Fortunato Arena, Max Fraser, Eleanora Ruffo; I: Hilfssheriff macht die Unruhestifter eines Western-Städtchens entweder zahm oder tötet sie und heilt den verkommenen Sheriff von Trunksucht und Feigheit. *Eine der besten Rollen von Anthony Ghidra in einem guten Durchschnittswestern von Vincenzo Dell'Aquila. Leider nur mit einem mittelmäßigen Francesco De Masi Score.*

... e vennero in quattro per uccidere Sartana! (1969) DT: Sie kamen zu viert um zu töten; ET: Four who came to kill Sartana!; IT: ... e vennero in quattro per uccidere Sartana!; FT: Quatre pour Sartana; HL: Italien (Tarquinia Internazionale Cinematografica); UA: 9.11.69; OL: 96 (2650 m); DEA: 12.6.86 (RTL plus); DL: 85; P: Maria Rosa Valenza; R: Demofilo Fidani; B: Demofilo Fidani, Maria Rosa Valenza (I: Demofilo Fidani); K: Luciano Tovoli (Widescreen – Eastmancolor); M: Italo Fischetti; DO: Italien (Cave Studio Rom); D: Jeff Cameron, Anthony G. Staton, Daniela Giordano, Dennis Colt, Simone Blondell, Celso Faria, Peter Torres (Pietro Torrisi), Robert Dannish, Umberto Raho, Grazia Giuvi; I: Sartana wird vom reichen Rancher Prescott angeheuert, um dessen entführte Tochter aus den Händen von Banditen zu befreien. *Einer der besten Fidani Trash-Western, fotografiert von dem späteren Dario-Argento-Kameramann Luciano Tovoli.*

Ed ora ... raccomanda l'anima a Dio! (1968) ET: And now I recommend my soul to the Lord/And now make your peace with God; IT: Ed ora ... raccomanda l'anima a Dio!; ST: Y ahora, reza por tu muerte; FT: Et maintenant, recommande ton âme à Dieu; HL: Italien (Mila Cinematografica – Roma/Viterbo); UA: 26.10.68; OL: 85 (2335 m); P: Demofilo Fidani, Corrado Pataro; R: Demofilo Fidani; B: Demofilo Fidani, Maria Rosa Valenza; K: Franco Villa (Normal – Eastmancolor); M: Vince Tempera; S: »Just a coward« – gesungen von Mary Usuah; CD: Spaghetti-Westerns Vol. 1 (DRG 32905): 2 tracks; DO: Italien; D: Fabio Testi, Fardin, Jeff Cameron, Cristina Penz, Ettore Manni, Virginia Darwal, Anthony Stewens (Calisto Calisti), Custer Gail, Gualtiero Rispoli, Armando Visconti, Paolo Figlia, Giovanni Querel; I: Drei Männer, die mit der Postkutsche nach Denver City unterwegs sind, rechnen dort aus verschiedenen Motiven mit demselben Bösewicht Clay ab. *Der zweite Trashwestern des untalentierten Demofilo Fidani.*

Ehi amico! C'è Sabata, hai chiuso! (1969) DT: Sabata; ET: Sabata; IT: Ehi amico! C'è Sabata, hai chiuso!; ST: Oro sangriento; FT: Sabata; HL: Italien (P.E.A. – Produzioni Europee Associate di Grimaldi Maria Rosaria e C. – Napoli/Produzioni Associate Delphos); UA: 16.9.69; OL: 109 (2987 m); DEA: 2.5.70; DL: 106; FSK: 18; P: Alberto Grimaldi; R: Gianfranco Parolini; B: Renato Izzo, Gianfranco Parolini; K: Sandro Mancori (Techniscope – Technicolor); M: Marcello Giombini; S: »Sabata«; CD: Ehi amico ... C'è Sabata, hai chiuso!/È tornato Sabata hai chiuso un'altra volta (GDM 2024): 19 tracks; DO: Spanien (Almería), Italien (Elios Film Studio Rom); D: Lee Van Cleef, William Berger, Pedro Sanchez, Franco Ressel, Robert Hundar, Linda Veras, Nick Jordan, Anthony Gradwell (Antonio Gradoli), Gianni Rizzo, John Bartha, Carlo Tamberlani; I: Skrupelloser Revolverheld klärt einen Bankraub, erpresst reiche Bürger und lässt viele Leichen zurück. *Gianfranco Parolini kreierte mit diesem sehr unterhaltsamen Film eine neue Paraderolle für Lee Van Cleef.*

Ehi amigo ... sei morto! (1970) DT: Killer Amigo (geplanter Kinotitel!) ET: Hey amigo! A toast to your death; IT: Ehi amigo ... sei morto!; FT: Killer amigo; HL: Italien (Gatto Cinematografica); UA: 20.12.70; OL: 84 (2300 m); P: Renato Savino; R: Paolo Bianchini; B: Renato Savino, Roberto Colangeli (I: Renato Savino); K: Sergio D'Offizi (Techniscope – Technicolor); M: Carlo Savina; DO: Italien; D: Wayde Preston, Rik Battaglia, Aldo Berti, Anna Malsson, Agnes Spaak, Raf Baldassarre, Lucio Zarini, Alberto Di Grazia, Marco Zuanelli; I: Postinspektor Doc Williams verfolgt Burnett und seine Bande, der eine mit Gold beladene Kutsche überfallen hat. Er muss später fest-

È tornato Sabata ... hai chiuso un'altra volta!

stellen, dass die Beute inzwischen in den Händen eines mexikanischen Banditen gelandet ist. *Mittelmäßiger Western von Paolo Bianchini.*

El aventurero de Guaynas (1966) ET: The tough one; **IT:** Gringo, getta il fucile!; **ST:** El aventurero de Guaynas/El tesoro del Padre O'Hara/Pistola salvaje; **FT:** Gringo jette ton fusil; **HL:** Spanien/Italien (Hesperia Films S.A. – Madrid/Tigielle 33 – Rom); **UA:** 15.12.66; **OL:** 99 (2714 m); **R:** Joaquín Luis Romero Marchent; **B:** Joaquín Luis Romero Marchent, Luis Rafael Gaspar, Franco Prosperi, Lewis E. Cianelli (I: Jeff Lassiter); **K:** Federico G. Larraya (Panoramico – Eastmancolor); **M:** Gianni Ferrio; **DO:** Spanien (Marbella, Alhaurin de la torre, Torremolinos, Valdetorre des Jarama, Guadalajara, Villamanta, Toledo, Hoyo de Manzanares); **D:** John Richardson, Evi Marandi, Fernando Sancho, Eduardo Fajardo, Gloria Milland, Luis Gaspar, Manuel Guitian, José María Caffarel, Roberto Rey, Mia Genberg, Luis Barboo, Delfi Mauro, Emilio Rodríguez, Guillermo Méndez, Victor Israel, Luis Induñi; **I:** Ein Film über Waffenschmuggler, Revolutionäre und einen verborgenen Schatz in Mittelamerika.

El Cisco (1966) DT: El Cisco/Wenn der Sargmacher lächelt; **ET:** Cisco; **IT:** El Cisco; **ST:** Cisco; **FT:** El Cisco; **HL:** Italien (Epoca Film – Rom); **UA:** 13.10.66; **OL:** 93 (2565 m); **DEA:** 25.8.67; **DL:** 97; **FSK:** 16; **P:** Sergio Bergonzelli, Graziano Fabiani; **R:** Sergio Bergonzelli; **B:** Paolo Lombardo, Sergio Bergonzelli; **K:** Aldo Greci (Newscope – Eastmancolor); **M:** Bruno Nicolai; **DO:** Italien; **D:** William Berger, George Wang, Antonella Murgia, Tom Felleghy, Nino Vingelli, Cristina Gajoni, Lucia Bomez, Lamberto Antinori, Renato Chiantoni; **I:** Zwielichtiger-Revolverheld prellt Banditen um ihre Beute, indem er den Tresor der örtlichen Bank ausräumt, ehe der Überfall stattfindet. *Unbedeutender Western ohne besondere Spannung von Sergio Bergonzelli mit William Berger in einer seiner ersten Rollen.*

El desperado

⊘ El desperado (1967) DT: Escondido/... die im Staub verrecken; **ET:** The dirty outlaws; **IT:** El desperado; **ST:** El desperado; **FT:** El Desperado/La boue, le massacre et la mort; **HL:** Italien (Leone Film/Daiano Film); **UA:** 30.9.67; **OL:** 104 (2873 m); **DEA:** 23.1.69; **DL:** 103; **FSK:** 18; **P:** Ugo Guerra, Elio Scardamaglia; **R:** Franco Rossetti; **B:** Vincenzo Cerami, Ugo Guerra, Franco Rossetti (I: Franco Rossetti, Ugo Guerra); **K:** Angelo Filippini (Techniscope – Technicolor); **M:** Gianni Ferrio; **S:** »The Desperado« – gesungen von John Balfour; **DO:** Italien, Spanien (Alméria); **D:** Andrea Giordana, Rosemarie Dexter, Aldo Berti, Franco Giornelli, Dana Ghia, Giovanni Petrucci, Piero Lulli, John Bartha, Andrea Scotti, Giuseppe Castellano, Antonio Cantafora; **I:** Desperado vereitelt den Raub einer Regimentskasse, wird von den überlisteten Banditen gefangen genommen und nimmt nach seiner Befreiung ausgiebig Rache. *Relativ gut gelungener einziger Western des Drehbuchautores Franco Rossetti.*

El Macho (1977) ET: Macho killers; **IT:** El Macho; **ST:** El Macho; **FT:** El Macho; **HL:** Italien (S.B. Produzione); **UA:** 12.5.77; **OL:** 107 (2930 m); **P:** Riccardo Billi; **R:** Marcello Andrei; **B:** Fabio Pittorru, Augusto Finocchi, Marcello Andrei (I: Fabio Pittorru); **K:** Luciano Trasatti (Panoramico – Gevacolor); **M:** Marcello Romoino; **S:** »El Macho« – gesungen von Sammy Barbot; **DO:** Italien; **D:** Carlos Monzon, George Hilton, Malisa Longo, Susanna Gimenez, Benito Stefanelli, Bruno Di Luia, Giuseppe Castellano, Black Maria Marselli, Gilberto Galimberti, Michele Branca, Lorenzo Bruni, Alfonsina Cotugno, Vittorio Fanfoni; **I:** Der Berufsspieler El Macho wird vom Sheriff und einem Bankier dazu gezwungen, sich in die Bande des Duke einzuschleusen und die Rolle eines ermordeten Bandenmitglieds zu übernehmen, um wichtige Informationen zu erhalten. *Schlechter, vergessenswerter Italo-Western von Marcello Andrei.*

El Rojo (1966) DT: El Rocho – der Töter/El Rocho/El Rojo/Rocco – der Töter; **ET:** Rojo; **IT:** El Rojo; **ST:** Texas El Rojo; **FT:** El Rojo; **HL:** Italien/Spanien (Ramo Film – Napoli/Petruka Films – Madrid); **UA:** 1.9.66; **OL:** 98 (2700 m); **DEA:** 15.3.68; **DL:** 84; **FSK:** 18; **P:** Roberto Amoroso, Luis Merino; **R:** Leopoldo Savona; **B:** Roberto Amoroso, Leopoldo Savona, Mike Mitchell, Rate Furlan; **K:** Aldo Giordani (Panoramico – Eastmancolor); **M:** Benedetto Ghiglia; **D:** Richard Harrison, Nieves Navarro, Peter Carter (Piero Lulli), Mirko Ellis, Annie Gorassini, Rita Klein, Andrew Ray (Andrea Aureli), Franco Ressel, John Bartha, Ralph Baldwyn (Raf Baldassarre), Tom Felleghi; **I:** El Rocho tötet mit Hilfe eines Killers die vier Gangster, die aus Habgier seine Familie ermordeten. *Unterhaltsamer kleiner Western von Leopoldo Savona ohne Ambitionen.*

El Zorro (La Volpe, 1968) DT: Zorro – der Mann mit der Peitsche; **ET:** Zorro the fox; **IT:** El Zorro (La volpe); **ST:** La espada del Zorro; **FT:** Zorro, le renard; **HL:** Italien (Magic Film); **OL:** 89; **P:** Marino Carpano; **R:** Guido Zurli; **B:**

Angelo Sangermano, Palmambrogio Molteni, Guido Zurli (I: Angelo Sangermano, Giuliano Simonetti); K: Franco Delli Colli (Normal – Eastmancolor); M: Gino Peguri; D: George Ardisson, Jack (Giacomo Rossi) Stuart, Femi Benussi, Pedro Sanchez, Paolo Todisco, Consalvo Dell'Arti, Riccardo Pizzuti, Gianni Pulone, Gustavo d'Arpe, Gippo Leone, Grazia Fei, Aldo Marianecci; I: Zorro wird für einen Überfall und Mord von zwei Regierungsbeamten verantwortlich gemacht, die den Bürgermeister Maria de Consuelo verhaften sollten. *Unglaublich schlechter Western von Guido Zurli.*

El Zorro cabalga otra vez (1964) DT: Zorros grausamer Schwur/Der grausame Schwur des Zorro; ET: Behind the mask of Zorro; IT: Il giuramento di Zorro; ST: El Zorro cabalga otra vez; FT: Le serment de Zorro; HL: Spanien/Italien (Hispamer Films – Madrid/Duca Compagnia Cinematografica/Rodes Cinematografica – Rom); UA: 31.12.64; OL: 97 (2680 m); DEA: 3.9.65; DL: 94; FSK: 12; P: Sergio Newman, Tullio Bruschi; R: Ricardo Blasco; B: José Gallardo, Luis Lucas, Daniel Ribera, Mario Amendola (I: José Gallardo, Luis Lucas, Daniel Ribera); K: Mario Vulpiani, Vitaliano Natalucci (Panavision – Eastmancolor); M: Ángel Arteaga; D: Tony Russel, José Maria Seoane, Jesus Puente, Augustin Gonzalez, Maria José Alfonso, Mireya Merauiglia, Rosita Yarza, José Rubio, Felix Garcia Sancho, María Luis Arias, Aldo Cecconi, Paquito Gomez, Rafael Cores, Fernando De Anguita; I: Zorro bricht die Herrschaft eines Rebellen, der sich an die Stelle des Gouverneurs gesetzt hat. *Naives Abenteuerfilmchen von Ricardo Blasco.*

El Zorro, caballero de la justicia (1971) ET: Zorro, rider of vengeance; IT: Zorro, il cavaliere della vendetta; ST: El Zorro, caballero de la justicia; FT: Zorango et les comancheros; HL: Spanien/Italien (Coop. Carthago – Madrid/Duca International); UA: 9.4.71; OL: 89 (2440 m); R: José Luis Merino; B: José Luis Merino; K: Emanuele Di Cola (Techniscope – Eastmancolor); M: Francesco De Masi; D: Charles Quiney, Malisa Longo, Maria Mahor, Arturo Dominici, Ignazio Balsamo, Enrique Avila, Pasquale Basile, José Cardenas, Fernando Hilbeck; I: Zorro kehrt nach Südkalifornien zurück, um dem Terror einer mysteriösen Bande ein Ende zu bereiten. Leider kommt er zu spät, denn sein bester Freund wurde gehenkt und seine Braut von einem falschen Zorro gekidnappt.

El Zorro de Monterrey (1971) ET: Zorro the mask of revenge; IT: Zorro il dominator; ST: El Zorro de Monterrey; FT: Z comme Zorro; HL: Spanien/Italien (P.C. Hispamer Film – Madrid/Filmar – Rom); OL: 93; R: José Luis Merino; B: José Luis Merino, Mario Damiani, María del Carmen Martínez Román, Bautista LaCasa; K: Antonio Modica (Cinescope – Gevacolor); M: Dynamo; D: Charley Quiney, Lea Nanni, Antonio Vidal Molina, Pasquale Basile, Maria Pia Conte, Juan Cortes, José Jaspe, Antonio Jimenez Escribano; I: David, der Sohn des Richters von Monterrey, kommt nach langer Abwesenheit zurück und findet seinen Vater ermordet vor. Er schlüpft in die Rolle des Zorro, um Rache zu nehmen und die Gemeinde vom Terror zu befreien.

El Zorro justiciero (1972) ET: Zorro the lawman; IT: ... e continuavano a chiamarlo figlio di ...; ST: El Zorro justiciero; HL: Spanien/Italien (Copercines Cooperativa Cinematográfica – Madrid/Transeuropa Film/Italian International Film – Rom); UA: 24.6.72; OL: 94 (2580 m); P: Eduardo Manzanos; R: Rafael Romero Marchent; B: Rafael Romero Marchent, Nino Stresa (I: Rafael Romero Marchent); K: Marcello Masciocchi (Cinemascope – Eastmancolor); M: Lallo Gori; D: Fabio Testi, Simone Blondel, Riccardo Garrone, Antonio Gradoli, Piero Lulli, Luis Gasper, Luis Induñi, Francisco Braña, Antonio Almoros, Emilio Rodriguez, Miguel De La Riva; I: Zorro hilft einem jungen Mann gegen einen korrupten Landbesitzer und dessen Männer, welcher andere Landeigentümer zwingt, ihm ihr Land zu verkaufen. Wer nicht verkauft, wird von ihm und seinen Leuten umgebracht.

Era Sam Wallash ... lo chiamavano Così Sia (1971) ET: His name was Sam Wallash, but they call him Amen; IT: Era Sam Wallash ... lo chiamavano Così Sia; FT: Sam Wallash (on l'appelle »Ainsi soit-il«); HL: Italien (Galassa Cinematrografica); OL: 89; P: Demofilo Fidani; R: Demofilo Fidani; B: Demofilo Fidani, Maria Rosa Valenza; K: Franco Villa (Panoramic – Eastmancolor); M: Lallo Gori; CD: Tequila!/Era Sam Wallash ... lo chiamavano Così Sia! (BEAT CDCR 50): 10 tracks; DO: Italien; D: Robert Woods, Dean Stratford, Dennis Colt, Gordon Mitchell, Lincoln Tate, Peter Martell, Custer Gail, Simone Blondel; I: Sam Wallash rächt sich an der Flanagan-Bande, die den Tod seines Bruders auf dem Gewissen hat. *Einer der besseren Fidani-Trash-Western, was nicht viel heißt.*

Gli eroi del West (1963) ET: Heroes of the west; IT: Gli eroi del West; ST: Los héroes del Oeste; HL: Italien/Spanien (Cineproduzione Emo Bistolfi – Rom/Coop. Fénix Films – Madrid); UA: 11.12.63; OL: 88 (2421 m); P: Emo Bistolfi; R: Stefano Vanzina; B: Alessandro Continenza, Mario Guerra, José Mallorquí, Stefano Vanzina, Vittorio Vighi, Giulio Scarnicci, Renzo Tarabusi; K: Tino Santoni (Panoramico – Eastmancolor); M: Gianni Ferrio; S: »Ballata del Far West« – gesungen von Sandro Alessandroni; »La ragazza del Saloon« – gesungen von Nora Orlandi DO: Spanien (Hoyo de Manzanares); D: Walter Chiari, Raimondo Vianello, Silvia Solar, Maria Anderson, Aurora Julia, Tomàs Blanco, Beni Deus, Miguel Del Castillo, Antonio Peral, Bruno Scipioni, Mercedes Lobato; I: Mike und Colorado entgehen nur knapp einem Attentat, das zwei Brüdern gegolten hat, die eine Erbschaft anzutreten hatten. Die beiden Gauner nehmen die Identität der beiden an, um sich die Erbschaft zu sichern. *Erste von zwei Westernkomödien von Stefano Vanzina mit dem Komikergespann Chiari und Vianello.*

Gli eroi di Fort Worth (1964) DT: Vergeltung am Wichita-Paß; ET: Charge of the seventh cavalry; IT: Gli eroi di Fort Worth; ST: El séptimo de caballeria; FT: A l'assaut de Fort Texan; HL: Italien/Spanien (Cineproduzione Emo Bistolfi – Rom); UA: 17.12. 64; OL: 101 (2780 m); DEA: 21.5.65; DL: 96; FSK: 16; P: Emo Bistolfi; R: Alberto De Martino; B: Alberto De Martino, Emo Bistolfi; (I: Eduardo M. Brochero; K: Eloy Mella (Totalscope – Eastmancolor; M: Carlo Rustichelli, Manuel Parada; DO: Spanien, Italien; D: Edmund Purdom, Priscilla Steele, Paul Piaget, Aurora Julia (Monica Randall), Eduardo Fajardo, Rafael Albaicin, Umberto Raho, Isarco Ravaioli, Miguel Del Castillo, Tullio Altamura, Victor Bayo; I: Im amerikanischen Bürgerkrieg versucht eine versprengte Gruppe der Südstaatenarmee vergeblich, sich mit Hilfe der Apachen aus der Umklammerung durch die Truppen der Nordstaaten zu befreien. *Ziemlich schwacher, unfreiwillig komischer Western von Alberto De Martino.*

Un esercito di 5 uomini (1969) DT: Die fünf Gefürchteten/Der Dampfhammer/Dicker, laß die Fetzen fliegen!/Die fünf Gefürchteten und ein Halleluja/Five Men Army; ET: Five man army; IT: Un esercito di 5 uomini; ST: Un ejercito de 5 hombres; FT: Cinq hommes armés; HL: Italien (Tiger Film 1966; UA: 16.10.69; OL: 99 (2720 m); DEA: 26.3.70; DL: 105; FSK: 16; P: Italo Zingarelli; R: Don Taylor, Italo Zingarelli; B: Dario Argento; K: Enzo Barboni (Deltavision – Technicolor); M: Ennio Morricone; S: »Muerte donne vas« – gesungen von Alessandro Alessandroni; CD: Un esercito di 5 uomini/Extrasensorial (DUSE CDE 76): 8 tracks; Spaghetti-Westerns Vol. 4 (DRG 32932): 2 tracks; DO: Italien, Spanien; D: Peter Graves, Bud Spencer, Nino Castelnuovo, James Daly, Claudio Gora, Carlo Alighiero, Giacomo Rossi Stuart, José Torres, Marino Masè, Tetsuro Tamba; I: Fünf Desperados berauben in Mexiko einen Goldtransport der Regierungstruppen erfolgreich, aber ohne Gewinn, weil ihr Anführer die Beute mexikanischen Revolutionären zuteilt. *Hervorragend fotografierter Italo-Western von Don Taylor – eine Art »Dirty Five« (nicht »Dirty Dozen«) Version im Westerngewand mit einem der besten Ennio-Morricone-Scores.*

Un esercito di 5 uomini

Execution (1968) DT: Django – Die Bibel ist kein Kartenspiel; ET: Execution; IT: Execution; FT: Django prépare ton exécution; HL: Italien (Cinematografica Mercedes/Ronbi International Films); UA: 14 8 68; OL: 98 (2698 m); DEA: 24.4.70; DL: 99; FSK: 18; P: Fernando Franchi; R: Domenico Paolella; B: Domenico Paolella, Fernando Franchi, Giancarlo Zagni (I: Domenico Paolella); K: Aldo Scavarda (Widescreen – Eastmancolor); M: Lallo Gori; DO: Italien, Israel; D: John Richardson, Mimmo Palmara, Rita Klein, Franco Giornelli, Piero Vida, Nestor Garay, Romano Magnino, Dalia, Lucio De Santis, Ivan Scratuglia, Angelo Susani; I: Django wird mit einem steckbrieflich gesuchten Goldräuber verwechselt, verfolgt und gefoltert. *Unterhaltsamer, kleiner Film von Domenico Paolella mit sehr bedrückender Atmosphäre.*

Los fabulosos de Trinidad (1972) DT: Whiskey, Plattfüße und harte Fäuste; ET: With friends, nothing is easy; IT: Alla larga Amigos, oggi ho il grilletto facile ...; ST: Los fabulosos de Trinidad; FT: Le fabuleux Trinita; HL: Spanien/Italien (I.F.I. España – Barcelona/Admiral International Film – Rom); UA: 4.2.73; OL: 91 (2505 m); DEA: 03.1.75; DL: 81; FSK: 12; P: Igancio F. Iquino; R: Ignacio F. Iquino; B: Ignacio F. Iquino, Juliana San José De La Fuente; K: Antonio L. Ballesteros (Panoramico – Eastmancolor); M: Enrique Escobar; DO: Spanien (Esplugas de Llobregat, Fraga); D: Richard Harrison, Fernando Sancho, Chris Huerta, Ricardo Palacios, Bob Gracy (Tito Garcia), Rex Gustavson (Gustavo Re), Mike Morton (Miguel Mu-

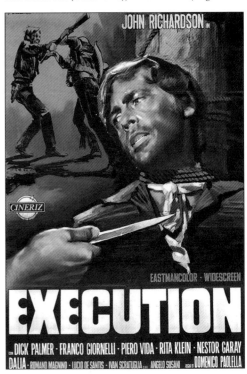

JOHN RICHARDSON IN

CINERIZ

EASTMANCOLOR · WIDESCREEN

EXECUTION

CON DICK PALMER · FRANCO GIORNELLI · PIERO VIDA · RITA KLEIN · NESTOR GARAY
DALIA · ROMANO MAGNINO · LUCIO DE SANTIS · IVAN SCRATUGLIA E CON ANGELO SUSANI REGIA DI DOMENICO PAOLELLA

niesa), Irene D'Astrea, John Torres (Juan Torres), Jack Zurban (Jarque Zurbano), Cesar Ojinaga; **I:** Mehrere Parteien wollen eine Waffenlieferung in ihren Besitz bringen. *Schwacher Italo-Western von Iganacio F. Iquino mit dem Genre-Veteranen Richard Harrison.*

Faccia a faccia (1967) DT: Von Angesicht zu Angesicht/ Halleluja – der Teufel lässt Euch grüßen; ET: Face to face; **IT:** Faccia a faccia; **ST:** Cara a cara; **FT:** Le dernier face à face/Il était une fois en Arizona; **HL:** Italien/Spanien (P.E.A. – Produzioni Europee Associate di Grimaldi Maria Rosaria e C. – Napoli/Arturo González P.C. – Madrid); **UA:** 23.11.67; **OL:** 111 (3040 m); **DEA:** 19.7.68; **DL:** 112; **FSK:** 18; **P:** Alberto Grimaldi; **R:** Sergio Sollima; **B:** Sergio Donati, Sergio Sollima (**I:** Sergio Sollima); **K:** Rafael Pacheco, Emilio Foriscot (Techniscope – Technicolor); **M:** Ennio Morricone; **CD:** Faccia a faccia (Screen Trax CDST 337): 31 tracks; Faccia a faccia/La resa dei conti (Mask MK 701): 16 tracks; Il Mercenario/Faccia a faccia (VCDS 7018): 16 tracks; Spaghetti-Westerns Vol. 3 (DRG 32929): 1 track; **DO:** Spanien (Almería, Manzanares el Real, Colmenar Viejo, El Atazar, Hoyo de Manzanares, La Cabrera, Alto de la Morcuera), Italien; **D:** Tomás Milian, Gian Maria Volonté, William Berger, Jolanda Modio, Carole André, Gianni Rizzo, Nicoletta Machiavelli, José Torres, Ted Carter, Rick Boyd, Frank Braña, Aldo Sambrell, Angel Del Pozo; **I:** Ein Geschichtsprofessor wird durch die Bekanntschaft mit einem Banditenanführer zum Gewaltmenschen, während der Bandit unter dem Eindruck der unmenschlichen Taten des Professors der Gewalt entsagt. *Hervorragender zweiter Western von Western-Profi Sergio Sollima mit einer glänzenden Besetzung und einem wunderschönen Ennio-Morricone-Score.*

Il fanciullo del west (1942) ET: Boy of the golden West; **IT:** Il fanciullo del west; **HL:** Italien (Scalera Film); **UA:** 24.12.42; **OL:** 65 (1800 m); **P:** Liborio Capitani; **R:** Giorgio Ferroni; **B:** Gian Paolo Callegari, Giorgio Ferroni, Vittorio Metz, Vincenzo Rovi (**I:** Leo Bomba, Silvano Castellani, Giorgio Ferroni, Vincenzo Talarico); **K:** Sergio Pesce (Normal – B/W); **M:** Amadeo Escobar; **D:** Erminio Macario, Nada Fiorelli, Elli Parvo, Luisa Agosti, Giulio Battiferri, Renato Capanna, Giovanni Grasso, Egisto Olivieri, Giovanni Onorato, Oreste Onorato, Piero Pastore, Nino Pavese, Aldo Pini; **I:** Die Geschichte von Romeo und Julia in den Wilden Westen versetzt – zwei Kinder aus verfeindeten Familien verlieben sich ineinander.

La Fayette (1961) DT: Der junge General; ET: Lafayette; **IT:** Una spada per due bandieri; **ST:** La Fayette; **FT:** La Fayette; **HL:** Frankreich/Italien (Films Copernic – Paris/ Cosmos Film – Rom); **UA:** 28.09.1962; **OL:** 110 (3010 m); **DEA:** 26.08.1966; **DL:** 96; **FSK:** 12; **P:** Maurice Jacquin; **R:** Jean Dréville; **B:** Jean Bernard-Luc, Jean Dréville, Françoise Ponthier, Suzy Prim, Jacques Sigurd; **K:** Roger Hubert, Claude Renoir; **M:** Pierre Duclos, Steve Laurent; **D:** Pascale Audret, Jack Hawkins, Wolfgang

Preiss, Liselotte Pulver, Edmund Purdom, Georges Rivière, Orson Welles; **I:** Der Film erzählt die romantische Lebensgeschichte des Franzosen Marquis de Lafayette, der auf der Seite von General Washington im amerikanischen Freiheitskrieg gegen die Engländer kämpft. *Sehr aufwändig gemachter Kostümfilm, der leider trotzdem nur wenig Spannung aufkommen lässt.*

Fedra West (1968) ET: I do not forgive ...I kill; **IT:** Io non perdono ... uccido; **ST:** Fedra West; **FT:** Pas de pardon, je tue; **HL:** Spanien/Italien (Copercines Cooperativa Cinematográfica – Madrid/United Pictures – Rom); **UA:** 5.5. 68; **OL:** 90 (2478 m); **P:** Ricardo Sanz, José Luis Jerez; **R:** Joaquín Luis Romero Marchent; **B:** Joaquín Luis Romero Marchent, Giovanni Simonelli (**I:** Victor Auz, José Luis Hernandez Marcos, Bautista Lacasa, Joaquín Luis Romero Marchent, Giovanni Simonelli); **K:** Fulvio Testi (Totalscope – Eastmancolor); **M:** Piero Piccioni; **CD:** Io non perdono uccido/Una colt in mano a diavolo/In nome del padre, del figlio e della colt/Il giustiziere di dio (GDM Club 7006): 7 tracks; Spaghetti-Westerns Vol. 2 (DRG 32909): 3 tracks; Spaghetti-Westerns Vol. 3 (DRG 32929): 1 track; **DO:** Spanien, Italien; **D:** James Philbrook, Norma Bengell, Simón Andreu, Luis Induñi, Maria Cumani Quasimodo, Carlos Romero, Angel Aranda, Giancarlo Bastianoni, Antonio Padilla; **I:** Ein Kopfgeldjäger verliebt sich in ein Mädchen und ist dazu gezwungen, ihren kriminellen Bruder zu jagen.

Il figlio di Django (1966) DT: Der Sohn des Django; ET: The son of Django; **IT:** Il figlio di Django; **FT:** Le retour de Django; **HL:** Italien (Denwer Films); **UA:** 26.5.67; **OL:** 90 (2487 m); **DEA:** 28.3.68; **DL:** 79; **FSK:** 18; **P:** Osvaldo Civirani; **R:** Osvaldo Civirani; **B:** Alessandro Ferraù, Tito Carpi, Osvaldo Civirani (**I:** Alessandro Ferraù, Tito Carpi); **K:** Osvaldo Civirani (Cromoscope – Eastmancolor); **M:** Piero Umiliani; **S:** »Son of Django« – gesungen von John Balfour; **DO:** Italien; **D:** Guy Madison, Gabriele Tinti, Ingrid Schöller, Daniele Vargas, Pedro Sanchez, Andrew Scott (Andrea Scotti), Roberto Messina, Ivan Scratuglia, Cristel Penz, Luis Chavarro, Franco Gulà; **I:** Ein angeblicher Sohn von Django auf der Suche nach den Mördern seines Vaters. *Osvaldo Civiranis erster und gleichzeitig bester Italo-Western, unterlegt mit einem melodiösen Piero-Umiliani-Score.*

Il figlio di Zorro (1973) DT: Zorro junior; ET: Son of Zorro; **IT:** Il figlio di Zorro; **ST:** El hijo del Zorro; **FT:** Le fils de Zorro; **HL:** Italien/Spanien (International Film – Rom/Films Triunfo – Madrid); **UA:** 30.12. 73; **OL:** 89 (2460 m); **DEA:** 4.4.94 (RTL); **DL:** 83; **P:** Giovanni Veri; **R:** Gianfranco Baldanello; **B:** Arpad De Riso, Guido Zurli, Gianfranco Baldanello (**I:** Arpad De Riso, Guido Zurli); **K:** Gianfranco Baldanello (Techniscope – Technicolor); **M:** Marcello Gigante; **D:** Robert Widmark (Alberto dell'Acqua), Fernando Sancho, William Berger, Elisa Ramirez, Marina Malfatti, Dada Gallotti, George Wang,

Marco Zuanelli, Giorgio Dolfin, Franco Fantasia, Marcello Monti, Mario Dardanelli, Marcello Simoni, Andrea Fantasia; **I:** Zorro kämpft wieder gegen die korrupten Machenschaften des Gouverneurs und für die Unterdrückten. *Trotz der guten Besetzung leider ein kompletter Fehlschlag.*

Un fiume di dollari (1966) DT: Eine Flut von Dollars; ET: The hills run red; **IT:** Un fiume di dollari; **ST:** Un rio de dolares; **FT:** Du sang dans la montagne; **HL:** Italien (Dino De Laurentiis Cinematografica – Rom); **UA:** 9.9.66; **OL:** 92 (2540 m); **DEA:** 10.2.67; **DL:** 88; **FSK:** 18; **P:** Ermanno Donati, Luigi Carpentieri; **R:** Carlo Lizzani; **B:** Piero Regnoli; **K:** Antonio Secchi (Techniscope – Technicolor); **M:** Ennio Morricone; **S:** »Quel giorno verrà ...« – gesungen von Gino; **CD:** The Hills run red/E per tetto un cielo di stelle (RR 13 – Private Pressing): 17 tracks; SW Encyclopedia Vol. 1 (KICP 433): 2 tracks; **DO:** Spanien (Manzanares el Real, Nuevo Baztán), Italien (Dino de Laurentiis Studio Rom); **D:** Thomas Hunter, Henry Silva, Dan Duryea, Nicoletta Machiavelli, Gianna Serra, Nando Gazzolo, Loris Loddi, Geoffrey Copleston, Paolo Magalotti, Tiberio Mitri, Vittorio Bonos, Mirko Valentin, Guglielmo Spoletini; **I:** Ein Dieb, der mit einem Freund während des amerikanischen Bürgerkrieges die Staatskasse plünderte, sieht sich nach seiner Entlassung aus dem Gefängnis um seinen Anteil betrogen und rächt sich bis aufs Blut. *An die amerikanischen Vorbilder angelegter hervorragender Western von Spitzenregisseur Carlo Lizzani, unterlegt mit einem brillanten Score von Ennio Morricone.*

Una forca per un bastardo (1968) DT: Eine Kugel für den Bastard/Wyoming Connection; IT: Una forca per un bastardo; **HL:** Italien (S.P.E.F.D.); **OL:** 82 (2253 m); **DEA:** 13.12.68; **DL:** 79; **FSK:** 12; **R:** Amasi Damiani; **D:** Dick Palmer, Livio Lorenzon, Barth Warren, Monica Millesi, Kathleen Parker (Caterina Trentini); **I:** Durch Klugheit und Unerschütterlichkeit rettet ein Sheriff zwei Unschuldige vor dem Lynchen und klärt einen heimtückischen Mord auf. *Anspruchsloser Durchschnittswestern von Italo-Western-Eintagsfliege Amasi Damiani.*

Un fiume di dollari

Franco e Ciccio sul sentiero di guerra (1969) DT: Zwei Trottel als Revolverhelden; ET: Paths of war; **IT:** Franco e Ciccio sul sentiero di guerra; **HL:** Italien (Mondial Te.Fi. – Televisione Film); **UA:** 26.3.70; **OL:** 95; **DEA:** 18.4.75; **DL:** 83; **FSK:** 12; **P:** Sergio Bonotti; **R:** Aldo Grimaldi; **B:** Giovanni Grimaldi (**I:** Giovanni Grimaldi, Bruno Corbucci); **K:** Fausto Zuccoli (Normal – Eastmancolor); **M:** Roberto Pregadio; **CD:** Spaghetti-Westerns Vol. 1 (DRG 32905): 1 track; **DO:** Italien; **D:** Franco Franchi, Ciccio Ingrassia, Stelvio Rosi, Renato Baldini, Adler Gray, Joseph P. Persaud, Gianni Solaro, Turam Quibo, Lino Banfi, Alfredo Rizzo, Renato Malavasi, Wolff Fischer, Silvano Spada; **I:** Zwei Strolche verstricken sich durch ihre Dummheit in kriegerische Abenteuer zwischen amerikanischen Schutztruppen und Indianern. *Weiterer Klamauk-Western mit dem Komikerduo Franco und Ciccio.*

I fratelli di Arizona (1968) ET: Arizona Kid; IT: I fratelli di Arizona; **HL:** Italien/Philippinen; **OL:** 100; **P:** Cirio H. Santiago; **R:** Luciano B. Carlos; **B:** Lino Brocka, Luciano B. Carlos; **K:** Felipe Saodalan (Normal – Color); **M:** Restie Umali; **D:** Chiquito Pangan, Mamie Van Doren, Gordon Mitchell, Mariela Branger, Bernard Bonning, Cass Martin, Dan Van Husen, Victor Israel, John Mark, Felipe Silano, Gene Reyes, Tony Brandt, Vigente Poja, Ramon Serrano; **I:** Die Bürger von Sierra Vista glauben, dass Chaquito der berühmte Arizona Kid ist und möchten ihn überzeugen, ihnen gegen den Terror von Coyote und seinen Banditen zu helfen. *Philippino-Spaghetti!!! Und dann auch noch Klamauk!*

Fuori uno sotto un altro ... arriva il passatore (1973) DT: Wenn Engel ihre Fäuste schwingen; IT: Fuori uno sotto un altro ... arriva il passatore; **ST:** El audaz aventurero/Un casanova en apures; **HL:** Italien/Spanien (Marco-Davis Film – Rom/Procinor – Madrid); **OL:** 96; **DEA:** 6.3.75; **DL:** 83; **FSK:** 12; **R:** Giuliano Carnimeo; **B:** Tito Carpi, Gustavo Quintana, Nanda Bigliozzi; **K:** Pablo Ripoll (Totalscope – Eastmancolor); **M:** Aldo Buonocore; **D:** George Hilton, Manolo Zarzo, Sal Borgese, Edwige Fenech, Chris Avram, Chris Huerta, Helga Liné, Jack Logan, Lucretia Love, Umberto D'Orsi, Marco Migliozzi, Dante Maggio, Alessandro Perrella, Luigi Antonio Guerra, Mario Gigantini, Giuseppe Terranova; **I:** Ein Räuber beraubt in galanter Zeit Reiche und unterstützt Arme, ohne dass ihn die dümmliche Polizei fangen kann. *Eine relativ schwache Abenteuer-Komödie von Giuliano Carnimeo trotz des immer witzigen George Hilton.*

Garringo (1968) DT: Garringo – der Henker/Sie nannten ihn Henker; ET: The dead are countless/Garringo; **IT:** Garringo; **ST:** Garringo; **FT:** Garringo; **HL:** Spanien/Italien (Profilms 21 – Madrid/Tritone Filmindustria – Rom); **UA:** 28.8.69; **OL:** 90 (2470 m); **DEA:** 15.5.70; **DL:** 81; **FSK:** 18; **P:** Norberto Soliño; **R:** Rafael Romero Marchent; **B:** Joaquín Luis Romero Marchent, Giovanni Scolaro, Arpad De Riso (**I:** Giovanni Scolaro, Joaquin Romero Marchent);

K: Aldo Ricci (Techniscope – Eastmancolor); M: Marcello Giombini; DO: Spanien (Alcala de Henares, Seseña, Ciempozuelos, Soria), Italien (Elios Film Studio Rom); D: Anthony Steffen, Peter Lee Lawrence, Solvi Stubing, José Bodaló, Luis Barboo, Raf Baldassarre, Frank Braña, Luis Martin, Luis Induñi, Barta Barry, Alfonso Rojas; I: Psychisch kranker Mörder wird nach langem Kleinkrieg von einem Soldaten erschossen. *Harter südländischer Western von Rafael Romero Marchent mit einer Paraderolle für Anthony Steffen.*

I gemelli del Texas (1964) ET: The twins from Texas; IT: I gemelli del Texas; ST: Los gemelos de Texas; HL: Italien/Spanien (Cineproduzione Emo Bistolfi – Rom/Coop. Fénix Films – Madrid); UA: 8.10.64; OL: 92 (2522 m); P: Emo Bistolfi; R: Stefano Vanzina; B: Giulio Scarnicci, Renzo Tarabusi, Santos Alcocer; K: Manuel H. Sanjuán (Panoramico – Eastmancolor); M: Gianni Ferrio; DO: Spanien (Hoyo de Manzanares, Manzanares el Real); D: Walter Chiari, Raimondo Vianello, Diana Lorys, Alfonso Rojas, Miguel Del Castillo, Bruno Scipioni, Maria Jesus Mayor, Umberto Raho, Joaquin Pamplona, Carmen Esbri; I: Bei einem Überfall auf einen Siedlertreck überleben zwei Zwillingspaare, die beide völlig verschieden aufwachsen, das eine Zwillingspaar als Journalisten und das andere als Banditen. Schließlich treffen sie sich wieder und am Ende wird wieder alles gut. *Zweite und bessere Westernkomödie von Stefano Vanzina, wieder mit demselben Komikerduo Chiari und Vianello.*

Un genio, due compari, un pollo (1975) DT: Nobody ist der Größte; ET: Genius; IT: Un genio, due compari, un pollo; ST: El genio; FT: Un génie, deux associés, une cloche; HL: Italien/Frankreich/Deutschland (Rafran Cinematografica – Rom/Agence Meditérrénéenne de Location de Films – Marseille/Rialto Film Preben Philipsen – Berlin); UA: 19.12.75; OL: 126 (3457 m); DEA: 16.12.75; DL: 117; FSK: 12; P: Fulvio Morsella, Claudio Mancini; R: Damiano Damiani; B: Ernesto Gastaldi, Fulvio Morsella, Damiano Damiani (I: Ernesto Gastaldi, Fulvio Morsella); K: Giuseppe Ruzzolini (Techniscope – Technicolor); M: Ennio Morricone; S: »Glory, glory, glory« – gesungen von Catherine Howe; CD: Un genio, due compari, un pollo (Hexacord HCD 04): 13 tracks; Un genio, due compari, un pollo (Japan SLCS-7262): 13 tracks; DO: Spanien (Almería, Nuevo Baztán) – USA (Monument Valley); D: Terence Hill, Miou-Miou, Robert Charlebois, Patrick McGoohan, Klaus Kinski, Raimund Harmstorf, Jean Martin, Rik Battaglia, Piero Vida, Mario Valgoi, Clara Colosimo, Fernando Cerulli, Renato Baldini, Mario Brega, Friedrich Von Ledebur; I: Ein Wildwest-Schelm treibt seine Streiche mit Kumpanen und Militär. *Bis auf einzelne Sequenzen leider wenig geglückte Westernkomödie von Damiano Damiani, der wenig Talent für komische Situationen zu haben scheint.*

Gentleman Jo ... uccidi! (1967) DT: Shamango/Gentleman Joe – Der Rächer bin ich/Django – Totenliste im Gepäck; ET: Gentleman killer; IT: Gentleman Jo ... uccidi!; ST: Gentle-

Garringo

Un genio, due compari, un pollo

man Jo; **FT:** Gentlemen killer; **HL:** Italien/Spanien (Mancori, A./P.C. Balcázar – Barcelona); **UA:** 14.8.67; **OL:** 101 (2784 m); **DEA:** 29.3.68; **DL:** 97; **FSK:** 18; **P:** Alvaro Mancori, Anna Maria Chrcticn; **R:** Giorgio C. Stegani; **B:** Jaime Jesús Balcázar; **K:** Francisco Marín (Techniscope – Eastmancolor); **M:** Bruno Nicolai; **CD:** Gentleman Jo… uccidi! (Digitmovies CDDM 036): 22 tracks; **DO:** Spanien (Esplugas de Llobregat, Fraga), Italien; **D:** Anthony Steffen, Eduardo Fajardo, Silvia Solar, Anna Orso, Benito Stefanelli, Frank Oliveras, Vidal Molina, Joaquin Blanco, Angel Lombarte, Antonio Iranzo, Valentino Macchi; **I:** In der Uniform seines ermordeten Bruders, des Kommandanten eines amerikanischen Grenzstädtchens, rottet ein Revolverheld aus Rache eine mexikanische Bande aus. *Sehr unterhaltsamer, actionreicher Western von Giorgio C. Stegani mit einem sehr gut ins Ohr gehenden Bruno-Nicolai-Score.*

Get Mean (1975) DT: Time Breaker; ET: Get mean; **IT:** Get Mean; **FT:** Pendez-le par les pieds; **HL:** Italien (Cee Note); **OL:** 90 (2479 m); **P:** Tony Anthony; **R:** Ferdinando Baldi; **B:** Ferdinando Baldi, Lloyd Battista, Wolf Lowenthal (**I:** Ferdinando Baldi, Lloyd Battista, Wolf Lowenthal); **K:** Mario Perino (Techniscope – Technicolor); **M:** Franco Bixio, Fabio Frizzi, Vince Tempera; **DO:** Spanien (Almería); **D:** Tony Anthony, Lloyd Battista, Raf Baldassarre, Diana Lorys, David Dreyer, Mirta Miller; **I:** Ein geheimnisvoller Fremder soll die Prinzessin Elisabetta Maria de Vargas von den USA in ihr Heimatland Spanien begleiten. In Spanien erwartet beide ein unheimliches Chaos mit kämpfenden Engländern, Spaniern und Barbaren. *Relativ schwacher Versuch eines Fantasy-Italo-Western, der aus diversen Filmgenres zusammengeschustert wurde.*

Giarrettiera Colt (1967) ET: Garter Colt; **IT:** Giarrettiera Colt; **HL:** Italien (Columbus Cinematografica); **UA:** 19.4.68; **OL:** 102 (2792 m); **P:** Giovanni Vari; **R:** Gian Andrea Rocco; **B:** Giovanni Gigliozzi, Brunello Maffei, Vittorio Pescatori, Gian Andrea Rocco; **K:** Gino Santini (Normal – Kodakolor); **M:** Giovanni Fusco, Gianfranco Plenizio; **D:** Nicoletta Machiavelli, Claudio Camaso, Marisa Solinas, Walter Barnes, Gaspare Zola, Yorgo Voyagis, James Martin, Elvira Cortese, Brunello Maffei, Franco Scala; **I:** Eine Pistolenlady verhindert einen Postkutschenüberfall und erlebt später diverse Abenteuer in Mexiko, wo sie auch dem Postkutschenräuber wieder begegnet.

I giorni della violenza (1967) DT: Sein Wechselgeld ist Blei; ET: Days of violence; **IT:** I giorni della violenza; **FT:** La furie du Missouri; **HL:** Italien (Concord Film – Rom); **UA:** 10.8.67; **OL:** 104 (2850 m); **DEA:** 31.5.68; **DL:** 92; **FSK:** 16; **P:** Bruno Turchetto; **R:** Alfonso Brescia; **B:** Gian Luigi Buzzi, Mario Amendola, Paolo Lombardo, Antonio Boccacci (**I:** Gian Luigi Buzzi); **K:** Fausto Rossi (Techniscope – Technicolor); **M:** Bruno Nicolai; **CD:** I giorni della violenza (GDM Club 7016): 18 tracks; Il mio nome è Shangai Joe/I giorni della violenza (GDM PRCD 123):

1 track; Spaghetti-Westerns Vol. 3 (DRG 32929): 1 track; **DO:** Italien; **D:** Peter Lee Lawrence, Rosalba Neri, Beba Loncar, Luigi Vannucchi, Nello Pazzafini, Andrea Bosic, Lucio Rosato, Harold Bradley, Gianni Solaro, Romano Puppo, Adalberto Rossetti, Claudio Trionfi; **I:** Ein Outsider will sich an verbrecherischen Soldaten rächen, die in den Wirren des amerikanischen Bürgerkrieges seinen Bruder und dessen Frau ermordet hatten. *Recht unterhaltsamer, manchmal auch etwas langatmiger Western von Alfonso Brescia mit einem guten Score von Bruno Nicolai.*

I giorni dell'ira (1967) DT: Der Tod ritt Dienstags; ET: Day of anger; **IT:** I giorni dell'ira; **ST:** El dia de la ira; **FT:** Le dernier jour de la colère/On m'appelle Saligo; **HL:** Italien/ Deutschland (Sancrosiap – Rom/Corona Filmproduktion – München/y G. Divina Film – München); **UA:** 19.12.67; **OL:** 115 (3163 m); **DEA:** 12.1.68; **DL:** 114; **FSK:** 16; **P:** Enrico Chroscicki, Alfonso Sansone; **R:** Tonino Valerii; **B:** Ernesto Gastaldi, Renzo Genta, Tonino Valerii (**I:** Ron Barker »Der Tod ritt dienstags«); **K:** Enzo Serafin (Techniscope – Technicolor); **M:** Riz Ortolani; **CD:** Day of Anger/Beyond the Law (RCA OST 110): 11 tracks; **DO:** Spanien (Almería), Italien (Cinecittà Filmstudio); **D:** Giuliano Gemma, Lee Van Cleef, Walter Rilla, Christa Linder, Piero Lulli, Yvonne Sanson, Andrea Bosic, Ennio Balbo, Lukas Ammann, Pepe Calvo, Virginio Gazzolo, Benito Stefanelli, Giorgio Gargiullo, Franco Balducci, Eleonora Morana, Christian Consoli; **I:** Ein alternder Pistolenheld weiht einen jungen Schüler in das Handwerk des Pistoleros ein; als der Junge erkennt, dass sein Lehrer ein brutaler Mörder ist, tötet er ihn im Duell. *Der zweite Film von Tonino Valerii ist ein außergewöhnlich guter Action-Western mit einer hervorragenden Besetzung und dem besten aller Riz-Ortolani-Scores.*

Il giorno del giudizio (1971) DT: Tag der Vergeltung/Zeig mir das Spielzeug des Todes; ET: Drummer of vengeance; **IT:** Il giorno del giudizio; **ST:** Tambores de venganza; **FT:** Le jour du jugement; **HL:** Italien (Times Film Productions); **UA:** 9.9.71; **OL:** 98 (2700 m); **DEA:** 17.4.75; **DL:** 79; **FSK:** 18; **P:** Mario Gariazzo; **R:** Mario Gariazzo; **B:** Ma-

I giorni della violenza

rio Gariazzo, Franco Daniele, Nello Rossati (I: Mario Gariazzo); K: Alvaro Lanzoni (Cinemascope – Eastmancolor); M: Ennio Morricone (Archivmusik); D: Ty Hardin, Rossano Brazzi, Edda Di Benedetto, Craig Hill, Rosalba Neri, Gordon Mitchell, Pinuccio Ardia, Tony Norton, Ugo Adinolfi, Nello Palladino, Raf Baldassarre; I: Ein aus dem Bürgerkrieg Heimgekehrter fand Frau und Kind ermordet und ruht auch nach Jahren nicht eher, bis dass er die ruchlosen Täter sämtlich zur Strecke gebracht hat. *Belangloser, relativ konfuser Film von Mario Gariazzo, dessen Musik nahezu vollständig aus »I crudeli« stammt.*

Giù la testa (1971) DT: Todesmelodie; ET: Duck you sucker; IT: Giù la testa; ST: Agáchate, maldito!; FT: Il était une fois ... la révolution; HL: Italien (Rafran Cinematografica/Euro International Films/Miura Cinematografica – Rom); UA: 29.10.71; OL: 157 (4325 m); DEA: 2.3.72; DL: 154; FSK: 18; P: Fulvio Morsella; R: Sergio Leone; B: Luciano Vincenzoni, Sergio Leone, Sergio Donati (I: Sergio Leone, Sergio Donati); K: Giuseppe Ruzzolini, Franco Delli Colli (Techniscope – Technicolor); M: Ennio Morricone; CD: Ennio Morricone Western Quintet (DRG 32907): 11 tracks; Giù la testa (Cinevox MDF 312): 12 tracks; Todesmelodie (Alhambra A 8917): 11 tracks; Spaghetti-Westerns Vol. 1 (DRG 32905): 1 track; SW Encyclopedia Vol. 3 (KICP 435): 1 track; DO: Spanien (Almería, Guadix, Medinaceli), Irland; D: James Coburn, Rod Steiger, Rik Battaglia, Maria Monti, Franco Graziosi, Antonio Domingo (Michel Antoine), Jean Rougel, Roy Bosier, Poldo Bendandi, Furio Meniconi, John Frederick, Antonio Casale, Corrado Solari, Benito Stefanelli; I: Die seltsame Freundschaft eines irischen Revolutionärs und eines Banditen in Mexiko vor dem Hintergrund der blutigen mexikanischen Revolution 1911-1914. *Großartiger Revolutionswestern vom König des Italo-Western Sergio Leone mit einem unter die Haut gehenden Ennio-Morricone-Score.*

Giù la testa ... hombre! (1971) DT: Ich will deinen Kopf/Ich will ihn tot; ET: The strange tale of Minnesota Stinky/A fistful of death/The ballad of Django; IT: Giù la testa ...

hombre!/Doppio taglia per Minnesota Stinky; FT: Macho Callaghan se déchaîne; HL: Italien (Tarquinia Internazionale Cinematografica); UA: 17.4.71; OL: 88 (2423 m); DEA: Video (IHE); DL: 86; P: Diego Spataro (Demofilo Fidani); R: Demofilo Fidani; B: Demofilo Fidani, Maria Rosa Valenza (I: Demofilo Fidani); K: Aristide Massaccesi (Panoramico – Eastmancolor); M: Lallo Gori; DO: Italien; D: Hunt Powers, Klaus Kinski, Gordon Mitchell, Philip Garner (Giancarlo Prete), Jeff Cameron, Dennis Colt, Lucky McMurray, Pietro Fumelli, Custer Gail, Grazia Giuvi, Paul Crain (Enzo Pulcrano), Lorenzo Arbore, Giuseppe Polidori; I: Der einzige Überlebende eines Massakers schafft es, die Mörderbande aufzuspalten und die Verbrecher gegeneinander auszuspielen. *Äußerst unterdurchschnittlicher Trashwestern von Demofilo Fidani.*

Giù le mani ... carogna! – Django Story (1971) DT: Halleluja pfeift das Lied vom Sterben/Halleluja – der tödliche Schatten/Blutspur des schwarzen Rächers/Die Hölle wartet schon auf Euch; ET: Reach you bastard/Django story/Western story; IT: Giù le mani ... carogna! – Django story; FT: Haut les mains, salaud!/Django story; HL: Italien (Tarquinia Internazionale Cinematografica); UA: 21.8.71; OL: 100 (2740 m); DEA: 23.6.72; DL: 84; FSK: 18; P: Oskar Faradine; R: Demofilo Fidani; B: Demofilo Fidani; K: Franco

I giorni dell'ira   Giù la testa

Villa (Panoramico – Eastmancolor); **M:** Lallo Gori; **DO:** Italien (Elios Film Studio Rom); **D:** Hunt Powers, Gordon Mitchell, Dean Stratford, Dennis Colt, Lucky Mc Murray, Jerry Ross, Paul Crain; **I:** Ein Kopfgeldjäger erzählt »Heldentaten«. *Schlechtester Demofilo-Fidani-Western.*

Giubbe rosse (1975) DT: Die Rotröcke/Die gnadenlose Meute; **ET:** Red coat/Royal Mounted Police; **IT:** Giubbe rosse; **ST:** Guerreras rojas; **HL:** Italien (Coralta Cinematografica – Rom); **UA:** 24.4.75; **OL:** 97 (2670 m); **DEA:** 17.5.77; **DL:** 90; **P:** Alfonso Donati; **R:** Aristide Massaccesi; **B:** Aristide Massaccesi, Claudio Bernabei; **K:** Aristide Massaccesi (Technospes – Eastmancolor); **M:** Carlo Rustichelli; **S:** »Day after day« – gesungen von Lynne Frederick; **D:** Fabio Testi, Guido Mannari, Renato Cestié, Lynne Frederick, Lionel Stander, Lars Bloch, Robert Hundar, Daniele Dublino, Wendy D'Olive, Bruno Corazzari, Paolo Magalotti, Luigi Antonio Guerra, Aldo Cecconi; **I:** Ein Sergeant jagt einen aus dem Gefängnis ausgebrochenen Verbrecher, der den Sohn des Sergeanten gekidnappt hat, um ihn als Köder für den Vater zu benutzen. Auf die Fährte des Verbrechers setzten sich auch einige von ihm geprellte frühere Kumpane. *Einigermaßen unterhaltsamer »Wolfsblut«-Verschnitt des ehemaligen Kameramannes Massaccesi unter seinem Pseudonym »Joe D'Amato«.*

Giunse Ringo e ... fu tempo di massacro (1970) ET: Ringo, it's massacre time; **IT:** Giunse Ringo e ... fu tempo di massacro; **FT:** Avec Ringo arrive le temps du massacre; **HL:** Italien (La Volpe, A.); **UA:** 2.8.70; **OL:** 80 (2200 m); **P:** A. La Volpe; **R:** Mario Pinzauti; **B:** Mario Pinzauti; **K:** Vitaliano Natalucci (Panoramico – Eastmancolor); **M:** Felice Di Stefano; **S:** »Reward for Ringo« & »Sedman« gesungen von 5 Goldfingers; **D:** Jean Louis, Lucy Bomez, Mickey Hargitay, Anna Cerreto, Omero Gargano, Ivan Scratuglia, Gualtiero Rispoli, Armando Cariani, Bob Villar; **I:** Die Suche nach seinem verschollenen Bruder führt Ringo auch zum mexikanischen Anwesen von Don Juan, der mit seiner geisteskranken Frau und seiner Tochter Pilar ein gutes Leben führt, das jedoch manchmal von mysteriösen Todesfällen gestört wird. *Italo-Western der übelsten Sorte von Mario Pinzauti.*

Giurò e li uccise ad uno ad uno (1967) DT: Pilluks nimmt Maß; **ET:** Gun shy Piluk; **IT:** Giurò e li uccise ad uno ad uno (Piluk il timido); **FT:** Le justicier du Sud; **HL:** Italien (Palinuro Film); **UA:** 7.3.68; **OL:** 97 (2674 m); **P:** Guido Celano; **R:** Guido Celano; **B:** Guido Celano, Luigi Silori (**I:** Guido Celano); **K:** Angelo Baistrocchi (Panoramico – Eastmancolor); **M:** Carlo Savina; **S:** Titelsong gesungen von Lilian Terry; **D:** Edmund Purdom, Peter Holden, Dan Harrison, Micaela Pignatelli, Livio Lorenzon, Luis Barber, Aichè Nanà, Sergio Tedesco, Ivan G. Scratuglia, Fedele Gentile, Attilio Dottesio; **I:** Piluk ist auf der Suche nach der Mason Gang, einer Bande von Verbrechern, die seinen Sohn Sheriff Albert ermordet haben. *Einer von zwei Durchschnittswestern von Guido Celano.*

Il giustiziere di Dio (1972) IT: Il giustiziere di Dio; **FT:** Le justicier de Dieu; **HL:** Italien (Cigno Cinematografica); **UA:** 2.6.73; **OL:** 87 (2402 m); **P:** Giovanni Vari; **R:** Franco Lattanzi; **B:** Franco Lattanzi; **K:** Franco Appetto (Cinemascope – Eastmancolor); **M:** Piero Piccioni; **CD:** Io non perdono uccido/Una colt in mano a diavolo/In nome del padre, del figlio e della colt/Il giustiziere di Dio (GDM Club 7006): 5 tracks; **D:** William Berger, Donald O'Brien, George Wang, Nuccia Cardinali, Attilio Dottesio, Antonio Dimitri, Victor Stock, Nello Palladino, Alessandro Perrella, Lorenzo Piani, Antonia Santilli, Nicola Mozzillo; **I:** Der als Geistlicher lebende frühere Revolverheld Tony Land greift wieder zur Waffe, als eine Bande von Verbrechern seine Mission San Francesco in die Luft jagt und dabei zahlreiche Kinder tötet. *Einzig halbwegs ansehbarer Franco-Lattanzi-Western mit guter Besetzung.*

Gli fumavano le Colt ... lo chiamavano Camposanto (1971) DT: Ein Halleluja für Camposanto; **ET:** They call him cemetery/They call him graveyard/They call him holy spirit; **IT:** Gli fumavano le Colt ... lo chiamavano Camposanto; **ST:** Y dejaron de llamarle Camposanto; **FT:** Quand les Colts fument ... on l'appelle Cimetière; **HL:** Italien (National Cinematografica/Flora Film – Rom); **UA:** 23.9.71; **OL:** 93 (2555 m); **DEA:** 9.6.72; **DL:** 94; **FSK:** 16; **P:** Mino Loy; **R:** Giuliano Carnimeo; **B:** Enzo Barboni; **K:** Stelvio Massi (Cromoscope – Eastmancolor); **M:** Bruno Nicolai; **CD:** Buon funerale amigos! ... paga Sartana/Gli fumavano le colt ... Lo chiamavano Camposanto (BEAT CDCR 39): 10 tracks; Spaghetti-Westerns Vol. 4 (DRG 32932): 2 tracks; **DO:** Italien; **D:** Gianni Garko, William Berger, Christopher Chittel, John Fordyce, Ugo Fangareggi, Raimondo Penne, Franco Ressel, Aldo Barberito, Ivan Staccioli, Nello Pazzafini, Gianni Di Benedetto, Pinuccio Ardia, Bill Vanders; **I:** Schießkünstler als Beschützer zweier unerfahrener Ranchersöhne zeigt sich auch seinem die Gegenseite vertretenden Kollegen überlegen. *Eine der besten Western-Komödien von Giuliano Carnimeo mit einem außergewöhnlich flotten Bruno-Nicolai-Score.*

Le goût de la violence (1961) DT: Haut für Haut; **ET:** Taste of violence; **IT:** Febbre di rivolta; **ST:** El sabor de la violencia; **FT:** Le goût de la violence; **HL:** Frankreich/Deutschland/Italien (Franco London Film – Paris/S.N.E. Gaumont – Paris/UFA Film – Hansa – Hamburg/Continental Produzione); **UA:** 15.12.61; **OL:** 96 (2650 m); **DEA:** 11.8.61; **DL:** 84; **FSK:** 12; **P:** Ralph Baum; **R:** Robert Hossein; **B:** Louis Martin, Claude DeSailly, Jules Roy; **K:** Jacques Robin (Dyaliscope – B/W); **M:** André Hossein; **D:** Robert Hossein, Giovanna Ralli, Mario Adorf, Madeleine Robinson, Hans Neubert, Dany Jacquet; **I:** Von Revolutionären gefangene Tochter eines mittelamerikanischen Staatspräsidenten soll gegen Aufständische ausgetauscht werden. *Gut inszenierter französischer Abenteuerfilm von Robert Hossein, der auch hier schon in einer Multifunktion als Drehbuchautor, Regisseur und Star des Films fungiert.*

Il grande duello (1972) DT: Drei Vaterunser für vier Halunken/Rache unter roter Sonne; ET: The grand duel/The big showdown; IT: Il grande duello; ST: Gran duelo al amanecer; FT: Le grand duel; HL: Italien/Deutschland/Frankreich (Mount Street Film – Rom/Corona Filmproduktion – München/Terra Filmkunst – München/Berlin/S.N.C. – Société Nouvelle de Cinématographie – Paris); UA: 9.2.73; OL: 100 (2744 m); DEA: 29.12.72; DL: 98; FSK: 16; P: Enrico Chroscicki, Ettore Rosboch, Roberto Giussani; R: Giancarlo Santi; B: Ernesto Gastaldi; K: Mario Vulpiani (Cinemascope – Eastmancolor); M: Luis Enríquez Bacalov, Sergio Bardotti; CD: Il grande duello/Si può fare ... Amigo (GDM PRCD 120): 10 tracks; Spaghetti-Westerns Vol. 2 (DRG 32909): 2 tracks; SW Encyclopedia Vol. 3 (KICP 435): 1 track; DO: Italien (Elios Film Studio Rom); D: Lee Van Cleef, Horst Frank, Peter O'Brien (Alberto Dentice), Marc Mazza, Jess Hahn, Klaus Grünberg, Dominique Darel, Anthony Vernon (Antonio Casale), Sandra Cardini, Gastone Pescucci, Elvira Cortese, Anna Maria Gherardi, Franco Balducci, Giorgio Trestini, Franco Fantasia; I: Sheriff legt sein Amt nieder und hilft einem Unschuldigen und befreit eine Stadt von einer Verbrecherbande. *Mittelmäßiger Italo-Western von Giancarlo Santi, der jedoch über einen sehr guten Luis-Enríquez-Bacalov-Score verfügt.*

La grande notte di Ringo (1965) ET: Ringo's big night; IT: La grande notte di Ringo; ST: Trampa para un forajido; FT: Sous la loi de Django; HL: Italien/Spanien (European Incorporation – Rom/Coop. Fénix Films – Madrid); UA: 21.1.66; OL: 94 (2580 m); P: Eduardo M. Brochero; R: Mario Maffei; B: Mario Maffei, David Moreno, Eduardo M. Brochero; K: Carlo Bellero, Emilio Foriscot (Cinemascope – Eastmancolor); M: Carlo Rustichelli; D: William Berger, Adriana Ambesi, Eduardo Fajardo, Walter Maestosi, Guido De Salvi, Jorge Rigaud, Tom Felleghy, José Bodalo, Armando Calvo, Francisco Moran; I: Revolverheld Jack Bowman bricht aus dem Gefängnis aus, in dem er unschuldig saß, und macht sich auf die Suche nach den wahren Tätern von Postkutschenüberfällen, bei denen 200.000 Dollar gestohlen wurden. *Durchschnittlicher kleiner Western von Mario Maffei, in dem William Berger sein Italo-Western-Debüt gibt.*

Il grande silenzio (1968) DT: Leichen pflastern seinen Weg; ET: Great Silenzio; IT: Il grande silenzio; FT: Le grand silenzio/Le grand massacre; HL: Italien/Frankreich (Adelphia Compagnia Cinematografica – Rom/Films Corona – Nanterre); UA: 19.11.68; OL: 105 (2876 m); DEA: 21.2.69; DL: 105; FSK: 18; P: Giovanni Antonio Giurgola; R: Sergio Corbucci; B: Sergio Corbucci, Bruno Corbucci, Vittorio Petrilli, Mario Amendola (I: Sergio Corbucci); K: Silvano Ippoliti (Normal – Eastmancolor); M: Ennio Morricone; CD: Il grande silenzio (King Records KICP 2597): 13 tracks; Il grande silenzio/Un bellissimo Novembre (BEAT CDCR 27): 13 tracks; Spaghetti-Westerns Vol. 4 (DRG 32932): 2 tracks; DO: Italien (Cortina

d'Ampezzo, Elios Film Studio Rom) ; D: Jean-Louis Trintignant, Klaus Kinski, Frank Wolff, Luigi Pistilli, Vonetta McGee, Mario Brega, Raf Baldassarre, Carlo D'Angelo, Marisa Merlini, Maria Mizar, Spartaco Conversi; I: Silenzio, ein stummer Revolverheld, hilft einer unter drückenden sozialen Verhältnissen zu Räubern gewordenen Gruppe von Menschen gegen eine Bande von Kopfgeldjägern, unterliegt aber am Ende der Übermacht. *Dieses wahre Meisterwerk Sergio Corbuccis gehört zu den besten Italo-Western aller Zeiten einschließlich eines Super-Scores von Meisterkomponist Ennio Morricone.*

Gringo (1963) DT: Drei gegen Sacramento; ET: Gunfight at Red Sands/Gringo; IT: Duello nel Texas; ST: Gringo; FT: Duel au Texas; HL: Spanien/Italien (Tecisa – Madrid/Jolly Film – Trieste/Roma); UA: 19.9.63; OL: 94 (2589 m); DEA: 1.5.64; DL: 94; FSK: 16; P: Alfredo Antonini, José G. Maesso; R: Ricardo Blasco; B: Alfredo Antonini, Ricardo Blasco, James Donald Prindle; K: Massimo Dallamano (Panoramico – Eastmancolor); M: Ennio Morricone; S: »A gringo like me« – gesungen von Peter Tevis; CD: Spaghetti-Western (RCA 74321 26495-2): 1 track; Comin' at Ya (Private Pressing): 5 tracks; Spaghetti-Westerns Vol. 3 (DRG 32929): 1 track; SW Encyclopedia Vol. 1 (KICP 433): 1 track; Wanted – Dead or Alive (CAM 900-020): 1 track; DO: Spanien (Alcala de Henares, Hoyo de Manzanares, Titulcia); D: Richard Harrison, Giacomo Rossi Stuart, Sara Lezana, Mikaela Wood, Daniel Martin, Barta Barri, Aldo Sambrell, Sam Field, Barbara Simon, Rodolfo Del Campo, Alfonso Rojas, José Manuel Martin,

Il grande silenzio

Il grande silenzio

Xan Das Bolas, Angel Solano, José Calvo; **I:** Geschwister-paar und dessen Halbbruder rächen ihren von Banditen ermordeten Vater. *Einer der ersten Italo-Western mit dem noch öfters zu sehenden Richard Harrison.*

Hai sbagliato ... dovevi uccidermi subito! (1973) ET: Kill the po-ker player; **IT:** Hai sbagliato ... dovevi uccidermi subito!; **ST:** La muerte llega arrastrándose; **FT:** Poker d'as pour un gringo; **HL:** Italien/Spanien (Kinesis Films – Rom/Mun-dial Film – Madrid); **UA:** 9.4.72; **OL:** 103 (2825 m); **P:** Silvio Battistini; **R:** Mario Bianchi; **B:** Mario Bianchi, Pa-ola Bianchi, Luis De Blain (**I:** Mario Bianchi); **K:** Rafael Pacheco (Panoramico – Eastmancolor); **M:** Carlo Savina; **DO:** Spanien (Colmenar Viejo, Aldea del Fresno; Madrid: Casa de Campo Toledo); **D:** Robert Woods, Ivano Staccio-li, Susan Scott, Frank Braña, Saturno Cerra, Carlo Gaddi, Ernesto Colli, Enrico Canestrini, Francesco D'Adda, Vit-torio Fanfoni, Irio Fantini, Filippo Marcelli, Ottorino Po-lentini; **I:** Der professionelle Kartenspieler Ace, der auch ein schneller und guter Schütze ist, legt sich mit Burton, dem Boss der Stadt, an und stiehlt dessen Freundin, die Saloon-Sängerin Lilly. *Erster und bester aller Mario-Bi-anchi-Western, die alle miteinander ziemlich ungenießbar sind.*

El hombre de Rio Malo (1971) DT: Matalo/Bad Man's River; **ET:** Bad man's river; **IT:** ...e continuavano a fregarsi il milione di dollari; **ST:** El hombre de Rio Malo; **FT:** Les quatre mercenaires d'El Paso; **HL:** Spanien/Italien/Frank-reich (Zurbano Films – Madrid/International Apollo Films – Rom/Productions Jacques Roitfeld – Paris); **UA:** 23.12. 71; **OL:** 96 (2650 m); **DEA:** 3.12.71; **DL:** 92; **FSK:** 16; **P:** Bernard Gordon, Irving Lerner; **R:** Eugenio Martín; **B:** Philip Yordan, Eugenio Martin; **K:** Alejandro Ulloa (Tech-niscope – Technicolor); **M:** Waldo De Los Rios; **S:** »Bad Man's River« – gesungen von Jade Warrior; **DO:** Spani-en (Daganzo, Colmenar Viejo, La Mancha); **D:** Lee Van Cleef, James Mason, Gina Lollobrigida, Eduardo Fajar-do, Gianni Garko, José M. Martin, Simon Andreu, Aldo

El hombre de Rio Malo   **El hombre de Rio Malo**

Sambrell, Daniel Martin, Diana Lorys, Barta Barri, Jess Hahn, Luis Rivero, Tito Garcìa; **I:** Stets erfolgreicher Bandenchef sprengt ein mexikanisches Munitionsdepot, wird durch eine raffinierte Frau aber um den Lohn geprellt. *Trotz Starbesetzung unglaublich schlechter und langweiliger Western von Eugenio Martín.*

⌐Un hombre llamado Noon (1972) DT: Der Mann aus El Paso/ **A man called Noon – Der Mann aus El Paso; ET:** Man called Noon; **IT:** Lo chiamavano Mezzogiorno; **ST:** Un hombre llamado Noon; **FT:** Les colts au soleil; **HL:** Spanien/Italien/England (Films Montana – Madrid/Finarco – Rom/Frontier Film – London/Euan Lloyd Production – London); **UA:** 11.8.73; **OL:** 95 (2606 m); **DEA:** 30.8.73; **DL:** 95; **FSK:** 16; **P:** Euan Lloyd; **R:** Peter Collinson; **B:** Scott Finch, Tony Record (**I:** Louis L'Amour (»The man called Noon«); **K:** John Cabrera (Cinemascope – Technicolor); **M:** Luis Enríquez Bacalov; **CD:** A man called Noon (Alhambra A 8935); Spaghetti-Westerns Vol. 2 (DRG 32909): 1 track; Spaghetti-Westerns Vol. 3 (DRG 32929): 1 track; **DO:** Spanien (Almería, Guadix, Colmenar Viejo, Manzanares el Real); **D:** Richard Crenna, Rosanna Schiaffino, Stephen Boyd, Farley Granger, Patty Shepard, Aldo Sambrell, Charlie Bravo, Angel Del Pozo, José Jaspe, Bartha Barri, Howard Ross, Ricardo Palacios, Adolfo Thomas; **I:** Gefürchteter Killer verliert durch einen Überfall, bei dem er durch das Fenster seines Hotels stürzt, sein Gedächtnis. Auf der Suche nach seiner Identität stößt er nach und nach auf die Einzelheiten seines letzten Auftrags, bei dem es um viel Gold ging. *Hervorragend fotografierter, aber nur mäßig spannender Western von Peter Collinson.*

El hombre que mató a Billy el Niño! (1967) DT: Sein Steckbrief ist kein Heiligenbild; **ET:** Man who killed Billy the Kid; **IT:** ...e divenne il più spietato bandito del sud; **ST:** El hombre que mató a Billy el Niño!; **FT:** L'homme qui a tué Billy le Kid; **HL:** Spanien/Italien (Aitor Films – Madrid/Kinesis Films – Rom); **UA:** 9.3.67; **OL:** 101 (2785 m); **DEA:** 14.8.70; **DL:** 85; **FSK:** 16; **P:** Silvio Battistini, Ricardo Sanz; **R:** Julio Buchs; **B:** Julio Buchs, Federico De Urrutia, Carlo Veo (**I:** Julio Buchs, José Mallorqui, Federico de Urrutia); **K:** Miguel F. Mila (Totalvision – Eastmancolor); **M:** Gianni Ferrio; **CD:** SW Encyclopedia Vol. 2 (KICP 434): 2 tracks; **DO:** Spanien (Madrid, Almería), Italien (Rom, Trieste); **D:** Peter Lee Lawrence, Fausto Tozzi, Dianik Zurakowska, Gloria Milland, Antonio Pica, Luis Prendes, Paco Sanz, Tomás Blanco, Luis Induñi, Tito Garcia, Antonio Molino Rojo, Manuel Alexandre, Luis Prendes, Alfonso Rojas, Barta Barri; **I:** Junger Mann tötet einen Nachbarn, der seine Mutter vergewaltigen wollte, wird daraufhin von der Sippe verfolgt und gerät so in die Rolle des Revolverhelden. *Relativ bedeutunglose Italo-Western-Version der Legende um Billy the Kid.*

Un hombre y un Colt (1967) DT: Der Colt aus Gringos Hand/ Der Colt in Gringos Hand; **ET:** Man and a colt; **IT:**

Un hombre llamado Noon

Un uomo, una Colt; **ST:** Un hombre y un Colt; **FT:** Un homme, un Colt; **HL:** Spanien/Italien (Tulio Demicheli P.C. – Madrid/P.E.A. – Produzioni Europee Associate di Grimaldi Maria Rosaria e C. – Napoli); **UA:** 18.2.67; **OL:** 86 (2353 m); **DEA:** 23.1.68; **DL:** 84; **FSK:** 18; **P:** Tulio Demicheli; **R:** Tulio Demicheli; **B:** Nino Stresa, Tulio Demicheli; **K:** Emilio Foriscot (Techniscope – Technicolor); **M:** Carlo Rustichelli; **DO:** Spanien (Almería, Nuevo Baztán); **D:** Robert Hundar, Fernando Sancho, Gloria Milland, Marta Reves, Jacinto Martin, Mirko Ellis, Francisco Moran, Felix Defauce, José Antonio Mayans, Luis Gaspar, Raf Baldassarre, Vittorio Di Silverio, Ana Cervajal, Emilio Espinosa, Giovanni Petti; **I:** Amerikanischer Revolverheld stellt sich in Mexiko auf die Seite der Indios gegen die diktatorischen Feudalherren. *Durchschnittlicher Western von Tulio Demicheli.*

In nome del padre, del figlio e della colt (1971) ET: In the name of the father, the son and the colt; **IT:** In nome del padre, del figlio e della colt/Per un breviario di dollari; **ST:** La máscara de cuero; **FT:** Au nom du père, du fils et du colt; **HL:** Italien/Spanien (New Films – Rom/Aldebaran Films – Madrid); **UA:** 14.1.75; **OL:** 87 (2390 m); **P:** Silvio Battistini, Eduardo Manzanos; **R:** Mario Bianchi; **B:** Arpad

El hombre que mató a Billy el Niño!

De Riso, Mario Gariazzo (I: Eduardo M. Brochero); K: Emilio Foriscot (Panoramico – Color); M: Piero Piccioni; CD: Io non perdono uccido/Una colt in mano a diavolo/In nome del padre, del figlio e della colt/Il giustiziere di dio (GDM Club 7006): 10 tracks; D: Craig Hill, Agata Lys, Alan Steel, José Tordesillas, Nuccia Cardinali, Francisco Braña, Paco Sanz, Ernesto Vañes, Maria Vico, Antonio Padilla, Giuseppe Scarcella; I: Sheriff Johnston untersucht eine Reihe von Überfällen, die von einer mysteriösen Bande in Verkleidungen verübt werden, um deren Opfer zu täuschen. *Unglaublich schlecht gemachter und langweiliger dritter Western von Mario Bianchi.*

○ **Indio Black, sai che ti dico: sei un gran figlio di ... (1970)** DT: **Adios Sabata**; ET: Adios, Sabata/The bounty hunters/The bounty killers; IT: Indio Black, sai che ti dico: sei un gran figlio di ...; ST: Indio Black; FT: Adios Sabata; HL: Italien (P.E.A. – Produzioni Europee Associate di Grimaldi Maria Rosaria e C. – Napoli); UA: 30.9.70; OL: 104 (2860 m); DEA: 9.3.71; DL: 107; FSK: 18; P: Alberto Grimaldi; R: Gianfranco Parolini; B: Renato Izzo, Gianfranco Parolini; K: Sandro Mancori (Techniscope – Technicolor); M: Bruno Nicolai; CD: Indio Black (GDM 2025): 24 tracks; DO: Spanien (Almería), Italien (Elios Film Studio Rom); D: Yul Brynner, Dean Reed, Pedro Sanchez, Gerard Herter, Sal Borgese, Franco Fantasia, Susan Scott, Gianni Rizzo, Joseph Persaud, Salvatore Billa, Massimo Carocci, Andrea Scotti, Luciano Casamonica, Vittorio Fanfoni, Vitti Caronia, Rick Boyd, Stefano Rizzo; I: Während der Regierungszeit Kaiser Maximilians (1863-1867) wird ein Fass voller Gold den Österreichern durch die Schießkünste und Tricks eines legendären Revolverhelden abgelistet und zerrinnt am Schluss im Wüstensand. *Äußerst unterhaltsamer Action-Western von Gianfranco Parolini mit Yul Brynner in seiner einzigen Italo-Western-Rolle und einem der besten Bruno-Nicolai-Scores.*

Inginocchiati straniero ... i cadaveri non fanno ombra! (1970) DT: **Tote werfen keine Schatten**; ET: Stranger that kneels beside the shadow of a corpse; IT: Inginocchiati straniero ... i cadaveri non fanno ombra!; FT: Sartana le redoutable; HL: Italien (Tarquinia Internazionale Cinematografica); UA: 27.11.70; OL: 97 (2670 m); DEA: 2.7.71; DL: 83; FSK: 18; P: Demofilo Fidani; R: Demofilo Fidani; B: Demofilo Fidani, Ambrogio Molteni (I: Francesco Mannocchi); K: Aristide Massaccesi (Normal – Eastmancolor); M: Lallo Gori; CD: Inginocchiati straniero ... I cadaveri non fanno ombra/Con lui cavalca la morte (BEAT CDCR 56): 15 tracks; DO: Italien; D: Hunt Powers, Chet Davis (Victoriano Gazzara), Simone Blondell, Dennis Colt, Dean Reese (Attilio Dottesio), Ettore Manni, Pietro Fumelli, Gordon Mitchell, Custer Gail, Manlio Salvatori, Eugenio Galadini, Mary Ross, Giorgio Cappuccio, Giorgio Gioli; I: Django bringt den Kopfgeldjäger Sabata zur Strecke. *Einer der finstersten und wortkargsten Trashwestern von Demofilo Fidani, der es in nur fünf Jahren auf vierzehn Filme dieses Genres brachte.*

L'ira di Dio (1968) DT: **Der Einsame/Ein Silberdollar für den Toten/Lonesome – der Zorn Gottes/The stranger**; ET: Wrath of God; IT: L'ira di Dio; ST: Hasta la última gota de sangre; FT: Les sept enragés du Texas; HL: Italien/Spanien (Leone Film/Daiano Film/Atlántida Films – Madrid); UA: 24.8. 68; OL: 95 (2624 m); DEA: Video; DL: 90; P: Ugo Guerra, Elio Scardamaglia; R: Alberto Cardone; B: Alberto Cardone, Italo Gasperini, Ugo Guerra, José Luis Martinez Molla (I: Alberto Cardone, Italo Gasperini); K: Mario Pacheco (Panoramico – Eastmancolor); M: Michele Lacerenza; CD: SW Encyclopedia Vol. 4 (KICP 436): 1 track; L'ira di Dio (GDM 2069): 24 tracks; D: Brett Halsey, Dana Ghia, Howard Ross, Fernando Sancho, Wayde Preston, Franco Fantasia, Paola Todisco, Adalberto Rossini, Angel Del Pozo, Carlo Pisacane, Antonio Padilla, Claudio Trionfi, Franco Gulà; I: Bei seiner Heimkehr findet Mike Barnett seine Frau Jane ermordet und seine 10.000 Dollar bis auf 7 verbleibende Dollar gestohlen vor. Er macht sich auf, die Mörder und Diebe zu suchen, um ihnen die gerechte Strafe zukommen zu lassen. *Mittelmäßige Westernkost von Alberto Cardone mit einem schönen Trompetensolo von Michele Lacerenza, der auch schon bei vielen Morricone-Scores mitgewirkt hat.*

Jack London – La mia grande avventura (1973) ET: Jack London's great adventure; IT: Jack London – La mia grande avventura; HL: Italien/Jugoslawien (Transeuropa Film, RAI TV – Rom/Televisione di Belgrado – Jugoslawien); OL: 105; R: Angelo D'Alessandro; B: Angelo D'Alessandro, Piero Pieroni, Antonio Saguera (I: Jack London); K: Mario Sanga (Cinemascope – Eastmancolor); M: Mario Pagano; S: »I wanna go« – gesungen von Orso Maria Guerrini; DO: Jugoslawien; D: Orso Maria Guerrini, Arnaldo Bellofiore, Andrea Checchi, Husein Cokic, Carlo Gasparri, Caslav Damjanovic, Miha Baloh, Ljubomir Jovanovic, Branko Stefanovic, Clemente Ukmar, Giuseppe Mattei; I: Ein Film (und ursprünglich eine 7-teilige Fernsehserie) über die Abenteuer und das harte Leben von Buchautor Jack London, die dieser während des Goldrauschs in Alaska erlebte.

○ **Jesse & Lester due fratelli in un posto chiamato Trinità (1972)** DT: **Ein Halleluja für zwei linke Brüder**; ET: Jesse and Lester, two brothers in a place called Trinity; IT: Jesse & Lester due fratelli in un posto chiamato Trinità; ST: Dos hermanos y una mula; FT: Deux frères appelés Trinita; HL: Italien (H.P. International Production); OL: 100; DEA: 18.8.72; DL: 97; FSK: 16; P: Richard Harrison, Fernando Piazza; R: Richard Harrison; B: Renzo Genta (I: Richard Harrison); K: Antonio Modica (Cinemascope – Eastmancolor); M: Carlo Savina; S: »Glory, glory«; D: Richard Harrison, Donald O'Brien, Anna Zinneman, George Wang, Rick Boyd, Gino Marturano, Fernando Cerulli, Luciano Rossi, Salvatore Baccaro, Fortunato Arena, Emilio Messina, John Bartha; I: Zwei Stiefbrüder, der eine Mormonenprediger, der andere Bordell-Liebhaber, finden nach vielen Zwischenfällen mit Ganoven und Betrügern als Kirchengründer eine einträgliche Geldquelle. *Unterhaltsame Westernkomödie von und mit Richard Harrison, und auch Donald O'Brien ist hier in Top-Form.*

Jim il primo (1964) DT: Das letzte Gewehr; ET: Last Gun/ Killer's Canyon; IT: Jim il primo; ST: El ultimo revolver; FT: Le dernier pistolet; HL: Italien (Rasfilm); UA: 29.10. 64; OL: 96 (2649 m); DEA: 9.3.65; DL: 93; FSK: 12; P: Luigi Gianni, Elio Sorrentino; R: Sergio Bergonzelli; B: Ambrogio Molteni, James Wilde Jr. (I: Dick Fulner); K: Amerigo Gengarelli, Romolo Garroni (Superscope – Eastmancolor); M: Marcello Gigante; »Young Jim hart« – gesungen von Peter Tevis; »Amor mexicano« – gesungen von Rena Filippini; DO: Spanien, Italien; D: Cameron Mitchell, Carl Möhner, Celina Cely, Ketty Carver, Ugo Fangareggi, Livio Lorenzon, Mary Gordon, Dony Batster, Vic Nojaski, Paul Solvay, Harris Cooper, Fanny Clair, Rosy March; I: Noch einmal muss »Pistolen-Jim«, der ein anständiger Kaufmann geworden ist, zur Waffe greifen, um eine Gangsterbande zu vernichten. *Ein früher, die US-Western kopierender Italo-Western von Sergio Bergonzelli mit dem alternden Amerikaner Cameron Mitchell als müder Revolverheld.*

Joe l'implacabile (1966) DT: Vier Halleluja für Dynamit-Joe/ Der Tod reitet mit/Dynamit-Joe; ET: Dynamite Joe; IT: Joe l'implacabile; ST: Dinamita Joe; FT: Joe l'implacable/ Joe Dynamite; HL: Italien/Spanien (Seven Film – Rom/ Hispamer Films – Madrid); UA: 15.2.67; OL: 99 (2730 m); DEA: 30.11.72; DL: 90; FSK: 12; P: Cleto Fontini; R: Antonio Margheriti; B: María del Carmen Martínez Román; K: Manuel Merino (Techniscope – Technicolor); M: Carlo Savina; S: »Joe Dinamite«, »Love Song« – gesungen von Don Powell; DO: Spanien (Almería); D: Rik Van Nutter, Halina Zalewska, Mercedes Castro, Renato Baldini, Santiago Rivero, Barta Barry, Aldo Cecconi, Alfonso Rojas, Franco Gulà, Dario De Grassi, Claudio Scarchilli; I: Blonder Westernheld bringt mit Glück und einer Ladung Dynamit einen Goldtransport in die richtigen Hände. *Einigermaßen unterhaltsame Westernkomödie von Antonio Margheriti, der hier seinen Einstand in diesem Genre gegeben hat.*

Joe, cercati un posto per morire! (1968) DT: Ringo, such Dir einen Platz zum Sterben; ET: Find a place to die; IT: Joe, cercati un posto per morire!; ST: Oeste sin fronteras; FT: Ringo cherche une place pour mourir; HL: Italien (Aico Film); UA: 21.9.68; OL: 88 (2427 m); DEA: 20.6.69; DL: 88; FSK: 16; P: Hugo Fregonese; R: Giuliano Carnimeo; B: Hugo Fregonese, Lamberto Benvenuti; K: Riccardo Pallottini (Panoramico – Eastmancolor); M: Gianni Ferrio; S: »Find a place to die« – gesungen von Jula De Palma; D: Jeffrey Hunter, Pascale Petit, Gianni Pallavicino, Reza Fazeli, Nello Pazzafini, Adolfo Lastretti, Mario Dardanelli, Anthony Blond, Umberto Di Grazia, Serafino Profumo, Piero Lulli; I: Mexikanische Verbrecherbande unter Anführung eines Amerikaners bringt sich auf der

Jagd nach einer Frau und ihrem Gold gegenseitig um. Übrig bleibt nur der Boss, der die Frau und das Gold bekommt. *Harter, unterhaltsamer zweiter Western des späteren Komödienspezialisten Giuliano Carnimeo.*

John il bastardo (1967) ET: John the bastard; IT: John il bastardo; ST: John el bastardo; FT: Johnny le bâtard; HL: Italien (Compagnia Cinematografica Hercules); UA: 16.11.67; OL: 116 (3192 m); P: Francesco Genesi, Vincenzo Genesi; R: Armando Crispino; B: Lucio Manlio Battistrada, Armando Crispin; K: Sante Achilli (Cromoscope – Eastmancolor); M: Nico Fidenco; S: »Ballata di John« – gesungen von S. Moriones; DO: Spanien (Almería, Polopos), Italien (De Laurentiis Studio Rom); D: John Richardson, Claudio Camaso, Martine Beswick, Claudio Gora, Glauco Onorato, Men Fury (Furio Meniconi), Gordon Mitchell, Nadia Scarpitta, Gia Sandri, Luisa Della Noce, Patrizia Valturri; I: Eine Westernversion der Legende des berühmten Liebhabers Giovanni Giacomo Casanova. *Der erste Film und leider einzige Western des gelernten Juristen Armando Crispino, der hier einen überdurchschnittlich guten und spannenden Rachewestern mit tragischen Elementen abliefert.*

Johnny Oro (1965) DT: Ringo mit den goldenen Pistolen; ET: Ringo and his golden pistol; IT: Johnny Oro; ST: Johnny Oro; FT: Ringo au pistolet d'or; HL: Italien (Sanson Film); UA: 15.7.66; OL: 104 (2860 m); DEA: 20.12.66; DL: 88; FSK: 16; P: Joseph Fryd; R: Sergio Corbucci; B: Adriano Bolzoni, Franco Rossetti; K: Ric-

Ein Klasse-Western voll Spannung und Leidenschaft

Jeffrey Hunter
Pascale Petit
Gianni Pallavicino · Reza Fazeli
Nello Pazzafini · Adolfo Lastrelli
sowie
Daniela Giordano
und
Piero Lulli

Regie:
Anthony Ascot

Produziert von
Hugo Fregonese

Ein SCOPE-FARBFILM
der AICO-FILMS, Rom

Constantin-Film

RINGO
such Dir einen Platz
zum Sterben

Joe, cercati un posto per morire!

cardo Pallottini (Panoramico – Eastmancolor); **M**: Carlo Savina; **S**: »Johnny Oro« gesungen von Valeria Fabrizi; **DO**: Spanien (Manzanares el Real), Italien (Elios Film Studio Rom); **D**: Mark Damon, Valeria Fabrizi, Franco De Rosa, Andrea Aureli, John Bartha, Ettore Manni, Ken Wood, Giulia Rubini, Loris Loddi, Pippo Starnazza, Nino Vingelli; **I**: Ein Revolverheld tritt wegen ausgesetzter Kopfgeldprämien für das Recht ein und vernichtet eine Banditengruppe. *Unterhaltsamer Kopfgeldjägerfilm von Italo-Western-Profi Sergio Corbucci mit einem schönen Score von Carlo Savina.*

Johnny West il mancino (1965) DT: Johnny West und die verwegenen Drei; ET: Left handed Johnny West; **IT:** Johnny West il mancino; **ST:** Johnny West; **FT:** Les frères dynamite; **HL:** Italien/Spanien/Frankreich (Cine Italia Film – Rom/Atlántida Films – Madrid/C.F.F.P. – Comptoir Français du Film Production, Paris); **UA:** 27. 8. 65; **OL:** 98 (2700 m); **DEA:** 21. 7. 67; **DL:** 89; **FSK:** 16; **P:** Giuseppe Fatigati; **R:** Gianfranco Parolini; **B:** Gianfranco Parolini, Giovanni Simonelli, Jose Luis Jerez, Robert De Nesle; **K:** Francesco Izzarelli (Panoramico – Eastmancolor); **M:** Angelo Francesco Lavagnino; **S:** »Johnny West« – gesungen von Katina Ranieri; **CD:** Requiem für Ringo (Tsunami T0S 0301): 1 track; Spaghetti-Westerns Vol. 1 (DRG 32905): 4 tracks; Johnny West il mancino / Réquiem para el Gringo / Pistoleros de Paso Bravo (Saimel 3997110); **DO:** Spanien (Hoyo de Manzanares), Italien; **D:** Dick Palmer (Mimmo Palmara), Mike Anthony (Adriano Micantoni), Roger Delaporte, André Bollet, Mara Cruz, Diana

Johnny Oro

Garson (Dada Gallotti), Barta Barry, Roberto Camardiel, Bob Felton, Fernando Bilbao, Giuseppe Mattei; **I**: Einem unschuldig Inhaftierten gelingt der Ausbruch aus dem Gefängnis und die Vernichtung einer Verbrecherbande. *Gut fotografierter früher Action-Western von Gianfranco Parolini, der später mit seinen Sartana- und Sabata-Filmen von sich reden machte.*

○**Johnny Yuma (1966) DT: Johnny Yuma; ET:** Johnny Yuma; **IT:** Johnny Yuma; **ST:** Johnny Yuma; **FT:** Johnny Yuma; **HL:** Italien (West Film/Tiger Film); **UA:** 11. 8. 66; **OL:** 100 (2754 m); **DEA:** 5. 5. 67; **DL:** 97; **FSK:** 18; **P:** Italo Zingarelli; **R:** Romolo Girolami; **B:** Sauro Scavolini, Giovanni Simonelli, Fernando Di Leo, Romolo Girolami (I: Sauro Scavolini); **K:** Mario Capriotti (Deltavision 70 – Eastmancolor); **M:** Nora Orlandi; **S:** »Johnny Yuma« und »That silent man« – gesungen von The Wilder Brothers; **CD:** Arizona Colt/Johnny Yuma (RCA OST 124): 11 tracks; **DO:** Spanien (Almería, Polopos), Italien (Elios Film Studio Rom); **D:** Mark Damon, Lawrence Dobkin, Rosalba Neri, Luigi Vanucchi, Fidel Gonzales, Gustavo D'Arpe, Gianni Solaro, Nando Poggi, Dada Gallotti, Frank Liston (Franco Lantieri), Leslie Daniels; **I:** Ein an Gemeinheit seinen Gegnern nicht nachstehender Schießkünstler mordet unter dem Vorwand der Rache. *Harter, spannender Italo-Western von Romolo Girolami mit einer Superrolle für Mark Damon.*

○ **Joko, invoca Dio ... e muori! (1968) DT: Fünf blutige Stricke/ Djangos blutige Stricke/Vengeance – fünf blutige Stricke; ET:** Vengeance; **IT:** Joko, invoca Dio ... e muori!; **ST:** Venganza; **FT:** Avec Django la mort est là; **HL:** Italien/ Deutschland (Super International Pictures); **UA:** 19.4.68; **OL:** 99 (2720 m); **DEA:** 30.10.70; **DL:** 98; **FSK:** 18; **P:** Renato Savino, Alfredo Leone; **R:** Antonio Margheriti; **B:** Renato Savino, Antonio Margheriti (I: Renato Savino); **K:** Riccardo Pallottini (Cromoscope – Eastmancolor); **M:** Carlo Savina; **S:** »Vengeance« – gesungen von Don Powell; **DO:** Spanien (Almería), Italien (Dino de Laurentiis Studio Rom); **D:** Richard Harrison, Claudio Camaso, Sheyla Rosin, Lee Burton (Guido Lollobrigida), Werner Pochath, Paolo Gozlino, Alberto Dell'Aqua, Pedro Sanchez, Ivan G. Scratuglia, Luciano Bonanni, Lucio Zarini, Alan Collins;

Johnny Yuma

I: Revolverheld bringt die Mörder seines Freundes zur Strecke und muss zuletzt noch einen totgeglaubten ehemaligen Kumpan erschießen. *Spannender Rache-Western von Antonio Margheriti mit hervorragendem Score von Carlo Savina.*

Jonathan degli orsi (1993) DT: Die Rache des weißen Indianers; ET: Jonathan of the bears; IT: Jonathan degli orsi; HL: Italien/Russland (Viva Cinematografica S.R.L./Silvio Berlusconi Communications – Milano/Project Campo J.V. – Moskva); UA: 20.4.95; OL: 123 (3370 m); DEA: 1999 (DF 1); DL: 115; P: Franco Nero, Vittorio Noia, Alexandre Skodo; R: Enzo Girolami; B: Franco Nero, Lorenzo De Luca, Enzo Girolami (I: Franco Nero, Lorenzo De Luca); K: Mikhail Agranovich (Panoramico – Eastmancolor); M: Clive Riche, Alexander Biliaev, Fabio Costantino, Knifewing Segura; DO: Russland (Alabino); D: Franco Nero, John Saxon, Floyd »Red Crow« Westerman, David Hess, Rodrigo Obregón, Clive Riche, Enio Girolami, Bobby Rhodes, Marie Louise Sinclair, Knifewing Segura, Boris Kmelnitsky, Melody Robertson, Igor Alimov, Viktor Gajnov; I: Der kleine Waisenjunge Jonathan Kowalski wird von den Indianern friedfertig aufgezogen, nachdem er einige Zeit unter Bären gelebt hat. Er greift erst zur Waffe, als ein paar Ölspekulanten das Land der Indianer stehlen wollen. *Sehr gut gemachter in Russland gedrehter Spätwestern von Enzo Girolami, der auf den Spuren von »Keoma« und »Dances with wolves« wandelt.*

Le juge (1970) ET: Judge Roy Bean/Trouble in Sacramento; IT: All'ovest di Sacramento; FT: Le juge/La loi à l'ouest de Pecos; HL: Italien/Frankreich (Milvia Cinematografica – Rom/Comacico – Paris); UA: 13.5.71; OL: 90 (2480 m); P: Paul Laffargue; R: Federico Chentrens, Jean Girault; B: Federico Chentrens, Oscar Di Martino Mansi, Luigi Angelo, Jean Girault (I: Goscinny & Morris); K: Mario Fioretti (Panoramico – KodakColor); M: Pierre Perret; S: »Le juge Roy Bean« – gesungen von Pierre Perret; D: Pierre Perret, Silva Monti, Robert Hossein, Angelo Infanti, Paola Barboni, Xavier Gelin, François Girault, Cristina Gajoni, Ugo Fangareggi, Giuliano Disperati, Silvio Bagolini, Tiberio Murgia; I: Der neapolitanische Bandit Rocco Binaci lässt sich unter dem neuen Namen Roy Bean in dem Westernstädtchen Langtry nieder, wo er sich mit diversen Banditen und seiner Tochter herumschlagen muss. *Auf einer Vorlage von Goscinny und Morris basierende, einigermaßen unterhaltsame Western-Komödie.*

La justicia del coyote (1955) DT: Die Rache des Coyoten; ET: Coyote; IT: La giustizia del coyote; ST: La justicia del coyote; HL: Spanien/Italien (Unión Films/Palacio Films); DEA: 6.4.56; DL: 75; FSK: 12; P: Gonzalo Elvira; R: Joaquín Luis Romero Marchent; B: Jesús Franco, Pedro Masó, Pedro Chamorro (I: José Mallorquí); K: Ricardo Torres (Normal – B/W); M: Odón Alonso; DO: Spanien; D: Abel Salazar, Gloria Marín, Manuel Monroy, Miguel Pastor, Rafael Bardem, Julio Goróstegui, Antonio García

Quijada, Mario Moreno, José Rey, Luis Domínguez Luna, Antonio Fornis, Emilio Rodríguez, Angel Alvarez, Manuel San Román, Alfredo Muñiz, Pepa Bravo; I: Zweiteiliger Abenteuerfilm über einen kalifornischen Freiheitskämpfer im Stile Zorros. *Wenig beeindruckender Abenteuerfilm von Joaquín Luis Romero Marchent.*

Keoma (1976) DT: Keoma/Keoma – ein Mann wie ein Tornado/Keoma – das Lied des Todes/Keoma – Melodie des Sterbens/Coolman Keoma; ET: Keoma; IT: Keoma; ST: Keoma; FT: Keoma/Mon nom est Keoma; HL: Italien (Uranos Cinematografica); UA: 25.11.76; OL: 101 (2768 m); DEA: 27.1.77; DL: 90 (Kino), 97 (DVD, Arte-TV); FSK: 16; P: Manolo Bolognini; R: Enzo Girolami; B: Mino Roli, Nico Ducci, Luigi Montefiori, Enzo Girolami (I: Luigi Montefiori); K: Aiace Parolin (Cinemascope – Eastmancolor); M: Guido & Maurizio De Angelis; S: »Keoma« und »In front of my desperation« – gesungen von Sybil & Guy; CD: The adventure film world of Guido & Maurizio de Angelis (Hexacord HCD 9301): 9 tracks; DO: Italien (Gran Sasso Nationalpark, Nationalpark Monti Simbruini, Palestrina, Elios Film Studio Rom); D: Franco Nero, Woody Strode, William Berger, Donald O'Brien, Orso Maria Guerrini, Gabriella Giacobbe, Antonio Marsina, John Loffredo, Leon Lenoir (Leopoldo Scavino), Wolfango Soldati, Alfio Caltabiano; I: Ein Halbblut befreit eine Stadt von einer Terrorbande und rechnet gleichzeitig mit seinen verbrecherischen Halbbrüdern ab. *Hervorragender Spätwestern von Enzo Girolami mit einer Superbesetzung einschließlich »Django« Franco Nero und dem John-Ford-erprobten Woody Strode.*

Kid il monello del West (1973) DT: Little Kid und seine kesse Bande/Little Kid und seine Bande; ET: Bad kids of the west; IT: Kid il monello del West; ST: Los pequeños coyotes de Kid O'Hara; HL: Italien (Ramofilm di Roberto Amoroso – Napoli); UA: 24.12.73; OL: 87 (2390 m); DEA: 4.12.75; DL: 87; FSK: 6; P: Roberto Amoroso; R: Roberto Amoroso; B: Mario Amendola, Bruno Corbucci (I: Roberto Amoroso); K: Silvio Fraschetti (Panoramico – Technicolor); M: Enrico Simonetti; S: »La banda del West« – gesungen von Coro di Renata Cortiglioni; CD:

Spaghetti-Westerns Vol. 1 (DRG 32905): 1 track; **D:** Andrea Balestri, Mirko Ellis, Flavio Colombaioni, Franco Ressel, Carlo Carloni, Maurizio Fiori, Clara Park, Fortunato Arena, Barbara Fiorini, Walter Battistelli, Ray O'Connor (Remo Capitani), Isabella Pizzoferrato, Gaetano Scala, Roberto Gallozzi; **I:** Unglaublich schlecht gemachte Italo-Western-Version von »Bugsy Malone« mit einer unsympathischen Kinderbesetzung.

Kid Vengeance (1976) DT: Tödliche Rache; **ET:** Kid Vengeance; **IT:** L'uomo di Santa Cruz/Vendetta; **ST:** Venganza sangrienta; **HL:** Israel/USA/Italien (Globus/Cannon Films); **DEA:** Video; **DL:** 90; **P:** Menahem Golan, Frank Johnson, Alex Hacohen; **R:** Joe Manduke; **B:** Bud Robbins, Jay Tefler, Ken Globus; **K:** David Gurfinkel (Normal – Color); **M:** Francesco De Masi; **D:** Lee Van Cleef, Jim Brown, Leif Garrett, Glynnis O'Connor, John Marley, David Loden, Matt Clark; **I:** Ein kleiner Junge jagt die Mörder seiner Familie. *Noch ein sehr unterdurchschnittlicher, in Israel gedrehter Billigwestern von Joe Manduke.*

Killer adios (1967) DT: Killer adios; **ET:** Killer goodbye; **IT:** Killer adios; **ST:** Winchester, uno entre mil; **FT:** Qui a tué Fanny Hand?; **HL:** Italien/Spanien (Concord Film – Rom/ Coop. Copercines – Madrid); **UA:** 8.2.68; **OL:** 99 (2723 m); **DEA:** 5.3.86 (SAT 1); **DL:** 95; **P:** Bruno Turchetto, Eduardo Manzanos; **R:** Primo Zeglio; **B:** José Mallorquí, Primo Zeglio, Mario Amendola (**I:** José Mallorqui); **K:** Julio Ortas (Techniscope – Technicolor); **M:** Claudio Tallino; **CD:** Killer adios/7 winchester per un massacro (Screen Trax CDST 329): 10 tracks; Spaghetti-Westerns Vol. 2 (DRG 32909): 4 tracks; **DO:** Spanien (Almería, Hoyo de Manzanares, Aranjuez), Italien (Elios Film Studio Rom); **D:** Peter Lee Lawrence, Marisa Solinas, Eduardo Fajardo, Armando Calvo, Rosalba Neri, Miguel Del Castillo, Nello Pazzafini, Paola Barbara, José Jaspe, Luis Induñi, Luis Barboo, Victor Israel; **I:** Jess Frain kommt nach langer Zeit wieder nach Fulton City und trifft dort auf einige undurchsichtige Charaktere, die die Stadt in ihre Gewalt bringen wollen. Ihm bleibt nichts übrig, als den Verbrechern den Garaus zu machen. *Unterhaltsamer spannender letzter Western von Primo Zeglio mit einem guten Score von Claudio Tallino.*

Killer calibro 32 (1966) DT: Stirb oder töte; **ET:** Killer Caliber .32; **IT:** Killer calibro 32; **ST:** Pistolero calibre 32; **FT:** Calibre 32; **HL:** Italien (Explorer Film '58); **UA:** 20.4.67; **OL:** 94 (2580 m); **DEA:** 20.6.68; **DL:** 87; **FSK:** 18; **P:** Bruno Turchetto; **R:** Alfonso Brescia; **B:** Enzo Gicca Palli; **K:** Fulvio Testi (Techniscope – Eastmancolor); **M:** Robby Poitevin; **S:** »Amica Colt« – gesungen von Maurizio Graf; **DO:** Italien; **D:** Peter Lee Lawrence, Agnès Spaak, Sherill Morgan (Hélène Chanel), Cole Kitosch (Alberto dell'Acqua), Max Dean (Massimo Righi), John Bartha, Andrea Bosic, Nello Pazzafini, Mirko Ellis, Silvio Bagolini, Ivan Giovanni Scratuglia; **I:** Ein Killer erhält den Auftrag, sieben Land und Leute terrorisierenden Banditen das

Handwerk zu legen. *Spannender kurzweiliger Western von Alfonso Brescia, der zusammen mit »I giorni della violenza« zu seinen besten gehört.*

↻ **Killer Kid (1967)** DT: Chamaco/Killer Kid; **ET:** Killer Kid; **IT:** Killer Kid; **ST:** Huracan sobre Mexico; **FT:** Killer Kid; **HL:** Italien (G.V. Cinematografica); **UA:** 30.9.67; **OL:** 101 (2785 m); **DEA:** 20.6.68; **DL:** 93; **FSK:** 16; **P:** Elsio Mancuso, Nino Battiferri; **R:** Leopoldo Savona; **B:** Leopoldo Savona, Sergio Garrone, Ottavio Poggi; **K:** Sandro Mancori (Cromoscope – Eastmancolor); **M:** Berto Pisano; **DO:** Italien (Elios Film Studio Rom); **D:** Anthony Steffen, Liz Barret (Luisa Baratto), Fernando Sancho, Ken Wood, Nelson Rubien, Virgin Darvall, Adriano Vitale, Valentino Macchi, Ugo Adinolfi, Consalvo Dell'Arti, Tom Felleghi; **I:** Ein amerikanischer Offizier, der den Auftrag erhält, illegalen Waffenschmuggel zwischen Amerikanern und Mexikanern zu unterbinden, löst seine schwierige Aufgabe, indem er in die Gestalt des gefürchteten Killers Chamaco schlüpft. *Unterhaltsamer Action-Western von Leopoldo Savona.*

Kitosch, l'uomo che veniva dal nord (1966) DT: Der Mann, der aus dem Norden kam; **ET:** Kitosch, the man who came from the north; **IT:** Kitosch, l'uomo che veniva dal Nord; **ST:** Frontera al sur; **HL:** Italien/Spanien (Pacific Cinematografica – Rom/Atlántida Films – Madrid); **UA:** 23.3.67; **OL:** 99 (2732 m); **DEA:** 25.10.74; **DL:** 86; **FSK:** 16; **P:** José Luis Jerez Aloza; **R:** José Luis Merino; **B:** José Luis Merino (**I:** José Luis Merino, Fulvio Gicca); **K:** Fausto Rossi (Euroscope – Eastmancolor); **M:** Angelo Francesco Lavagnino; **D:** George Hilton, Krista Nell, Piero Lulli, Enrique Ávila, Ricardo Palacios, Gustavo Rojo, Rafael Morales, Adela Tauler, Veronica Lujan, Ricardo Diaz, Guillermo Mendez, Ricardo Rubinstein, Pablo Blanco; **I:** Draufgänger rettet einen Goldtransport und ein bedrohtes Fort vor feindlicher Übermacht. *Mittelmäßiger Western von José Luis Merino mit George Hilton in der Hautprolle.*

Der kleine Schwarze mit dem roten Hut (1974) DT: Der kleine Schwarze mit dem roten Hut/Zwei tolle Hechte – wir sind die Größten/Vier Engel mit Pistolen/Johnny, lad' mal die Gitarre durch; **ET:** Trinity plus the clown and a guitar; **IT:** Prima ti suono e poi ti sparo (Johnny Chitarra); **FT:** Trinita, une cloche, une guitare; **HL:** Österreich/Italien (Neue Delta Film Produktion – Wien/Gloria Film – Rom); **UA:** 4.4.75; **OL:** 94 (2595 m); **DEA:** 4.4.75; **DL:** 92; **FSK:** 12; **P:** Franz Antel; **R:** Franz Antel; **B:** Oreste Coltellacci, Michele Massimo Tarantini, Heinz Orthofer; **K:** Mario Capriotti (Panoramico – Eastmancolor); **M:** Guido & Maurizio De Angelis; **D:** George Hilton, Rinaldo Talamonti, Piero Lulli, Herbert Fux, Pedro Sanchez, Christa Linder, Hans Terofal, Antonio Gradoli, Alena Penz, Sonja Jeannine; **I:** Gitarrenbewehrter junger Mann und vier rauflustige Mädchen bringen im staubigen Westen eine Bande zur Strecke.

Krasnye kolokola, film pervyj – Meksika v ogne (1982) DT: Mexiko in Flammen; ET: Mexico in flames/Red bells; ST: Campas rojas; HL: Russland/Mexiko/Italien (Mosfilm/Conacitez/Vides International); OL: 132; DEA: 6.5.83; DL: 120; P: Konstantin Stekin, Pablo Buelna; R: Sergei Bondarchuk; B: Sergei Bondarchuk, Valentin Ezhov, Jorge Eras, Ricardo Garibay, Carlos Ortiz; K: Vadim Yusov (Normal – Color); M: Joaquin Gutierrez Heras; D: Franco Nero, Ursula Andress, Jorge Luke, Blanca Guerra, Heraclio Zepeda, Jorge Reynoso, Roberto Ruy, Erika Carlson, Trinidad Esclava, Vitautas Tomkus, Sydne Rome; I: Der Zeitungsreporter John Reed berichtet über die mexikanische Revolution von 1910 bis 1915 und hat gleichzeitig eine romantische Beziehung mit einer schönen Aristokratin.

Kücük Kovboy (1972) ET: Cowboy Kid; IT: Cowboy Kid; HL: Türkei/Italien (Erler Film – Istanbul); OL: 85 (Video); P: Türker Inanoglu; R: Guido Zurli; B: Arpad de Riso, Fuat Özlüer, Erdogan Tünas; K: Cetin Gürtop (Normal – Color); M: aus diversen anderen Filmen; D: Ilker Inanoglu, Cüneyt Arkin, Pascale Petit, Alan Steel, Erol Tas, Evelyn Stewart, Feridun Cölgecen, Süheyl Egriboz, Ihsan Gedik, Sohban Kologlu; I: Ein junger Cowboy hilft bei der Suche und der Unschädlichmachung einer Gangsterbande. *Türkisch-italienisch coproduzierter Western von Guido Zurli, den man sich als Kuriosität ansehen sollte.*

La legge della violenza (1969) ET: Law of violence; IT: La legge della violenza (Tutti o nessuno); ST: Todos o ninguno; HL: Italien/Spanien (Meridionale Cinematografica – Reggio Calabria/P.C. Balcázar – Barcelona); UA: 14.3.69; OL: 117 (3213 m); P: Paolo Borruto; R: Gianni Crea; B: Alfonso Balcázar, Piero Regnoli, Gianni Crea; K: Jaime Deu Casas (Panoramico – Eastmancolor); M: Stelvio Cipriani; DO: Spanien (Esplugas de Llobregat, Fraga) D: George Greenwood (Giorgio Cerioni), Igli Villani, Angel Aranda, Miguel de la Riva, Ugo Adinolfi, Gaspar Gonzales, Gracita Guerra Fernandez, Manuel Bronchud, Osvaldo Genazzani; I: Bandit Jack Barrow wird aus dem Gefängnis entlassen und kommt nach Red Rock, um mit seinen verräterischen Kumpanen abzurechnen. Danach schließt er sich mit den Stadtbossen zusammen, um die Bürger auszunehmen, bevor ihm ein alter Freund das Handwerk legt. *Unglaublich schlechter Debütfilm von Gianni Crea.*

Little Rita nel west (1967) DT: Blaue Bohnen für ein Halleluja; ET: Rita of the west; IT: Little Rita nel west; ST: Rita en el West; FT: T'as le bonjour de Trinita; HL: Italien (B.R.C. – Produzione Film – Rom); UA: 11.8.67; OL: 103 (2837 m); DEA: 7.9.73; DL: 86 (Kino), 103 (DVD, ZDF); FSK: 12; P: Manolo Bolognini; R: Ferdinando Baldi; B: Franco Rossetti, Ferdinando Baldi (I: Ferdinando Baldi); K: Enzo Barboni (Techniscope – Technicolor); M: Robby Poitevin; S: »Little Rita«, »Na che te ne fa«, »Tu sei come«, »Per un colpo di pistole«, »Un sceriffo che si

rispetti« gesungen von Rita Pavone; »Rita sei tutti noi« gesungen von Teddy Reno und Rita Pavone; »Piruliruli« gesungen von Lucio Dalla und Rita Pavone; DO: Italien (Elios Film Studio Rom); D: Rita Pavone, Terence Hill, Lucio Dalla, Teddy Reno, Pinuccio Ardia, Nina Larker, Kirk Morris, Gordon Mitchell, Fernando Sancho, Nini Rosso, Luigi Pernice, Romano Puppo, Mirella Pamphili; I: Eine Pistolenlady raubt geraubte Goldschätze erneut, um sie in einem Indianerdorf zusammenzutragen und am Ende zu vernichten. *Recht unterhaltsames Italo-Western-Musical mit Rita Pavone und Terence Hill.*

Lo ammazzò come un cane ... ma lui rideva ancora (1971) ET: Death played the flute; Requiem for a bounty hunter; IT: Lo ammazzò come un cane ... ma lui rideva ancora; FT: La rançon du tuer; HL: Italien (Universalia Vision M.P.1 Film); UA: 02.1.72; OL: 83 (2283 m); P: Pelio Quaglia; R: Angelo Pannacciò; B: Angelo Panaccio; K: Mario Bergamini, Jaime Deu Casas, Maurizio Centini (Panoramico – Eastmancolor); M: Daniele Patucchi; S: »A man is made of love« – gesungen von Ann Collin; D: Michael Forest, Steven Tedd (Giuseppe Cardillo), Chet Davis (Victoriano Gazzara), Remo Capitani, Susanna Levi, Giovanni Petti, Irio Fantini, Benito Pacifici, Alceste Bogart, Ivi Dannunzio; I: Der Rancher Nick Barton ist auf der Suche nach den Vergewaltigern seiner Tochter und Mördern seiner Frau und seines Vaters. Dabei hilft ihm ein mysteriöser Fremder, der auch nicht ganz unschuldig ist. *Einigermaßen unterhaltsames Italo-Western-Debüt von Trashfilmer Angelo Pannacciò.*

Lo chiamavano King (1971) ET: His name was King; IT: Lo chiamavano King; ST: Su nombre fue ey; FT: On m'appelle King; HL: Italien (Foro Film); UA: 18.5.71; OL: 96 (2650 m); P: Luigi Nannerini; R: Giancarlo Romitelli; B: Renato Savino; K: Guglielmo Mancori (Panoramico – Eastmancolor); M: Luis Enríquez Bacalov; S: »His name was King« – gesungen von Ann Collin; CD: Lo chiamavano King/Monta in sella figlio di .../Partirono preti, tornarono ... Curati! (Screen Trax CDST 332): 8 tracks; Spaghetti-Westerns Vol. 2 (DRG 32909): 2 tracks; DO: Italien; D: Richard Harrison, Klaus Kinski, Anne

Little Rita nel west

Puskin, John Silver, Luciano Pigozzi, Marco Zuanelli, Vassili Karis, Lorenzo Fineschi, Lucio Zarini, Tom Felleghi, John Bartha, Rick Boyd, Paolo Magalotti, Ada Pometti; I: John Marley alias »King« macht sich auf die Suche nach den Benson-Brüdern, die seinen Bruder und dessen Frau massakriert haben. *Ziemlich langweiliger Romitelli/Savino-Western mit einem äußerst mäßigen Score von Luis Enríquez Bacalov.*

Lo chiamavano Tresette ... giocava sempre col morto (1973) DT: **Kennst du das Land, wo blaue Bohnen blüh'n?**; ET: Once upon a time in the West there was a man called Invincible; IT: Lo chiamavano Tresette ... giocava sempre col morto; ST: Para mi el oro, para ti el plomo; HL: Italien (Lea Film); UA: 3.5.73; OL: 104 (2860 m); DEA: 27.7.73; DL: 87; FSK: 12; P: Vittorio Martino; R: Giuliano Carnimeo; B: Tito Carpi; K: Stelvio Massi (Cinemascope – Eastmancolor); M: Bruno Nicolai; CD: Un uomo chiamato Apocalisse Joe/Lo chiamavano Tresette, giocava sempre col morto (BEAT CDCR 45): 14 tracks; Spaghetti-Westerns Vol. 4 (DRG 32932): 2 tracks; DO: Italien; D: George Hilton, Chris Huerta, Evelyn Stewart, Sal Borgese, Umberto D'Orsi, Rosalba Neri, Carla Mancini, Nello Pazzafini, Dante Cleri, Pasquale Coletta, Bruno Boschetti; I: Zwei von einem betrügerischen Bankier zum Schutz eines angeblichen Goldtransportes angeheuerte Revolvermänner rächen sich nach Entdeckung der Täuschung. *Kurzweiliger Spaßwestern von Italo-Western-Profi Giuliano Carnimeo.*

Lo chiamavano Tresette ... giocava sempre col morto

ℒo chiamavano Trinità (1970) DT: **Die rechte und die linke Hand des Teufels**; ET: They Call Me Trinity; IT: Lo chiamavano Trinità; ST: Le llamaban Trinidad; FT: On l'appelle Trinità; HL: Italien (West Film); UA: 22.12.70; OL: 104 (2860 m); DEA: 2.3.71; DL: 114; FSK: 16; P: Italo Zingarelli; R: Enzo Barboni; B: Enzo Barboni; K: Aldo Giordani (Cromoscope – Technicolor); M: Franco Micalizzi; S: »Trinity« – gesungen von Annibale; CD: Lo chiamavano Trinità (Digitmovies CDDM 026): 29 tracks; Lo chiamavano Trinità ... (VCDS 7029): 13 tracks; Lo chiamavano Trinità/Il pistolero dell'Ave Maria (Curci CU 006): 13 tracks; DO: Italien; D: Terence Hill, Bud Spencer, Farley Granger, Steffen Zacharias, Dan Sturkie, Gisela Hahn, Elena Pedemonte, Luciano Rossi, Ezio Marano, Michele Cimarosa, Remo Capitani, Ugo Sasso, Gigi Bonos, Fortunato Arena, Dominic Barto; I: Zwei nicht gerade lupenreine Brüder, von denen der eine auf recht seltsame Art an den Sheriffstern gekommen ist, werden wider Willen zu Rettern einer Siedlung von Mormonen. *Kult-Western-Komödie von Enzo Barboni mit einem glänzenden Terence Hill & Bud Spencer-Duo und einem sehr guten Score von Franco Micalizzi.*

Lo chiamavano Verità (1972) ET: They Call him Veritas; IT: Lo chiamavano Verità; ST: Le llamaban Verdad; FT: On l'appelle Vérité; HL: Italien (Medusa Distribuzione/R.T.R. – Realizzazioni Telecinematografiche Roma); UA: 11.8.72; OL: 89 (2445 m); P: Giulio Scanni, Luigi Costanzo; R: Luigi Perelli; B: Oreste Coltellacci; K: Mario Capirotti (Techniscope – Technicolor); M: Manuel De Sica; CD: Quel caldo maledetto giorno di fuoco/Attento Gringo ... È tornato Sabata/Lo chiamavano Verità (BEAT CDCR 31): 4 tracks; Spaghetti-Westerns Vol. 4 (DRG 32932): 2 tracks; DO: Italien; D: Mark Damon, Pat Nigro (Pasquale Basile), Pietro Ceccarelli, Franco Garofalo, Maria D'Incoronato, Gigi Bonos, Enzo Fiermonte, Corrado Annicelli, Guglielmo Spoletini, Giorgio Dolfin, Stefano Oppedisano, Franco Scanni, Tonino Aschi, Giuseppe Alotta, Mauro Mannatrizio, Rico Boido, Michele Basile; I: Vier Glücksritter überstehen zuerst den amerikanischen Bürgerkrieg in entliehenen Uniformen und kämpfen dann mit einigen Banditen um

Lo chiamavano Trinità

einen Goldschatz. *Äußerst mittelmäßige Westernkomödie von Fernsehregisseur Luigi Perelli, auf die man getrost verzichten kann.*

Lo voglio morto (1967) DT: Django – ich will ihn tot; ET: I want him dead; IT: Lo voglio morto; ST: Lo quiero muerto; FT: Clayton l'implacable; HL: Italien/Spanien (Inducine – Rom/Napoli/Centauro Films – Madrid); UA: 15.6.68; OL: 86 (2367 m); DEA: 3.7.70; DL: 85; FSK: 18; P: Luccio Bompani; R: Paolo Bianchini; B: Carlos Arabia; K: Ricardo Andreu (Panoramico – Eastmancolor); M: Nico Fidenco; S: »Clayton« – gesungen von Lida Lù; CD: SW Encyclopedia Vol. 1 (KICP 433): 2 tracks; DO: Spanien (Almería, Turre); D: Craig Hill, Lea Massari, José Manuel Martin, Andrea Bosic, Licia Calderón, Cristina Businari, Rick Boyd, Andrea Scotti, Frank Braña, Remo De Angelis, José Riesgo; I: Django rächt die Ermordung seiner Schwester, verhindert die Fortsetzung des amerikanischen Bürgerkrieges und wird biederer Rancher. *Harter Rachewestern mit einem eiskalten Craig Hill ist gleichzeitig der beste Genrebeitrag von Paolo Bianchini.*

Lola Colt (1967) DT: Lola Colt ... sie spuckt dem Teufel ins Gesicht; ET: Black tigress; IT: Lola Colt (Faccia a faccia con El Diablo); FT: Lola Colt; HL: Italien (Cines Europea – Rom); UA: 22.10.67; OL: 83 (2280 m); DEA 23.10.1970; DL: 84; FSK: 16; P: Aldo Pace; R: Siro Marcellini; B: Luigi Angelo, Lamberto Antonelli, Siro Marcellini (I: Luigi Angelo); K: Giuseppe La Torre (Vistavision – Eastmancolor); M: Ubaldo Continiello; S: »Scrivimi il tuo nome sulla mano« und »Uno come te« – gesungen von Lola Falana; DO: Italien (Elios Film Studio Rom); D: Lola Falana, Peter Martell, German Cobos, Erna Schürer, Dada Gallotti, Tom Felleghy, Evaristo Maran, Marilena Possenti, John Petty (Giovanni Petrucci), Bernard Berat, Alex Antonelli; I: Eine reisende Barsängerin gibt einigen Männern Mut, sich gegen eine Bande von Gangstern zu Wehr zu setzen und ihre Stadt zu verteidigen. *Ziemlich ungewöhnlicher Italo-Western von Siro Marcellini mit einer schwarzen Heldin, die auch einige Musiknummern von sich gibt.*

Lo voglio morto

Lucky Johnny (1971) DT: Lucky Johnny/Lucky Johnny – der Fluch der Klapperschlange; ET: Lucky Johnny: Born in America; IT: Serpente a sonagli; HL: Italien/Mexiko (Regina – Mirafiori); DL: 94; P: Juan Abusaid Mirafori; R: José Antonio Balanos; B: José Antonio Balanos, Pedro Miret; K: Alex Philips (Normal-Color); M: Luciano Michelini; S: »Where's Love« – gesungen von Mel Carter; D: Glen Lee, Virgil Frye, James Westerfield, Evaristo Marquez, Granville van Deusen, Virgile Frye, Carlos East, Jorge Russek, Tony Monaco, Billy Joe Rouk; I: Johnny ist ein berüchtigter Pistolero, der sich in eine wunderschöne Frau eines mexikanischen Banditen verliebt. *Unausgegorene Mischung zwischen melancholischem Spätwestern und brutalem Italo-Western. Hauptsächlich mexikanisch produziert, wird der Film mit zunehmender Laufzeit immer schwächer.*

Lucky Luke (1990) DT: Lucky Luke; ET: Lucky Luke; IT: Lucky Luke; FT: Lucky Luke; HL: Italien (Paloma Films/Reteitalia – Segrate, MI); DEA: 4.7.91; DL: 95; FSK: 6; P: Luciano Bompani; R: Terence Hill; B: Lori Hill (I: Morris und Goscinny); K: Carlo Tafani, Gianfranco Transunto (Normal – Color); M: David Grover, Aaron Schröder; S: »Lucky Luke rides again« – gesungen von Roger Miller; DO: USA (New Mexico); D: Terence Hill, Nancy Morgan, Ron Carey, Fritz Sperberg, Dominic Barto, Bo Cray, Sonny Trinidad, Neil Summers, Mark Hardwic; I: Der aufrechte Western-Held Lucky Luke befreit eine kleine Stadt von allem Gesindel und schützt sie gegen die berüchtigten Dalton-Brüder. *Von Terence Hill selbst inszeniertes harmloses Kindervergnügen, auf das man gerne verzichten kann.* Es gibt auch eine Fernsehserie, die als LL 1-4 in Deutschland erschienen ist.

La lunga cavalcata della vendetta (1972) DT: Djangos blutige Spur/Djangos Spur; ET: Deadly trackers; IT: La lunga cavalcata della vendetta; FT: La longue chevauchée de la vengeance; HL: Italien (European United Pictures); UA: 4. 9. 72; OL: 95 (2600 m); DEA: 15. 8. 86 (RTL plus); DL: 80; P: Giovanni Varo; R: Tanio Boccia; B: Tanio Boccia; K: Romolo Garroni (Cinemascope – Technicolor); M: Carlo Esposito; D: Richard Harrison, Anita Ekberg, Rik Battaglia, George Wang, Men Fury (Furio Meniconi), Dada Gallotti, Omero Gargano, Lorenzo Piani, Emilio Vale (Emilio Messina); I: Jeff Carter macht sich auf die Suche nach den Männern, die seine Schwester Deborah bestohlen und ermordet haben. *Unwahrscheinlich langweiliger Western von Tanio Boccia.*

Una lunga fila di croci (1968) DT: Django und Sartana – die tödlichen Zwei; ET: No room to die; IT: Una lunga fila di croci; ST: Una larga fila de cruces; FT: Une longue file de croix; La corde au cou; HL: Italien (Junior Film); UA: 18.4.69; OL: 101 (2770 m); DEA: 30.4.70; DL: 97; FSK: 18; P: Gabriele Crisanti; R: Sergio Garrone; B: Sergio Garrone; K: Franco Villa (Cromoscope – Eastmancolor); M: Vasco Vasil Kojuchorov, Elsio Mancuso; S: »Non mi aspettavi più«; »Maya« – gesungen von Franco Morselli; CD: Una lunga fila di croci/Tutti per uno, botte per tutti/Prega il morto e ammazza il vivo (BEAT CDCR 35): 8 tracks; Spaghetti-Westerns Vol. 4 (DRG 32932): 2 tracks; SW Encyclopedia Vol. 2 (KICP 434): 1 track; DO: Italien; D: Anthony Steffen, William Berger, Mario Brega, Riccardo Garrone, Nicoletta Machiavelli, Mariangela Gordano, Giancarlo Sisti, Franco Ukmar, Giulio Mauroni, Giorgio Dolfin; I: Ein Kopfgeldjäger bringt einen reichen Bürger und seinen Spießgesellen zur Strecke, die Mexikaner über die Grenze schmuggeln und sie in Texas als Handlanger verkaufen. *Einer von Sergio Garrones besten Action-Western mit dem Traumteam Anthony Steffen und William Berger.*

○ **I lunghi giorni della vendetta (1966)** DT: Der lange Tag der Rache/1000 Kugeln für ein Halleluja/Angel Face – der lange Tag der Rache; ET: Long days of vengeance; IT: I lunghi giorni della vendetta (Faccia d'angelo); ST: El largo día de la venganza; FT: Les longs jours de la vengeance; HL: Italien/Spanien (Produzioni Cinematografiche Mediterranee – P.C.M./P.C. Mingyar – Madrid/Rome-Paris Films – Paris); UA: 23.2.67; OL: 121 (3339 m); DEA: 21.7.67; DL: 105; FSK: 16; P: Alberto Pugliese, Luciano Ercoli; R: Florestano Vancini; B: Fernando Di Leo, Augusto Caminito (I: Mahnahen Velasco); K: Francisco Marín (Techniscope – Technicolor); M: Armando Trovajoli; CD: I lunghi giorni della vendetta (GDM Club 2021): 31 tracks; I lunghi giorni della vendetta (Japan SLCS-7248): 23 tracks Spaghetti-Westerns Vol. 2 (DRG 32909): 1 track; SW En-

cyclopedia Vol. 2 (KICP 434): 1 track; Fantastic World of SW (VCDS 7016): 5 tracks; DO: Spanien (Almería, Valmadrid, Esplugas de Llobregat); D: Giuliano Gemma, Francisco Rabal, Conrado Sanmartin, Gabriella Giorgelli, Nieves Navarro, Pajarito, Franco Cobianchi D'Este, Doro Corrà, Milo Quesada, Bill Farbert, Bengala Omar, Carlos Otero, Carlos Hurtado, Pedrucho, Ivan Scratuglia; I: Junger Revolverheld bricht aus dem Gefängnis aus, um die Ermordung seines Vaters, die ihm zugeschoben wurde, zu rächen. Dabei räumt er gleich mit Korruption, Waffenschmuggel und einer Verbrecherbande auf. *Außergewöhnlich guter Rachewestern von Italo-Western-Eintagsfliege Florestano Vancini mit einem Spitzenscore von Armando Trovajoli.*

○ **I lunghi giorni dell'odio (1967)** DT: Seine Winchester pfeift das Lied vom Tod/Winchester pfeifen das Lied vom Tod; ET: This Man Can't Die; IT: I lunghi giorni dell'odio; FT: Ringo ne devait pas mourir; HL: Italien (Mercurio Films Italiana); UA: 5.4.68; OL: 90 (2480 m); DEA: 20.7.73; DL: 90; FSK: 18; P: Alberto Marucchi; R: Gianfranco Baldanello; B: Luigi Emmanuele, Gino Mangini, Gianfranco Baldanello (I: Luigi Emmanuele); K: Claudio Circillo (Widescreen – Eastmancolor); M: Amedeo Tommasi; D: Guy Madison, Lucienne Bridou, Rik Battaglia, Rosalba Neri, Alberto Dell'Acqua, Steve Merrick, Peter Martell, Anna Liotti, Franco Pesce, Daniele Riccardi, Ivan Scratuglia, John Bartha, Franco Gulà; I: Eine Bande, die sich auf widerrechtlichen Handel mit den Indianern spezialisiert hat, terrorisiert eine Farmerfamilie, deren ältester Sohn dem Banditenboss auf der Spur ist. *Einigermaßen unterhaltsamer Rachewestern von Gianfranco Baldanello mit einem hartgesottenen Guy Madison in der Hauptrolle.*

Il lungo giorno del massacro (1968) DT: Das Gesetz der Erbarmungslosen/Das grausame Massaker; ET: Long day of the massacre; IT: Il lungo giorno del massacro; FT: Massacre pour un shériff; HL: Italien (Vivian Film/Boston Cinematografica); UA: 29.8.68; OL: 103 (2842 m); DEA: Video (American); DL: 96; P: Armando Morandi; R: Alberto Cardone; B: Mario Gariazzo, Armando Morandi, Alberto

Una lunga fila di croci

I lunghi giorni della vendetta

Cardone (I: Mario Gariazzo); **K:** Aldo Greci (Ultrascope – Eastmancolor); **M:** Michele Lacarenza; **DO:** Italien (De Laurentiis Studio Rom); **D:** Peter Martell, Glenn Saxson, Manuel Serrano, Liz Barret (Luisa Baratto), Daniela Giordano, Franco Fantasia, Ralph Yebb, Andrea Fantasia, Gaetano Imbrò, Ugo Adinolfi; **I:** Sheriff Joe Williams sorgt mit eiserner Hand und rauchendem Colt dafür, dass in seinem kleinen Ort Ruhe herrscht. Für neue Aufgaben sorgt der Verbrecher Pedro La Muerte, der dort mit seiner ruchlosen Freundin Paquita auftaucht. *Mittelmäßiger billiger Western von Alberto Cadone, auf den man auch verzichten kann.*

Il lungo giorno della violenza (1971) ET: The long days of violence; **IT:** Il lungo giorno della violenza; **ST:** El bandido malpelo; **HL:** Italien/Spanien (Suprania Films – Rom/Copercines – Madrid); **P:** Gregorio Manzanos; **R:** Giuseppe Maria Scotese; **B:** Eduardo M. Brochero (I: Giuseppe Maria Scotese); **K:** Giampaolo Santini (Normal – Technicolor); **M:** Marcello Giombini; **DO:** Spanien (Seseña); **D:** George Garvell, Eduardo Fajardo, Chero Lopez, Sergio Doria, Gianni Pallavicino, José Nieto, Lea Nanni, Rita Forzano, Ruggero Salvadori, Miguel Del Castillo, Sergio Serafin; **I:** Ein Mann bricht aus dem Gefängnis aus, um einen verbrecherischen Sklavenhändler und Waffenschieber der Gerechtigkeit zuzuführen und seine eigene Unschuld zu beweisen.

I magnifici Brutos del West (1964) ET: Magnificent brutes of the west; **IT:** I magnifici Brutos del West; **ST:** Los brutos en el Oeste; **FT:** Les terreurs de l'Ouest; **HL:** Italien/Spanien/Frankreich (Mancori Film – Rom/Metheus Film – Rom/Internacional Films Española – Madrid/Cinéurop – Neuilly-sur-Seine); **UA:** 23.12.64; **OL:** 98 (2690 m); **P:** Mario Siciliano, Alvaro Mancori, Anna Maria Chretien; **R:** Marino Girolami; **B:** Tito Carpi, Marino Girolami (I: Marino Girolami); **K:** Alvaro Mancori (Dyaliscope – Eastmancolor); **M:** Francesco De Masi; **DO:** Rom; **D:** Ettore Bruno, Nat Pioppi, Aldo Maccione, Gianni Zullo, Elio Piatti, Giacomo Rossi Stuart, Emma Penella, Darry Cowl, Alfredo Mayo, Julio Peña, Alberto Cevenini, Carla Calò, Pietro Ceccarelli, Nello Pazzafini; **I:** Vier beschränkte Brüder wollen in der Stadt ihren Onkel Sal treffen. Im Schusswechsel töten sie nicht nur die Banditen, sondern auch ihren eigenen Onkel. Sie übernehmen dessen Bestattungsinstitut und müssen gegen Banditen kämpfen. *Diese schräge Westernkomödie ist wirklich nur für »I Brutos«-Fans.*

I magnifici tre (1961) IT: I magnifici tre; **HL:** Italien (Cineproduzioni Emo Bistolfi); **OL:** 105; **P:** Emo Bistolfi; **R:** Giorgio C. Simonelli; **B:** Sergio Corbucci, Giovanni Grimaldi, Mario Guerra, Giulio Scarnicci, Renzo Tarabusi, Vittorio Vighi; **K:** Franco Villa (Panoramico – Eastmancolor); **M:** Gianni Ferrio; **S:** »Un uomo vivo« – gesungen von Gino Paoli; **D:** Ugo Tognazzi, Walter Chiari, Raimondo Vianello, Aroldo Tieri, Dominique Boschero, Anna Ranal-

li, Fanfulla, Ciccio Barbi, Nietta Zocchi; **I:** Drei Tagediebe werden mit unbesiegbaren Revolverhelden verwechselt und angeheuert, die Gegend von einer Verbrecherbande zu befreien. *Relativ unbekannte Westernkomödie von Giorgio C. Simonelli, der einige Franco & Ciccio-Klamotten inszeniert hat.*

Un magnifico ceffo da galera (1972) DT: Scalawag; ET: Scalawag; **IT:** Un magnifico ceffo da galera; **HL:** Italien/Jugoslawien (Oceania Produzioni Internazionali Cinematografiche – Rom/Inex Film, Belgrad/Bryna, Los Angeles – Los Angeles); **UA:** 22.4.73; **OL:** 89 (2444 m); **DEA:** 12.7.74; **DL:** 92; **FSK:** 12; **P:** Anne Douglas; **R:** Zoran Calic, Kirk Douglas; **B:** Albert Sidney Fleischman, Albert Maltz (I: Robert Louis Stevenson); **K:** Jack Cardiff, Antonio Modica (Techniscope – Technicolor); **M:** John Cameron; **S:** »Silver fishes«; **DO:** Jugoslawien; **D:** Kirk Douglas, Mark Lester, Neville Brand, George Eastman, Don Stroud, Lesley Anne Down, Danny De Vito, Davor Antolic, Stole Arandjelovic, Fabjan Sovagovic, Phil Brown; **I:** Ein einbeiniger Pirat und seine Bande sowie ein vertrauensvoller Junge und seine Familie sind alle in eine Schatzsuche verwickelt. *Italo-Western-mäßiger Abenteuerfilm nach Motiven von Stevensons »Schatzinsel«.*

Il magnifico straniero (1965) DT: Maledetto Gringo; IT: Il magnifico straniero; **HL:** USA/Italien (CBS Television/MGM Television/Jolly Film – Rom); **OL:** 94; **DEA:** 7.7.67; **DL:** 93; **FSK:** 12; **R:** Herschel Daugherty, Justus Addiss; **B:** Justus Addiss, Herschel Daugherty; **K:** Howard Schwartz (Normal – B/W); **M:** Frankie Lane, Rudy Schrager; **S:** »Rawhide« – gesungen von Frankie Laine; **DO:** USA; **D:** Clint Eastwood, Louis Hayward, Lloyd Corrigan, Luana Anders, Robert Donner, Paul Brinegar, Holly McIntyre; **I:** Cowboy Gringo bringt nach vielen Bedrängnissen eine Verbrecherbande zur Strecke. *Kein Italo-Western, sondern ein Zusammenschnitt der Folgen # 87 »Incident of the running man« (Überfall auf Fort Henley) und # 183 »The backshooter« (Ein Schuß in den Rücken) der amerikanischen TV-Serie »Rawhide« (Tausend Meilen Staub).*

Il magnifico texano (1967) DT: Desperado – Der geheimnisvolle Rächer/Der Mann aus Texas; ET: Magnificent Texan; **IT:** Il magnifico texano; **ST:** Diez horcas para un pistolero; **FT:** Le magnifique Texan; **HL:** Italien/Spanien (Selenia Cinematografica – Rom/R.M. Films – Madrid); **UA:** 28.7.67; **OL:** 103 (2821 m); **DEA:** 13.3.86 (RTL plus); **DL:** 88; **P:** Ferdinando Felicioni, Rafael Marina; **R:** Luigi Capuano; **B:** Arpad De Riso, Luigi Capuano, Manuel Martinez Remis; (I: Arpad De Riso, Luigi Capuano); **K:** Pablo Ripoll (Panoramico – Eastmancolor); **M:** Francesco De Masi; **D:** Glenn Saxson, John Barracuda (Massimo Serato), Barbara Loy (Maria Teresa Gentilini), Beni Deus, Gloria Osuña, Lola Larsen (Fulvia Franco), George Greenwood (Giorgio Cerioni), Nerimk Berkoff (Nerio Bernardi), Luis Induñi, Mary Sullivan (Mariella

Pamphili), Richard Stark (Riccardo Pizzuti), Helen Wart (Ana Miserocchi), Patricia Carr (Rossella Bergamonti); **I:** Der einzige Überlebende eines Massakers an der Familie Lopez rächt sich in der Maske von El Desperado an den Mördern, an dessen Spitze der korrupte Richter Wilkins steht. *Ziemlich langweiliger Zorro-Verschnitt, an dem das beste die Musik von Francesco De Masi ist, die direkt aus »Il ranch degli spietati« übernommen wurde.*

Il magnifico West (1972) ET: Magnificent West; **IT:** Il magnifico West; **ST:** El oeste magnifico; **FT:** Une corde à l'aube; **HL:** Italien (Dinamica Film); **UA:** 27.5.72; **OL:** 87 (2398 m); **P:** Elio Ottaviani; **R:** Gianni Crea; **B:** Gianni Crea; **K:** Gianni Raffaldi (Panoramico – Eastmancolor); **M:** Stelvio Cipriani; **D:** Vassili Karis, Dario Pino, Lorenzo Fineschi, Italo Gasperini, Enzo Pulcrano, Sergio Scarchilli, Gennarino Pappagalli, Emilio Messina, Pino Mattei, Mimmo Raffa, Gordon Mitchell, Fiorella Mannoia; **I:** Texas Bill kommt in eine Ortschaft und hilft dort den ausgebeuteten Farmern gegen den Terror der Unterdrücker. *Ein weiterer unglaublich schlecht gemachter Western von Gianni Crea.*

Le maledette pistole di Dallas (1964) DT: Die verdammten Pistolen von Dallas; ET: Damned pistols of dallas; **IT:** Le maledette pistole di Dallas; **ST:** Las malditas pistolas de Dallas; **FT:** Les pistolets maudits de Dallas; **HL:** Italien/Spanien/Frankreich (Tellus Cinematografica – Rom/Coop. Coperfilm Madrid)/P.I.P. (Paris International Productions, Paris); **UA:** 5.12.64; **OL:** 96 (2646 m); **DEA:** 15.8.67; **DL:** 92; **FSK:** 18; **P:** Paolo Prestano; **R:** Pino Mercanti; **B:** Luigi Emmanuele; **K:** Edmondo Affronti (Totalscope – Eastmancolor); **M:** Gioacchino Angelo; **S:** »O vecchio Ben« – gesungen von Bruno D'Angelo; **D:** Fred Beir, Eva Marandi, Olivier Mathot, Bob Messenger (Roberto Messina), Angel Alvarez, Luis Induni, Dina de Santis, Jesus Puentes, Luigi Ciavarro, Andrew Hart, Stella Monclar, Lucia Bomez; **I:** Angesehener junger Mann befreit eine Stadt in Texas vom Terror brutaler Gangster. *Relativ schwacher Italo-Western von Pino Mercanti, den man sich auch entgehen lassen kann.*

○ **Mannaja (1977) DT: Mannaja – das Beil des Todes/Der letzte Bounty-Killer; ET:** Man called Blade; **IT:** Mannaja; **ST:** El valle de la muerte; **FT:** Mannaja, l'homme à la hache; **HL:** Italien (Devon Film – Rom/Medusa Distribuzione); **UA:** 13.8.77; **OL:** 95 (2614 m); **DEA:** 19.1.79; **DL:** 95; **FSK:** 18; **P:** Luciano Martino; **R:** Sergio Martino; **B:** Sergio Martino; **K:** Federico Zanni (Cinemascope – Eastmancolor); **M:** Guido & Maurizio De Angelis; **S:** »Snake«, »Wolf« – gesungen von Oliver Onions; **CD:** Mannaja/Tedeum (RCA 74321-15508-2): 14 tracks; **DO:** Italien; **D:** Maurizio Merli, John Steiner, Donald O'Brien, Sonia Jeannine, Martine Brochard, Rik Battaglia, Philippe Leroy, Ted Carter (Nello Pazzafini), Salvatore Puntillo, Enzo Fiermonte, Nino Casale, Aldo Rendine, Aldo Maggio, Sergio Tardioli; **I:** Kopfgeldjäger in Texas rottet die Privatarmee eines Silberminen-Besitzers aus. *Gut gemachter, an*

den Erfolg von »Keoma« angelehnter Brutalo-Western von Sergio Martino mit Maurizio Merli.

Manos Torpes (1969) FT: Awkward hands; **IT:** Quando Satana impugnò la Colt; **ST:** Manos Torpes; **FT:** Quand Satana empoigne le Colt; **HL:** Spanien/Italien (Aitor Films – Madrid/Emat Cinematografica); **UA:** 17.10.73; **OL:** 93 (2570 m); **P:** Ricardo Sanz; **R:** Rafael Romero Marchent; **B:** Joaquín Luis Romero Marchent, Santiago Moncada; **K:** Miguel F. Mila (Panoramico – Eastmancolor); **M:** Antón García Abril; **DO:** Spanien (Almería, Villamanta); **D:** Peter Lee Lawrence, Alberto de Mendoza, Pilar Velazquez, Manuel De Blas, Aldo Sambrell, Antonio Casas, Yelena Samarina, Antonio Pica, Luis Induñi, Vidal Molina, Francisco Braña, Dina Loy, Antonio Molino Rojo, Gene Reyes, Beny Deus, Lorenzo Robledo; **I:** Der friedliebende Kitt wird von den Leuten El Panteras angeschossen und halbtot in der Wüste liegen gelassen, weil er dessen Tochter geheiratet hat. Er wird von einem Kopfgeldjäger gerettet und macht sich daran, sich an El Pantera zu rächen.

El más fabuloso golpe del Far-West (1971) ET: Boldest job in the west; **IT:** Nevada; **ST:** El más fabuloso golpe del Far-West; **FT:** Hold-up à Sun Valley; **HL:** Spanien/Italien/Frankreich (Promofilms – Barcelona/Action Film/Films Number One – Paris); **P:** José Maria Carcasona; **R:** José Antonio de La Loma; **B:** José Antonio De La Loma; **K:** Hans Burmann, Antonio Millan (Panoramico – Eastmancolor); **M:** Gianni Marchetti, Stelvio Cipriani; **CD:** The bounty killer/Un uomo, un cavallo, una pistola/Nevada (CAM CSE-80-147): 7 tracks; **D:** Carmen Sevilla, Mark Edwards, Fernando Sancho, Charly Bravo, Piero Lulli, Barbara Carrol, Parry Shepard, Frank Braña, Juanito Santiago, Ivan Roberto, Mercedes Moliner, Jaime Picas, J. Lintermans, Poldo Bendandi, Osvaldo Genazzani, Fernando Bilbao; **I:** Die beiden Verbrecher Michigan und El Reyes wollen einen Banküberfall ohne Blutvergießen durchführen, der leider in einem Massaker endet. Außerdem flieht einer der Bande mit dem ganzen Geld.

Massacro al Grande Canyon (1964) DT: Keinen Cent für Ringos Kopf; ET: Massacre at Grand Canyon; **IT:** Massacro al Grande Canyon; **FT:** Massacre au Grand Canyon; **HL:**

El más fabuloso golpe del Far-West

Italien (Ultra Film – Sicilia Cinematografica – Palermo/ Pro-Di Cinematografica – Produzione e Distribuzione); **UA:** 25.5.64; **OL:** 105 (2900 m); **DEA:** 10.3.67; **DL:** 89; **FSK:** 16; **P:** Alfredo Antonini, Danilo Marciani; **R:** Sergio Corbucci; **B:** Alfredo Antonini, Sergio Corbucci (**I:** Edward C. Geltman); **K:** Enzo Barboni (Panoramico – Eastmancolor); **M:** Gianni Ferrio; **S:** »Cow Boy« – gesungen von Rodd Dana; **DO:** Jugoslawien; **D:** James Mitchum, Jill Powers (Milla Sannoner), George Ardisson, Giacomo Rossi Stuart, Andrea Giordana, Burt Nelson, Nando Poggi, Eduardo Ciannelli, Vladimir Medar, Vlastimir Gavrik; **I:** Ringo verbündet sich mit einem Farmer zum Kampf gegen Machtsucht und Banditenterror. *An die US-Western angelehnter Erstlingswestern von Sergio Corbucci, von »Django«-Elementen noch keine Spur.*

Matalo! (1970) DT: Willkommen in der Hölle; **ET:** Matalo!; **IT:** Matalo!; **ST:** Mátalo!; **FT:** Matalo!; **HL:** Italien/Spanien (Rofima Cinematografica – Milano/Coop. Copercines – Madrid); **UA:** 22.10.70; **OL:** 101 (2786 m); **DEA:** 26.3.71; **DL:** 93; **FSK:** 16; **P:** Eduardo Manzanos Brochero; **R:** Cesare Canevari; **B:** Mino Roli, Eduardo M. Brochero, Nico Ducci; **K:** Julio Ortas (Panoramico – Eastmancolor); **M:** Mario Migliardi; **CD:** Matalo! (GDM 2068): 20 tracks; **DO:** Spanien (Almería, Hoyo de Manzanares), Italien; **D:** Lou Castel, Corrado Pani, Antonio Salines, Luis Dávila, Claudia Gravì, Miguel Del Castillo, Anna Maria Noe, Anna Maria Mendoza, Bruno Boschetti, Mirella Pamphili; **I:** Ein ausgestorbenes Dorf wird für eine Banditengruppe zur Todesfalle. *Hier scheiden sich die Geister – für die einen Schund, für die anderen Kult. Quasi-Remake von Tanio Boccias »Dio non paga il sabato«.*

Il mercenario (1968) DT: Mercenario – der Gefürchtete/Die gefürchteten Zwei; **ET:** The mercenary/A professional gun; **IT:** Il mercenario; **ST:** Salario para matar; **FT:** El mercenario, un tueur professionnel; **HL:** Italien/Spanien (P.E.A. – Produzioni Europee Associate di Grimaldi Maria Rosaria e C. – Napoli/Produzioni Associate Delphos/Profilms 21 – Madrid); **UA:** 20.12.68; **OL:** 103 (2835 m); **DEA:** 22.4.69; **DL:** 107; **FSK:** 18; **P:** Alberto Grimaldi; **R:** Sergio Corbucci; **B:** Luciano Vincenzoni, Sergio Spina, Adriano Bolzoni, Sergio Corbucci (**I:** Giorgio Arlorio, Franco Solinas); **K:** Alejandro Ulloa (Techniscope – Technicolor); **M:** Ennio Morricone; **CD:** Il Mercenario/Faccia a faccia (VCDS 7018): 15 tracks; Il Mercenario (GDM CLUB CD 7010): 16 tracks; Spaghetti-Westerns Vol. 3 (DRG 32929): 1 track; **DO:** Spanien (Almería, Cuenca, Manzanares el Real, El Casar, Nuevo Baztán, Pechina); **D:** Franco Nero, Jack Palance, Tony Musante, Giovanna Ralli, Eduardo Fajardo, Julio Peña, Raf Baldassarre, Joe Kamel, Angel Ortiz, Franco Ressel, Angel Alvarez, Tito Garcia, José Canalejas, Lorenzo Robledo; **I:** Rebellierender Minenarbeiter, der sich zum Revolutionsgeneral machen lässt, und ein ehemaliger polnischer Offizier, der für gutes Geld auch den gefährlichsten Auftrag übernimmt, entgehen dem mexikanischen Militär. *Mit Hilfe eines tollen Heldengespannes und der herausragenden Musik von Ennio Morricone gelingt es Sergio Corbucci, ein kleines Meisterwerk des Revolutionssubgenres abzuliefern.*

Mestizo (1965) DT: Mountains; **ET:** Django does not forgive; **IT:** Django non perdona; **ST:** Mestizo; **FT:** Django ne pardonne pas; **HL:** Spanien/Italien (Atlantida Cooperativa Cinematografica – Madrid / Daiano Produzione – Rom); **DEA:** 1987 (Video); **DL:** 95; **FSK:** 16; **P:** Luis Mendez, José Frade; **R:** Julio Buchs; **B:** José Luis Martinez Molla, Julio Buchs (**I:** Bautista Lacasa); **K:** Francisco Sánchez (Totalscope – Gevaertcolor); **M:** Antonio Pérez Olea; **DO:** Spanien; **D:** Hugo Blanco, Gustavo Rojo, Evelyn Therens (Susana Campos), Luis Prendes, John Clark, Armando Calvo, Nuria Torray, Alfonso Rojas, Ricardo

Il mercenario

Mestizo

Canales, Angel Ortiz, Luis Marin, Milo Quesada, Luis Induñi, Alfonso De La Vega, Santiago Rivero, Miguel De La Riva; **I:** Djangos langer Weg der Rache an einem Offizier der Royal Mounted Police für die Ermordung seiner Schwester führt ihn mitten durch die Kämpfe zwischen der Armee und Indianern.

Mi chiamavano Requiescat ... ma avevano sbagliato (1973) DT: Sing mir das Lied der Rache; **ET:** Fasthand; **IT:** Mi chiamavano Requiescant ... ma avevano sbagliato; **ST:** Mano rápida; **FT:** Requiem pour un tueur; **HL:** Italien/Spanien (New Films – Rom/Copercines – Madrid); **OL:** 83 (2280 m); **DEA:** 23.8.74; **DL:** 87; **P:** Sergio Ciani, Ignacio Gutierrez; **R:** Mario Bianchi; **B:** Vittorio Salerno, Alberto Cardone, Eduardo M. Brochero **(I:** Eduardo Maria Brochero); **K:** Emilio Foriscot (Panoramico – Eastmancolor); **M:** Gianni Ferrio; **S:** »That man« – gesungen von Ann Collin; **DO:** Spanien (Hoyos de Manzanares, Colmenar Viejo, Toledo, Seseña); **D:** Alan Steel, William Berger, Gill Roland (Gilberto Galimberti), Celine Bessy, Francisco Braña, Paco Sanz, Fernando Bilbao, Welma Truccolo, Ettore Ribotta, Giorgio Dolfin, Stefano Oppedisano; **I:** Einem Nordstaaten-Captain, der nach Beendigung des Bürgerkriegs sengende und raubende Südstaatensoldaten verfolgt, wird von einem Bandenchef grausam mitgespielt, ehe er die Bande in eine Falle locken und erledigen kann. *Auch William Berger kann diesen schwachen Mario-Bianchi-Western nicht mehr retten.*

Mille dollari sul nero (1966) DT: Sartana/Sartana (2 ungleiche Brüder im erbitterten Zweikampf)/Sartana – zwei Brüder im unerbittlichen Zweikampf; **ET:** One thousand dollars on the black, Blood at sundown, **IT.** Mille dollari sul nero; **ST:** Baño de sangre al salir el sol; **FT:** Les colts de la violence/Du sang au crépuscule; **HL:** Italien/ Deutschland (Metheus Film – Rom/Lisa Film – München); **UA:** 18.12.66; **OL:** 104 (2861 m); **DEA:** 28.7.67; **DL:** 92; **FSK:** 18; **P:** Mario Siciliano; **R:** Alberto Cardone; **B:** Ernesto Gastaldi, Vittorio Salerno, Rolf Olsen; **K:** Gino Santini (Techniscope – Eastmancolor); **M:** Michele Lacerenza; **S:** »Necklace of pearls« – gesungen von Peter Boom; **CD:** SW Encyclopedia Vol. 1 (KICP 433): 1 track; **DO:** Spanien (Almería), Italien (Elios Film Studio Rom); **D:** Anthony Steffen, Gianni Garko, Jerry Wilson (Roberto Miali), Erika Blanc, Carol Brown (Carla Calò), Frank Farrell (Franco Fantasia), Chris Howland, Daniela Igliozzi, Angelica Ott, Sieghardt Rupp, Gino Marturano, Olga Solbelli, Charles Of Angel (Carlo d'Angelo), Sal Borgese, Ettore Arena, Mario Dionisi, Gaetano Scala; **I:** Blutige Abrechnung zweier verfeindeter, ungleicher Brüder im texanisch-mexikanischen Grenzgebiet. *Sehr unterhaltsamer Tragödienwestern von Alberto Cardone mit einem an Klaus Kinski erinnernden bösen Gianni Garko.*

Minnesota Clay (1964) DT: **Minnesota Clay; ET:** Minnesota Clay; **IT:** Minnesota Clay; **ST:** Minnesota Clay; **FT:** L'homme de Minnesota/Le justicier du Minnesota/Le justicier; **HL:** Italien/Spanien/Frankreich (Ultra Film – Sicilia Cinematografica – Palermo/Jaguar Films – Madrid/Franco London Film – Paris); **UA:** 12.11.64; **OL:** 86 (2370 m); **DEA:** 7.9.65; **DL:** 91; **FSK:** 16; **P:** Danilo Marciani, Manuel Martin Proharan; **R:** Sergio Corbucci; **B:** Adriano Bolzoni, Sergio Corbucci **(I:** Adriano Bolzoni); **K:** José F. Aguayo (Panoramico – Eastmancolor); **M:** Piero Piccioni; **CD:** Minnesota Clay (King Records/Japan KICP 2594): 17 tracks; Minnesota Clay (CAM CSE 078): 17 tracks; SW Encyclopedia Vol. 1 (KICP 433): 1 track; Wanted – Dead or Alive (CAM 900-020): 2 tracks; **DO:** Spanien (Hoyo de Manzanares, Manzanares el Real, Torrelaguna, Esplugas de Llobregat, Aldea del Fresno, El Atazar); **D:** Cameron Mitchell, Fernando Sancho, Alberto Cevenini, Georges Rivière, Antonio Casas, Joe Kamel, Diana Mar-

Mille dollari sul nero

Minnesota Clay

tin, Julio Peña, Ethel Rojo, Fernando Sanchez Polack, Guillermo Mendez, José Riesgo, Alvaro De Luna, Carlos Villafranca; **I:** Unschuldig verurteilter, erblindender Revolvermann gerät bei dem Versuch, seine Rehabilitierung zu erreichen, zwischen zwei sich bekämpfende Banden und räumt schließlich mit allen Bösewichtern auf. *Immer noch von den US-Western beeinflusstes Frühwerk von Sergio Corbucci, des späteren Meisterregisseurs von Filmen wie »Django« und »Il grande silenzio«.*

○ **Un minuto per pregare, un istante per morire (1967) DT:** Mehr tot als lebendig; **ET:** A minute to pray, a second to die; **IT:** Un minuto per pregare, un istante per morire; **ST:** Un minuto para rezar, un segundo para morir; **FT:** Une minute pour prier, une seconde pour mourir; **HL:** Italien (Documento Film); **UA:** 8.2.68; **OL:** 118 (3240 m); **DEA:** 3.7.68; **DL:** 94; **FSK:** 18; **P:** Alfredo Antonini; **R:** Franco Giraldi; **B:** Ugo Liberatore, Louis Garfinkle; (**I:** Alfredo Antonini); **K:** Aiace Parolin (Normal – Eastmancolor); **M:** Carlo Rustichelli; **CD:** Preparati la bara!/Un minute per pregare, un istante per morire (RCA OST 139): 7 tracks; **DO:** Spanien (Almería, Pechina), Italien (Dino de Laurentiis Studio Rom); **D:** Robert Ryan, Alex Cord, Arthur Kennedy, Mario Brega, Nicoletta, Machiavelli, Renato Romano, Aldo Sambrell, José Manuel Martin, Daniel Martin, Enzo Fiermonte; **I:** Gegen die Volksmeinung in einer kleinen Stadt im Westen bemüht sich der Gouverneur um die Amnestie für einen steckbrieflich Gesuchten. Als dieser endlich einwilligt, wird er von hinterlistigen Kopfgeldjägern erschossen. *Sehr ernsthafter guter Western vom einstigen Leone-Assistenten Franco Giraldi, der sonst meistens leichtere Kost serviert.*

Il mio nome è Mallory – »M« come morte (1971) DT: Django – unerbittlich bis zum Tod; **ET:** Mallory must not die; **IT:** Il mio nome è Mallory – »M« come morte; **FT:** Mallory, M comme la mort; **HL:** Italien (Cervo Film); **OL:** 90 (2480 m); **DEA:** Video (VEP); **DL:** 86; **P:** Attilio Tosato; **R:** Mario Moroni; **B:** Mario Moroni; **K:** Giuseppe Aquari (Techniscope – Eastmancolor); **M:** Roberto Pregadio; **DO:** Italien (Elios Film Studio Rom); **D:** Robert Woods, Gabriella Giorgelli, Teodoro Corrà, Renato Baldini, Artemio Antonini, Mario Dardanelli, Renato Malavasi, Fulvio Mingozzi, Attilio Marra, Renato Mazzieri, Carla Mancini; **I:** Das Halbblut Mallory hilft seinem Freund Colonel Hasper gegen die Gewalt der Familie von Bart Ambler. *Unglaublich schlechter Mario-Moroni-Western, mit dem man keine Zeit verschwenden sollte.*

○ **Il mio nome è Nessuno (1973) DT:** Mein Name ist Nobody; **ET:** My name is Nobody; **IT:** Il mio nome è Nessuno; **ST:** Mi nombre es Ninguno; **FT:** Mon nom est Personne; **HL:** Italien/Frankreich/Deutschland (Rafran Cinematografica – Roma/Films Jacques Leitienne – Paris/Imp.Ex.Ci. – Nice/Alcinter – Paris/Rialto Film Preben Philipsen – Berlin); **UA:** 21.12. 73; **OL:** 118 (3249 m); **DEA:** 13.12. 73; **DL:** 116; **FSK:** 12; **P:** Fulvio Morsella, Claudio Mancini; **R:** Tonino Valerii; **B:** Ernesto Gastaldi (**I:** Sergio Leone, Fulvio Morsella, Ernesto Gastaldi); **K:** Giuseppe Ruzzolini, Armando Nannuzzi (Panavision – Technicolor); **M:** Ennio Morricone; **CD:** Il mio nome è nessuno (GDM 0159042): 23 tracks; Il mio nome è Nessuno (Japan SLCS-7241): 10 tracks; Ennio Morricone Western Quintet (DRG 32907): 10; Mein Name ist Nobody (Alhambra A8918): 10 tracks; Il mio nome è Nessuno (Screen Trax CDST 330): 23 tracks; Spaghetti-Westerns Vol. 2 (DRG 32909): 1 track; Spaghetti-Westerns Vol. 3 (DRG 32929): 1 track; SW Encyclopedia Vol. 4 (KICP 436): 1 track; **DO:** Spanien (Almería, Guadix), USA (New Mexico, New Orleans); **D:** Terence Hill, Henry Fonda, Jean Martin, Piero Lulli, Mark Mazza, Mario Brega, Franco Angrisano, Benito Stefanelli, Geoffrey Lewis, R.G. Armstrong, Antoine Saint John, Claus Schmidt, Ullrich Müller, Angelo Novi, Antonio Palombi; **I:** Berühmter Revolvermann stellt sich vor seiner Rückkehr nach Europa in einem fingierten Kampf einem jungen Niemand, der sich mit dem »Sieg« den Ruf des Westernhelden schafft. *Ein außergewöhnlich guter ironischer Schwanengesang auf den Italo-Western von Leone-Assistent Tonino Valerii mit einer Traumbesetzung und einem super Score von Ennio Morricone.*

Il mio nome è Scopone e faccio sempre cappotto (1972) DT: Fäuste wie Dynamit; **ET:** Dallas; **IT:** Il mio nome è Scopone e faccio sempre cappotto; **ST:** Dallas; **FT:** Dallas; **HL:** Italien/Spanien (P.E.A. – Produzioni Europee Associate di Grimaldi Maria Rosaria e C. – Napoli/P.C. Cine XX – Barcelona); **UA:** 27.6.75; **OL:** 85 (2340 m); **P:** Alberto Grimaldi, Alberto De Stefanis; **R:** Juan Bosch; **B:** Juan Bosch, Renato Izzo; **K:** Julio Pérez De Rozas (Panoramico – Technicolor); **M:** Marcello Giombini; **DO:** Spanien (Fraga, Esplugas de Llobregat), Italien; **D:** Anthony Steffen, Fernando Sancho, Gillian Hills, Ricardo Palacios, Sergio Dore, Attilio Severini, Gaspar Gonzales, Furio Meniconi, Ricardo Moyan, Juan M. Solano, Juan Torres, Robert Hundar; **I:** Der Verbrecher Jake möchte seinen Colt an den Nagel hängen und sich in Dallas niederlassen. Leider taucht dort kurz darauf ein schwarz gekleideter Kopfgeldjäger auf, der ihm das Leben schwer macht.

Il mio nome è Nessuno

615

Il mio nome è Shanghai Joe (1973) DT: Der Mann mit der Kugelpeitsche/Karate Jack – ich bin der Richter/Mein Name ist Karate-Jack/Knochenbrecher im Wilden Westen/Karate Jack/Shanghai Joe, der Mann mit der Kugelpeitsche; ET: Fighting fists of Shanghai Joe; IT: Il mio nome è Shangai Joe; ST: Mi nombre es Shanghai Joe; FT: Shangaï Joe; HL: Italien (C.B.A. Produttori e Distributori Associati – Rom/Compagnia Cinematografica Champion); UA: 28.12.73; OL: 98 (2695 m); DEA: 11.1.74; DL: 95; FSK: 18; P: Renato Angiolini, Roberto Bessi; R: Mario Caiano; B: Mario Caiano, Fabrizio Trifone Trecca (I: Carlo Alberto Alfieri); K: Guglielmo Mancori (Techniscope – Technicolor); M: Bruno Nicolai; CD: Il mio nome è Shangai Joe/I giorni della violenza (GDM PRCD 123): 14 tracks; Spaghetti-Westerns Vol. 3 (DRG 32929): 1 track; DO: Spanien (Almería); D: Klaus Kinski, Chen Lee, Robert Hundar, Gordon Mitchell, Carla Romanelli, Carla Mancini, Giacomo Rossi Stuart, George Wang, Rick Boyd, Paco Sanz, Piero Lulli; I: Ein Chinese kämpft im Wilden Westen gegen ausbeuterische Rancher und ihre Schergen. *Dieser Durchschnittswestern gehört nicht zu den besten Werken Mario Caianos und ist höchstens wegen Klaus Kinski ansehbar.*

Il mio west (1998) ET: My west; IT: Il mio west; HL: Italien (Cecchi Gori Group/Tiger Cinematografica); OL: 105; P: Vittorio Cecchi Gori, Rita Cecchi Gori; R: Giovanni Veronesi; B: Giovanni Veronesi, Leonardo Pieraccioni (I: Vincento Pardini [»Jodo Cartamigli«]); K: José Luis Alcaine (Widescreen – Cinecitta Color); M: Pino Donaggio; S: »Everyone wants to be a Cowboy« – gesungen von Ziggy Marley & The Melody Makers & Wycleff; CD: Il mio west (Cecchi Gori Music CGM 493497-2): 16 tracks; DO: Italien (Toscana); D: Leonardo Pieraccioni, Harvey Keitel, David Bowie, Sandrine Holt, Alessia Marcuzzi, Jim Van Der Woude, Yudii Mercredi, Michelle Gomez, Kwame Kwei Armah, Stephen Jenn, Rosalind Knight, Jimmy Gardner, Jessica James; I: Ein berühmter Revolverheld kehrt in ein idyllisches kleines Städtchen zu seinem Sohn zurück und muss sich dort mit einem ebenfalls gerade eingetroffenen Bösewicht herumschlagen. *Relativ poetischer Spätwestern von Veronesi, der jedoch daran scheitert, gleichzeitig humorvoll sein zu wollen. Jedoch ein schöner Score von Pino Donaggio.*

Il momento di uccidere (1967) DT: Django – Ein Sarg voll Blut/Ein Sarg voller Blut; ET: The moment to kill; IT: Il momento di uccidere; ST: El momento de matar; FT: Le moment de tuer; HL: Italien/Deutschland (Euro International Films/P.C.E. – Produzioni Cinematografiche Europee/Terra Filmkunst – München/Berlin); UA: 4.8.68; OL: 92 (2538 m); DEA: 28.11.68; DL: 95; FSK: 18; P: Vico Pavoni; R: Giuliano Carnimeo; B: Tito Carpi, Francesco Scardamaglia, Bruno Leder (I: Tito Carpi, Enzo G. Castellari); K: Stelvio Massi (Techniscope – Technicolor); M: Francesco De Masi; S: »Walk by my side« – gesungen von Raoul; DO: Italien; D: George Hilton, Walter Barnes,

Horst Frank, Giorgio Sanmartino, Loni von Friedl, Renato Romano, Carlo Alighiero, Rudolf Schündler, Remo De Angelis, Ugo Adinolfi; I: Django und sein Helfer befreien eine Stadt von Banditen, die auf der Suche nach einem Goldschatz die Bevölkerung terrorisieren. *Unterhaltsamer Buddy-Western mit George Hilton und Walter Barnes auf der einen Seite und Horst Frank auf der anderen, inszeniert von Italo-Western-Profi Giuliano Carnimeo.*

Monta in sella figlio di ... (1971) ET: Great treasure hunt; IT: Monta in sella figlio di ...; ST: Repóker de bribones; FT: Cinq pour l'or de Los Quadros; HL: Italien/Spanien (Continental Films/Industrial Producine – Rom/Estudios Cinematográficos Roma – Madrid); UA: 7.2.72; OL: 94 (2584 m); P: Jesus Ramon Folgar, Tonino Ricci; R: Tonino Ricci; B: Tonino Ricci, Fabrizio Diotallevi (I: Jesús Ramon Folgar); K: Raul Artigot (Cinemascope – Eastmancolor); M: Luis Enríquez Bacalov; CD: Lo chiamavano King/Monta in sella figlio di .../Partirono preti, tornarono ... Curati! (Screen Trax CDST 332): 5 tracks; Spaghetti-Westerns Vol. 2 (DRG 32909): 4 tracks; D: Mark Damon, Rosalba Neri, Stelvio Rosi, Alfredo Mayo, Giancarlo Badessi, Luis Marin, José Luis Chinchilla, Adolfo Thous, Francisco Sanz; I: Dean Madison befreit seinen Bruder Sam aus dem Gefängnis und macht sich dann zusammen mit einem französischen Safeknacker-Duo und einem blinden Mexikaner auf nach Mexiko, um dort einem berüchtigten Schatz nachzujagen. *Fast nicht ansehbare Westernkomödie von Tonino Ricci, die auch die Musik von Luis Enríquez Bacalov nicht retten kann.*

La morte non conta i dollari (1967) DT: Der Tod zählt keine Dollar; ET: Death at Owell Rock; IT: La morte non conta i dollari; ST: La muerte no cuenta los dolares; FT: Quand l'heure de la vengeance sonnera; HL: Italien (Cinecidi); UA: 21.7.67; OL: 93 (2545 m); DEA: 30.5.69; DL: 87; FSK: 16; P: Enrico Cogliati Dezza; R: Riccardo Freda; B: Riccardo Freda (I: Giuseppe Masini); K: Gabor Pogany (Cromoscope – Eastmancolor); M: Nora Orlandi, Robby Poitevin; DO: Italien (Elios Film Studio Rom); D: Mark Damon, Stephen Forsyth, Luciana Gilli, Pamela Tudor, Giovanni Pazzafini, Pedro Sanchez, Spartaco Conversi, Hardy Reichelt, Mariella Palmich, Lydia Biondi, Aldo Cecconi; I: Sohn und Schwiegersohn eines Ermordeten rächen den Tod des Vaters und befreien die Stadt vom Terror einer Gangsterfamilie. *Unterhaltsamer, gut fotografierter Rachewestern von Italo-Western-Eintagsfliege Riccardo Freda.*

La morte sull'alta collina (1968) DT: Der Tod droben auf dem Hügel/Die Rechnung zahlt der Bounty-Killer/Death on a high hill; ET: Death on a high mountain; IT: La morte sull'alta collina; ST: Sin aliento; FT: Les pistoleros de l'Ouest; HL: Italien/Spanien (Concord Film – Rom/Coop. Copercines – Madrid); UA: 25.1.69; OL: 99 (2728 m); P: Bruno Turchetto, Eduardo Manzanos; R: Fernando Cerchio; B: José Mallorquí (I: Enzo Gicca Palli); K: Julio

Ortas (Normal – Eastmancolor); **M:** Luis Enríquez Bacalov; **CD:** La collera del vento; (Digitmovies CDDM 014): 6 tracks; Spaghetti-Westerns Vol. 2 (DRG 32909): 2 tracks; **D:** Peter Lee Lawrence, Luis Davila, Tano Cimarosa, Agnès Spaak, Antonio Gradoli, Giovanni Pazzafini, Jesus Guzman, Frank Braña, Giampiero Littera, Barbara Carrol; **I:** Loring Vandervelt wird in einen Banküberfall verwickelt und es gelingt ihm, zusammen mit einem mysteriösen Fremden, das Geld an sich zu nehmen. Doch da erregen die beiden die Aufmerksamkeit des Stadtbosses Braddock, der selber hinter den Überfällen steckt. *Durchschnittswestern von Routinier Fernando Cerchio mit dem in 17 Italo-Western vertretenen Peter Lee Lawrence alias Karl Hirenbach.*

La muerte busca un hombre (1970) ET: More dollars for the MacGregors; **IT:** Ancora dollari per i Mc Gregor; **ST:** La muerte busca un hombre; **FT:** Des dollars pour MacGregor; **HL:** Spanien/Italien (Orbita Films – Madrid/Prodimex Films – Rom); **UA:** 27.9.70; **OL:** 97 (2680 m); **P:** Ricardo Merino, Enrico Colombo; **R:** José Luis Merino; **B:** José Luis Merino, Enrico Colombo, Maria del Carmen Martinez Roman; **K:** Emanuele Di Cola (Techniscope – Eastmancolor); **M:** Augusto Martelli; **CD:** Spaghetti-Westerns Vol. 1 (DRG 32905): 1 track; **DO:** Spanien (Almería, Sesena); **D:** Peter Lee Lawrence, Stan Cooper (Stelvio Rosi), Malisa Longo, Carlos Quiney, Stefano Capriati, Vidal Molina, Maria Mahor, Enzo Fisichella, Renato Paracchi, Giancarlo Fantini, José Jaspe, Marta Monterrey, Luis Marin, Antonio Gimenez Escribano, Antonio Mayans; **I:** Ein Kopfgeldjäger und ein mysteriöser Blonder schließen sich zusammen, um die Bande des Verbrechers Ross Stewart zu jagen, die die Freundin des Kopfgeldjägers umgebracht hat.

Nato per uccidere (1967) ET: Born to kill; **IT:** Nato per uccidere; **ST:** Django macido para matar; **FT:** Né pour tuer; **HL:** Italien (I.M.E. – International Movie Enterprises – Rom); **UA:** 15.6.67; **OL:** 87 (2396 m); **P:** Franco Ortenzi; **R:** Antonio Mollica; **B:** Antonio Mollica; **K:** Oberdan Troiani (Techniscope – Technicolor); **M:** Felice Di Stefano; **D:** Gordon Mitchell, Femi Benussi, Aldo Berti, Franco Gula, Gualtiero Rispoli, Nino Musco, Giovanna Lenzi, Angela Portaluri, Tom Felleghy, Alfredo Rizzo, Fulvio Mingozzi, Enrico Canestrini, Fred Coplan, Vladimiro Picciafuochi, Ettore Manni, Claudio Ruffini; **I:** Scharfschütze Gordon hilft den bedrohten Farmern gegen den Terror des reichen Tyson. *Äußerst langatmiger Western von Antonio Mollica mit Muskelmann Gordon Mitchell in der Hauptrolle.*

Navajo Joe (1966) DT: An seinen Stiefeln klebte Blut/Navajo Joe/Kopfgeld: ein Dollar/Navajos Land/Burt Reynolds ist Navajo Joe/Red Fighter; **ET:** Navajo Joe; **IT:** Navajo Joe/Un dollaro a testa; **ST:** Joe, el implacable; **FT:** Navajo Joe; **HL:** Italien/Spanien (Dino De Laurentiis Cinematografica – Rom/C.B. Films – Madrid); **UA:** 25.11.66; **OL:**

91 (2515 m); **DEA:** 27.4.67; **DL:** 91; **FSK:** 18; **P:** Ermanno Donati, Luigi Carpentieri; **R:** Sergio Corbucci; **B:** Piero Regnoli, Fernando Di Leo (**I:** Ugo Pirro); **K:** Silvano Ippoliti (Techniscope – Technicolor); **M:** Ennio Morricone; **S:** »Navajo Joe« – gesungen von I Cantori Moderni; **CD:** Navajo Joe (Legend CD 21): 16 tracks; **DO:** Spanien (Almería, Guadix, Torremocha, El Atazar, Colmenar Viejo), Italien (Elios Film Studio Rom, Dino de Laurentiis Studio Rom); **D:** Burt Reynolds, Aldo Sambrell, Nicoletta Machiavelli, Simon Arriaga, Fernando Rey, Tanya Lopert, Chris Huerta, Franca Polesello, Peter Cross (Pierre Cressoy), Lucia Modugno, Angel Alvarez; **I:** Der letzte Überlebende eines ausgerotteten Navajo-Stammes rächt sein Volk und verteidigt die Einwohner eines Städtchens gegen eine Bande von Kopfgeldjägern und Räubern und tötet alle. *Sehr guter, harter und atmosphärisch dichter Action-Western von Sergio Corbucci mit einem Spitzenscore von Ennio Morricone.*

I nipoti di Zorro (1968) ET: Nephews of Zorro; **IT:** I nipoti di Zorro; **HL:** Italien (Flora Film/Variety Film); **UA:** 12.12.68; **OL:** 95 (2620 m); **P:** Leo Cevenini, Vittorio Martino; **R:** Marcello Ciorciolini; **B:** Marcello Ciorciolini, Roberto Gianviti, Vittorio Metz, Dino Verde; **K:** Tino Santoni (Techniscope – Technicolor); **M:** Piero Umiliani; **S:** »Zorro« – Dean Reed; **D:** Franco Franchi, Ciccio Ingrassia, Dean Reed, Agata Flori, Pedro Sanchez, Ivano Staccioli, Mario Maranzana, Franco Fantasia, Enzo Andronico, Carlo Taranto; **I:** Francio und Ciccio sind in Kali-

617

Navajo Joe

fornien auf Goldsuche, wo sie Zorro und seinen Nachfolger gegen die Tyrannei von Don Diego bekämpfen helfen. *Ein weiterer Franco & Ciccio-Westernkomödienspaß von Marcello Ciorciolini.*

Non aspettare, Django, spara! (1967) DT: Django – Dein Henker wartet; ET: Don't wait, Django ... shoot!; IT: Non aspettare, Django, spara!; FT: Django le justicier; HL: Italien (International Production – Roma/Marina di Belvedere Marittimo CS); UA: 2.12.67; OL: 87 (2385 m); DEA: 11.4.69; DL: 88; FSK: 16; P: Vincenzo Musolino; R: Edoardo Mulargia; B: Vincenzo Musolino; K: Vitaliano Natalucci (Techniscope – Technicolor); M: Felice Di Stefano; DO: Italien; D: Sean Todd (Ivan Rassimov), Pedro Sanchez, Rada Rassimov, Alfredo Rizzo, Gina Buzzanca, Marisa Traversi, Bill Jackson (Gino Buzzanca), Franco Pesce, Celso Faria, Giovanni Sabbatini, Armando Guarnieri, Ivan Giovanni Scratuglia, Vincenzo Musolino, Cesar Ojinaga; I: Grimmiger Westmann mit dem Namen Django rächt den Tod seines Vaters durch kaltblütiges Abknallen mehrerer Verbrecherbanden. *Unterhaltsamer harter Action-Western von Genre-Profi Edoardo Mulargia.*

◇ **La notte dei serpenti (1969)** ET: The night of the serpent; IT: La notte dei serpenti; FT: Un tueur nommé Luke; HL: Italien (Madison Cinematografica/Ascot-Cineraid); UA: 23.12.69; OL: 98 (2700 m); P: Gianni Minervini, Franco Clementi; R: Giulio Petroni; B: Fulvio Gicca Palli, Enzo Gicca Palli, Giulio Petroni (I: Enzo Gicca Palli); K: Mario Vulpiani, Silvio Fraschetti (Techniscope – Technicolor); M: Riz Ortolani; CD: Spaghetti-Westerns Vol. 1 (DRG 32905): 6 tracks; DO: Italien (Elios Film Studio Rom), Spanien; D: Luke Askew, Luigi Pistilli, Magda Konopka, Chelo Alonso, William Bogard (Guglielmo Spoletini), Franco Balducci, Giancarlo Badessi, Monica Miguel, Benito Stefanelli, Liliana Pavlovic; I: In einer korrupten, kleinen Stadt im Westen wollen alle den kleinen Manuel umbringen, um an die $ 10.000 zu kommen, die dieser von seinem Vater geerbt hat. Am Ende töten sich die gierigen Stadtbewohner gegenseitig und ein Revolverheld

rettet den Kleinen. *Guter jedoch nahezu unbekannter Giulio-Petroni-Western mit einem raren Genreauftritt von Luke Askew.*

◇ **Una nuvola di polvere ... un grido di morte ... arriva Sartana (1970)** DT: Sartana kommt/Arriva – Sartana kommt/Sartana – schwarzer Rächer des Todes; ET: Light the fuse ... Sartana is coming; IT: Una nuvola di polvere ... un grido di morte ... arriva Sartana; ST: Llega Sartana; FT: Une trainée de poudre, les pistoleros arrivent!; HL: Italien/Spanien (Devon FilmvRom/Coop. Copercines – Madrid); UA: 24.12.70; OL: 99 (2710 m); DEA: 23.4.71; DL: 96; FSK: 18; P: Eduardo Manzanos, Luciano Martino; R: Giuliano Carnimeo; B: Eduardo M. Brochero, Ernesto Gastaldi, Tito Carpi (I: Eduardo Maria Brochero); K: Julio Ortas (Techniscope – Eastmancolor); M: Bruno Nicolai; DO: Spanien (Colmenar Viejo), Italien (Elios Film Studio Rom); D: Gianni Garko, Susan Scott (Nieves Navarro), Massimo Serato, Bruno Corazzari, Piero Lulli, José Jaspe, Franco Pesce, Renato Baldini, Luis Induñi, Sal Borgese, Clay Slegger, Francisco Braña, Giuseppe Castellano, Mara Krupp; I: Auseinandersetzung um vermeintlich goldhaltiges Land, die ein gerissener Gauner namens Sartana unter Zurücklassung zahlreicher Leichen für sich entscheidet. *Sehr gut gelungener dritter Teil der »echten« Sartana-Reihe mit Gianni Garko und einem großartigen Score von Bruno Nicolai.*

Non aspettare, Django, spara!

O'Cangaçeiro (1969) DT: Viva Cangaceiro; ET: Viva Cangaceiro; IT: O' Cangaçeiro; ST: O cangaçeiro; FT: O'Cangaceiro/Le cancaceiro; HL: Italien/Spanien (Tritone Filmindustria Roma/Medusa Distribuzione – Rom/Producciónes Cinematográficas D.I.A. – Madrid); UA: 23.12.69; OL: 102 (2806 m); DEA: 23.6.70; DL: 104; FSK: 16; R: Giovanni Fago; B: Bernardino Zapponi, José Luis Jerez (I: Antonio Troiso, Giovanni Fago); K: Alejandro Ulloa (Technicope – Technicolor); M: Riz Ortolani; S: »Mulhe rendera«, »Vou Caminhando«; D: Tomás Milian, Ugo Pagliai, Eduardo Fajardo, Howard Ross, Alfredo Santa Cruz, Quinto Gambi, Mario Gusmao, Aldo Gasparri, José Carlos Farias, Bob Leo, Leo Anchoriz; I: Beim Überfall durch Regierungstruppen davongekommener Cangaçeiro lässt sich mit seiner Bande zur Zusammenarbeit mit der Regierung überreden, tötet die gegnerischen Cangaçeiros und als er merkt, dass er betrogen wurde, auch den Gouverneur. *Äußerst gelungenes Revolutionsabenteuer, welches zwar in Brasilien spielt, jedoch dem Italo-Western trotzdem nahe steht.*

O tutto o niente (1968) DT: Man nannte ihn Amen (geplanter Kinotitel); ET: Either all or none; IT: O tutto o niente; HL: Italien (Selenia Cinematografica); P: Aldo Ricci; R: Guido Zurli; B: Renato Izzo, Franco Bucceri, Guido Zurli (I: Renato Izzo, Franco Bucceri); K: Guglielmo Mancori (Normal – Color); M: Gino Peguri; S: »Song of the Cowboy« – gesungen von Peter Boom; D: Akim Tamiroff, George Ardisson, Isarco Ravaioli, Lorenza Guerrieri, Paolo Carlini, Attilio Severini, Calisto Calisti, Fred Coplan, Giorgio Viviani, Gipo Leone, Giovanni Ivan Scratuglia; I: Der gesuchte Pistolero Amen sucht im Auftrag eines Pinkerton-Detektivs nach geraubtem Gold für einen Anteil von zehn Prozent. *Sehr seltener und gleichzeitig bester Italo-Western von Guido Zurli.*

Ocaso de un pistolero (1965) DT: Blei ist sein Lohn/Texas Jack; ET: Hands of a gunman; IT: Mani di pistolero; ST: Ocaso de un pistolero; FT: Dans les mains du pistolero; HL: Spanien/Italien (Coop. Astro – Madrid/P.E.A. – Produzioni Europee Associate di Grimaldi Maria Rosaria e C. – Napoli); UA: 12.9.65; OL: 100 (2750 m); DEA: 24.5.68; DL: 77; FSK: 18; P: Ricardo Sanz; R: Rafael Romero Marchent; B: Joaquín Luis Romero Marchent; K: Fausto Zuccoli, Miguel F. Mila (Totalscope – Eastmancolor); M: Angelo Francesco Lavagnino; D: Craig Hill, Gloria Milland, Piero Lulli, Ralph Baldwin (Raf Baldassarre), Paco Sanz, Carlos R. Marchent, Jesus Puente, John Bartha, José Guardiola, Hugo Blanco, Lorenzo Robledo, Jesus Guzman; I: Ehemalig steckbrieflich Gesuchter, der unter anderem Namen ein friedliches Leben führt, wird von einem mordenden Brüdertrio aus seiner Reserve gelockt und geht zugrunde, als er von einem Sheriff gesetzwidrig die Herausgabe seines Pflegesohnes verlangt. *Durchschnittlicher Western von Rafael Romero Marchent mit Craig Hill in der Titelrolle.*

O' Cangaçeiro

Occhio alla penna (1980) DT: Eine Faust geht nach Westen; ET: Buddy goes west; IT: Occhio alla penna; ST: Dos granujas en el oeste; FT: On m'appelle Malabar; HL: Italien/ Deutschland (Alex Cinematografica – Rom/Rialto Film – Berlin); UA: 6.3. 81; OL: 97 (2669 m); DEA: 14.5.81; DL: 93; FSK: 6; P: Horst Wendlandt; R: Michele Lupo; B: Sergio Donati, Gene Luotto (I: Sergio Donati); K: Francesco Di Giacomo (Cinemascope – Eastmancolor); M: Ennio Morricone; CD: Ennio Morricone Western Quintet (DRG 32907): 15 tracks; Eine Faust geht nach Westen (Alhambra A 8916): 15 tracks; Spaghetti-Westerns Vol. 1 (DRG 32905): 1 track; DO: Spanien (Almería, Guadix); D: Bud Spencer, Amidou, Joe Bugner, Riccardo Pizzuti, Carlo Reali, Sara Franchetti, Piero Trombetta, Andrea Heuer, Renato Scarpa, Marilda Dona, Pino Patti, Tom Felleghy, Romano Puppo; I: Ein Abenteuer bewährt sich mit Hilfe seines indianischen Freundes in einem Westernstädtchen als vermeintlicher Wunderdoktor sowie als schlagkräftiger Kämpfer gegen eine Bande und einen zwielichtigen Sheriff. *Eine der letzten unterhaltsamen Western-Komödien mit Bud Spencer dank des routinierten Regisseurs Michele Lupo und der guten Musik von Ennio Morricone.*

○ **Odia il prossimo tuo (1968)** DT: Hasse Deinen Nächsten; ET: Hate thy neighbor; IT: Odia il prossimo tuo; FT: Le salaire de la haine; HL: Italien (Cinecidi); UA: 26.7.68; OL: 88 (2422 m); DEA: 5.4.2005 (Tele 5); DL: 86; P: Enrico Cogliati Dezza; R: Ferdinando Baldi; B: Ferdinando Baldi, Luigi Angelo, Roberto Natale; K: Enzo Serafin

Ocaso de un pistolero

(Normal – Eastmancolor); **M:** Robby Poitevin; **D:** George Eastman, Clyde Gardner (Spiros Focas), Nicoletta Machiavelli, Horst Frank, Roberto Risso, Paolo Magalotti, Franco Fantasia, Claudio Castellani, Ivan Scratuglia, Remo De Angelis; **I:** Ken Dakota ist auf der Suche nach Gary Stevens, der seinen Bruder Bill ermordet hat, und dessen Komplizen Chris Malone, um beiden den Garaus zu machen. *Ansehbarer Rachewestern von Ferdinando Baldi.*

L'odio è il mio Dio (1968) DT: Il Nero – Haß war sein Gebet; **ET:** The hatred of God; **IT:** L'odio è il mio Dio; **HL:** Italien/Deutschland (L.B. Film – Rom/Fono-Film – Berlin); **UA:** 28.5.69; **OL:** 110 (3022 m); **DEA:** 23.5.69; **DL:** 95; **FSK:** 18; **P:** Liliana Biancini, Werner Hauff; **R:** Claudio Gora; **B:** Vincenzo Cerami, Claudio Gora, Piero Anchisi; **K:** Luciano Trasatti (Normal – Eastmancolor); **M:** Pippo Franco; **S:** »L'americana« – gesungen von P. Franco; **D:** Tony Kendall, Carlo Giordana, Herbert Fleischmann, Marina Berti, Gunther Philipp, Alberto Pozilli, Venantino Venantini, Peter Dane, Ursula Davis (Pier Anna Quaglia), Gerardo Rossi; **I:** Westernheld rächt den Tod seines Bruders an drei Banditen, die vor Jahren seinen Bruder gehenkt haben und jetzt in der Stadt hohe Ämter bekleiden. *Ziemlich bizarrer und langatmiger Western von Italo-Western-Eintagsfliege Claudio Gora.*

Odio per odio (1967) DT: Die gnadenlosen Zwei; **ET:** Hate for hate; **IT:** Odio per odio; **ST:** Odio por odio; **FT:** Haine pour haine; **HL:** Italien (West Film); **UA:** 18.8.67; **OL:** 97 (2660 m); **DEA:** 12.7.68; **DL:** 90; **FSK:** 18; **P:** Italo Zingarelli; **R:** Domenico Paolella; **B:** Mario Amendola, Bruno Corbucci, Fernando Di Leo, Domenico Paolella; **K:** Alejandro Ulloa, Giovanni Bergamini (Deltavision 70 – Eastmancolor); **M:** Willy Brezza; **DO:** Spanien (Fraga, Esplugas de Llobregat), Italien (Elios Film Studio Rom); **D:** Antonio Sabàto, John Ireland, Piero Vida, Nadia Marconi, Fernando Sancho, Mirko Ellis, Gloria Milland, Gianni Di Benedetto, Antonio Iranzo, Alda Gallotti, Luigi Perelli; **I:** Junger amerikanischer Goldsucher hilft einem alternden Bankräuber gegen dessen verräterischen Kom-

plizen. *Unterhaltsames Italo-Western-Drama von Domenico Paolella mit glänzender Besetzung.*

Oeste Nevada Joe (1964) DT: Nevada Joe; **ET:** Joe Dexter; **IT:** La sfida degli implacabili; **ST:** Oeste Nevada Joe; **FT:** Le défi des implacables; **HL:** Spanien/Italien (I.F.I. España – Barcelona/Cineproduzioni Associate); **UA:** 4.6.65; **OL:** 89 (2450 m); **DEA:** 30.12.65; **DL:** 92; **FSK:** 16; **P:** Ignacio F. Iquino; **R:** Ignacio F. Iquino; **B:** Ignacio F. Iquino, Alberto Colucci (**I:** Miguel María Astrain); **K:** Giuseppe La Torre (Technicope – Eastmancolor); **M:** Enrique Escobar; **D:** George Martin, Audrey Amber (Adriana Ambesi), Katia Loritz, John McDouglas (Giuseppe Addobbati), Stan Bart (Angel Lombarte), Miguel de la Riva, Ramon Corroto, Manuel Simon, Cesar Ojinaga, José Manuel Pinillos, Antonio Iranzo, Gaspar Gonzales, Tomas Sancho, Eduardo Lizarraga; **I:** Ein Revolverheld befreit eine Goldgräberstadt vom Banditenterror. *Relativ schwacher Western von Ignacio F. Iquino.*

Oggi a me ... domani a te (1967) DT: Heute ich – Morgen du/Stoßgebet für einen Hammer/Der Dicke ist nicht zu bremsen; **ET:** Today it's me ... Tomorrow Your; **IT:** Oggi a me ... domani a te; **ST:** Ojo por ojo; **FT:** Cinq gachettes d'or; **HL:** Italien (P.A.C. – Produzioni Atlas Cinematografica – Milano/Splendid Film); **UA:** 28.3.68; **OL:** 93 (2568 m); **DEA:** 19.11.68; **DL:** 95; **FSK:** 18; **P:** Lucio Trentini; **R:** Tonino Cervi; **B:** Dario Argento, Tonino Cervi; **K:** Sergio D'Offizi (Panoramico – Eastmancolor); **M:** Angelo Francesco Lavagnino; **CD:** Gli specialisti (EVB): 5 tracks; **DO:** Italien (Elios Film Studio Rom); **D:** Brett Halsey, Bud Spencer, William Berger, Wayde Preston, Tatsuya Nakadai, Jeff Cameron, Stanley Gordon, Diana Madigan (Dana Ghia), Doro Corrà, Michele Borelli, Umberto Di Grazia; **I:** Nachdem er fünf Jahre unschuldig im Gefängnis gesessen hat, nimmt ein junger Mann furchtbare Rache an dem Mann, der ihn hinter Gitter gebracht hat. *Ausgezeichneter Rachewestern von Tonino Cervi mit einer tollen Besetzung, an dessen Drehbuch auch der Giallo-Meister Dario Argento mitgewirkt hat.*

Ognuno per sé (1967) DT: Das Gold von Sam Cooper/Jeder für sich/Sam Coopers Gold; **ET:** The Ruthless Four/Each man for himself/The goldseekers; **IT:** Ognuno per sé; **ST:** Los profesionales del oro; **FT:** Chacun pour soi; **HL:** Italien/Deutschland (Produzioni Cinematografiche Mediterranee – P.C.M. – Rom/Eichberg Film – München); **UA:** 9.2.68; **OL:** 110 (3024 m); **DEA:** 6.8.68; **DL:** 106; **FSK:** 12; **P:** Alberto Pugliese, Luciano Ercoli; **R:** Giorgio Capitani; **B:** Fernando Di Leo, Augusto Caminito; **K:** Sergio D'Offizi (Technicope – Technicolor); **M:** Carlo Rustichelli; **DO:** Spanien (Almería, Fraga); **D:** Van Heflin, Gilbert Roland, Klaus Kinski, George Hilton, Sarah Ross, Rick Boyd, Sergio Doria, Ivan G. Scratuglia, Giorgio Gruden, Harry Reichelt; **I:** Ein älterer Mann braucht zur Bergung eines Goldfundes einige Helfer; bald wird die Habgier der Einzelnen stärker als jede Partnerschaft. Am Ende finden die Helfer den Tod und der Mann kehrt steinreich und allein zurück. *Eine äußerst gelungene Italo-Western-Variation von John Hustons »The treasure of Sierra Madre« mit hervorragender Besetzung und einem überdurchschnittlichen Carlo-Rustichelli-Score.*

Okay sceriffo (1965) ET: Okay sheriff; **IT:** Okay sceriffo; **HL:** Italien (Onda Film); **P:** Angio Zane; **R:** Angio Zane; **B:** Mike Douglas, Ignazio Colnaghi, Angio Zane; **K:** Diego Fiume (Normal – B/W); **M:** Juan Falenito; **S:** »Va sceriffo« und »Corri cavallino«; **D:** Frank Senis, Bruno Salvatori, Gilles Toothless, Dario Cipani. **I:** Outlaws rund um eine Stadt, der Sheriff handelt mit List statt mit Waffen, und die Machart ist eher amerikanisch als italienisch.

Oremus, Alleluia e Così Sia (1972) ET: They Still Call Me Amen; **IT:** Oremus, Alleluja e Così Sia (Mamma mia è arrivato Così Sia); **ST:** Adios rogando y con los puños dando; **FT:** On nous appelle les enfants de Trinita; **HL:** Italien (Italian International Film); **UA:** 24.12.73; **OL:** 109 (3010 m); **P:** Fulvio Lucisano, Gastone Carsetti; **R:** Alfio Caltabiano; **B:** Alfio Caltabiano, Alessandro Continenza; **K:** Guglielmo Mancori (Cinemascope – Eastmancolor); **M:** Gianni Ferrio; **D:** Luc Merenda, Sydne Rome, Alf Thunder (Alfio Caltabiano), Tano Cimarosa, Katia Christine, Flavio Colombaioni, Furio Meniconi, Roberto Dell'Acqua, Dante Maggio, Andrea Scotti, Luigi Antonio Guerra, Roberto De Angeli; **I:** Die drei Freunde Così Sia, Oremus und Chaco treffen wieder einmal aufeinander während des Versuches, sich des Inhalts eines Banktresors zu bemächtigen. *Schwacher »Così sia«-Nachfolgefilm von Alfio Caltabiano.*

L'oro dei Bravados (1970) ET: Gold of the heroes; **IT:** L'oro dei Bravados; **ST:** Chapaqua; **FT:** Chapaqua; **HL:** Italien/Frankreich (Copro Film – Rom/Capitole Films – Paris); **UA:** 8.10.70; **OL:** 98 (2700 m); **P:** Luigi Nannerini; **R:** Giancarlo Romitelli; **B:** Renato Savino; **K:** Riccardo Pallottini (Techniscope – Technicolor); **M:** Luis Enríquez Bacalov; **CD:** La più grande rapina del West/L'oro dei bravados (GDM 2008): 9 tracks; The Italian Western of Luis

Bacalov (VCDS 7014): 4 tracks; Spaghetti-Westerns Vol. 2 (DRG 32909): 1 track; Spaghetti-Westerns Vol. 3 (DRG 32929): 1 track; **DO:** Italien (Elios Film Studio Rom); **D:** George Ardisson, Boby La Pointe, Linda Veras, Marco Zuanelli, Piero Lulli, Rik Battaglia, Rick Boyd, Umberto Di Grazia, Paolo Magalotti, Osiride Peverello, Lucio Zarini, Pasquale Basile, Jack Vitry, Jean Pierre Jumez; **I:** Die beiden Kumpel Chapagua und Jack Garrison sind beide getrennt auf der Suche nach einem Goldschatz der Armee, jeder der beiden weiß jedoch nur einen Teil des Weges zum Schatz. Auch die hübsche Moira und ein korrupter Offizier sind hinter dem Gold her. *Durchschnittswestern von Renato Savino mit einem akzeptablen Score von Luis Enriquez Bacalov.*

Padella calibro 38 (1971) DT: Bratpfanne Kaliber 38/2 Teufelskerle gegen alle/Blaue Bohnen zum Dessert/Zum Nachtisch blaue Bohnen; **ET:** Panhandle calibre 38; **IT:** Padella calibro 38/ ... e alla fine lo chiamarono Jerusalem l'implacabile; **ST:** Sarten calibre 38; **HL:** Italien (Cinegai); **UA:** 1.9.72; **OL:** 93 (2560 m); **DEA:** 8.2.72; **DL:** 90; **FSK:** 12; **P:** Ottavio Oppo; **R:** Antonio Secchi; **B:** Mario Amendola, Massimo Franciosa, Luisa Montagnana, Antonio Secchi (**I:** Mario Amendola); **K:** Giorgio Regis (Techniscope – Eastmancolor); **M:** Franco Micalizzi; **S:** »Spring is in the air« – gesungen von David King; **DO:** Italien (Elios Film Studio Rom); **D:** Scott Holden, Delia Boccardo, Alberto Dell'Acqua, Keenan Wynn, Mimmo Palmara, Ray O'Connor (Remo Capitani), Carla Mancini, Philippe Leroy, Nello Pazzafini, Riccardo Donzelli, Giorgio Trestini, Franco Fabrizi; **I:** Alter Haudegen und sein in der Klosterschule erzogener Sohn überbringen eine Ladung Gold

Oggi a me ... domani a te

Ognuno per sé

und müssen sich mit verschiedenen Konkurrenten herumschlagen. *Unterhaltsame und ideenreiche Westernkomödie von Antonio Secchi.*

Pagó cara su muerte (1968) ET: Death knows no time; IT: ... e intorno a lui fu morte; ST: Pagó cara su muerte; FT: Autour de lui que des cadavres; HL: Spanien/Italien (Estela Films – Madrid/Nike Cinematografica – Napoli); UA: 5.3.69; OL: 103 (2823 m); P: Eduardo Manzanos, Luigi Mondello; R: León Klimovsky; B: Odoardo Fiory (I: Miguel Cussò); K: Emilio Foriscot (Panoramico – Eastmancolor); M: Carlo Savina; DO: Spanien (Colmenar Viejo); D: William Bogard (Guglielmo Spoletini), Wayde Preston, Anges Spaak, Sidney Chaplin, Eduardo Fajardo, Fernando Sanchez Polack, Pilar Cansino, Miguel Del Castillo, Luis De Tejada, Alberto Gadea, Jaime De Pedro, Juan Fairen, Fabrizio Mondello, Alfonso De La Vega, Antonio Pica; I: Ein namenloser Kopfgeldjäger ist auf der Suche nach dem berüchtigten Cactus Kid. Er findet ihn nicht und lässt sich in einem kleinen Grenzstädtchen nieder, das er von mexikanischen Banditen befreit.

Un par de asesinos (1970) DT: ... und Santana tötet sie alle/ ...und Sartana tötet sie alle; ET: Sartana kills them all; IT: Lo irritarono ... e Santana fece piazza pulita; ST: Un par de asesinos; FT: Sabata les tua tous; HL: Spanien/Italien (Producciónes Cinematográficas D.I.A. – Madrid/Tritone Filmindustria – Roma); UA: 11.9. 70; OL: 90 (2470 m); DEA: 9.7.71; DL: 82; FSK: 18; P: Norberto Soliño; R: Rafael Romero Marchent; B: Joaquín Luis Romero Marchent, Santiago Moncada, Mario Alabiso (I: Joaquin Romero Marchent, Santiago Moncada); K: Guglielmo Mancori (Techniscope – Technicolor); M: Marcello Giombini; DO: Spanien (Almería, Manzanares el Real, Titulcia), Italien; D: Gianni Garko, William Bogard (Guglielmo Spoletini), Cristina Josani, Maria Silva, Raf Baldassarre, Luis Induñi, Andres Mejuto, Carlos Bravo, Carlos Romero Marchent, Chris Huerta, Jesus Guzman, Francisco Sanz; I: Um geraubte 100.000 Dollar geprelltes Killerduo tötet bei der Suche nach dem Geld skrupellos jeden vermeintlichen Rivalen. *Harter sadistischer Italo-Western von Rafael Romero Marchent.*

La parola di un fuorilegge ... è legge! (1975) DT: Einen vor den Latz geknallt/Tote brauchen keine Dollars/Der schwarze Cowboy; ET: Take a hard ride; IT: La parola di un fuorilegge ... è legge!; ST: Por la senda mas dura; FT: La chevauchée terrible; HL: Italien/USA (Servizio di Produzione Euro – Rom/General Production Company – Hollywood); UA: 3.10.75; OL: 102 (2798 m); DEA: 31.10.75; DL: 93; FSK: 16; P: Harry Bernsen; R: Antonio Margheriti; B: Eric Bercovici, Jerry Ludwig; K: Riccardo Pallottini (Panoramico – Eastmancolor); M: Jerry Goldsmith; CD: Take a hard ride (FSM Vol. 3 No. 1): 19 tracks; DO: Spanien (Gran Canaria, Westerstadt Sioux City); D: Lee Van Cleef, Jim Brown, Fred Williamson, Catherine Spaak, Jim Kelly, Dana Andrews, Barry Sullivan, Harry

Carey Jr., Robert Donner, Charles Mc Gregor, Leonard Smith, Ronald Howard, Ricardo Palacios, Robin Levitt; I: Ein schwarzer Cowboy macht zahlreichen Galgenvögeln, die es auf sein Geld abgesehen haben, erbarmungslos den Garaus. *Unterhaltsame Mischung aus Italo-Western und Blaxploitation-Film mit einem Hollywood-mäßigen Score von Jerry Goldsmith.*

Partirono preti, tornarono ... curati (1972) ET: Halleluja to Vera Cruz; IT: Partirono preti, tornarono ... curati; ST: Halleluja to Vera Cruz; HL: Italien (C.I.P.D.I. Cinematografica); UA: 2.3.73; OL: 102 (2805 m); P: Bianco Manini; R: Stelvio Massi, Bianco Manini; B: Bianco Manini (I: Ofelia Minaldi); K: Carlo Carlini (Cinemascope – Eastmancolor); M: Luis Enríquez Bacalov; S: »Blue eggs and ham«; CD: Lo chiamavano King/Monta in sella figlio di .../Partirono preti, tornarono ... Curati! (Screen Trax CDST 332): 9 tracks; Spaghetti-Westerns Vol. 2 (DRG 32909): 3 tracks; DO: Italien (Elios Film Studio Rom); D: Lionel Stander, Ricardo Salvino, Giampiero Albertini, Jean Louis, Clara Hopf, Camillo Milli, Rick Boyd, Giancarlo Badessi, Tom Felleghi, Sergio Serafini; I: Die zwei falschen Priester Sam und John werden vor ihrer Festnahme von Miguel und seiner Guerilla-Bande freigeboxt, um ihm bei der Erbeutung eines Goldschatzes in Vera Cruz zu helfen. Die beiden machen sich davon und allein auf die Suche nach dem Schatz. *Unterhaltsame Westernkomödie von Massi/Manini mit einem unglaublich witzigen Lionel Stander.*

Passa Sartana, è l'ombra della tua morte (1968) DT: Sartana – Im Schatten des Todes; ET: Shadow of Sartana ... shadow of your death; IT: Passa Sartana, è l'ombra della tua morte; FT: Sartana, l'ombre de la mort; HL: Italien (Tarquinia Internazionale Cinematografica); UA: 15.2.69; OL: 87 (2400 m); DEA: 21.1.2000 (Kabel 1); DL: 82; P: Maria Rosa Valenza; R: Demofilo Fidani, Giovanni Simonelli; B: Demofilo Fidani; K: Franco Villa (Normal

COLUMBIA FILM zeigt
JOHNNY GARKO
WILLIAM BOGARD
....UND
SANTANA
TÖTET
SIE ALLE

Un par de asesinos

622

– Eastmancolor); **M:** Lallo Gori; **DO:** Italien; **D:** Jeff Cameron, Dennys Colt, Simone Blondell, Dino Strano, Frank Fargas, Elisabetta Fanti, Mariella Palmich, Miles Deem (Demofilo Fidani), Luciano Conti, Franco Licastro; **I:** Der Sheriff von Dodge City heuert den Gesetzlosen Sartana an, der ihm dabei helfen soll, in dieser Stadt wieder für Recht und Ordnung zu sorgen. *Dritter und gleichzeitig einer der schwächsten Demofilo-Fidani-Western.*

La pazienza ha un limite ... noi no! (1974) ET: Patience has a limit, we don't; **IT:** La pazienza ha un limite ...noi no!; **ST:** Caray, qué palizaz!; **HL:** Italien/Spanien (Panther Film – Rom/Ancla Century Films – Madrid); **UA:** 27.9.74; **OL:** 95 (2620 m); **P:** Armando Morandi, Francesco Campitelli; **R:** Franco Ciferri; **B:** Amando De Ossorio, Fabio Carboni, Armando Morandi (**I:** Fabio Carboni, Armando Morandi); **K:** Alessandro Cariello, Miguel F. Mila (Techniscope – Technicolor); **M:** Leonerbert; **S:** »The ballad of Bill and Duke«, »The march of the scared« – gesungen von Ed Tapton; **DO:** Spanien (Colmenar Viejo), Italien (Manziana); **D:** Peter Martell, Sal Borgese, Rita Di Lernia, Pepe Ruiz, Ray Nolan (Ramon Lozano), Marisa Medina, Luciano De Ritis, Bruno Boschetti, Carla Mancini, Luigi Antonio Guerra, José Luis Chinchilla, Armando Morandi, Francisco Nieto; **I:** McDonald ist nach 20 Jahren immer noch Lieutenant in der Unions-Armee, da er keine Beförderung erhält, bis nicht eine gestohlene 20.000$-Goldlieferung wieder gefunden wird. *Unglaublich schwacher Versuch einer Westernkomödie auf den Spuren der »Trinity«-Filme von Franco Ciferri.*

Pecos è qui: prega e muori (1967) DT: Johnny Madoc rechnet ab; **ET:** Pecos cleans up; **IT:** Pecos è qui: prega e muori; **FT:** Pecos, tire ou meurs; **HL:** Italien (Italcine T.V.); **UA:** 23.3.67; **OL:** 103 (2831 m); **DEA:** 8.12.67; **DL:** 87; **FSK:** 16; **P:** Franco Palombi, Gabriele Silvestri; **R:** Maurizio Lucidi; **B:** Adriano Bolzoni, Augusto Caminito, Fernando Di Leo (**I:** Adriano Bolzoni); **K:** Franco Villa (Techniscope – Technicolor); **M:** Lallo Gori; **DO:** Italien; **D:** Robert Woods, Luciana Gilli, Erno Crisa, Pedro Sanchez, Umi Raho, Piero Vida, Carlo Gaddi, Simon Lafitte, Brigitte Winter, Mirella Pamphili; **I:** Zynischer Revolverheld kämpft, auf der Suche nach einem verborgenen Schatz, gegen eine brutale Banditenbande. *Wenig geglückte Fortsetzung des originalen Johnny Madoc (im Original »Pecos«)-Films.*

Per 100.000 dollari t'ammazzo (1967) DT: Django der Bastard; **ET:** For one hundred thousand dollars per killing/ Vengeance is mine; **IT:** Per 100.000 dollari t'ammazzo; **ST:** Tu cabeza por mil dolares; **FT:** Le jour de la haine; **HL:** Italien (Zenith Cinematografica/Flora Film); **UA:** 30.11.67; **OL:** 95 (2608 m); **DEA:** 19.4.68; **DL:** 95; **FSK:** 18; **P:** Mino Loy, Luciano Martino; **R:** Giovanni Fago; **B:** Ernesto Gastaldi (**I:** Sergio Martino); **K:** Federici Zanni (Cromoscope – Eastmancolor); **M:** Nora Orlandi; **CD:** Bonus-Soundtrack CD von »Django Italo Western Box«

(CAM 515329-2): 13 tracks; **DO:** Spanien (Almería), Italien; **D:** Gianni Garko, Carlo Gaddi, Claudio Camaso, Piero Lulli, Fernando Sancho, Claudie Lange, Bruno Corazzari, Susanna Martinkova, Jole Fierro; **I:** Django rächt sich an seinem Halbbruder, der ihn unschuldig ins Gefängnis brachte. *Sehr guter Erstlingswestern von Giovanni Fago mit einem hervorragenden Gianni Garko als Halbbruder von Claudio Camaso.*

Per il gusto di uccidere (1966) DT: Lanky Fellow – der einsame Rächer; **ET:** Taste for killing; **IT:** Per il gusto di uccidere; **ST:** Cazador de recompensas; **FT:** Lanky, l'homme à la carabine; **HL:** Italien/Spanien (Hercules Cinematografica – Rom/Films Montana – Madrid); **UA:** 6.8.66; **OL:** 102 (2800 m); **DEA:** 25.4.67; **DL:** 87; **FSK:** 16; **P:** Francesco Genesi, Vincenzo Genesi, Daniele Senatore; **R:** Tonino Valerii; **B:** Victor Auz (**I:** Tonino Valerii); **K:** Stelvio Massi (Cromoscope – Eastmancolor); **M:** Nico Fidenco; **S:** »The Yankee fellow« – gesungen von The Wilder Brothers; **CD:** Ringo il Texano/All'ombra di una colt/Per il gusto di uccidere/Dinamite Jim (RCA OST 129): 9 tracks; SW Encyclopedia Vol. 1 (KICP 433): 2 tracks; **DO:** Spanien (Almería); **D:** Craig Hill, George Martin, Peter Carter (Piero Lulli), Fernando Sancho, Franco Ressel, George Wang, Diana Martin, Graham Sooty (Franco Pesce), Rada Rassimov, José Marco; **I:** Revolvermann macht im Auftrag eines Bankiers zahlreiche Banditen unschädlich und setzt am Ende mit dem Mörder seines Bruders ab. *Spannender Erstlingswestern von Tonino Valerii, der sein Handwerk bei Sergio Leone lernte.*

Per mille dollari al giorno (1965) DT: Für 1000 Dollar pro Tag/Für 1000 Dollar am Tag; **ET:** For one thousand dollars per day; **IT:** Per mille dollari al giorno; **ST:** Por mil dólares al día; **FT:** Pour mille dollars par jour; **HL:** Italien/Spanien (Tirso Film – Rom/Petruka Films – Madrid); **UA:** 17.3.66; **OL:** 99 (2720 m); **DEA:** 19.1. 68; **DL:** 77; **FSK:** 16; **R:** Silvio Amadio; **B:** Silvio Amadio, Tito Carpi, Luciano Gregoretti; **K:** Mario Pacheco (Techniscope – Technicolor); **M:** Gino Peguri; **S:** »My gun is fast« – gesungen von Bobby Solo; **D:** Dick Palmer (Mimmo Palmara), Zachary Hatcher, José Calvo, Ruben Rojo, Mirko

Per 100.000 dollari t'ammazzo

Ellis, Manuel Gil, Anna Maria Pierangeli, Tom Felleghi, Enrique Avila, Corrado Annicelli, Maria Burgo; **I:** Junger Mann rächt den Mord an seinen Eltern, indem er alle Mitglieder der Gangsterfamilie tötet. *Durchschnittswestern von Silvio Amadio, der keinen weiteren Film in diesem Genre inszenierte.*

○ **Per pochi dollari ancora (1966) DT:** Tampeko/Tampeko – der Dollar hat zwei Seiten; **ET:** Fort Yuma gold; **IT:** Per pochi dollari ancora; **ST:** Un hombre del Sur; **FT:** Les trois cavaliers pour Fort Yuma; **HL:** Italien/Frankreich/Spanien (Fida Cinematografica – Rom/Productions Jacques Roitfeld – Paris/Epoca Films – Madrid); **UA:** 7.10.66; **OL:** 94 (2595 m); **DEA:** 25.7.67; **DL:** 94; **FSK:** 16; **P:** Edmondo Amati; **R:** Giorgio Ferroni; **B:** Augusto Finocchi, Massimiliano Capriccioli, Alessandro Continenza, Remigio Del Grosso, Leonardo Martin, Gilles Demoulin; **K:** Rafael Pacheco (Techniscope – Technicolor); **M:** Ennio Morricone, Gianni Ferrio; **CD:** SW Encyclopedia Vol. 2 (KICP 434): 2 tracks; **DO:** Spanien (Manzanares el Real, Colmenjar Viejo, Alcalá de Henares, Arganda); **D:** Giuliano Gemma, Dan Vadis, Angel Del Pozo, José Calvo, Andrea Bosic, Red Carter (Nello Pazzafini), Benny Reeves (Benito Stefanelli), Antonio Molino Rojo, Jacques Herlin, Men Fury (Furio Meniconi), Jacques Stany; **I:** Gefangener Südstaatenoffizier rettet im Auftrag der Nordstaatler seine Kameraden im Süden vor dem drohenden Untergang, in den sie deren Anführer treiben will, der um der persönlichen Bereicherung willen mit Banditen paktiert. *Spannender, eher den*

Pecos è qui: prega e muori

Per il gusto di uccidere

US-Western nachempfundener Action-Western von Giorgio Ferroni mit einem sehr guten Giuliano Gemma in der Hauptrolle.

Per qualche dollaro in meno (1966) DT: Irren ist tödlich; **ET:** For a few dollars less; **IT:** Per qualche dollaro in meno; **ST:** El bueno, el feo y el caradura; **HL:** Italien (Panda – Società per l'Industria Cinematografica); **UA:** 11.8. 66; **OL:** 96 (2630 m); **DEA:** 14.10.88 (DFF 1); **DL:** 85; **P:** Franco Palaggi; **R:** Mario Mattòli; **B:** Vittorio Vighi, Mario Guerra, Bruno Corbucci (**I:** Sergio Corbucci, Bruno Corbucci); **K:** Giuseppe Aquari (Cromoscope – Eastmancolor); **M:** Marcello Giombini; **D:** Lando Buzzanca, Elio Pandolfi, Gloria Paul, Lucia Modugno, Angela Luce, Luigi Pavese, Carlo Pisacane, Calisto Calisti, Valeria Ciangottini, Tony Renis, Pietro Tordi; **I:** Bankkassierer Bill erschrickt, als er merkt, dass seine Abrechnung nicht stimmt. Er sucht seinen Cousin General Frank auf, der ihm helfen soll, so schnell wie möglich das fehlende Geld aufzutreiben. Zusammen erleben sie einige wilde Abenteuer. *Unglaublich schwache Westernkomödie, von der man sich unbedingt fernhalten sollte.*

Per qualche dollaro in più (1965) DT: Für ein paar Dollar mehr; **ET:** For a few dollars more; **IT:** Per qualche dollaro in più; **ST:** La muerte tenía un precio; **FT:** Pour quelques dollars de plus; **HL:** Italien/Spanien/Deutschland (P.E.A. – Produzioni Europee Associate di Grimaldi Maria Rosaria e C. – Napoli/Arturo González P.C. – Madrid/Constantin Film – München); **UA:** 18.12.65; **OL:** 130 (3580 m); **DEA:** 25.3.66; **DL:** 121 (Kino), 130 (DVD); **FSK:** 16; **P:** Alberto Grimaldi; **R:** Sergio Leone; **B:** Luciano Vincenzoni, Sergio Leone (**I:** Sergio Leone, Fulvio Morsella); **K:** Massimo Dallamano (Techniscope – Technicolor); **M:** Ennio Morricone; **CD:** Per qualche dollaro in più (GDM 2038): 22 tracks; La trilogia del dollaro (RCA ND 74021): 7 tracks; **DO:** Spanien (Almería, Guadix, Hoyo de Manzanares, Manzanares el Real, Colmenar Viejo), Italien (Elios Film Studio Rom, Cinecittà Studios Rom); Madrid: Hoyo de Manzanares, Colmenar Viejo; Rom; **D:** Clint Eastwood, Lee Van Cleef, Gian Maria Volonté, Luigi Pistilli, Mario Brega, Antonio Molina Rojo, Klaus Kinski, Rosemary Dexter, Peter Lee Lawrence, Tomás Blanco,

Per pochi dollari ancora

Aldo Sambrell, Roberto Camardiel, Panos Papadopulos, Josef Egger; **I:** Ein ehemaliger Colonel überrumpelt für die ausgesetzte Prämie mit Hilfe eines zweiten Kopfgeldjägers eine Verbrecherbande im Südwesten der Vereinigten Staaten. *Einer der allerbesten Italo-Western von Regie-Genie Sergio Leone meisterhaft inszeniert und unterlegt mit Morricones außergewöhnlich gutem Score.*

Per un dollaro a Tucson si muore (1964) DT: Blutige Rache in Tucson; IT: Per un dollaro a Tucson si muore; **HL:** Italien (Nuovo Mondo Cinematografico – Milano); **DEA:** 11.12.98; **DL:** 78; **R:** Cesare Canevari; **B:** Cesare Canevari; **K:** C. Richardson (Normal – Eastmancolor); **M:** Armando Sciascia; **S:** »Per un dollaro a Tucson si muore« – gesungen von Vinicio Gori; **DO:** Italien; **D:** Ronny deMarc, Joco Turc, Gia Sandri, Georges Lycan, Maria Grazia Macescalchi, Benito Stefanelli, Petar Buntic, Cesare Canevari, A. Chiarollo, M. Cobol; **I:** Die vier Freunde Larry, Fred, Dick und Joe wollen nach Tucson, um sich dort zu amüsieren. Leider wird nichts daraus, denn die Stadt steht unter der Knute des bösen Bill Lester. Zusammen mit dem Kleinganoven Dan Darrock wollen sie den Stadtboss erledigen. *Amateurhaft schlechter erster Western von Cesare Canevari, der später mit »Matalo« von sich reden machte.*

Per un dollaro di gloria (1966) ET: Mutiny at Fort Sharp; **IT:** Per un dollaro di gloria; **ST:** El escuadrón de la muerte; **FT:** Pour un dollar de gloire; **HL:** Italien/Spanien (Filmes Cinematografica – Rom/Terra Film/Società Europea Cinematografica – S.E.C. – Rom/Coop. Fénix Films – Madrid); **UA:** 29.1.66; **OL:** 104 (2870 m); **R:** Fernando Cerchio; **B:** Ugo Liberatore, Fernando Cerchio (**I:** Jesus Navarro) **K:** Emilio Foriscot (Techniscope – Technicolor); **M:** Carlo Savina; **DO:** Spanien (Almería, Manzanares el Real, Colmenar Viejo, Hoyo de Manzanares, Algete); **D:** Broderick Crawford, Elisa Montes, Mario Valdemarin, Umberto Ceriani, Hugo Arden (Ugo Sasso), Julio Peña, Carlos Mendi, Tomas Pico, Nando Angelini; **I:** Im Jahr 1864 betreten französische Truppen irrtümlich das Gebiet der Konföderierten und werden gezwungen, sich den Rebellen anzuschließen und Fort Sharp gegen Indianer zu verteidigen. *Unterhaltsamer Kavalleriewestern von Fernando Cerchio mit einem melodiösen Score von Carlo Savina.*

Per un pugno di canzoni (1966) DT: Laß die Finger von der Puppe; **IT:** Per un pugno di canzoni; **ST:** Europa canta; **HL:** Italien/Spanien/Liechtenstein (Compagnia Generale Finanziaria Cinematografica – Rom/Coperfilm – Madrid/Euro Film – Vaduz); **DEA:** 9.9.66; **DL:** 85; **FSK:** 6; **P:** Carlo Infascelli, José Luis Lorente, Theo M. Werner, Gustav Gavrin; **R:** José Luis Merino; **B:** Carlo Veo, Mario Amendola, José Luis Merino (**I:** Carlo Infascelli); **K:** Fulvio Testi (Panoramico – Eastmancolor); **M:** Enrico Polito; **D:** Vivi Bach, Renzo Palmer, Gustavo Rojo, Ermelinda De Felice, Nino Vingelli, Eleonora Morana, Enrico Luzi, Ennio Antonelli, Bruno Scipioni, Ester Macioci, Mary Paz

Pondal, Luis Induni, Anna Maria Panaro, Carlo Cevoli; **I:** Ein Schallplattenfabrikant versucht mit Gewalt, die Jury eines Schlagerfestivals zu beeinflussen. *Ein Schlagerfilm im Gewand eines Italo-Western, in jedem Land mit anderen musikalischen Beiträgen.*

Per un pugno di dollari (1964) DT: Für eine Handvoll Dollar; ET: Fistful of dollars; **IT:** Per un pugno di dollari; **ST:** Por un puñado de dólares; **FT:** Pour une poignée de dollars; **HL:** Italien/Spanien/Deutschland (Jolly Film – Triest/Rom/Ocean Films – Madrid/Constantin Film – München); **UA:** 12.9.64; **OL:** 100 (2750 m); **DEA:** 5.3.65; **DL:** 93 (Kino), 100 (DVD); **FSK:** 16; **P:** Arrigo Colombo, Giorgio Papi; **R:** Sergio Leone; **B:** Sergio Leone, Duccio Tessari (**I:** Akira Kurosawa »Yojimbo«); **K:** Massimo Dallamano (Techniscope – Technicolor); **M:** Ennio Morricone; **CD:** A fistful of dollars (BMG DRC11543): 8 tracks; La trilogia del dollaro (RCA ND 74021): 7 tracks; Per un pugno di dollari (GDM 2066): 17 tracks; **DO:** Spanien (Almería, Hoyo de Manzanares, Aldea del Fresno); **D:** Clint Eastwood, Marianne Koch, Gian Maria Volonté, José Calvo, Wolfgang Lukschy, Sieghart Rupp, Daniel Martin, Benny Reeves (Benito Stefanelli), Carol Brown (Bruno Carotenuto), Aldo Sambrell, Mario Brega, Antonio Prieto, José Orjas, Raf Baldassarre, Antonio Molino Rojo, Richard Stuyvesant (Mario Brega); **I:** Ein Revolvermann spielt zwei Gangsterfamilien gegeneinander aus, um ein Grenzstädtchen im amerikanischen Südwesten vom Terror der gewissenlosen Räuber und Mörder zu befreien. *Dieser*

Per qualche dollaro in più

Geniestreich eines unglaublich talentierten Regisseurs, unterstützt von der unglaublich innovativen Musik Ennio Morricones, ist wohl der einflussreichste Italo-Western überhaupt.

Per un pugno nell'occhio (1964) ET: For a fist in the eye; IT: Per un pugno nell'occhio; ST: Dos caraduras en Texas; HL: Italien/Spanien (Ramofilm – Napoli/Copercines Cooperativa Cinematográfica – Madrid); UA: 14.4. 65; OL: 99 (2730 m); P: Roberto Amoroso; R: Michele Lupo; B: Roberto Gianviti, Amedeo Sollazzo (I: Roberto Amoroso); K: Julio Ortas, Alberto Fusi (Ramovision – Eastmancolor); M: Francesco De Masi; DO: Spanien (Madrid, Hoyo de Manzanares); D: Franco Franchi, Ciccio Ingrassia, Francisco Moran, Lina Rosales, Jesus Puente, Aurora Julia, Jesus Tordesillas, Carmen Esbri, Maria Badmyev, Romano Giomini; I: Zwei dumme Pistoleros kommen in eine Stadt, in der wohltuende Harmonie herrscht. Sie schaffen es in kürzester Zeit, dass wilde Schießereien und Kämpfe ausbrechen. *Weiterer Franco- und-Ciccio-Westernklamauk, diesmal unter der Regie des des Western-Regisseurs Michele Lupo.*

Per una bara piena di dollari (1971) DT: Adios Companeros/ Für einen Sarg voller Dollars – Adios Companeros; ET: Showdown for a Badman; IT: Per una bara piena di dollari; FT: Nevada Kid; HL: Italien (Elektra Film); UA: 1.4.71; OL: 91 (2489 m); DEA: 7.1.72; DL: 83; FSK: 18; P: Massimo Bernardi, Diego Spataro; R: Demofilo Fidani; B: Tonino Ricci, Demofilo Fidani (I: Tonino Ricci); K: Aristide Massaccesi (Normal – Eastmancolor);

CLINT EASTWOOD in
PER **PUGNO** DI **DOLLARI** UN
con **MARIANNE KOCH** · JOSEF EGGER · WOLFGANG LUKSCHY · JOHN WELLS
DANIEL MARTIN · CAROL BROWN · BENNY REEVES
TECHNICOLOR REGIA DI **BOB ROBERTSON** TECHNISCOPE

M: Lallo Gori; S: »I knew my love« – gesungen von Mark Wolf; DO: Italien (Cave Studio Rom); D: Hunt Powers, Klaus Kinski, Jeff Cameron, Attilio Dottesio, Simone Blondell, Gordon Mitchell, Ray Saunders, Dennis Colt, Lorenzo Arbore, Lucky McMurray, Custer Gail, Alessandro Perrella, Giglio Gigli; I: Blutige Abrechnung eines Pistoleros mit den vermeintlichen Mördern seiner Brüder. *Ein weiteres mieses Machwerk des Null-Talents Demofilo Fidani, diesmal wenigstens mit einigen interessanten Darstellern.*

Perché uccidi ancora? (1965) DT: Jetzt sprechen die Pistolen; ET: Stop the slayings/Why kill again?/Blue summer; IT: Perché uccidi ancora?; ST: ¿por qué seguir matando?; FT: Creuse ta fosse, j'aurai ta peau; HL: Italien/Spanien (Atomo Films/P.C. Balcázar – Barcelona); UA: 4.12.65; OL: 99 (2725 m); DEA: 7.7. 67; DL: 87; FSK: 16; P: Vincenzo Musolino; R: Edoardo Mulargia, José Antonio De La Loma; B: Vincenzo Musolino, Edoardo Mulargia; K: Vitaliano Natalucci (Techniscope – Technicolor); M: Felice Di Stefano; DO: Spanien (Esplugas de Llobregat, Fraga); D: Anthony Steffen, Evelyn Stewart, Aldo Berti, Pepe Calvo, Hugo Blanco, José Torres, Franco Pesce, Stanley Kent (Stelio Candeli), Ivan Giovanni Scratuglia, Armando Guarnieri; I: Die blutige Geschichte einer Sippenfehde in Texas, in deren Verlauf ein desertierter Soldat furchtbare Rache an den Mördern seines Vaters nimmt. *Guter Action-Western von Mulargia/De La Loma mit einem hörenswerten Score von Felice Di Stefano.*

Les pétroleuses (1971) DT: Petroleum-Miezen; ET: Frenchie King; IT: Le pistolere; ST: Las petroleras; FT: Les pétroleuses; HL: Frankreich/Italien/Spanien (Films E.G.E. – Paris/Francos Films – Paris/S.N.C. – Société Nouvelle de Cinématographie – Paris/Vides Cinematografica – Italien/Hemdale Group – England); UA: 19.4.72; OL: 93 (2561 m); DEA: 25.2.72; DL: 88; FSK: 16; P: Raymond Erger, Francis Cosne; R: Christian-Jaque; B: Guy Casaril, Daniel Boulanger; K: Henri Persin (Panoramico – Eastmancolor); M: Francis Lai; S: »Pairie Women« – gesungen von Claudia Cardinale; »The ballad of Frenchie King« gesungen von Little Sammy Gaha, »La vie Parisienne« gesungen von Micheline Presle; CD: Les pétroleuses (Japan SLCS-5034): 14 tracks; DO: Spanien; D: Brigitte Bardot, Claudia Cardinale, Michael J. Pollard, Patty Shepard, Micheline Presle, Henri Czarniak, Chris Huerta, Georges Beller, Luis Induni, Emma Cohen; I: Zwei Frauen streiten sich um ein Ölfeld. *Schwacher französisch-italienischer Western von Christian-Jaque, der zur bestmöglichen Vermarktung die beiden Damen B.B. und C.C. herausstellte.*

Il piombo e la carne (1964) ET: Bullets and the flesh; IT: Il piombo e la carne; ST: El sendero del odio; FT: Les sentiers de la haine; HL: Italien/Spanien/Frankreich (Marco Film – Rom/Hesperia Films – Madrid/Cinéurop – Neuilly-sur-Seine); UA: 30.12.64; OL: 91 (2512 m); R: Marino Girolami; B: Gino De Santis, Marino Girolami (I: Gino De

Perché uccidi ancora?

Santis); **K:** Mario Fioretti, Manuel Berenguer (Ultrascope – Eastmancolor); **M:** Carlo Savina; **S:** »A western man« – gesungen von Peter Tevis; **CD:** Comin' at Ya (Private Pressing): 1 track; **DO:** Spanien; **D:** Rod Cameron, Patricia Viterbo, Thomas Moore (Enio Girolami), Dan Harrison, Manolo Zarzo, Marie Versini, Alfredo Mayo, Julio Peña, Piero Lulli, Dante Maggio, Tonino Danesi, Consalvo Dell'Arti; **I:** Der Cherokee-Indianer Chata verliebt sich in die Tochter eines reichen Farmers, dieser täuscht einen Indianerüberfall vor, für den Chata ins Gefängnis wandert. Als er entlassen wird, rächt er sich an dem Übeltäter. *Ungewöhnlich guter Indianerwestern von Marino Girolami mit »Old Firehand« Rod Cameron und Marie Versini in den Hauptrollen.*

Una pistola per cento bare (1968) DT: Ein Colt für 100 Särge; **ET:** A pistol for a hundred coffins; **IT:** Una pistola per cento bare; **ST:** El sabor del odio/Una pistola para cien tumbas; **FT:** La malle de San Antonio; **HL:** Italien/Spanien (Tritone Filmindustria – Rom –/Coop. Copercines – Madrid); **UA:** 24.8.68; **OL:** 87 (2388 m); **R:** Umberto Lenzi; **B:** Marco Leto, Umberto Lenzi (**I:** Edoardo Manzanos); **K:** Alejandro Ulloa (Techniscope – Technicolor); **M:** Angelo Francesco Lavagnino; **D:** Peter Lee Lawrence, John Ireland, Gloria Osuña, Eduardo Fajardo, Julio Pena, Andrea Scotti, Piero Lulli, Franco Pesce, Calisto Calisti, Raf Baldassarre, Ivan Scratuglia; **I:** Kid wurde von seinem früheren Partner hereingelegt und unschuldig ins Gefängnis gesteckt. Nun ist er auf der Suche nach ihm und seiner Bande, um die Verbrecher der gerechten Strafe zuzuführen. *Auf Grund eines schwachen Drehbuchs nur mäßiger Western von Umberto Lenzi, der im selben Jahr den besseren »Tutto per tutto« gedreht hat.*

Una pistola per cento croci (1971) DT: Django – Eine Pistole für 100 Kreuze; **ET:** Gunman of one hundred crosses; **IT:** Una pistola per 100 croci; **FT:** Sartana, pistolet pour cent croix; **HL:** Italien (Kamar Film – Napoli); **UA:** 3.7.71; **OL:** 95 (2607 m); **DEA:** 13.2.86 (RTL plus); **DL:** 84; **R:** Carlo Croccolo; **B:** Carlo Croccolo, Fabrizio Diotallevi; **K:** Franco Villa (Cinemascope – GevaertColor); **M:**

Marcello Minerbi; **D:** Tony Kendall, Marina Mulligan (Marina Malfatti), Dick Palmer (Mimmo Palmara), Ray Saunders, Monica Miguel, Robert Danish, Lidia Biondi, Mariella Palmich, Carlo Boso, Carlo Croccolo; **I:** Django (im Original: Santana) hilft dem Mädchen Jessica, deren ermordeten Bruder zu rächen und beschützt sie vor einer Bande von Verbrechern. *Schwacher und langweiliger Western von Carlo Croccolo.*

Una pistola per Ringo (1964) DT: Eine Pistole für Ringo; **ET:** Pistol for Ringo; **IT:** Una pistola per Ringo; **ST:** Una pistola para Ringo; **FT:** Un pistolet pour Ringo; **HL:** Italien/Spanien (Produzioni Cinematografiche Mediterranee – P.C.M. – Rom/P.C. Balcázar – Barcelona); **UA:** 12.5.65; **OL:** 98 (2698 m); **DEA:** 2.9.66; **DL:** 90; **FSK:** 18; **P:** Luciano Ercoli, Alberto Pugliese; **R:** Duccio Tessari; **B:** Duccio Tessari; **K:** Francisco Marín (Techniscope – Technicolor); **M:** Ennio Morricone; **S:** »Angel Face« – gesungen von Maurizio Graf; **CD:** Una pistola per Ringo/Il ritorno di Ringo (GDM 2044): 14 tracks; Death rides a horse/ A pistol for ringo/The return of Ringo (RCA OST 107): 10 tracks; Spaghetti-Western (RCA 74321 26495-2): 6 tracks; Spaghetti-Westerns Vol. 3 (DRG 32929): 1 track; **DO:** Spanien (Almería, Esplugas de Llobregat); **D:** Giuliano Gemma, Fernando Sancho, Nieves Navarro, George Martin, José Manuel Martin, Hally Hammond (Lorella de Luca), Parajito, Antonio Casas, Paco Sanz, Pablito Alonso; **I:** Mexikanische Räuberbande wird durch einen zu Unrecht des Mordes verdächtigten Revolverhelden zur Strecke gebracht. *Sehr gelungener, noch von den amerikanischen Vorbildern beeinflusster Western mit einigen*

Les pétroleuses

Una pistola per cento bare

typischen Italo-Western-Eigenheiten von »Per un pugno di dollari«-Co-Autor Duccio Tessari.

○ **Le pistole non discutono (1964)** DT: Die letzten zwei vom Rio Bravo; ET: Bullets don't argue; IT: Le pistole non discutono; ST: Las pistolas no discuten; FT: Mon colt fait la loi; HL: Italien/Spanien/Deutschland (Jolly Film – Trieste/Roma/Trio Film – Madrid/Constantin Film – München); UA: 21.8.64; OL: 92 (2532 m); DEA: 23.10.64; DL: 93; FSK: 12; P: Fernando Rossi, Arrigo Colombo, Giorgio Papi; R: Mario Caiano; B: Pedro De Juan, Gianni Castellano, Franco Castellano, Giuseppe Moccia (I: Franco Castellano, Pedro De Juan); K: Julio Ortas, Massimo Dallamano (Panoramico – Technicolor); M: Ennio Morricone; S: »Lonesome Billy« – gesungen von Peter Tevis; CD: Western Trio (GDM 2052): 6 tracks; Spaghetti-Western (RCA 74321 26495-2): 4 tracks; Comin' at Ya (Private Pressing): 4 tracks; DO: Spanien (Almería, Hoyo de Manzanares); D: Rod Cameron, Horst Frank, Angel Aranda, Vivi Bach, Dick Palmer (Mimmo Palmara), Luis Duran, Hans Nielsen, Kai Fischer, Andrew Ray (Andrea Aureli), Joe Camel (José Canalejas), Judy Robbins (Giulia Rubini), José Manuel Martin, Hans Nielsen, Tito Garcia; I: Italo-Version von Pat Garretts Jagd nach Billy the Kid. Der dritte Italo-Western von Mario Caiano, mit dessen übriggebliebenen Mitteln der Kultklassiker »Per un pugno di dollari« von Sergio Leone hergestellt wurde.

♡ **Il pistolero dell'Ave Maria (1969)** DT: Seine Kugeln pfeifen das Todeslied/Drei Kugeln für ein Ave Maria; ET: Forgotten pistolero; IT: Il pistolero dell'Ave Maria; ST: Tierra de gigantes; FT: Le dernier des salauds; HL: Italien/Spanien (B.R.C. – Produzione Film – Rom/Izaro Films – Madrid); UA: 17.10.69; OL: 105 (2882 m); DEA: 10.7.70; DL: 91; FSK: 18; P: Manolo Bolognini; R: Ferdinando Baldi; B: Federico De Urrutia, Piero Anchisi, Vincenzo Cerami, Ferdinando Baldi, Mario Di Nardo (I: Sophocle »Oresteia«); K: Mario Montuori (Techniscope – Eastmancolor); M: Roberto Pregadio; CD: Lo chiamavano Trinità/Il pistolero dell'Ave Maria (Curci CU 006): 14 tracks; DO: Spanien (Tembleque), Italien; D: Leonard Mann, Luciana Paluzzi, Alberto De Mendoza, Pilar Velazquez, Peter Martell, José

Suarez, Piero Lulli, Luciano Rossi; I: Der heimtückische Mord an einem aus dem mexikanischen Befreiungskampf gegen Maximilian heimkehrenden General durch dessen eigene Frau und ihren Geliebten wird Jahre später durch die Kinder des Ermordeten gerächt. *Sehr gut gemachter Italo-Western im Stile einer griechischen Tragödie von Genre-Profi Ferdinando Baldi.*

Il pistolero segnato da Dio (1968) ET: Two Pistols and a Coward; IT: Il pistolero segnato da Dio; ST: El pistolero que odiaba la muerte; FT: Deux pistolets pour un lâche; HL: Italien (G.V. Cinematografica); UA: 29.2.68; OL: 93 (2565 m); R: Giorgio Ferroni; B: Augusto Finocchi, Remigio Del Grosso (I: Augusto Finocchi, Giorgio Ferroni); K: Sandro Mancori (Panoramico – Eastmancolor); M: Carlo Rustichelli; D: Anthony Steffen, Richard Wyler, Liz Barret, Ken Wood, Ennio Balbo, Giovanni Pazzafini, Andrea Bosic, Fedele Gentile, Gia Sandri, Tom Felleghi, Furio Meniconi, Rina Franchetti, Benito Stefanelli, Max Dean (Massimo Righi); I: Der Kunstschütze Gary McGuire ist auf Grund eines Kindheitstraumas ein Feigling. Trotzdem verhelfen er und seine Zirkuskollegen der Gerechtigkeit zum Sieg gegen eine Bande von Verbrechern und Landräubern, die die Stadt Clayton bedrohen. *Ein hervorragender Western von Giorgio Ferroni mit einem dramatischen Carlo-Rustichelli-Score.*

Più forte, sorelle (1976) DT: Drei Nonnen auf dem Weg zur Hölle; ET: For a book of dollars; IT: Più forte, sorelle;

Una pistola per Ringo

HL: Italien (New Films – Rom); **OL:** 79; **DEA:** 17.6.76; **DL:** 69; **FSK:** 16; **P:** Silvio Battistini; **R:** Renzo Girolami; **B:** Franco Vietri; **K:** Mario Parapetti (Normal – Color); **M:** Nando De Luca; **S:** »Catapult« – gesungen von Eldorado Stones; **D:** Lincoln Tate, Gabriella Farinon, Gill Roland (Gilberto Galimberti), Gigi Bonos, Clara Colosimo, Franca Maresa, Suzy Monen, Gianclaudio Jabes, Sandro Scarchilli, Lorenzo Piani, Francesco D'Adda; **I:** Ein Kopfgeldjäger steht drei vermeintlichen Nonnen gegen Banditen bei, die ihnen ihr angeblich für einen Kirchenbau bestimmtes Geld abgenommen haben. In Wirklichkeit stammt das Geld aus einem Bankraub der Schwestern. *Eine der schlechtesten Westernkomödien überhaupt von Renzo Girolami, der Gott sei Dank keine weiteren Genrebeiträge geliefert hat.*

○ **La più grande rapina nel West (1967)** **DT: Ein Halleluja für Django**; **ET:** The greatest robbery in the west; **IT:** La più grande rapina nel West; **ST:** El mayor atraco frustado del Oeste; **FT:** Trois salopards, une poignée d'or; **HL:** Italien (Mega Film – Bari/Roma); **UA:** 28.10.67; **OL:** 110 (3038 m); **DEA:** 6.3.70; **DL:** 110; **FSK:** 16; **P:** Franco Cittadini, Stenio Fiorentini; **R:** Maurizio Lucidi; **B:** Augusto Finocchi, Augusto Caminito (I: Augusto Finocchi); **K:** Riccardo Pallottini (Techniscope – Technicolor); **M:** Luis Enríquez Bacalov; **S:** »La più grande rapina del West« – gesungen von Hunt Powers; **CD:** La più grande rapina nel West/ L'oro dei bravados (GDM 2008): 13 tracks; The Italian Western of Luis Bacalov (VCDS 7014): 5 tracks; Spaghetti-Westerns Vol. 2 (DRG 32909): 1 track; **DO:** Italien; **D:** George Hilton, Walter Barnes, Hunt Powers, Sarah Ross, Jeff Cameron, Erika Blanc, Mario Brega, Salvatore Borgese, Enzo Fiermonte, Katia Christine, Rick Boyd; **I:** Ein versoffener Tunichtgut hilft teils gegen seinen Willen mit, eine Bande von Bankräubern auszurotten. *Gelungene Westernkomödie von Italo-Western-Profi Maurizio Lucidi mit einer glänzenden Besetzung.*

Plomo sobre Dallas (1970) **IT:** Prendi la colt e prega il padre tuo; **ST:** Plomo sobre Dallas; **FT:** Du plomb sur Dallas; **HL:** Spanien/Italien (Procensa Films – Madrid/Prestige Film – Rom); **P:** Rafael Duran; **R:** José María Zabalza; **B:** José María Zabalza; **K:** Leopoldo Villaseñor (Techniscope – Eastmancolor); **M:** Ana Satrova; **D:** Lawrence Hill (Carlos Quiney), Marie-Claude Perin, Juan Cortés, Claudia Gravy, Luis Induñi, José Truchado, Max Martin (Guillermo Mendez), Edward Hoover, Barbara Sullivan. **I:** Probleme von Eisenbahnern mit Landbesitzern.

○ **Pochi dollari per Django (1966)** **DT: Django kennt kein Erbarmen**; **ET:** Few dollars for Django; **IT:** Pochi dollari per Django; **ST:** Alambradas de violencia; **FT:** Quelques dollars pour Django; Bravo Django!; **HL:** Italien/Spanien (Marco Film – Rom/R.M. Films – Madrid); **UA:** 9.9.66; **OL:** 86 (2369 m); **DEA:** 20.1.69; **DL:** 86; **FSK:** 16; **P:** Marino Girolami; **R:** León Klimovsky, Enzo Girolami; **B:** Manuel Sebares, Tito Carpi; **K:** Aldo Pinelli (Cinemascope – Eastmancolor); **M:** Carlo Savina; **S:** »A deadly morning« gesungen von Don Powell; **CD:** SW Encyclopedia Vol. 1 (KICP 433): 1 track; **DO:** Spanien (Colmenar Viejo, Manzanares el Real); **D:** Anthony Steffen, Gloria Osuña, Frank Wolff, Joe Kamel, Alfonso Rojas, Angel Ter, Thomas Moore (Enio Girolami), Sandalio Hernandez, José L. Lluch; **I:** Der ehemalige Kopfgeldjäger Django übernimmt als Sheriff den Kampf gegen eine Gaunerbande. *Sehr unterhaltsamer Kopfgeldjäger-Western, der gleichzeitig Enzo Girolamis inoffizielles Erstlingswerk in diesem Genre darstellt.*

Un poker di pistole (1967) **DT: Poker mit Pistolen**; **ET:** Poker with pistols; **IT:** Un poker di pistole; **FT:** Poker au colt; **HL:** Italien (Italcine T.V./Picienne); **UA:** 7.7.67; **OL:** 85 (2351 m); **DEA:** 14.9.67; **DL:** 86; **FSK:** 16; **P:** Gabriele Silvestri, Franco Palombi; **R:** Giuseppe Vari; **B:** Fernando Di Leo, Augusto Caminito; **K:** Angelo Lotti (Techniscope – Technicolor); **M:** Lallo Gori; **D:** George Hilton, George Eastman, Annabella Incontrera, Dick Palmer (Mimmo Palmara), José Torres, Aymo Albertelli, Valentino Macchi, Giulio Maculani; **I:** Skrupelloser Geschäftemacher versucht, mit Hilfe eines naiven Abenteurers eine Geldfälscherorganisation zu übernehmen, scheitert jedoch an einem in staatlichem Auftrag arbeitenden

Le pistole non discutono

Il pistolero dell'Ave Maria

629

Agenten. *Mittelmäßiger Action-Western von Giuseppe Vari mit dem Duo George Hilton und George Eastman alias Luigi Montefiori.*

Posate le pistole ... reverendo (1972) DT: **Pizza, Pater und Pistolen;** ET: Pistol packin' preacher; IT: Posate le pistole ... reverendo; FT: Déposez les Colts; HL: Italien (Agata Films); UA: 3.6.72; OL: 104 (2865 m); DEA: 22.8.86 (DFF 2); DL: 90; FSK: 12; R: Leopoldo Savona; B: Nobert Blake, Leopoldo Savona; K: Romano Scavolini (Panoramico – Eastmancolor); M: Lallo Gori; D: Mark Damon, Richard Melvill (Rosario Borelli), Veronica Korosec, Pietro Ceccarelli, Giovanna Di Bernardo, Ugo Fangareggi, Alessandro Perrella, Carla Mancini, Enzo Maggio, Raimondo Fulli, Amerigo Castrichella, Francesco Corso; I: Der Revolverheld Slim schließt sich Jeremiah und seinen beiden Töchtern an. Zusammen versuchen sie auf alle mögliche Arten, z.B. Slim in der Verkleidung eines Priesters, an das Geld von Stadtboss Garvey zu kommen. *Äußerst schlechter, ungenießbarer Leopoldo-Savona-Western.*

Prega Dio ... e scavati la fossa! (1967) IT: Prega Di ... e scavati la fossa!; FT: Prie et creuse ta tombe; HL: Italien (Mila Cinematografica); P: Demofilo Fidani; R: Edoardo Mulargia; B: Nino Masson, Edoardo Mulargia (I: Corrado Pataro); K: Franco Villa (Cinemascope – Telecolor); M: Marcello Gigante; CD: Spaghetti-Westerns Vol. 1 (DRG 32905): 3 tracks; DO: Italien; D: Robert Woods, Jeff Cameron, Cristina Penz, Anthony Stevens (Calisto Calisti), William Reed (Rino Sentieri), Paco Hermendariz, Lea Nanni, Carlo Gaddi, Simonetta Vitelli, Tommy Roy, Calisto Calisti, Fedele Gentile, Fabian Cevallos, Vito Cipolla, Celso Faria, Ivan Giovanni Scratuglia; I: Fernando kommt in seine Heimat zurück und rächt dort den Tod seiner beiden Brüder und muss sich auch mit seinem ehemaligen Freund Cipriano auseinander setzen. *Bei weitem der schlechteste von allen Edoardo-Mulargia-Western, dem auch Robert Woods nicht helfen kann.*

⌒ **Prega il morto e ammazza il vivo (1971)** DT: **Mörder des Klans/ Der Mörder des Clan;** ET: Shoot the living ... pray for the dead; IT: Prega il morto e ammazza il vivo; FT: Priez les morts, tuez les vivants; HL: Italien (Castor Film Productions); OL: 96; DL: 91; R: Giuseppe Vari; B: Adriano Bolzoni; K: Franco Villa (Widescreen – Eastmancolor); M: Mario Migliardi; CD: Una lunga fila di croci/Tutti per uno, botte per tutti/Prega il morto e ammazza il vivo (BEAT CDCR 35): 10 tracks; Spaghetti-Westerns Vol. 4 (DRG 32932): 2 tracks; DO: Italien; D: Klaus Kinski, Victoria Zinny, Paul Sullivan, Dean Stratford, Anthony Rock, Dan May (Dante Maggio), Ares Lucky (Fortunato Arena), Anna Zunneman, John Ely, Patrizia Adiutori, Adriana Giuffré, Aldo Barberito, Gianni Pulone; I: Nach einem Raubzug trifft sich die Hogan-Bande auf einer Ranch, um auf die Beute zu warten, die Hogans Freundin Daisy vorbeibringen soll. Plötzlich taucht auch noch ein mysteriöser Fremder namens John Webb auf, der ebenfalls einen Anteil haben möchte. *Unterhaltsamer Psychowes-*

Plomo sobre Dallas

Pochi dollari per Django

tern mit einigen sehr guten Ideen von Giuseppe Vari mit Klaus Kinski in einer tragenden Rolle.

○ **Preparati la bara! (1967) DT: Django und die Bande der Gehenkten/Joe, der Galgenvogel/Viva Django/Django – sein Hass ist tödlich; ET:** Get the coffin ready; **IT:** Preparati la bara!/Viva Django; **ST:** El clan de los ahorcados; **FT:** Trinità, prépare ton cercueil/Django, prépare ton cercueil; **HL:** Italien (B.R.C. – Produzione Film – Rom); **UA:** 27.1.68; **OL:** 91 (2500 m); **DEA:** 5.7.68; **DL:** 86; **FSK:** 18; **R:** Ferdinando Baldi; **B:** Franco Rossetti, Ferdinando Baldi (**I:** Franco Rossetti); **K:** Enzo Barboni (Panoramico – Eastmancolor); **M:** Gianfranco Reverberi; **S:** »You'd better smile« – gesungen von Nicola di Bari; **CD:** Preparati la bara!/Un minute per pregare, un istante per morire (RCA OST 139): 11 tracks; Django/Django spara per primo/Django sfida Sartana/Viva Django (Private Pressing): 11 tracks; **DO:** Italien (Elios Film Studio Rom); **D:** Terence Hill, Horst Frank, George Eastman, José Torres, Pinuccio Ardia, Lee Burton (Guido Lollobrigida), Andrea Scotti, Spartaco Conversi, Gianni Di Benedetto, Gianni Brezza; **I:** Ein Henker in Arizona rettet unschuldig Verurteilte, indem er sie zum Schein am Galgen aufhängt und später seine Rächer- und Räuberbande im Kampf gegen den skrupellosen Gouverneur der Provinz zuführt. *Terence Hill ist hier unter der Regie von Ferdinando Baldi auf den Spuren von Franco Nero in diesem spannenden inoffiziellen Django-Sequel.*

○ **Il prezzo del potere (1969) DT: Blutiges Blei/Der Tod lauert in Dallas; ET:** Price of power; **IT:** Il prezzo del potere; **ST:** La muerte de un presidente; **FT:** Texas; **HL:** Italien/Spanien (Patry Film/Films Montana – Madrid); **UA:** 18.12.69; **OL:** 108 (2970 m); **DEA:** 4.9.70; **DL:** 95 (Kino), 108 (DVD); **FSK:** 18; **P:** Bianco Manini; **R:** Tonino Valerii; **B:** Massimo Patrizi; (**I:** Massimo Patrizi, Ernesto Gastaldi); **K:** Stelvio Massi (Techniscope – Technicolor); **M:** Luis Enríquez Bacalov; **CD:** Il prezzo del potere (CAM CSE 027): 11 tracks; SW Encyclopedia Vol. 3 (KICP 435): 1 track; Wanted – Dead or Alive (CAM 900-020): 1 track; **DO:** Spanien (Almería, Guadix); **D:** Giuliano Gemma, Fernando Rey, Van Johnson, José Suarez, Antonio Casas, Warren

Vanders, Manolo Zarzo, Maria Jesus Cuadra, Frank Braña, Ray Saunders, José Calvo, Angel Alvarez, Julio Peña, Francisco Sanz; **I:** Junger verwegener Revolverheld rottet 1881 rassenfanatische Politiker und Gangster aus, die in Dallas bei einem Attentat den amerikanischen Präsidenten ermordet haben. *Sehr guter spannender Western von Genre-Profi Tonino Valerii, der die Ermordung von J.F. Kennedy als Grundlage für eine fiktive Geschichte einer Präsidentenermordung in Texas nimmt.*

Prima ti perdono ... poi t'ammazzo (1970) DT: Rancheros; ET: Stagecoach of the condemned/I'll forgive you before I kill you; **IT:** Prima ti perdono ... poi t'ammazzo; **ST:** La diligencia de los condenados; **FT:** Ni Sabata, ni Trinita, moi c'est Sartana; **HL:** Italien/Spanien (Devon Film – Rom/I.F.I. Espana – Madrid); **OL:** 90 (2475 m); **DEA:** 26.11.71; **DL:** 90; **FSK:** 18; **P:** Luciano Martino, Ignacio F. Iquino; **R:** Juan Bosch; **B:** Ignacio F. Iquino, Luciano Martino, Juliana San José De La Fuente, Vinicio Marinucci (**I:** Luciano Martino); **K:** Luciano Trasatti (Panoramico – Eastmancolor); **M:** Enrique Escobar; **DO:** Spanien (Fraga, Matadepera); **D:** Richard Harrison, Fernando Sancho, Erika Blanc, Bruno Corazzari, Gustavo Re, Indio Gonzalez, Fernando Rubio, Anontio Molino Rojo, Cesar Ojinaga, José Ignacio Abadal, Leontine May, Juan Torres, Florencio Galpes; **I:** Banditen dringen in eine Poststation ein, um einen Zeugen, der gegen einen gefangenen Gewalttäter aussagen soll, zu fangen. *Relativ brutaler, jedoch nur mäßig spannender Western von Juan Bosch.*

Professionisti per un massacro (1967) DT: Ein Stoßgebet für drei Kanonen; ET: Red blood, yellow gold; **IT:** Professionisti per un massacro; **ST:** Los profesionales de la muerte; **FT:** Professionnels pour un massacre; **HL:** Italien/Spanien (Colt Produzioni Cinematografiche – Rom/Medusa Distribuzione – Rom/P.C. Balcázar – Barcelona); **UA:** 7.12.67; **OL:** 91 (2510 m); **DEA** 4.12.1970; **DL:** 92; **FSK:** 18; **P:** Oreste Coltellacci, Alfonso Balcazar; **R:** Fernando Cicero; **B:** Roberto Gianviti, Vincenzo Dell'Aquila, Jaime Jesús Balcazar, José Antonio De La Loma (**I:** Nando Cicero); **K:** Francisco Marín (Cinemascope – Eastmancolor); **M:** Carlos Pes; **CD:** Spaghetti-Westerns Vol. 2 (DRG 32909):

Prega il morto e ammazza il vivo

Preparati la bara!

631

1 track; SW Encyclopedia Vol. 3 (KICP 435): 1 track; DO: Spanien (Polopos, Esplugas de Llobregat), Italien; D: George Hilton, Edd Byrnes, George Martin, Milo Quesada, Monica Randall, Gerard Herter, José Bodaló, Stella Monaldi, Claudio Trionfi, Bruno Ukmar; I: Eine Wagenladung mit Goldbarren wechselt während des amerikanischen Bürgerkrieges unentwegt den Besitzer. *Trotz guter Besetzung nur ein durchschnittlicher Western von Fernando Cicero, der bessere Filme dieses Genres abgeliefert hat.*

○ **Quanto costa morire (1968) ET:** Cost of dying; **IT:** Quanto costa morire; **ST:** Cuanto cuesta morir; **FT:** Les colts brillent au soleil; **HL:** Italien/Frankreich (Cine Azimut – Rom/Films Corona – Nanterre); **UA:** 14.9. 68; **OL:** 92 (2522 m); **R:** Sergio Merolle; **B:** Biagio Proietti; **K:** Benito Frattari (Panoramico – Eastmancolor); **M:** Francesco De Masi; **S:** »Quanto costa morire« – gesungen von Raoul; **CD:** Quanta costa morire (Digitmovies CDDM 017): 29 tracks; Spaghetti-Westerns Vol. 1 (DRG 32905): 3 tracks; **DO:** Italien (Gran Sasso Nationalpark); **D:** Andrea Giordana, John Ireland, Raymond Pellegrin, Betsy Bell, Bruno Corazzari, Giovanni Petrucci, Mireille Granelli, Claudio Scarchilli, Fulvio Pellegrino, Sergio Scarchilli; **I:** Als Bill Ransom von dem Banditen Scafe ermordet wird, schlägt sich dessen rechte Hand Earl auf die Seite von Ransoms Adoptivsohn Tony, um die Verbrecher zu bestrafen. *Hervorragender kleiner, relativ unbekannter Winterwestern von Sergio Merolle, der schöne Landschaftsaufnahmen aus dem Abruzzo-Nationalpark aufweist und von einem hörenswerten Francesco-de-Masi-Score untermalt wird.*

I quattro del Pater Noster (1969) ET: In the name of the Father; **IT:** I quattro del Pater Noster; **HL:** Italien (S.P.E.D. Film); **UA:** 3.4.69; **OL:** 97 (2680 m); **P:** Angelo Cittadini; **R:** Ruggero Deodato; **B:** Augusto Finocchi, Luciano Ferri (**I:** Augusto Finocchi, Luciano Ferri); **K:** Riccardo Pallottini (Normal – Eastmancolor); **M:** Luis Enríquez Bacalov; **CD:** Spaghetti-Westerns Vol. 2 (DRG 32909): 3 tracks; **D:** Paolo Villaggio, Lino Toffolo, Oreste Lionello, Enrico Montesano, Rosemarie Dexter, Mariangela Giordano, Silvia Donati, Enzo Fiermonte, Sal Borgese, Paolo Magalotti; **I:** Zwei Freunde geraten durch Zufall in den Besitz ei-

ner Raubbeute, werden dann jedoch gefasst und verhaftet, nachdem sie das Geld ausgegeben haben. Sie brechen aus dem Gefängnis aus und versuchen, wieder an das große Geld zu kommen. *Ungewohnt witzige Westernkomödie von Ruggero Deodato, dessen einziger Genrebeitrag dies leider war.*

○ **I quattro dell'Apocalisse (1975) DT:** Verdammt zu leben – verdammt zu sterben; **ET:** Four gunmen of the apocalypse; **IT:** I quattro dell'Apocalisse; **ST:** Los cuatro del Apocalipsis; **FT:** Les quatre de l'apocalypse; **HL:** Italien (Coralta Cinematografica – Rom); **UA:** 12.8.75; **OL:** 102 (2815 m); **DEA:** 15.4.77; **DL:** 87; **FSK:** 16; **P:** Piero Donati; **R:** Lucio Fulci; **B:** Ennio De Concini (**I:** Francis Brett Harte); **K:** Sergio Salvati (Techniscope – Eastmancolor); **M:** Franco Bixio, Fabio Frizzi, Vince Tempera; **S:** »Movin' on«, »Bunny (Let's stay together)«, »Was it all in vain«, »Let us pray« und »Stubby (You're down and out)« – gesungen von The Cook & Benjamin Franklin Group; **CD:** I quattro dell'Apocalisse (Cinevox MDF 316): 15 tracks; Spaghetti-Westerns Vol. 1 (DRG 32905): 1 track; **DO:** Spanien (Almería), Österreich; **D:** Fabio Testi, Tomás Milian, Lynn Frederick, Michael J. Pollard, Harry Baird, Donald O'Brien, Bruno Corazzari, Adolfo Lastretti, Giorgio Trestini, Salvatore Puntillo; **I:** Die Geschichte eines Spielers, eines Alkoholikers, eines Irren und einer Hure, die mit Hilfe des Sheriffs eine Säuberung der Stadt durch maskierten Bürgermilizen überleben, aber trotzdem mit dem Tod konfrontiert werden. *Etwas langsamer, jedoch sehr interessanter Spätwestern von Lucio Fulci mit sehr guten schauspielerischen Leistungen.*

Quanto costa morire

I quattro dell'Apocalisse

I quattro dell'Ave Maria (1968) DT: 4 für ein Ave Maria; ET: Ace high; IT: I quattro dell'Ave Maria; ST: Los cuatro truanes; FT: Les quatre de l'Ave Maria/Deux honnêtes crapules; HL: Italien (Crono Cinematografica/Finanziaria San Marco B.R.C.); UA: 31.10.68; OL: 132 (3620 m); DEA: 3.10.69; DL: 124; FSK: 18; P: Bino Cicogna, Giuseppe Colizzi; R: Giuseppe Colizzi; B: Giuseppe Colizzi; K: Marcello Masciocchi (Techniscope – Technicolor); M: Carlo Rustichelli; CD: I quattro dell'Ave Maria (Digitmovies CDDM 043 – 2CD): 41 tracks; I quattro dell'Ave Maria (Cinevox CIA 5094): 35 tracks; 4 für ein Ave Maria (Alhambra A 8944): 15 tracks; Spaghetti-Westerns Vol. 1 (DRG 32905): 1 track; DO: Spanien (Almería), Italien (Elios Film Studio Rom); D: Terence Hill, Bud Spencer, Eli Wallach, Brock Peters, Kevin McCarthy, Tiffany Hoyveld, Rick Boyd, Livio Lorenzon, Armando Bandini, Stephen Zacharias, Remo Capitani, Bruno Corazzari, Antonietta Fiorito; I: Ein Gauner wird von einem anderen Gauner auf weitere Gauner angesetzt, wobei der erstere eine alte Rechnung begleicht, der zweite mitsamt einigen Kollegen getötet wird und die anderen auch nicht leer ausgehen. *Der beste von den drei äußerst gelungenen und originellen Western von Giuseppe Colizzi mit einem angenehmen Carlo-Rustichelli-Score.*

Quattro dollari di vendetta (1965) ET: Four dollars for vengeance; IT: Quattro dollari di vendetta; ST: Cuatro dólares de venganza; FT: Quatre dollars de vengeance; HL: Italien/Spanien (Società Ambrosiana Cinematografica (S.A.C.)/Arborea – Cagliari/P.C. Balcázar – Barcelona); UA: 5.3.66; OL: 91 (2499 m); FSK: 16; P: Paolo Moffa, Alfonso Balcazar; R: Jaime Jesus Balcázar; B: Bruno Corbucci, Giovanni Grimaldi; K: Victor Monreal (Techniscope – Eastmancolor); M: Angelo Francesco Lavagnino; DO: Spanien (Fraga); D: Robert Woods, Ghia Arlen (Dana Ghia), Angelo Infanti, Antonio Casas, José Manuel Martin, Gerard Tichy, Tómas Torres, Antonio Molino Rojo, Giulio Maculani, Osvaldo Genazzani; I: Revolvermann Roy Dexter hilft der Siedlerin Mercedes, sich die Bösewichter zu schnappen, die ihre Eltern umgebracht haben. *Schöner, unterhaltsamer, dunkler Film.*

I quattro inesorabili (1965) DT: Die vier Geier der Sierra Nevada/Das Quartett des Teufels; ET: Relentless four; IT: I quattro inesorabili; ST: Los cuatro implacables; FT: Quatre hommes à abattre; HL: Italien/Spanien (P.E.A. – Produzioni Europee Associate di Grimaldi Maria Rosaria e C. – Napoli/Aitor Films – Madrid); UA: 3.12. 65; OL: 94 (2585 m); DEA: 14.4.67; DL: 92; FSK: 16; P: Ricardo Sanz; R: Primo Zeglio; B: Federico De Urrutia, Marcello Fondato, Manuel Sebaras, Primo Zeglio (I: Primo Zeglio); K: Miguel F. Mila (Totalscope – Eastmancolor); M: Marcello Giombini; S: »Ranger« gesungen von Raoul; DO: Spanien (Almería, Manzanares el Real, Colmenar Viejo, Hoyo Manzanares, Torrelaguna, Titulcia); D: Adam West, Robert Hundar, Dina Loy, Luis Induni, José Jaspe, Raf Baldassarre, John Bartha, Chris Huerta, Roberto Camardiel, Paola Barbara, Francisco Sanz; I: Kopfgeldjäger versuchen einem Ranger den Mord an einem Farmer in die Schuhe zu schieben, dieser aber kann den wahren Sachverhalt aufklären und die Schurken zur Strecke bringen. *Belangloser Western-Beitrag von Primo Zeglio, dessen einziges Kuriosum der frühere TV-Batman Adam West darstellt.*

I quattro pistoleri di Santa Trinità (1971) ET: Four gunmen of the Holy Trinity; IT: I quattro pistoleri di Santa Trinità; FT: Les quatre pistoleros de Santa-Trinità; HL: Italien (Buton Film); UA: 29.5.71; OL: 107 (2930 m); R: Giorgio Cristallini; B: Giorgio Cristallini; K: Alessandro D'Eva (Panoramico – Eastmancolor); M: Roberto Pregadio; S: »Julie« – gesungen von Peter Boom; »It was a joke« – gesungen von Valeria Fabrizi; D: Peter Lee Lawrence, Evelyn Stewart, Daniele Vargas, Daniela Giordano, Valeria Fabrizi, Raymond Bussières, Umberto Raho, Philippe Hersent, Paul Oxon, Tonino Pierfederici, Ralph Baldwin, Salvatore Furnari, Antonella Murgia; I: Ein Journalist und ein Sheriff retten das Leben einer jungen Frau, bevor sie zu dritt allerlei interessante Abenteuer erleben. *Mittelmäßiger kleiner Western von Giorgio Cristallini.*

Quei disperati che puzzano di sudore e di morte (1969) DT: Um sie war der Hauch des Todes/A bloody job; ET: Bullet for Sandoval/Vengeance is mine; IT: Quei disperati che puzzano di sudore e di morte; ST: Los desesperados; FT: Les quatre desperados; HL: Italien/Spanien (Leone Film/Daiano Film – Rom/Atlántida Films – Madrid); UA: 26.11.69;

I quattro dell'Apocalisse

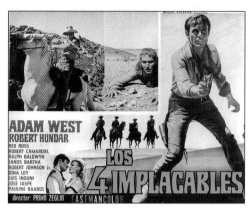

I quattro inesorabili

OL: 107 (2930 m); DEA: 20.11.70; DL: 89; FSK: 18; P: Elio Scardamaglia, Ugo Guerra; R: Julio Buchs; B: José Luis Martinez Molla, Federico De Urrutia, Julio Buchs; K: Francisco Sempere (Cromoscope – Eastmancolor); M: Gianni Ferrio; CD: Quei disperati che puzzano di sudore e di morte (Cinevox MDF 317): 23 tracks; Spaghetti-Westerns Vol. 1 (DRG 32905): 4 tracks; DO: Spanien (Almería, Carabanchel); D: George Hilton, Ernest Borgnine, Alberto De Mendoza, Antonio Pica, Manuel Miranda, Gustavo Rojo, Andrea Aureli, Manuel De Blas, José Manuel Martin, Annabella Incontrera, Georges Rigaud, Luis Barboo, Charly Bravo, José Guardiola, Andres Mejuto; I: Die abenteuerliche Flucht eines wegen seiner Geliebten desertierten Sergeanten endet in einem Blutbad. *Sehr unterhaltsamer, jedoch unglaublich düsterer Western von Julio Buchs.*

○ **Quel caldo maledetto giorno di fuoco (1968)** DT: Django spricht kein Vaterunser; ET: Machine Gun killers; IT: Quel caldo maledetto giorno di fuoco; ST: La ametralladora; FT: Avec Django ça va saigner; HL: Italien/Spanien (Fida Cinematografica – Rom/Atlántida Films – Madrid); UA: 13.12.68; OL: 99 (2720 m); DEA: 27.2.70; DL: 100; FSK: 18; P: Edmondo Amati; R: Paolo Bianchini; B: Paolo Bianchini, José Luis Merino, Claudio Failoni, Franco Calderoni; K: Francisco Marín (Techniscope – Technicolor); M: Piero Piccioni; CD: Quel caldo maledetto giorno di fuoco/Attento Gringo ... È tornato Sabata/Lo chiamavano Verità (BEAT CDCR 31): 12 tracks; Spaghetti-Westerns Vol. 4 (DRG 32932): 2 tracks; DO: Spanien (Colmenar Viejo, Aranjuez, Feria del Campo de Madrid); D: Robert Woods, John Ireland, Evelyn Stewart, Claudie Lange, George Rigaud, Roberto Camardiel, Furio Meniconi, Lewis Jordan (Tiziano Cortini), Gerard Herter, Rada Rassimov, Tom Felleghy; I: Zur Zeit des amerikanischen Bürgerkrieges erhält ein wegen Verrates zum Tode verurteilter Nordstaaten-Agent Gelegenheit, seine Unschuld zu beweisen. *Unterhaltsamer Western von Paolo Bianchini mit einer ausgezeichneten Besetzung.*

○ **Quel maledetto giorno della resa dei conti (1971)** DT: Django – der Tag der Abrechnung; ET: Vendetta at Dawn; IT: Quel maledetto giorno della resa dei conti; FT: Sabata règle ses comptes; HL: Italien (Pentagono Cinematografica); UA: 26.6.71; OL: 99 (2730 m); DEA: 29.6.89 (RTL plus); DL: 83; P: Felice Zappulla; R: Sergio Garrone; B: Luigi Mangini, Sergio Garrone (I: Luigi Mangini); K: Guglielmo Mancori (Panoramico – KodakColor); M: Francesco De Masi; D: George Eastman, Ty Hardin, Bruno Corazzari, Costanza Spada, Dominic Barto, Nello Pazzafini, Lucia Catullo, Leo Widmark (Roberto dell'Acqua), Manfred Freyberger, Rick Boyd, Piero Nistri, Bernard Farber, Lee Burton (Guido Lollobrigida), Stefen Zacharias; I: Im Jahr 1875 kehrt ein Arzt aus der Großstadt in seinen kleinen Heimatort zurück, wo er einen gnadenlosen Kampf gegen drei Banditen führen muss, die seine Familie ermordet haben. *Letzter Film des Italo-Western-Veteranen Sergio Garrone, der nach der ersten Hälfte ziemlich spannend und hart wird.*

○ **Quel maledetto giorno d'inverno (1970)** ET: One damned day at dawn ... Django meets Sartana; IT: Quel maledetto giorno d'inverno (... Django e Sartana all' ultimo sangue); FT: Django et Sartana; HL: Italien (Tarquinia Internazionale Cinematografica); UA: 25.6.70; OL: 98 (2685 m); P: Demofilo Fidani; R: Demofilo Fidani; B: Demofilo Fidani, Maria Rosa Valenza (I: Demofilo Fidani); K: Franco Villa (Panoramico – Eastmancolor); M: Lallo Gori; DO: Italien; D: Hunt Powers, Fabio Testi, Dean Stratford, Dennis Colt, Celso Faria, Robert Dannish, Dean Reese (Attilio Dottesio), Michael Brank (Michele Branca), Lucky Mc Murray, Simone Blondell, Joel Moore, Pietro Torrisi; I: Jack Ronson wird neuer Sheriff in Black City und muss sich gleich mit einer Bande von Waffenschiebern anlegen, die mit dem Herrscher der Stadt unter einer Decke stecken. *Einer der besseren Miles-Deem-Western, trotzdem noch unterste Schublade.*

○ **Quella sporca storia nel West (1967)** DT: Django – die Totengräber warten schon; ET: Johnny Hamlet; IT: Quella sporca storia nel West; ST: Johnny el vengador; FT:

Quei disperati che puzzano di sudore e di morte

Django porte sa croix; **HL:** Italien (Leone Film/Daiano Film); **UA:** 22.3.68; **OL:** 97 (2680 m); **DEA:** 26.11.68; **DL:** 78 (Kino), 91 (DVD); **FSK:** 18; **P:** Ugo Guerra, Elio Scardamaglia; **R:** Enzo Girolami; **B:** Tito Carpi, Francesco Scardamaglia, Enzo Girolami (**I:** William Shakespeare (»Hamlet«); **K:** Angelo Filippini (Techniscope – Technicolor); **M:** Francesco De Masi; **S:** »Find a man« – gesungen von Maurizio Graf; **CD:** 7 dollari sul rosso/Quella sporca storia nel west (CAM CSE-800-124): 19 tracks; SW Encyclopedia Vol. 3 (KICP 435): 2 tracks; Wanted – Dead or Alive (CAM 900-020): 1 track; **DO:** Spanien (Guadix, Cuenca), Italien; **D:** Andrea Giordana, Gilbert Roland, Françoise Prévost, Horst Frank, Stefania Careddu, Gabriella Grimaldi, Enio Girolami, Pedro Sanchez, Manuel Serrano, Franco Latini, Giorgio Sanmartin, John Bartha; **I:** Nach zweijähriger Abwesenheit kehrt Django nach Hause zurück, um seinen ermordeten Vater zu rächen. Als Täter entlarvt er seinen Onkel, den seine Mutter inzwischen geheiratet hatte. *Unterhaltsame Western-Adaption von »Hamlet«, der dritte Italo-Western von Enzo Girolami ...*

Quelle sporche anime dannate (1971) DT: Sein Colt gab die Antwort (geplanter Kinotitel); **ET:** Paid in blood; **IT:** Quelle sporche anime dannate; **FT:** Les ames damnées de Rio Chico; **HL:** Italien (Constitution Films); **UA:** 14.11.71; **OL:** 91 (2497 m); **P:** Mario de Rosa; **R:** Luigi Batzella; **B:** Aldo Barni; **K:** Giorgio Montagnani (Panoramico – Eastmancolor); **M:** Elsio Mancuso; **D:** Jeff Cameron, Donald O'Brien, Alfredo Rizzo, Krista Nell, Edilio Kim, Sophia Kammara, Esmeralda Barros, William Mayor, Layla Shed, Mark Davis (Gianfranco Clerici), Lorenzo Piani, Alessandro Perrella, Giulio Baraghini, Franco Daddi, Salvatore Campochiaro, Attilio Dottesio; **I:** Jerry Carter wird kurz vor seiner Hochzeit mit Cora von dem üblen Banditen Ringo Brown ermordet und beraubt. Sein Bruder Tom jagt den Mörder und entlarvt auch den Drahtzieher dieses Mordes. *Parallelproduktion zu »Anche per Django le carogne hanno un prezzo«, der ebenfalls von Batzella inszeniert wurde und um ein Quäntchen besser ist als dieser Film.*

Quella sporca storia nel West

¿Quién grita venganza? (1968) DT: An den Galgen, Bastardo; **ET:** Cry for revenge; **IT:** I morti non si contano; **ST:** ¿Quién grita venganza?; **FT:** Les pistoleros du Nevada; **HL:** Spanien/Italien (Coop. Cine España – Madrid/Coop. Copercines – Madrid/Tritone Filmindustria – Rom); **UA:** 11.12.68; **OL:** 94 (2586 m); **DEA:** 15.5.70; **DL:** 81; **FSK:** 18; **P:** Eduardo Manzanos; **R:** Rafael Romero Marchent; **B:** Marco Leto, Vittorio Salerno, Rafael Romero Marchent (**I:** Marco Leto, Vittorio Salerno); **K:** Aldo Ricci (Techniscope – Technicolor); **M:** Marcello Giombini; **DO:** Spanien (Ciempozuelos); **D:** Mark Damon, Anthony Steffen, Raf Baldassarre, Maria Martin, Luis Induñi, Piero Lulli, Luis Barboo, Dianik Zurakowska, Barta Barry, José Marco, Guillermo Mendez, Alfonso De La Vega, Fabian Conde, Carlos Romero Marchent; **I:** Zwei Kopfgeldjäger rotten eine Verbrecherbande aus. *Leichenreicher durchschnittlicher Western von Rafael Romero Marchent.*

Quien sabe? (1966) DT: Töte Amigo/Mörder im Namen des Volkes; **ET:** A bullet for the general; **IT:** Quien sabe?; **ST:** Yo soy la Revolución; **FT:** El Chuncho; **HL:** Italien (M.C.M.); **UA:** 7.12.66; **OL:** 120 (3310 m); **DEA:** 7.6.68; **DL:** 99 (Kino), 119 (DVD); **FSK:** 18; **DO:** Spanien (Almería, Guadix); **P:** Bianco Manini; **R:** Damiano Damiani; **B:** Salvatore Laurani, Franco Solinas; **K:** Antonio Secchi (Techniscope – Technicolor); **M:** Luis Enríquez

Quelle sporche anime dannate

Bacalov; S: »Ya me voy« – gesungen von Ramon Mereles; CD: Quien sabe? (GDM Club 7014): 25 tracks; Quién Sabe? (King Records/Japan KICP 2595): 22 tracks; The Italian Western of Luis Bacalov (VCDS 7014): 5 tracks; Quien Sabe? (Alhambra A 8932): 9 tracks; Spaghetti-Westerns Vol. 2 (DRG 32909): 1 track; SW Encyclopedia Vol. 2 (KICP 434): 1 track; DO: Almería; D: Gian Maria Volonté, Lou Castel, Klaus Kinski, Martine Beswick, Andrea Checchi, Spartaco Conversi, Joaquin Parra, Aldo Sambrell, José Manuel Martin, Guy Heron, Valentino Macchi; I: Während der mexikanischen Revolution schließt sich ein von Regierungstruppen gedungener Amerikaner einer Gruppe von Banditen an, um mit ihrer Hilfe für eine hohe Prämie den Rebellen-General zu erschießen. *Ein Meisterwerk der Revolutionswestern unter der Regie von Damiano Damiani, dessen zweiter Western »Un genio, due compari, un pollo« leider enttäuschte.*

15 forche per un assassino (1967) DT: Die schmutzigen Dreizehn/Dirty Buster's; ET: Fifteen scaffolds for the killer; IT: 15 forche per un assassino; ST: Quince horcas para un asesino; FT: Quinze potences pour un salopard; HL: Italien/Spanien (Eos Film – Rom/Centauro Film – Madrid); UA: 15.12. 67; OL: 100 (2760 m); DEA: 18.4.69; DL: 95; FSK: 18; P: Luis Vazquez; R: Nunzio Malasomma; B: Mario Di Nardo, José Luis Bayonas (I: Mario De Nardo); K: Stelvio Massi (Cromoscope – Eastmancolor); M: Francesco De Masi; S: »Waiting for you«, »Will you be mine« – gesungen von Raoul; CD: Gli specialisti/15 forche per un assassino (BEAT CDCR 28): 11 tracks; DO: Spanien (Seseña, Almería); D: Craig Hill, Susy Andersen (Maria Golgi), Aldo Sambrell, Tomás Blanco, Andrea Bosic, J. Manuel Martin, George Martin, Frank Braña, Eleonora Brown, Howard Ross; I: Pferdediebe werden zu Unrecht beschuldigt, wehrlose Frauen ermordet zu haben. Als der Mörder in den Reihen der lynchwütigen Bürger gefunden

wird, sind nur noch die beiden Anführer der Bande übrig. *Durchschnittlicher Western-Versuch von Nunzio Malasomma, dessen einziger Genrebeitrag dies blieb.*

Quintana (1969) DT: Quintana; ET: Quintana: Dead or alive; IT: Quintana; ST: Quintana; FT: Trois tombes pour Quintana/Quintana; HL: Italien (Intercontinental Production (Roma)/Marina di Belvedere Marittimo CS); UA: 13.6.69; OL: 85 (2325 m); DL: 81; P: Vincenzo Musolino; R: Vincenzo Musolino; B: Vincenzo Musolino; K: Vitaliano Natalucci (Cromoscope – Technostampa); M: Felice Di Stefano; D: George Stevenson, Femi Benussi, Pedro Sanchez, John Levery (Aldo Bufi Landi), Marisa Traversi, Celso Faria, Spartaco Conversi, Franco Jamonte, Omero Gargano, Alberto Conversi, Giuseppe Leone; I: Freiheitskämpfer José de Loma kämpft in der Gestalt Quintanas gegen die Unterdrückung und den Terror von Gouverneur Don Juan de Leya. *Dieser zweite Western von Vincenzo Musolino ist nicht auf der Höhe seines Erstlingswerkes »Chiedi perdona a Dio, non a me«.*

Quinto: non ammazzare (1969) DT: Quinto, töte nicht/Blutige Dollars/Blutige Dollar; ET: Shalt not kill; IT: Quinto: non ammazzare; ST: El valor de un cobarde; FT: Quinta à ne pas tuer; HL: Italien/Spanien (Cines Europea – Rom/ R.M. Film – Madrid); DEA: 13.8.85 (RTL plus); DL: 93; P: Rafael Marina Sorail; R: León Klimovsky; B: Manuel Martinez Remis, Dino de Ruggieriis; K: Giuseppe La Torre (Techniscope – Eastmancolor); M: Piero Umiliani; D: Steven Tedd, German Cobos, Sarah Ross, Alfonso Rojas, Joe Kamel, José Marco, Roberto Camardiel, Raf Baldassarre, José Luis Lluch, Angel Menendez, Josefina Serratosa; I: Ein Kopfgeldjäger wird von den Bewohnern einer Stadt engagiert, die Beute aus einem Bankraub wieder zu beschaffen und die Verbrecher zu stellen. *Unterdurchschnittlich, langsam, langweilig.*

○ **Una ragione per vivere e una per morire (1972)** DT: Sie verkaufen den Tod/Der Dicke und das Warzenschwein; ET: A reason to live, a reason to die/Massacre at Fort Holman; IT: Una ragione per vivere e una per morire; ST: Una

Quien sabe?

15 forche per un assassino

razón para vivir y una para morir; **FT:** Une raison pour vivre, une raison pour mourir; **HL:** Italien/Frankreich/Spanien/Deutschland (Sancrosiap/Terzafilm Produzione Indipendente – Rom/Europrodis – Marseille/Atlántida Films – Madrid/Corona Filmproduktion – München); **UA:** 27.10.72; **OL:** 119 (3285 m); **DEA:** 27.12.72; **DL:** 96 (Kino), 114 (DVD, ZDF), 80 (Der Dicke und das Warzenschwein); **FSK:** 16; **P:** Remo Odevaine, Alfonso Sansone; **R:** Tonino Valerii; **B:** Ernesto Gastaldi, Tonino Valerii, Rafael Azcona (**I:** Ernesto Gastaldi, Tonino Valerii); **K:** Alejandro Ulloa (Techniscope – Eastmancolor); **M:** Riz Ortolani; **CD:** Una ragione per vivere e una per morire (GDM PRCD 105): 13 tracks; Spaghetti-Westerns Vol. 2 (DRG 32909): 1 track; Fantastic World of SW (VCDS 7016): 4 tracks; **DO:** Spanien (Almería); **D:** Ruben G. Boevny, James Coburn, Bud Spencer, Telly Savalas, René Kolldehoff, Georges Geret, José Suarez, Ugo Fangareggi, Benito Stefanelli, Adolfo Lastretti, Guy Mairesse, Turam Quibo, Ruben G. Boevny, Giuseppe Pollini, Robert Burton, Fabrizio Moresco; **I:** Aus der Gefangenschaft geflohener Colonel der Nordstaaten-Armee, der ein wichtiges Fort kampflos den gegnerischen Truppen übergab, erobert in einem tollkühnen Handstreich mit einer Gruppe Ganoven die Festung zurück und rächt seinen ermordeten Sohn. *Guter ernsthafter, auf dem »Dirty Dozen«-Konzept aufgebauter Western von Genre-Profi Tonino Valerii, den man sich nur in der ungekürzten Fassung ansehen sollte.*

Una ragione per vivere e una per morire

Ramon il messicano (1966) ET: Ramon the Mexican; **IT:** Ramon il messicano; **ST:** Venganza sin piedad; **FT:** Ramon le Mexicain; **HL:** Italien (Magic Films); **UA:** 13.11.66; **OL:** 92 (2535 m); **P:** Marino Carpano; **R:** Maurizio Pradeaux; **B:** Maurizio Pradeaux; **K:** Oberdan Troiani (Techniscope – Technicolor); **M:** Felice Di Stefano; **D:** Robert Hundar, Wilma Lindamar, Jean Louis, Thomas Clay (Franco Gulà), Thomas Clay, Renato Trottola, Aldo Berti, Mario Dardanelli, Giovanna Lenzi, Claudio Biava, Omero Gargano, Hugo Arden (Ugo Sasso); **I:** Ramon Morales tötet die Baxter-Familie, die seinen Bruder auf dem Gewissen hat. Der überlebende Slim Baxter schließt sich einer Bande an und am Ende tötet er Ramon. *Durchschnittlicher Rachewestern von Italo-Western-Eintagsfliege Maurizio Pradeaux mit einem ganz auf Mexikaner getrimmten Robert Hundar alias Claudio Undari.*

Il ranch degli spietati (1964) DT: Oklahoma John – Der Sheriff von Rio Rojo; **ET:** Man from Oklahoma; **IT:** Il ranch degli spietati; **ST:** Oklahoma John; **FT:** Violence à Oklahoma; **HL:** Italien/Spanien/Deutschland (Cineproduzioni Associate – Rom/P.C. Balcázar – Barcelona/International Germania Film – Köln); **UA:** 11.3.65; **OL:** 98 (2700 m); **DEA:** 6.5.66; **DL:** 86; **FSK:** 12; **P:** Alfonso Balcazar; **R:** Jaime Jesus Balcázar, Roberto Bianchi Montero; **B:** Giovanni Simonelli, Roberto Bianchi Montero; **K:** Giuseppe La Torre (Techniscope – Eastmancolor); **M:** Francesco De Masi; **CD:** Il ranch degli spietati/Una bara per lo sceriffo (BEAT CDCR 44): 17 tracks; Spaghetti-Westerns Vol. 4 (DRG 32932): 2 tracks; **D:** Rick Horn, Sabine Bethmann, José Calvo, Charles (Karl-Otto) Alberty, George Herzig, Tom Felleghy, John McDouglas (Giuseppe Addobbati), Leontine May (Leontina Mariotta), Jesus Puente, Edward Lewis, Ted Ruby (Fernando Rubio); **I:** Junger Sheriff entlarvt einen gewissenlosen Mörder und Landräuber und stellt dadurch Ruhe und Ordnung in einem mexikanischen Dorf wieder her. *Früher, äußerst mittelmäßiger, deutsch koproduzierter und in Spanien gedrehter Eurowestern von Balcázar und Montero.*

Quinto: non ammazzare

Los rebeldes de Arizona (1970) ET: The rebels of Arizona / Adios Cjamango; IT: Adios Cjamango! / 20.000 dollars por un cadaver / Ehi gringo ... scendi dalla croce; ST: Los rebeldes de Arizona; FT: Les desperados de l'Arizona; HL: Spanien/Italien (Procensa Films – Madrid/Cinemec – Rom); OL: 88 (2422 m); P: Rafael Durán; R: José María Zabalza; B: José María Zabalza; K: Leopoldo Villaseñor (Cinemascope – Eastmancolor); M: Ana Satrova; DO: Spanien; D: Carlos Quiney, Miguel de la Riva, Claudia Gravy, José Truchado, Luis Induñi, Enrique Navarro; I: Ein Kopfgeldjäger hilft einer jungen Witwe in ihrem Kampf gegen einen bösen Tyrannen.

⟳ **Réquiem para el gringo (1968)** DT: Requiem für Django; ET: Duel in the eclipse; IT: Requiem per un gringo; ST: Réquiem para el gringo; FT: Requiem pour Gringo; HL: Spanien/Italien (Hispamer Films – Madrid/Prodimex Films – Rom); UA: 23.8.68; OL: 97 (2662 m); DEA: 20.6.69; DL: 81; FSK: 18; P: Sergio Newman ; R: José Luis Merino; B: María del Carmen Martínez Román (I: Enrico Colombo, Giuliana Garavaglia); K: Mario Pacheco (Panoramico – KodakColor); M: Angelo Francesco Lavagnino; CD: Requiem für Ringo (Tsunami T0S 0301): 14 tracks; Spaghetti-Westerns Vol. 1 (DRG 32905): 4 tracks, Johnny West il mancino / Réquiem para el Gringo / Pistoleros de Paso Bravo (Saimel 3997110); DO: Spanien (Almería, Colmenar Viejo), Italien; D: Lang Jeffries, Femi Benussi, Fernando Sancho, Carlo Gaddi, Ruben Rojo, Aldo Sambrell, Carlo Simoni, Marisa Paredes, Giuly Garr; I: Django rächt seinen ermordeten Bruder und vernichtet eine Bande. *Guter Western.*

⟳ **Requiescant (1967)** DT: Mögen sie in Frieden ruh'n/Galgen Kid; ET: Let them rest/Kill and pray; IT: Requiescant; FT: Requiescant/Tue et fais ta prière; HL: Italien/Deutschland (Castoro Film/Istituto Luce/Tefi Film – München); UA: 10.3. 67; OL: 110 (3032 m); DEA: 28.7.67; DL: 92; FSK: 16; P: Carlo Lizzani, Ernst Ritter von Theumer, Anna Maria Chretien; R: Carlo Lizzani; B: Adriano Bolzoni, Armando Crispino, Lucio Manlio Battistrada, Karl-Heinz Vogelmann (I: Renato Izzo, Franco Bucceri); K: Sandro Mancori (Panoramico – Eastmancolor); M: Riz Ortolani; DO: Italien; D: Lou Castel, Mark Damon, Pier Paolo Pasolini, Barbara Frey, Rossana Martini, Mirella Maravidi, Carlo Palmucci, Frank Braña, Franco Citti, Liz Barret (Luisa Barrato), Ivan G. Scratuglia; I: Ein Vollwaise rächt den Tod seiner Eltern und den Landraub, der von einer Bande skrupelloser Gangster an einer Gruppe mexikanischer Bauern verübt wurde, um in den Besitz des Landes zu kommen. *Der zweite Western von Carlo Lizzani ist gleichzeitig sein bester und verfügt über eine interessante Geschichte und eine hervorragende Besetzung.*

⟳ **La resa dei conti (1966)** DT: Der Gehetzte der Sierra Madre/ Cuchillo, der Vollstrecker; ET: The big gundown; IT: La resa dei conti; ST: El halcón y la presa; FT: Colorado/Un maudit de plus; HL: Italien/Spanien (P.E.A. – Produzioni Europee Associate di Grimaldi Maria Rosaria e C. – Napoli/Tulio Demicheli P.C. – Madrid); UA: 3.3.67; OL: 110 (3037 m); DEA: 27.6.67; DL: 80 (Kino), 107 (DVD); FSK: 16; P: Alberto Grimaldi, Tulio Demicheli; R: Sergio Sollima; B: Sergio Donati, Sergio Sollima (I: Franco Solinas, Fernando Morandi); K: Carlo Carlini (Techniscope – Technicolor); M: Ennio Morricone; S: »Run Man, Run« – gesungen von Christy; CD: La resa dei conti (GDM 2027): 24 tracks; Faccia a faccia/La resa dei conti (Mask MK 701): 14 tracks; DO: Spanien (Almería, Manzanares el Real); D: Lee Van Cleef, Tomás Milian, Fernando Sancho, Nieves Navarro, Roberto Camardiel, Walter Barnes, Gerard Herter, Maria Granada, Luis Rivelli, Benito Stefanelli, Nello Pazzafini, Spartaco Conversi, Romano Puppo, Tom Felleghi, Calisto Calisti; I: Ein Kopfgeldjäger wird auf die Spur eines flüchtigen Mexikaners gehetzt, der angeblich ein Mädchen ermordet haben soll. Der Jäger durchschaut bald die wahren Zusammenhänge und stellt den wirklichen Täter. *Der erste Genrebeitrag von Sergio Sollima ist gleichzeitig sein bester und kommt sehr nahe an die Qualität der Sergio-Leone-Filme heran, auch was die Musik von Ennio Morricone angeht.*

Reverendo Colt (1970) DT: Bleigewitter/Antreten zum Beten; ET: Reverend Colt; IT: Reverendo Colt; ST: Reverendo Colt; FT: Le colt du révérend; HL: Spanien/Italien (R.M. Films – Madrid/Talia Films – Madrid/Oceania Produzioni Internazionali Cinematografiche/P.I.C. – Produzione Intercontinentale Cinematografica – Rom); UA: 24.12.70; OL: 107 (2950 m); DEA: 17.2.76; DL: 83; FSK: 16; P: Marino Girolami; R: León Klimovsky, Marino Girolami; B: Tito Carpi, Manuel Martinez Remis (I: Manuel Martinez Remis); K: Salvatore Caruso (Panoramico – Eastmancolor); M: Gianni Ferrio, Piero Umiliani; DO: Spanien (Seseña, Titulcia); D: Guy Madison, Richard Harrison, Thomas Moore (Enio Girolami), Maria Martin, German Cobos, Pedro Sanchez, Steven Tedd, Perla Cristal, Maria Monterrey, Mariano Vidal Molina, José Canalejas, Nino Marchetti; I: Nach der Ermordung seines Vaters wird der Sohn eines protestantischen Pfarrers zunächst Kopf-

Los rebeldes de Arizona

geldjäger, später aber gleichfalls Reverend und macht eine gefährliche Bande unschädlich. *Mittelmäßiger Western der nicht von Klimovsky, sondern von Marino Girolami inszeniert wurde.*

Reza por tu alma … y muere (1970) DT: Arriva Garringo/Galgenvögel sterben einsam; ET: Sabata the killer; IT: Arriva Sabata!; ST: Reza por tu alma … y muere; HL: Spanien/Italien (Producciónes Cinematográficas D.I.A. – Madrid/Tritone Filmindustria – Rom); UA: 12.9.70; OL: 98 (2685 m); DEA: 4.5.71; DL: 89; FSK: 16; P: Miguel Tudela; R: Tulio Demicheli; B: Nino Stresa, Florentino Soria (I: Nino Stresa); K: Aldo Ricci (Techniscope – Eastmancolor); M: Marcello Giombini; D: Peter Lee Lawrence, An-

thony Steffen, Eduardo Fajardo, Alfredo Mayo, Luis Induñi, Rossana Rovere, Alfonso Rojas, Mario Villa, Chris Huerta, Xan Das Bolas, Alfredo Santacruz, Tito Garcia, Marisa Porcel, Rafael Albaicin; I: Leichenreiche Schießerei um drei Gauner, die einen Geldtransport überfallen, verfolgt werden und sich die Beute gegenseitig streitig machen. *Unbedeutender harter Western mit einigen missglückten humoristischen Zugaben von Regisseur Tulio Demicheli.*

Ric e Gian alla conquista del West (1967) ET: Rick and John, conquerors of the west; IT: Ric e Gian alla conquista del West; HL: Italien (Denwer Films); UA: 18.8.67; OL: 112 (3080 m); P: Osvaldo Civirani; R: Osvaldo Civirani; B: Tito Carpi, Alessandro Ferraù, Osvaldo Civirani (I: Tito Carpi, Alessandro Ferraù); K: Osvaldo Civirani (Cromoscope – Technicolor); M: Piero Umiliani; D: Riccardo Miniggio, Gianfabio Bosco, Craig Hill, Francesco Mulè, Barbara Carroll, Tiberio Murgia, Rossella Bergamonti, Fred Coplan, Aldo Ralli, Mirko Valentin, Anna Campori; I: Die zwei Trottel Ric und Gian werden von Major Jefferson gebeten, einen Goldtransport abzusichern. Auf ihrer Fahrt müssen sie sich mit allerlei Gesindel herumschlagen. *Mäßig amüsante Westernkomödie mit dem Komikerduo Riccardo Miniggio und Gianfabio Bosco, inszeniert von Osvaldo Civirani.*

Il richiamo del lupo (1974) DT: Die Spur des Wolfes/Der Ruf des Wolfes; ET: The great Adventure; IT: Il richiamo del lupo; ST: La llamada del lobo; FT: L'appel de

La resa dei conti

la forêt; **HL:** Italien/Spanien (Dunamis Cinematografica
– Rom/Estudios Cinematograficos Roma – Madrid); **UA:**
13.3.75; **OL:** 91 (2510 m); **DEA:** 2.2.85 (DFF 2); **DL:**
84; **FSK:** 16; **P:** Elliott Geisinger, Joseph Allegro; **R:** Gianfranco Baldanello; **B:** Juan Logar, Jesús Rodriguez (**I:**
Jack London); **K:** José F. Aguayo (Panoramico – Technicolor); **M:** Stelvio Cipriani; **S:** »The sound of the Wild«
– gesungen von Joseph Allegro; **DO:** Spanien (Daganzo),
Italien (Livigno); **D:** Jack Palance, Joan Collins, Elisabetta
Virgili, Manolo De Blas, Fernando Romero, Remo De Angelis, Ricardo Palacios, Attilio Dottesio, José Canalejas,
Enzo De Toma, Achille Grioni, Filippo La Neve, Doris
Zanardi, Emilio Mellado, Mario Barros; **I:** Zwei Brüder
und der Hund Buck helfen den Bewohnern von Dawson
City am Klondyke, den Gangster Bates und seine Leute
der gerechten Strafe zuzuführen. *Mittelmäßiger Jack-London-Verschnitt von Gianfranco Baldanello, der wenigstens
Jack Palance in einer tragenden Rolle bietet.*

**Rimase uno solo e fu la morte per tutti (1971) DT: Dakota –
nur der Colt war sein Gesetz/Schwur des Geächteten; ET:**
Brother outlaw; **IT:** Rimase uno solo e fu la morte per tutti; **ST:** La muerte fue para todos/Solo y fuera de la ley; **FT:**
Le pistolero de Tombstone; **HL:** Italien (Trans World Film
– Rom); **UA:** 19.2. 71; **OL:** 87 (2400 m); **DEA:** 8.6.91
(RTL plus); **DL:** 75; **R:** Edoardo Mulargia; **B:** Alessandro
Schirò, Edoardo Mulargia (**I:** Alessandro Schirò); **K:**
Antonio Modica (Panoramico – Eastmancolor); **M:** Gianfranco Di Stefano, Felice Di Stefano; **D:** James Rogers
(Jean Louis), Tony Kendall, James Rogers, Dean Stratford,
Sophia Kammara, Omero Gargano, Nino Musco, Bruno
Boschetti, Attilio Dottesio, Vincenzo Maggio, Celso Faria,
Sergio Sagnotti, Mimmo Maggio; **I:** Dakota Thompson
wird von seinem Bruder Slim aus dem Gefängnis befreit,
bevor sich die beiden auf die Suche nach den wahren
Verbrechern machen, allen voran Alvarez und Donovan.
*Ziemlich langweiliger Film von Edoardo Mulargia, von
dem man schon wesentlich bessere Italo-Western wie z.B.
»W Django« oder »Shango« gesehen hat.*

Ringo del Nebraska (1965) DT: Nebraska-Jim; ET: Savage
Gringo; **IT:** Ringo del Nebraska; **ST:** Ringo de Nebraska
(El rancho maldito); **FT:** Les dollars du Nebraska; **HL:**
Italien/Spanien (Italian International Film – Rom/Coop.
Castilla – Madrid); **UA:** 18.3.66; **OL:** 86 (2372 m); **DEA:**
6.12.66; **DL:** 83; **FSK:** 16; **P:** Fulvio Lucisano; **R:** Antonio Román, Mario Bava; **B:** Antonio Román, Jesús Navarro, Adriano Bolzoni (**I:** Jesús Navarro, Antonio Román);
K: Guglielmo Mancori (Techniscope – Eastmancolor);
M: Nino Oliviero; **S:** »Cuando se muere el sol« – gesungen von Vittorio Bezzi; **CD:** Ringo del Nebraska (GDM
2053): 22 tracks; **DO:** Spanien (El Atazar, Manzanares el
Real), Italien; **D:** Ken Clark, Piero Lulli, Yvonne Bastien,
Alfonso Rojas, Paco Sanz, Renato Rossini, Angel Ortiz,
Frank Braña, Aldo Sambrell, Livio Lorenzon; **I:** Geheimnisvoller Fremder befreit ein kleines Städtchen von allen
finsteren Typen. *Langweiliger Western, der laut diversen*

Quellen inoffiziell vom Horror-Filmer Mario Bava inszeniert worden sein sollte.

Ringo e Gringo contro tutti (1966) ET: Ringo and Gringo
against all; **IT:** Ringo e Gringo contro tutti; **ST:** Héroes
a la fuerza; **HL:** Italien/Spanien (European Incorporation – Rom/Coop. Fénix Films – Madrid); **UA:** 15.8.66;
OL: 101 (2780 m); **P:** Emo Bistolfi; **R:** Bruno Corbucci;
B: Mario Guerra, Vittorio Vighi, Giulio Scarnicci, Renzo
Tarabusi (**I:** Mario Guerra, Vittorio Vighi); **K:** Alfonso
Nieva, Alessandro D'Eva (Panoramico – Eastmancolor);
M: Gianni Ferrio; **DO:** Spanien (Hoyo de Manzanares);
D: Raimondo Vianello, Lando Buzzanca, Maria Martinez,
Monica Randall, Gino Buzzanca, Alfonso Rojas, Emilio
Rodriguez, Giovanni Lenzi, Miguel Del Castillo, Santiago
Rivero, Mario Castellani; **I:** Gringo und Ringo sind die
einzigen Überlebenden von Fort Jackson. Sie wissen nicht,
dass der Krieg seit 8 Jahren vorbei ist und schließen sich
einer Bande von Rebellen an und stehlen für sie Gold.
Unterhaltsame Westernkomödie von Bruno Corbucci.

Ringo il cavaliere solitario (1968) DT: Ein Schuß zuviel; ET:
Ringo, the lone rider; **IT:** Ringo il cavaliere solitario;
ST: Dos hombres van a morir; **FT:** Ringo le vengeur;
HL: Italien/Spanien (Cinematografica Emmeci – Napoli/Copercines Cooperativa Cinematográfica – Madrid);
UA: 15.2.68; **OL:** 83 (2293 m); **DEA:** 20.12.05; **DL:** 80;
P: Mario Caiano, Eduardo Manzanos; **R:** Rafael Romero
Marchent; **B:** Mario Caiano (**I:** Mario Caiano, Eduardo
Manzanos); **K:** Emanuele Di Cola (Totalscope – Eastmancolor); **M:** Francesco de Masi, Manuel Parada; **CD:** Ringo
il cavaliere solitario/Una colt in pugno al diavolo/L'ultimo
Mercenario (BEAT CDCR 32): 7 tracks; Spaghetti-Westerns Vol. 4 (DRG 32932): 2 tracks; **DO:** Spanien (Hoyo
de Manzanares, Manzanares el Real, Colmenar Viejo); **D:**
Peter Martell, Piero Lulli, Dianik Zurakowska, Miguel
Del Castillo, Alfonso Rojas, Paolo Hertz, Jesus Puente,
Armando Calvo, Antonio Pica, José Jaspe, Frank Braña, Alfonso Rojas, Jesus Tordesillas, Luis Barboo; **I:** Die
Bürger von Springfield heuern Ringo an, um sie vor dem
Terror von Bill Anderson und seiner Bande zu schützen.
*Kleiner, aber ganz guter Film mit dem unterschätzten Peter
Martell.*

**Ringo, il volto della vendetta (1966) DT: Den Colt im Genick/
Es geht um deinen Kopf, Amigo!; ET:** Ringo: Face of revenge; **IT:** Ringo, il volto della vendetta; **ST:** Los cuatro
salvajes; **FT:** La vengeance de Ringo; **HL:** Italien/Spanien
(Cinematografica Emmeci – Napoli/Estela Films – Madrid); **UA:** 26.8.66; **OL:** 105 (2900 m); **DEA:** 20.6.68;
DL: 88 (Kino), 98 (DVD); **FSK:** 16; **P:** Mario Caiano, Eduardo Manzanos (**I:** Eduardo M. Brochero); **R:** Mario Caiano; **B:** Eduardo M. Brochero, Mario Caiano (**I:** Eduardo
Brochero); **K:** Julio Ortas (Panoramico – Eastmancolor);
M: Francesco De Masi; **CD:** Ringo il volto della Vendetta
(GDM 2060): 21 tracks; **DO:** Spanien (Almería, Alcala de
Henares, Manzanares el Real); **D:** Anthony Steffen, Frank

Wolff, Eduardo Fajardo, Armando Calvo, Alejandra Nilo, Alfonso Goda, Ricardo Canales, Amedeo Trilli; **I:** Auf der Suche nach einem vergrabenen Goldschatz entbrennt unter den fünf Schatzsuchern ein Kampf auf Leben und Tod. Das Gold fällt schließlich dem Meisterschützen Ringo zu, der auch noch ein junges Mädchen heimführt. *Unterhaltsamer Durchschnittswestern von Italo-Western-Routinier Caiano mit einigen komischen Elementen.*

Río Maldito (1965) ET: Seven pistols for a gringo; **DT:** Río Maldito; **IT:** 7 pistole per El Gringo; **ST:** Río Maldito; **HL:** Spanien/Italien (I.F.I. España – Barcelona/Cineproduzioni Associate – Rom); **UA:** 6.8.66; **OL:** 98 (2700 m); **DEA:** 15.10.71; **DL:** 89; **FSK:** 18; **P:** Julia S. De La Fuente; **R:** Juan Xiol Marchel; **B:** Juan Xiol Marchel (**I:** Peter Kenn); **K:** Julio Pérez De Rozas (Techniscope – Eastmancolor); **M:** Enrique Escobar; **D:** Gérard Landry, Dan Harrison, Fernando Rubio, Alberto Farnese, Gustavo Re, Alberto Gadea, Patricia Loran, Manuel Simon, Cesar Ojinaga, José Maria Pinillo, Eduardo Lizarraga, Victor Vilanova, Teresa Giro, Marta May, Gaspar Gonzalez; **I:** Unschuldig Verurteilter bricht aus dem Zuchthaus aus und verhilft der Gerechtigkeit zum Sieg. *Schlechtester Xiol-Marchel-Western.*

Il ritorno di Clint il solitario (1972) DT: Ein Einsamer kehrt zurück; ET: The return of Clint the stranger; **IT:** Il ritorno di Clint il solitario/Ti attende una corda ... Ringo; **ST:** El retorno de Clint el solitario; **HL:** Italien/Spanien/Deutschland (Doria G. Film – Rom/P.C. Balcázar – Barcelona/A.B.C. Film – München); **UA:** 14.12.72; **OL:** 89 (2460 m); **DEA:** 7.3.75; **DL:** 85; **FSK:** 16; **P:** Enzo Doria; **R:** Alfonso Balcázar, George Martin; **B:** Giovanni Simonelli, Enzo Passadore (**I:** Alfonso Balcázar); **K:** Jaime Deu Casas (Panoramico – Eastmancolor); **M:** Ennio Morricone; **DO:** Spanien; **D:** George Martin, Klaus Kinski, Marina Malfatti, Daniel Martin, Augusto Pesarini, Luis Induñi, Francisco José Huetos, Willy Colombini, Luis Ponciado, Indio Gonzales, Pajarito, Gustavo Re, Luigi Antonio Guerra; **I:** Ein zum Desperado gewordener Familienvater kehrt zu

seiner Familie zurück, die ihn zunächst nur widerwillig aufnimmt. Es kommt zu weiteren Verwicklungen, als Gauner sie um ihr Land zu betrügen versuchen. *Leidlich spannender Western unter der Co-Regie von Alfonso Balcázar und George Martin.*

Il ritorno di Ringo (1965) DT: Ringo kommt zurück/Ringo kehrt zurück/Gnade spricht Gott – Amen mein Colt; ET: Return of Ringo; **IT:** Il ritorno di Ringo; **ST:** El retorno de Ringo; **FT:** Le retour de Ringo; **HL:** Italien/Spanien (Produzioni Cinematografiche Mediterranee – P.C.M./Rizzoli Film – Rom/P.C. Balcázar – Barcelona); **UA:** 8.12.65; **OL:** 96 (2640 m); **DEA:** 28.10.66; **DL:** 96; **FSK:** 18; **P:** Alberto Pugliese, Luciano Ercoli; **R:** Duccio Tessari; **B:** Fernando Di Leo, Duccio Tessari; **K:** Francisco Marín (Totalscope – Eastmancolor); **M:** Ennio Morricone; **S:** »Il ritorno di Ringo«, »La mia gente« »Il silenzio«, »Mariachi« – gesungen von Maurizio Graf; **CD:** Una pistola per Ringo/Il ritorno di Ringo (GDM 2044): 12 tracks; Death rides a horse/A pistol for ringo/The return of Ringo (RCA OST 107): 8 tracks; Spaghetti-Western (RCA 74321 26495-2): 6 tracks; Spaghetti-Westerns Vol. 3 (DRG 32929): 1 track; **DO:** Spanien (Esplugas de Llobregat, Fraga); **D:** Giuliano Gemma, Fernando Sancho, Nieves Navarro, Hally Hammond (Lorella de Luca), George Martin, Parajito, Antonio Casas, Monica Sugranes, Victor Bayo, Tunet Vila, Juan Torres, José Halufi; **I:** Ein heimgekehrter Offizier muss erst sein Heimatstädtchen von mexikanischen Banditen säubern, bevor er sein Familienglück finden kann. *Duccio Tessari gelingt es mit diesem Film, seinen ersten Ringo-Film noch zu übertreffen, wozu auch Ennio Morricones exzellenter Score beiträgt.*

Il ritorno di Zanna Bianca (1974) DT: Teufelsschlucht der wilden Wölfe/Wolfsblut 2; ET: Challenge to White Fang/White Fang to the rescue; **IT:** Il ritorno di Zanna Bianca; **ST:** La carrera del oro; **FT:** Le retour de Buck le loup/Le retour de Croc-Blanc; **HL:** Italien/Deutschland/Frankreich (Coralta Cinematografica – Rom/Terra Filmkunst – München/Berlin/Films Corona – Paris); **UA:** 25.10.74;

Ringo il cavaliere solitario   **Il ritorno di Clint il solitario**

OL: 97 (2680 m); DEA: 12.9.75; DL: 98; FSK: 12; R: Lucio Fulci; B: Alberto Silvestri, Roberto Gianviti, Lucio Fulci (I: Jack London); K: Silvano Ippoliti (Technospes – Technicolor); M: Carlo Savina; DO: Kanada; D: Franco Nero, Raimund Harmstorf, Virna Lisi, John Steiner, Werner Pochath, Renato Cestié, Harry Carey Jr., Renato De Carmine, Donald O'Brien, Hannelore Elsner, Yanti Somer, Ezio Marano; I: Während der Goldgräberzeit in Alaska spielt ein treuer Wolfshund eine wesentliche Rolle in den Kämpfen zwischen Schurken, die keine Verbrechen scheuen, und ehrbaren Männern. *In Kanada gedrehte Fortsetzung des ersten »Zanna Bianca«-Films von Lucio Fulci, in dem die Action ein bisschen mehr zum Zuge kommt.*

Roy Colt e Winchester Jack (1970) DT: Drei Halunken und ein Halleluja/Ein Halleluja für drei Halunken; ET: Roy Colt and Winchester Jack; IT: Roy Colt e Winchester Jack; ST: Roy Colt y Winchester Jack; HL: Italien (Tigielle 33/P.A.C. – Produzioni Atlas Cinematografica – Milano); UA: 13.8.70; OL: 101 (2790 m); DEA: 13.10.72; DL: 85; FSK: 16; P: Luigi Alessi; R: Mario Bava; B: Mario Di Nardo; K: Antonio Rinaldi (Panoramico – Eastmancolor); M: Piero Umiliani; S: »Roy Colt« und »Dove« – gesungen von Free Love; CD: Roy Colt & Winchester Jack (Cinevox MDF 331): 13 tracks; Spaghetti-Westerns Vol. 1 (DRG 32905): 1 track; D: Brett Halsey, Charles

Roy Colt e Winchester Jack

Southwood, Marilù Tolo, Teodoro Corrà, Lee Burton (Guido Lollobrigida), Bruno Corazzari, Franco Pesce, Rick Boyd, Piero Morgia, Vincenzo Crocitti, Giorgio Gargiullo, Leo De Nobili, Maurizio Laurcri; I: Drei rivalisierende Banden auf der Jagd nach einem indianischen Goldschatz. *Der dritte Mario-Brava-Western ist genauso schlecht wie seine Vorgänger.*

Sangue chiama sangue (1967) ET: Blood calls to blood; IT: Sangue chiama sangue; FT: El Sancho … c'est le temps de mourir/La sangre reclame le sang; HL: Italien (Zalo Film – Milano); UA: 6.4.68; OL: 96 (2635 m); P: Felice Zappulla; R: Luigi Capuano; B: Fulvio Pazziloro; K: Tino Santoni (Panavision – Eastmancolor); M: Francesco De Masi; D: Fernando Sancho, Stephen Forsyth, German Cobos, Antonella Judica, Lea Nanni, Vittoria Solinas, Frank Farrell (Franco Fantasia), Rick Palanse, Francesco Porzi; I: André White möchte seinen Bruder im Kloster besuchen, findet ihn und alle seine Klosterbrüder leider nur noch tot vor. Er beschließt daraufhin, im Namen Gottes diese Untat zu rächen und die Schuldigen zur Strecke zu bringen. *Dieser Capuano-Western ist eine Spur besser als »Il magnifico texano«, jedoch trotzdem vergessenswert.*

Sansone e il tesoro degli Incas (1964) DT: Samson und der Schatz der Inkas/Der Schatz der Inkas; ET: Lost treasure of the Inkas; IT: Sansone e il tesoro degli Incas; ST: Sanson y el tesoro de los Incas; FT: Samson et le trésor des Incas; HL: Italien/Deutschland/Frankreich (Romana Film/Constantin Film – München/Ulysse Productions – Paris); UA: 15.10.64; OL: 104 (2873 m); DEA: 1.2.66; DL: 96; FSK: 12; P: Fortunato Misiano; R: Piero Pierotti; B: Piero Pierotti, Arpad De Riso; K: Augusto Tiezzi (Totalscope – Eastmancolor); M: Angelo Francesco Lavagnino; DO: Italien (Elios Film Studio Rom); D: Alan Steel, Toni Sailer, Mario Petri, Anna Maria Polani, Pierre Cressoy, Wolfgang Lukschy, Brigitte Heiberg, Carlo Tamberlani, Dada Gallotti, Umberto Spadaro, Harry Riebauer, Antonio Gradoli, Gino Marturano, Elisabetta Fanti, Attilio Severini, Andrea Scotti; I: Gangsterbande, die ein Wildweststädtchen terrorisiert, kommt schließlich beim Überfall auf den Inkaschatz um. *Unglaublich naiver misslungener Versuch von Piero Pierotti, das Sandalenfilm-Genre mit dem des Italo-Western zu verbinden.*

Sapevano solo uccidere (1968) DT: Mein Leben für die Rache; ET: Saguaro; IT: Sapevano solo uccidere; ST: Solo sabian matar; FT: Seul contre les mercenaires; HL: Italien (Danny Film/Italian Film Production); UA: 10.3.68; OL: 94 (2572 m); DL: 87; P: Marcello Luchetti, Camillo Tanio Boccia; R: Tanio Boccia; B: Mario Moroni, Tanio Boccia; K: Fausto Rossi (Totalscope – Eastmancolor); M: Angelo Francesco Lavagnino; CD: Gli specialisti (EVB): 5 tracks; D: Kirk Morris, Larry Ward, Alan Steel, Gordon Mitchell, Kim Arden, Aldo Cecconi, Anna Castor, Rossana Rovere, Ivan G. Scratuglia, Luciano Bonanni, Remo Capitani, Attilio Marra; I: Jeff Smart ist auf der Suche nach den Mördern eines guten Freundes und wird in dem kleinen Ort Lake City fündig, die von dem Verbrecher Saguaro terrorisiert wird. *Ziemlich schlechter Western aus dem Hause Tanio Boccia, dessen einziger sehenswerter Film »Dio non paga il sabato« ist.*

Saranda (1970) DT: Dein Leben ist keinen Dollar wert; ET: Twenty Paces to Death; IT: Saranda; ST: Veinte pasos para la muerte; HL: Italien/Spanien (Admiral International Films – Rom/I.F.I. España – Barcelona); UA: 9.4.70; OL: 83 (2275 m); DEA: 7.4.72; DL: 82; FSK: 16; R: Manuel Esteba, Antonio Mollica; B: Guido Leoni, Juliana San José De La Fuente (I: Ignacio F. Iquino, Lou Corrigan); K: Luciano Trasatti (Periscope – Eastmancolor); M: Enrique Escobar; DO: Spanien (Fraga); D: Dean Reed, Albert Farley (Alberto Farnese), Patty Shepard, Luis Induñi, Marta May, Tony Chandler, Cesar Ojinaga, Alejandro Ulloa, Gustavo Re, Joe I. Abadal, Indio Gonzales, Elena Pironti, Fernando Rubio, Antonio Rojo; I: Ein Indianermischling muss erst viel Ächtung der Dorfbewohner erfahren, bevor er die Tochter eines reichen Ranchers heiraten darf. *Vergessenswerter Film von Manuel Estaba/Antonio Mollica mit dem Amerikaner Dean Reed in der Hauptrolle.*

Sartana nella valle degli avvoltoi (1970) DT: Der Gefürchtete; ET: Sartana in the Valley of Death; IT: Sartana nella valle degli avvoltoi; ST: Sartana en el valle de oro; FT: Sartana dans la vallée des vautours; HL: Italien (Victor Produzione Cinematografica); UA: 15.8.70; OL: 98 (2690 m); DEA: 17.6.71; DL: 85; FSK: 16; R: Roberto Mauri; B: Roberto Mauri; K: Sandro Mancori (Techniscope – Technicolor); M: Augusto Martelli; S: »A king for a day« – gesungen von Augusto Martelli; CD: La collera del vento (Digitmovies CDDM 014): 7 tracks; Spaghetti-Westerns Vol. 1 (DRG 32905): 3 tracks; DO: Italien (Elios Film Studio Rom); D: William Berger, Wayde Preston, Aldo Berti, Franco Ressel, Carlo Giordana, Jolanda Modio, Franco De Rosa, Gaetano Imbrò, Josianne Marie Tanzilli, Alan Collins, Pamela Tudor, Claudio Aponte; I: Sartana hilft der Armee, wieder in den Besitz eines Dokumentes und der Goldbarren zu gelangen, die von vier Banditenbrüdern geraubt wurden. *Unterdurchschnittlicher Western aus der Hand des gewohnt schlechten Roberto Mauri.*

Scalps (1986) DT: Scalps/Sie kämpft wie ein Mann; ET: Scalps; IT: Scalps; ST: Scalps! Venganza India; FT: Scalps; HL: Italien/Spanien (Beatrice Films – Rom/Multivideo – Barcelona); OL: 102 (2798 m); DEA: Mai 1989 Video (Beatrice Film/Multivideo); DL: 95; FSK: 18; R: Bruno Mattei; B: Bruno Mattei, Roberto Di Girolamo, José Maria Cunilles (I: Richard Harrison, Itala Gaspari); K: Julio Burgos (Panoramico – Color); M: Luigi Ceccarelli; DO: Spanien (Almería, Madrid); D: Vassili Karis, Mapy Galan (Lola Forner), Charly Bravo, Albert Farley (Alberto Farnese), Emilio Linder, Benny Cardoso, Ignacio M. Carreño, Francisco Gomez Castro, José Canalejas; I: Nach dem amerikanischen Bürgerkrieg zieht eine versprengte Horde der Südstaaten-Armee mordend und brandschatzend durchs Land. Sie trifft auf eine junge Indianerin, die Skalpe sammelt, sich jedoch in einen der Soldaten verliebt. *Auch die schöne Farbfotografie der bekannten spanischen Westernschauplätze kann diesen misslungenen Versuch eines Spätwesterns nicht retten.*

Scansati ... a Trinità arriva Eldorado (1972) DT: Pokerface auf krummen Touren/Arriva Eldorado; ET: Go away! Trinity has arrived in Eldorado; IT: Scansati ... a Trinità arriva Eldorado; FT: Planque-toi minable, Trinita arrive!; HL: Italien (Elektra Film); UA: 12.11.72; OL: 87 (2400 m); DEA: 27.2.86 (RTL plus); DL: 79; P: Demofilo Fidani, Massimo Bernardi, Diego Spataro; R: Demofilo Fidani, Aristide Massaccesi, Diego Spataro; B: Romano Scandariato, Diego Spataro; K: Aristide Massaccesi (Panoramico – Eastmancolor); M: Giancarlo Chiaramello; DO: Italien; D: Stan Cooper (Stelvio Rosi), Gordon Mitchell, Lucky Mc Murry, Craig Hill, Carla Mancini, Daniela Giordano, Paul Crain (Enzo Pulcrano), Lina Alberti, Anthony G. Stanton (Franco Ricci); I: Der Kleinganove Jonathan Duke ist mit seinem Partner Duke unterwegs, um ein Lebenselexier zu verkaufen. Da dies kein erträgliches Geschäft ist, wollen die beiden zusammen mit Ringo Jones und seiner Bande einem Wahnsinnigen dessen Gold abnehmen. *Dieser billigst gedrehte Trashwestern gehört zu den besseren Arbeiten von Fidani/Massaccesi/Spataro, was gar nichts aussagt.*

La sceriffa (1959) DT: Tina räumt auf; IT: La sceriffa; HL: Italien (Betauno Film); UA: 16.8.59; OL: 95 (2600 m); DEA: 9.9.60; DL: 96; FSK: 12; R: Roberto Bianchi Montero; B: Mario Amendola; K: Sergio Pesce (Dyaliscope – Eastmancolor); M: C. Louvre; D: Tina Pica, Tina De Mola, Ugo Tognazzi, Tom Felleghi, Livio Lorenzon, Tino Scotti, Annie Alberti, Alberto Sorrentino, Anita Todesco, Fanfulla, Benito Stefanelli; I: Nachdem ihr Mann, der Sheriff von Rio Ciuccio, von Banditen umgebracht wurde, entschließt sich seine Witwe Donna Carmela Esposito, sich selbst zum Sheriff zu ernennen und die Verbrecher

Sartana nella valle degli avvoltoi

643

zu jagen. *Sehr langweilige Westernkomödie von Roberto Bianchi Montero mit Tina Pica und Ugo Tognazzi.*

Lo sceriffo di Rockspring (1971) FT: Sheriff of Rock Spring; IT: Lo sceriffo di Rockspring; FT: Le sheriff de Rockspring; HL: Italien (Rasfilm); UA: 17.12.71; OL: 86 (2360 m); R: Mario Sabatini; B: Elido Sorrentino, Luigi Gianni; K: Gianni Raffaldi (Panoramico – KodakColor); M: Gianfranco Di Stefano, Felice Di Stefano; S: »La canzone del coyote« – gesungen von Lorena Limoncelli; DO: Italien; D: Richard Harrison, Cosetta Greco, Donald O'Brien, Teresa Franceschini, Agostino De Simone, May Doria, Mauro Mannatrizio, Celso Faria, Sophia Kammara, Moreno Sidri, Maria Morgan, Romano De Simone, Carlo Romano, Pino Bernardi, Mimmo Bernardini; I: Der Mörder Burt kommt durch das Städtchen Rock Spring und nimmt dort ein Mormonenkind als Geisel, bevor ihm von einem Mormonenmädchen das Handwerk gelegt wird. *Äußerst langweiliger spannungsloser Western von Mario Sabatini.*

Lo sceriffo che non spara (1965) ET: The sheriff won't shoot; IT: Lo sceriffo che non spara; ST: El sheriff no dispara; FT: Poker d'as pour Django; HL: Italien/Spanien (Accadia Film/Hispamer Films – Madrid); UA: 9.9.65; OL: 98 (2700 m); P: Sergio Neuman, Vincenzo Cascino; R: Renato Polselli/José Luis Monter; B: Guido Malatesta, Vincenzo Cascino, Renato Polselli, J. L. Monter, Lionel A. Prestol, Carmen Martinez, Reinat Rizlang (I: Guido Malatesta); K: Aiace Parolin (Panoramico – Eastmancolor); M: Felice Di Stefano; S: Titelsong gesungen von Carol Danell; DO: Spanien, Italien; D: Mickey Hargitay, Vincenzo Cashino, Aichè Nanà, Solvi Stubing, Marco Mariani, Gianni Dei, Manolo Lopez Zarzo; I: Ein Sheriff wird zu einem Duell gezwungen, nachdem er festgestellt hat, dass sein jüngerer Bruder in einer Verbrecherbande involviert ist. *Einigermaßen unterhaltsames Revolverhelden-Drama, das trotz der Kreditierung von José Luis Monter eher Renato Polselli zuzuschreiben ist.*

Uno sceriffo tutto d'oro (1966) DT: Töte, Ringo, töte; ET: Sheriff with the gold; IT: Uno sceriffo tutto d'oro; FT: L'or du shériff; HL: Italien (Wonder Films Produzione Cinematografica/Fono Roma); UA: 22.12.66; OL: 89 (2450 m); DEA: 30.12.68; DL: 86; FSK: 18; P: Osvaldo Civirani; R: Osvaldo Civirani; B: Roberto Gianviti, Osvaldo Civirani, Vincenzo Dell'Aquila (I: Roberto Gianviti); K: Osvaldo Civirani (Cromoscope – Eastmancolor); M: Jan Christine; S: »The gold men« – gesungen von Don Powell; D: Louis McJulian (Luigi Giuliani), Jacques Berthier, Kathleen Parker (Caterina Trentini), Bob Messanger (Roberto Messina), Ares Lucky (Fortunato Arena), Ivan Scratuglia, Aldo Rendine, Nando Angelini, Luciano Rossi, Mario Lanfranchi; I: Um für einen großen Coup getarnt zu sein, lässt Ringo sich zum Sheriff ernennen und überfällt mit einigen Komplizen einen Goldtransport. *Mittelmäßiger Western von Osvaldo Civirani ohne irgendwelche Höhepunkte.*

...se incontri Sartana prega per la tua morte (1968) DT: Sartana – bete um deinen Tod; ET: Sartana/If You Meet Sartana Pray for Your Death; IT: ... se incontri Sartana prega per la tua morte; ST: Si te encuentras con Sartana, ruega por tu muerte; FT: Sartana; HL: Italien/Deutschland (Paris Etoile Film – Rom/Parnass Film – München); UA: 14.8.68; OL: 95 (2598 m); DEA: 22.8.69; DL: 95; FSK: 18; P: Aldo Addobbati; R: Gianfranco Parolini; B: Renato Izzo, Gianfranco Parolini, Werner Hauff (I: Luigi De Santis, Fabio Piccioni, Adolfo Cagnacci); K: Sandro Mancori (Pariscope – Eastmancolor); M: Piero Piccioni; CD: ... se incontri Sartana, prega per la tua morte (GDM PRCD 124): 27 tracks; Italo-Westerns Vol. 2 (DRG 32909): 2 tracks; Fantastic World of SW (VCDS 7016): 4 tracks; DO: Italien (Elios Film Studio Rom); D: Gianni Garko, Klaus Kinski, Fernando Sancho, William Berger, Sydney Chaplin, Gianni Rizzo, Andrea Scotti, Carlo Tamberlani, Franco Pesce, Heidi Fischer, Maria Pia Conte, Francis Little Words (Gianfranco Parolini), Salvatore Borgese; I: Mehrere Räuberbanden und Einzelgänger bringen sich einer Kiste Gold wegen gegenseitig um. *Erster echter, sehr unterhaltsamer Sartana-Film von Gianfranco Parolini, in dem Gianni Garko erstmals seinen berühmt gewordenen, ganz in Schwarz gekleideten Superhelden des Wilden Westens spielt.*

Se sei vivo spara (1967) DT: Töte, Django/Django – leck Staub von meinem Colt; ET: Django kill; IT: Se sei vivo spara; ST: Oro maldito; FT: Tire encore, si tu peux; HL: Italien/Spanien (G.I.A. – Società Cinematografica (Rom)/Hispamer Films (Madrid); UA: 22.1.67; OL: 116 (3191 m); DEA: 3.5.67; DL: 112; FSK: 18; P: Alex J. Rascal, R: Giulio Questi; B: Franco Arcalli, Giulio Questi (I: Maria Del Carmen Martinez Roman); K: Franco Delli Colli (Techniscope – Eastmancolor); M: Ivan Vandor; DO: Spanien (Hoyo de Manzanares); D: Tomás Milian, Marilù Tolo, Milo Quesada, Piero Lulli, Miguel Serrano, Paco Sanz, Angel Silva, Raymond Lovelock, Mirella Pamphili, Roberto Camardiel, Daniel Martin, Edoardo De Santis; I: Ein Halbblut lehnt sich gegen eine Mörderbande und einen verbrecherischen Rancher auf. *Als Kultfilm geltender einziger Western von Giulio Questi, der über eine äußerst gute Besetzung, jedoch auch sehr viel Gewalt beinhaltet (nicht »übertriebene«).*

Se t'incontro t'ammazzo (1971) DT: Unerbittlich bis ins Grab; ET: Finders killers; IT: Se t'incontro t'ammazzo; FT: Si je te rencontre, je te tue; HL: Italien (Minerva Film – Rom); UA: 27.3.71; OL: 91 (2512 m); DL: 88; P: Fernando Morbis; R: Gianni Crea; B: Fabio Piccioni; K: Giovanni Varriano, Vitaliano Natalucci (Widescreen – Eastmancolor); M: Stelvio Cipriani; DO: Italien (Elios Film Studio Rom); D: Donald O'Brien, Gordon Mitchell, Pia Giancaro, Dean Stratford, Emilio Messina, Gennarino Pappagalli, Alessandro Perrella, Femi Benussi, Mario Brega; I: Jack Dean ist auf der Suche nach dem Mörder seines Vaters und trifft in dem Kaff Winthrop auch seinen Bruder, bevor er seine Rache vollzieht. *Unglaublich mieses Machwerk aus der Werkstatt von Gianni Crea.*

Se vuoi vivere ... spara! (1967) DT: Andere beten – Django schießt; ET: If you want to live ... shoot!; IT: Se vuoi vivere ... spara!; FT: Tire si tu veux vivre; HL: Italien (G.V. Cinematografica/Cinegar); UA: 07.1.68; OL: 94 (2580 m); DEA: 29.8.69; DL: 97; FSK: 18; P: Elsio Mancuso; R: Sergio Garrone; B: Franco Cobianchi, Sergio Garrone; K: Sandro Mancori (Cinemascope – Eastmancolor); M: Vasco Vasil Kojucharov, Elsio Mancuso; CD: Tre croci per non morire/Se vuoi vivere ... Spara!/Ad uno ad uno spietatamente (BEAT CDCR 53): 9 tracks; DO: Italien; D: Sean Todd (Ivan Rassimov), Ken Wood, Riccardo Garrone, Isabella Savona, Tom Felleghy, Aldo Cecconi, Sean Todd (Ivan Rassimov), Christel Penz, Jim Clay (Aldo Cecconi), Renato Mambor; I: Von Kopfgeldjägern gehetzter Revolverheld macht eine Bande unschädlich, die eine Farm überfallen und den Farmer getötet hat. *Mittelmäßiger Erstlingswestern von Genre-Wiederholungstäter Sergio Garrone.*

Il segno del coyote (1963) DT: Mit Colt und Maske; IT: Il segno del coyote; ST: El vengador de California; FT: La griffe du coyote; HL: Italien/Spanien (P.E.A. – Produzioni Europee Associate di Grimaldi Maria Rosaria e C. – Napoli/Coop. Copercines – Madrid); UA: 11.5.63; OL: 100 (2743 m); DEA: 28.3.64; DL: 81; FSK: 12; R: Mario Caiano; B: José Mallorquí (I: José Mallorqui , Mario Caiano); K: Aldo Greci, Carlo Fiore, Ricardo Torres (Panoramico – Eastmancolor); M: Francesco De Masi; CD: Il segno del Coyote/C'è Sartana ... Vendi la pistola e comprati la bara! (BEAT CDCR 40): 13 tracks; Spaghetti-Westerns Vol. 4 (DRG 32932): 2 tracks; DO: Spanien (Hoyo de Manzanares); D: Fernando Casanova, Maria Luz Galicia, Mario Feliciani, Arturo Dominici, Giulia Rubini, Piero Lulli, Nadia Marlowa, Raf Baldassarre, Joe Camel (José Canalejas), Miguel Del Castillo, Giuseppe Fortis; I: Ein kalifornischer Herrensohn rächt heimlich die Untaten eines schurkischen Gouverneurs. *Unterhaltsamer Frühwestern im Stil der Zorro-Filme von Western-Profi Mario Caiano.*

Il segno di Zorro (1962) DT: Zorro, der Mann mit den zwei Gesichtern; ET: Sign of Zorro/Duel at the Rio Grande; IT: Il segno di Zorro; ST: El capitan intrépido (El signo de Zorro); FT: Le signe de Zorro; HL: Italien/Frankreich/Spanien (Compagnia Cinematografica Mondiale C.C.M. – Rom/Fidès Film – Paris/Producciónes Benito Perojo – Madrid); UA: 28.3.63; OL: 95 (2620 m); DEA: 21.11.63; DL: 93; FSK: 12; R: Mario Caiano; B: Guido Malatesta, Casey Robinson, Luis Marquina, Arturo Rigel (I: Casey Robinson); K: Adalberto Albertini, Antonio Macasoli (Dyaliscope – Eastmancolor); M: Gregorio García Segura; DO: Spanien (Fuente del Saz, Régil); D: Sean Flynn, Folco Lulli, Gaby André, Enrique Diosdado, Armando Calvo, Helga Line, Danielle De Metz, Carlo

Tamberlani, Mino Doro, Mario Petri, Gisella Monaldi, Walter Barnes, Pierro Lulli; I: In der Maske Zorros rächt ein junger Edelmann in Mexiko die Willkürtaten des tyrannischen Gouverneurs. *Unterhaltsamer Zorro-Film von Mario Caiano mit dem Sohn des berühmten Errol Flynn in der Hauptrolle.*

Sei bounty killers per una strage (1972) DT: Zahl und stirb!; IT: Sei bounty killers per una strage; HL: Italien; DEA: Video (Silva Video); DL: 83; R: Franco Lattanzi; B: Ottavio Dolfi, Palmambrogio Molteni; K: Giovanni Varriano (Widescreen – Eastmancolor); M: Piero Piccioni; D: Robert Woods, Donald O'Brien, Attilio Dottesio, George Wang, Mauro Mannatrizio, Maria Luisa Sala, Giovanni Mainardi, Victor Stocchi, Fiorella Mannoia, Antonio Dimitri, Nello Palladino, Alessandro Perrella, Lorenzo Piani, Barbara Betti, Armando Visconti; I: Ein Gouverneur heuert sechs Kopfgeldjäger an, die Stadt Abilene von einer Bande Krimineller zu säubern. *Unglaublich schlechter Western von Franco Lattanzi, dessen einziger halbwegs ansehbarer Genre-Beitrag »Il giustiziere di Dio« bleibt.*

Sei già cadavere amico ... ti cerca Garringo! (1971) DT: Zwei Halleluja für den Teufel; ET: Dig your grave, friend ... Sabata's coming; IT: Sei già cadavere amico ... ti cerca Garringo!; ST: Abre tu fosa, amigo, llega Sabata!; FT: Creuse ta tombe Garringo, Sabata revient; HL: Italien/Spanien (Devon Film – Rom/I.F.I. España – Barcelona); UA: 2.4.71; OL: 90 (2485 m); DEA: 6.10.72; DL: 90; FSK: 16; P: Ignacio F. Iquino; R: Juan Bosch; B: Sauro Scavolini, Ignacio F. Iquino (I: Juliana de la Fuente, Igancio F. Iquino); K: Floriano Trenker (Panoramico – Eastmancolor), Luciano Trasatti; M: Enrique Escobar; DO: Spanien (Esplugas de Llobregat, Fraga), Italien; D: Richard Harrison, Fernando Sancho, Raf Baldassarre, Tania Alvarado, Indio Gonzales, Gustavo Re, Brizio Montinaro, Léontine May, Alejandro Ulloa, Tomas Torres, Luis Induñi, Fernando Rubio; I: Von einem mexikanischen Wegelagerer unterstützt, rächt ein Ranchersohn den ermordeten Vater an einem skrupellosen Landräuber und seinen Mordgesellen. *Unterdurchschnittlicher Rache-Western von Juan Bosch.*

Sei jellato amico, hai incontrato Sacramento (1971) DT: Man nennt ihn Sacramento; ET: You're jinxed, friend, you just met Sacramento; IT: Sei jellato amico, hai incontrato Sacramento; ST: Balas de plomo, puños de acero; HL: Italien (Canadian International Film/Conversano BA – Roma); UA: 13.4.72; OL: 101 (2780 m); DEA: 13.7.73; DL: 90; FSK: 16; P: Vito Fanelli; R: Giorgio Cristallini; B: Giorgio Cristallini; K: Fausto Rossi (Techniscope – Technicolor); M: Franco Micalizzi; DO: Spanien (Esplugas de Llobregat); D: Ty Hardin, Christian Hay, Jenny Atkins, Giacomo Rossi Stuart, Krista Nell, Stan Cooper (Stelvio Rosi), Dana Ghia, Enrico Casadei, Domenico Cianfriglia, Giovanni Cianfriglia, Gianni Fanelli, Nando Poggi, Clemente Ukmar; I: Ergrauter Besitzer einer Hazienda kämpft erfolgreich gegen Banditen und Rivalen. *Trotz* *der halbwegs guten Besetzung gelingt es Giorgio Cristallini nicht besonders gut, eine unterhaltsame Geschichte zu erzählen, auch Komponist Franco Micalizzi hat schon wesentlich Besseres geleistet.*

Sella d'argento (1977) DT: Silbersattel; ET: Silver saddle; IT: Sella d'argento; HL: Italien (Rizzoli Film); UA: 20.4.78; OL: 96 (2650 m); DEA: 27.4.79; DL: 97; FSK: 16; P: Ennio Di Meo, Carlo Barto; R: Lucio Fulci; B: Adriano Bolzoni; K: Sergio Salvati (Techniscope – Technicolor); M: Franco Bixio, Fabio Frizzi, Vince Tempera; S: »Silver saddle« und »Two hearts« – gesungen von Ken Tobias; CD: Sella d'Argento (Digitmovies CDDM 023): 24 tracks; Spaghetti-Westerns Vol. 1 (DRG 32905): 1 track; DO: Spanien (Almería); D: Giuliano Gemma, Sven Valsecchi, Ettore Manni, Donald O'Brien, Aldo Sambrell, Cinzia Monreale, Licinia Lentini, Philippe Hersent, Sergio Leonardi, Geoffrey Lewis, Gianni De Luigi, Karine Stampfer, Agnes Calpagos, Maria Tinelli; I: Ein kleiner Junge, der die Ermordung seines Vaters mit ansehen muss, wird als Erwachsener zum rächenden Revolvermann. *Ruhiger, jedoch unterhaltsamer Spätwestern von Lucio Fulci.*

Seminoò morte ... lo chiamavano il castigo di Dio! (1971) DT: Er säte den Tod; ET: Death is sweet from the soldier of God; IT: Seminoò morte ... lo chiamavano il castigo di Dio!; HL: Italien (Produzioni Cinematografiche Internazionali Virginia); UA: 2.4.72; OL: 86 (2363 m); DEA: 80er Jahre (Video); DL: 83; P: Aurelio Serafinelli; R: Roberto Mauri; B: Roberto Mauri, Roberto Bianchi Montero; K: Mario Mancini (Cinemascope – Eastmancolor); M: Vasco Vasil Kojucharov; DO: Italien; D: Brad Harris, Vassili Karis, José Torres, Maretta, Zara Cilli, Roberto Messina, Franco Pasquetto, Matilde Antonelli, Mariella Palmich, Gino Turini, Irio Fantini, Ivo Scherpiani; I: Django schließt sich der Bande Spirito Santos an, um den Mörder seines Bruders und dessen Familie auszulöschen, der sich unter der Maske des Bankiers Scott verbirgt. *Minimal besser als der ebenfalls zur selben Zeit von Roberto Mauri gedrehte »Wanted Sabata«, trotzdem besser zu vergessen.*

Sentenza di morte (1967) DT: Django – unbarmherzig wie die Sonne; ET: Death sentence; IT: Sentenza di morte; ST: Sentencia de muerte; FT: Les sentiers de la violence/Sentence de mort; HL: Italien (B.L. Vision); UA: 01.1.68; OL: 90 (2468 m); DEA: 4.7.69; DL: 86 (Kino), 90 (DVD); FSK: 16; P: Sandro Bolchi, Mario Lanfranchi; R: Mario Lanfranchi; B: Mario Lanfranchi; K: Antonio Secchi (Techniscope – Technicolor); M: Gianni Ferrio; S: »Last game« – gesungen von Neville Cameron; CD: Un dollaro bucato/Sentenza di morte/Vivi o preferibilmente morti (CAM-494580-2): 7 tracks; DO: Spanien (Almería), Italien(Cinecittà Studio,Canalone di Tolfa); D: Robin Clarke, Richard Conte, Tomás Milian, Enrico Maria Salerno, Adolfo Celi, Eleonora Brown, Lilli Lembo, Monica Pardo, Luciano Rossi, Glauco Scarlini, Giorgio Gruden; I: Super-Raufbold bringt nicht nur die vier Mörder seines Bruders um, sondern zusätzlich noch eine

Sei già cadavere amico ... ti cerca Garringo!

Sella d'argento

646

Reihe Unbeteiligter. *Extrem harter und außergewöhnlich innovativer Rachewestern von Mario Lanfranchi, an dem sich die Geister scheiden – des einen Freund ist des anderen Feind.*

Sentivano uno strano, eccitante, pericoloso puzzo di dollari (1973)
DT: Der Barmherzige mit den schnellen Fäusten; ET: And they smelled the strange, exciting, dangerous scent of dollars; IT: Sentivano uno strano, eccitante, pericoloso puzzo di dollari; ST: Sentian ... un extrano existante, peligroso olor de dolares; FT: Ils sentaient une étrange, excitante, dangereuse odeur de dollars; HL: Italien (Samy Cinematografica); UA: 4.5.73; OL: 93 (2544 m); DEA: 24.7.98 (Kabel 1), DL: 89; P: Enzo Boetani, Giuseppe Collura; R: Italo Alfaro; B: Piero Regnoli; K: Sandro Mancori (Techniscope – Technicolor); M: Bruno Zambrini, Gianni Meccia; D: Robert Malcolm, Piero Vida, Rosalba Neri, Luigi Montini, Salvatore Puntillo, Peter Landers (Piero Leri), Dante Maggio, Jean Claudio, Spartaco Conversi, Fernando Cerulli; I: Kopfgeldjäger und Verbrecher werden ein Team und wollen einen Lohntransport im Wert von einer Million Dollar rauben. *Äußerst schlecht gemachte, humorlose Westernkomödie von Italo Alfaro.*

I senza Dio (1971)
DT: Rache in El Paso; ET: Thunder Over El Paso; IT: I senza Dio; ST: Yo los mato, tú cobras la recompensa; FT: Il était une fois à El Paso; HL: Italien/Spanien (Luis Film (Rom)/Dauro Films (Madrid); UA: 27.2.72; OL: 94 (2580 m); DEA: 3.12.99 (Kabel 1); DL: 88; P: Luigi Mondello; R: Roberto Bianchi Montero; B: Maurizio Pradeaux, Arpad De Riso, Antonio Fos (I: Maurizio Pradeaux); K: Alfonso Nieva (Cinemascope – Eastmancolor); M: Carlo Savina; DO: Italien (Elios Film Studio Rom)); D: Antonio Sabàto, Chris Avram, Erika Blanc, Paul Stevens (Paolo Gozlino), Pilar Velasquez, José Rivas Jaspe, Ken Wood, Beni Deus, Alessandro Perrella, Franco Marletta, Enzo La Torre; I: Kopfgeldjäger Minnesota und Bandido El Santo sind beide hinter dem grausamen Corbancho und dessen 400.000 Dollar Goldschatz her. *Unterhaltsamer kleiner Western von Roberto Bianchi Montero mit einem sympathischen Antonio Sabàto.*

I sette del gruppo selvaggio (1972)
DT: Der Ritt zur Hölle/Sieben (Halunken) hart wie Granit/Tornedo – Blaue Bohnen mit Speck/7 hart wie Granit/7 Halunken hart wie Granit/Duell in den Bergen/Die Hölle wartet schon auf Euch; ET: Seven devils on horseback/Seven savage men; IT: I sette del gruppo selvaggio; ST: Siete del grupo salvaje; HL: Italien (Bleus Film); UA: 29.3.75; OL: 89 (2440 m); DEA: Video (Phoenix); DL: 82; P: Itala Giardina, Dante Grilli; R: Gianni Crea; B: Gianni Crea; K: Silvio Fraschetti, Angelo Lotti (Techniscope – Technicolor); M: Stelvio Cipriani; DO: Italien; D: Femi Benussi, Mario Brega, Gordon Mitchell, Dean Stratford, Pino Mattei, Jack Logan, Mirella Rossi, Nino Musco, Maurizio Tocchi, Luigi Antonio Guerra; I: Jeff McNeil ist auf der Suche nach Cooper und dessen Gang, der seine Schwester auf dem Gewissen hat. *Unbegreiflich schlecht gemachter weiterer Western von einem König der »Turkeys«, Gianni Crea.*

I sette del Texas (1964)
DT: Die Sieben aus Texas; ET: Seven guns from Texas; IT: I sette del Texas; ST: Antes llega la muerte; FT: Les sept au Texas; HL: Italien/Spanien (P.E.A. – Produzioni Europee Associate di Grimaldi Maria Rosaria e C. – Napoli/Centauro Films – Madrid); UA: 12.9.64; OL: 101 (2780 m); DEA: 29.1.65; DL: 94; FSK: 16; P: Joaquin R. Marchent; R: Joaquín Luis Romero Marchent; B: Joaquín Luis Romero Marchent; K: Fausto Zuccoli (Totalscope – Eastmancolor); M: Riz Ortolani; DO: Spanien (Almería, Colmenar Viejo); D: Paul Piaget, Robert Hundar, Fernando Sancho, Gloria Milland, Jesus Puente, Paco Sanz, Raf Baldassarre, Joe Kamel, Gregory Wu, Andrew Scott (Andrea Scotti); I: Die Abenteuer einer Reisegruppe zwischen Indianern und Desperados. *Durchschnittswestern des Genre-Routiniers Joaquín Luis Romero Marchent.*

7 dollari sul rosso (1966)
DT: Django – Die Geier stehen Schlange; ET: Seven dollars on the red; IT: 7 dollari sul rosso; ST: Siete dólares al rojo; FT: Gringo joue sur le rouge/Sept dollars pour tuer; HL: Italien/Spanien (Metheus Film – Rom/Albatros Cooperativa de Produccion Cinematográfica – Madrid); UA: 16.3.66; OL: 100 (2750 m); DEA: 30.5.69; DL: 90; FSK: 18; P: Mario Siciliano; R: Alberto Cardone; B: Amedeo Mellone, Juan Cobos, Melchiade Coletti, Arnaldo Franciolini (I: Amedeo Mellone); K: José F. Aquayo (Techniscope – Technicolor); M: Francesco De Masi; S: »Wishville« – gesungen von July Ray; CD: 7 dollari sul rosso/Quella sporca storia nel west (CAM CSE-800-124): 14 tracks; SW Encyclopedia Vol. 2 (KICP 434): 2 tracks; DO: Spanien (Manzanares el real), Italien (Elios Film Studio Rom); D: Anthony Steffen, Loredana Nusciak, Fernando Sancho, Jerry Wilson (Roberto Miali), Elisa Montes, Carrol Brown (Carla Calò), Frank Farrel (Franco Fantasia), Spean Convery (Spartaco Conversi), Gianni Manera, John Manera, José Manuel Martin; I: Django jagt eine Gangsterbande, die seine Frau ermordet und seinen Sohn entführt hat. *Unterhaltsamer*

Sella d'argento

I sette del Texas

zweiter Western von Alberto Cardone mit einer tollen Rolle für Anthony Steffen.

7 donne per i MacGregor (1967) DT: Eine Kugel für MacGregor/Auf den Sheriff schießt man nicht; **ET:** Up the MacGregors!; **IT:** 7 donne per i MacGregor; **ST:** Siete mujeres para los MacGregor; **FT:** Les sept écossais explosent/Up! Up! Up! Up the MacGregor; **HL:** Italien/Spanien (Jolly Film – Trieste/Roma/Produzione D.S./Talia Films – Madrid); **UA:** 3.3. 67; **OL:** 102 (2798 m); **DEA:** 14.6.68; **DL:** 91; **FSK:** 16; **P:** Dario Sabetello; **R:** Franco Giraldi; **B:** Fernando Di Leo, Vincenzo Dell'Aquila, Paolo Levi, José Maria Rodriguez, Franco Giraldi (**I:** Fernando Di Leo, Enzo Dell'Aquila); **K:** Alejandro Ulloa (Techniscope – Technicolor); **M:** Ennio Morricone; **CD:** Spaghetti-Western (RCA 74321 26495-2): 1 track; **DO:** Spanien (Aldea del Fresno, Guadix, Nuevo Baztán); **D:** David Bailey, Agata Flori, Alberto Dell'Acqua, Roberto Camardiel, Nick Anderson (Nazzareno Zamnperla), Hugo Blanco, Jorge Rigaud , Victor Israel; **I:** Sieben Schottenbrüder und sieben rothaarige Irentöchter jagen einer Bande Mexikaner den geraubten Familienschatz wieder ab und machen den Banditen den Garaus. *Nicht ganz so gute Fortsetzung der »Schotten«-Saga von Franco Giraldi, jedoch trotzdem sehr unterhaltsam und mit einem guten Score von Ennio Morricone.*

Sette donne per una strage (1966) DT: Frauen, die durch die Hölle gehen/Die durch die Hölle gehen; **ET:** The tall women; **IT:** Sette donne per una strage/Donne alla frontiera; **ST:** Las 7 magnificas; **HL:** Italien/Spanien/Österreich (Danny Films S.R.L. – Rom/L.M. Films – Spanien/Danubia Film – Wien/Eurofilms – Vaduz); **OL:** 104; **DEA:** 1.11.68; **DL:** 90; **FSK:** 16; **P:** Sidney Pink; **R:** Rudolf Zehetgruber, Gianfranco Parolini, Sidney W. Pink; **B:** Mino Roli, Werner Hauff; **K:** Marcello Gatti (Techniscope – Technicolor); **M:** Gregorio García Segura, Carlo Savina; **DO:** Spanien (Almería, Seseña); **D:** Anne Baxter, Maria Perschy, Gustavo Rojo, Rossella Como, Adriana Ambesi, Christa Linder, Luis Prendes, Mara Cruz, Perla Cristal, Maria Mahor; **I:** Von sieben Frauen, die unter ständiger Bedrohung durch Indianer und in Auseinandersetzungen mit ihnen durch ein Wüstengebiet marschieren, erreichen drei ihr Ziel. *Dieser äußerst schwache Western ist ein loses Remake von William A. Wellmans »Westward the Women« (»Karawane der Frauen«).*

Sette magnifiche pistole (1966) DT: Sancho – dich küßt der Tod/Schieß schneller oder mach dein Testament; **ET:** Seven guns for Timothy; **IT:** Sette magnifiche pistole Benson imparò ad uccidere; **ST:** Siete pistolas para Timothy; **FT:** Sept colts du tonnerre; **HL:** Italien/Spanien (G.I.A. – Società Cinematografica/M.B.S. Cinematografica/P.C. Balcázar – Barcelona); **UA:** 8.4.66; **OL:** 102 (2800 m); **DEA:** 6.12.68; **DL:** 85; **FSK:** 16; **R:** Romolo Girolami; **B:** Alfonso Balcázar, Giovanni Simonelli (**I:** José Antonio De La Loma); **K:** Victor Monreal (Techniscope – Eastmancolor); **M:** Gino Peguri; **S:** »Cavalca Cow-Boy« – gesungen von I Marcellos Ferial; **DO:** Spanien (Esplugas de Llobregat, Fraga, Candasnos); **D:** Sean Flynn, Fernando Sancho, Evelyn Stewart, Daniel Martin, Frank Oliveras, Spartaco Conversi, Poldo Bendandi, Tito Garcia, Ivan Basta; **I:** Der junge und unerfahrene Erbe einer Goldmine wird von wohlmeinenden Freunden in die harte Schule des Wilden Westens genommen, um gegen gefährliche Banditen bestehen zu können. *Früher durchschnittlicher Western von dem später in Form kommenden Romolo Girolami.*

Sette monache a Kansas City (1973) DT: Nonnen, Gold & Gin; **ET:** Seven nuns in Kansas City; **IT:** Sette monache a Kansas City/Kansas City; **HL:** Italien (Armonia Cinematografica); **DEA:** 17.12.05, DL: 86; **P:** Pietro Santini, Lidia Puglia; **R:** Marcello Zeani; **B:** Lidia Puglia, Marcello Cascapera; **K:** Mario Sbrenna (Normal – Color); **M:** Gino Peguri; **D:** Ugo Fangareggi, Enzo Maggio, Lea Gargano, Paul McCrain (Enzo Pulcrano), Tony De Leo, Edmondo Tieghi, Mario Dani, Pedro Sanchez; **I:** Zwei Freunde entdecken durch Zufall Gold, als ihr Planwagen umkippt und sie in ein Flussbett fallen. Fortan müssen sie kämpfen, um ihren Schatz zu beschützen. *Unglaublich miserable Westernkomödie von Marcello Zeani, auf die man unbedingt verzichten sollte.*

7 donne per i MacGregor

7 pistole per i MacGregor (1966) DT: Die 7 Pistolen des MacGregor; ET: Seven guns for the MacGregors; IT: 7 pistole per i MacGregor; ST: Siete pistolas para los MacGregor; FT: Sept écossais au Texas; HL: Italien/Spanien (Jolly Film – Trieste/Roma/Produzione D.S./Estela Films – Madrid); UA: 2.2.66; OL: 100 (2750 m); DEA: 5.8.66; DL: 93; FSK: 16; P: Dario Sabatello; R: Franco Giraldi; B: David Moreno (I: Fernando Di Leo, Enzo Dell'Aquila, David Moreno, Duccio Tessari); K: Alejandro Ulloa (Techniscope – Technicolor); M: Ennio Morricone; S: »La marcia dei MacGregor« – gesungen von I Cantori Moderni di Alessandro Alessandroni; CD: Spaghetti-Western (RCA 74321 26495-2): 2 tracks; Spaghetti-Westerns Vol. 3 (DRG 32929): 1 track; DO: Spanien (Guadix, Aldea del Fresno, Almería); D: Robert Woods, Fernando Sancho, Agata Flori, Nazzareno Zamperla, Paolo Magalotti, Leo Anchóriz, Perla Cristal, Jorge Rigaud, Manuel Zarzo, Alberto Dell'Aqua, Julio Perez Tabernero, Chris Huerta, Max Dean (Massimo Righi); I: Die sieben Söhne eines alten Farmers brechen den Terror einer Bande von Viehdieben. *Hervorragender Italo-Western von Franco Giraldi, der Leone bei dessen erstem Western assistierte, untermalt von einem Spitzenscore Ennio Morricones.*

Sette pistole per un massacro (1967) DT: Das Todeslied von Laramie/Keinen Whiskey als Kopfgeld /Das Todeslied; ET: Adios hombre; IT: Sette pistole per un massacro (Adios, hombre); ST: Con el corazón en la garganta;

Sette donne per una strage

FT: Adios, hombre; HL: Italien/Spanien (United Pictures – Rom/Coop. Copercines – Madrid); UA: 29.4.67; OL: 89 (2437 m); DEA: 15.10.71; DL: 89; FSK: 18; R: Mario Caiano; B: Eduardo M. Brochero; K: Julio Ortas (Panoramico – Eastmancolor); M: Francesco De Masi; DO: Spanien (Hoyo de Manzanares, Colmenar Viejo), Italien; D: Craig Hill, Eduardo Fajardo, Piero Lulli, Giulia Rubini, Nello Pazzafini, Eleanora Vargas, Spartaco Conversi, Roberto Camardiel, Jacques Herlin, Tomas Picò, Natale Nazzareno; I: Unschuldig Verurteilter bricht aus dem Gefängnis aus und verhilft der Gerechtigkeit zum Sieg. *Guter harter Italo-Western, vom Genre-Spezialisten Mario Caiano perfekt in Szene gesetzt.*

7 winchester per un massacro (1967) DT: Die Satansbrut des Colonel Blake; ET: Payment in blood; IT: 7 winchester per un massacro; ST: Siete winchester para una matanza; FT: Sept winchester pour un massacre; HL: Italien (Circus Film – Rom/Fono Roma); UA: 14.4.67; OL: 99 (2730 m); DEA: 19.1.68; DL: 93; FSK: 18; P: Francesco Orefici; R: Enzo Girolami; B: Tito Carpi, Enzo Girolami (I: Marino Girolami); K: Aldo Pennelli (Techniscope – Technicolor); M: Francesco De Masi; S: »Seven men« – gesungen von Raoul; CD: 7 winchester per un massacro (Japan SLCS-7249): 22 tracks; Killer adios/7 winchester per un massacro (Screen Trax CDST 329): 13 tracks; Spaghetti-Westerns Vol. 2 (DRG 32909): 1 track; Spaghetti-Westerns Vol. 3 (DRG 32929): 1 track; SW Encyclopedia Vol. 1 (KICP 433): 1 track; Fantastic World of SW (VCDS 7016): 4 tracks; DO: Italien; D: Edd Byrnes, Guy Madison, Enio Girolami, Louise Barrett (Luisa Baratto), Rick Boyd, Rossella Bergamonti, Mario Donen, Attilo Severini, Piero Vida, Mirella Pamphili; I: Das Land wird nach dem Bürgerkrieg von einer Horde raubender und brandschatzender Soldaten und Banditen unsicher gemacht, die von einem zwielichtigen Helden aus Abenteuerlust und Gewinnsucht zur Strecke gebracht wird. *Unterhaltsamer erster offizieller Girolami-Western (nach dem offiziell Regisseur León Klimovsky zugeschriebenen »Pochi dollari per Django«).*

Sfida a Rio Bravo (1964) DT: Schnelle Colts für Jeannie Lee; ET: Gunmen of the Rio Grande/Duel at Rio Bravo; IT: Sfida a Rio Bravo; ST: Desafío en Río Bravo; FT: Duel à Rio Bravo; HL: Italien/Spanien/Frankreich (West Film/ Flora Film/Variety Film – Rom/Llama Films – Madrid/Société Nouvelle Pathé Cinéma – Paris); UA: 19.11.64; OL: 100 (2750 m); DEA: 9.4.66; DL: 100; FSK: 12; P: Italo Zingarelli; R: Tulio Demicheli; B: Gene Luotto, Chem Morrison; K: Mario Capriotti (Techniscope – Eastmancolor), Gulielmo Mancori; M: Angelo Francesco Lavagnino; D: Guy Madison, Fernando Sancho, Madeleine LeBeau, Gérard Tichy, Carolyn Davys, Beni Deus, Olivier Hussenot, Massimo Serato, Dario Michaelis, Alvaro De Luna; I: Der sagenhafte Wyatt Earp und der Sheriff einer kleinen Stadt säubern unter Mithilfe der Saloon-Besitzerin Jeannie Lee die Gegend von terrorisierenden Verbrechern. *Unter-*

haltsamer Beitrag von Tulio Demicheli aus der Anfangszeit des Italo-Western.

La sfida dei MacKenna (1969) DT: **Ein Dollar, ein Grab und zwei Ave Maria** (geplanter Kinotitel); ET: The challenge of the MacKennas; IT: La sfida dei MacKenna; ST: Un dólar y una tumba; FT: La défi des Mac Kenna/Vendetta a l'Ouest; HL: Italien/Spanien (Filmar Compagnia Cinematografica/Atlántida Films S.A. – Madrid); UA: 21.3.70; OL: 96 (2650 m); P: José Frade; R: León Klimovsky; B: Pedro Gil Paradela, León Klimovsky, Edoardo Mulargia (I: Antonio Viader); K: Francisco Sánchez (Techniscope – Eastmancolor); M: Francesco De Masi; CD: L'uomo della valle maledetta/La sfida die MacKenna/ ... E venne il tempo di uccidere (BEAT CDCR 47): 10 tracks; Spaghetti-Westerns Vol. 4 (DRG 32932): 2 tracks; DO: Spanien, Italien; D: John Ireland, Robert Woods, Daniela Giordana, Roberto Camardiel, Annabella Incontrera, Sergio Mandizabel, Mariano Vidal Molina, Ken Wood, José Antonio Lopez, Nando Poggi, Attilio Dottesio, Angelo Dessy, Sergio Colasanti; I: Die Geschichte eines heimatlosen früheren Priesters, der in einen Weidenkrieg von zwei mächtigen Ranchern verwickelt wird. *Angeblich von John Ireland geschrieben.*

○ **Shango la pistola infallibile (1970)** DT: **Shangos letzter Kampf**; ET: Shango; IT: Shango la pistola infallibile; ST: Shango; HL: Italien (S.E.P.A.C. – Società Europea Produzioni Associate Cinematografiche/P.A.C. – Produzioni Atlas Cinematografica – Milano); UA: 21.3.70; OL: 99 (2720 m); DEA: 13.9.2005 (Tele 5), DL: 81; P: Franco Cuccio, Pino De Martino; R: Edoardo Mulargia; B: Antonio De Teffé, Edoardo Mulargia; K: Gino Santini (Colorscope – Eastmancolor); M: Gianfranco Di Stefano; CD: Shango la pistola infallibile (Cinevox MDF 315): 16 tracks; Spaghetti-Westerns Vol. 1 (DRG 32905): 3 tracks; D: Anthony Steffen, Eduardo Fajardo, Maurice Poli, Barbara Nelli, Andrea Scotti, Massimo Carrocci, Franco Pesce, Spartaco Conversi, Gabriella Giorgelli; I: Nach dem Bürgerkrieg hindert Texas-Ranger Shango den Major und seine Bande von Konföderierten und Martinez mit seinen Desperados daran, sich einen verlorenen Goldschatz zu holen. *Einer*

La sfida dei MacKenna

der besten Western von Edoardo Mulargia, der es insgesamt auf 9 Genrebeiträge brachte.

○ **Si può fare ... amigo! (1971)** DT: **Halleluja ... Amigo/Der Dicke in Mexiko/Die Brillenschlange und der Büffel**; ET: Can be done ... amigo/The big and the bad; IT: Si può fare ... amigo!; ST: En el Oeste se puede hacer, amigo; FT: Amigo! ... Mon Colt a deux mots à te dire; HL: Italien/Frankreich/Spanien (Sancrosiap/Terzafilm Produzione Indipendente – Rom/Productions Jacques Roitfeld – Paris/Atlántida Films – Madrid); UA: 31.3.72; OL: 103 (2830 m); DEA: 9.6.72; DL: 104; FSK: 12; P: Alfonso Sansone, Enrico Chroscicki; R: Maurizio Lucidi; B: Rafael Azcona (I: Ernesto Gastaldi); K: Aldo Tonti (Techniscope – Technicolor); M: Luis Enríquez Bacalov; S: »Can be done« – gesungen von Rocky Roberts; CD: Il grande duello/Si può fare ... Amigo (GDM PRCD 120): 14 tracks; The Italian Western of Luis Bacalov (VCDS 7014): 5 tracks; Spaghetti-Westerns Vol. 2 (DRG 32909): 3 tracks; DO: Spanien (Almería); D: Bud Spencer, Jack Palance, Renato Cestiè, Dany Saval, Francisco Rabal, Giovanni Pazzafini, Luciano Catenacci, Sal Borgese, Roberto Camardiel, Serena Michelotti, Franco Giacobini, Dalila Di Lamar, Alan Collins; I: Gutmütiger, doch gewitzter und schlagkräftiger Dicker sichert ungeachtet eigener Schwierigkeiten einem Jungen das millionenschwere Erbe. *Durchschnittskomödienwestern von Maurizio Lucidi mit einer tollen Besetzung, die hier glatt verschenkt wurde.*

Una signora dell'Ovest (1942) DT: **Karawane**; ET: Girl of the golden West; IT: Una signore dell'Ovest; FT: La dame de l'ouest; HL: Italien (Scalera Film); UA: 9.2.42; OL: 96 (2644 m); P: Franco Magli; R: Carlo Koch; B: Carlo Koch, Lotte Reiniger; K: Ubaldo Arata (Normal – B/W); M: Mario Nascimbene; D: Rossano Brfazzi, Valentina Cortese, Carlo Duse, Isa Pola, Michel Simon; I: Ein örtlicher Rancher wird für den Mord des Freundes einer Saloon-Sängerin verantwortlich gemacht. Das Mädchen widerlegt die Unschuld des Ranchers und verliebt sich in den wirklichen Mörder. *Ein Italowestern aus der Zeit, als es noch gar keine gab*

○ **Sledge (1970)** DT: **Der Einsame aus dem Westen**; ET: A man called Sledge; IT: Sledge; ST: Cabalgando al infierno; FT: Un homme nommé Sledge; HL: Italien/USA (Dino De Laurentiis Cinematografica – Rom/Harry Bloom – New York); UA: 14.11.70; OL: 96 (2632 m); DEA: 20.11.70; DL: 92; FSK: 18; P: Dino De Laurentiis, Harry Bloom; R: Vic Morrow, Giorgio Gentili; B: Massimo D'Avack, Vic Morrow, Frank Kowalsky; K: Luigi Kuveiller (Techniscope – Technicolor); M: Gianni Ferrio; S: »Other men's gold« – gesungen von Stefan Grossman; DO: Spanien (Almería, Polopos); D: James Garner, Laura Antonelli, Dennis Weaver, Claude Akins, John Marley, Wayde Preston, Ken Clark, Fausto Tozzi, Steffen Zacharias, Riccardo Garrone, Franco Balducci, Tony Young, Altiero Di Giovanni; I: Ein Glücksritter bricht aus dem Gefängnis aus und raubt mit seinen Komplizen ein schwerbewaffnetes Golddepot aus – danach töten sich die früheren Kumpane gegenseitig. *Unterhaltsamer, von einem Amerikaner inszenierter Italo-Western; verfügt über eine tolle Besetzung, gute Musik von Gianni Ferrio und herrliche Landschaftsaufnahmen.*

Il sogno di Zorro (1952) DT: Zorro, der Held; IT: Il sogno di Zorro; HL: Italien (Industrie Cinematografiche Sociali I.C.S.); UA: 26.3.52; OL: 91 (2505 m); DEA: 1.1.53; DL: 77; FSK: 12; P: Niccolo Theodoli; R: Mario Soldati; B: Marcello Marchesi, Mario Amendola, Ruggero Maccari, Alessandro Continenza; K: Mario Montuori (Normal – B/W); M: Mario Nascimbene; D: Walter Chiari, Vittorio Gassmann, Gualtiro Tumiati; I: Mit einem Schlag verwandelt sich der temperamentlose Sohn Zorros in den feurigsten Klingenschwinger Mexikos. *Unterhaltsame Zorro-Parodie von Mario Soldati.*

Il sogno di Zorro (1975) ET: Grandsons of Zorro; IT: Il sogno di Zorro; HL: Italien (San Nicola Produzione Cinematografica); UA: 16.8.75; OL: 103 (2840 m); P: Mario Mariani; R: Mariano Laurenti; B: Mariano Onorati, Francesco Milizia (I: Mario Mariani); K: Sergio Rubini (Technospes – Eastmancolor); M: Ubaldo Continiello; D: Franco Franchi, Paola Tedesco, Maurizio Arena, Gianni Musy, Pedro Sanchez, Mario Colli, Grazia Di Marzà, Rod Licari, Vito Pecori, Ugo Bonardi, Renato Malava-

Si può fare ... amigo!

si, Carlo Ninchi, Delia Scala, Umberto Aquilino, Sandro Bianchi, Juan DeLanda, Gisella Monaldi; I: Der Neffe von Don Diego, ein gewisser Paco, schlüpft in die Maske des berühmten Zorro, um in Neuaragonien den bösen General Ruarte zu bekämpfen. *Relativ schwache Zorro-Komödie von Mariano Laurenti mit der ersten Hälfte des italienischen Komikerduos Franco und Ciccio.*

⊘**Soleil rouge (1971)** DT: Rivalen unter roter Sonne/Red Sun... und 7 Tage spielt der Tod; ET: Red sun; IT: Sole rosso; ST: Sol rojo; FT: Soleil rouge; HL: Frankreich/Italien (Films Corona – Nanterre/Oceania Produzioni Internazionali Cinematografiche); UA: 26.10.71; OL: 113 (3115 m); DEA: 15.10.71; DL: 114; FSK: 16; P: Ted Richmond ; R: Terence Young; B: Laird Koenig, Denne Bart Petitclere, William Roberts (I: Laird Koenig »Soleil Rouge«); K: Henri Alekan (Todd A0 – Eastmancolor); M: Maurice Jarre; CD: Soleil rouge (Japan SLCS-5048): 12 tracks; Soleil rouge (Universal Music 014114-2): 12 tracks; DO: Spanien (Almería, Guadix, Turre, Adra); D: Charles Bronson, Ursula Andress, Toshiro Mifune, Alain Delon, Lee Burton (Guido Lollobrigida), Capucine, Anthony Dawson, Barta Barry, Luc Merenda, Monica Randall, Hiroshi Tanaka, John B. Vermont, Satoshi Nakamura, Jules Peña; I: Das gemeinsame Ziel, den Mann zu finden, der den ehemaligen Kumpan betrogen und den Gefährten des anderen getötet hat, führt einen Westerner und einen Samurai trotz starker Charaktergegensätze zusammen. *Hervorragend gemachter Eurowestern von James-Bond-Veteran Terence Young mit einer herausragenden Besetzung.*

Solo contro tutti (1964) DT: Der Sohn von Jesse James; ET: Jesse James' Kid; IT: Solo contro tutti; ST: El hijo de Jesse James; FT: Seul contre tous; HL: Spanien/Italien (P.E.A. – Produzioni Europee Associate di Grimaldi Maria Rosaria e C. – Napoli/Apolo Films – Madrid); UA: 23.4.65; OL: 95 (2600 m); DEA: 6.6.66; DL: 90; FSK: 12; P: Antonio del Amo; R: Antonio Del Amo Algara; B: Pino Passalacqua, Marcello Fondato (I: Pino Passalacqua); K: Fausto Zuccoli (Totalvisión – Eastmancolor); M: Angelo Francesco Lavagnino; DO: Spanien (Hoyo de Manzanares, Valdetorres, Torrelaguna, Calatayud, Rascafría, Miraflores, Uceda); D: Robert Hundar, Mercedes Alonso, Adrian Hoven, Luis Induñi, Roberto Camardiel, Joe Camel (José Canalejas), Tomas Torres, José Jaspe, Raf Baldassarre, John Bartha; I: Nach zwanzig Jahren rächt der Sohn des legendären Banditen Jesse James den Tod seines Vaters, der von seinem Schwager hinterrücks ermordet worden war. *Einigermaßen unterhaltsamer früher Western von Antonio Del Amo Algara.*

La sombra del Zorro (1962) DT: Zorro der schwarze Rächer; ET: The shadow of Zorro; IT: L'ombra di Zorro; ST: La sombra del Zorro/L'ombra del Zorro/Cabalgando hacia la muerte; FT: L'ombre de Zorro; HL: Spanien/Italien/Frankreich (Copercines Cooperativa Cinematográfica – Madrid/Explorer/P.E.A. – Produzione Europee Associate di

Soleil rouge

Grimaldi Maria Rosaria e C. – Napoli/Lesoeur – Paris);
OL: 85 (m); DEA: 31.5.63; DL: 88; FSK: 12; R: Joaquín
Luis Romero Marchent; B: José Mallorquí, Joaquin Luis
Romero Marchent; K: Enrico Betti Berutto, Rafael Pache-
co (Superscope – Eastmancolor); M: Francesco De Masi,
Manuel Parada; DO: Spanien; D: Frank Latimore, Maria
Luz Galicia, Maria Feliciani, Raffaella Carrà, Marco Tulli,
Raf Baldassarre, Robert Hundar, Gianni Santuccio, Maria
Silva, Sira Origi, Paul Piaget, José Marco Davo, José Tor-
desillas, Carlos R. Marchent; I: Banditen begehen kurz
nach dem amerikanischen Bürgerkrieg Verbrechen in der
Maske Zorros. Noch bevor ein Regierungsbeauftragter
die richtigen Zusammenhänge ahnt, vernichtet der echte

Zorro die Bande. *Spannende Zorro-Verfilmung von Joaquín Luis Romero Marchent.*

Sono Sartana, il vostro becchino (1969) DT: Sartana – Töten
war sein täglich Brot; ET: I Am Sartana, your Angel of
Death; IT: Sono Sartana, il vostro becchino; ST: Yo soy
vuestro verdugo; FT: Le fossoyeur/Je suis Sartana, l'ange
de la mort; HL: Italien (Società Ambrosiana Cinematografica (S.A.C.)/Arborea – Cagliari); UA: 20.11.69; OL:
101 (2780 m); DEA: 26.2.70; DL: 97; FSK: 16; P: Aldo
Addobbati, Paolo Moffa; R: Giuliano Carnimeo; B: Tito
Carpi, Vincenzo Dell'Aquila (I: Tito Carpi); K: Giovanni Bergamini (Cromoscope – Eastmancolor); M: Vasco
Vasil Kojucharov, Elsio Mancuso; DO: Italien; D: Gianni Garko, Frank Wolff, Klaus Kinski, Gordon Mitchell,
Ettore Manni, Sal Borgese, Renato Baldini, Rick Boyd,
Jose Torres, Tullio Altamura; I: Sartana, der zu Unrecht
eines Banküberfalls bezichtigt wird, sucht und findet die
wahren Übeltäter. *Sehr unterhaltsamer zweiter Teil der er-
folgreichen »Sartana«-Reihe, diesmal unter der Regie von
Genre-Profi Giuliano Carnimeo.*

Sonora (1968) DT: Für ein paar Leichen mehr/Sartana – für
ein paar Leichen mehr (geplanter Kinotitel); ET: Sartana
does not forgive; IT: Sartana non perdona; ST: Sonora/
Sartana no perdone; HL: Spanien/Italien (P.C. Balcázar
– Barcelona/Fida Cinematografica di Amati Edmondo);
UA: 25.10.68; OL: 88 (2410 m); DEA: 27.1.70; DL: 84;
FSK: 18; R: Alfonso Balcázar; B: Giorgio Simonelli (I:
Jaime Jesus Balcazar); K: Jaime Deu Casas (Superpanora-
mic – Eastmancolor); M: Francesco De Masi; S: »Maybe
somewhere« – gesungen von Franco Morselli; CD: Sartana non perdona/Vado ... L'ammazzo e torno/Ammazzali
tutti e torna solo (BEAT CDCR 22): 7 tracks; Spaghetti-
Westerns Vol. 4 (DRG 32932): 2 tracks; DO: Spanien (Es-
plugas de Llobregat, Fraga); D: George Martin, Gilbert
Roland, Jack Elam, Tony Norton, Hugo Blanco, Gérard
Tichy, Diana Lorys, Donatella Turri, Miguel De La Riva,
Rosalba Neri, Tomás Torres; I: Im Verein mit einem Kopfgeldjäger und einem ehemaligen Banditenkomplizen rächt
ein Westerner an einem Banditen und dessen Leuten die

La sombra del Zorro

Vergewaltigung und Ermordung seiner Frau. *Ordentlicher äußerst harter Western von Alfonso Balcázar.*

La Spacconata (1975) DT: **Trommelfeuer für vier Fäuste/ Whiskey und die Goldgräber;** IT: La Spacconata; HL: Italien (Pléiade Film & Apotheosis Cinematografica – Rom); DEA: 15.4.1985 (Video), 28.6.1987 RTL Plus; DL: 94; FSK: 16; R: Alfonso Brescia; B: Piero Regnoli, Giuseppe Maggi; K: Silvio Fraschetti; M: Alessandro Alessandroni; D: Robert Woods; Pedro Sanchez; Robert Hundar; Franco Lantieri, Gabriella Lepori Paolo Lena; I: Zusammen mit seinem Sohn und seinem Hund richtet sich ein Mann auf einem neuerworbenen Stück Land ein. Als seine zweite Frau ihr Eintreffen ankündigt, gerät er in Konflikt mit den Machtverhältnissen im nahegelegenen Ort. *Ein in einem Aufwasch mit dem Film »Zanna Bianca e il cacciatore solitario« (»Von Wölfen gehetzt«) gedrehtes, langweiliges Machwerk, auf das man gerne verzichten kann.*

⊘ **Spara, gringo, spara (1968)** DT: **Im Staub der Sonne;** ET: Shoot, Gringo ... shoot!/The longest hunt; IT: Spara, gringo, spara/Rainbow; ST: Stark, el pistolero; FT: Tire, Django, tire!; HL: Italien (Cemo Film); UA: 31.8.68; OL: 95 (2599 m); DEA: 13.8.71; DL: 95; FSK: 18; P: Arthur Steloff; R: Bruno Corbucci; B: Mario Amendola, Bruno Corbucci; K: Fausto Zuccoli (Cemoscope – Eastmancolor); M: Sante Maria Romitelli; S: »Rainbow ... vorrei ... vorrei« – gesungen von Little Tony; »Il mondo cambierà« – gesungen von Gianni Morandi; CD: SW Encyclopedia Vol. 3 (KICP 435): 1 track; DO: Spanien (Almería, Pechina), Italien; D: Brian Kelly, Fabrizio Moroni, Keenan Wynn, Folco Lulli, Erika Blanc, Rik Battaglia, Gigi Bonos, Furio Meniconi, Gianni Pallavicino, Pajarito, Linda Sini; I: Revolvermann zwingt jungen Banditen, zu seinem Vater zurückzukehren; am Ende werden beide Freunde und friedliche Farmer. *Sehr gelungener, einziger ernsthafter Italo-Western von Sergio Corbuccis jüngerem Bruder Bruno.*

Spara Joe ... e così sia! (1971) ET: Shoot Joe, and shoot again; IT: Spara Joe ... e così sia!; ST: Joe Dakota; FT: Tire Joe

Spara, gringo, spara

et amen; HL: Italien/Spanien (Neptunia Film – Rom/P.C. Balcázar – Barcelona); UA: 10.5.72; OL: 88 (2433 m); P: Benito Berticcini; R: Emilio Miraglia; B: Jean Josipovici, Emilio Miraglia (I: Jean Josipovici); K: Silvio Fraschetti (Cinemascope – Eastmancolor); M: Vasco Vasil Kojucharov; D: Richard Harrison, José Torres, Franca Polesello, Indio Gonzales, Rick Boyd, Roberto Maldera, Antonio Cantafora, Giulio Baraghini, Vittorio Fanfori; I: Trapper und Gelegenheitsarzt Joe gerät durch Zufall in den Besitz einer Schatzkarte und wird fortan von einer Banditenbande verfolgt. *Langweiliger Western von Emilio Miraglia, der Gott sei Dank keine weiteren Filme dieses Genres inszenierte.*

⊘ **Gli specialisti (1969)** DT: **Fahrt zur Hölle, ihr Halunken/Die Spezialisten;** ET: The specialists/Drop them or I'll shoot; IT: Gli specialisti; ST: El especialista; FT: Le spécialiste; HL: Italien/Frankreich/Deutschland (Adelphia Compagnia Cinematografica – Rom/Films Marceau – Paris/Neue Emelka – München); UA: 26.11.69; OL: 104 (2860 m); DEA: 10.4.70; DL: 84; FSK: 18; R: Sergio Corbucci; B: Sergio Corbucci, Sabatino Ciuffini; K: Dario Di Palma (Techniscope – Technicolor); M: Angelo Francesco Lavagnino; CD: Gli specialisti/15 forche per un assassino (BEAT CDCR 28): 11 tracks; Gli specialisti (EVB): 5 tracks; Spaghetti-Westerns Vol. 4 (DRG 32932): 2 tracks; DO: Italien (Cortina d'Ampezzo, Elios Film Studio Rom); D: Johnny Hallyday, Sylvie Fennec, Mario Adorf, Françoise Fabian, Gastone Moschin, Serge Marquand, Gino Pernice, Angela Luce, Mimmo Poli, Remo De Angelis, Arturo Dominici; I: Einzelgänger rächt die Ermordung seines Bruders, wobei er im Verlauf der Auseinandersetzung zwischen die Fronten von Bürgern, Gangstern und Hippies gerät. *Relativ schwacher Hippie-Western von Sergio Corbucci mit einem völlig fehlbesetzten Johnny Hallyday, den auch die Mitwirkung von Mario Adorf nicht retten kann.*

La spietata Colt del Gringo (1965) DT: **Die ganze Meute gegen mich/Der erbarmungslose Colt des Gringo;** ET: The ruthless colt of the gringo; IT: La spietata Colt del Gringo; ST: La venganza de Clark Harrison; HL: Italien/Spanien (Danny Film/Cine Doris – Rom/Cooperativa Costellación – Barcelona); UA: 25.3.66; OL: 96 (2630 m); DEA: 17.5.68; DL: 84; FSK: 16; P: Zelyko Kunkera; R: José Luis Madrid; B: Jesús Navarro, Mino Roli, Antonio Estevan; K: Marcello Gatti (Techniscope – Technicolor), Jaime deu Casas; M: Francesco De Masi, Enrique Escobar; S: »A man must fight« – gesungen von Peter Tevis; CD: SW Encyclopedia Vol. 1 (KICP 433): 1 track; DO: Spanien (Fraga,Candasnos), Italien; D: Jim Reed (Luigi Giuliano), Pat Greenhill (Germana Monteverdi), Luis Induni, Charles Otter, Indio Gonzales, Antonio Jimenez Escribano, Alberto Gadea, Carlos Otero, Gustavo Re; I: Ein unschuldig Verurteilter rächt den Mord an einem Minenbesitzer. *Zweitklassiger, wenig spannender Western unter der Regie von José Luis Madrid.*

La spina dorsale del diavolo (1970) DT: Die Höllenhunde; ET: The deserter; IT: La spina dorsale del diavolo; ST: La quebrada del diablo; FT: Les dynamiteros; HL: Italien/Jugoslawien/USA (Dino De Laurentiis Cinematografica – Rom/Jadran Film – Zagreb/Heritage Enterprises – USA); UA: 4.12.70; OL: 104 (2870 m); DEA: 25.3.71; DL: 99; FSK: 18; P: Dino De Laurentiis, Norm Baer, Ralph Serpe; R: Burt Kennedy, Niksa Fulgozi; B: Massimo D'Avack, Clair Huffaker (I: Massimo D'Avack, Stuart J. Byrne, William H. James); K: Aldo Tonti (Panavision – Technicolor); M: Piero Piccioni; CD: La spina dorsale del diavolo (Legend CD 28): 14 tracks; DO: Spanien (Almería, Nationalpark Torcal de Antequera), Italien, Jugoslawien; D: Richard Crenna, Chuck Connors, Bekim Fehmiu, Ricardo Montalban, Fausto Tozzi, Slim Pickens, Woody Strode, John Huston, Mimmo Palmara, Patrick Wayne; I: Das »dreckige Dutzend« im Wilden Westen. *Großangelegter Western von Hollywood-Veteran Burt Kennedy mit Starbesetzung.*

Spirito Santo e le 5 magnifiche canaglie (1972) ET: Gunmen and the Holy Ghost; IT: Spirito Santo e le 5 magnifiche canaglie; FT: Les cinq brigands de l'Ouest; HL: Italien (Cepa-Cinematografica); UA: 29.10.72; OL: 92 (2530 m); R: Roberto Mauri; B: Roberto Mauri; K: Tonino Maccoppi (Panoramico – Technicolor); M: Carlo Savina; DO: Italien; D: Vassili Karis, Ray O'Connor (Remo Capitani), Daria Norman, Ken Wood, Aldo Berti, Lincoln Tate, Angela Bo, Salvatore Billa, Giacomo De Michelis, Tom Felleghi, Paolo Magalotti; I: Spirito Santo sucht im Auftrag von Immobilienmakler Powels nach den Banditen, die andauernd Überfälle auf Waffentransporte durchführen. Er findet den Schuldigen dann in der Stadt. *Ein weiterer völlig bedeutungsloser und schlechter Western von Roberto Mauri.*

Starblack (1966) DT: Django – schwarzer Gott des Todes/Black Star; ET: Johnny Colt; IT: Starblack; FT: Johnny Colt; HL: Italien/Deutschland (Società Ambrosiana Cinematografica (S.A.C.)/Arborea – Cagliari/Melodie Film – Berlin/München); UA: 25.8.66; OL: 102 (2800 m); DEA: 7.4.72; DL: 89; FSK: 18; P: Paolo Moffa; R: Giovanni Grimaldi; B: Giovanni Grimaldi K: Guglielmo Mancori (Panoramico – Eastmancolor); M: Benedetto Ghiglia; S: »Starblack« – gesungen von Robert Woods; CD: Starblack (GDM 2050): 16 tracks; D: Robert Woods, Helga Andersen, Franco Lantieri, Jane Tilden, Andrea Scotti, Renato Rossini, Graham Sooty, Valentino Macchi, Sergio Ukmar, Francesco Scala; I: Maskierter rächt durch die Tötung skrupelloser Schurken seinen Vater und schafft ein kleines Paradies für arme Farmer. *Bester Action-Western von Giovanni Grimaldi mit Robert Woods in einer seiner ersten Rollen als vermummter Titelcharakter Starblack.*

Storia di karatè, pugni e fagioli (1973) DT: Fäuste, Bohnen und ... Karate/Zwei linke Brüder auf dem Weg zur Hölle; IT: Storia di karatè, pugni e fagioli; ST: Siete contra todos/La ley del karate en el Oeste; HL: Italien/Spanien (National Cinematografica – Rom/P.C. Balcázar – Barcelona); UA: 14.6.73; OL: 89 (2460 m); DEA: 19.10.73; DL: 83; FSK: 12; P: Sergio Borelli; R: Tonino Ricci; B: Alfonso Balcázar, Arpad De Riso, Giovanni Scolaro (I: Alfonso Balcazar, Arpad De Riso); K: Jaime Deu Casas (Panoramico – Eastmancolor); M: Juniper; D: Dean Reed, Alfredo Mayo, Chris Huerta, Sal Borgese, Fernando Sancho, Francesca Romana Coluzzi, Iwao Yoshioka, Angel Aranda, Luis Induñi, Renato Malavasi, Dante Cleri, Pino Ferrara; I: Zwei abgehalfterte Helden legen mit Hilfe eines japanischen Koch- und Karatekünstlers einen Gangsterboss herein und werden zum Lohn ausgerechnet Bankangestellte. *Komödienwestern der unteren Kategorie von Tonino Ricci, der es nie schaffte, einen halbwegs ansehbaren Film dieses Genres zu inszenieren.*

○ **La strada per Fort Alamo (1965)** DT: Der Ritt nach Alamo; ET: Road to Fort Alamo; IT: La strada per Fort Alamo; FT: Arizona Bill; HL: Italien/Frankreich (Protor Film/Achille Piazzi Produzione Cinematografica/C.F.F.P. (Comptoir Français du Film Production – Paris); UA: 24.10.64; OL: 98 (2700 m); DEA: 8.10.65; DL: 78; FSK: 12; P: Piero Luigi Torri; R: Mario Bava; B: Enzo Gicca Palli, Franco Prosperi, Livia Contardi (I: Enzo Gica Palli); K: Ubaldo Terzano (Totalscope – Eastmancolor); M: Piero Umiliani; D: Ken Clark, Jany Clair, Michel Lemoine, Adreina Paul, Kirk Bert, Anthony Gradwel (Antonio Gradoli), Dean Ardow (Gustavo de Nardo); I: Ein Farmer, der seine Ranch im Krieg verloren hat, schließt sich einer Gangsterbande an, die eine Bank beraubt, rettet aber dann unter Einsatz seines Lebens einen Militärtreck vor der Vernichtung durch Indianer. *Der beste von drei ziemlich missglückten Genreversuchen des Regisseurs Mario Bava.*

Uno straniero a Paso Bravo (1968) DT: Der Fremde von Paso Bravo; ET: A stranger in Paso Bravo; IT: Uno straniero a Paso Bravo; ST: Los pistoleros de Paso Bravo; FT: Le pistolero de Paso Bravo; HL: Italien/Spanien (Silver Film – Rom/Coop. Fénix Films – Madrid); UA: 23.3.68; OL: 96 (2648 m); DEA: 4.7.75; DL: 96; FSK: 18; P: Francesco Carnicelli; R: Salvatore Rosso; B: Fernando Morandi, Lucio Manlio Battistrada (I: Federico De Urrutia); K: Alfonso Nieva, Gino Santini (Panoramico – Eastmancolor); M: Angelo Francesco Lavagnino; CD: Requiem für Ringo (Tsunami T0S 0301): 1 track; Spaghetti-Westerns Vol. 1 (DRG 32905): 3 tracks, Johnny West il mancino / Réquiem para el Gringo / Pistoleros de Paso Bravo (Saimel 3997110): DO: Spanien (Hoyo de Manzanares, Titulcia); D: Anthony Steffen, Eduardo Fajardo, Giulia Rubini, José Jaspe, Pepe Calvo, Antonio Cintado, Adriana Ambesi, Ignazio Leone, Corrado Olmi, Claudio Biava; I: Der hartnäckige Kampf eines Mannes gegen einen Großgrundbesitzer, der eine kleine Siedlung terrorisiert. *Unterhaltsamer Rachewestern von Salvatore Rosso mit einem guten Anthony Steffen in der Titelrolle.*

Uno straniero a Sacramento (1965) DT: Kopfgeld für Ringo/ Rache in Sacramento; ET: Stranger in Sacramento; IT: Uno straniero a Sacramento; ST: Un extranjero en Sacramento; FT: Je te tuerai; HL: Italien (Film d'Equipe); OL: 105 (2900 m); DEA: 26.8.66; DL: 95; FSK: 16; P: Sergio Bergonzelli; R: Sergio Bergonzelli; B: Sergio Bergonzelli (I: Jim Murphy, »I will kill you«); K: Adalberto Albertini (Totalscope – Eastmancolor); M: Felice Di Stefano; D: Mickey Hargitay, Barbara Frey, Lucky Bennett (Luciano Benetti), Steve Saint Clair, Johnny Jordan, James Hill (Giulio Marchetti), Ariel Brown, Franco Gulà, Romano Giomini; I: Ringo rächt sich an den Mördern seines Vaters und seiner Brüder und rottet gemeinsam mit einem gedungenen Banditen die ganze Bande aus. *Unterhaltsamer, an amerikanischen Vorbildern angelehnter zweiter Western von Sergio Bergonzelli.*

Lo straniero di silenzio (1969) DT: Der Schrecken von Kung Fu; ET: A stranger in Japan/The horseman and the samurai/The silent stranger; IT: Lo straniero di silenzio; FT: Le cavalier et le samouraï; HL: Italien/USA/Japan (Primex Italiana/Reverse Productions – New York); DEA: 15.8.75; DL: 90; FSK: 18; P: Roberto Infascelli, Allen Klein; R: Luigi Vanzi; B: Vincenzo Cerami, Giancarlo Ferrando; K: Mario Capriotti (Panoramico – Eastmancolor); M: Stelvio Cipriani; D: Tony Anthony, Lloyd Battista, Kin Omae, Kenji Ohara, Yoshio Nukano, Rita Maura, Raf Baldassarre; I: Kampf und Gemetzel zwischen zwei rivalisierenden Vettern in Osaka um den Besitz eines Millio-nen-Dollar-Schecks, der in zwei getrennten Hälften einem Amerikaner zugespielt wurde. *Äußerst gelungene, sehr innovative Mischung aus Italo-Western und Samurai-Film mit dem Amerikaner Tony Anthony, der hier zum dritten Mal seine erfolgreiche »Stranger«-Rolle spielt.*

Straniero ... fatti il segno della croce! (1967) DT: Bekreuzige dich, Fremder!; ET: Stranger say your prayers; IT: Straniero ... fatti il segno della croce!; FT: Etranger, signe-toi!; HL: Italien (Mila Cinematografica – Roma/Viterbo); UA: 16.5.68; OL: 98 (2700 m); DEA: 20.8.86 (RTL plus); DL: 87; P: Corrado Patara, Demofilo Fidani; R: Demofilo Fidani; B: Demofilo Fidani, Corrado Patara (I: Demofilo Fidani); K: Franco Villa (Normal – Eastmancolor); M: Marcello Gigante; DO: Italien; D: Charles Southwood, Jeff Cameron, Mel Gaines, Ettore Manni, Christina Penz, Simone Blondell, Fabio Testi, Max Dean (Massimo Righi), Anthony Stewens (Calisto Calisti), William Reed (Reno Sentieri), Dino Strano; I: Ein namenloser Kopfgeldjäger kommt in die Ortschaft White City, um den Mord eines Freundes zu rächen und eine Bande von Verbrechern zu erledigen. *Der erste einer Flut von unglaublich dilettantisch zusammengeschusterten Billigwestern von Demofilo Fidani, meistens mit Jeff Cameron alias Giovanni Scarciofolo in der Hauptrolle.*

⟡**Su le mani cadavere! Sei in arresto (1971)** DT: Sando Kid/Sando Kid spricht das letzte Halleluja/Sando Kid spricht das letzte Vaterunser; ET: Raise your hands, dead man ... you're under arrest; IT: Su le mani cadavere! Sei in arresto; ST: Un dólar para Sartana; FT: Ça va chauffer, Sartana revient!; HL: Italien/Spanien (Sara Film – Rom/ Dauro Films – Madrid); UA: 17.12.71; OL: 92 (2535 m); DEA:13.8.86 (RTL plus); DL: 79 (Kino), 89 (DVD); FSK: 16; P: Sergio Bergonzelli; R: León Klimovsky, Sergio Bergonzelli; B: Sergio Bergonzelli, Enrico Zuccarini, José Maria Elorrieta, José Luis. Navarro (I: Enrico Zuccarini, Jesus Maria Elorrieta); K: Tonino Maccoppi (Panoramico – Technicolor); M: Alessandro Alessandroni; DO: Spanien (Colmenar Viejo, Seseña, Titulcia) – Rom; D: Peter Lee Lawrence, Espartaco Santoni, Franco Agostini, Helga Liné, Aldo Sambrell, Maria Zanandrea, Tomás Blanco,

MICKEY HARGITAY en

UN EXTRANJERO EN SACRAMENTO

BARBARA FREY · STEVE SAINT-CLAIRE · JOHNNY JORDAN

Uno straniero a Sacramento

Lo straniero di silenzio

Aurora De Alba, Giovanni Santoponte, Joaquin Parra, Lorenzo Robledo; **I**: Texas-Ranger Sando Kid befreit einen kleinen Ort von der Gewaltherrschaft des Banditen Grayton. *Dieser harte Action-Western ist der beste Western von Sergio Bergonzelli, der jedoch ironischerweise dem gebürtigen Argentinier León Klimovsky zugeschrieben wird.*

Sugar Colt (1966) DT: Rocco – der Mann mit den zwei Gesichtern/Kavallerie in Not; **ET:** Sugar Colt; **IT:** Sugar Colt; **ST:** Sugar Colt; **FT:** Sugar Colt; **HL:** Italien/Spanien (Mega Film – Bari/Roma/Eva Films – Madrid); **UA:** 12.10.66; **OL:** 100 (2740 m); **DEA:** 14.5.68; **DL:** 100; **FSK:** 16; **P:** Franco Cittadini und Stenio Fiorentini; **R:** Franco Giraldi; **B:** Giuseppe Mangione, Augusto Finocchi, Alessandro Continenza, Fernando Di Leo (**I:** Augusto Finocchi, Giuseppe Mangione); **K:** Alejandro Ulloa (Techniscope – Technicolor); **M:** Luis Enríquez Bacalov; **S:** »Sugar Colt« – gesungen von Alessandro Alessandroni; **CD:** Sugar Colt (GDM Club 7017): 18 tracks; Sugar Colt (King Records/Japan KICP 2592): 25 tracks; The Italian Western of Luis Bacalov (VCDS 7014): 6 tracks; Spaghetti-Westerns Vol. 2 (DRG 32909): 1 track; Spaghetti-Westerns Vol. 3 (DRG 32929): 1 track; SW Encyclopedia Vol. 1 (KICP 433): 3 tracks; **DO:** Almería; **D:** Hunt Powers, James Parker (Erno Crisa), Soledad Miranda, Julian Rafferty (Giuliano Raffaelli), Jorge Rigaud, Victor Israel, Jeanne Oak (Gina Rovere), Pajarito, Nazzareno Zamperla, Luis Barboo, Francisco Braña; **I:** Eine brutale Verbrecherbande hält eine Gruppe Scharfschützen der

Charles SOUTHWOOD
JEFF CAMERON
CRISTINA PENZ
Un film de MILES DEEM EASTMANCOLOR
VREEMDELING MAAKT UW KRUIS

Straniero ... fatti il segno della croce!

Nordstaaten-Armee gefangen. Rocco erledigt die Bande und befreit die Gefangenen. *Hervorragender, spannender Mystery-Western von Western-Profi Franco Giraldi mit Hunt Powers in seiner besten Rolle und einem sehr guten Score von Luis Enríquez Bacalov.*

Il suo nome era Pot ... ma ... lo chiamavano Allegria (1971) DT: Sein Name war Pot – aber sie nannten ihn Halleluja/Seine Waffe war Dynamit; **ET:** A hero called Allegria; **IT:** Il suo nome era Pot ... ma ... lo chiamavano Allegria; **HL:** Italien (Elektra Film); **UA:** 26.11.71; **OL:** 98 (2690 m); **DEA:** 10.10.85 (RTL plus); **DL:** 87; **P:** Massimo Bernardi; **R:** Demofilo Fidani, Lucio Giachin; **B:** Luigi Giachin, Dino Spataro; **K:** Mario Mancini (Panoramica – Eastmancolor); **M:** Nico Fidenco; **DO:** Italien (Elios Film Studio Rom, Cave Studio Rom); **D:** Peter Martell, Gordon Mitchell, Lincoln Tate, Daniela Giordano, Lucky Mc Murray, Xiros Papas, Joseph Scrobogna, Custer Gail, Marcel McHoniz (Marcello Maniconi), Frankie Coursy (Franco Corso); **I:** Die beiden Brüder Pot und Ray erleben zahlreiche Abenteuer im Wilden Westen, unter anderem als Bankräuber. *Üblich schlecht gemachter Demofilo-Fidani-Trash-Western.*

Il suo nome gridava vendetta (1968) DT: Django spricht das Nachtgebet/Django sprich dein Nachtgebet; **ET:** Man who cried for revenge; **IT:** Il suo nome gridava vendetta; **ST:** Su nombre gritaba Venganza; **FT:** Son nom crie vengeance; **HL:** Italien (Patry Film/Selenia Cinematografica); **UA:** 28.7.68; **OL:** 100 (2754 m); **DEA:** 19.6.70; **DL:** 94; **FSK:** 18; **P:** Bianco Manini; **R:** Mario Caiano; **B:** Mario Caiano, Tito Carpi (**I:** Mario Caiano); **K:** Enzo Barboni (Techniscope – Technicolor); **M:** Robby Poitevin; **D:** Anthony Steffen, William Berger, Evelyn Stewart, Raf Baldassarre, Eleanora Vargas, Robert Hundar, Mario Brega, Jean Louis, Rossella Bergamonti, Umberti Di Grazia; **I:** Ein fälschlich als Deserteur Geächteter, der im Kriege sein Gedächtnis verloren hat, nimmt nach Kenntnis der Zusammenhänge blutige Rache an seinen Widersachern. *Einer der schwächeren Action-Western von Genre-Profi Mario Caiano.*

La taglia è tua ... l'uomo l'ammazzo io (1969) ET: The reward's yours, the man's mine; **IT:** La taglia è tua ... l'uomo l'ammazzo io/El Puro; **ST:** El puro se sienta, espera y dispara; **FT:** El Puro, la rançon est pour toi; **HL:** Italien/Spanien (Filmar Compagnia Cinematografica/I.F.I. España – Barcelona); **UA:** 23.12.69; **OL:** 100 (2750 m); **P:** Gino Rossi **R:** Edoardo Mulargia; **B:** Ignacio F. Iquino, Edoardo Mulargia, Fabrizio Gianni; **K:** Antonio L. Ballesteros (Cromoscope – Eastmancolor); **M:** Alessandro Alessandroni; **CD:** El Puro (Hexacord HCD 9302): 2 tracks; **DO:** Spanien, Italien; **D:** Robert Woods, Aldo Berti, Mario Brega, Rosalba Neri, Fabrizio Gianni, Maurizio Bonuglia; **I:** Ein Kopfgeldjäger verspricht, einen Kriminellen lebendig ins Gefängnis zu bringen, aber er muss ihn doch töten. *Sehr seltener Western von Edoardo Mulargia – ist gleich-*

zeitig einer seiner besten, nicht zuletzt dank eines vernünftigen Drehbuchs, der Mitwirkung von Robert Woods und einem sehr schönen Score von Alessandro Alessandroni.

T'ammazzo! ... raccomandati a Dio (1968) DT: Django, wo steht dein Sarg?; **ET:** Dead for a dollar; **IT:** T'ammazzo! ... raccomandati a Dio; **FT:** Pour un dollar, je tire; **HL:** Italien (Denwer Films); **UA:** 17.8.68; **OL:** 105 (2899 m); **DEA:** 2.4.71; **DL:** 82; **FSK:** 18; **P:** Osvaldo Civirani; **R:** Osvaldo Civirani; **B:** Tito Carpi, Luciano Gregoretti, Osvaldo Civirani; **K:** Osvaldo Civirani (Cromoscope – Eastmancolor); **M:** Angelo Francesco Lavagnino; **CD:** Gli specialisti (EVB): 3 tracks; **DO:** Italien; **D:** George Hilton, Sandra Milo, John Ireland, Gordon Mitchell, Dick Palmer (Mimmo Palmara), Piero Vida, Franco Ressel, Monica Pardo, Andrew Scott (Andrea Scotti), Franco Gulà, Ivan Giovanni Scratuglia; **I:** Ein Verbrechertrio versucht sich gegenseitig die Beute eines Bankraubes anzueignen, wird aber am Ende von einer Frau ausgetrickst. *Dies ist nicht nur der schwächste Western von Osvaldo Civirani, sondern auch einer der wenigen wirklich schlechten Filme, in denen George Hilton mitwirkte.*

Tara Pokì (1971) **IT:** Tara Pokì; **HL:** Italien (Pokì Cinematografica); **OL:** 90; **P:** Maria T. Siciliano; **R:** Amasi Damiani; **B:** Stelio Tanzini (**I:** Salvatore Siciliano (nach einer Idee von Graziella Marsetti); **K:** Giovanni Verriano (Panoramico – Eastmancolor); **M:** Domenico Reitano, Franco Reitano, Mino Reitano; **D:** Mino Reitano, Aliza Adar, Pedro Sanchez, Fulvia Franco, Angelo Morano, Spartaco Conversi, Rocco Reitano, Silvy De Blasch, Emy Della Betta, Giuseppe Barcella, Fortunato Arena, Dennis Colt, Luciano Conti, Franco Ukmar; **I:** Geschichte einer Reise von Sizilien in die USA während der zweiten Hälfte des 19. Jahrhunderts.

Tashunga (1995) DT: Tashunga – Gnadenlose Verfolgung; **ET:** North star/Grand nord; **IT:** Duello tra i ghiacci (Tashunga); **ST:** Estrella del norte; **FT:** Tashunga; **HL:** Frankreich/Italien/Norwegen/England (AFCL Productions/Federal Films/M6 Films/Nordic Screen Development AS); **OL:** 89 (m); **DEA:** 28.8.97 Video (Warner Home Video); **DL:** 84; **P:** Anne François; **R:** Nils Gaup; **B:** Sergio Donati, Lorenzo Donati, Paul Ohl (**I:** Will Henry (»The North Star«); **K:** Bruno De Keyzer (Cinemascope – Eastmancolor); **M:** Bruce Rowland, John Scott; **DO:** Norwegen; **D:** James Caan, Christopher Lambert, Catherine McCormack, Burt Young, Jacques François, Mary M. Walker, Frank Salsedo, Reidar Sørensen, Hilde Grythe, John Cassady; **I:** Ein Halbblut in Alaska kämpft gegen die Unterdrückung durch eine Bande von Landräubern und Mördern.

Tedeum (1972) DT: Tedeum – jeder Hieb ein Prankenschlag/Tedeum zahlt mit blauen Bohnen; **ET:** Sting of the west; **IT:** Tedeum; **ST:** Tedeum; **FT:** Tedeum; **HL:** Italien/Spanien (F.P. Cinematografica/Canaria Film – Rom/Tecisa – Ma-

drid); **UA:** 5.12.72; **OL:** 102 (2800 m); **DEA:** 17.5.73; **DL:** 95; **FSK:** 16; **P:** Franco Palaggi, Virgilio De Blasi; **R:** Enzo Girolami; **B:** Giovanni Simonelli, Enzo Girolami, Tito Carpi, José Gutiérrez Maesso (**I:** Giovanni Simonelli); **K:** Manuel Rojas (Cinemascope – Technicolor); **M:** Guido & Maurizio De Angelis; **CD:** Mannaja/Tedeum (RCA 74321-15508-2): 5 tracks; **D:** Jack Palance, Lionel Stander, Timothy Brent (Giancarlo Prete), Francesca Romana Coluzzi, Riccardo Garrone, Maria Vico, Eduardo Fajardo, Michele Spadaro, Renzo Palmer, Sandro Massimini, Dante Cleri, Flavio Bucci, Carla Mancini, Bruno Boschetti; **I:** Zwei weibliche und zwei männliche Galgenvögel versuchen, falsche Goldminenpapiere zu verkaufen und schlagen sich munter prügelnd durch den Wilden Westen. *Unglaublich schwache Westernkomödie von Enzo Girolami, dem auch eine gute Besetzung nicht mehr helfen kann.*

Il tempo degli avvoltoi (1967) DT: Die Zeit der Geier/Gebrandmarkt; **ET:** Time of Vultures; **IT:** Il tempo degli avvoltoi; **ST:** El ultimo maldito; **FT:** Quand les vautours attaquent/Les vautours attaquent; **HL:** Italien (Pacific Cinematografica); **UA:** 2.8.67; **OL:** 95 (2609 m); **DEA:** 25.10.68; **DL:** 84; **FSK:** 18; **P:** Vico Pavoni; **R:** Fernando Cicero; **B:** Fulvio Gicca Palli; **K:** Fausto Rossi (Euroscope – Eastmancolor); **M:** Piero Umiliani; **DO:** Spanien (Almería); **D:** George Hilton, Frank Wolff, Pamela Tudor, Eduardo Fajardo, Franco Balducci, Femi Benussi, John Bartha, Cristina Josani, Maria Grazia Marescalchi, Ivan Scratuglia; **I:** Ein brutaler Gangster schließt mit einem Galgenvogel Freundschaft, um mit ihm seine Gegenspieler aus der Vergangenheit zu vernichten. *Mittelmäßiger Western von Fernando Cicero, den auch die gute Besetzung mit George Hilton, Frank Wolff und Eduardo Fajardo sowie schöne spanische Landschaften nicht über den Durchschnitt heben können.*

Tepepa (1968) DT: Tepepa/Der Eliminator/Durch die Hölle, Companeros; **ET:** Blood and guns; **IT:** Tepepa; **ST:** Tepepa; **FT:** Trois pour un massacre/Tepepa, le rebelle tourmenté; **HL:** Italien/Spanien (Filmamerica/S.I.A.P. –

Tedeum

657

Società Italiana Attuazione Progetti/P.E.F.S.A. Films – Madrid); **UA:** 31.1.69; **OL:** 136 (3730 m); **DEA:** 22.10.70; **DL:** 108; **FSK:** 16; **P:** Alfredo Cuomo, Nicolò Pomilia; **R:** Giulio Petroni; **B:** Franco Solinas, Ivan Della Mea, Giulio Petroni (I: Ivan della Mea); **K:** Francisco Marín (Techniscope – Technicolor); **M:** Ennio Morricone; **S:** »Al Messico che vorrei« – gesungen von Christy; **CD:** Tepepa/Vamos a matar, compañeros (GDM 2002): 10 tracks; Ennio Morricone Western Quintet (DRG 32907): 10 tracks; Tepepa (SAIMEL 3993710): 14 tracks; Spaghetti-Westerns Vol. 2 (DRG 32909): 1 track; Spaghetti-Westerns Vol. 3 (DRG 32929): 2 tracks; SW Encyclopedia Vol. 3 (KICP 435): 2 tracks; Fantastic World of SW (VCDS 7016): 1 track; **DO:** Spanien (Almería, Guadix); **D:** Tomás Milian, Orson Welles, John Steiner, Luciano Casamonica, Angel Ortiz, José Torres, George Wang, Giancarlo Badessi, Paco Sanz, Anna Maria Lanciaprima, Rafael Hernandez; **I:** Mexikanischer Rebell, der die Ideale der Revolution verraten sieht, ruft zu neuem Aufstand auf. Er stirbt nach dem Sieg über verfolgende Truppen durch die Rachsucht eines britischen Arztes. *Dieses Revolutionsdrama ist ein sehr guter und unterhaltsamer zweiter Western von Genre-Profi Giulio Petroni mit einer tollen Besetzung und einem hervorragenden Ennio-Morricone-Score.*

Tequila! (1972) DT: Fuzzy, halt die Ohren steif!; ET: Tequila / Shoshena; IT: Tequila!; ST: Uno, dos, tres ... dispara otra vez; HL: Italien/Spanien (Tritone Filmindustria – Rom/Mundial Film – Madrid); UA: 25.5.73; OL: 102 (2799 m); DEA: 16.8.74; DL: 84; FSK: 16; R: Tulio Demicheli; B: Nino Stresa, Miguel Iglesias, Enrique Josa (I: Enrique Josa, Miguel Iglesias); K: Guglielmo Mancori (Cinemascope – Technicolor); M: Lallo Gori; CD: Tequila!/Era Sam Wallash ... Lo chiamavano così sia! (BEAT CDCR 50): 15 tracks; DO: Spanien (Hoyo de Manzanares, Seseña); D: Anthony Steffen, Eduardo Fajardo, Roberto Camardiel, Agata Lys, Maria Elena Arpon, Mirko Ellis, John Bartha, Juan Amigo, José L. Zade, José Chinchilla, Mario Sanz, Joaquim Solis, Giovanni Betti, Juanita Jimenez; I: Revolverheld und sein trottelhafter Kumpan bestehen miteinander einige Abenteuer. *Relativ humorlose Westernkomödie von Tulio Demicheli.*

Il terrore dell'Oklahoma (1959) DT: Terror in Oklahoma; ET: Terror of Oklahoma; IT: Il terrore dell'Oklahoma; FT: La terreur de l'Oklahoma; HL: Italien (Betauno Film); UA: 30.10. 59; OL: 102 (2800 m); DEA: 2.12.60; DL: 86; FSK: 6; R: Mario Amendola; B: Mario Amendola; K: Adalberto Albertini (Ultrascope – Eastmancolor); M: Manuel Parada; D: Maurizio Arena, Delia Scala, Alberto Bonucci, Livio Lorenzon, Valeria Moriconi, Alberto Sorrentino; I: Die Bürger eines kleinen Kaffs müssten dem Banditenterror weichen, wenn sich nicht ein Opa entschlösse, dem Glauben der Quäker zu entsagen, um als Moslem zum Gewehr greifen zu können. *Von Mario Amendola inszenierter selten gezeigter früher italienischer Western.*

Testa o croce (1968) DT: Blutrache einer Geschändeten/ Nacht der Rache; ET: Heads or tails; IT: Testa o croce; FT: La dernière balle à pile ou face; HL: Italien (Golden Gate Films/Tirrenia Studios Films Livorno); UA: 4.6.69; OL: 95 (2611 m); DEA: Video (Centaur); DL: 96; R: Piero Pierotti; B: Piero Pierotti; K: Fausto Zuccoli (Normal – Technicolor); M: Carlo Savina; S: »Arizona is waiting« – gesungen von Raoul; D: John Ericson, Franco Lantieri, Sheyla Rosin, Daniela Surina, Edwige Fenech, Teodoro Corra, José Jaspe, Isarco Ravailoli, Dada Galotti, Silvana Baggi, Renato Navarrini; I: William Huston findet in der Wüste ein vergewaltigtes Mädchen und entschließt sich, den Schändern nachzujagen und ihnen in Plana City den Garaus zu machen. *Belangloser, relativ langweiliger Film von Piero Pierotti.*

Testa t'ammazzo, croce ... sei morto, mi chiamano Alleluja (1971) DT: Man nennt mich Halleluja; ET: Heads you die ... tails I kill you; IT: Testa t'ammazzo, croce ... sei morto mi chiamano Alleluja; ST: Y ahora le llaman Aleluya; FT: On m'appelle Alleluja; HL: Italien (Colosseo Artistica – Rom); UA: 8.4.71; OL: 95 (2616 m); DEA: 4.2.72; DL: 96; FSK: 18; P: Dario Sabatello; R: Giuliano Carnimeo; B: Tito Carpi (I: Tito Carpi), Giuliano Carnimeo; K: Stelvio Massi (Cinemascope – Eastmancolor); M: Stelvio Cipriani; CD: SW Encyclopedia Vol. 4 (KICP 436): 2 tracks, Bonus-Soundtrack CD von »Halleluja Italo Western Box« (CAM 515346-2): 13 tracks; D: George Hilton, Charles Southwood, Agata Flori, Roberto Camardiel, Rick Boyd, Paolo Gozlino, Andrea Bosic, Aldo Barberito, Linda Sini, Paolo Magalotti, Ugo Adinolfi, Freddy Unger, Gaetano Scala, Claudio Ruffini; I: Abenteurer, Freiheitskämpfer und Banditen auf der Jagd nach Juwelen, die der Kaiser von Mexiko, Maximilian, 1867 angesichts der Revolution außer Landes bringen lassen will. *Der von Genre-Profi Giuliano Carnimeo kreierte »Halleluja«-Charakter ist eine weitere typische Italo-Western-Figur in diesem ersten unterhaltsamen Comedy-Western mit dieser Figur.*

Tequila!

Tex e il Signore degli abissi (1985) DT: Tex und das Geheimnis der Todesgrotten; ET: Tex and the Lord of the Deep; IT: Tex e il Signore degli abissi; ST: Tex y el señor de los abismos; FT: Tex et le Seigneur des abysses; HL: Italien (Cinecittà/RAI-Radiotelevisione Italiana – Rete 3); UA: 6.9.85; OL: 109 (2987 m); DL: 90; FSK: 16; P: Duccio Tessari; R: Duccio Tessari; B: Giorgio Bonelli, Gianfranco Clerici, Marcello Coscia, Duccio Tessari; K: Pietro Morbidelli (Normal – Color); M: Gianni Ferrio; CD: Tex e il signore degli abissi (RAI Trade/Intermezzo Media CRD 305): 23 tracks; DO: Spanien (Almería); D: Giuliano Gemma, William Berger, Carlo Mucari, Isabel Russinova, Aldo Sambrell, Flavio Bucci; I: Zwei Abenteurer, die einem verschwundenen Waffentransport auf der Spur sind, werden in mysteriöse Geschehnisse um einen alten Azteken-Fluch verwickelt. *Relativ lauwarmer Spätwestern von Duccio Tessari – gleicht eher einem Indiana-Jones-Verschnitt als einem Italo-Western. Kino-Version einer Fernseh-Miniserie*

Texas, addio (1966) DT: Django, der Rächer/Django der Rächer ist da/Django 2; ET: Texas, adios; IT: Texas, addio; ST: Adiós, Texas; FT: Texas addio; HL: Italien/Spanien (B.R.C. – Produzione Film – Rom/Estele Film – Madrid); UA: 28.8.66; OL: 92 (2527 m); DEA: 17.2.67; DL: 90; FSK: 16; P: Manolo Bolognini; R: Ferdinando Baldi; B: Franco Rossetti, Ferdinando Baldi; K: Enzo Barboni (Ultrascope – Eastmancolor); M: Antón García Abril; S: »Texas goodbye« – gesungen von Don Powell; CD: Texas, addio (King Records/Japan KICP 2593): 29 tracks; Texas, addio (Screen Trax CDST 324): 18 tracks; Spaghetti-Westerns Vol. 2 (DRG 32909): 1 track; SW Encyclopedia Vol. 2 (KICP 434): 3 tracks; Fantastic World of SW (VCDS 7016): 6 tracks; DO: Spanien (Almería, Aldea del Fresno, Nuovo Baztán), Italien (Cinecittà Studio Rom); D: Franco Nero, Alberto Dell'Acqua, Livio Lorenzon, Elisa Montes, José Guardiola, Hugo Blanco, Luigi Pistilli, Antonella Murgia, Gino Pernice, Ivan Giovanni Scratuglia; I: Ehemaliger texanischer Sheriff spürt in Mexiko den Mörder seines Vaters auf und bringt ihn zur Strecke. *Guter Rachewestern mit einem sehr guten Franco Nero; stellt das Genre-Debüt von Ferdinando Baldi dar.*

Thompson 1880 (1966) DT: Schneller als 1000 Colts/Thompson 1880; ET: Thompson 1880; IT: Thompson 1880; ST: Thompson 1880; FT: Thompson 1880; HL: Italien/Spanien (Profilms – Rom/P.C. Balcázar – Barcelona); UA: 13.10.66; OL: 89 (2450 m); DEA: 7.2.69; DL: 79; FSK: 18; P: Franco Mannocchi; R: Guido Zurli; B: Jaime Jesús Balcázar (I: Enzo Gicca); K: Victor Monreal (Panoramico – Eastmancolor); M: Marcello Gigante; D: George Martin, Gian Sandri, José Bodaló, Gordon Mitchell, José Jaspe, Pedro Sanchez, Paul Müller, Aichè Nanà, Dino Strano, Ivan Scratuglia, Nino Nini; I: Thompson, der Erfinder des Maschinengewehrs, befreit eine Stadt im Westen von einer Gangsterbande. *Wenig unterhaltsamer Western von Guido Zurli.*

Testa t'ammazzo, croce ... sei morto, mi chiamano Alleluja

Texas, addio

Tierra de fuego (1966) DT: Vergeltung in Catano/Land des Feuers; ET: Sunscorched/Land of fire; IT: Jessy non perdona ... Uccide; ST: Tierra de fuego; HL: Italien/Spanien/ Deutschland (Balcázar – Barcelona/Afilm – Roma/Creole – Berlin); OL: 82; DEA: 1.10.65; DL: 87; FSK: 16; R: Jaime Jesús Balcázar, Mark Stevens; B: Mark Stevens, Alfonso Balcázar, Irving Dennis, José Antonio De La Loma; K: Francisco Marín (Techniscope – Eastmancolor); M: Michèle Auzépi, Enzo Silvestri; D: Mark Stevens, Mario Adorf, Marianne Koch, Vivien Dobbs, Oscar Pellicer, Frank Oliveras, Antonio Iranzo; I: Banditen provozieren und terrorisieren ein Wildweststädtchen so lange, bis dem Sheriff nach vielen Bluttaten endlich die Geduld reißt und er das große Aufräumen beginnt. *Harter Western von Jaime Jesús Balcázar und Mark Stevens.*

La tigre venuta dal fiume Kwai (1974) DT: Der Tiger vom Kwai/Der Regulator/Der Tiger; IT: La tigre venuta dal fiume Kwai; FT: Le tigre de la rivière Kwaï; HL: Italien (Cine Fenix); UA: 23.9.75; OL: 88 (2430 m); DEA: 7.11.75; DL: 81; FSK: 18; R: Franco Lattanzi; K: o.A. (Techniscope – Eastmancolor); D: Krung Srivilai, Kam Wong Long, Gordon Mitchell, George Eastman, Loredana Farnese, Bruno Ariè, Nuccia Cardinale, Mauro Mannatrizio, Giovanna Mainardi; I: Ein Siamese wird von Verbrechern daran gehindert, die sterblichen Überreste und den Juwelenschatz eines Amerikaners in den Westen zu bringen. *Unglaublich langweiliger und schlechter Western von Franco Lattanzi, der auch einige Eastern-Elemente einzubinden versuchte.*

O **Touche pas la femme blanche (1974)** DT: Berühre nicht die weiße Frau; ET: Don't touch the white woman; IT: Non toccare la donna bianca; ST: No tocar a la mujer blanca; FT: Touche pas la femme blanche; HL: Frankreich/ Italien (Films 66 – Paris/Mara Films – Paris/Laser Production – Paris/P.E.A. – Produzioni Europee Associate di Grimaldi Maria Rosaria e C. – Napoli); UA: 8.3.75; OL: 101 (2780 m); DL: 108 (TV) P: Jean-Pierre Rassam, Jean Yanne ; R: Marco Ferreri; B: Marco Ferreri, Rafael Azcona (I: Marco Ferreri); K: Étienne Becker (Panoramico – Eastmancolor); M: Philippe Sarde; S: »So soft and so swift« und »If you love Georgeanne«; DO: Frankreich (Paris); D: Marcello Mastroianni, Catherine Deneuve, Ugo Tognazzi, Michel Piccoli, Philippe Noiret, Darry Cowl, Franco Fabrizi, Alain Cuny, Monique Chaumette, Franca Bettoja, Paolo Villaggio, Daniele Dublino, Henri Piccoli, Francine Custer, Solange Blondeau; I: Einige Vertreter der herrschenden Ordnung halten die Zeit für gekommen für einen letzten vernichtenden Schlag gegen die Indianer unter der Führung von General Custer. Es kommt zum Kampf am berühmten Little Big Horn. *Abgefahrene Pseudo-Western-Satire von Marco Ferreri mit glänzender Besetzung.*

I tre che sconvolsero il West (1968) DT: 3 ausgekochte Halunken/Die drei, die den Westen erschütterten; ET: I came, I saw, I shot; IT: I tre che sconvolsero il West (Vado, vedo e sparo); ST: Llego, veo, disparo; FT: Aujourd'hui ma peau, demain la tienne; HL: Italien/Spanien (Produzione D.S. – Rom/Aspa Films – Madrid); UA: 12.8.68; OL: 95 (2605 m); DEA: 3.4.70; DL: 93; FSK: 16; P: Dario Sabatello; R: Enzo Girolami; B: Augusto Finocchi, Vittorio Metz, José Maria Rodriguez, Enrique Llovet (I: Augusto Finocchi, Vittorio Metz); K: Alejandro Ulloa (Techniscope – Technicolor); M: Carlo Rustichelli; CD: Spaghetti-Westerns Vol. 1 (DRG 32905): 2 tracks, Vado, vedo e sparo (Saimel 3997310): 21 tracks; DO: Spanien (Alcala de Henares, Almería, Colmenar Viejo), Italien; D:

Thompson 1880

Antonio Sabàto, John Saxon, Frank Wolff, Agata Flori, Leo Anchóriz, Antonio Vico, Rossella Bergamonti, Tito Garcia, Edy Biagetti, Josefina Serratosa, Leonardo Scavino; I: Drei Gauner wollen jeweils ihrem Kollegen das aus einem Bankraub stammende Geld abjagen und sehen sich am Ende doch gezwungen, die Beute zu teilen. *Einer der schwächeren Filme von Italo-Western-Profi Enzo Girolami, dem auch die hervorragende Besetzung nicht über die Runden hilft.*

Tre colpi di winchester per Ringo (1966) DT: Drei Kugeln für Ringo; ET: Three graves for a Winchester; IT: Tre colpi di Winchester per Ringo; FT: Trois coups de Winchester pour Ringo; HL: Italien (Profilms); UA: 16.3.66; OL: 99 (2730 m); DEA: 24.7.70; DL: 91; FSK: 16; P: Francesco Mannocchi; R: Emimmo Salvi; B: Palmambrogio Molteni, Emimmo Salvi (I: James Wild Jr.); K: Mario Parapetti (Totalscope – Eastmancolor); M: Armando Sciascia; CD: Tre colpi di Winchester per Ringo (Vedette VRM 36015-CD): 16 tracks; SW Encyclopedia Vol. 2 (KICP 434): 1 track; DO: Italien; D: Gordon Mitchell, Mickey Hargitay, John Heston (Ivano Staccioli), Mike Moore (Amedeo Trilli), Dante Maggio, Spean Convery (Spartaco Conversi), Margherita Horowitz, Willy Miniver, Nino Fascagni; I: Einstiger Revolverheld, inzwischen auf die Seite des Rechts übergetreten, nimmt den Kampf gegen eine von Bankier und Sheriff geleitete Terrorbande auf. *Wenig unterhaltsamer Western von Emimmo Salvi mit zwei ehemaligen Bodybuildern und Sandalen-Helden in den Hauptrollen.*

Tre croci per non morire (1968) ET: No graves on Boot Hill; IT: Tre croci per non morire; FT: Trois croix pour ne pas mourir; HL: Italien (G.V. Cinematografica); UA: 23.11.68; OL: 97 (2678 m); P: Elsio Mancuso; R: Sergio Garrone; B: Sergio Garrone, Luigi Cobianchi (I: Sergio Garrone); K: Sandro Mancori (Colorscope – Eastmancolor); M: Vasco Vasil Kojucharov, Elsio Mancuso; CD: Tre croci per non morire/Se vuoi vivere ... Spara!/Ad uno ad uno spietatamente (BEAT CDCR 53): 8 tracks; D: Craig Hill, Ken Wood, Evelyn Stewart, Peter White (Franco Co-

I tre che sconvolsero il West

bianchi), Maria Angela Giordano, Jean Louis, Arrigo Peri, Renato Lupi, Renato Jossi, Giuseppe Castellano, Vittorio André; I: Ein Priester rekrutiert drei Strafgefangene, um das Leben eines kleinen unschuldigen Jungen zu retten, der von Banditen bedroht wird. *Einer der besten Sergio-Garrone-Western, diesmal mit dem Stuntman Ken Wood alias Giovanni Cianfriglia in der Hauptrolle.*

I tre del Colorado (1965) DT: Die Unversöhnlichen/Drei aus Colorado/Gnadenlose Killer/Wölfe der schwarzen Berge; ET: Three from Colorado; IT: I tre del Colorado; ST: Rebeldes en Canadá/Canada Salvaje; FT: Le massacre de Hudson river; HL: Italien/Spanien (P.E.A. – Produzioni Europee Associate di Grimaldi Maria Rosaria e C. – Napoli/Coop. Coperfilm – Madrid); UA: 12.11.65; OL: 98 (2705 m); DEA: 12.11.71; DL: 84; FSK: 16; P: Maria Rosaria Grimaldi, R: Amando De Ossorio; B: Amando De Ossorio; K: Fulvio Testi (Totalscope – Eastmancolor); M: Carlo Savina; D: George Martin, Luis Marin, Pamela Tudor, Franco Fantasia, Diana Lorys, Mirko Ellis, Santiago Rivero, Ralph Baldwyn (Raf Baldassarre), Albert Lockwood (Luis Induni), Lisa Warner, Giulia Rubini; I: Partisanenkampf französischer Trapper gegen die englischen Kolonialtruppen und Vertreter der Hudson-Bay-Company, mit Rache, Entführung und großem Schlusskampf. *Amateurhaft inszenierter Abenteuerfilm von Amando De Ossorio.*

Tre dollari di piombo (1964) DT: Für drei Dollar Blei; ET: Three dollars of lead; IT: Tre dollari di piombo; ST: Tres dólares de plomo; FT: Trois dollars de plomb; HL: Italien/Spanien (Tellus Cinematografica – Rom/Coop. Coperfilm – Madrid/P.I.P. (Paris International Productions, Paris); UA: 19.12.64; OL: 99 (2722 m); DEA: 11.7.67; DL: 89; FSK: 16; R: Pino Mercanti; B: Silvio Siano, Mario Di Nardo; K: Manuel H. Sanjuán (Totalscope – Eastmancolor); M: Gioacchino Angelo; S: »Il canto del cowboy« – gesungen von Bruno D'Angelo; D: Fred Beir, Evy Marandi, Francisco Nieto, Richard St. Bris, Olivier Mathot, Evy Marandi, Angel Alvarez, Luis Ciavarro, Andrew Hart, Stella Monclar, Virgilio Daddi; I: Ein Dorf, das vom Terror einer Gangsterbande beherrscht wird, findet in einem wagemutigen jungen Mann seinen Befreier. *Früher Durchschnittswestern von Pino Mercanti ohne irgendwelche Höhepunkte.*

3 pistole contro Cesare (1966) DT: Drei Pistolen gegen Cesare; ET: Death walks in Laredo/Three golden boys; IT: 3 pistole contro Cesare/Tre ragazzi d'oro; FT: Trois pistolets contre César/Trois garçons d'or; HL: Italien (Dino De Laurentiis Cinematografica – Rom/Casbah Film – Algier); UA: 16.8.67; OL: 86 (2361 m); DEA: 17.7.70; DL: 77; FSK: 18; P: Carmine Bologna; R: Enzo Peri; B: Piero Regnoli, Enzo Peri (I: Carmine Bologna); K: Otello Martelli (Techniscope – Technicolor); M: Marcello Giombini; S: »Laredo« – gesungen von Don Powell; »Tula« – gesungen von Jean Aman; CD: SW Encyclopedia Vol.

1 (KICP 433): 1 track; **DO:** Afrika; **D:** Thomas Hunter, James Shigeta, Nadir Moretti, Femi Benussi, Delia Boccardo, Umberto D'Orsi, Enrico Maria Salerno, Gianna Serra, Ferruccio De Ceresa, Femi Benussi; **I:** Die Rache dreier ungleicher Halbbrüder am Mörder ihres Vaters. *Unglaublich innovativer und unterhaltsamer Western von Enzo Peri, der ausnahmsweise nicht in Italien oder Spanien, sondern in Afrika gedreht wurde.*

Le tre spade di Zorro (1962) DT: Zorro mit den drei Degen; **ET:** Three Swords of Zorro/Swordsmen Three; **IT:** Le tre spade di Zorro; **ST:** Las tres espadas del Zorro; **FT:** Les trois épées de Zorro; **HL:** Italien/Spanien (Rodes Cinematografica – Rom/Hispamer Films – Madrid); **UA:** 9.3. 63; **OL:** 90 (2465 m); **DEA:** 23.8.63; **DL:** 86; **FSK:** 12; **P:** Tullio Bruschi; **R:** Ricardo Blasco; **B:** Mario Amendola; **K:** Edmondo Affronti (Panoramico – Eastmancolor); **M:** Antonio Ramírez Angel, José Pagán; **D:** Guy Stockwell, Gloria Milland, Michaela Wood, Antonio Prieto, John McDouglas, Franco Fantasia, Rafael Vaquero, Robert Dean, Antonio Gradoli, Augustin Gonzales; **I:** Drei Zorros – Vater, Sohn & Tochter – leisten einem grausamen Gouverneur Widerstand. *Verwirrende Zorro-Abenteuer von Ricardo Blasco.*

I tre spietati (1963) DT: Abrechnung in Veracruz/Drei rechnen ab; **ET:** Gunfight at high noon; **IT:** I tre spietati; **ST:** El sabor de la venganza; **FT:** Les trois implacables; **HL:** Italien/Spanien (P.E.A. – Produzioni Europee Associate di Grimaldi Maria Rosaria e C. – Napoli/Centauro Films – Madrid); **UA:** 19.12.63; **OL:** 101 (2790 m); **DEA:** 21.10.64; **DL:** 80; **FSK:** 12; **P:** Manuel Castedo, Adriano Merkel; **R:** Joaquín Luis Romero Marchent; **B:** Joaquín Luis Romero Marchent, Jésus Maria Navarro, Rafael Romero Marchent, Marcello Fondato (**I:** Joaquín Romero Marchent, Jésus Navarro, Rafael Romero Marchent); **K:** Rafael Pacheco (Totalscope – Eastmancolor); **M:** Riz Ortolani; **DO:** Spanien (Almeria,Colmenar Viejo,Sesena); **D:** Richard Harrison, Fernando Sancho, Robert Hundar, Gloria Osuña, Miguel Miguel Palenzuela, Luis Induñi, Gloria Milland, Andrew Scott (Andrea Scotti), Raf Baldassarre; **I:** Drei Brüder suchen den Tod des Vaters und das Leid der Mutter zu rächen. Der Gewalttätige kommt dabei um, der rechtlich Denkende verhilft der Gerechtigkeit zum Sieg. *Ein unterhaltsamer Western von Joaquín Luis Romero Marchent aus der Frühzeit des Genres.*

Il tredicesimo sempre Giuda (1970) ET: The thirteenth is a Judas; **IT:** Il tredicesimo è sempre giuda; **HL:** Italien (Castor Film Productions); **UA:** 12.3.71; **OL:** 93 (2560 m); **R:** Giuseppe Vari; **B:** Adriano Bolzoni; **K:** Angelo Lotti (Techniscope – Technicolor); **M:** Carlo Savina; **D:** Donald O'Brien, Maurice Poli, Dean Stratford, Maily Doria, Fortunato Arena, Giuseppe Bellucci, Gianni Bernini, Giuseppe Castellano, Emy Della Beta, Attilio Dottesio, Enzo Filippi, Adriana Giuffré, Mimmo Maggio, Enrico Marciani, Alessandro Perrella; **I:** Dreizehn Freunde kommen nach

Sonora, um dort die Hochzeit ihres Freundes Ned Carter mit der hübschen Minenbesitzerin Marybelle zu feiern. Sie finden jedoch nur noch die Leichen von Marybelle und ihren Leuten vor, von Ned Carter fehlt jede Spur. *Einer der schwächeren Western von Giuseppe Vari, der mit »Deguejo« seinen besten Western inszeniert hat.*

Un treno per Durango (1967) DT: Der letzte Zug nach Durango; **ET:** Train for Durango; **IT:** Un treno per Durango; **ST:** Un tren para Durango; **FT:** Un train pour Durango; **HL:** Italien/Spanien (M.C.M. di Bianco Manini/Selenia Cinematografica/Tecisa – Madrid); **UA:** 06.1.68; **OL:** 105 (2882 m); **DEA:** 6.9.68; **DL:** 86; **FSK:** 12; **P:** Bianco Manini; **R:** Mario Caiano; **B:** Duccio Tessari, Mario Caiano; **K:** Enzo Barboni (Techniscope – Technicolor); **M:** Carlo Rustichelli; **DO:** Spanien (Almería, Estacion de Dona Maria-Ocana); **D:** Anthony Steffen, Mark Damon, Enrico Maria Salerno, Dominique Boschero, Robert Camardiel, José Bodaló, Manuel Zarzo, Aldo Sambrell, Mirella Pamphili; **I:** Während des mexikanischen Bürgerkriegs versuchen zwei Glücksritter, Banditen einen geraubten Geldschrank abzujagen, werden aber von einem Amerikaner und seiner Frau um die Beute geprellt. *Relativ gut gemachte Westernkomödie von Mario Caiano mit einem ungewohnt witzigen Anthony Steffen, den man sonst nur in ernsten Rollen gewohnt ist.*

30 Winchester per El Diablo (1965) DT: 30 Winchester für El Diabolo/30 Winchester für den Teufel; **ET:** Thirty winchesters for El Diablo; **IT:** 30 Winchester per El Diablo; **FT:** Trente fusils pour un tueur; **HL:** Italien (TE.PU. Films); **UA:** 23.12.65; **OL:** 86 (2366 m); **DEA:** 25.8.67; **DL:** 82; **FSK:** 12; **R:** Gianfranco Baldanello; **B:** Franco Cobianchi, Alfonso Brescia, Gianfranco Baldanello (**I:** Gianfranco Baldanello); **K:** Marcello Masciocchi (Techniscope – Technicolor); **M:** Ghant; **DO:** Spanien; **D:** Carl Möhner, Topsy Collins (Alessandra Panaro), John Heston (Ivano Staccioli), Anthony Garuf (Antonio Garisa), José Torres, Mila Stanic, William Spolletin (Guglielmo Spoletini), Gary Gallwey (Renato Chiantoni), William Burke (Attilio Dottesio), Richard Berry, Max Darnell (Mario Dardanelli); **I:** Zwei Pistoleros befreien eine Stadt im amerikanisch-mexikanischen Grenzgebiet von der Terrorherrschaft El Diabolos und seiner Bande. *Langweiliger Billigwestern von Gianfranco Baldanello ohne irgendwelche Höhepunkte.*

Tres hombres buenos (1963) DT: Die 3 Unerbittlichen; **ET:** The magnificent three; **IT:** I tre implacabili; **ST:** Tres hombres buenos; **FT:** Les trois cavaliers noirs; **HL:** Spanien/Italien (Copercines Cooperativa Cinematográfica – Madrid/P.E.A. – Produzioni Europee Associate di Grimaldi Maria Rosaria e C. – Napoli); **UA:** 16.5. 63; **OL:** 87 (2380 m); **DEA:** 28.3.64; **DL:** 86; **FSK:** 16; **R:** Joaquín Luis Romero Marchent; **B:** José Mallorquí, Joaquín Luis Romero Marchent, Mario Caiano; **K:** Rafael Pacheco (Totalscope – Eastmancolor); **M:** Francesco De Masi, Ma-

Un treno per Durango

nuel Parada; **DO:** Spanien; **D:** Geoffrey Horne, Robert Hundar, Massimo Carocci, Fernando Sancho, Cristina Gajoni, Paul Piaget, John MacDouglas (Giuseppe Addobbati), Raf Baldassarre, Aldo Sambrell, José Jaspe, Charito del Rio; **I:** Ein junger Rancher kämpft mit zwei Freunden gegen Banditen und einen bestechlichen Bürgermeister. *Einer der ersten Western unter der Regie von Joaquín Luis Romero Marchent.*

Trinità & Bambino ... e adesso tocca a noi! (1995) DT: Trinity und Babyface; ET: Trinity and Babyface; **IT:** Trinità & Bambino ... e adesso tocca a noi!; **ST:** Trinidad y Bambino (Tal para cual); **HL:** Italien/Deutschland/Spanien (Mediaset – Bergamo/Trinidad Film/Rialto Film Preben Philipsen – Berlin/Motion Pictures, Barcelona – Spanien); **UA:** 29.6.95; **OL:** 103 (2840 m); **DEA:** 11.4.96; **DL:** 103; **FSK:** 12; **P:** Italo Zingarelli, Enrique Uviedo; **R:** Enzo Barboni; **B:** Marcotullio Barboni; **K:** Juan Amorós (Panoramico – Eastmancolor); **M:** Stefano Mainetti; **CD:** Trinità & Bambino ... e adesso tocca a noi! (BEAT CDF 077): 13 tracks; **DO:** Spanien (Almería); **D:** Heath Kizzier, Keith Neubert, Yvonne De Bark, Fanny Cadeo, Ronald Nitschke, Siegfried Rauch, Renato D'Amore, Jack Taylor, Eduardo MacGregor, José Lifante, Ricardo Pizzuti, Renato Scarpa, Luis De Oteyza; **I:** Der Sohn von Trinità macht sich auf den Weg, seinen Freund Babyface vor der Hinrichtung zu retten. Im Auftrag von armen Mexikanern enttarnen sie die wahren Verbrecher und führen sie der gerechten Strafe zu. *Vergeblicher Versuch des Produzenten Italo Zingarelli, die alte Magie der »Trinity«-Filme mit einem neuen unbekannten Komikergespann wiederzubeleben.*

Trinità e Sartana figli di ... (1972) DT: Ein Hosianna für zwei Halunken; ET: Trinity and Sartana Are Coming; **IT:** Trinità e Sartana figli di ...; **ST:** Trinidad y Sartana 2 angelitos; **FT:** Depêche-toi Sartana, je m'appelle Trinità; **HL:** Italien (Metheus Film); **UA:** 30.5.72; **OL:** 103 (2840 m); **DEA:** 11.8.72; **DL:** 93; **FSK:** 12; **P:** Mario Siciliano; **R:** Mario

Siciliano; **B:** Adriano Bolzoni; **K:** Gino Santini (Techniscope – Technicolor); **M:** Carlo Savina; **DO:** Italien (Elios Film Studio Rom); **D:** Robert Widmark (Alberto dell'Acqua), Harry Baird, Beatrice Pella, Stelio Candelli, Dan May (Dante Maggio), Daniela Giordano, Carla Mancini, Alan Abbott (Ezio Mariano), Lars Bloch, Enzo Andronico, Nello Pazzafini, Domenico Maggio, Nino Nini, Enzo Maggio; **I:** Zwei Ganoven versuchen unentwegt und vergeblich, an das Geld anderer Leute heranzukommen und raufen sich mit einer Überzahl von Gegnern. *Langweilige Western-Komödie, von Regisseur Mario Siciliano ohne jegliche Ambition gedreht.*

Tutti fratelli nel West ... per parte di padre (1972) DT: Fünf Klumpen Gold; ET: Miss Dynamite; **IT:** Tutti fratelli nel West ... per parte di padre; **ST:** Todos hermanos ... en el Oeste; **FT:** Miss Dynamite; **HL:** Italien/Deutschland/Spanien (Produzione D.C.7 (Rom)/Terra Filmkunst (München/Berlin)/Coop. Copercines (Madrid); **UA:** 7.9.72; **OL:** 96 (2640 m); **DEA:** 7.4.84 (DFF 1); **DL:** 80; **P:** Giovanni Addessi; **R:** Sergio Grieco; **B:** Romano Migliorini, Giovan Battista Mussetto, Sergio Grieco (**I:** Romano Migliorini, Giovan Battista Mussetto); **K:** Aldo De Robertis (Cinemascope – Technicolor); **M:** Guycen; **DO:** Italien (Elios Film Studio Rom); **D:** Antonio Sabàto, Fernando Sancho, Lionel Stander, Marisa Mell, Peter Carsten, Franco Pesce, Giacomo Furia, Esmeralda Barros, Franco Ressel, Nino Musco, Andrea Scotti, Giovanni Cianfriglia, Antonio Gradoli, Carla Mancini, Federico Boido; **I:** Ein alter Goldsucher vererbt seinen gefundenen Schatz an eine Reihe von Bekannten und gibt jedem einen Goldklumpen mit dem Weg zum Versteck. Nachdem der Alte stirbt, kämpfen alle gegen alle, um allein zum Schatz zu kommen. *Langweiliger Komödienwestern von Sergio Grieco.*

Tutti per uno ... botte per tutti (1973) DT: Alle für einen – Prügel für alle; ET: Three Musketeers of the West; **IT:** Tutti per uno ... botte per tutti; **ST:** Todos para uno y golpes para todos; **FT:** Les rangers défient les karatékas; **HL:** Italien/Spanien/Deutschland (Capitolina Produzioni Cinematografiche – Rom/Star Films – Madrid/Dieter Geissler Filmproduktion – München); **UA:** 28.9.73; **OL:** 96 (2650 m); **DEA:** 9.8.74; **DL:** 86; **FSK:** 12; **R:** Bruno Corbucci; **B:** Bruno Corbucci, Tito Carpi, Leonardo Martino, Peter Berling (**I:** Tito Carpi); **K:** Rafael Pacheco (Techniscope – Technicolor); **M:** Carlo Rustichelli; **CD:** Una lunga fila di croci/Tutti per uno, botte per tutti/Prega il morto e ammazza il vivo (BEAT CDCR 35): 13 tracks; Spaghetti-Westerns Vol. 4 (DRG 32932): 2 tracks; **DO:** ISpanien, Italien; **D:** George Eastman, Timothe Brent (Giancarlo Prete), Eduardo Fajardo, Karin Schubert, Chris Huerta, Leo Anchóriz, Max Turilli, Li Chen, Vittorio Congia, Peter Berling, Pietro Tordi, Bruno Boschetti, Luigi Leoni, Eleonora Giorgi; **I:** Vier rauflustige Westerner bemühen sich vergeblich, einen illegalen Goldtransport zu erbeuten. *Schwache Haudrauf-Westernkomödie von Bruno Corbucci.*

Tutto per tutto (1968) DT: Zwei Aasgeier/Zwei Aasgeier auf dem Weg zur Hölle/Copper Face/Das Gold der gnadenlosen Drei; ET: All out/Go for broke; IT: Tutto per tutto; ST: La hora del coraje; FT: Gringo joue et gagne; HL: Italien/Spanien (P.E.A. – Produzioni Europee Associate di Grimaldi Maria Rosaria e C. – Napoli/Epoca Films – Madrid); UA: 27.3.68; OL: 89 (2435 m); DEA: 6.8.71; DL: 89; FSK: 18; P: Maria Rosaria Grimaldi, R: Umberto Lenzi; B: Nino Stresa, Eduardo M. Brochero; K: Alejandro Ulloa (Techniscope – Eastmancolor); M: Marcello Giombini; DO: HSpanien (Hoyo de Manzanares, Manzanares el Real, Colmenar Viejo), Italien; D: John Ireland, Mark Damon, Raf Baldassarre, Fernando Sancho, Monica Randall, Spartaco Conversi, Armando Calvo, Eduardo Fajardo, Miguel del Castillo, José Torres, Tito Garcia, Joaquín Parra; I: Aus diversen Motiven schießen und balgen sich zwei Pistoleros, zwei Gauner und ein Indio untereinander und mit einer Banditenbande um vier Kisten geraubten Goldes. *Unterhaltsamer Durchschnittswestern von Umberto Lenzi mit einer tollen Besetzung und einem gut ins Ohr gehenden Score von Marcello Giombini.*

Uccidete Johnny Ringo (1965) ET: Kill Johnny Ringo; IT: Uccidete Johnny Ringo; ST: Matad a Johnny Ringo; FT: Tuer Johnny Ringo; HL: Italien (La Cine Associati); UA: 6.5.66; OL: 99 (2710 m); R: Gianfranco Baldanello; B: Arpad De Riso, Nino Scolaro; K: Marcello Masciocchi (Widescreen – Eastmancolor); M: Pippo Caruso; S: »How long is the night« – gesungen von Greta Polyn; D: Brett Halsey, Greta Polyn, Ray Scott (Nino Fuscagni), Barbara Loy (Maria Gentilini), Lee Burton (Guido Lollobrigida), William Bogart (Guglielmo Spoletini), James Harrison (Angelo Desideri), William Burke (Attilio Dottesio), Mike Moore (Amedeo Trilli), Fausto Signoretti; I: Texas-Ranger Johnny Ringo wird beauftragt, die illegalen Machenschaften einer Fälscherbande zu unterbinden. *Durchschnittlicher Western von Gianfranco Baldanello mit einem jungen Brett Halsey.*

Uccideva a freddo (1967) ET: The cold killer; IT: Uccideva a freddo; ST: Mataba a sangre fria; FT: Tué à froid; HL:

Tutti per uno ... botte per tutti

Italien (Palinuro Film); UA: 23.3.67; OL: 87 (2398 m); P: Guido Celano; R: Guido Celano; B: George W. Ballor, Amid Trail, Palmambrogio Molteni, Ambrogio Molteni (I: W. Charlie Reed (»La montagna spaccata«); K: Angelo Baistrocchi (Panoramica – Eastmancolor); M: The Wilder Brothers (John Ireson, Wayne Parham); D: Dan Harrison, Lilian Faber, Rita Farrel, Philippe Marsch, Luigi Barbieri, Guy W. Ceylon, Claude Mealli, Amid Trail (Amedeo Trilli), Giorgio Bandiera, Luciano Odorisio, Emilio Pagliani, Guido Celano; I: Der Fremde Bill hindert den goldgierigen José daran, sich eines Goldschatzes zu bemächtigen und sich in Anaconda eine neue Existenz als beliebter Bürger aufzubauen. *Unterhaltsamer erster Billigwestern von Guido Celano, der etwas besser als der nachfolgende »Piluk il timido« ist.*

Uccidi, Django ... uccidi per primo! (1970) ET: Kill Django ... kill First; IT: Uccidi, Django ... uccidi per primo!; ST: Tequila; FT: Abattez Django le premier; HL: Italien (Walkiria Pictures); UA: 5.2.71; OL: 86 (2358 m); P: Sebastiano Cimino; R: Sergio Garrone; B: Sergio Garrone, Palmambrogio Molteni (I: Palmambrogio Molteni); K: Gaetano Valle (Normal – Eastmancolor); M: Elsio Mancuso; DO: Spanien (Hoyo de Manzanares); D: Giacomo Rossi Stuart, Doris Kristanell, Aldo Sambrell, Silvio Bagolini, George Wang, Mario Novelli, Diana Lorys, John Benedy, Furio Meniconi, Umberto Di Grazia, Krista Nell, Vittorio Fanfoni; I: Kopfgeldjäger Django jagt den bösen Ramon, einen mexikanischen Verbrecher, der für zahlreiche Überfälle in Texas verantwortlich ist. *Garrones schlechtester Western.*

Uccidi o muori (1966) DT: Für eine Handvoll Blei/Nur einer kam durch; ET: Kill or die/Kill or be killed/Ringo against Johnny Colt; IT: Uccidi o muori; FT: Ringo contre Jerry Colt; HL: Italien (Regalfilm); UA: 1.11.66; OL: 95 (2600 m); DEA: 10.3.67; DL: 94; FSK: 18; P: Luigi Rovere; R: Tanio Boccia; B: Mario Amendola; K: Aldo Giordani (Techniscope – Technicolor); M: Carlo Rustichelli; CD: SW Encyclopedia Vol. 3 (KICP 435): 2 tracks; D: Robert Mark, Elina De Witt, Fabrizio Moroni, Andrea Bosic, Albert Farley (Alberto Farnese), Men Fury (Furio Meniconi), Gordon Mitchell, Benjamin May (Beniamino Maggio), Remo Capitani, Antonio Fidone; I: Skrupelloser Revolverheld im Kampf gegen die Herrschsucht und Willkür eines Großranchers und seiner Söhne. *Mittelmäßiger Western von Tanio Boccia, wieder mit Robert Mark in der Hauptrolle.*

L'ultimo killer (1967) DT: Rocco – ich leg' dich um; ET: Django, last killer; IT: L'ultimo killer; ST: El ultimo pistolero; FT: Le dernier tueur; HL: Italien (Garfilm/Jupiter Generale Cinematografica/Rofilm/Castor Film Productions – Madrid); UA: 10.8.67; OL: 87 (2406 m); DEA: 23.2.68; DL: 87; FSK: 18; P: Sergio Garrone; R: Giuseppe Vari; B: Augusto Caminito; K: Angelo Filippini (Techniscope – Technicolor); M: Roberto Pregadio; CD: Spaghetti-Westerns Vol. 2 (DRG 32909): 4 tracks; **DO:** Spanien; **D:** George Eastman, Anthony Ghidra, Dana Ghia, Daniele Vargas, John Hamilton (Gianni Medici), Mirko Ellis, John McDouglas (Giuseppe Addobbati), Frank Fargas, John Mathews (Giuseppe Mattei), Fred Coplan, Valentino Macchi; **I:** Ein Mexikaner rächt sich an einem Schurken und tötet wegen verratener Freundschaft auch den Killer, der ihn das Schießen gelehrt hat. *Kurzweiliger harter Western von Giuseppe Vari, in dem Anthony Ghidra für George Eastman eine ähnliche Vaterrolle übernimmt wie Lee Van Cleef für Giuliano Gemma in »I giorni dell'ira«.*

Uncas! El fin de una raza (1965) DT: **Der letzte Mohikaner;** ET: Last of the Mohicans; IT: L'ultimo dei mohicani; ST: Uncas! El fin de una raza; FT: Le dernier des Mohicani; HL: Spanien/Italien (Eguiluz Films – Madrid/Ital Caribe Cinematografica); UA: 20.8.65; OL: 84 (2312 m); DEA: 9.4.76; DL: 85; FSK: 12; R: Mateo Diaz Caño; B: Alain Baudry (I: James Fenimore Cooper); K: Carlo Carlini (SuperTotalscope – Eastmancolor); M: Bruno Canfora; D: Jack Taylor, Paul Müller, Sara Lezana, Daniel Martin, José Manuel Martin, Barbara Loy (Maria Gentilini), Luis Induñi, José Marco, Alfonso Del Real, José Riesgo, Lorenzo Robledo, Pedro Fenollar; I: Der letzte Mohikaner und seine Freunde befreien zwei Frauen aus den Händen feindlicher Indianer. *Unglaublich schwach inszenierte James-F.-Cooper-Verfilmung mit demselben Uncas-Darsteller Daniel*

JACK **STUART** · ALDO **SAMBRELL** · DIANA **LORYS** · GEORGE **WANG**
DIRECTOR **WILLIAM S. REGAN**   EASTMANCOLOR

Uccidi, Django ... uccidi per primo!

Martin, der auch in Reinls wesentlich besserer Verfilmung zu sehen war.

Uno di più all'inferno (1968) DT: **Django – Melodie in Blei;** ET: Full house for the devil/To hell and back; IT: Uno di più all'inferno; ST: Uno mas al infierno; FT: Los machos; HL: Italien (Devon Film – Rom/Flora Film); UA: 17.8.68; OL: 93 (2558 m); DEA: 11.4.69; DL: 87; FSK: 18; P: Luciano Martino, Vittorio Martino, Leo Cevenini; R: Giovanni Fago; B: Ernesto Gastaldi, Giovanni Fago; K: Antonio Borghesi (Techniscope – Eastmancolor); M: Gino Peguri; S: »Forgive and not forget« – gesungen von Gianni Davoli; CD: Uno dopo l'altro (GDM 2067): 26 tracks; DO: Spanien (Manzanares el Real); D: George Hilton, Paul Stevens (Paolo Gozlino), Claudie Lange, Gerard Herter, Paul Muller, Carlo Gaddi, Jim Clay (Aldo Cecconi), Pietro Tordi, Adriana Giuffrè, Ferruccio Viotti, Krista Nell, Lino Coletta, Rex Purdom, Gill Roland (Gilberto Galimberti), Angela Ellison; I: Ein Mann rächt die Ermordung seiner Eltern. *Guter Rachewestern von Giovanni Fago mit einem hervorragenden George Hilton und Paul Stevens alias Paolo Gozlino als Kumpels und Gerard Herter als Überböseswicht.*

Uno dopo l'altro (1968) DT: **Von Django – mit den besten Empfehlungen/Neun Särge für MacGregor;** ET: One after another; IT: Uno dopo l'altro; ST: Uno después de otro; FT: Adios caballero; HL: Italien/Spanien (Euro Atlantica Cinematografica Produzione Films – Rom/Midega Films – Madrid); UA: 13.8.68; OL: 102 (2810 m); DEA: 5.12.69; DL: 93; FSK: 18; P: Nunez De Balboa; R: Nick Nostro; B: Carlos E. Rodriguez, Nick Nostro, Giovanni Simonelli, Mariano De Lope; K: Mario Pacheco (Techniscope – Technicolor); M: Fred Bongusto, Berto Pisano; S: »May be one, may be nine« – gesungen von Fred Bongusto; D: Richard Harrison, Pamela Tudor, Paul Stevens, José Bodaló, Jolanda Modio, José Jaspe, José Martin Perez, Hugo Blanco, Luis Barboo, Fortunato Arena, José Manuel Martin; I: Django klärt einen Banküberfall auf, bei dem sein Bruder erschossen wurde, und tötet der Reihe nach die Beteiligten. *Unterhaltsamer harter Western von Nick Nostro.*

Gli uomini dal passo pesante (1965) DT: **Die Trampler/Die um Gnade winseln;** ET: Tramplers; IT: Gli uomini dal passo pesante; ST: Las pistolas del Norte del Texas; FT: Les forcenés; HL: Italien/Frankreich (Mancori A./Chrétien Productions – Paris); UA: 31.12.65; OL: 103 (2826 m); DEA: 24.6.66; DL: 99; FSK: 16; P: Alvaro Mancori, Anna Maria Chretien; R: Alfredo Antonini, Mario Sequi; B: Ugo Liberatore, Alfredo Antonini (I: Will Cook (»Guns of North Texas«); K: Alvaro Mancori (Cinemascope – Eastmancolor); M: Angelo Francesco Lavagnino; DO: Spanien, Italien; D: Gordon Scott, Joseph Cotten, Muriel Franklin, James Mitchum, Ilaria Occhini, Franco Nero, Carroll Brown (Carla Calò), Dario Michaelis, Roman Barrett (Romano Puppo), Ivan Andrews (Ivan G. Scratuglia);

I: Ein Großrancher in den Südstaaten der USA versucht nach dem Bürgerkrieg seinen Sklavenbesitz mit roher Gewalt zu erhalten. *Unterhaltsames episches Westerndrama aus der Anfangszeit des Italo-Western.*

Uomo avvisato mezzo ammazzato ... parola di Spirito Santo (1971) DT: Ein Halleluja für Spirito Santo/Zwei wie Blitz und Donner; ET: Forewarned, half-killed ... the word of the Holy Ghost; IT: Uomo avvisato mezzo ammazzato ... parola di Spirito Santo; ST: ...Y le llamaban el Halcón; FT: On l'appelle Spirito Santo; HL: Italien/Spanien (Lea Film – Rom/P.C. Astro – Madrid); UA: 30.3.72; OL: 94 (2573 m); DEA: 29.8.72; DL: 81; FSK: 16; P: Luciano Martino; R: Giuliano Carnimeo; B: Tito Carpi, Federico De Urrutia (I: Tito Carpi); K: Miguel F. Mila (Cinemascope – Eastmancolor); M: Bruno Nicolai; CD: The Western Film Music of Bruno Nicolai (SAIMEL 3995210): 16 tracks; D: Gianni Garko, Pilar Velasquez, Poldo Bendandi, Chris Huerta, Paul Stevens (Paolo Gozlino), George Rigaud, Franco Pesce, Dada Galloti; I: Zwei Abenteurer im Kampf um eine Goldmine und gegen einen mexikanischen Militärtyrannen. *Unterhaltsame Westernkomödie des Genre-Profis Giuliano Carnimeo mit Gianni Garko in einer neuen Serienrolle und einem guten Score von Bruno Nicolai.*

L'uomo che viene da Canyon City (1965) DT: Die Todesminen von Canyon City/Ringo schießt zuerst/Keine Gnade für Verräter/Keine Gnade für den Verräter/Zwei an einer Kette; ET: Man from Canyon City; IT: L'uomo che viene da Canyon City; ST: Viva Carrancho!; FT: L'homme qui venait de Canyon City/Que vive Carrancho!; HL: Italien/ Spanien (Adelphia Compagnia Cinematografica – Rom/ P.C. Balcázar – Barcelona); UA: 15.10.65; OL: 91 (2512 m); DEA: 19.10.67; DL: 82; FSK: 16; P: Paul Mough; R: Alfonso Balcázar; B: Adriano Bolzoni (I: Henry Vaughan (Attilio Ricci)); K: Aldo Scavarda (Cromoscope – Eastmancolor); M: Angelo Francesco Lavagnino; S: »La cucaracha«; DO: Spanien (Esplugas de Llobregat, Fraga); D: Robert Woods, Fernando Sancho, Loredana Nusciak, Luis Davila, Ryan Baldwin (Renato Baldini), Ely Drago, Gérard Tichy, Antonio Almores, Jean Osvald, Oscar Carreras, Ryan Earthpick (Renato Terra Caizzi); I: Zwei Tramps mit Gefängnisvergangenheit entdecken ihr gutes Herz und befreien die geknechtete mexikanische Bevölkerung in einer Kleinstadt von den Frondiensten eines sie ausbeutenden texanischen Silberminenbesitzers. *Leidlich unterhaltsamer Western, der sich nicht zwischen Komödie und hartem Action-Western entscheiden kann.*

○ **Un uomo chiamato Apocalisse Joe (1970)** DT: Spiel dein Lied und töte, Joe/Spiel dein Spiel und töte, Joe; ET: Apocalypse Joe; IT: Un uomo chiamato Apocalisse Joe; ST: Apocalipsis Joe; FT: Un homme nommé Apocalypse Joe; HL: Italien/Spanien (Italian International Film/Transeuropa Film – Rom/Coop. Copercines – Madrid); UA: 4.12.70;

Uno dopo l'altro

Uno di più all'inferno

Uomo avvisato mezzo ammazzato ... parola di Spirito Santo

OL: 95 (2600 m); **DEA:** 22.7.71; **DL:** 94; **FSK:** 18; **P:** José Antonio; **R:** Leopoldo Savona; **B:** Leopoldo Savona (I: Eduardo Maria Brochero); **K:** Julio Ortas (Cinemascope – Eastmancolor), Franco Villa; **M:** Bruno Nicolai; **CD:** Un uomo chiamato Apocalisse Joe/Lo chiamavano Tresette, giocava sempre col morto (BEAT CDCR 45): 17 tracks; Spaghetti-Westerns Vol. 4 (DRG 32932): 2 tracks; **DO:** Spanien, Italien (Elios Film Studio Rom); **D:** Anthony Steffen, Eduardo Fajardo, Maria Paz Pondal, Stelio Candeli, Fernando Cerulli, Fernando Bilbao, Virginia Garcia, Silvano Spadaccino, Veronica Korosec, Giulio Baraghini, Bruno Ariè, Flora Carosello, Renato Lupi, Miguel Del Castillo, Angelo Susani; **I:** Der schauspielernde Erbe einer Goldmine entledigt sich einer Horde von Banditen, die sich unrechtmäßig in den Besitz seines Erbes gesetzt haben. *Sehr spannender harter Western von Leopoldo Savona mit einem hervorragenden Score von Bruno Nicolai.*

Un uomo chiamato Apocalisse Joe

Un uomo chiamato Dakota (1971) **IT:** Un uomo chiamato Dakota; **FT:** Un homme appelé Dakota; **HL:** Italien (Pageant International Film); **UA:** 5.3.72; **OL:** 86 (2370 m); **R:** Mario Sabatini; **B:** Mario Sabatini; **K:** Mario Capriotti (Panoramico – Kodakolor); **M:** Carlo Esposito; **D:** Anthony Freeman, Tamara Baroni, Gordon Mitchell, Bill Vanders, Fedele Gentile, Cleofe Del Cile, Rossella Bergamonti, Grazia Zanetti, Mauro Mannatrizio; **I:** Der Ex-Soldat Dakota wird in einem kleinen Städtchen für den Mord am Sheriff verurteilt, den in Wirklichkeit der Hilfssheriff und eine Bande von Verbrechern begangen haben. Es gelingt ihm zu entkommen und die wahren Verbrecher zur Strecke zu bringen. *Unbedeutender Billigwestern von Mario Sabatini.*

L'uomo dalla pistola d'oro (1965) **DT:** Der Mann, der kam, um zu töten/Mad Mexican; **ET:** Man with the golden pistol; **IT:** L'uomo dalla pistola d'oro; **ST:** Doc, manos de plata; **FT:** Un colt pour MacGregor; **HL:** Italien/Spanien (Flora Film/West Film/P.C. Balcázar – Barcelona); **UA:** 3.12.65; **OL:** 98 (2700 m); **DEA:** 11.1.67; **DL:** 85; **FSK:** 16; **P:** Carlos Bobe, Roberto Palaggi; **R:** Alfonso Balcázar; **B:** Giovanni Simonelli, Alfonso Balcázar, José Antonio De La Loma; **K:** Mario Capriotti (Techniscope – Eastmancolor); **M:** Angelo Francesco Lavagnino; **S:** »Golden Gun« – gesungen von The Wilder Brothers; **DO:** Spanien (Esplugas de Llobregat, Fraga), Italien; **D:** Carl Möhner, Luis Dávila, Gloria Milland, Fernando Sancho, Umberto Raho, Oscar Pelliceri, Irene Mir; **I:** Ein steckbrieflich gesuchter Spieler, der beim Pokern einen Mann erschoss, gerät durch die Papiere eines Toten in die Rolle eines Sheriffs und befreit ein Texas-Städtchen von Terroristen. *Durchschnittlicher harter Western von Alfonso Balcázar.*

L'uomo della valle maledetta (1963) **DT:** Der Rancher vom Colorado-River; **ET:** Man of the Cursed Valley; **IT:** L'uomo della valle maledetta; **ST:** El hombre del valle maldito; **FT:** L'homme de la vallée maudite; **HL:** Italien/Spanien (P.E.A. – Produzioni Europee Associate di Grimaldi Maria Rosaria e C. – Napoli/Coop. Fénix Films – Madrid); **UA:** 22.5.64; **OL:** 107 (2930 m); **DEA:** 3.9.65; **DL:** 81; **FSK:** 12; **P:** Paul Mough; **R:** Siro Marcellini, Primo Zeglio; **B:** Eduardo M. Brochero, Eduardo di Lorenzo; **K:** Remo Grisanti (Totalscope – Eastmancolor), Alfredo Fraile; **M:** Francesco De Masi, Manuel Parada; **CD:** L'uomo della valle maledetta/La sfida die MacKenna/ ... E venne il tempo di uccidere (BEAT CDCR 47): 15 tracks; Spaghetti-Westerns Vol. 4 (DRG 32932): 2 tracks; **DO:** Spanien (Manzanares el Real, Titulcia, Hoyo de Manzanares); **D:** Ty Hardin, Iran Eory, Peter Larry (Piero Leri), Joe Camel (José Canaleja), José Nieto, John Bartha, José Marco; **I:** Die Konflikte einer jungen Frau, die mit einem Indianer verheiratet ist und sich dadurch den Zorn des Vaters zugezogen hat. *Obskurer, jedoch unbedeutender, an die US-Western angelehnter Film aus der Anfangszeit des Italo-Western.*

L'uomo, l'orgoglio, la vendetta (1967) **DT:** Mit Django kam der Tod/Carmen: Mit Django kam der Tod/Der Mann, der Stolz, die Rache; **ET:** Man: His pride and his vengeance; **IT:** L'uomo, l'orgoglio, la vendetta; **ST:** El hombre, el orgullo, la venganza; **FT:** L'homme, l'orgueil et la vengeance; **HL:** Italien/Deutschland (Regalfilm/Fono Roma/Constantin Film – München); **UA:** 22.12.67; **OL:** 101 (2767 m); **DEA:** 11.10.68; **DL:** 81 (Kino), 96 (DVD); ; **FSK:** 16; **P:** Luigi Rovere; Fernando Ventimiglia; **R:** Luigi Bazzoni; **B:** Luigi Bazzoni, Suso Cecchi D'Amico (I: Prosper Mérimée, »Carmen«); **K:** Camillo Bazzoni (Techniscope – Technicolor); **M:** Carlo Rustichelli; **CD:** L'uomo, l'orgoglio, la vendetta (CAM CSE 086): 14 tracks; SW Encyclopedia Vol. 3 (KICP 435): 2 tracks; **DO:** Spanien (Almería, Guadix); **D:** Franco Nero, Klaus Kinski, Tina Aumont, Lee Burton (Guido Lollobrigida), Franco Ressel, Karl Schönböck, Alberto Dell'Acqua, Marcella Valeri, Maria Mizar, Mara Carisi, Anna De Padova, Ivan Giovanni Scratuglia, Hans Albrecht; **I:** Der Sergeant Django wird der Liebe zu einer Zigeunerin wegen zum Deserteur, Wegelagerer und mehrfachen Totschläger, bis er am Ende auf der Flucht von der Polizei erschossen wird. *Mit diesem eigentlich in Spanien* *stattfindenden Film gelang Luigi Bazzoni ein kleines Meisterwerk des Italo-Western-Dramas.*

Un uomo, un cavallo, una pistola (1967) DT: Western Jack/Jeder Schuss ein Halleluja/Western Jack – Jeder Schuss ein Treffer/Blutiger Dollar; ET: The stranger returns; IT: Un uomo, un cavallo, una pistola; FT: Un homme, un cheval, un pistolet; HL: Italien/Deutschland (Primex Italiana – Rom/Juventus Film – Berlin); UA: 17.8.67; OL: 95 (2621 m); DEA: 05.1.68; DL: 95; FSK: 18; P: Roberto Infascelli, Massimo Gualdi; R: Luigi Vanzi; B: Giuseppe Mangione (I: Bob Ensescalle); K: Marcello Masciocchi (Widescreen – Eastmancolor); M: Stelvio Cipriani; CD: Un uomo, un cavallo, una pistola (CAM CSE 102): 11 tracks; The bounty killer/Un uomo, un cavallo, una pistola/Nevada (CAM CSE-800-147): 11 tracks; SW Encyclopedia Vol. 2 (KICP 434): 2 tracks; Wanted – Dead or Alive (CAM 900-020): 1 track; DO: Italien; D: Tony Anthony, Daniele Vargas, Ettore Manni, Marina Berti, Marco Guglielmi, Dan Vadis, Jill Banner, Raf Baldassarre, Anthony Freeman, Renato Mambor, Franco Scala; I: Eine Gangsterbande überfällt eine Postkutsche, die einen Tresor mit Gold über die mexikanische Grenze bringen soll, wird jedoch von einem Einzelgänger überlistet. *Äußerst unterhaltsamer, billig produzierter zweiter »Stranger«-Film von Luigi Vanzi mit einem ansprechenden Score von Stelvio Cipriani.*

L'uomo venuto per uccidere (1967) DT: Django – unersättlich wie der Satan/Django – unersättlich wie ein Satan/Der Mann, der zum Töten kam; ET: Rattler Kid; IT: L'uomo venuto per uccidere; ST: Un hombre viño a matar; FT: L'homme qui venait pour tuer; HL: Italien/Spanien (Nike Cinematografica Napoli/Copercines Cooperativa Cinematográfica – Madrid); UA: 11.9.67; OL: 86 (2373 m); DEA: 5.12.69; DL: 87; FSK: 16; P: Luigi Mondello; R: León Klimovsky; B: Odoardo Fiory (I: Eduardo Maria Brochero), Luigi Mondello; K: Julio Ortas (Panoramico – Eastmancolor); M: Francesco De Masi; D: Richard Wyler, Brad Harris, William Spolt (Guglielmo Spoletini), Jesus Puente, Femi Benussi, Aurora De Alba, Simon Arraga, Luis Barboo, Luis Induñi, Miguel Del Castillo, Frank Braña; I: Ein Sergeant ist fälschlich des Mordes und Raubes angeklagt. Er erflieht und verfolgt die Bande, die ihm sein Leben ruinierte, bis er alle umgelegt hat und den Schuldigen zum Fort zurückschleppt. *Nicht besonders origineller Rachewestern von León Klimovsky.*

Vado, l'ammazzo e torno (1967) DT: Leg' ihn um, Django/Glory, Glory, Hallelujah/Rio Bandidos; ET: Any gun can play/For a few bullets more; IT: Vado, l'ammazzo e torno; ST: Voy, le mato, y vuelvo; FT: Je vais, je tire et je reviens; HL: Italien (Fida Cinematografica – Rom); UA: 26.9.67; OL: 98 (2690 m); DEA: 28.3.69; DL: 96; FSK: 16; P: Edmondo Amati; R: Enzo Girolami; B: Tito Carpi, Giovanni Simonelli, Enzo Girolami (I: Romolo Guerrieri, Sauro Scavolini); K: Giovanni Bergamini (Techniscope – Technicolor); M: Francesco De Masi; S: »Stranger« – gesungen von Raoul; CD: Sartana non perdona/Vado ... L'ammazzo e torno/Ammazzali tutti e torna solo (BEAT

L'uomo, l'orgoglio, la vendetta

Un uomo, un cavallo, una pistola

668

CDCR 22): 9 tracks; Spaghetti-Westerns Vol. 4 (DRG 32932): 2 tracks; SW Encyclopedia Vol. 2 (KICP 434): 2 tracks; **DO:** Spanien (Almería, Guadix), Italien **D:** George Hilton, Edd Byrnes, Gilbert Roland, Kareen O'Hara (Stefania Careddu), Pedro Sanchez, José Torres, Gerard Herter, Ivano Staccioli, Valentino Macchi, Adriana Giuffré, Roberto Valadier; **I:** Ein Goldtransport wird geraubt, wobei zahlreiche Gangster sich gegenseitig hereinlegen, bis nach einem Massentöten die drei übelsten Burschen die Gewinner sind. *Unterhaltsamer Actionwestern von Enzo Girolami mit einer sehr originellen Eingangssequenz.*

Valdez il mezzosangue (1973) DT: Wilde Pferde; ET: Chino/Valdez Horses; **IT:** Valdez il mezzosangue; **ST:** Caballos salvajes; **FT:** Chino; **HL:** Italien/Spanien/Frankreich (Produzioni De Laurentiis – International Manufacturing Company – Rom/Coral P.C. – Madrid/Universal Productions France – Paris); **UA:** 14.9.73; **OL:** 99 (2730 m); **DEA:** 29.11.73; **DL:** 97; **FSK:** 16; **P:** Dino De Laurentiis; **R:** John Sturges, Duilio Coletti; **B:** Dino Maiuri, Massimo De Rita, Clair Huffaker (**I:** Lee Hoffmann, »The Valdez Horses«); **K:** Armando Nannuzzi (Normal – Technicolor), Godofredo Pacheco; **M:** Guido & Maurizio De Angelis; **S:** »Freedom rainbow« – gesungen von Canary Jones; **DO:** Spanien (Almería); **D:** Charles Bronson, Jill Ireland, Marcel Bozzuffi, Vincent Van Patten, Fausto Tozzi, Ettore Manni, Diana Lorys, Melissa Chimenti, José Nieto, Conchita Muñoz, Corrada Gaipa, Adolfo Thous, Henry Vidon Mikalkov; **I:** Zum Ende des 19. Jahrhunderts schließen ein einsamer Pferdezüchter und ein von zu Hause fortgelaufener Knabe Freundschaft in New Mexico. Ein in Südspanien von dem amerikanischen Western- und Action-Profi John Sturges gedrehter italienischer Western, der seine Geschichte in ruhigen, langsamen Bildern erzählt.

Vamos a matar compañeros (1970) DT: Laßt uns töten, Companeros/Zwei Companeros/Drei Companeros räumen auf; **ET:** Companeros; **IT:** Vamos a matar compañeros; **ST:** Los compañeros; **FT:** Companeros!; **HL:** Italien/Deutschland/Spanien (Tritone Filmindustria – Rom/Terra Filmkunst – München/Berlin/Atlántida Films – Madrid); **UA:** 18.12.70; **OL:** 118 (3245 m); **DEA:** 11.5.71; **DL:** 110 (Kino), 120 (DVD); **FSK:** 18; **P:** Antonio Morelli; **R:** Sergio Corbucci; **B:** Dino Maiuri, Massimo De Rita, Fritz Ebert, Sergio Corbucci (**I:** Sergio Corbucci); **K:** Alejandro Ulloa (Techniscope – Technicolor); **M:** Ennio Morricone; **CD:** Tepepa/Vamos a matar, compañeros (GDM 2002): 8 tracks; Ennio Morricone Western Quintet (DRG 32907): 8 tracks; Vamos a matar, compañeros (Screen Trax CDST 327): 20 tracks; Spaghetti-Westerns Vol. 2 (DRG 32909): 1 track, Spaghetti-Westerns Vol. 3 (DRG 32929): 1 track; SW Encyclopedia Vol. 4 (KICP 436): 2 tracks; Fantastic World of SW (VCDS 7016): 1 track; **DO:** Spanien (Almería, Alcala de Henares, Villamanta, El Argamazon, Pelayos de la Presa); **D:** Franco Nero, Tomás Milian, Jack Palance, Karin Schubert, Fernando Rey, José Bodalo, Eduardo Fajardo, Victor Israel, Iris Berben, Simon Arriaga, Francisco Bodaló, Gérard Tichy, Luigi Pernice, Alvaro De Luna, Lorenzo Robledo, Gianni Pulone; **I:** Ein schwedischer Söldner hilft einer Gruppe mexikanischer Revolutionäre gegen die Herrschaft des Diktators. *Sehr unterhaltsamer zweiter Revolutionswestern vom Genre-Meister Sergio Corbucci, eine Art inoffizielle Fortsetzung von »Il Mercenario« mit einem tollen Ennio-Morricone-Score.*

Vamos a matar Sartana (1971) ET: Let's go and kill Sartana; **IT:** Vamos a matar Sartana; **ST:** Vamos a matar Sartana; **FT:** Allons tuer Sartana; **HL:** Italien (Marco Claudio Cinematografica); **UA:** 6.9.71; **OL:** 87 (2390 m); **P:** Marco Claudio; **R:** Mario Pinzauti; **B:** Marco Masi, Rafael Marina; **K:** Gianni Raffaldi (Techniscope – Eastmancolor); **M:** Pat Bodio, Pat Bodie (José Espeita); **D:** George Martin, Gordon Mitchell, Isarco Ravaioli, Virginia Rodin, Chris Huerta, Monica Taber, Daniel Martin, Pajarito, Dick Foster, Robert Danish, Claudio Trionfi; **I:** Clay und Greg, zwei ehemalige Freunde, werden zu Todfeinden, da Greg mit seiner Bande Clays Farm samt seiner Familie umbringt. *Ein ziemlich langweiliger unbedeutender Western von Mario Pinzauti.*

Vado, l'ammazzo e torno

Valdez il mezzosangue

Vayas con Dios, gringo (1966) ET: Good luck Gringo; IT: Vayas con Dios, gringo; ST: Vete con Dios, gringo; FT: Dieu est avec toi, Gringo; HL: Italien (Cio Film/Intercontinental Production – Roma/Marina di Belvedere Marittimo – CS/SAP Film Production); UA: 12.8.66; OL: 83 (2279 m); P: Vincenzo Musolino; R: Edoardo Mulargia; B: Vincenzo Musolino, Edoardo Mulargia; K: Ugo Brunelli (Techniscope – Technicolor); M: Felice Di Stefano; D: Glenn Saxson, Mark Stevens, Spartaco Battisti, Bill Jackson (Gino Buzzanca), Armando Guarnieri, Lucretia Love, Aldo Berti, Pedro Sanchez, Tom Felleghi, Nino Musco, Alfredo Rizzo, Ivan G. Scratuglia, Livio Lorenzon; I: Der unschuldig verurteilte Gringo bricht zusammen mit einer Bande blutrünstiger Mörder aus dem Gefängnis aus. Satt von deren Grausamkeiten, richtet er sich gegen sie und führt sie der gerechten Strafe zu und wird dafür freigesprochen. *Unterhaltsamer harter Western von Edoardo Mulargia – sein erster Film in diesem Genre.*

La vendetta è il mio perdono (1967) DT: Django – sein letzter Gruß/Django – Lied des Todes; ET: Shotgun; IT: La vendetta è il mio perdono; ST: La venganza y mi perdon; FT: La vengeance est mon pardon; HL: Italien (G.I.A. Produzione Film); UA: 23.3.68; OL: 94 (2574 m); DEA: 11.9.70; DL: 82; FSK: 18; R: Roberto Mauri; B: Roberto Mauri, Tito Carpi, Francesco Degli Espinosa, Luciana Ridet (I: Roberto Mauri); K: Franco Delli Colli, Mario Mancini (Normal – Eastmancolor); M: Franco Bizzi; S: »Canzone per Jane«; D: Tab Hunter, Erika Blanc, Piero Lulli, Mimmo Palmara, Daniele Vargas, Renato Romano, Dada Gallotti, Alfredo Rizzo, Maria Solvejg D'Assunta, Marcello Bonini Olas, Ugo Sasso; I: Djangos Rachefeldzug gegen die Banditen, die seine reiche Braut und deren Eltern ermordet haben. *Unglaublich schlechter Trash-Western von Roberto Mauri.*

La vendetta è un piatto che si serve freddo (1971) DT: Drei Amen für den Satan; ET: Vengeance trail/Vengeance is a dish served cold; IT: La vendetta è un piatto che si serve freddo; ST: La venganza espero diez años; FT: La vengeance est un plat qui se mange froid; HL: Italien (Filmes Cinematografica – Rom); UA: 13.8.71; OL: 97 (2670 m);

DEA: 23.6.72; DL: 97; FSK: 16; R: Pasquale Squitieri; B: Pasquale Squitieri, Monica Felt; K: Angelo Lotti (Techniscope – Technicolor); M: Piero Umiliani; S: »Ballata di Capelli Gialli« – gesungen von Monica Miguel, DO: Italien (Elios Film Studio Rom); D: Leonard Mann, Ivan Rassimov, Klaus Kinski, Elizabeth Eversfield, Steffen Zacharias, Enzo Fiermonte, Gianfranco Tamborra, Teodoro Corrà, Salvatore Billa, Isabella Guidotti, Giorgio Dolfin, Stefano Oppedisano, Tanika; I: Einzelgänger verfolgt die Indianer mit mörderischem Hass, bis er entdeckt, dass nicht sie, sondern ein Großgrundbesitzer und dessen Komplizen seine Eltern ermordet haben. *Zweiter Genrebeitrag von Pasquale Squitieri – ein düsterer, stimmungsvoller Rachewestern mit einem sehr guten Leonard Mann alias Leonardo Manzella.*

Vendetta per vendetta (1968) DT: Rache für Rache; ET: Revenge for revenge; IT: Vendetta per vendetta; FT: Vendetta à l'Ouest; HL: Italien (Cobra Film Production); UA: 10.8.68; OL: 100 (2744 m); DEA: 20.9.68; DL: 99; FSK: 18; P: Natalino Gullo, R: Mario Colucci; B: Mario Colucci; K: Giuseppe Aquari (Totalscope – Eastmancolor); M: Angelo Francesco Lavagnino; CD: Gli specialisti (EVB): 4 tracks; D: John Ireland, John Hamlton (Gianni Medici), Loredana Nusciak, Lemmy Carson, Giuseppe Lavricella, Connie Caracciolo, Ivan Scratuglia, Claudio Ruffini, Nino Musco, Ivan Basta, Remo Capitani, Antonio Casale; I: Ein ehemaliger Major terrorisiert mit seiner Bande ein

Vayas con Dios, gringo

Grenzstädtchen im Süden der USA, um in den Besitz von zehn Säcken Goldstaub zu kommen. *Brutaler, jedoch weitgehend spannungsloser Western von Mario Colucci mit relativ guter Besetzung.*

I vendicatori dell'Ave Maria (1970) DT: Ein Zirkus und ein Halleluja/Die Rächer der Ave Maria (geplanter Kinotitel); ET: Fighters from Ave Maria; IT: I vendicatori dell'Ave Maria; ST: Los venagadores del Ave Maria; FT: Les vengeurs de l'Ave Maria; HL: Italien (Caravel Film/P.A.C. – Produzioni Atlas Cinematografica – Milano); UA: 15.10.70; OL: 97 (2670 m); R: Adalberto Albertini; B: Adalberto Albertini; K: Antonio Modica (Panoramico – Eastmancolor); M: Carlo Rustichelli, Carlo Savina, Gianni Ferrio; DO: Italien; D: Tony Kendall, Alberto Dell'Aqua, Peter Thorrys (Pietro Torrisi), Ida Meda, Spartaco Conversi, Helen Parker (Maria Gentilini), Attilio Dottesio, Remo Capitani, Arrigo Peri; Albert Farley (Alberto Farnese); I: Einige Leute des fahrenden Zirkus »Splendor« machen dem fiesen Parker, der es mit Hilfe eines Gouverneurs sogar bis zum Bürgermeister von Goldfield schafft, unschädlich. *Langweiliges Dutzendprodukt aus der italienischen Fließbandproduktion, diesmal unter der Regie von Adalberto Albertini.*

Il venditore di morte (1971) DT: Sarg der blutigen Stiefel/1000 $ Kopfgeld/Sarg der blutigen Rache; ET: The price of death; IT: Il venditore di morte; ST: Persecucion mortal; FT: La vengeance de Dieu; HL: Italien (Mida Cinematografica); UA: 17.9.71; OL: 99 (2735 m); DEA: 27.4.73; DL: 92; FSK: 16; P: Gabriele Silvestri; R: Enzo Gicca Palli; B: Enzo Gicca Palli; K: Franco Villa (Cromoscope – Eastmancolor); M: Mario Migliardi; DO: Italien (Elios Film Studio Rom); D: Gianni Garko, Klaus Kinski, Gely Genka, Franco Abbina, Luciano Lorcas , Alfredo Rizzo, Alan Collins, Giancarlo Prete, Laura Gianoli, Franca De Stratis, Andrea Scotti, Gualtiero Rispoli, Giuseppe Castellano; I: Ein Revolverheld kommt aus seinem Ruhestand, um den scheinheiligen Geistlichen eines abgelegenen Städtchens als Verbrecher zu entlarven und seiner gerechten Strafe zuzuführen. *Billig gemachter Trash-Western von Drehbuchautor Vincenzo Gicca Palli, von dem z.B. das Drehbuch zu Alfonso Brescias Western »Killer calibro 32« stammt.*

Vendo cara la pelle (1967) DT: Zum Abschied noch ein Totenhemd; ET: Hangman's tree/I'll sell my skin dearly; IT: Vendo cara la pelle; FT: Je vends cher ma peau; HL: Italien (Cinemar); UA: 16.5.68; OL: 87 (2405 m); DEA: 25.9.70; DL: 79; FSK: 18; P: Carlo Valerio; R: Ettore Maria Fizzarotti; B: Giovanni Simonelli, Ettore Fizarotti; K: Stelvio Massi (Normal – Eastmancolor); M: Enrico Ciacci, Marcello Marocchi; S: »Come fosse già autunno« – gesungen von Nico and the seagulls; D: Mike Marshall, Michèle Girardon, Valerio Bartoleschi, Dane Savours, Grant Laramy (Germano Longo), Spean Convery (Spartaco Conversi), Pedro Gonzales, Serafino

Profumo, Ake Wahl; I: Junger Revolverheld rächt den Mord an seiner Familie und findet schließlich bei einer hübschen Witwe mit Kind ein neues Zuhause. *Bedeutungsloser, langatmiger Western von Ettore Maria Fizzarotti, der danach keine weiteren Beiträge zu diesem Genre leistete.*

Veinte mil dólares por un cadáver (1969) ET: Adios Cjamango; IT: Ehi gringo … scendi dalla croce; ST: Veinte mil dólares por un cadáver; HL: Spanien / Italien (Procensa Films – Madrid / Cinemec – Rom); P: Rafael Duran R: José Maria Zabalza; B: José Maria Zabalza; K: Leopoldo Villaseñor (Technioscope – Eastmancolor); M: Ana Satrova, Gianni Marchetti; DO: Spanien; D: Michael Rivers (Miguel de la Riva), José Truchado, Dianik Zurakowska, Franco Fantasia, Luis Induni, Guillermo Mendez, Javier de Rivera, Fernando Sanchez Polack; I: Cjamango hilft einer jungen Witwe in einem Weidekrieg gegen einen bösen Tyrannen, der im Geheimen eine Untergrund-Armee von Verbrechern aufstellt.

20.000 dollari sporchi di sangue (1968) ET: Twenty thousand dollars for seven; IT: 20.000 dollari sporchi di sangue (Kidnapping: paga o uccidiamo tuo figlio); ST: Forajidos implacables; FT: Kidnapping; HL: Italien/Spanien (Leone Film/Daiano Film – Rom/Atlántida Films S.A. – Madrid); OL: 96 (2640 m); P: Ugo Guerra, Elio Scardamaglia; R: Alberto Cardone; B: Alberto Cardone, Ugo Guerra, Vittorio Salerno, Manuel Sebares (I: Ugo Guerra, Vittorio Salerno); K: Mario Pacheco (Technioscope – Technicolor); M: Michele Lacerenza; S: Titelsong gesungen von Peter Boom; DO: Spanien (Almería, Manzanares el Real), Italien (Rom); D: Brett Halsey, Germano Longo, Eugenio Battisti, Fernando Sancho, Teresa Gimpera, Antonio Casas, Howard Ross, Marco Gobbi, Francisco Sanz, Claudio Trionfi, Adalberto Rossetti; I: Sheriff Fred Leinsters Familie wird durch seine Schuld getötet und er verliert daraufhin seinen Halt und wird Alkoholiker. Am Ende gelingt es ihm durch einen gefährlichen Auftrag, seine Ehre wieder herzustellen. *Unterhaltsamer Rachewestern von Alberto Cardone, der zum Teil in derselben Umgebung von Rom gedreht wurde wie »Oggi a me – domani a te«.*

20.000 dollari sul 7 (1967) DT: Rächer ohne Gnade/Blutiger Staub; ET: Twenty Thousand Dollars for Seven; IT: 20.000 dollari sul 7; FT: Vingt mille dollars sur le sept; HL: Italien (J. E. Cinematografica – Rom); UA: 3.6.67; OL: 90 (2487 m); R: Alberto Cardone; B: Roberto Miali, Gino Santini, Alberto Cardone; K: Gino Santini (Panoramico – Technicolor); M: Gianni Sanjust, Franco Reitano; D: Jerry Wilson (Roberto Miali), Aurora Bautista, Mike Anthony (Adriano Micantoni), Spean Convery (Spartaco Conversi), Doro Corrà, Henri Boilleaux; I: Ein Fremder taucht eines Tages in der Stadt Templeton auf, der auf der Suche nach dem Mörder seines Bruders ist. Der dortige Saloonbesitzer entpuppt sich als der gesuchte Mörder. *Der schlechteste aller Italo-Western von Regisseur Alberto Cardone.*

I vigliacchi non pregano (1967) DT: Schweinehunde beten nicht; ET: Cowards don't pray; IT: I vigliacchi non pregano; ST: El vengador del sur ...; FT: Django ne prie pas; HL: Italien/Spanien (Metheus Film – Rom/Coop. Copercines – Madrid); UA: 2.4.68; OL: 119 (3261 m); DEA: 27.11. 69; DL: 101; FSK: 18; P: Mario Siciliano; R: Mario Siciliano; B: Ernesto Gastaldi, Oscar Chianetta, Marlon Sirko (I: Eduardo Maria Brochero); K: Gino Santini (Panoramico – Eastmancolor); M: Gianni Marchetti, Manuel Parada; DO: Spanien (Manzanares el Rea, Guadixl); D: Gianni Garko, Sean Todd (Ivan Rassimov), Elisa Montes, Jerry Wilson (Roberto Miali), José Jaspe, Alan Collins, Maria Mizar, Luis Barboo, Manuel Galiana, Luis Induñi, Miguel Del Castillo, Frank Braña, Julio Peña; I: Zwei ehemalige Soldaten aus Texas werden auf der Suche nach einer neuen Existenz zu erbitterten Feinden, als der eine sich als skrupelloser Totschläger entpuppt. *Zweiter Mario-Siciliano-Western mit Hauptdarsteller Gianni Garko, leider nicht auf der Höhe seines Erstlings »Mille dollari sul nero«, jedoch trotzdem sehr unterhaltsam.*

○**La vita a volte è molto dura, vero Provvidenza? (1972)** DT: Providenza! Mausefalle für zwei schräge Vögel/Eine Mausefalle für zwei schräge Vögel/Zwei schaffen alle; ET: Sometimes life is hard, right Providence?; IT: La vita a volte è molto dura, vero Provvidenza?; ST: Ya le llaman Providencia; FT: On m'appelle Providence; HL: Italien/Frankreich/Deutschland (Oceania Produzioni Internazio-nali Cinematografiche/Unidis – Rom/Théâtre le Rex – Paris/Terra Filmkunst – München/Berlin); UA: 26.10.72; OL: 87 (2400 m); DEA: 29.12.72; DL: 85; FSK: 12; R: Giulio Petroni; B: Antonio Marino, Giulio Petroni, Piero Regnoli, Franco Castellano, Giuseppe Moccia (I: Dean Craig); K: Alessandro D'Eva (Techniscope – Technicolor); M: Ennio Morricone; CD: Western Trio (GDM 2052): 6 tracks; Spaghetti-Western (RCA 74321 26495-2): 1 track; Spaghetti-Westerns Vol. 3 (DRG 32929): 1 track; D: Tomás Milian, Gregg Palmer, Janet Agren, Maurice Poli, Ken Wood, Paul Müller, Stelio Candeli, Renzo Marignano, Mike Bongiorno, Hans Terofal, Gabriella Giorgelli, Dieter Eppler; I: Kopfgeldjäger Providenza zieht durchs Land, um immer denselben, in mehreren Staaten gesuchten Banditen zu fangen, abzuliefern, zu kassieren, und dann wieder zu befreien. *Unterhaltsamer Tomás-Milian-Western-Slapstick unter der Regie von Giulio Petroni, dem kurze Zeit später noch eine Fortsetzung folgte.*

○**Viva la muerte ... tua! (1971)** DT: Zwei wilde Compañeros/Zwei tolle Compañeros/Zwei Galgenvögel geben Zunder/Das Todeslied der Compañeros; ET: Don't turn the other cheek; IT: Viva la muerte ... tua!; ST: Viva la muerte ... tuya; FT: Et vive la révolution!; HL: Italien/Deutschland/Spanien (Tritone Filmindustria – Rom/Terra Filmkunst – München/Berlin/Juan de Orduña P.C. – Madrid); UA: 22.12.71; OL: 116 (3193 m); DEA: 12.4.72; DL: 109; FSK: 18; P: Mickey Knox, Juan de Orduna; R: Duccio Tessari; B: Duccio Tessari, Dino Maiuri, Massimo De Rita, Marcello Coscia (I: Louis Patten, »The Killer from Yuma«); K: José F. Aguayo (Techniscope – Technicolor); M: Gianni Ferrio; S: »Don't turn the other cheek« – gesungen von Lynn Redgrave; DO: Spanien (Nuevo Baztán, Seseña, Titulcia, Almería,Colmenar Viejo), Italien; D: Franco Nero, Eli Wallach, Lynn Redgrave, Eduardo Fajardo, José Jaspe, Horst Janson, Mirko Ellis, Marilu Tolo, Carla Mancini, Victor Israel, Furio Meniconi, Gisela Hahn, Dan Van Husen, Luigi Antonio Guerra; I: Ein russischer Adliger und ein Bandit kämpfen mit allen Mitteln um einen Goldschatz. *Gut gelungene Western-Komödie von Genre-Profi Duccio Tessari mit einer fabelhaften Besetzung.*

I vigliacchi non pregano

Viva la muerte ... tua!

Viva Maria (1966) DT: Viva Maria; ET: Viva Maria; IT: Viva Maria!; ST: Viva Maria; FT: Viva Maria; HL: Frankreich/Italien (Productions Artistes Associés – Paris/Nouvelles Editions de Films – Paris/Vides Cinematografica di Franco Cristaldi); UA: 16.2.66; OL: 116 (3186 m); DEA: 27.1.66; DL: 118; FSK: 16; P: Louis Malle; R: Louis Malle; B: Louis Malle, Jean-Claude Carrière; K: Henri Decae (Panavision – Technicolor); M: George Delerue; DO: Spanien; D: Brigitte Bardot, Jeanne Moreau, George Hamilton, Gregor Von Rezzori, Paulette Dubost, Claudio Brook; I: Bei einer Revolution irgendwo in Lateinamerika führen nach dem Tod des Anführers die beiden Striptease-Tänzerinnen eines Wanderzirkus den Aufstand zum siegreichen Ende. *Hervorragend inszeniertes Revolutionsdrama von Louis Malle mit dem Traumgespann Jeanne Moreau und Brigitte Bardot.*

Vivi o preferibilmente morti (1969) DT: Friss oder stirb/Halleluja für zwei Pistolen/Verrückte Erbschaft/Auf der Jagd nach dem goldenen Vermächtnis/Halleluja für zwei Galgenvögel/Die Erbschaft/Sundance Cassidy und Butch the Kid; ET: Alive or preferably dead; IT: Vivi o preferibilmente, morti; ST: Vivos o, preferiblemente, muertos; FT: La chevauchée vers l'Ouest/Mort ou vif, de préférence mort; HL: Italien/Spanien (Ultra Film – Rom/Compagnia Finanziaria Cinematografica – Rom/Hesperia Films – Madrid); UA: 17.9.69; OL: 101 (2774 m); DEA: 15.5.70; DL: 90; FSK: 12; R: Duccio Tessari; B: Duccio Tessari, Giorgio Salvioni (I: Ennio Flaiano); K: Manuel Rojas (Panoramico – Eastmancolor); M: Gianni Ferrio; S: »Monty and Ted«, »Riding towards the sunset«, »Here's a man driving fast towards the sunset«, »Monty and Ted gallop full out cross the plains«, »Now they're buddies forever« gesungen von The Wilder Brothers, »Yes. Sir« gesungen von Lilian Terry; CD: Vivi o preferibilmente morti (CAM CSE 037): 18 tracks; Un dollaro bucato/Sentenza di morte/Vivi o preferibilmente morti (CAM-494580-2): 17 tracks; SW Encyclopedia Vol. 4 (KICP 436): 2 tracks; Wanted – Dead or Alive (CAM 900-020): 1 track; DO: Spanien (Alcala de Henares, Titulcia, Villamanta, Colmenar Viejo); D: Giuliano Gemma, Nino Benvenuti, Sydne

Vivo per la tua morte

Rome, Antonio Casas, Chris Huerta, Georges Rigaud, Julio Peña, Brizio Montinaro, Arturo Palladino; I: Zwei ungleiche Brüder, die wegen einer Erbschaft einige Zeit zusammenleben müssen, werden nach allerlei Raufereien zu Freunden. *Extrem charmante und gagreiche Western-Komödie von Duccio Tessari mit Giuliano Gemma und Nino Benvenutti als ungleiches Brüderpaar.*

Vivo per la tua morte (1967) DT: Ich bin ein entflohener Kettensträfling/Zum Tode begnadigt/Killer auf der Flucht/Der entflohene Kettensträfling; ET: Long ride from Hell; IT: Vivo per la tua matarte; ST: Vivo para matarte; FT: L'evadé de Fort Yuma/Ringo, il est temps de mourir; HL: Italien (B.R.C. – Produzione Film – Rom); UA: 5.4.68; OL: 89 (2447 m); DEA: 4.7.69; DL: 88; FSK: 18; P: Manolo Bolognini; R: Camillo Bazzoni; B: Steve Reeves, Roberto Natale (I: Gordon Shirreffs, »Judas Gun«); K: Enzo Barboni (Panoramico – Eastmancolor); M: Carlo Savina; DO: Italien (Elios Film Studio Rom); D: Steve Reeves, Wayde Preston, Lee Burton (Guido Lollobrigida), Dick Palmer (Mimmo Palmara), Ted Carter (Nello Pazzafini), Franco Fantasia, Aldo Sambrell, Rosalba Neri, Spartaco Conversi, Mario Maranzana, Silvana Venturelli; I: Unschuldig zu Zwangsarbeit verurteilter Pistolenheld rächt sich an jenen, die seine zwei Brüder ermordeten und ihn fälschlich eines Bahnüberfalls beschuldigten. *Sehr guter harter Rachewestern von Regisseur Camillo Bazzoni mit Ex-Herkules Steve Reeves in seiner einzigen Westernrolle.*

Voltati ... ti uccido (1967) DT: 100.000 verdammte Dollar/Blutiges Gold; ET: If one is born a swine ... kill him; IT: Voltati ... ti uccido; ST: Winchester Bill; FT: Un fusil pour deux Colts; HL: Italien/Spanien (Rhodes International – Rom/Hispamer Films – Madrid); UA: 21.10.67; OL: 88 (2422 m); DEA: 20.12.68; DL: 77; FSK: 16; P: Tullio Bruschi; R: Alfonso Brescia; B: María del Carmen Martínez Román; K: Alfonso Nieva (Overscope 70 – Eastmancolor); M: Archiv-Musik; D: Richard Wyler, Fernando Sancho, Eleonora Bianchi, Conrado Sanmartin, Luis Induñi, Ric Burton Jr., Luc Rosat, Spean Convery (Spartaco Conversi), Max Dean (Massimo Righi), Rafael Hernandez, Lucio Rosati; I: Revolverheld greift in die blutigen Auseinandersetzungen um eine Goldmine ein und klärt dabei ein weit zurückliegendes Verbrechen auf. *Relativ langweiliger Italo-Western-Beitrag von Alfonso Brescia.*

W Django (1971) DT: Ein Fressen für Django; ET: Man called Django; IT: W Django; ST: Barro en los ojos; FT: Viva Django)/W Django; HL: Italien (14 Luglio Cinematografica); UA: 29.9.71; OL: 93 (2560 m); DEA: 15.9.72; DL: 83; FSK: 16; P: Pino De Martino; R: Edoardo Mulargia; B: Nino Stresa; K: Marcello Masciocchi (Panoramico – Eastmancolor); M: Piero Umiliani; DO: Italien (Elios Film Studio Rom); D: Anthony Steffen, Stelio Candelli, Glauco Onorato, Donato Castellaneta, Esmeralda Barros, Simone Blondell, Chris Avram, Benito Stefanelli, Furio Meniconi, Riccardo Pizzuti, Alessandro Perrella, Paolo

Figlia, Attilio Severini, Giovanni Cianfriglia; **I:** Django rächt sich an den Mördern seiner Frau. *Spannender neunter und letzter Western von Edoardo Mulargia mit einem hervorragenden Anthony Steffen in der Django-Rolle.*

Wanted (1966) DT: Wanted/Wanted – Für drei lumpige Dollar/Für drei lumpige Dollar; **ET:** Wanted; **IT:** Wanted; **ST:** Wanted (No soy un asesino); **FT:** Wanted, le recherché/Un shérif à abattre; **HL:** Italien (Documento Film); **UA:** 22.3.67; **OL:** 104 (2865 m); **DEA:** 27.4.67; **DL:** 104; **FSK:** 18; **P:** Gianni Hecht Lucari; **R:** Giorgio Ferroni; **B:** Fernando Di Leo, Augusto Finocchi, Remigio Del Grosso (**I:** Massimiliano Capriccioli, Augusto Finocchi); **K:** Antonio Secchi (Totalscope – Eastmancolor); **M:** Gianni Ferrio; **S:** »When you are wanted« – gesungen von Cantori Moderni di A. Alessandroni; **CD:** SW Encyclopedia Vol. 3 (KICP 435): 2 tracks; **DO:** Spanien (Almería), Italien; **D:** Giuliano Gemma, Teresa Gimpera, Serge Marquand, Daniele Vargas, German Cobos, Gia Sandri, Nello Pazzafini, Carlo Hintermann, Benito Stefanelli, Marco Bogliani, Pietro Capanna; **I:** Einem neuen Sheriff gelingt es, eine Bande von Viehdieben zur Strecke zu bringen. *Guter spannender Western von Genre-Profi Giorgio Ferroni, wiederum mit seinem Lieblingsstar Giuliano Gemma.*

Wanted Johnny Texas (1967) DT: Wanted Johnny Texas/Django, der Gebrandmarkte; **ET:** Wanted Johnny Texas/Wanted Ringo; **IT:** Wanted Johnny Texas; **HL:** Italien (Film-Kontor-Italiana – Firenze); **UA:** 27.4.67; **OL:** 88 (2407 m); **DEA:** Video (Mondial); **DL:** 90; **R:** Emimmo Salvi; **B:** Emimmo Salvi; **K:** Emilio Varriano (Totalscope – Eastmancolor); **M:** Marcello Gigante; **CD:** Spaghetti-Westerns Vol. 1 (DRG 32905): 3 tracks; **D:** James Newman, Howard Ross, Monica Brugger, Fernando Sancho, Isarco Ravaioli, Erna Schurer, Rosalba Neri, Nerio Bernardi, Rossella D'Aquino, Dante Maggio, Fortunato Arena; **I:** Ein Banditenboss, der am Oregon-Pass Farmer überfällt, die auf dem Weg nach Westen sind, wird von einem Kopfgeldjäger zur Strecke gebracht. *Besserer von zwei ziemlich schlecht gemachten Emimmo-Salvi-Western.*

Wanted Sabata (1970) ET: Wanted Sabata; **IT:** Wanted Sabata; **FT:** Wanted Sabata; **HL:** Italien (Three Stars Films); **UA:** 1.12.70; **OL:** 87 (2400 m); **R:** Roberto Mauri; **B:** Roberto Mauri, Palmambrogio Molteni; **K:** Mario Mancini (Cinemascope – Eastmancolor); **M:** Vasco Vasil Kojucharov; **DO:** Italien; **D:** Brad Harris, Vassili Karis, Elena Piedimonte, Gino Lavagetto, Paolo Magalotti, Maria Luisa Sala, Roberto Messina, Piero Fumelli, Gino Turini; **I:** Sabata wird fälschlicherweise des Mordes an einem Rancher bezichtigt. Mit Hilfe eines ihm zugesteckten Revolvers gelingt es ihm zu fliehen und einen nach dem anderen seiner Beschuldiger zu töten, während das Kopfgeld auf ihn ständig steigt. *Rarer und unglaublich schlechter Roberto-Mauri-Western.*

Giuliano Gemma

Für drei lumpige Dollars WANTED!

W Django

West and Soda (1964) DT: **Der wildeste Westen**; ET: West and Soda; IT: West and Soda; ST: Johnny y Clementina en el oeste; HL: Italien (Bruno Bozzetto Film – Milano); UA: 1.10.65; OL: 86 (2373 m); DEA: 1.12. 67; DL: 81; FSK: 6; P: Bruno Bozzetto; R: Bruno Bozzetto; B: Bruno Bozzetto, Attilio Giovannini; K: Luciano Marzetti (Panoramico – Eastmancolor); M: Giampiero Boneschi; D: Animation; I: Edelmütiger Cowboy rettet eine Farmerin vor dem Terror und den Heiratsanträgen eines Schurken. *Unterhaltsamer Zeichentrickfilm im Stil der Italo-Western.*

Il West ti va stretto, amico … è arrivato Alleluja (1972) DT: **Beichtet Freunde, Halleluja kommt**; ET: Return of Halleluja; IT: Il West ti va stretto, amico … è arrivato Alleluja; ST: Al Oeste va estrecho forastero; FT: Alleluia défie l'Ouest; HL: Italien/Deutschland/Frankreich (Colosseo Artistica – Rom/Hermes Film Synchron – Berlin/Société Cinématographique Lyre – Paris); UA: 30.8.72; OL: 96 (2640 m); DEA: 20.10.72; DL: 96; FSK: 12; P: Dario Sabatello; R: Giuliano Carnimeo; B: Giovanni Simonelli, Tito Carpi (I: Giovanni Simonelli); K: Stelvio Massi (Cinemascope – Eastmancolor); M: Stelvio Cipriani; CD: SW Encyclopedia Vol. 4 (KICP 436): 2 tracks; DO: Italien; D: George Hilton, Lincoln Tate, Agata Flori, Raymond Bussières, Riccardo Garrone, Michael Hinz, Roberto Camardiel, Nello Pazzafini, Victor Israel, Paolo Gozlino, Umberto D'Orsi; I: Die Jagd nach einer verschwundenen altmexikanischen Götterstatue als Aufhänger für ausgiebige Schlägereien. *Billige und leider wesentlich schlechtere Fortsetzung des ersten »Halleluja«-Films von Giuliano Carnimeo, wieder mit George Hilton in der Titelrolle.*

Whiskey e fantasmi (1974) DT: **Whiskey and ghosts/Zwei tolle Hunde im Wilden Westen** (geplanter Kinotitel); ET: Whiskey and ghosts; IT: Whiskey e fantasmi; ST: Whiskey y fantasmas/Fantasmas en el Oeste; HL: Italien/Spanien (Compagnia Cinematografica Champion – Rom/CIPI Cinematográfica – Madrid); P: Carlo Ponti; DEA: 10.7.04 (Premiere); DL: 100, R: Antonio Margheriti; B: Antonio Margheriti, Giovanni Simonelli, Miguel De Echariti (I: Antonio Margheriti, Giovanni Simonelli); K: Alejandro Ulloa (Techniscope – Eastmancolor); M: Paolo Vasile; DO: Spanien (Daganzo) D: Tom Scott, Fred Harris (Fernando Bilbao), Maribel Martin, Rafael Albaicin, Ricardo Palacios, Jorge Rigaud, Franco Ferracini, Elsa Zabala, Manuel De Blas, Barta Barri, Maribel Hidalgo, Daniele De Luca; I: Ein fauler Revolverheld wird von Davy Crocketts Geist inspiriert, den örtlichen Anwohnern zu helfen, ihr Land gegen die mächtigen Eisenbahner zu verlieren. *Relativ aufwändig produzierte unterhaltsame Westernkomödie von Antonio Margheriti.*

⊘ **Yankee (1965)** DT: **Yankee**; ET: Yankee; IT: Yankee; ST: El yankee; FT: Yankee; HL: Italien/Spanien (Tigielle 33 – Rom/P.C. Balcázar – Barcelona); UA: 25.8.66; OL: 104

(2870 m); DEA: 12.10.67; DL: 95; FSK: 18; P: Antonio Lucatelli, Francesco Giorgi; R: Tinto Brass; B: Tinto Brass, Alberto Silvestri; K: Alfio Contini (Widescreen – Eastmancolor); M: Nino Rosso; CD: Nini Rosso Far West – I grandi film western (Dischi Ricordi SVCD 56): 1 track; DO: Spanien (Fraga), Italien; D: Philippe Leroy, Adolfo Celi, Mirella Martin, Tomás Torres, Paco Sanz, Victor Israel, Franco De Rosa, Jacques Herlin, Pasquale Basile, Giorgio Bret Schneider, Enriqueta Señalada, Cesar Ojinaga; I: Amerikanischer Pistolero rottet nach und nach die Bande eines räuberischen Mexikaners aus. *Spannender, sehr innovativ inszenierter Italo-Western vom Erotik-Meister Tinto Brass.*

Zanna Bianca (1973) DT: **Wolfsblut**; ET: White Fang; IT: Zanna Bianca; ST: Colmillo blanco; FT: Croc-Blanc; HL: Italien/Spanien/Frankreich (Oceania Produzioni Internazionali Cinematografiche – Rom/In-Cine Compañia Industrial Cinematográfica – Madrid/Production Fox-Europa – Paris); UA: 21.12.73; OL: 101 (2790 m); DEA: 11.4.74; DL: 104; FSK: 16; R: Lucio Fulci; B: Roberto Gianviti, Piero Regnoli, Peter Welbeck, Guy Elmes, Tom Keyes, Guillaume Roux (I: Jack London, »White Fang«); K: Erico Menczer, Pablo Ripoll (Techniscope – Eastmancolor); M: Carlo Rustichelli; DO: Österreich; D: Franco Nero, Raimund Harmstorf, Virna Lisi, Fernando Rey, John Steiner, Carole André, Rik Battaglia, Missaele, Daniel Martin, Danielo Dublino, Maurice Poli, John Bartha, Luigi Antonio Guerra; I: Die Erlebnisse eines Wolfshundes zwischen menschlichen Freunden und Feinden im Goldrausch-Milieu Alaskas. *Sehr unterhaltsame »Wolfsblut«-Verfilmung vom späteren Horror-Meister Lucio Fulci.*

Zanna Bianca alla riscossa (1974) DT: **Wolfsblut greift an**; ET: White Fang to the rescue; IT: Zanna Bianca alla riscossa; HL: Italien (Paneuropean Production Pictures); UA: 4.2.75; OL: 96 (2630 m); DEA: 29.3.77 (ZDF); DL: 90; R: Tonino Ricci; B: Alessandro Continenza, Giovanni Simonelli; K: Giovanni Bergamini (Panoramico – Eastmancolor); M: Carlo Rustichelli; CD: Zanna Bianca alla riscossa (SAIMEL 3995110): 20 tracks; D: Maurizio Merli, Sergio Smacchi, Gisela Hahn, Henry Silva, Renzo Palmer, Benito Stefanelli, Donald O'Brien, Luciano Rossi, Sergio Smacchi, Matteo Zoffoli; I: Wolfsblut, der Hund eines ermordeten Goldgräbers und ein Jäger verfolgen die Gangster und können sie nach vielen gefährlichen Abenteuern stellen und unschädlich machen. *Einigermaßen unterhaltsame »Wolfsblut«-Fortsetzung von Tonino Ricci, jedoch nicht auf der Höhe der Fulci-Filme.*

Zanna Bianca e il cacciatore solitario (1975) DT: **Von Wölfen gehetzt/Wolfsblut, der einsame Jäger**; IT: Zanna Bianca e il cacciatore solitario; FT: Croc-Blanc et le chasseur solitaire; HL: Italien (Pléiade Film/Apotheosis Cinematografica); UA: 4.2.75; OL: 94 DEA: 15.4.85 Video (VPS); DL: 94; FSK: 16; R: Alfonso Brescia; B: Odoardo Fiory,

Glauco Pietroletti, Giulio Maggi, Giulio Berruti; **K:** Silvio Fraschetti (Cinemascope – Eastmancolor); **M:** Alessandro Alessandroni; **D:** Robert Woods, Pedro Sanchez, Robert Hundar, Jean-Pierre Clarain, Franco Lantieri, Malisa Longo, Massimo De Cecco, Linda Sini, Bruno Ariè, Calogero Caruana, Jean Pierre Clarain, Guido Mariotti, Franco Calogero, Giovanni Pazzafini; **I:** Daniel und sein Hund sowie der dem Alkohol zugeneigte Dollar stehen der Witwe Helen und ihrem Sohn bei, die ihre Farm gegen den Kumpan ihres verstorbenen Mannes verteidigen müssen. Dieser benötigt die Farm, um eine Eisenbahnlinie durch sein Land bauen zu können und schreckt dabei vor nichts zurück. *Einer der schlechtesten Film von Alfonso Brescia, dem auch die Anwesenheit von Robert Woods nicht mehr helfen kann.*

Zanna Bianca e il grande Kid (1978) IT: Zanna Bianca e il grande kid/Zanna Bianca nel west; **HL:** Italien (International Film Constellation); **OL:** 93; **P:** Irene Quaglia Gobbini; **R:** Vito Bruschini; **B:** Vito Bruschini; **K:** Federico Del Zoppo (Panoramico – Telecolor); **M:** Natali Polizzi; **D:** Tony Kendall, Gordon Mitchell, Fabrizio Marani, Lea Lander, Inga Alexandrova, Dario Ghirardi, Sandro Ghiani, Gianni Diana, Giacomo Assandri, Ada Pometti; **I:** Ein Knabe und sein Hund versuchen die Brüder von Jesse James zu fangen. *Minimal bessere »Wolfsblut«-Fortsetzung als Alfonso Brescias Versuch aus dem Jahr 1975.*

Zorro (1974) DT: Zorro; ET: Zorro; **IT:** Zorro; **ST:** El Zorro; **FT:** Zorro; **HL:** Italien/Frankreich (Mondial Televisione Film – Rom/Productions Artistes Associés – Paris); **UA:** 6.3.75; **OL:** 125 (3430 m); **DFA:** 8.5.75; **DL:** 124; **FSK:** 12; **P:** Luciano Martino; **R:** Duccio Tessari; **B:** Giorgio Arlorio; **K:** Giulio Albonico (Panoramico – Eastmancolor); **M:** Guido & Maurizio De Angelis; **S:** »Zorro is back« und »To you mi chica« – gesungen von Oliver Onions; **CD:** Zorro (CAM CSE 024): 12 tracks; **D:** Alain Delon, Stanley Baker, Adriana Asti, Giacomo Rossi Stuart, Ottavia Piccolò, Moustache, Enzo Cerusico, Giampiero Albertini, Marino Masé, Rajka Jurec; **I:** Zorro bestraft die korrupten und ausbeuterischen Reichen und das ihnen hörige Militär. *Leider ziemlich misslungener Versuch einer Zorro-Neuverfilmung trotz Genre-Veteran Duccio Tessari.*

Zorro il dominatore (1968) ET: Zorro the conqueror; **IT:** Zorro il dominatore; **ST:** El Zorro de Monterrey; **HL:** Spanien/Italien (P.C. Hispamer Film – Madrid/Duca International – Rom); **OL:** 90; **R:** José Luis Merino; **B:** Enzo Gicca Palli, María del Carmen Martínez Román; **K:** Emanuele Di Cola (Widescreen – Eastmancolor); **M:** Lallo Gori; **D:** Carlos Quiney, Maria Pia Conte, Aldo Bufi Landi, José Jaspe, Juan Cortes, Pasquale Simeoli, Santiago Rivero, Pasquale Basile; **I:** Zorro hilft einem jungen Mädchen, das gezwungen werden soll, den Colonel einer örtlichen Militärgarnison zu heiraten.

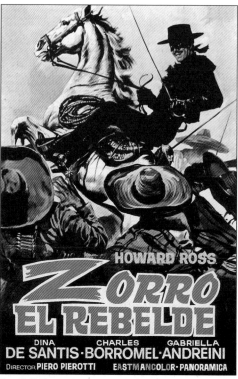

Zorro il ribelle

Zorro il ribelle (1966) DT: Das Finale liefert Zorro; IT: Zorro il ribelle; ST: Zorro el rebelde; FT: Zorro, le rebelle; HL: Italien (Romana Film); UA: 12.9.66; OL: 94 (2580 m); DEA: 1.5.91; DL: 77 (RTL), 84 (DDR); P: Fortunato Misiano; R: Piero Pierotti; B: Piero Pierotti, Gianfranco Clerici (I: Piero Pierotti); K: Augusto Tiezzi (Panoramico – Eastmancolor); M: Angelo Francesco Lavagnino; D: Howard Ross, Dina De Santis, Charles Borromel, Arturo Dominici, Gabriella Andreini, Massimo Carocci, Red Carter, Edoardo Toniolo, Giuseppe Lauricella, Silvio Bagolini, Valentino Macchi; I: Die Tochter eines reichen Grundbesitzers soll mit dem Sohn des machthungrigen Gouverneurs verheiratet werden. Zorro verhindert die Zwangsehe und deckt die Machenschaften des Staatsbeamten auf.

WESTERN OHNE PASTA
Die Übersicht der nicht-italienischen Euro-Western

Adventurous youth (1928) ET: Adventurous youth; **HL:** England (Pall Mall – London); **P:** Edward Godal; **R:** Edward Godal; **K:** (Normal – B/W); **D:** Derrick De Marney, Renee Clama, Dino Galvani, Sybil Wise, Loftus Tottenham, Julius Kantorez, Harry Bagge, Harry Peterson, Lionel D'Aragon; **I:** Während der mexikanischen Revolution verzichtet ein britischer Minenbesitzer auf seinen Besitz, um zu verhindern, dass eine Kirche zerstört wird.

Al este del oeste (1984) ST: Al este del oeste; **HL:** Spanien (Ízaro Films S.A. – Madrid); **P:** Salvador Ginés, José María Reyzabal; **UA:** 10.1.1984; **OL:** 82; **R:** Mariano Ozores Jr.; **B:** Mariano Ozores, Jr.; **K:** Domingo Solano (Panoramico – Eastmancolor); **M:** Gregorio García Segura; **DO:** Spanien (Almería, El Escorial, Manzanares el Real, Talamanca del Jarama); **D:** Luis Barboo, Pilar Bardem, Francisco Camoiras, Fernando Esteso, Emilio Fornet, Tito García, Víctor Israel, José Manuel Martín, Conrado San Martín, Fernando Sancho, Adriana Vega; **I:** *Komödienwestern um ein revolverschwingendes Saloon-Mädchen.*

Al oeste de Río Grande (1983) ET: West of the Rio Grande; **ST:** Al oeste de Río Grande; **HL:** Spanien (Uranzu Films – Madrid); **UA:** 14.11.1983; **OL:** 89; **R:** Jose María Zabalza; **B:** José María Zabalza; **K:** José De la Rica (Panoramico – Eastmancolor); **M:** Ana Satrova; **D:** Miguel De La Riva, Cándida López, Remedios Hernandez, Joaquín Gómez, Aldo Sambrell, Daniel Galan, José María García, Juan José Gomez, Víctor Iregua, Julie La Rousse. *Interessanter Mix aus Italo- und US-Western mit einigen guten Action-Szenen.*

Apachen (1973) DT: Apachen/Apachen – das Gesetz heißt Rache; **ET:** The apaches; **HL:** DDR/Rumänien/UdSSR (DEFA-Studio für Spielfilme – Berlin/Burftea – Bukarest/Mosfilm – Moskau); **DEA:** 1.11.76; **DL:** 93; **FSK:** TV; **P:** Dorothea Hildebrandt; **R:** Gottfried Kolditz; **B:** Gottfried Kolditz, Gojko Mitic; **K:** Helmut Bergmann (Totalscope – OrwoColor); **M:** Hans-Dieter Hosalla; **DO:** Rumänien (Constanza), Usbekistan (Samarkand, Buchara); **D:** Gojko Mitic, Milan Beli, Colea Rautu, Gerry Wolff, Rolf Hoppe, Leon Niemczyk, Fred Delmare, Elsa Grube-Deister, Hartmut Beer, Horst Kube, Thomas Weisgerber, Horst Schön, Werner Kanitz; **I:** Das Schicksal der Mimbreno-Apachen und ihres Häuptlings Ulzana bei der Auseinandersetzung mit den Weißen nach der Entdeckung großer Silbervorkommen in Mexiko im Jahr 1840. *DDR-Western.*

Aquí llega condemor el Pecador de la Pradera (1996) ET: Here comes Condemor (Sinner of the plains); **ST:** Aquí llega Condemor (el Pecador de la Pradera); **HL:** Spanien (Producciones A.S.H. Films S.A.); **UA:** 27.6.1996; **OL:** 90; **P:** Julio Parra, Álvaro Sáenz de Heredia, Sonia Vives; **R:** Álvaro Sáenz de Heredia; **B:** Álvaro Sáenz de Heredia; **K:** Julio Bragado (Panoramico – Eastmancolor); **M:** Ramón Farran; **DO:** Spanien (Almería), »Texas-Hollywood«; **D:** Sol Abad, Bigote Arrocet, Chiquito de la Calzada, María José Nieto, Aldo Sambrell, Julio Tejela, Naim Thomas; **I:** Ein neu gewählter Sheriff wird mit Arbeit eingedeckt – angefangen von der Suche nach »One-Eye«, der Auflösung des Verschwindens seines Vaters, bis hin zur Befreiung eines gekidnappten Mädchens und der Suche nach »El Dorado«.

Atkins (1985) DT: Atkins; HL: DDR/Rumänien (DEFA-Studio für Spielfilme – Berlin/Buftea Studios – Bukarest); **DL:** 90; **P:** Siegfried Kabitzke; **R:** Helge Trimpert; **B:** Stefan Kolditz; **K:** Peter Brand (Totalvision – OrwoColor); **M:** Jürgen Kehrt; **DO:** Rumänien; **D:** Oleg Borisov, Peter Zimmermann, Colea Rautu, Barbara Dittus, Margit Bendokat, Kerstin Heine, Holger Franke, Peter Heiland, Vasile Nitulescu, Axel Werner, Papil Panduru, Sorin Mocanu, Heinz Hupfer; **I:** Ein nach Kupfer suchender Geologe stößt auf einen verschollenen Indianerstamm, der sich vor den Weißen in einem verborgenen Tal versteckt. *DDR-Western.*

Une aventure de Billy le Kid (1970) ET: A girl is a gun; **FT:** Une aventure de Billy le Kid; **HL:** Frankreich; **OL:** 100; **P:** Luc Moullet; **R:** Luc Moullet; **B:** Luc Moullet; **K:** Jean Gonnet, Jean Jacques Flori (Normal – Color); **M:** Patrice Moullet; **D:** Jean-Pierre Léaud, Rachel Keserber, Jean Valmore, Bruno Kresoja, Michel Minaud, Bernard Pinon; **I:** Eine französische Variante der Billy-the-Kid-Legende.

Les aventures galantes de Zorro (1972) DT: Zorro – spiel mir das Lied der Wollust; ET: Red hot Zorro; **IT:** Les aventures galantes de Zorro; **FT:** Les aventures galantes de Zorro; **HL:** Frankreich/Belgien (Eurocine – Paris/Brux International – Brüssel); **UA:** 22.11.1972; **OL:** 85; **P:** Pierre Querut; **R:** Gilbert Roussel; **B:** Henri Bral De Boitselier; **K:** Johan Vincent (Normal – Color); **M:** Gilbert Gardot; **D:** Jean-Michel Dhermay, Alice Arno, Evelyne Scott, Rose Kiekens, Ghislaine Kay, Evelyne Gatou, Christine Casalonga, Arlette Bontemps, Louise Petit, Antonie Fontaine; **I:** Die erotischen Abenteuer von Zorro, der sich nebenbei auch noch mit einem tyrannischen südkalifornischen Gouverneur anlegt. *Uninteressante Erotikversion der Zorro-Legende.*

The bad man (1930) ET: El hombre malo; ST: El hombre malo; HL: USA/Spanien (Warner First National – Hollywood); P: Henry Blanke; R: Roberto E. Guzman, William C. McGann; B: Howard Estabrook, Baltasar Fernandez Cue (I: Porter Emerson Browne, »The bad man«); K: Frank Kesson (Normal – B/W); D: Antonio Moreno, Delia Magana, Conchita Ballesteros, Rosita Ballesteros, Manuel Conesa, José Dominguez, Martin Garralaga, Roberto E. Guzman, Carlos Ramos, Daniel Rea, Andres De Segurola, Juan Torena, Carlos Villarias; I: Ein mexikanischer Bandit hilft einem Amerikaner, seine Ranch zu verteidigen.

La ballade des Dalton (1978) DT: Lucky Luke – Sein größter Trick; ET: Ballad of the Daltons; FT: La ballade des Dalton; HL: Frankreich (Dargaud Films/Les Productions René Goscinny/Studios Idefix); DEA: 10.3.78; DL: 82; FSK: 6; P: Georges Dargaud; R: René Goscinny, Henri Gruel, Morris, Pierre Watrin; B: Pierre Tchernia (I: Morris und Goscinny); K: J. Capo, M. Gantier, Pointis; M: Claude Bolling; D: Animation; I: Die berühmten vier Dalton-Brüder dürfen das Erbe ihres Onkels antreten, wenn sie zuvor seinen Tod rächen, was der Cowboy Lucky Luke natürlich zu verhindern weiß. *Relativ unterhaltsame Zeichentrickfilmparodie.*

Bandidas (2006) DT: Bandidas; ET: Bandidas; FT: Bandidas; HL: Frankreich/Mexiko/USA (Europa Corp./Ultra Films/TF1 Films Productions); OL: 93; P: Luc Besson R: Joachim Roenning, Espen Sandberg; B: Luc Besson, Robert Mark Kamen; K: Thierry Arbogast; M: Eric Serra; DO: Mexiko (Durango); D: Pénélope Cruz, Salma Hayek, Steve Zahn, Joseph D. Reitman, Sam Shepard, Dwight Yoakam; I: Aus einer Notsituation werden zwei sehr unterschiedliche Frauen zu Bankräuberinnen und bekämpfen einen Tyrannen, der ein Westernstädtchen in seine Gewalt gebracht hat. *Aus der Werkstatt von Luc Besson, der bereits einige weltweite Kinohits landen konnte.*

The bandit of Zhobe (1958) DT: Der Bandit von Zhobe; ET: The bandid of Zhobe; ST: Bandido de Zhobe; HL: England (Columbia Pictures Corporation); UA: April 1959; OL: 80; DEA: 31.7.59; DL: 79; FSK: 12; P: Irving Allen; R: John Gilling; B: John Gilling (I: Richard Maibaum); K: Cyril J. Knowles, Ted Moore (Cinemascope – Color); M: Kenneth V. Jones, Len Preverman; D: Victor Mature, Anne Aubrey, Anthony Newley, Norman Wooland, Dermot Walsh, Walter Gotell, Paul Stassino, Larry Taylor, Denis Shaw; I: Spannender Abenteuerfilm, der von Spannungen zwischen britischem Kolonialmilitär und aufsässigen indianischen Stämmen erzählt.

Die Banditen vom Rio Grande (1965) DT: Die Banditen vom Rio Grande; ET: Bandits of the Rio Grande; IT: Rio Diablos; HL: Deutschland (Piran); DL: 90; P: Eva Rosskopf; R: Helmut M. Backhaus; B: Gregor Trass; K: Manfred Ensinger (Ultrascope – Eastmancolor); M: Christian Bruhn; D: Harald Leipnitz, Maria Perschy, Ellen Schwiers, Gerlinde Locker, Wolfgang Kieling, Dimiter Bitenc, Uli Steigberg, Rolf Arndt, Lasi Cigoj; I: Bei einem Überfall auf ein mexikanisches Dorf werden drei junge Lehrerinnen von Banditen entführt und nach abenteuerlicher Flucht gerettet. *Ziemlich einfältig inszenierter deutscher Abenteuerwestern.*

Bienvenido, padre Murray (1962) ET: Black angel of the Mississippi; IT: Vento infuacato del Texas; ST: Bienvenido, padre Murray; FT: L'ange noir du Mississippi; HL: Spanien (Copercines Cooperativa Cinematográfica – Madrid); UA: 24.8.1964; OL: 96; P: Eduardo Manzanos; R: Ramón Torrado; B: Federico De Urrutia, Manuel Sebares; K: Ricardo Torres, Manuel Martinez (Superscope – Eastmancolor); M: Manuel Parada; D: Paul Piaget, René Muños, Angel Del Pozo, Charito Del Rio, Howard Vernon, Fernando Sancho, Jesus Tordesillas, Tomas Blanco, Carmen Esbri, Tomas Sancho, Santiago Rivero, Miguel Del Castillo, Alfonso Rojas, Xan Das Bolas, Emilio Rodriguez; I: Ein junger Pater kehrt in ein mexikanisches Dorf zurück, in dem sein Vater vor Jahren aufgehängt wurde, da er ein Schwarzer war.

Blauvogel (1979) DT: Blauvogel / Der blaue Vogel; ET: Blue bird; HL: DDR/Rumänien (DEFA-Studio für Spielfilme – Berlin/Buftea Studios – Bukarest); DL: 96; P: Hans-Erich Busch; R: Ulrich Weiß; B: Ulrich Weiß (I: Anna Jürgen, »Blauvogel«); K: Otto Hanisch (Totalvision – OrwoColor); M: Peter Rabenalt; DO: Rumänien; D: Robin Jäger, Gabriel Oseciuc, Jutta Hoffmann, Kurt Böwe, Jan Spitzer, Ileana Mavrodineanu, Gheorge Patru, Gheorghe Haliu, Niculina Ursaru, Petrut Traian, Anca Loghin, Alexandru Platon, Vasile Popa, Adrian Mihai, Violeta Andrei, Gerd Nissler; I: Georg, ein britischer Junge, wird von den Irokesen geraubt und von deren Häuptling großgezogen. Später trifft er auf seinen Vater bei den Engländern und muss erkennen, dass jene die wahren Wilden sind. *DDR-Western.*

Blueberry (2004) DT: Blueberry und der Fluch der Dämonen; ET: Renegade; FT: Blueberry/Blueberry: L'expérience secrète; HL: Frankreich (A.J.O.Z. Films/La Petite Reine/UGCC Images/TF1 Films Productions/120 Films/Crystalcreek Ltd./Ultra Films); UA: 11.02.2004; OL: 124; DEA: 1.7.2004; DL: 124; FSK: 12; R: Jan Kounen; B: Matt Alexander, Gérard Brach, Alexandre Coquelle, Jan Kounen, Matthieu Le Naour, Louis Mellis, Cassidy Pope; K: Tetsuo Nagata (Super 35 Scope – Farbe); M: Jean-Jacques Hertz, François Roy; DO: Spanien (Almería), Mexiko (Chihuahua, Durango); D: Vincent Cassel, Juliette Lewis, Michael Madsen, Temuera Morrison, Ernest Borgnine, Djimon Hounsou, Geoffrey Lewis; I: U.S. Marshal Mike S. Blueberry ist auf der Jagd nach Wally Blount, der in seiner Jugendzeit den Tod seiner damaligen Freundin verschuldete. *Leider hat der Film das Potential des Cult-Comic nicht ausgenutzt und sich eher auf psychedelische Elemente konzentriert, was auf Dauer eher langweilt als unterhält.*

Die blutigen Geier von Alaska (1973) DT: Die blutigen Geier von Alaska/Die Geier von Shilo River/Deadly Eagle/Höllenhunde von Alaska; ET: Hellhounds of Alaska; IT: La lunga pista dei lupi; ST: Los blancos colmillos de Alaska; HL: Deutschland (Lisa Film – München); DL: 97; R: Harald Reinl; B: Kurt Nachmann, Johannes Weiss; K: Heinz Hölscher (Normal – Color); M: Bruno Nicolai; DO: Jugoslawien; D: Doug McClure, Harald Leipnitz, Roberto Blanco, Angelica Ott, Heinz Reincke, Klaus Löwitsch, Kristina Nel, Kurt Bielau, Ivan Stimac, Miha Baloh, Fahro Konjhodzic, Branko Spoljar, Ilija Ivezic, Mirko Boman, Vladimir Krstulovic; I: Aufrechter Trapper und sein treuer Hund bringen eine Bande goldlüsterner Gangster zur Strecke. *Von Jack London und Karl May gleichermaßen inspirierter mittelmäßiger Abenteuerfim von »Winnetou«-Regisseur Harald Reinl.*

Blutsbrüder (1975) DT: Blutsbrüder; HL: DDR (DEFA-Studio für Spielfilme – Berlin); DL: 94; P: Gerrit List; R: Werner W. Wallroth; B: Dean Reed, Wolfgang Ebeling; K: Hans Heinrich (Totalvision – OrwoColor); M: Karl-Ernst Sasse; S: »Love your brother« – gesungen von Dean Reed; CD: Ein Wigwam steht in Babelsberg (All Score Media ASM 002): 1 track; DO: Rumänien; D: Dean Reed, Gojko Mitic, Gisela Freudenberg, Jörg Panknin, Cornel Ispas, Toma Dimitru, Iurie Darie, Manea Alexandru; I: Ein Deserteur der US-Armee und ein Cheyenne-Krieger werden Blutsbrüder und kämpfen für die Freiheit der Indianer. *DDR-Western.*

Cacique Bandeira (1975) ET: The dead man; ST: Cacique Bandeira/El Muerto; HL: Argentinien/Spanien (Aries Cinematográfica Argentina/Impala S.A.); UA: 21.8.1975 OL: 105; P: Luis Osvaldo Repetto; R: Héctor Olivera; B: Fernando Ayala, Héctor Olivera (I: Jorge Luis Borges); K: Juan Carlos Desanzo (Normal – Eastmancolor); M: Ariel Rodríguez; DO: Uruguay (Colonia y Tacuarembo); D: Thelma Biral, Francisco Rabal, Enrique Alonso, Juan José Camero, Rey Charol, Ricardo Trigo; I: Während des Bürgerkriegs in Uruguay flieht Benjamin Ortalora aus seinem Dorf, nachdem er einen Mann getötet hat, und schließt sich einer Gruppe von Gauchos an.

Campbell's kingdom (1957) DT: Gefährliches Erbe; ET: Campbell's kindom; IT: La dinastia del petrolio; ST: La dinastia del petroleo; HL: England (Rank Organisation); OL: 105; DEA: 6.5.58; DL: 100; FSK: 12; P: Betty E. Box; R: Ralph Thomas; B: Robin Estridge (I: Hammond Innes); K: Ernest Steward (Normal – Color); M: Clifton Parker; D: Dirk Bogarde, Stanley Baker, Michael Craig, Barbara Murray, Robert Brown, John Laurie, Sid James, Mary Merrall, George Murcell; I: Der angeblich unheilbare Enkel des verstorbenen Campbell verlässt England und tritt sein Erbe in den Rocky Mountains an, wo er Öl zu finden hofft, das der Alte nicht fand. Die Bohrversuche führen schließlich zum Erfolg. *Spannungsarmer englischer Abenteuerfilm.*

Captain Apache (1971) DT: Captain Apache; ET: Captain Apache; IT: Capitan Apache; ST: Capitan Apache; HL: England/Spanien (Scotia International – London/Regia Films – Madrid); UA: 27.10.1971; OL: 94; DEA: 5.5.72; DL: 92; FSK: 16; P: Milton Sperling, Philip Yordan; R: Alexander Singer; B: Philip Yordan, Milton Sperling (I: S. E. Whitman, »Captain Apache«); K: John Cabrera (Franscope – Technicolor); M: Dolores Claman, Pepe Nieto; S: »April Morning« – gesungen von Lee Van Cleef; DO: Spanien (Daganzo); D: Lee Van Cleef, Carrol Baker, Stuart Whitman, Percy Herbert, Elisa Montes, Tony Vogel, Charles Stalmaker, Charlie Bravo, Faith Clift, Dan Van Husen, Hugh McDermott, George Margo, Elsa Zabala, Allen Russell, Ricardo Palacios, Chris Huerta, Luis Induñi; I: Weißer Banditenchef erkauft sich eine ganze Stadt, um Indianer auszurotten. Ein indianischer Offizier der US-Truppen kommt ihm auf die Spur. *Extrem schwacher Euro-Western mit Leone-Veteran Lee Van Cleef. (Anm. d.Vf.: S. E. Whitman ist nicht Darsteller Stuart Whitman).*

La carga de la policía montada (1964) ET: Cavalry charge; IT: Watabanga!; ST: La carga de la policía montada; FT: La charge des tuniques rouges; HL: Spanien (Trébol Films C.C. – Madrid); OL: 101; P: Arturo Gonzalez; R: Ramón Torrado; B: Ramón Torrado, Bautista Lacasca Nebot (I: Baustista Lacasa Nebot); K: Ricardo Torres (Totalscope – Eastmancolor); M: Daniel J. White; D: Frank Latimore, Alan Scott, Diana Lorys, Maria Silva, Alfonso Rojas, Juan Cortes, Barta Barry, Xan Das Bolas, Fernando Bilbao, Rafael Hernandez, Tito Garcia, Luis Barboo, José Truchado, Alfonso De La Vega, Frank Braña, Aldo Sambrell, Guillermo Mendez; I: Ein Lieutnant der Canadian Royal

Captain Apache

Mounted Police verhütet ein Massaker und die Übernahme eines Forts durch feindliche Indianer.

Carlos (1971) DT: Carlos; HL: Deutschland/Israel (Iduna Film – München); DEA: 20.11. 71; DL: 105; P: Karl Helmer; R: Hans W. Geissendörfer; B: Hans W. Geissendörfer (I: Friedrich Schiller, »Carlos«); K: Robby Müller (Normal – Color); M: Ernst Brandner; DO: Israel; D: Gottfried John, Anna Karina, Geraldine Chaplin, Bernhard Wicki, Horst Frank, Thomas Hunter, Sabi Dor, Ebba Kaiser, Lorenza Colville, Yossi Shiloah, Peter Collins, Channa Neeman; I: Carlos will zusammen mit einer Gruppe von Revolutionären der Herrschaft seines despotischen Vaters ein Ende bereiten, scheitert jedoch an seinem Ehrgeiz. *Schillers Don Carlos als deutscher Western im Italo-Western-Gewand.*

Carry on Cowboy (1965) DT: Ist ja irre – Der dreiste Cowboy/Rumpo Kid; ET: Carry on cowboy/Rumpo Kid; HL: England (Peter Rogers Productions – London); UA: Nov. 1965; OL: 93; DEA: 7.7.67; DL: 94; FSK: 12; P: Peter Rogers; R: Gerald Thomas; B: Talbot Rothwell; K: Alan Hume (Normal – Eastmancolor); M: Eric Rogers, Alan Rogers; D: Sid James, Kenneth Williams, Jim Dale, Charles Hawtrey, Joan Sims, Angela Douglas, Bernard Bresslaw, Peter Butterworth, Percy Herbert, Jon Pertwee, Sydney Bromley, Edina Ronay, Lionel Murton, Peter Gilmore, Davy Kaye, Alan Gifford, Brian Rawlinson; I: Weil in Washington die Marshalls knapp sind, greift der zuständige Beamte zu, als sich ein Kanalisationsingenieur mit Vornamen Marshall bei ihm meldet. In Stodge City muss er gegen Rumpo Kid und seine Bande kämpfen. *Die »Carry On«-Komikertruppe diesmal im Wilden Westen.*

Catlow (1971) DT: Catlow – Leben ums Verrecken; ET: Catlow; ST: El oro de nadie; HL: England/Spanien (M.G.M. – London); UA: 1.10.1971; OL: 101; DEA: 23.3.72; DL: 101; FSK: 16; P: Euan Lloyd; R: Sam Wanamaker; B: Scott Finch, James J. Griffith (I: Louis L'Amour, »Catlow«); K: Edward Scaife (Panavision – Metrocolor); M: Roy Budd; DO: Spanien (Almería); D: Yul Brynner, Richard Crenna, Leonard Nimoy, Daliah Lavi, Jo Ann Pflug, Jeff Corey, Michael Delano, Julian Mateos, David Ladd, Bessie Love, Bob Logan, John Clark, Dan Van Husen, Cass Martin, José Nieto, Angel Del Pozo, Victor Israel, Erika Lopez; I: Ein Marshal soll im Interesse habgieriger Rancher seinen alten Freund Catlow verhaften, der das Gesetz weniger übertritt als zu seinen Gunsten auslegt. Beide machen sich jedoch auf, einen Goldschatz zu suchen und retten sich mehrmals das Leben. *Unterhaltsamer, in Spanien gedrehter englischer Western mit »Spock« Leonard Nimoy als Kopfgeldjäger.*

Charley One-Eye (1972) DT: Unter tödlicher Sonne; ET: Charley One-Eye; HL: England/USA (David Paradine Productions – London/Paramount Pictures – Los Angeles); UA: 18.4.1973; OL: 96; DEA: 13.1.1988 (RTL plus); DL: 91; P: James Swann; R: Don Chaffey; B: Keith Leonard, Don Chaffey; K: Don Chaffey (Normal – Color); M: John Cameron; D: Richard Roundtree, Roy Thinnes, Nigel Davenport, Jill Pearson, Aldo Sambrell, Luis Aller, Rafael Albaicin, Alex Davion, Johnny Sekka, Madeline Hinde, Patric Mower, Imogen Hassall, Edward Woodward, William Mervyn, David Lodge; I: Zwei Gesetzlose, ein schwarzer Deserteur der Unionsarmee und ein verkrüppelter Indianer bauen sich in einer Kirche ein neues Zuhause auf, bevor ihnen ein Kopfgeldjäger die Hölle heiß macht.

Chato's land (1971) DT: Chatos Land; ET: Chato's land; IT: Chato; FT: Les collines de la terreur; HL: England (Scimitar Films – London); UA: 25.5.1972; OL: 101; DEA: 26.10.72; DL: 100; FSK: 16; P: Michael Winner; R: Michael Winner; B: Gerald Wilson; K: Robert Paynter (Normal – Technicolor); M: Jerry Fielding; DO: Spanien (Almería); D: Charles Bronson, Jack Palance, Richard Basehart, James Whitmore, Simon Oakland, Ralph Waite, Richard Jordan, Victor French, Sonia Rangan, William Watson, Roddy McMillan, Paul Young, Raoul Castro, Lee Patterson, Peter Dyneley, Hugh McDermott, Verna Harvey; I: Halbblut Chato, wegen Totschlags an einem Sheriff von einer Gruppe teils fanatischer Weißer gejagt, rächt sich nach der Vergewaltigung seiner Frau und dem Mord an seinem Bruder auf grausame Weise. *Charles Bronson ist hier als Chato in diesem harten englischen Western be-*

Chato's land

reits in einer ähnlichen Rächerrolle zu sehen wie drei Jahre später im modernen New York als Paul Kersey in »Death Wish«.

Chicano (1980) ET: Chicano; ST: Chicano/Chicano obsesion de venganza; HL: Spanien (Dogo Films S.L. – Madrid); OL: 85; P: César Gallego; R: José Truchado Reyes; B: José Truchado Reyes, César Gallego, Manuel Martinez Remis (I: César Gallego, José Truchado Reyes, Manuel M. Remis); K: José María Ochoa (Panavision – Eastmancolor); M: Alfonso Linos; D: Guillermo Antón, Vicente Sánchez, José Luis Pacheco, Milagros Antón, Max H. Boulois, Luis De Castro, Antonio Orengo, Dino Omar, Carmen Luján, Carmen Carrión, António Briguiela.

Chingachgook, die große Schlange (1967) DT: Chingachgook, die große Schlange/Der Wildtöter; ET: Chingachgook, the great snake; ST: Chingachgook la gran serpiente; HL: DDR (DEFA-Studio für Spielfilme – Berlin); DEA: 20.6.82; DL: 91; P: Dorothea Hildebrandt; R: Richard Groschopp; B: Wolfgang Ebeling, Richard Groschopp (I: James Fenimore Cooper); K: Otto Hanisch (Totalvision – OrwoColor); M: Wilhelm Neef; S: »Der große Strom« und »Dazwischen« – gesungen von Gerry Wolf; CD: Ein Wigwam steht in Babelsberg (All Score Media ASM 002): 6 tracks; DO: CSSR (Hohe Tatra), Bulgarien; D: Gojko Mitic, Rolf Römer, Lilo Grahn, Helmut Schreiber, Jürgen Frohriep, Andrea Drahota, Johannes Knittel, Adolf Peter Hoffmann, Heinz Klevenow, Milan Jablonsky, Horst Preusker, Karl Zgowski, Rudolf Ulrich, Hans-Joachim Stelzer; I: Als die Tochter des Häuptlings der Delawaren von den feindlichen Huronen geraubt wird, wird auch Chingachgook, der Letzte aus dem Stamm der Mohikaner, in die Auseinandersetzungen hineingezogen. Auf der Seite des Mohikaners ist sein Freund Wildtöter. *DDR-Western.*

The christmas kid (1967) ET: The christmas kid; IT: Lo sceriffo senza stella; ST: Joe Navidad; HL: USA/Spanien (Westside International/Cinemagic Inc. – Hollywood)/L.M. Films (Madrid); UA: Juli 1967; OL: 90; P: Sidney W. Pink, José Lopez Moreno; R: Sidney W. Pink; B: James Henaghan, Rodrigo Rivero; K: Manuel H. Sanjuán (Panavision – Eastmancolor); M: Fernando Garcia Morcillo; DO: Spanien (Colmenar Viejo); D: Jeffrey Hunter, Louis Hayward, Gustavo Rojo, Perla Cristal, Luis Prendes, Reginald Gillam, Jack Taylor, Fernando Hilbeck, Eric Chapman, Carl Raff, Dennis Kilbane, Ben Tatar, Alexandra Nilo, Guillermo Mendez, Angel Mendez; I: Revolverheld Christmas Kid wird vom korrupten Stadtboss in Jasper angeheuert, seine kriminellen Machenschaften abzusichern, wechselt jedoch die Seiten und wird sogar Sheriff, als seine Freundin ermordet wird.

The Claim (2000) DT: Das Reich und die Herrlichkeit; ET: The claim; ST: El perdon; FT: Rédemption; HL: England/Frankreich/Kanada (Alliance Atlantis Communications/Arts Council of England/BBC/DB Entertainment/

Grosvenor Park Productions/Le Studio Canal+/Pathé Pictures/Revolution Films); UA: 29.12.2000; OL: 121; DEA: 8.11.01; DL: 121; FSK: 12; P: Andrew Eaton; R: Michael Winterbottom; B: Frank Cottrell Boyce (I: Thomas Hardy »The Mayor of Casterbridge«); K: Alvin H. Kuchler (o.A.); M: Michael Nyman; D: Peter Mullan, Milla Jovovich, Wes Bentley, Nastassja Kinski, Sarah Polley, Shirley Henderson, Julian Richings, Sean McGinley; I: Ein irisch-stämmiger Goldgräber verkauft Mitte des 19. Jahrhunderts Frau und Baby für die Schürfrechte an einem Claim und steigt zum uneingeschränkten Herrscher einer Siedlung in der Sierra Madre auf, verliert jedoch am Schluss alles wieder. *Sehr gut fotografierte und beeindruckend gespielte Tragödie um Schuld und Sühne, Liebe und Vergebung.*

♢Comanche blanco (1967) DT: Rio Hondo; ET: White comanche; IT: ... è venne l'ora della vendetta (Comancho bianco); ST: Comanche blanco; FT: Rio Hondo; HL: Spanien/USA (Producciones Cinematográficas A.B./International Producers Enterprises); UA: 23.12.1968; OL: 93; DEA: 9.6.72; DL: 95; FSK: 18; P: Andres Vicente Gomez; R: José Mendez Briz; B: José Mendez Briz, Manuel Rivera; K: Francisco Fraile (Panoramico – Eastmancolor); M: Jean Ledrut; DO: Spanien (Colmenar Viejo, Manzanares el Real); D: William Shatner, Joseph Cotten, Rossana Yanni, Perla Cristal, Vidal Molina, Luis Prendes, Hector Quiroga, Barta Barri, Rufino Ingles, Simon Arriaga, Fernando Villena, José Luis Lluch, José Bastida, Javier Maiza; I: Die zwei Mischlingsbrüder Johnny und Garvin Moon kämpfen gegeneinander und werden beide in einen Krieg zwischen Comanchen und bösen weißen Stadtbewohnern involviert. *Schwach inszenierter Western mit »Star Trek«-William Shatner in einer Doppelrolle als Indianer-Halbblut.*

Condenados a vivir (1971) DT: Todesmarsch der Bestien/Todesmarsch der lebenden Teufel/Verdammt zum Leben; ET: Cut-throats nine; ST: Condenados a vivir; HL: Spanien (Films Triunfo, S.A.); UA: 24.5.1965; OL: 82; DL: 90; P: Serafin Garcia Trueba; R: Joaquín Luis Romero Marchent; B: Joaquín Luis Romero Marchent, Santiago Moncada;

Condenados a vivir

K: Luis Cuadrado (Panoramico – Color); M: Carmelo A. Bernaola; DO: Spanien (Colmenar Viejo, Casa de Campo, Calatayud); D: Robert Hundar, Emma Cohen, Ricardo Diaz, Alberto Dalbes, Manuel Tejada, José Manuel Martin, Antonio Iranzo, Rafael Hernandez, Carlos Romero Marchent, Eduardo Calvo, Lorenzo Robledo, Emilio Rodriguez, Tomas Ares, Francisco Nieto, Antonio Padilla; I: Ein Sergeant der Unionsarmee und dessen Tochter führen eine Gruppe von Kriminellen durch die Rocky Mountains, deren Ketten aus purem Gold sind. Einer nach dem anderen stirbt im Kampf um das Gold. *Unterhaltsamer, unglaublich harter Winterwestern von Joaquín Luis Romero Marchent mit einigen Splatter-Effekten.*

El coyote (1954) DT: Der Coyote; IT: Il coyote; ST: El coyote; HL: Spanien (Unión Films); DEA: 30.3.56; DL: 75; FSK: 12; UA: 5.5.1955; OL: 75; P: Ismael Palacio Bolufer, Salvador Elizondo, Ferdinando Soler, Gonzalo Elvira; R: Joaquín Luis Romero Marchent; B: Jesús Franco, Pedro Chamorro (I: José Mallorquí, »El Coyote«); K: Ricardo Torres (Normal – B/W), Jesus Franco Manera; M: Odón Alonso; D: Abel Salazar, Gloria Marín, Manuel Monroy, Rafael Bardem, Santiago Rivero, Antonio García Quijada, Mario Moreno, Julio Goróstegui, Pepa Bravo, José Calvo, Pepa Ruiz; I: Zweiteiliger Abenteuerfilm über einen kalifornischen Freiheitskämpfer im Stile Zorros. *Wenig beeindruckender Abenteuerfilm von Joaquín Romero Marchent nach einer Erzählung von José Mallorquí.*

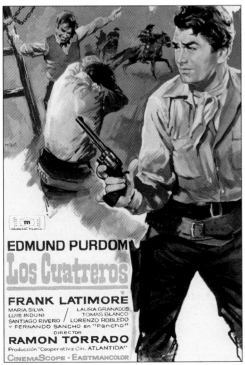

Los cuatreros

Los cuatreros (1964) DT: Einer rechnet ab; ET: Shoot to kill/ Texas Jim; IT: Se spari ... ti uccido; ST: Los cuatreros; FT: Texas Jim; HL: Spanien (Atlantida Cooperativa Cinematografica/José Frade Producciones Cinematográficas S.A.); DEA: 24.9.1965; DL: 85; FSK: 16; P: Arturo Gonzalez; R: Ramón Torrado; B: Gregorio Almendros, Ramón Torrado, Antonio Gimenez Escribano; K: Ricardo Torres (Cinemascope – Eastmancolor); M: Daniel Montorio; S: »Mi amor es oro« – gesungen von Daniel Montorio; DO: Colmenar Viejo (Madrid) – Casa de Campo (Madrid) – Calatayud (Zaragoza); D: Edmund Purdom, Frank Latimore, Fernando Sancho, Silvia Solar, Luis Induñi, Santiago Rivero, Laura Granados, Tomás Blanco, Francisco Sanz, Alvaro De Luna, Xan Das Bolas, Lorenzo Robledo, Antonio Gimenez Escribano, Juan Cortes; I: Zwei Männer, der Vormann Tom Jameson und der verbrecherische Neffe des Ranchers, verlieben sich in dasselbe Mädchen Mary, die Tochter des Ranchers. *Durchschnittlicher Western von Ramón Torrado, der diverse Elemente der Agentenfilme verwendet.*

Cuatro cabalgaron (1971) ET: Four rode out; ST: Cuatro cabalgaron; HL: Spanien/USA (Ada Films, Sagittarius Productions); UA: 11.12.1971; OL: 90; R: John Peyser; B: Don Balluck, Paul Harrison; K: Rafael Pacheco (Panoramico – Eastmancolor); M: Janis Ian; DO: Spanien (Almería); D: Pernel Roberts, Leslie Nielsen, Sue Lyon, Julián Mateos, María Martín, Albert Salmi, Leonard Bell, John Clark; I: Ein Mexikaner, der unschuldig eines Bankraubes und eines Mordes bezichtigt wird, flieht vor einem Gesetzeshüter in Richtung mexikanische Grenze. Auch seine Freundin und ein Pinkerton-Agent sind ihm auf der Spur.

Custer of the West (1967) DT: Ein Tag zum Kämpfen; ET: Custer of the West; ST: La última aventura; FT: Custer, homme de l'ouest; HL: USA/England/Spanien/Frankreich (Cinerama Releasing Corporation/Security Pictures Inc.); DEA: 28.3.68; DL: 142; FSK: 12; P: Philip Yordan; R: Robert Siodmak; B: Bernard Gordon, Julian Zimet; K: Cecilio Paniagua (SuperTechnirama – Technicolor); M: Bernardo Segáll; CD: Custer of the West (Comanche

Cuatro cabalgaron

683

CD #395.66.65): 15 tracks; **DO:** Spanien; **D:** Robert Shaw, Mary Ure, Ty Hardin, Jeffrey Hunter, Robert Ryan, Charles Stalmaker, Robert Hall, Lawrence Tierney, Kieron Moore, Marc Lawrence, Barta Barry, Clemence Bettany, Bill Christmas, John Clarke; **I:** Die Geschichte des amerikanischen Generals George A. Custer und seiner entscheidenden Niederlage gegen die Indianer im Jahr 1876 am Little Big Horn. *Gut gemachte, jedoch zum Teil etwas langatmige Koproduktion der Legende um General Armstrong Custer und die Schlacht am Little Big Horn.*

Les Dalton (2004) **DT:** Die Daltons gegen Lucky Luke; **FT:** Les Dalton; **HL:** Frankreich/Deutschland/Spanien (UGC Images/Integral Film GmbH/Castelao Producciones S.A./ TF1 Films Productions/4 Mecs à Lunettes Production/4 Mecs en Baskets); **UA:** 08.12.2004; **OL:** 86; **DEA:** 25.08.2005; **DL:** 86; **FSK:** 6; **P:** Said Ben Said, Yves Marmion; **R:** Philippe Haim; **B:** Ramzy Bedia, Michel Hazanavicius, Eric Judor; **K:** David Carretero (Scope – Farbe); **DO:** Spanien (Almería); **D:** Eric Judor, Ramzy Bedia, Til Schweiger, Marthe Villalonga, Javivi, Said Serrari, Romain Berger, Sylvie Joly; **I:** *Ein auf dem »Lucky Luke«-Comic von Morris basierender Film, der trotz Kurzauftritt von Til Schweiger leider völlig in die Hose ging und sicherlich nicht für ein Revival des Western-Genres sorgen dürfte.*

Dans la poussière du soleil (1971) **ET:** Dust in the sun; **IT:** Il sole nella polvere; **FT:** Dans la poussière du soleil; **HL:** Frankreich (Univers Galaxie Paris); **OL:** 80; **P:** J.Ch. Charlus **R:** Richard Balducci; **B:** Richard Balducci (I: William Shakespeare, »Hamlet«); **K:** Tadasu G. Suzuki (Panoramico – Eastmancolor); **M:** Francis Lai; **S:** »Sur notre étoile« – gesungen von Francis Lai; **DO:** Spanien (Almería) **D:** Bob Cunningham, Maria Schell, Karin Mayer, José Calvo, Colin Drake, Perla Cristal, Manolo Otero, Lorenzo Robledo, Angel Del Pozo, Jerome Jeffreys, Marisa Porcel, Jack Anton, Osile Astie, André Thevenet; **I:** *Bei diesem Film handelt es sich um eine in den wilden Westen verlegte französische Version von »Hamlet«.*

Demasiados muertos para Tex (1972) **ET:** Watch out Gringo ... Sabata will return; **ST:** Demasiados muertos para Tex; **HL:** Spanien (ABC Cinematográfica); **UA:** 13.5.1974; **OL:** 88; **P:** George Martin; **R:** George Martin; **B:** Rafael Marina; **K:** Jaime Deu Casas (Panoramico – Eastmancolor); **M:** José Espeita; **D:** George Martin, Monica Trober, Gordon Mitchell, Francisco Braña, Chris Huerta, Daniel Martin, Johnny Fairen, Mauel Muñiz, Fernando Bilbao.

⊘ **El desafío de Pancho Villa (1971)** **DT:** Viva Pancho Villa/Drei Halleluja für vier heiße Colts; **ET:** Viva Pancho Villa; **IT:** Il tre del mazzo selvaggio; **ST:** El desafío de Pancho Villa; **HL:** Spanien/England – Granada Films/Scotia International); **OL:** 92; **DEA:** 13.10.72; **DL:** 88; **FSK:** 16; **P:** Gregorio Sacristan, Bernard Gordon; **R:** Eugenio Martín; **B:** Julian Halevy; **K:** Alejandro Ulloa (Panoramico – Technicolor); **M:** Antón García Abril; **S:** »We all end up the same«

gesungen von Telly Savalas; **DO:** Spanien (Aranjuez, Colmenar Viejo, Guadix, Daganzo); **D:** Telly Savalas, Clint Walker, Chuck Connors, Anne Francis, Angel Del Pozo, José Maria Prada, Luis Dávila, Dan Van Husen, Norman Bailey, Antonio Ross, Art Larkin, Antonio Casas, Barta Barry; **I:** Ein im Italo-Western-Stil gedrehter weiterer Film über die Geschichte des mexikanischen Freiheitshelden Pancho Villa. *Trotz Starbesetzung ohne viele Höhepunkte und mit vielen Duchhängern.*

The desperados (1968) **DT:** Die Todesreiter; **ET:** The desperados; **ST:** La marca de Cain; **HL:** England/USA (Columbia Pictures Corporation/Meadway); **DEA:** 28.2.69; **DL:** 91; **FSK:** 18; **P:** Irving Allen; **UA:** 16.5.1969; **OL:** 91; **R:** Henry Levin; **B:** Walter Brough; **K:** Sam Leavitt (Normal – Technicolor); **M:** David Whitaker; **DO:** Spanien (Hoyo de Manzanares); **D:** Vince Edwards, Jack Palance, George Maharis, Neville Brand, Sheila Burrell, Sylvia Syms, Christian Roberts, Kate O'Mara, Benjamin Edney, John Paul, Kenneth Cope, Patrick Holt, Christopher Malcolm, John Clark; **I:** Als Konföderierte verkleidete Banditen ziehen raubend und plündernd durch das Gebiet der Nordstaaten, bis sie sich gegenseitig ausrotten. *Sehr harter englischer Western von Henry Levin.*

Dollar for the Dead (1998) **ET:** Dollar for the Dead; **ST:** Un dolar por los muertos; **HL:** USA/Spanien (Once Upon a Time Films – Los Angeles/Enrique Cerezo Producciones Cinematográfica S.A. – Madrid); **UA:** 11.10.1998; **OL:** 94; **P:** Enrique Cerezo; **R:** Gene Quintano; **B:** Gene Quintano, Imanol Uribe; **K:** Gianni Fiore (Panoramico – Eastmancolor); **M:** George S. Clinton; **DO:** Spanien (Almería); **D:** Emilio Estevez, Jordi Mollá, William Forsythe, Jonathan Banks, Simon Andreu, Ed Lauter, Howie Long, Daniel Martin; **I:** *Regisseur Gene Quintanos missglückter Versuch, mit Emilio Estevez in der Rolle eines Clint Eastwood-mäßigen Revolverhelden das Italo-Western-Flair der 60er Jahre in einer US/spanischen Co-Produktion wieder aufleben zu lassen.*

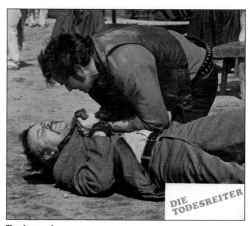

The desperados

Dos mil dólares por coyote (1965) ET: Ballad of a bounty hunter/Two thousand dollars for Coyote; **IT:** Django cacciatore di taglie; **ST:** Dos mil dólares por Coyote; **HL:** Spanien/USA (P.C. Alesanco – Madrid/Lacy International Films – Hollywood); **OL:** 87; **P:** Miguel Lecumberri, Sidney W. Pink; **R:** León Klimovksy; **B:** Manuel Sebares, Federico De Urrutia (I: Manuel Sebares, Federico De Urrutia, Sidney W. Pink); **K:** Pablo Ripoll (Supervision – Technicolor); **M:** Fernando Garcia Morcillo, Alonso Duran; **D:** James Philbrook, Nuria Torray, Sam Alston (Simon Andreu), Perla Cristal, Tom Griffith (Vidal Molina), José Luis Lluch, José Sancho, Victor Shelley, Julio Perez Tabernero, Alfonso Rojas, Rafael Vaquero, Jonathan Daly, Antonio Molino Rojo, Guillermo Mendez, Antonio Moreno, Lola Lemos; **I:** Ein Revolverheld schlüpft in die Maske von El Coyote, um in Südkalifornien gegen einen korrupten Gouverneur zu kämpfen.

Duell vor Sonnenuntergang (1965) DT: Duell vor Sonnenuntergang/Blaue Augen – schneller Colt; **ET:** Duel at sundown; **IT:** Sparate a vista su Killer Kid; **FT:** Duel au crépzscule; **HL:** Deutschland/Jugoslawien/Italien (Corona Film/Jadran Film/Duca Film); **DEA:** 17.9.65; **DL:** 100; **FSK:** 12; **P:** Leopold Lahpola; **R:** Leopoldo Lahola; **B:** Leopoldo Lahola, Anya Corvin; **K:** Janez Kalisnik (Normal – Eastmancolor); **M:** Zvi Borodi; **DO:** Jugoslawien; **D:** Peter Van Eyck, Carole Gray, Wolfgang Kieling, Mario Girotti, Carl Lange, Walter Barnes, Jan Hendriks, Todd Martens, Giacomo Rossi Stuart, Demeter Bitenc, Kurt Heintel, Klaus Dahlen; **I:** Junger Heißsporn, der immer nur im Schatten seines älteren Bruders steht, wird aus Geltungssucht zum Gangster und fordert seinen Bruder zum Zweikampf. *Früher deutscher Western aus der Blütezeit der Winnetou-Filme – an deren Schauplätzen im früheren Jugoslawien gedreht.*

Eagle's Wing (1980) DT: Adlerflügel; **ET:** Eagle's wing; **IT:** Io grande cacciatore; **ST:** Tu, pequeño hombre blanco ... yo, gran cazador; **HL:** England/Spanien (Rank); **DEA:** 18.9.81 (DDR); **DL:** 100; **OL:** 104; **P:** Ben Arbeid; **R:** Anthony Harvey; **B:** John Briley; **K:** Billy Williams (Cinemascope – Eastmancolor); **M:** Marc Wilkinson; **DO:** USA (New Mexico); **D:** Martin Sheen, Sam Waterston, Harvey Keitel, Stephanie Audran, José Carlos Ruiz, Manuel Ojeda, Pedro Damieari; **I:** Der weiße Trapper Pike bekämpft mit Comanchen-Häuptling White Bull wegen des Einfangens eines weißen Hengstes. *Der Film zeigt sehr schöne Landschaftsaufnahmen von New Mexico.*

Fernand Cow-Boy (1956) ET: Ferdinand cowboy; **FT:** Fernand Cow-Boy; **HL:** Frankreich; **DEA:** 28.9.2004; **DL:** 85; **P:** François Chavane; **R:** Guy Lefranc; **B:** Jean Redon, Yvan Audouard; **K:** Maurice Barry (Normal – Color); **M:** Georges Louiguy; **D:** Fernand Raynaud, Dora Doll, Noel Roquevert, Nadine Tallier, Pierre Dudan, Jean-Roger Caussimon, André Weber, Jess Hahn, Jim Gérald, Bernard Noel, Françoise Fabier, Hubert Deschamps, Félix Miquet,

Jean-Marie Amato; **I:** Eine französische Westernkomödie, in dem der unwahrscheinliche Held nur Milch trinkt und durch Zufall eine Stadt vom Gesindel befreit.

Les filles du Golden Saloon (1973) ET: Girls of the Golden Saloon; **FT:** Les filles du Golden Saloon; **HL:** Frankreich/Belgien (Euorciné – Paris/Brux International Pictures); **P:** Marius + Daniel Lesoeur; **R:** Pierre Chevalier; **K:** Raymond Heil, Johan Vincent; **M:** Daniel J. White; **D:** Sandra Julien, Evelyne Scott, Roger Darton, Alice Arno, Allan Spencer, France Nicolas, Claude Boisson, Michel Charrel; **I:** Eine Gruppe von jungen Frauen wird aus dem Golden Saloon befreit, wo sie als Sklavinnen zum Vergnügen eines bösen Regierungsbeamten gefangen gehalten wurden.

Finger on the trigger (1965) ET: Finger on the trigger; **IT:** Il sentiero dell'oro; **ST:** El dedo en el gatillo; **FT:** Le chemin de l'or; **HL:** USA/Spanien (Columbia Pictures Corporation – Los Angeles/Films Internacionales – Madrid); **UA:** 22.3.1965; **OL:** 94; **P:** Sidney W. Pink; **R:** Sidney W. Pink; **B:** Luis De Los Arcos, Sidney W. Pink; **K:** Antonio Macasoli, Enrique Bergier (Technicope – Technicolor); **M:** José Sola; **D:** Rory Calhoun, Aldo Sambrell, James Philbrook, Leo Anchoriz, Todd Martens, Jorge Rigaud, Silvia Solar, Bruce Talbot, John Clark, Tito Garcia, Antonio Molino Rojo, Beny Deus, Willie Ellie, José Antonio Peral, Sebastian Cabot; **I:** Nach dem amerikanischen Bürgerkrieg kämpft eine Gruppe von Unionssoldaten zusammen mit einigen Südstaatlern gegen feindliche Indianer.

Die Flußpiraten vom Mississippi (1963) DT: Die Flußpiraten vom Mississippi; **ET:** Pirates of the Mississippi; **IT:** Agguato sul grande fiume; **ST:** Cuatreros del Mississippi; **FT:** Les pirates du Mississipi; **HL:** Deutschland/Italien/Frankreich (Rapid Film – München/Produzione Fuchs/S.N.C. – Société Nouvelle de Cinématographie – Paris); **DEA:** 18.10.63; **DL:** 102; **FSK:** 12; **P:** Wolf C. Hartwig, Gianni Fuchs; **R:** Jürgen Roland; **B:** Werner P. Zibaso, Johannes Kai (I: Friedrich Gerstäcker); **K:** Rolf Kästel, Francesco Izzarelli (Cinemascope – Eastmancolor); **M:** Willy Mattes; **DO:** Jugoslawien; **D:** Brad Harris, Horst Frank, Sabine Sinjen, Hansjörg Felmy, Dorothee Parker, Tony Kendall, Jeannette Batti, Paolo Solvay, Dan Vadis; **I:** Eine Piratenbande hält die Bevölkerung am Mississippi in Atem. *Harmloser deutscher Western aus der Blütezeit der Winnetou-Filme.*

Freddy und das Lied der Prärie (1964) DT: Freddy und das Lied der Prärie; **ET:** The sheriff was a lady/The wild, wild West; **IT:** Sei pallottole per Ringo Kid; **HL:** Deutschland/Jugoslawien (CCC Filmkunst – Berlin/Avala Film – Belgrad); **DEA:** 28.8.64; **DL:** 101; **FSK:** 12; **P:** Artur Brauner; **R:** Sobey Martin; **B:** Gustav Kampendonk; **K:** Siegfried Hold (Cinemascope – Eastmancolor); **M:** Lotar Olias; **DO:** Jugoslawien; **D:** Freddy Quinn, Mamie Van Doren, Rik Battaglia, Beba Loncar, Trude Herr, Carlo Croccolo, Joséf Albrecht, Otto Wladis, Ulrich Huls, Klaus

Dahlen, Mariona, Bruno W. Pantel, Mavid Popovic, Stojan Arandjelovic, Mirko Boman, Desa Beric; **I:** Freddy bringt im Wilden Westen eine Banditenhorde zur Strecke. *In Jugoslawien gedrehter naiver deutscher Western als Star vehikel für Sänger Freddy Quinn.*

Friß den Staub von meinen Stiefeln (1970) DT: Friß den Staub von meinen Stiefeln; ET: Three bullets for a long gun; **IT:** Ehi amigo! Tocca a te morire; **HL:** Deutschland/Südafrika (Ramsey Joynt); **DEA:** 25.4.75; **DL:** 83; **FSK:** 18; **OL:** 89; **P:** Peter Henkel, Beau Brummell; **R:** Peter Henkel; **B:** Beau Brummell; **K:** Keith Van Der Wat (Normal – Color); **M:** Kevin Mansfield; **DO:** Südafrika; **D:** Beau Brummell, Keith Van Der Wat, Patrick Mynhardt, Tullio Moneta, Don McCorkindale, Gaby Getz, José De Sousa; **I:** Die Jagd zweier ungleicher, aber aufeinander angewiesener Männer nach einem vergrabenen Schatz. *Harter, in Afrika gedrehter Western des deutschen Regisseurs Peter Henkel.*

Fuera de la ley (1963) ET: Billy the Kid; **IT:** Furia de la ley; **ST:** Fuera de la ley (Billy the Kid); **FT:** Billy le Kid; **HL:** Spanien (Carthago Coop. Cinematográfica – Madrid); **UA:** 9.7.1964; **OL:** 91; **P:** Marius LeSoeur, Esther Cruz; **R:** León Klimovsky; **B:** Bob Sirens, Angel Del Castillo, S. G. Monner; **K:** Manuel H. Sanjuán (Panoramico – Eastmancolor); **M:** Daniel J. White; **S:** »Ride along«, »Spiritual« – gesungen von John Littleton; **DO:** Spanien; **D:** George Martin, Jack Taylor, Juny Brunell, Tomás Blanco, Alberto Dalbes, Luis Induñi, Esther Grant, Tota Alba, Simon Arriaga, Claudio Denis, Margo Costa, Henri Macedo, Enrique Nuñez, Lorenzo Robledo; **I:** Die Geschichte von Billy the Kid und Pat Garrett als Euro-Western.

Fuerte perdido (1964) DT: Höllenfahrt nach Golden City; **ET:** Massacre at Fort Grant; **IT:** I rinnegati di Fort Grant; **ST:** Fuerte perdido; **FT:** L'attaque de Fort Grant; **HL:** Spanien (P.C. Alesanco); **UA:** 31.5.1965; **OL:** 90; **DEA:** 4.12. 64; **DL:** 87; **FSK:** 12; **P:** José Luis Gamboa; **R:** José Maria Elorrieta; **B:** José Maria Elorrieta, José Luis Navarro; **K:** Pablo Ripoll (Cinemascope – Eastmancolor); **M:** Fernando García Morcillo; **S:** »Volvere«, »Caravana«, »Camino del sur« – gesungen von Maruchy Taylor, José Guardiola;

Friß den Staub von meinen Stiefeln

DO: Spanien (Aranjuez); **D:** Jerry Cobb (German Cobos), Marta May, Ethel Rojo, Joe Gardener (José Guardiola), Roy Rogers (Rosario Royo), Hugo Pimentel, Aldo Sambrell, Mariano Vidal Molina, Julio Perez Tabernero, Guillermo Mendez, José Canalejas, Luis Barboo, José Luis Lluch; **I:** Kampf eines Indianerstamms gegen einen Siedlertreck, in den sich Waffenschmuggler eingeschlichen haben. *Früher spanischer, von den amerikanischen Vorbildern beeinflusster Western.*

Die Goldsucher von Arkansas (1964) DT: Die Goldsucher von Arkansas; ET: Massacre at Marble City; **IT:** Alla conquista dell'Arkansas; **ST:** Sangre en la pradera; **FT:** Les chercheurs d'or de l'Arkansas; **HL:** Deutschland/Frankreich/Italien (Constantin Film Produktion GmbH – München/Rapid Film – München/S.N.C. – Société Nouvelle de Cinématographie – Paris/Metheus Film – Rom); **DEA:** 20.11.64; **DL:** 98; **FSK:** 12; **P:** Wolf C. Hartwig, Mario Siciliano; **R:** Paul Martin, Alberto Cardone; **B:** Herbert Reinecker, Werner P. Zibaso, Hans Billian, Nino Scolaro (**I:** Friedrich Gerstäcker, »Die Regulatoren von Arkansas«); **K:** Jan Stallich (Ultrascope – Eastmancolor); **M:** Heinz Gietz, Francesco De Masi; **S:** »Viel Gold und kein Freund« – gesungen von Rolf Paulsen; »Non sparate sul cantante«; **DO:** Tschechoslowakei; **D:** Mario Adorf, Brad Harris, Horst Frank, Dieter Borsche, Marianne Hoppe, Thomas Alder, Olga Schoberova, Ralf Wolter, Dorothee Parker, Philippe Lemaire, Fulvia Franco, Josef Egger, Sergé Marquand, Jaroslav Roszival, Jan Divis, Carla Calò; **I:** Nach Friedrich Gerstäckers »Regulatoren von Arkansas« erzählt dieser Film die Geschichte eines Goldgräbertrecks. *Früher deutscher Western aus der Blütezeit der Karl-May-Verfilmungen, diesmal frei nach Gerstäcker.*

Graf Bobby, der Schrecken des Wilden Westens (1965) DT: Graf Bobby, der Schrecken des Wilden Westens; HL: Österreich/Jugoslawien (Sascha Film/Avala Film); **DEA:** 5.1.66; **DL:** 92; **FSK:** 6; **P:** Mihajlo Rasic, Karl Schwetter; **R:** Paul Martin; **B:** Robert Oxford, Kurt Nachmann; **K:** Sepp Ketterer (Normal – Color); **M:** Heinz Gietz; **S:** »Johnny, one, two, three«, »Auf einmal ist alles so einfach« – gesungen von Peter Alexander; **DO:** Jugoslawien; **D:** Peter Alexander, Gunther Philipp, Olga Schoberova, Hanne Wieder, Elisabeth Markus, Vladimir Medar, Dragomir Felba, Rastko Tadic, Zika Denic, Jovan Janicijevic, Mavid Popovic; **I:** In der Pose eines Killers sichert sich Graf Bobby eine Erbschaft in Arizona. *Schlecht gemachtes, naives Westernfilmchen als Vehikel für den Österreicher Peter Alexander.*

La guerrillera de Villa (1967) ET: Villa's guerillas/The warriors of Villa; **ST:** La guerrillera de Villa; **HL:** Spanien/Mexiko (Cesáreo González Producciones Cinematográficas/Oro Films); **R:** Miguel Morayta; **B:** Fernando Galiana, Miguel Morayta; **K:** Alex Philips (Panoramico – Eastmancolor); **M:** Manuel Esperón; **D:** Julio Alemán, José Baviera, José Ángel Espinosa »Ferrusquilla«, Jaime Fernández, Enrique

García Álvarez, José Elías Moreno, Vicente Parra, Carmen Sevilla; **I:** Eine wunderschöne Sängerin verliebt sich in einen Captain aus der Armee von Pancho Villa.

Hannie Caulder (1971) DT: In einem Sattel mit dem Tod; **ET:** Hannie Caulder; **ST:** Ana Caulder; **FT:** Un colt pour trois salopards; **HL:** England/Spanien/Frankreich (Tigon British Film Productions/Curtwel Productions); **UA:** 25.12.1971; **OL:** 85; **DEA:** 4.8.72; **DL:** 85; **FSK:** 18; **P:** Robert Goodstein; **R:** Burt Kennedy; **B:** David Haft; **K:** Edward Scaife (Panavision – Technicolor); **M:** Ken Thorne; **S:** »Life's never peaceful« – gesungen von Bobby Hanna; **CD:** The Film Music of Ken Thorne Vol. 1 – Hannie Caulder (Promotional CD): 15 tracks; **DO:** Spanien (Almería); **D:** Raquel Welch, Robert Culp, Ernest Borgnine, Christopher Lee, Jack Elam, Strother Martin, Stephen Boyd; **I:** Die gnadenlose Rache einer Frau an den drei Banditen, die ihren Mann ermordet und sie brutal vergewaltigt haben. *Gut gemachter englischer Rachewestern mit Raquel Welch in der Rolle des weiblichen Rächers.*

Heiß weht der Wind (1964) DT: Heiß weht der Wind/Mein Freund Shorty; **ET:** ‚Legend of a gunfighter'; **IT:** Grido di vendetta; **ST:** Vientos ardientes; **FT:** Le ranch de la vengeance; **HL:** Deutschland/Österreich (Berolina – Berlin/Wiener Stadthalle – Wien); **DEA:** 26.11.64; **DL:** 102; **FSK:** 12; **P:** Heinz Pollak; **R:** Rolf Olsen; **B:** Donald Sharp, Paul Clydeburn; **K:** Hanns Matula (Normal – Eastmancolor); **M:** Erwin Halletz; **S:** »Barbara Day«; **DO:** Jugoslawien; **D:** Thomas Fritsch, Walter Giller, Judith Dornys, Gustav Knuth, Heidemarie Hatheyer, Peter Neusser,

Hannie Caulder

Ingrid von Bergen, Ron Randell, Rudolf Schündler, Ilse Peternell; **I:** Junger Westmann rächt mit Hilfe eines cleveren Freundes den Tod seiner Eltern. *Naiver deutscher Western mit einigen schönen Landschaftsaufnahmen im früheren Jugoslawien.*

El hijo del pistolero (1966) DT: Sohn des Revolverhelden; **ET:** Son of a gunfighter; **ST:** El hijo del pistolero; **FT:** Le fils d'un hors-la-loi; **HL:** USA/Spanien (Lester Welch Productions/Zurbano Films); **DEA:** 10.9.1965; **DL:** 90; **P:** Lester Welch, Juan Zurbano; **R:** Paul Landres; **B:** Clarke Reynolds; **K:** Manuel Berenguer (Cinemascope – Metrocolor); **M:** Frank Barber; **DO:** Spanien (Manzanares el Real); **D:** Russ Tamblyn, Kieron Moore, Fernando Rey, James Philbrook, Maria Granada, Julio Perez Tabernero, Aldo Sambrell, Antonio Casas, Barta Barri; **I:** Johnny ist auf der Fährte des Verbrechers Ketchum, der seine Mutter getötet haben soll. Später stellt sich heraus, dass Ketchum sein Vater ist und so kehren beide zu Johnnys Freundin auf eine Hacienda zurück, um sie gegen mexikanische Banditen zu verteidigen. *Halbwegs spannender, jedoch relativ unbedeutender kleiner Western von Regisseur Paul Landres.*

Die Hölle von Manitoba (1965) DT: Die Hölle von Manitoba; **ET:** Place called Glory/The desperate trail; **IT:** Sfida a Glory City; **ST:** Un lugar llamado Glory; **HL:** Deutschland/Spanien (CCC Filmkunst – Berlin/Midega Films – Madrid); **DEA:** 27.7.65; **DL:** 93; **FSK:** 12; **P:** Artur Brauner, Miguel De Echarri; **R:** Sheldon Reynolds; **B:** Fernando Lamas, Edward Di Lorenzo, Jerold Hayden Boyd; **K:** Federico G. Larraya, Teresa Alcocer (Techniscope – Eastmancolor); **M:** Ángel Arteaga; **D:** Lex Barker, Pierre Brice, Marianne Koch, Hans Nielsen, Wolfgang Lukschy, Gérard Tichy, Angel Del Pozo, Carlos Casaravilla, Jorge Rigaud, Aldo Sambrell, Santiago Ontañon, Victor Israel, Antonio Molino Rojo, Alfonso Rojas, Angel Menendez, Gaspar Gonzalez; **I:** Zwei Revolvermänner wollen sich gegen Bezahlung duellieren. Da sie im Laufe der Geschichte Freunde geworden sind, verzichten sie auf das Duell, knallen ein paar Banditen ab und reiten aus der Stadt. *Relativ langatmiger Eurowestern, der die amerikanischen Originale kopiert, jedoch »Winnetou« und »Old Shatterhand« mal anders zeigt.*

El hombre de la diligencia (1963) DT: Überfall auf Fort Yellowstone; **ET:** Fury of the Apaches/Apache fury; **IT:** La furia degli Apaches; **ST:** El hombre de la diligencia; **FT:** La furie des Apaches; **HL:** Spanien/Frankreich (P.C. Alesanco/Four Aces – Madrid/Produciones Cinematografiches Algancio); **DEA:** 12.5.64; **DL:** 81; **FSK:** 12; **P:** Tomas Cicuendez; **R:** José María Elorrieta; **B:** José María Elorrieta (**I:** Eduardo Guzmán), José Luis Navarro; **K:** Alfonso Nieva (Techniscope – Eastmancolor); **M:** Fernando García Morcillo; **DO:** Spanien (Seseña, Aranjuez, Cuenca); **D:** Frank Latimore, German Cobos, Nuria Torray, Jesús Puente, Pastor Serrador, Jorge Martín, Angel Ortiz, Al-

687

fonso De La Vega, Frank Braña, Rufino Inglés, Mariano Vidal Molina, Guillermo Vera, Julio Pérez Tabernero, Guillermo Méndez; **I:** Ein korrupter Richter und einige von ihm Verurteilte sind in einem alten Fort Indianerangriffen ausgesetzt. *Durchschnittswestern aus der Frühzeit des Genres.*

The hunting party (1971) DT: Leise weht der Wind des Todes; **ET:** Hunting party; **IT:** Il giorno dei lunghi fucili; **ST:** Caza implacable; **HL:** England/Spanien (United Artists/Brighton Pictures); **OL:** 110; **DEA:** 30.7.71; **DL:** 110; **FSK:** 18; **P:** Lou Morheim; **R:** Don Medford; **B:** William Norton, Gilbert A. Ralston, Lou Morheim (I: Gilbert A. Ralston, Lou Morheim); **K:** Cecilio Paniagua (Normal – Technicolor); **M:** Riz Ortolani; **DO:** Spanien (Almería , Alcala de Henares); **D:** Oliver Reed, Gene Hackman, Candice Bergen, Simon Oakland, Ronald Howard, Mitchel Ryan, G. D. Spradlin, Bernard Kay, Eugenio Escudero Garcia; **I:** Banditenbande wird nach der Entführung der Frau eines reichen Ranchers von diesem und seinen Helfern in einem blutigen Massaker aufgerieben. *Unglaublich brutaler Western mit Starbesetzung von Regisseur Don Medford.*

Jesuit Joe (1990) ET: Jesuit Joe; **ST:** Jesuit Joe; **FT:** Jesuit Joe; **HL:** Frankreich (Ciné Cinq/Duckster Productions/ Le Studio Canal+); **UA:** 6.11.1991; **OL:** 100; **P:** Joe H. Jaizz; **R:** Olivier Austen; **B:** Olivier Austen, Ron Base; **K:** Eric Dumage (Color); **M:** Erik Armand; **D:** Peter Tarter, John Walsh, Laurence Treil, Geoffrey Carey, Chantal DesRoches, Valerio Popesco; **I:** Zu Beginn des 20. Jahrhunderts kehrt ein Indianer-Halbblut nach West-Canada zurück, um seine verlorene indianische Vergangenheit zu suchen.

Joaquín Murieta (1964) DT: Murietta – Geißel von Kalifornien; **ET:** Murieta!; **ST:** Joaquin Murieta; **FT:** Murieta!; **HL:** Spanien/USA (Pro Artis Ibérica S.A.); **UA:** Februar 1965; **OL:** 107; **P:** Francisco Molero; **R:** George Sherman; **B:** James O'Hanlon; **K:** Miguel F. Mila (Panoramico – Eastmancolor); **M:** Antonio Pérez Olea; **S:** »Rosita«, »Corrido of Joaquin Murieta« – gesungen von Paco Michel; **DO:** Spanien; **D:** Jeffrey Hunter, Arthur Kennedy, Diana Lorys, Sara Lezana, Roberto Camardiel, Pedro Osinaga, Mike Brendell, Juan Cazalilla, David Thompson, Gonzalo Esquiroz, Julio Perez Tabernero, Francisco Braña, Fernando Villena, Hector Quiroga, Maria José Collado; **I:** Joaquín Murieta ist auf der Suche nach den Vergewaltigern und Mördern seiner Frau Rosita. Unterwegs schließt sich auch noch ein Freund, Captain Lowe, an. Das Ganze endet ziemlich tragisch.

Jonny rettet Nebrador (1953) DT: Jonny rettet Nebrador; **ET:** Jonny saves Nebrador; **HL:** Deutschland (Meteor Film GmbH); **DEA:** 24.11.53; **DL:** 95; **FSK:** 12; **P:** Heinrich Jonen; **R:** Rudolf Jugert; **B:** Werner Jörg Lüddecke (I: Karl Lerbs, Hans Tannert); **K:** Hans Schneeberger (Normal – B/W); **M:** Werner Eisbrenner; **D:** Hans Al-

bers, Margot Hielscher, Peter Pasetti, Ferdinand Anton, Trude Hesterberg, Bum Krüger, Franz Muxeneder, Ernst Legal, Rudolf Vogel; **I:** Ein alter Kauz verhindert als Doppelgänger und offizielles Double des Gouverneurs eines südamerikanischen Staates einen revolutionären Umsturz. *Früher deutscher Abenteuerfilm mit Hans Albers in der Hauptrolle.*

Der Kaiser von Kalifornien (1936) DT: Der Kaiser von Kalifornien; **HL:** Deutschland (Luis Trenker); **DEA:** 21.7.36; **DL:** 88; **FSK:** 12; **P:** Luis Trenker; **R:** Luis Trenker; **B:** Luis Trenker; **K:** Albert Benitz, Heinz Von Jaworsky (Normal – B/W); **M:** Giuseppe Becce; **DO:** USA; **D:** Luis Trenker, Viktoria Von Ballasko, Alexander Golling, Melanie Horeschowsky, Elise Aulinger; **I:** Ein großartiger Film über das Schicksal des Schweizer Buchdruckers Johann August Sutter, der 1836 aus politischen Gründen nach Amerika floh, wirtschaftlichen Erfolg hatte und zum ungekrönten Kaiser von Kalifornien wurde. *Luis Trenker drehte diesen effektvoll inszenierten und hervorragend fotografierten Film in den USA, der sich vor dem US-Pendant »Sutter's Gold« aus demselben Jahr nicht zu verstecken braucht.*

Kid Rodelo (1965) DT: Ein Mann wie Kid Rodelo; **ET:** Kid Rodelo; **ST:** Fugitivos de Yuma/Kid Rodelo; **HL:** USA/ Spanien (Trident Films/Fénix Cooperativa Cinematográfica); **UA:** 1.1.1966; **OL:** 91; **DEA:** 20.5.66; **DL:** 91; **FSK:** 16; **P:** Jack O. Lamont, Eduardo M. Brochero; **R:** Richard Carlson; **B:** Jack Natteford, Eduardo M. Brochero (I: Louis L'Amour); **K:** Manuel Merino (Panoramico – B/W); **M:** Johnny Douglas; **S:** »Love is trouble« – gesungen von Don Murray; **DO:** Alicante – Hoyo de Manzanares – Manzanares El Real – Colmenar Viejo; **D:** Don Murray, Janet Leigh, Broderick Crawford, Richard Carlson, José Nieto, Miguel Del Castilo, José Villasante, Julio Pena, Miguel Brendel; **I:** Die drei Verbrecher Kid, Joe und Link wollen sich nach ihrer Haftentlassung das gestohlene Gold sichern, werden jedoch von Nora und ihrer Bande daran gehindert, die auch hinter dem Gold her sind.

Kit und Co (1974) DT: Kit und Co – Lockruf des Goldes; **HL:** DDR (DEFA Studio für Spielfilme – Berlin); **DEA:** 20.12.74 (DDR); **DL:** 105; **P:** Dorothea Hildebrandt; **R:** Konrad Petzold; **B:** Günter Karl, Konrad Petzold (I: Jack London); **K:** Hans Heinrich; **M:** Karl-Ernst Sasse; **CD:** Wigwam, Weste(r)n, Weiße Wölfe (All Score Media ASM 008): 4 tracks; **DO:** Spanien (Alicante, Hoyo de Manzanares, Manzanares el Real, Colmenar Viejo); **D:** Dean Reed, Rolf Hoppe, Renate Blume, Manfred Krug, Armin Müller-Stahl, Siegfried Kilian; **I:** Geschichte um einen jungen Reporter, der zu den Goldsuchern aufbricht und dort aufregende Abenteuer erlebt. *DDR-Western. Sehr vergnügliche Sache.*

Land raiders (1968) DT: Fahr zur Hölle, Gringo; **ET:** Land raiders/Day of the landgrabber; **IT:** Bruciatelo vivo!; **ST:** Al infierno gringo; **HL:** USA/England/Spanien (Columbia

Pictures Corporation/Ameran Films); **OL:** 101; **DEA:** 27.6.69; **DL:** 101; **FSK:** 16; **R:** Nathan H. Juran; **B:** Ken Pettus; **K:** Wilkie Cooper (Normal – Technicolor); **M:** Bruno Nicolai; **CD:** Land raiders (Prometheus PCD128); **DO:** Spanien (Hoyo de Manzanares, Titulcia); **D:** Telly Savalas, George Maharis, Arlene Dahl, Janet Landgard, Guy Rolfe, Fernando Rey, Jocelyn Lane, Gustavo Rojo, Charles Stalnaker; **I:** Ein machthungriger Emporkömmling, der im Wilden Westen skrupellos Ländereien zusammenrafft und gegen die Apachen hetzt, macht sich seinen aufrechten Bruder zum tödlichen Feind. *Durchschnittlicher harter Western von Nathan H. Juran mit Telly Savalas in der Hauptrolle.*

Ein langer Ritt nach Eden (1971) DT: Ein langer Ritt nach Eden; **HL:** Deutschland (Günter Hendel); **DEA:** 2.8.74; **DL:** 86; **P:** Günter Hendel; **R:** Günter Hendel; **K:** Lutz Ziervogel (Normal – Color); **D:** Günter Hendel, Mike Run, Karin Heske, Ingrid Steeger, Derek Brand, Achim Hammer; **I:** Zwei Banditen, die nach einem Bankraub auf ihren Partner warten, vertreiben sich die Zeit mit brutalem Terror gegen zwei junge Quäkerehepaare. *Billig und armselig gemachter blutrünstiger Western mit einzelnen Sex-Einlagen unter der Regie von Günter Hendel.*

The last Rebel (1970) ET: The last rebel; **IT:** Il suo nome è qualcuno/L'ultimo pistolero; **HL:** England/USA (Glendenning/Orten/Spangler/U.S. Capital); **UA:** 24.9.1971; **OL:** 90; **P:** Larry Spangler; **R:** Denys McCoy, Larry Spangler; **B:** Lorenzo Sabatini; **K:** Carlo Carlini (Panoramico – Technicolor); **M:** Tony Ashton, Jon Lord; **S:** »I'm dying for you«, »Oh, Matilda« – gesungen von Ashton, Gardner & Dyke; **D:** Joe Namath, Jack Elam, Woody Strode, Ty Hardin, Victoria George, Renato Romano, Marina Coffa, Annamaria Chio, Michael Forest, Bruce Eweka, Herb Andress, Dominic Barto, Jessica Dublin; **I:** Nach dem Bürgerkrieg befreien die beiden Kumpane Hollis und Graves einen Schwarzen vom Erhängen. Die drei partizipieren an einigen Betrügereien, bis Graves es satt hat, mit einem Schwarzen zu teilen und sich mit dem gesamten Geld aus dem Staub macht.

Der letzte Mohikaner (1965) DT: Der letzte Mohikaner; **ET:** The last tomahawk; **IT:** La valle delle ombre rosse; **ST:** El ultimo Mohicano; **FT:** Le dernier des Mohicans; **HL:** Deutschland/Spanien/Italien (International Germania Film – Köln/P.C. Balcázar – Barcelona/Procusa FilmsvMadrid/Cineproduzioni Associate; **DEA:** 17.4.65; **DL:** 90; **FSK:** 12; **P:** Franz Thierry, Eduardo de la Fuente; **R:** Harald Reinl; **B:** Joachim Bartsch (**I:** James Fenimore Cooper); **K:** Ernst W. Kalinke (Techniscope – Eastmancolor); **M:** Peter Thomas; **S; CD:** Der letzte Mohikaner (BCD 16585 AH): 37 tracks; **DO:** Spanien (Almería, Cuenca); **D:** Anthony Steffen, Dan Martin, Joachim Fuchsberger, Karin Dor, Marie France, Carl Lange, Ricardo Rodriguez, Kurt Grosskurth, Stelio Candeli, Angel Ter, Francisco Braña, Mariano Alcon, Ricardo Lillo, Rafael Hernandez, Chris Huerta; **I:** Unkas und sein weißer Freund Falkenauge verteidigen zusammen mit einer Schwadron Soldaten ein von Irokesen und Banditen belagertes Fort. *Gut gemachter Reinl-Western, der Karl May näher ist als James Fenimore Cooper.*

Der letzte Ritt nach Santa Cruz (1963) DT: Der letzte Ritt nach Santa Cruz; **ET:** Last ride to Santa Cruz; **IT:** La lunga strada della vendetta; **ST:** El sheriff implacable; **FT:** La chevauchée vers Santa Cruz; **HL:** Österreich/Deutschland (Wiener Stadthalle – Wien/Magnet Film); **DEA:** 28.3.64; **DL:** 95; **FSK:** 16; **P:** Heinz Pollak, Karl Spiehs; **R:** Rolf Olsen; **B:** Herbert Reinecker; **K:** Karl Löb (Ultrascope – Eastmancolor); **M:** Erwin Halletz; **CD:** Der Schatz der Azteken/Die Pyramide des Sonnengottes (Musik Mosaik KR 001): 12 tracks; Deutsche Filmkomponisten 8 (BCD 16488 AR): 3 tracks; **DO:** Spanien (Las Palmas di Mallorca); **D:** Edmund Purdom, Mario Adorf, Marianne Koch, Klaus Kinski, Marisa Mell, Thomas Fritsch, Walter Giller, Sieghardt Rupp, Raymond Hashim, Florian Kühne, Kurt Nachmann, Martin Urtel, Edmund Harris; **I:** Ein entlassener Gangster sucht unbarmherzig mit dem Sheriff abzurechnen, der ihn einst ins Gefängnis gebracht hat. *Mäßig spannender Western von Rolf Olsen mit interessanter Besetzung.*

El Llanero (1963) ET: Jaguar; **IT:** Sfida selvaggia; **ST:** El Llanero; **FT:** Le Jaguar; **HL:** Spanien (Big-4 S.A.); **OL:** 90; **P:** Julian Esteban; **R:** Jesús Franco; **B:** Jesús Franco, Nicole David; **K:** Emilio Foriscot (Totalscope – B/W); **M:** Daniel J. White; **D:** José Suarez, Silvia Sorente, Georges Rollin, Roberto Camardiel, Manuel Zarzo, Todd Martens, Roberto Font, Marta Reves, Felix Defauce, Xan Das Bolas, Maria Vico, Beny Deus, Alicia Altabella, Elsa Zabala, Guillermo Mendez, Albertina Escobar; **I:** José Suarez ist Llanos, auch Jaguar genannt, ein Rebell, der mit einer Bande von Revolutionären in den Bergen lebt, die einen bösen General und einen Landbaron bekämpfen.

El lobo negro (1980) ST: El lobo negro; **HL:** Spanien (Lotus Films International – Madrid/Televicine S.A. – Mexico City); **UA:** 20.2.1981; **OL:** 90; **P:** Luis Mendez; **R:** Rafael Romero Marchent; **B:** Rafael Romero Marchent, Joaquín Luis Romero Marchent; **K:** Jorge Herrero (Normal – Eastmancolor); **M:** Alfonso Agullo, Carlos Villa, E. Guerin; **D:** Fernando Allende, Esperanza Roy, Lola Forner, Carlos Ballesteros, Fernando Sancho, José Maria Caffarel, José Pacheco, Alejandro DeEnciso, Frank Braña, Julian Ugarte, Luis Gaspar, Carmen Roldan, Paul Benson, Alfonso Del Real, Maria Silva, Barta Barry; **I:** Im Jahr 1846 kehrt Carlos Aceves von Spanien nach Monterey/Kalifornien zurück, um seinem Vater und dessen Freunden gegen die Invasion der amerikanischen Truppen beizustehen.

Lucky Luke (1971) DT: Lucky Luke; **ST:** Lucky Luke el intrepido; **FT:** Lucky Luke; **HL:** Frankreich/Belgien (Dargaud/Raymond Leblanc/Artistes Associés); **OL:** 76; **DEA:**

14.12.72; **DL:** 76; **FSK:** 6; **R:** René Goscinny, Morris, Pierre Tchernia; **B:** Morris, René Goscinny, Pierre Tchernia (**I:** Morris und Goscinny); **K:** François Léonar, Jean Miche (Normal – Color); **M:** Claude Bolling; **D:** Animation; **I:** Der einsame Cowboy Lucky Luke säubert ein Städtchen von Banditen und bleibt Sieger im Kampf gegen Verbrecher und Indianer. *Erster Zeichentrickfilm nach dem berühmten Comic-Heft von Morris und Goscinny.*

Lucky Luke – Les Daltons en cavale (1983) DT: Lucky Luke – Das große Abenteuer; **FT:** Lucky Luke – Les Daltons en cavale; **HL:** Frankreich/USA (Gaumont/Hanna-Barbera/Dargaud Editeur/Extra Films); **DEA:** 30.9.83; **DL:** 85; **FSK:** 6; **R:** Morris, Bill Hanna, Joe Barbera; **B:** René Goscinny, Morris, Pierre Tchernia (**I:** Morris und Goscinny); **K:** C. Alfonso Lopez, J. R. Pina (Normal – Color); **M:** Claude Bolling, Haim Saban, S. Levy; **D:** Animation; **I:** Lucky Luke auf der Jagd nach der Dalton-Bande, die mehrmals aus dem Gefängnis ausbricht, ehe sie endgültig unschädlich gemacht werden kann. *Auf Grund von vielen Szenenwiederholungen nur mäßig spannender Zeichentrickfilm.*

A man in the wilderness (1971) DT: Ein Mann in der Wildnis; **ET:** A man in the wilderness; **HL:** England (Wilderness Productions); **DEA:** 21.1.72; **DL:** 105; **FSK:** 16; **P:** Sandy Howard; **R:** Richard C. Sarafian; **B:** Jack DeWitt; **K:** Gerry Fisher (Panavision – Technicolor); **M:** Johnny Harris; **DO:** Spanien; **D:** Richard Harris, John Huston, John Bindon, Prunella Ransome, Henry Wilcoxon; **I:** Ein einzelgängerischer Pelzjäger wird beim Angriff eines Grizzlys so schwer verletzt, dass er vom Expeditionsleiter als tot aufgegeben wird, trotzdem überlebt er in der Wildnis. *Spannender Abenteuerfilm mit hervorragenden schauspielerischen Leistungen.*

Las mujeres de Jeremías (1980) DT: Vier Pastoren-Töchter; **ET:** The garden of venus; **ST:** Las mujeres de Jeremías; **HL:** Spanien/USA (Ízaro Films S.A./Producciones Esme S.A.); **UA:** 5.2.1981; **OL:** 98; **DL:** 80; **P:** Carlos Vasallo; **R:** Ramón Fernández; **B:** Alfredo Mañas; **K:** Fernando Arribas (Panoramico – Color); **M:** Renato Serio; **DO:** Mexiko (Durango); **D:** María José Cantudo, Chuck Connors, John Ireland, Andrés García, Michael Conrad, Enrique Novi, Erika Carlson, Carlos Nieto, María Montecarlo, Mike Moroff; **I:** Weil Jeremiah ein Bordell, das er erbte, nicht verkaufen will, wird er von einem Rancher ermordet. Seine Frau und Töchter bekämpfen den bösen Rancher und seine Bande von Revolvermännern.

Ninguno de los tres se llamaba Trinidad (1972) ET: None of the three were called Trinity; **IT:** I magnifici tre di Trinità; **ST:** Ninguno de los tres se llamaba Trinidad; **HL:** Spanien (IFI Producción); **UA:** 10.1.1973; **OL:** 83; **P:** Ignacio F. Iquino; **R:** Pedro Luis Ramírez; **B:** Ignacio F. Iquino, Juliana San José De La Fuente; **K:** Antonio L. Ballesteros (Panoramico – Eastmancolor); **M:** Enrique Escobar; **S:** »But

you might fall in love« – gesungen von John Campbell; **D:** Daniel Martin, Fanny Grey, Margit Kocsis, Chris Huerta, Ricardo Palacios, Tito García, Gustavo Re, Manuel Barrios, Manuel Bronchud, Judy Collins, Gaspar Gonzalez, Juan Torres, Miguel Muniesa, Jarque Zurbano, Juan Fernandez; **I:** Ein Mann wird fälschlicherweise für einen Bankräuber gehalten und muss seine Unschuld beweisen, bevor er sich auf die Jagd nach den wahren Tätern machen kann.

Old Shatterhand (1963) DT: Old Shatterhand; **ET:** Apaches last battle; **IT:** La battaglia di Fort Apache; **ST:** La última batalla de los Apaches; **FT:** Les cavaliers rouges; **HL:** Deutschland/Italien/Frankreich (CCC Filmkunst – Berlin/Serena Film (1955)/Critérion Film – Paris/Avala Film – Beograd); **DEA:** 30.4.64; **DL:** 121; **FSK:** 12; **P:** Artur Brauner, Georg M. Reuther; **R:** Hugo Fregonese; **B:** Ladislas Fodor (**I:** Karl May); **K:** Siegfried Hold (Superpanorama MCS 70 – Eastmancolor); **M:** Riz Ortolani; **S:** »Die Stunde kam«; **CD:** Wilder Westen – Heißer Osten (BCD 16413-5&6 HL): 42 tracks; Old Shatterhand (Cobra Records CR 002): 21 tracks; **DO:** Jugoslawien; **D:** Lex Barker, Pierre Brice, Guy Madison, Daliah Lavi, Rik Battaglia, Ralf Wolter, Bill Ramsey, Gustavo Rojo, Kitty Matern, Charles Fawcett, Mirko Ellis, Nicol Popovic, Tom Putzgruber, Jim Burke, Alain Tissier, Gojko Mitic; **I:** Old Shatterhand vermittelt zwischen Apachen und Weißen, die von landhungrigen uniformierten und zivilen Verbrechern hintergangen werden. *Der aufwändigste aller Winnetou-Filme, diesmal inszeniert von Hollywood-Veteran Hugo Fregonese.*

Old Surehand – 1. Teil (1965) DT: Old Surehand – 1. Teil; **ET:** Flaming frontier; **IT:** Surehand (Mano veloce); **ST:** El justiciero de Kansas; **FT:** Massacre à la frontière; **HL:** Deutschland/Jugoslawien (Rialto Film Preben Philipsen – Berlin/Jadran Film – Zagreb); **DEA:** 14.12.65; **DL:** 90; **FSK:** 16; **P:** Horst Wendlandt; **R:** Alfred Vohrer; **B:** Eberhard Keindorff, Johanna Sibelius (**I:** Karl May, »Old Surehand«); **K:** Karl Löb (Ultrascope – Eastmancolor); **M:** Martin Böttcher; **CD:** Wilder Westen – Heißer Osten

Old Surehand – 1. Teil

(BCD 16413-3&4 HL): 26 tracks; Die Karl May Kollektion von Martin Böttcher IV (Musik Mosaik/D TCS 109-2): 9 tracks; Original Karl May Filmmelodien 2 (Polydor 521013-2): 2 tracks; **DO:** Jugoslawien; **D:** Stewart Granger, Pierre Brice, Mario Girotti, Larry Pennell, Letitia Roman, Paddy Fox (Milan Srdoc), Erik Schumann, Wolfgang Lukschy, Jelena Jovanovic, Hermina Pipinic, Bata Zivojinovic, Dusko Janicijevic, Dusan Antonijevic, Vladimir Medar; **I:** Die Freunde Old Surehand und Winnetou im Kampf gegen eine Gruppe weißer Banditen, die es auf eine Goldmine abgesehen haben. *Der letzte von drei Winnetou-Filmen, in denen Stewart Granger als Old Surehand zu sehen war.*

Der Ölprinz (1965) DT: Der Ölprinz; ET: Rampage at Apache Wells; IT: Danza di guerra per Ringo; ST: El asalto de los Apaches; **HL:** Deutschland/Jugoslawien (Rialto Film Preben Philipsen – Berlin/Jadran Film); **DEA:** 25.8.65; **DL:** 91; **FSK:** 12; **P:** Horst Wendlandt; **R:** Harald Philipp; **B:** Fred Denger, Harald Philipp (I: Karl May, »Der Ölprinz«); **K:** Heinz Hölscher (Ultrascope – Eastmancolor); **M:** Martin Böttcher; **CD:** Wilder Westen – Heißer Osten (BCD 16413-3&4 HL): 25 tracks; Die Karl May Kollektion von Martin Böttcher III (Musik Mosaik/D TCS 108-2): 10 tracks; Original Karl May Filmmelodien (Polydor 511881-2): 3 tracks; **DO:** Jugoslawien; **D:** Stewart Granger, Pierre Brice, Walter Barnes, Harald Leipnitz, Macha Meril, Antje Weisgerber, Mario Girotti, Heinz Erhardt; **I:** Winnetou und Old Surehand bewahren einen Siedlertreck vor den Nachstellungen eines betrügerischen Geschäftsmannes. *Winnetou-Film mit Stewart Granger als Old Surehand.*

Osceola (1971) DT: Osceola – Die rechte Hand der Vergeltung; IT: Un uomo chiamato Volpe Bianca; **HL:** DDR/Bulgarien/Kuba (DEFA-Studio für Spielfilme – Berlin/Kino-Zentrum – Sofia/ICAIC (Havanna); **DEA:** 26.6.71 (DDR); **DL:** 109; **FSK:** 12; **P:** Dorothea Hildebrandt; **R:** Konrad Petzold; **B:** Günter Karl, Walter Püschel; **K:** Hans Heinrich (Totalscope – OrwoColor); **M:** Wilhelm Neef; **S:** ‚Die playgirls in der Yankee-Bar‘, ‚Florida‘ gesungen von Bianca Cavallini; **CD:** Wigwam, Weste(r)n, Weiße Wölfe (All Score Media ASM 008): 6 tracks; **DO:** Kuba, Bulgarien; **D:** Gojko Mitic, Horst Schulze, Iurie Darie, Karin Ugowski, Iskra Radeva, Monika Woytowicz, Gerry Wolff, Wolfgang Greese, Bruno Carstens; **I:** Der Kampf der Seminolen um ihre Stammesgebiete gegen die Expansionsgelüste der weißen Farmer und Plantagenbesitzer Floridas. *DDR-Western.*

Outlaw justice (1998) ET: Outlaw justice/The long kill; ST: La justicia de los forajidos; **HL:** USA/Spanien (Once Upon a Time Films – Los Angeles/Enrique Cerezo Producciones Cinematográfica S.A. – Madrid); **UA:** 24.1.1999; **OL:** 94; **P:** Stanley M. Brooks; **R:** Bill Corcoran; **B:** Gene Quintano; **K:** Federico Ribes (Panoramico – Eastmancolor); **M:** Jay Gruska; **DO:** Spanien (Almería); **D:** Willie Nelson, Kris Kristofferson, Travis Tritt, Waylon Jennings, Danny Sullivan, Sancho Gracia, Jonathan Banks, Simón Andreu, Jorge Bosso, Aldo Sambrell, Bill Holden; **I:** Einige Freunde einer ehemaligen Bande schließen sich zusammen, um nach Mexiko zu gehen und dort den Tod eines ihrer Freunde zu rächen.

Pampa salvaje (1966) DT: Die Verfluchten der Pampas; ET: Savage Pampas; IT: El cjorro; ST: Pampa salvaje; FT: Pampa sauvage; **HL:** Spanien/USA/Argentinien (Producciones Jaime Prades/Samuel Bronston International S.A. – USA/D.A.S.A. – Argentinien); **DEA:** 29.7.66; **DL:** 121; **FSK:** 18; **P:** Jaime Prades; **R:** Hugo Fregonese; **B:** John Melson, Hugo Fregonese (I: Homero Manzi, Ulises Petit De Murat, »Pampa Salvaje«); **K:** Manuel Berenguer (Superpanorama MCS 70 – Eastmancolor); **M:** Waldo De Los Rios; **D:** Robert Taylor, Ty Hardin, Ron Randell, Marc Lawrence, Laya Raki, Rosenda Monteros, Dieter Eppler, Ingrid Ohlenschläger, Angel Del Pozo, Felicia Roc, Charles Fawcett, Henry Avila, José Jaspe, Julio Peña, Laura Granados, José Nieto, Willie Ellie; **I:** Um die Desertion argentinischer Soldaten in der Pampa zu stoppen, sollen Frauen auf ein Fort gebracht werden. Die Schwierigkeiten des heiklen Transports werden durch Kämpfe zwischen Soldaten und Deserteuren verstärkt. *In Argentinien gedrehter Abenteuerwestern von Hugo Fregonese.*

Los pistoleros de Casa Grande (1964) DT: Pulverdampf in Casa Grande; ET: Gunfighters of Casa Grande; IT: I pistoleros di Casa Grande; ST: Los pistoleros de Casa Grande; FT: Les hors-la-loi de Casa Grande; **HL:** Spanien/USA (Tecisa – Madrid/Gregor Production – USA); **UA:** 1.4.1964; **OL:** 90; **DEA:** 1.5.64; **DL:** 90; **FSK:** 12; **P:** Lester Welch, Sam X. Arbabanel; **R:** Roy Rowland; **B:** Clarke Reynolds, Bordon Chase, Patricia Chase (I: Borden Chase, Patricia Chase); **K:** José F. Aguayo, Manuel Merino (Cinemascope – Technicolor); **M:** Johnny Douglas; **DO:** Spanien; **D:** Alex Nicol, Jorge Mistral, Steve Rowland, Dick Bentley, Mercedes Alonso, Maria Granada, Aldo Sambrell, Diana Lorys, Phil Posner; **I:** Ein skrupelloser Bandit in der Maske eines biederen Farmers versucht, seine Nachbarn um ihr Vieh zu betrügen. *Unterhaltsamer früher US-spanischer Western von Roy Rowland.*

Posse (1993) DT: Posse – die Rache des Jessie Lee; ET: Posse; **HL:** England/USA (PolyGram Filmed Entertainment/Working Title Films); **UA:** 14.5.1993; **OL:** 111; **DEA:** 26.8.93; **DL:** 110; **FSK:** 16; **P:** Preston L. Holmes, Jim Steele; **R:** Mario Van Peebles; **B:** Sy Richardson, Dario Scardapane; **K:** Peter Menzies Jr. (Panavision – Technicolor); **M:** Michel Colombier; **DO:** USA; **D:** Mario Van Peebles, Stephen Baldwin, Charles Lane, Tom »Tiny« Lister Jr., Big Daddy Kane, Billy Zane, Blair Underwood, Melvin Van Peebles, Woody Strode; **I:** Eine Bande von Schwarzen und einem Weißen flieht Ende des 19. Jahrhunderts mit einem Goldschatz vor einer Killer-Brigade in eine schwarze Westernkommune, wo es zum Showdown kommt. *Ein von Mario Van Peebles im Italo-Stil gedrehter Blaxploitation-Western.*

Potato Fritz (1975) DT: Potato Fritz/Zwei gegen Tod und Teufel; ET: Potato Fritz; ST: Masacre en Condor Pass; HL: Deutschland (Produktion Filmverlag); DEA: 6.5.76; DL: 94; FSK: 12; P: Peter Schamoni; R: Peter Schamoni; B: Paul Hengge; K: Wolf Wirth (Normal – Eastmancolor); M: Anton Dvořák, Udo Jürgens; S: »He's a friend of mine (The ballad of Potato Fritz)« – gesungen von David Hess DO: Spanien (Almería); D: Hardy Krüger, Stephen Boyd, Anton Diffring, Friedrich Von Ledebur, David Hess, Arthur Brauss, Luis Barboo, Diana Körner, Dan van Husen; I: Ein ehemaliger Captain der US-Armee hört für eine Weile auf, seine Kartoffeln anzubauen, um einer Verbrecherbande das Handwerk zu legen. *Weitgehend spannungsloser deutscher Western von Peter Schamoni.*

Präriejäger in Mexiko (1988) DT: Präriejäger in Mexiko; HL: DDR (DEFA-Studio für Spielfilme – Berlin); DEA: 25.12.88 (TV) DL: 176; R: Hans Knötzsch; B: o.A. (I: Karl May »Das Waldröschen«); K: Horst Hardt (Normal – Color); M: Karl-Ernst Sasse; CD: Der Scout/Präriejäger in Mexiko (Cobra Records CR 007): 7 tracks; Wigwam, Weste(r)n, Weiße Wölfe (All Score Medie ASM 008): 1 track; DO: Turkmenistan – Rumänien; D: Gojko Mitic, Koljo Dontschev, Andreas Schmidt-Schaller, Djoko Rosic; I: Drei Präriejäger schlagen sich auf die Seite von Benito Juarez, um für ihn gegen die Vorherrschaft der Franzosen zu kämpfen. *DDR-Western in zwei Teilen (Teil 1: Benito Juarez, Teil 2: Geierschnabel) nach Motiven von Karl May.*

El proscrito del río Colorado (1965) ET: Outlaw of Red River; IT: Django killer per onore; ST: El proscrito del río Colorado; FT: Django le proscrit; HL: Spanien (Fénix Cooperativa Cinematográfica); OL: 98; P: Arturo Marcos, Eduardo Manzanos; R: Maury Dexter; B: Eduardo M. Brochero; K: Manuel Merino (Panoramico – Eastmancolor); M: Manuel Parada; D: George Montgomery, Elisa Montes, José Nieto, Jesus Tordesillas, Miguel Del Castillo, Ana Custodio, Ricardo Valle, José Villasante, Carmen Porcel, Francisco Braña, Rafael Vaquero, Juana Ramirez; I: Fälschlich des Mordes an seiner Frau beschuldigt, flieht Reese O'Brien nach Mexiko, wo er auf der Ranch von General Miguel Camargo arbeitet. Im Laufe der Geschichte findet er die wahren Mörder und rechnet mit ihnen ab.

Die Pyramide des Sonnengottes (1965) DT: Die Pyramide des Sonnengottes; ET: Pyramid of the Sun God; IT: I violenti di Rio Bravo; ST: Cumbres de violencia; FT: Les mercenaires du Rio Grande; HL: Deutschland/Italien/Frankreich (CCC Filmkunst – Berlin/Serena Film (1955)/Franco London Film – Paris/Avala Film – Beograd); DEA: 17.4.65; DL: 98; FSK: 12; P: Artur Brauner; R: Robert Siodmak; B: Ladislas Fodor, Robert A. Stemmle, Georg Marischka (I: Karl May, »Die Pyramide des Sonnengottes«); K: Sieg-

fried Hold (Cinemascope – Color); M: Erwin Halletz; CD: Wilder Westen – Heißer Orient (BCD 16413-7&8 HL): 7 tracks; Der Schatz der Azteken/Die Pyramide des Sonnengottes (Musik Mosaik KR 001): 7 tracks; Deutsche Filmkomponisten 8 (BCD 16488 AR): 2 tracks; DO: Jugoslawien; D: Lex Barker, Michele Girardon, Gerard Barry, Hans Nielsen, Rik Battaglia, Gustavo Rojo, Teresa Lorca, Ralf Wolter, Kelo Henderson, Alessandra Panaro; I: Dr. Sternau besteht in dem geheimnisvollen Aztekenland weitere Abenteuer mit Banditen und Indianern. *Leider weniger gelungene Karl-May-Verfilmung des Hollywood-erfahrenen Regisseurs Robert Siodmak.*

Ramsbottom rides again (1956) ET: Ramsbottom rides again; HL: England (Jack Hylton Productions); OL: 92; P: John Baxter; R: John Baxter; B: Arthur Askey, John Baxter, Glenn Melvyn, Geoffrey Orme, Basil Thomas; K: Arthur Grant; M: Billy Trenent; S: ‚Ride ride again' gesungen von Frankie Vaughn, ‚This is the night' gesungen von Shani Wallis & Frankie Vaughn; D: Arthur Askey, Glenn Melvyn, Sid James, Shani Wallis, Frankie Vaughan, Betty Marsden, Jerry Desmonde, Sabrina, Danny Ross; I: Ein englischer Pub-Besitzer erbt von seinem Großvater eine Ranch in Arizona. Nachdem er mit seiner Familie dort angekommen ist, erwarten ihn Probleme in Form einer brutalen Verbrecherbande.

Los rebeldes de Arizona (1970) ET: The rebels of Arizona; ST: Los rebeldes de Arizona; FT: Les desperados de l'Arizona; HL: Spanien (Procensa Films – Madrid / Navas de Tolosa – Madrid); OL: 88 (2422 m); P: Rafael Duran; R: José Maria Zabalza; B: José Maria Zabalza; K: Leopoldo Villaseñor; M: Ana Satrova; DO: Spanien; D: Charles Quiney, Claudia Gravy, Miguel de la Riva, José Truchado, Enrique Navarro, Luis Induni, Dianik Zurakowska; I: Ein Kopfgeldjäger hilft einer jungen Witwe in ihrem Kampf gegen einen bösen Tyrannen.

Relevo para un pistolero (1964) ET: Shoot to kill; ST: Relevo para un pistolero; HL: Spanien (Atlántida Films S.A. – Madrid/José Frade Producciones Cinematográficas, S.A.); OL: 95; P: José Luis Jerez Aloza, Arturo Gonzalez; R: Ramón Torrado; B: Ramón Torrado (I: Luis Gaspar, Antonio Gimenez Escribano); K: Ricardo Torres (Cinemascope – B/W); M: Daniel Montorio; DO: Spanien; D: Alex Nicol, Luis Dávila, Silvia Solar, Laura Granados, Esperanza Roy, Alfonso Rojas, Rogelio Madrid, Xan das Bolas, Rafael Albaicín, Francisco Sanz, Antonio Jiménez Escribano, José Sepúlveda, Josefina Serratosa, Lorenzo Robledo, Juan Cortés, Aldo Sambrell; I: Ein Fremder aus Boston taucht in Arizona auf und stellt eine Menge Fragen zu Banküberfällen und einen Bankräuber namens Relampago Harris, der diese Überfälle Jahre vorher beging.

○ **Return of the seven (1966)** DT: Die Rückkehr der glorreichen Sieben; ET: Return of the seven; ST: El regreso de los siete magníficos; FT: Le retour des sept; HL: USA/

Spanien (The Mirisch Corporation – Los Angeles/C.B. Films – Madrid); **UA:** 19.10.1966; **OL:** 95; **DEA:** 7.4.67; **DL:** 86; **FSK:** 12; **P:** Walter Mirisch; **R:** Burt Kennedy; **B:** Burt Kennedy; **K:** Paul Vogel (Panavision – De Luxe); **M:** Elmer Bernstein; **CD:** Return of the seven (MGM); **DO:** Spanien; **D:** Yul Brynner, Robert Fuller, Julián Mateos, Warren Oates, Claude Akins, Elisa Montés, Fernando Rey, Emilio Fernández, Virgilio Teixeira, Rodolfo Acosta, Jordan Christopher; **I:** Chris und sechs weitere Revolverhelden helfen den Frauen eines kleinen mexikanischen Dorfes, ihre gekidnappten Männer zu befreien und die Terrorbande zu vernichten. *Als spanische Ko-Produktion gedrehte erste Fortsetzung des erfolgreichen Originals, diesmal inszeniert von Western-Profi Burt Kennedy und nochmals mit Yul Brynner.*

Ruf der Wildgänse (1961) DT: Ruf der Wildgänse; ET: Call of the wild geese; **HL:** Österreich/Kanada (Wiener Mundus – Wien/Heimartfilm – Toronto); **DEA:** 22.9.61; **DL:** 91; **FSK:** 12; **R:** Hans Heinrich; **B:** Per Schwenzen (I: Martha Ostenso); **K:** Walter Tuch (Normal – Color); **M:** Rolf A. Wilhelm; **DO:** Kanada; **D:** Ewald Balser, Heidemarie Hatheyer, Marisa Mell, Gertraud Jesserer, Brigitte Horney, Horst Janson, Hans H. Neubert, Adolf Teiche; **I:** Ein Abenteuerfilm über das Leben in der kanadischen Wildnis des 19. Jahrhunderts. *Kleiner in der Weite der kanadischen Wildnis gedrehter österreichischer Abenteuerfilm.*

Ruf der Wildnis (1972) DT: Ruf der Wildnis; ET: Call of the wild; **IT:** Il richiamo della foresta; **ST:** La selva blanca; **FT:** L'appel de la fôret; **HL:** Deutschland/Spanien/Italien/Frankreich (CCC Filmkunst – Berlin/Izaro Films – Madrid/Oceania Produzioni Internazionali Cinematografiche/Universal Productions France – Paris/Massfilms – London); **DEA:** 29.12.72; **DL:** 103; **FSK:** 6; **P:** Artur Brauner, Harry Alan Towers; **R:** Ken Annakin; **B:** Hubert Frank, Tibor Reves; **K:** John Cabrera (Panoramico – Eastmancolor); **M:** Carlo Rustichelli; **D:** Charlton Heston, Raimund Harmstorf, Michèle Mercier, George Eastman, Maria Rohm; **I:** Die Geschichte eines Schäferhundes, der sich zum Führer eines Wolfsrudels wandelt, in Verbindung

mit den Abenteuern zweier Männer zur Zeit des Goldrausches in Alaska. *Mittelmäßige Jack-London-Verfilmung von Regisseur Ken Annakin.*

Rustlers' Rhapsody (1984) DT: Rhapsodie in Blei; **ST:** Esos locos cuatreros; **HL:** USA/Spanien (Paramount Pictures Corporation/Impala S.A./Tesauro S.A.); **OL:** 90; **DEA:** 26.7.85; **DL:** 89; **FSK:** 12; **P:** David Giler, Walter Hill; **R:** Hugh Wilson; **B:** Hugh Wilson; **K:** José Luis Alcaine (Panoramico – Eastmancolor); **M:** Steve Dorff; **DO:** Spanien (Almería, Manzanares el Real); **D:** Tom Berenger, Patrick Wayne, G.W. Bailey, Marilu Henner, Andy Griffith, Fernando Rey, Charly Bravo, Jim Carter, Sela Ward, Brant Von Hoffman, Christopher Malcolm; **I:** Ein singender Cowboy gerät in allerlei genreübliche Situationen wie damals Tom Mix oder Gene Autrey. *Wenig gelungene Mischung aus Italo-Western und dem »singenden Cowboy der 30er Jahre«-Genre.*

Der Schatz der Azteken (1965) DT: Der Schatz der Azteken; ET: Treasure of the Aztecs; **IT:** I violenti di Rio Bravo; **ST:** Cumbres de violencia; **FT:** Les mercenaires du Rio Grande/Le trésor des Aztèques; **HL:** Deutschland/Italien/Frankreich (CCC Filmkunst – Berlin/Serena Film (1955)/Franco London Film – Paris); **DEA:** 4.3.65; **DL:** 99; **FSK:** 12; **P:** Artur Brauner; **R:** Robert Siodmak; **B:** Ladislas Fodor, Robert A. Stemmle, Georg Marischka (I: Karl May, »Die Pyramide des Sonnengottes«); **K:** Siegfried Hold (Cinemascope – Color); **M:** Erwin Halletz; **CD:** Wilder Westen – Heißer Orient (BCD 16413-7&8 HL): 16 tracks; Der Schatz der Azteken/Die Pyramide des Sonnengottes (Musik Mosaik KR 001): 16 tracks; Deutsche Filmkomponisten 8 (BCD 16488 AR): 3 tracks; **DO:** Jugoslawien; **D:** Lex Barker, Gerard Barray, Michèle Girardon, Rik Battaglia, Teresa Lorca, Fausto Tozzi, Gustavo Rojo, Ralf Wolter, Hans Nielsen; **I:** *Aufwändig inszenierter erster Teil des großen Mexiko-Abenteuers nach Romanen von Karl May mit Lex Barker als Dr. Karl Sternau von »Crimson Pirate«-Regisseur Robert Siodmak.*

Der Schatz im Silbersee (1962) DT: Der Schatz im Silbersee; ET: Treasure of Silver Lake; **IT:** Il tesoro del lago d'argento; **ST:** El tesoro del lago de la plata; **FT:** Le trésor du lac d'argent; **HL:** Deutschland/Jugoslawien (Rialto Film Preben Philipsen – Berlin/Jadran Film); **DEA:** 14.12.62; **DL:** 111; **FSK:** 12; **P:** Horst Wendlandt; **R:** Harald Reinl; **B:** Harald G. Petersson (I: Karl May, »Der Schatz im Silbersee«); **K:** Ernst W. Kalinke (Cinemascope – Eastmancolor); **M:** Martin Böttcher; **CD:** Wilder Westen – Heißer Orient (BCD 16413-1&2 HL): 28 tracks; Die Karl May Kollektion von Martin Böttcher I (Musik Mosaik/D TCS 106-2): 9 tracks; Deutsche Filmkomponisten 1 (BCD 16481 AR): 2 tracks; Original Karl May Filmmelodien (Polydor 511881-2): 2 tracks; Original Karl May Filmmelodien 2 (Polydor 521013-2): 2 tracks; **DO:** Jugoslawien; **D:** Lex Barker, Pierre Brice, Herbert Lom, Götz George, Karin Dor, Ralf Wolter, Eddi Arent,

Marianne Hoppe, Mirko Boman, Brank Spoljar, Milovoj Stojanovic, Slobodan Dimitrijevic, Jozo Kovacevic, Velimir Hitil; **I:** Blutsbrüder Winnetou und Old Shatterhand machen sich mit einigen weißen Freunden auf die Suche nach einem sagenhaften Goldschatz. *Der erste und gleichzeitig einer der besten aller Winnetou-Filme.*

Der Schrei der schwarzen Wölfe (1972) DT: Der Schrei der schwarzen Wölfe; **ET:** Cry of the black wolves; **IT:** Il cacciatore solitario; **ST:** El aullido de los lobos; **FT:** Le hurlement des loups; **HL:** Deutschland (Lisa Film – München); **DEA:** 5.10.72; **DL:** 89; **FSK:** 12; **P:** Günter Eulau; **R:** Harald Reinl; **B:** Kurt Nachmann (I: ‚Son of the wolf‘, Jack London); **K:** Franz X. Lederle (Normal – Eastmancolor); **M:** Gerhard Heinz; **DO:** Österreich; **D:** Ron Ely, Raimund Harmstorf, Gila von Weitershausen, Arthur Brauss, Angelica Ott; **I:** Ein Pelztierjäger streitet heldenhaft für Recht und Menschlichkeit und bleibt in harten Gefahren und Gefechten Sieger. *Mäßig spannender Jack-London-Verschnitt des Winnetou-Regisseurs Harald Reinl.*

Der Schuh des Manitu (2001) DT: Der Schuh des Manitu; **ET:** Manitou's shoe; **HL:** Deutschland (Constantin Film Produktion GmbH – München/Seven Pictures/herbX Medienproduktion GmbH); **DEA:** 19.7.01; **DL:** 84; **FSK:** 6; **P:** Michael Herbig, Michael Wolf; **R:** Michael Herbig; **B:** Alfons Biedermann, Murmel Clausen, Michael Herbig, Rick Kavanian; **K:** Stephan Schuh (Panavision – Technicolor); **M:** Ralf Wengenmayr; **S:** »Straight to Hell«, »Moon River«, »Theme for Gypsy«, »Strangers in the Night«, »Puder Rosa Bossa«, »Back to the roots«, »Ragtime city«, »Is it you«, »Superperforator«, »Lebkuchenherz«; **CD:** Der Schuh des Manitu (BMG): 31 tracks (nicht nur Musik, sondern auch Sketche); **DO:** Spanien (Almería); **D:** Michael Herbig, Christian Tramitz, Sky Dumont, Marie Bäumer, Hilmi Sözer, Rick Kavanian, Tim Wilde, Sigi Terpoorten; **I:** Die beiden Blutsbrüder Abahachi und Ranger sorgen für Gerechtigkeit im Wilden Westen. *Ultraerfolgreiche Western-Komödie auf den Spuren der Winnetou-Filme mit dem Multitalent Michael »Bully« Herbig.*

Die schwarzen Adler von Santa Fé (1964) DT: Die schwarzen Adler von Santa Fé; **ET:** Black eagle of Santa Fe; **IT:** I gringos non perdonano; **ST:** Las aguilas negras de Santa Fé; **FT:** Les aigles noirs de Santa-Fe; **HL:** Deutschland/Italien/Frankreich (Constantin Film Produktion – München/Rapid Film – München/Metheus Film/S.N.C. – Société Nouvelle de Cinématographie – Paris); **DEA:** 12.3.65; **DL:** 91; **FSK:** 12; **P:** Günter Raguse; **R:** Ernst Hofbauer, Alberto Cardone; **B:** Jack Lewis, Valeria Bonamano; **K:** Hans Jura (Ultrascope – Eastmancolor); **M:** Gert Wilden; **S:** »Kenn ein Land« – gesungen von Ronny; **CD:** Die schwarzen Adler von Santa Fe (Dolce Vita Records SK 1174): 32 tracks; Deutsche Filmkomponisten 2 (BCD 16482 AR): 3 tracks; **DO:** Spanien (Manzanares el Real); **D:** Brad Harris, Horst Frank, Joachim Hansen, Pinkas Braun, Werner Peters, Helga Sommerfeld, Edith Han-

cke, Josef Egger, Olly Schoberova, Enio Girolami, Serge Marquand, Tony Kendall, Jakie Bezard, Angel Ortiz, Lorenzo Robledo; **I:** Ein Rancher lässt seine Leute, als Soldaten verkleidet, Indianer umbringen, um die Comanchen gegen die übrigen Weißen aufzuhetzen. *Deutscher Western aus der Blütezeit der Winnetou-Filme mit dem amerikanischen Muskelprotz Brad Harris in der Hauptrolle.*

Der Scout (1983) DT: Der Scout; **HL:** DDR/Mongolei (DEFA-Studio für Spielfilme – Berlin/Mongolkino); **DEA:** 27.5.83 (DDR); **DL:** 102; **FSK:** 6; **P:** Rolf Martius, Bajarsajchangijn Mendbajar; **R:** Konrad Petzold; **B:** Konrad Petzold, Gottfried Kolditz; **K:** Otto Hanisch, Geserdshawijn Masch (Totalvision – OrwoColor); **M:** Karl-Ernst Sasse; **CD:** Der Scout/Präriejäger in Mexiko (Cobra Records CR 007): 17 tracks; Wigwam, Weste(r)n, Weiße Wölfe (All Score Media ASM 008): 3 tracks; **DO:** Mongolei; **D:** Gojko Mitic, Nazagdorshijn Bazezeg, Klaus Manchen, Milan Beli, Giso Weißbach, Jürgen Heinrich, Uwe Jellinek, Roland Seidler, Hartmut Beer, Manfred Zesche; **I:** Ein Unterhäuptling der Prärie-Indianer verdingt sich als Scout bei einer Abteilung der US-Kavallerie, um ihr die Pferdeherde zu entwenden, die die Weißen seinem Stamm gestohlen haben. *DDR-Western.*

El secreto del capitán O'Hara (1964) ET: The secret of Captain O'Hara; **IT:** Il segreto di Ringo; **ST:** Il secreto del capitán O'Hara; **HL:** Spanien (Alesanco P.C.); **UA:** 22.10.1968; **OL:** 99; **P:** Rafael Marina; **R:** Arturo Ruiz Castillo; **B:**

GERMAN COBOS
MARTA PADOVAN
M. VIDAL MOLINA
TOMAS BLANCO
RAFAEL ALBAICIN

EL SECRETO DEL
CAPITAN O'HARA

EASTMANCOLOR
CINEMASCOPE

Arturo Ruiz Castillo (I: Luis Garcia); K: Alfonso Nieva (Cinemascope – Eastmancolor); M: Manuel Moreno Buendía; D: German Cobos, Marta Padovan, Mariano Vidal Molina, Frank Braña, Charito Tejero, José Canalejas, Tomás Blanco, Jorge Vico, Angel Ter; I: Captain Richard O'Hara begleitet Mary McQueen durch Indianergebiet von St. Louis zum Fort San Antonio, wo sie Major Harvey Brooks heiraten möchte. Sie ahnt noch nichts davon, dass die beiden Männer bittere Feinde sind.

Sérénade au Texas (1958) DT: Texasmädel; ET: Serenade of Texas; IT: Texas; FT: Sérénade au Texas; HL: Frankreich (Jason Films); UA: 17.12.1958; OL: 98; DEA: 16.12.60; DL: 88; FSK: 12; P: Suzanne Goosens; R: Richard Pottier; B: Jean Ferry, Richard Pottier; K: Lucien Joulin (Normal – B/W); M: Francis López; D: René Blancard, Bourvil, Germaine Damar, Gil Delamare, Yves Deniaud, Miguel Gamy, Micheline Gary, Jacqueline Georges, Nicole Jonesco, Luis Mariano; I: Ein Angestellter aus Südfrankreich erbt Ölfelder in Texas und wird dabei zum mehrfachen Glücksbringer. *Ziemlich dünne musikalische französische Westernparodie.*

Severino (1978) DT: Severino/Der Sohn des großen Häuptlings kehrt zurück – Severino; HL: DDR/Rumänien (DEFA-Studio für Spielfilme – Berlin/Buftea Studios – Bukarest); DEA: 14.7.78 (DDR); DL: 87; FSK: TV; P: Gerrit List; R: Claus Dobberke; B: Inge Borde (I: Eduard Klein, »Severino von den Inseln«); K: Hans Heinrich (Totalvision – OrwoColor); M: Günther Fischer; DO: Rumänien (Fagaras-Gebirge); D: Gojko Mitic, Violeta Andrei, Konstantin Fugasin, Mircea Anghelescu, Emanoil Petrut, Leon Niemczyk, Helmut Schreiber, Thomas Wolff; I: Ein argentinischer Indianer kehrt nach langem Aufenthalt in der Stadt zu seinem Stamm zurück. Er stößt dort auf Misstrauen bei den eigenen Leuten und auf Feindseligkeit bei den weißen Siedlern. *DDR-Western.*

Shalako

Shalako (1968) DT: Shalako / Man nennt mich Shalako; ET: Shalako; IT: Shalako; ST: Shalako; HL: England/Spanien/Deutschland (ABC Pictures International/Palomar Pictures/CCC Filmkunst – Berlin); DEA: 26.9.68; DL: 106; FSK: 16; P: Euan Lloyd; R: Edward Dmytryk; B: James J. Griffith, Hal Hopper, Scott Finch; K: Ted Moore (Franscope – Technicolor); M: Robert Farnon; S: »Shalako«; DO: Spanien (Almería); D: Sean Connery, Brigitte Bardot, Stephen Boyd, Woody Strode, Jack Hawkins, Peter Van Eyck, Honor Blackman, Alexander Knox; I: Im Jahr 1880 verletzt eine Jagdgesellschaft aus aristokratischen Europäern ein Reservat der kriegerischen Apachen in New Mexico. Der berühmte Trapper kann einigen davon, darunter Gräfin Irina, das Leben retten. *Mäßig spannender englischer Western mit »James Bond« Sean Connery als Westernheld.*

Sheriff of Fractured Jaw (1958) DT: Sheriff wider Willen; ET: Sheriff of Fractured Jaw; IT: La bionda e lo sceriffo; ST: La rubia y el sheriff; HL: England (20th Century Fox); OL: 103; DEA: 13.3.59; DL: 103; FSK: 12; R: Raoul Walsh; B: Howard Dimsdale; K: Otto Heller (Cinemascope – DeLuxe Color); M: Robert Farnon; DO: Spanien (Hoyo de Manzanares); D: Kenneth More, Jayne Mansfield, Henry Hull, William Campbell, Bruce Cabot; I: Britischer Handelsvertreter für Sportwaffen bändigt mit ausgeprägtem Sinn für gute Manieren die streitsüchtigen Cowboys und Rothäute in dem kleinen Ort Fractured Jaw. *Sehr unterhaltsame, in Spanien gedrehte Westernkomödie von Hollywood-Veteran Raoul Walsh.*

Si quieres vivir ... dispara (1976) ET: If you shoot ...you live; ST: Si quieres vivir ... dispara; HL: Spanien (Trans Overseas Pictures); : OL: 94; P: Vicente Sacristan; R: José Maria Elorrieta; B: Manuel Sebares (I: José Maria Elorrieta); K: Emilio Foriscot (Panoramico – Eastmancolor); M: Javier Elorrieta; DO: Spanien; D: James Philbrook, Francisco Braña, Alejandro De Enciso, Paula Pattier, José Canalejas, Francisco Nieto, Rafael Cores, Antonio Almoros, Maribel Hidalgo, Clara Urbina, Maria Nevado, Dan Forest, Rafael Vaquero, José Alonso Val; I: Ein Revolverheld stellt sich auf die Seite der unschuldigen Farmer, die von einem Landbaron und dessen Bande terrorisiert werden.

Sie nannten ihn Gringo (1965) DT: Sie nannten ihn Gringo / Jagt den Gringo zur Hölle; ET: The man called Gringo; IT: Lo sceriffo non paga il sabato; ST: La ley del forastero; HL: Deutschland/Spanien (International Germania Film – Köln/Procusa Films – Madrid/Domiziana Internazionale Cinematografica); DEA: 19.3.65; DL: 87; FSK: 12; P: Alfonso Carcasona; R: Roy Rowland; B: Clarke Reynolds, Herbert Reinecker, Francisco Gonzalvez (I: Francisco Gonzalvez); K: Manuel Merino (Totalscope – Eastmancolor); M: Heinz Gietz; S: »Sie nannten ihn Gringo« – gesungen von The Rangers; DO: Spanien (Colmenar Viejo, Manzanares el Real); D: Götz George,

Daniel Martin, Alexandra Stewart, Silvia Solar, Helmut Schmid, Hugo Pimentel, Sieghardt Rupp, Pietro Tordi, Hilario Flores, Valentino Macchi, Julio César Sempere; **I:** Der schurkische Verwalter eines gelähmten reichen Ranchers dingt dessen verschollenen Sohn als Anführer einer Banditengruppe, bis ein unbeirrbarer Sheriff den Betrug entlarvt und der Sohn sein Leben für den Vater opfert. *Einigermaßen unterhaltsamer deutsch-spanischer Western aus der Blütezeit des Eurowestern.*

Siete cabalgan hacia la muerte (1980) ST: Siete cabalgan hacia la muerte; **HL:** Spanien (Golden Films Internacional); **OL:** 88; **P:** Emilio M. Larraga; **R:** José Luis Merino; **B:** José Luis Merino; **K:** Manuel H. Sanjuán (Panoramico – Eastmancolor); **M:** Alfonso Linos, José Barranco; **DO:** Spanien; **D:** Ada Rodier, George Grandson, Luis Rosillo, Luc Litleros, Asumpta Rodes, Tony Valentino, Emilio Berrio, Carlos Tristancho, Horst Gunter, Louis M. Weaves.

Los siete de Pancho Villa (1967) DT: Die Rache des Pancho Villa; ET: Treasure of Pancho Villa/Seven for Pancho Villa/The vengeance of Pancho Villa; **IT:** Ti pagherò col piombo; **ST:** Los siete de Pancho Villa; **HL:** Spanien/USA (Lacy Internacional Films/Cinemagic Inc.); **OL:** 91; **DEA:** 17.1.75; **DL:** 82; **FSK:** 16; **R:** José Maria Elorrieta; **B:** Manuel Sebares; **K:** Alfonso Nieva (Panoramico – Eastmancolor); **M:** Federico Contreras; **DO:** Spanien; **D:** John Ericson, Nuria Torray, Gustavo Rojo, Mara Cruz, Ricardo Palacios, James Philbrook, Pastor Serrador; **I:** Amerikanischer Abenteurer, der dem mexikanischen Revolutionsgeneral Pancho Villa das in den USA erbeutete Gold herbeischaffen soll, rächt an dessen Leuten den Mord an seinen Eltern. *Relativ grobschlächtig zusammengeschusterter Western von José Maria Elorrieta.*

Silent Tongue (1993) DT: Schweigende Zunge – die Rache der Götter; ET: Silent Tongue; **HL:** Frankreich/Holland/England/USA (Le Studio Canal+/Belbo Films/Mire); **DEA:** 1.12.94; **DL:** 101; **FSK:** 12; **P:** Ludi Boeken, Carolyn Pfeiffer; **R:** Sam Shepard; **B:** Sam Shepard; **K:** Jack Conroy (Normal – Color); **M:** Patrick O'Hearn; **D:** Richard Harris, Sheila Tousey, Alan Bates, River Phoenix, Dermot Mulroney, Jeri Arredondo, Tantoo Cardinal, Bill Irwin, David Shiner; **I:** In New Mexico kämpft im Jahr 1873 ein irischer Pferdehändler um seinen dem Wahnsinn nahen Sohn, der vom Geist seiner verstorbenen Frau, einem indianischen Halbblut, bedroht wird. *Unglaublich langweiliger Western von Sam Shepard mit River Phoenix in einer seiner letzten Rollen.*

Sing, Cowboy, sing (1981) DT: Sing, Cowboy, sing; HL: DDR (DEFA Studio für Spielfilme – Berlin); **DEA:** 12.6.81 (DDR); **DL:** 86; **R:** Dean Reed; **B:** Dean Reed; **K:** Hans Heinrich (Normal – Color); **M:** Karel Svoboda, Dean Reed; **D:** Dean Reed, Václav Neckář, Kerstin Beyer, Violeta Andrei, Iurie Darie, Helena Ruzičková; **I:** Zwei Cowboys im Wilden Westen, die ihr Geld mit Singen und an-

deren Jobs verdienen, helfen einem kleinen Mädchen, das seine Mutter wieder verheiraten möchte. *DDR-Western.*

The Singer not the Song (1960) DT: Sommer der Verfluchten; ET: Singer not the song; **ST:** El demonio, la carne y el perdón; **HL:** England (The Rank Organisation Film Productions – London); **UA:** 10.1.1961; **OL:** 132; **DEA:** 12.9.61; **DL:** 116; **FSK:** 16; **R:** Roy Ward Baker; **B:** Nigel Balchin (**I:** Audrey Erskine Lindop, »The singer, not the song«); **K:** Otto Heller (Cinemascope – Technicolor); **M:** Philip Green; **DO:** Spanien; **D:** Dirk Bogarde, John Mills, Mylène Demongeot, Laurence Naismith, John Bentley, Leslie French, Eric Pohlmann, Nyall Florenz, Roger Delgado, Philip Gilbert, Selma Vaz Diaz; **I:** Ein Priester bezahlt den Bekehrungsversuch an einem mexikanischen Banditen, der eine Stadt terrorisiert, mit seinem Leben. *Unterhaltsamer früher englischer Western von Roy Ward Baker.*

Die Söhne der großen Bärin (1965) DT: Die Söhne der großen Bärin / Blutgericht; **HL:** DDR (DEFA-Studio für Spielfilme – Berlin); **DEA:** 18.2.66; **DL:** 98; **FSK:** 12; **P:** Hans Mahlich; **R:** Josef Mach; **B:** Liselotte Welskopf-Henrich (**I:** Liselotte Welskopf-Henrich, »Die Söhne der großen Bärin«); **K:** Jaroslav Tuzar (Totalvision – Eastmancolor); **M:** Wilhelm Neef; **CD:** Ein Wigwam steht in Babelsberg (All Score Media ASM 002): 7 tracks; **DO:** Montenegro – Elbsandsteingebirge; **D:** Gojko Mitic, Jiři Vrstala, Rolf Römer, Hans Hardt-Hardtloff, Gerhard Rachold, Horst Jonischkan, Jozef Majercik, Jezef Adamovic, Milva Jablonsky, Hannjo Hasse, Helmut Schrade, José Lepetic, Rolf Ripperger, Brigitte Krause, Karin Beewen, Ruth Kommerell; **I:** Dieser erste DEFA-Western erzählt die Geschichte vom Kampf der Dakotas im Jahr 1876/77 gegen land- und geldgierige weiße Eindringlinge. Nach dem Roman von Liselotte Welskopf-Henrich. *DDR-Western.*

Spur des Falken (1968) DT: Spur des Falken/Brennende Zelte in den schwarzen Bergen; IT: La vendetta dei guerrieri rossi; **HL:** DDR/UdSSR (DEFA-Studio für Spielfilme – Berlin/Grusia-Film (Tbilissi); **DEA:** 12.7.68 (DDR); **DL:** 100; **FSK:** 6; **P:** Dorothea Hildebrandt; **R:** Gottfried Kolditz; **B:** Günter Karl; **K:** Otto Hanisch (Totalvision – OrwoColor); **M:** Karl-Ernst Sasse, Wolfgang Meyer; **CD:** Wigwam, Weste(r)n, Weiße Wölfe (All Score Media ASM 008): 6 tracks; **DO:** Pasanauri/Grusinien; **D:** Gojko Mitic, Hannjo Hasse, Barbara Brylská, Lali Meszchi, Rolf Hoppe, Hartmut Beer, Helmut Schreiber; **I:** Ein korrupter Bodenspekulant versucht, die Dakota zu vernichten und ihr goldreiches Land zu gewinnen, wird jedoch am Ende seiner gerechten Strafe zugeführt. *DDR-Western.*

Die Spur führt zum Silbersee (1990) DT: Die Spur führt zum Silbersee; HL: DDR (DEFA-Studio für Spielfilme – Berlin); **DEA:** 28.7.91; **DL:** 80; **R:** Günter Rätz; **B:** Günter Rätz (**I:** Karl May, »Der Schatz im Silbersee«); **D:** Animation; **I:** Winnetou und sein Blutsbruder Old Shatterhand geraten in abenteuerliche Auseinandersetzungen um eine Schatzkarte, die in die Hände eines Banditen gefallen ist. *DDR-Western. Eine ostdeutsche Puppentrickfilmproduktion nach Motiven von Karl May.*

Das Tal der tanzenden Witwen (1974) DT: Das Tal der tanzenden Witwen; ET: Valley of the Dancing Widows; ST: El valle de las viudas; HL: Deutschland/Spanien (Albatros Produktion/Maran Film/Luis Megino P.C.); DEA: 23.5.75; DL: 84; FSK: 16; P: Luis Negino; R: Volker Vogeler; B: Volker Vogeler; K: Fernando Arribas (Normal – Color); M: Carmelo A. Bernaola; DO: Spanien; D: Harry Baer, Leonie Thelen, Judith Stephen, Tilo Prückner, Chris Huerta, Audrey Allen, Jeanine Nestre, Hugo Blanco, Daniel Martin, George Rigaud; I: Eine Gruppe abgehalfterter Soldaten kehrt aus dem Bürgerkrieg nach Texas zurück, wo sie wegen ihrer Untauglichkeit von den selbstständig gewordenen Frauen nicht mehr geduldet werden. Die verfehlte Partnerschaft endet mit Giftmord und Flucht. *Ein vom Aufbau her typischer Heimatfilm im Gewande eines Western.*

Tecumseh (1972) DT: Tecumseh/Manitu vergibt seinem Sohn – Tecumseh/Tecumseh – Manitou vergißt seine Söhne/Tecumseh – Sein Gesetz heißt Tod; FT: Tecumseh; HL: DDR/UdSSR/Rumänien (DEFA-Studio für Spielfilme – Berlin)/Mosfilm – Moskau/Bucuresti – Bukarest); DEA: 1.7.72 (DDR); DL: 109; FSK: 12; P: Heinz Herrmann; R: Hans Kratzert; B: Rolf Römer, Wolfgang Ebeling, Hans Kratzert; K: Wolfgang Braumann (Totalvision – OrwoColor); M: Günther Fischer; DO: UdSSR (Halbinsel Krim), Rumänien (Karpaten), DDR (Trebbin); D: Gojko Mitic, Rolf Römer, Annekathrin Bürger, Winfried Glatzeder, Leon Niemczyk, Milan Beli, Gerry Wolff, Wolfgang Greese, Mieczyslaw Kalenik; I: Der Indianerhäuptling Tecumseh kämpft gegen das Vordringen der weißen Eroberer während des englisch-amerikanischen Krieges. *DDR-Western.*

Texas – Doc Snyder hält die Welt in Atem (1993) DT: Texas – Doc Snyder hält die Welt in Atem; HL: Deutschland (Royal-Film); DEA: 11.11.93; DL: 89; FSK: 6; R: Ralf Huettner, Helge Schneider; B: Helge Schneider, Schringo An Den Berg; K: Diethard Prengel (Normal – Color); M: Helge Schneider; DO: Deutschland (Elspe); D: Helge Schneider, Peter Thoms, Peter Berlinger, Andreas Kunze; I: Ruhrgebiets-Unternehalter Helge Schneider als Revolverheld, der von einem Widersacher verfolgt wird und seinen Bruder vorm Galgen zu retten versucht. *Nur für Helge-Schneider-Fans.*

The Texican (1966) DT: Der Mann aus Texas; ET: The Texican; IT: Ringo il Texano; ST: Texas Kid; FT: Texas Kid; HL: USA/Spanien (M.C.R. Productions/Balcázar Producciones Cinematográficas); UA: Nov. 1966; OL: 90; DEA: 2.12.66; DL: 88; FSK: 12; P: John C. Champion, Bruce Balaban; R: Lesley Selander, José Luis Espinosa; B: John

C. Champion, José Antonio De La Loma; K: Francisco Marín (Techniscope – Eastmancolor); M: Nico Fidenco; CD: Ringo il Texano/All'ombra di una colt/Per il gusto di uccidere/Dinamite Jim (RCA OST 129): 11 tracks; DO: Spanien (Esplugas de Llobregat, Fraga,Candasnos); D: Audie Murphy, Broderick Crawford, Diana Lorys, Luis Induni, Victor Israel, Antonio Casas, Antonio Peral, Antonio Molino Rojo, Aldo Sambrell; I: Jess Carlin bricht als Rächer seines ermordeten Bruders die Herrschaft eines Gewaltmenschen in Texas. *In Spanien gedrehter durchschnittlicher Western mit einstigem US-Star Audie Murphy.*

Thousand pieces gold (1990) ET: Thousand pieces of gold; HL: England/USA (Channel Four Films/Filmcat/Maverick Picture Company/American Playhouse); UA: 26.4.1991; OL: 105; P: Nancy Kelly, Kenji Yamamoto; R: Nancy Kelly; B: Anne Makepeace (I: Ruthanne Lum McCunn); K: Bobby Bukowski (Normal – Color); M: Gary Malkin; D: Beth Broderick, Kim Chan, Michael Paul Chan, Rosalind Chao, George Cheung, Chris Cooper, Ron Dorn, Dennis Dun, Chris Evans; I: Ein junges Chinesen-Mädchen, das von ihrer Familie als Sklavin an einen Saloon-Besitzer in Idaho verkauft wurde, erlangt ihre Freiheit und verliebt sich.

Tierra brutal (1961) DT: Bis aufs Blut; ET: Savage guns; ST: Tierra brutal; FT: La chevauchée des outlaws; HL: Spanien/USA – Tecisa/Capricorn Productions); UA: 1.10.1962; OL: 83; DEA: 8.3.63; DL: 83; FSK: 16; P: José G. Maesso; R: Michael Carreras; B: José Gutiérrez Maesso, Edmund Morris; K: Alfredo Fraile (Totalscope – Eastmancolor); M: Antón García Abril; DO: Spanien (Almería); D: Richard Basehart, Paquita Rico, Don Taylor, Alex Nicol, Fernando Rey, María Granada, José Nieto, Victor Israel, Xan Das Bolas, Félix Fernández, José Manuel Martín, Alfonso Rojas; I: Ehemaliger Südstaatenmajor, der nie mehr töten will, lässt sich widerstandslos auf seiner Ranch von mexikanischen Mordbanditen drangsalieren, bis er ausnahmsweise dann doch noch einmal zur Waffe greift. *Aus der Frühphase stammender durchschnittlicher Western von Michael Carreras.*

Tödlicher Irrtum (1970) DT: Tödlicher Irrtum; HL: DDR/Polen (DEFA Studio für Spielfilme – Berlin)/Kinostudio Sofia/Polskifilm); DEA: 27.6.70 (DDR); DL: 104; FSK: 6; P: Bernd Gerwin; R: Konrad Petzold; B: Günter Karl, Rolf Römer; K: Eberhard Borkmann (Totalvision – OrwoColor); M: Wilhelm Neef; CD: Wigwam, Weste(r)n, Weiße Wölfe (All Score Media ASM 008): 2 tracks; DO: DDR (Sächsische Schweiz); D: Gojko Mitic, Rolf Hoppe, Armin Mueller-Stahl, Stefan Lisewski, Rolf Ludwig, Annekathrin Bürger, Bruno Carstens, Hans Klering, Slobodan Velimirovic; I: Der Kampf der Schoschonen gegen eine rücksichtslose Bande von Verbrechern, die sich das Ölvorkommen auf dem Stammesgebiet der Indianer sichern wollen. *DDR-Western.*

Torrejón city (1962) ET: Torrejon City; ST: Torrejón City; HL: Spanien (Tyris Films); OL: 80; P: Esther Cruz; R: León Klimovsky; B: Rafael J. Salvia, Manuel Tamayo, Ramon Barreiro, José Antonio Verdugo; K: Manuel H. Sanjuán (Normal – Eastmancolor); M: Gregorio García Segura; DO: Spanien; D: Tony Leblanc, May Heatherly, Mara Lasso, Mari Begoña, Antonio Garisa, Venancio Muro, Francisco Moran, Xan Das Bolas, Beny Deus, Luis Sanchez Polack, Himilce, José Canalejas, Simon Arriaga, Antonio Peral, José Luis Zalde; I: Ein Sheriff sorgt für Recht und Ordnung in einer blühenden Stadt im Westen.

○ **A town called Hell (1971)** DT: Kein Requiem für San Bastardo/Eine Stadt nimmt Rache; ET: A town called Hell/A town called Bastard; ST: Una ciudad llamada Bastardo; FT: Les brutes dans la ville; HL: England/Spanien (Benmar Productions/Zurbano Films); UA: 27.10.1971; OL: 97; DEA: 18.5.73; DL: 94; FSK: 18; P: Benjamin Fisz; R: Robert Parrish; B: Benjamin Fisz; K: Manuel Berenguer (Franscope – Technicolor); M: Waldo De Los Rios; DO: Spanien (Daganzo, Almería); D: Telly Savalas, Robert Shaw, Stella Stevens, Fernando Rey, Martin Landau, Charlie Bravo, Aldo Sambrell, Chris Huerta; I: Zehn Jahre nach einer missglückten Revolution in Mexiko. Benito Juarez gibt die Suche nach einem legendären Führer der Aufständischen noch immer Anlass zu blutigen Auseinandersetzungen. *Konfuser, ziemlich langweiliger englischer Western mit guter Besetzung.*

Trini (1976) DT: Trini/Stirb für Zapata/Die Rache; HL: DDR (DEFA Studio für Spielfilme – Berlin); DEA: 24.7.77 (DDR); DL: 87; FSK: 12; P: Alexander Losche; R: Walter Beck; B: Margot Beichler (I: Ludwig Renn, »Stirb für Zapata«); K: Horst Hardt (Normal – Color); M: Günther Fischer; S: Titelsong gesungen von Gisela May; D: Gunnar Helm, Giso Weißbach, Dimitrina Savova, Günter Friedrich, Iwan Tomow, Michael Kann; I: Der Indianerjunge Trini erlebt den mexikanischen Befreiungskampf der Bauern mit und übernimmt als Kundschafter eine wichtige Aufgabe. *DDR-Western.*

Triumphs of a man called horse (1982) DT: Triumph des Mannes, den sie Pferd nannten; ET: Triumph of a man called horse; ST: El triunfo de un hombre llamado Caballo; HL: Spanien/USA (Hesperia Films S.A./Redwing Productions S.A./Transpacific Media Productions/Sandy Howard Productions); OL: 86; DEA: 17.3.83; DL: 82; FSK: 12; P: Derek Gibson; R: John Hough; B: Carlos Aured, Ken Blackwell, Jack De Witt; K: John Alcott, John Cabrera (Normal – Eastmancolor); M: Georges Garvarentz; DO: Spanien; D: Richard Harris, Michael Beck, Ana De Sade, Vaughn Armstrong, Anne Seymour, Buck Taylor, Lautaro Murúa, Simón Andreu, Roger Cudney, Jerry Gatlin, John Davis Chandler, Miguel Ángel Fuentes, Sebastian Ligarde; I: Der Sohn des weißen Indianers John Morgan, Koda, übernimmt nach Johns Tod die Aufgabe, seinen Stamm gegen eine Bande von landgierigen Banditen zu verteidigen. *Dritter Teil des erfolgreichen Indianerwesterns mit Richard Harris, der in diesem Teil seine Hauptrolle an Michael Beck abgibt, ist leider nicht auf der Höhe des Originals.*

Tschetan, der Indianerjunge (1972) DT: Tschetan, der Indianerjunge; ET: Tschetan, Indian Boy; FT: Tschetan l'indien; HL: Deutschland (Filmverlag der Autoren); DEA: 22.6.73; DL: 94; FSK: 6; P: Hark Bohm; R: Hark Bohm; B: Hark Bohm; K: Michael Ballhaus (Normal – Color); M: Peer Raben; DO: Deutschland (Achental); D: Marquard Bohm, Dschingis Bowakov, Willy Schultes, Erich Dolz, Edy Hendorfer, Bembe Bowakov, Horst Schram, Hildegard Friedel; I: Ein alter Schäfer befreit einen Indianerjungen und versucht, ihn zur Mitarbeit zu drängen. Ganz langsam kommen sich die beiden, trotz vieler Hindernisse, näher. *Kleiner, ruhiger, im Achental gedrehter Indianerfilm ohne Höhepunkte.*

La tumba del pistolero (1964) ET: Grave of the gunfighter; IT: Attento Gringo… ora si spara; ST: La tumba del pistolero; FT: Les pistoleros; HL: Spanien (Fénix C.C.); UA: 21.11.1964; OL: 80; R: Amando De Ossorio; B: Amando De Ossorio, H. S. Valdés (I: Amando De Ossorio); K: Miguel F. Mila (Superscope – B/W); M: Daniel J. White; DO: Spanien (Hoyo de Manzanares, Manzanares el Real); D: George Martin, Mercedes Alonso, Jack Taylor, Silvia Solar, Luis Induñi, Todd Martens, Joaquín Pamplona, José Marco, Alfonso De La Vega, Angel Ortiz, Tito García, Francisco Braña, Aldo Sambrell, Lorenzo Robledo; I: Ein ehemaliger Kopfgeldjäger hat sich mit seiner Familie auf eine Farm nach Laramie zurückgezogen. Leider holt ihn dort seine Vergangenheit ein und er ist gezwungen, wieder zu seinem Colt zu greifen, um seine Familie zu beschützen.

Tumba para un forajido (1965) ET: Grave for a stranger; IT: Tomba per uno straniero; ST: Tumba para un forajido; HL: Spanien (Constelación C.C.); OL: 74; R: José Luis Madrid; B: José Luis Madrid, Antonio Gimenez Escribano (I: José Luis Madrid); K: Julio Pérez De Rozas (Panoramico – B/W); M: Federico Martínez Tudó; DO: Spanien; D:

Luis Davila, Miguel De La Riva, Antonio Gimenez Escribano, Marta Flores, Emilio Gonzalez, Patricia Loran.

Ulzana (1974) DT: Ulzana, der unbesiegbare Häuptling/Ulzana/Der letzte Kampf der Apachen – Ulzana; HL: DDR/Rumänien/UdSSR (DEFA-Studio für Spielfilme – Berlin/Buftea Studios – Bukarest /Mosfilm – Moskau); DEA: 17.5.74 (DDR); DL: 95; FSK: 12; P: Dorothea Hildebrandt; R: Gottfried Kolditz; B: Gottfried Kolditz, Gojko Mitic; K: Helmut Bergmann (Totalvision – OrwoColor); M: Karl-Ernst Sasse; CD: Wigwam, Weste(r)n, Weiße Wölfe (All Score Media ASM 008): 3 tracks; DO: Usbekistan, Burzenland; D: Gojko Mitic, Renate Blume, Rolf Hoppe, Colea Rautu, Amza Pellea, Fred Delmare, Alfred Struwe, Dorel Jacobescu, Dinu Gherasiu, Dan Sandulescu, Hannjo Hasse, Werner Diersel, Fritz Mohr, Paul Berndt, Klaus Gehrke, Holger Eckert, Walter Wickenhäuser; I: Zeitlich an den Film »Apachen« anknüpfender Western um den Überlebenskampf der Mimbreno-Apachen nach dem Krieg zwischen Mexiko und den USA in den Jahren 1846–1848. *DDR-Western.*

Unter Geiern (1964) DT: Unter Geiern; ET: Frontier Hellcat/Among vultures; IT: Là dove scende il sole; ST: Los buitres; FT: Parmi les vautours; HL: Deutschland/Italien (Atlantisfilm/S.N.C. – Société Nouvelle de Cinématographie – Paris/Jadran Film – Zagreb); DEA: 8.12.64; DL: 101; FSK: 12; P: Horst Wendlandt; R: Alfred Vohrer; B: Eberhard Keindorff, Johanna Sibelius (I: Karl May); K: Karl Löb (Cinemascope – Eastmancolor); M: Martin Böttcher; CD: Wilder Westen – Heißer Orient (BCD 16413-1&2 HL): 24 tracks; Die Karl May Kollektion von Martin Böttcher II (Musik Mosaik/D TCS 107-2): 11 tracks; Deutsche Filmkomponisten 1 (BCD 16481 AR): 1 track; Original Karl May Filmmelodien (Polydor 511881-2): 2 tracks; Original Karl May Filmmelodien 2 (Polydor 521013-2): 3 tracks; DO: Jugoslawien; D: Stewart Granger, Pierre Brice, Elke Sommer, Götz George; I: Winnetou und Old Surehand im Kampf gegen die berüchtigte Geierbande im Grenzgebiet von New Mexico und Texas. *Früher Winnetou-Film mit dem erstmalig auftretenden Stewart Granger in der Rolle des Old Surehand.*

La venganza del lobo negro (1980) ET: Revenge of the black wolf; ST: La venganza del lobo negro/Duelo a muerte; HL: Spanien (Lotus Films Internacional); OL: 92; P: Luis Mendez; R: Rafael Romero Marchent; B: Rafael Romero Marchent, Joaquín Luis Romero Marchent; K: Jorge Herrero (Normal – Color); M: Alfonso Agullo, Carlos Villa, E. Guerin; DO: Spanien; D: Fernando Allende, Esperanza Roy, Alvaro De Luna, Carlos Ballesteros, Lola Forner, Maria Silva, Christian Bach, Fernando Sancho, José Maria Caffarel, Alfonso Del Real, Eduardo Calvo, Alejandro Enciso, Carmen Roldan, Tomas Zori, Arturo Alegro; I: Ein Edelmann verkleidet sich als der »schwarze Wolf« und wird zur Ein-Mann-Armee gegen einen tyrannischen Gouverneur.

La venganza del Zorro (1962) DT: Zorro – das Geheimnis von Alamos; ET: Zorro the Avenger; FT: Zorro le vengeur; HL: Spanien (Copercines Cooperativa Cinematográfica – Madrid); DEA: 5.10.62; DL: 84; FSK: 12; OL: 95; P: Norberto Solino; R: Joaquín Luis Romero Marchent; B: Jesús Franco, Joaquín Luis Romero Marchent; K: Rafael Pacheco (Superscope – Eastmancolor); M: Manuel Parada; DO: Spanien; D: Frank Latimore, María Luz Galicia, Howard Vernon, María Silva, Paul Piaget, José Marco Davó, Fernando Delgado, Antonio Molino Rojo, Fernando Sancho, Jesús Tordesillas; I: Nach der Abtretung Kaliforniens an die Union befreit ein scheinbar auf Seiten der Yankees stehender Edelmann, in Wirklichkeit Zorro, seine mexikanischen Landsleute von Not und Elend. *Unterhaltsamer Zorro-Film von Joaquín Luis Romero Marchent.*

Verflucht dies Amerika (1973) DT: Verflucht dies Amerika; ET: Yankee Dudler; ST: La banda de Jaider; HL: Deutschland/Spanien (Filmverlag der Autoren/Elías Querejeta Producciones Cinematográficas S.L.); DEA: 7.9.73; DL: 92; FSK: 16; R: Volker Vogeler; B: Ulf Miehe, Volker Vogeler, Bernardo Fernández; K: Luis Cuadrado (Panoramico – Eastmancolor); M: Luis De Pablo; DO: Spanien (Colmenar Viejo, Rascafría); D: Geraldine Chaplin, William Berger, Arthur Brauss, Francisco Algora, Sigi Graue, Kinoto, Fred Stillkrauth; I: Im Jahr 1885 kommen fünf bayerische Holzfäller in den amerikanischen Westen und versuchen vergeblich, über ihr Außenseiterdasein hinauszukommen. *Relativ konfus inszenierter Western, der wieder das Heimatfilmthema aufgreift, das Volker Vogeler schon in seinem Erstlingswerk behandelt hat.*

Das Vermächtnis des Inka (1965) DT: Das Vermächtnis des Inka; ET: Viva Gringo; IT: Viva Gringo; ST: El ultimo rey de los Incas; FT: Viva Gringo; HL: Deutschland/Italien/Spanien (Franz Marischka Film – München/P.E.A. – Produzioni Europee Associate di Grimaldi Maria Rosaria e C. – Napoli/Tritone Filmindustria Roma/Orbita Films – Madrid); DEA: 9.4.66; DL: 100; FSK: 12; P: Franz Marischka, Carl Szokoll, Alberto Grimaldi; R: Georg Marischka; B: Georg Marischka, Winfried Groth, Franz Marischka (I: Karl May, »Das Vermächtnis des Inka«); K: Siegfried Hold, Juan Marine (Franscope – Eastmancolor); M: Angelo Francesco Lavagnino; CD: Wilder Westen – Heißer Orient (BCD 16413-5&6 HL): 2 tracks; DO: Bulgarien, Peru; D: Guy Madison, Rik Battaglia, Fernando Rey, William Rothlein, Francesco Rabal, Heinz Ehrhardt, Walter Giller; I: Bei der Suche nach dem sagenhaften Inkaschatz werden mehrere Menschen ermordet, so auch der letzte Prinz der Inkas. *Relativ nahe an den Roman von Karl May angelehnter Abenteuerfilm von Georg Marischka mit dem Amerikaner Guy Madison in der Hauptrolle.*

Wasser für Canitoga (1939) DT: Wasser für Canitoga; HL: Deutschland (Bavaria Film); DEA: 10.3.39; DL: 119; FSK: 16; R: Herbert Selpin; B: Walter Zerlett-Olfenius (I: G. Turner Krebes = Hans José Rehfisch, »Wasser für

Canitoga«); **K:** Franz Koch, Josef Illig (Normal – B/W); **M:** Peter Kreuder; **S:** »Good bye, Jonny« – gesungen von Hans Albers; **D:** Hans Albers, Charlotte Susa, Hilse Sessak, Peter Voß, Josef Sieber; **I:** Ein Ingenieur arbeitet in Kanada am Bau einer Wasserleitung und muss einen Sabotage-Akt aufklären. *Dieser damals für 1,385 Reichsmark unglaublich teure Abenteuerfilm beruht auf einem Bühnenstück des im Jahr 1936 aus Deutschland emigrierten Hans José Rehfisch.*

Weiße Wölfe (1969) DT: Weiße Wölfe; **HL:** DDR/Jugoslawien (DEFA-Studio für Spielfilme – Berlin/Bosna-Film – Sarajevo); **DEA:** 11.7.69 (DDR); **DL:** 101; **FSK:** 12; **P:** Dorothea Hildebrandt, Iso Tauber; **R:** Konrad Petzold; **B:** Günter Karl; **K:** Eberhard Borkmann (Totalvision – OrwoColor); **M:** Karl-Ernst Sasse; **CD:** Wigwam, Weste(r)n, Weiße Wölfe (All Score Media ASM 008): 4 tracks; **DO:** Jugoslawien; **D:** Gojko Mitic, Helmut Schreiber, Horst Schulze, Fred Delmare, Rolf Hoppe, Michael Gwisdek, Slobodan Dimitrijevic, Horst Preusker; **I:** In einer kleinen Stadt kämpfen um 1880 die Weißen untereinander um Macht und Besitz. Ein Indianerhäuptling rächt den Mord an seiner Frau, unterliegt dann aber mit seinen weißen Freunden. *DDR-Western.*

Welcome to Blood City (1976) DT: Willkommen in dieser blutigen Stadt; **ET:** Blood City; **HL:** Kanada/England (Stanley Chase Productions/EMI Films Ltd./Blood City); **UA:** 23.8.1977; **OL:** 96; **DEA:** 1982 (Video); **DL:** 96; **P:** Max Rosenberg, Marilyn Stonehouse; **R:** Peter Sasdy; **B:** Stephen Schneck, Michael Winder; **K:** Reginald H. Morris (Normal – Color); **M:** Roy Budd; **D:** Jack Palance, Keir Dullea, Samantha Eggar, Barry Morse, Hollis McLaren, Chris Wiggins, Les Barker, Larry Benedict, Al Bernardo; **I:** Wissenschaftler versetzen Menschen in eine Scheinwelt, in der sie nach grausamen Wildwestgesetzen um ihr Überleben kämpfen müssen. Ihr Planspiel hat den Zweck, eine Elite für einen Krieg auszuwählen. *Interessanter Science-Fiction Film mit Western-Elementen.*

Wer kennt Jonny R.? (1966) DT: Wer kennt Jonny R.?/5000 $ für den Kopf von Jonny R.; **ET:** Who Killed Johnny R.; **IT:** La balada de Johnny Ringo; **ST:** La balada de Johnny Ringo; **FT:** L'insaisissable Johnny Ringo; **HL:** Deutschland/Spanien (CCC Filmkunst – Berlin/Tilma Films); **DEA:** 19.5.66; **DL:** 91; **FSK:** 16; **R:** José Luis Madrid; **B:** Ladislas Fodor, Paul Jarrico; **K:** Julio Pérez De Rozas, Marcello Gatti (Techniscope – Eastmancolor); **M:** Federico Martínez Tudó; **DO:** Spanien (Fraga, Calatayud, Montserrat, Castellbisbal, El Papiol, Esplugas de Llobregat); **D:** Lex Barker, Joachim Fuchsberger, Marianne Koch, Ralf Wolter, Carlos Otero, Barbara Bold, Sieghardt Rupp; **I:** Totgesagter Bandit versucht, einen arglosen Unschuldigen in die eigene Rolle zu drängen, um die Verfolgung eines Rächers von sich abzulenken. *Schwach inszenierter Western von José Luis Madrid mit »Old Shatterhand« Lex Barker in der Hauptrolle.*

Whity (1970) DT: Whity; **ET:** Whity; **HL:** Deutschland (Antitheater-X-Film); **DEA:** 21.11.89; **DL:** 102; **R:** Rainer Werner Fassbinder; **B:** Rainer Werner Fassbinder; **K:** Michael Ballhaus (Cinemascope – Eastmancolor); **M:** Peer Raben; **DO:** Spanien (Almería); **D:** Ron Randall, Kathrin Schaake, Ulli Lommel; **I:** Familiendrama um eine morbide Großgrundbesitzer-Familie im amerikanischen Südwesten, deren Mitglieder nichts sehnlicher als den Tod des Familienoberhauptes wünschen. *Langatmiger Westernversuch des deutschen Regiewunderkindes Rainer Werner Fassbinder.*

Winnetou I (1963) DT: Winnetou I; **ET:** Apache gold; **IT:** La valle dei lunghi coltelli; **ST:** Furia Apache; **FT:** Révolte des indiens apaches; **HL:** Deutschland/Italien/Frankreich (Rialto Film Preben Philipsen – Berlin/Atlantisfilm-Soc. per il commercio e le industrie cinematografiche nazionali ed estere/S.N.C. – Société Nouvelle de Cinématographie); **DEA:** 11.12.63; **DL:** 101; **FSK:** 12; **P:** Horst Wendlandt; **R:** Harald Reinl; **B:** Harald G. Petersson (I: Karl May, »Winnetou I«); **K:** Ernst W. Kalinke (Cinemascope – Eastmancolor); **M:** Martin Böttcher; **CD:** Wilder Westen – Heißer Orient (BCD 16413-1&2 HL): 27 tracks; Die Karl May Kollektion von Martin Böttcher I (Musik Mosaik/D TCS 106-2): 11 tracks; Original Karl May Filmmelodien (Polydor 511881-2): 1 track; Original Karl May Filmmelodien 2 (Polydor 521013-2): 2 tracks; **DO:** Jugoslawien; **D:** Lex Barker, Pierre Brice, Mario Adorf, Marie Versini, Walter Barnes, Chris Howland, Ralf Wolter; **I:** Das Greenhorn Old Shatterhand erwirbt die Freundschaft des edlen Apachenhäuptlings Winnetou. *Erster und bester Teil der Winnetou-Trilogie.*

Winnetou II (1964) DT: Winnetou II; **ET:** Last of the Renegades; **IT:** Giorni di fuoco; **ST:** La carabina de plata; **FT:** Le trésor des montagnes bleues; **HL:** Deutschland/Frankreich (Rialto Film Preben Philipsen – Berlin/S.N.C. – Société Nouvelle de Cinématographie – Paris); **DEA:** 17.9.64; **DL:** 93; **FSK:** 12; **P:** Horst Wendlandt; **R:** Harald Reinl; **B:** Harald G. Petersson (I: Karl May, »Winnetou II«); **K:** Ernst W. Kalinke (Cinemascope); **M:** Martin Böttcher; **CD:** Wilder Westen – Heißer Orient (BCD

Winnetou I

16413-1&2 HL): 20 tracks; Die Karl May Kollektion von Martin Böttcher II (Musik Mosaik/D TCS 107-2): 9 tracks; Deutsche Filmkomponisten 1 (BCD 16481 AR): 1 track; Original Karl May Filmmelodien (Polydor 511881-2): 1 track; Original Karl May Filmmelodien 2 (Polydor 521013-2): 2 tracks; **DO:** Jugoslawien; **D:** Lex Barker, Pierre Brice, Anthony Steel, Mario Girotti, Karin Dor, Renato Baldini, Klaus Kinski, Eddi Arent; **I:** Winnetou und Old Shatterhand im Kampf gegen weiße Verbrecher, die den Frieden zwischen Regierung und Indianern für ihre eigenen selbstsüchtigen Zwecke hintertreiben wollen. *Zweiter Teil der Winnetou-Trilogie.*

Winnetou III (1965) DT: **Winnetou III**; ET: Desperado trail; IT: Desperado Trail; FT: Winnetou III; HL: Deutschland/Jugoslawien (Rialto Film Preben Philipsen – Berlin/Jadran Film); DEA: 14.10.65; DL: 93; FSK: 12; P: Horst Wendlandt; R: Harald Reinl; B: Harald G. Petersson, Joachim Bartsch (I: Karl May, »Winnetou III«); K: Ernst W. Kalinke (Ultrascope – Eastmancolor); M: Martin Böttcher; CD: Wilder Westen – Heißer Orient (BCD 16413-3&4 HL): 30 tracks; Die Karl May Kollektion von Martin Böttcher III (Musik Mosaik/D TCS 108-2): 10 tracks; Deutsche Filmkomponisten 1 (BCD 16481 AR): 1 track; Original Karl May Filmmelodien (Polydor 511881-2): 2 tracks; Original Karl May Filmmelodien 2 (Polydor 521013-2): 1 track; DO: Jugoslawien; D: Lex Barker, Pierre Brice, Rik Battaglia, Renato Baldini, Ralf Wolter, Sophie Hardy, Veliko Maricic; I: Bevor Winnetou und Old Shatterhand dauernden Frieden zwischen Weißen und Rothäuten stiften können, stirbt der Apachenhäuptling durch die Kugel eines feigen Verbrechers. *Letzter Teil der Winnetou-Trilogie.*

Winnetou und das Halbblut Apanatschi (1966) DT: **Winnetou und das Halbblut Apanatschi**; ET: Half Breed; IT: Il giorno più lungo di Kansas City; ST: El dia mas largo de Kansas City; HL: Deutschland/Jugoslawien (Rialto Film Preben Philipsen – Berlin/Jadran Film); DEA: 17.8.66; DL: 90; FSK: 12; P: Horst Wendlandt; R: Harald Philipp; B: Fred Denger (I: Karl May, »Halbblut«); K: Heinz Hölscher (Ultrascope – Eastmancolor); M: Martin Böttcher; CD: Wilder Westen – Heißer Orient (BCD 16413-

3&4 HL): 43 tracks; Die Karl May Kollektion von Martin Böttcher IV (Musik Mosaik/D TCS 109-2): 11 tracks; Original Karl May Filmmelodien (Polydor 511881-2): 1 track; Original Karl May Filmmelodien 2 (Polydor 521013-2): 3 tracks; DO: Jugoslawien; D: Lex Barker, Pierre Brice, Ralf Wolter, Ursula Glas, Veljko Maricic; I: Winnetou und sein weißer Blutsbruder Old Shatterhand beschützen Leben und Gut des Halbbluts Apanatschi gegen eine goldlüsterne Verbrecherbande. *Einer der letzten Winnetou-Filme – leider nicht mehr in der Qualität der ersten Werke.*

Winnetou und sein Freund Old Firehand (1966) DT: **Winnetou und sein Freund Old Firehand**; ET: Thunder at the Border; IT: Tempesta alla frontiera; ST: Hombres desesperados; FT: Tonnerre sur la frontiere; HL: Deutschland/Jugoslawien (Rialto Film Preben Philipsen – Berlin/Jadran Film); DEA: 13.12.66; DL: 94; FSK: 12; P: Horst Wendlandt; R: Alfred Vohrer; B: David De Reske (I: Karl May); K: Karl Löb (Ultrascope – Eastmancolor); M: Peter Thomas; CD: Wilder Westen – Heißer Orient (BCD 16413-7&8 HL): 42 tracks; Winnetou und sein Freund Old Firehand (Tarantula FIC SP 10001): 31 tracks; DO: Jugoslawien; D: Rod Cameron, Pierre Brice, Marie Versini, Todd Armstrong, Harald Leipnitz, Nadia Gray; I: Unter Führung des Trappers Old Firehand wird mit Hilfe Winnetous ein von Banditen und Desperados terrorisiertes mexikanisches Grenzstädtchen heldenhaft verteidigt. *Der wahrscheinlich schlechteste Winnetou-Film als Mischung aus Karl-May-Film und Italo-Western.*

Winnetou und Shatterhand im Tal der Toten (1968) DT: **Winnetou und Shatterhand im Tal der Toten**; ET: Winnetou and Shatterhand in the Valley of Death; IT: L'uomo dal lungo fucile; ST: El valle de los heroes; HL: Deutschland/Jugoslawien/Italien (CCC Filmkunst – Berlin/Jadran Film/Super International Pictures); DEA: 12.12.68; DL: 89; FSK: 12; P: Artur Brauner; R: Harald Reinl; B: Herbert Reinecker (I: Karl May); K: Ernst W. Kalinke (Cinemascope); M: Martin Böttcher; CD: Wilder Westen – Heißer Orient (BCD 16413-5&6 HL): 26 tracks; Die Karl May Kollektion von Martin Böttcher

Winnetou III

Winnetou und sein Freund Old Firehand

V (Musik Mosaik/D TCS 110-2): 13 tracks; Deutsche Filmkomponisten 1 (BCD 16481 AR): 1 track; Original Karl May Filmmelodien (Polydor 511881-2): 4 tracks; Original Karl May Filmmelodien 2 (Polydor 521013-2): 3 tracks; **DO:** Jugoslawien; **D:** Lex Barker, Pierre Brice, Rik Battaglia, Ralf Wolter, Karin Dor, Eddi Arent, Clarke Reynolds; **I:** Winnetou und Shatterhand retten die Ehre eines des Golddiebstahls bezichtigten Offiziers und haben beim Nachweis seiner Unschuld viele Kämpfe mit Indianern und goldgierigen Banditen zu bestehen. *Trotz des niedrigeren Budgets recht stimmungsvoller letzter Winnetou-Film.*

Yellow Hair and the Fortress of Gold (1984) DT: **Der Tempel des blutigen Goldes**; **ET:** Yellow Hair and the fortress of Gold/Yellow Hair and the Pecos Kid; **ST:** Yellow Hair & Pecos Kid; **HL:** USA/Spanien (CineStar Productions – USA/Continental Movie Productions (Spanien); **UA:** Nov. 1984; **OL:** 102; **DEA:** 21.11.85; **DL:** 93; **FSK:** 16; **P:** John Gaffari, Diego Gómez Sempere; **R:** Matt Cimber; **B:** Matt Cimber, John Kershaw; **K:** Franco Piersanti (Scope – Color); **M:** Franco Piersanti; **DO:** Spanien; **D:** Laurence Landon, Ken Roberson, John Gaffari, Luis Lorenzo, Claudia Gravy, Aldo Sambrell, Eduardo Fajardo, Ramiro Oliveros, Suzannah Woodside, Concha Piquer, Román Ariznavarreta, Frank Braña, Mario De Abros; **I:** Eine Indianerin und ihr Adoptivbruder auf der Suche nach einem Indianerschatz in Mexiko. Er will sich bereichern, sie ihre wahre Identität kennen lernen. Obwohl sie das Vertrauen des Schatzhüters erlangen können, ist ihr Glück nur von kurzer Dauer. *Ziemlich schlecht inszenierter Abenteuerfilm von Matt Cimber.*

NUR DIE BESTEN ÜBERLEBTEN

Die 25 beliebtesten Italo-Western aller Zeiten

Eine neue Online-Umfrage von über 500 Italo Western Fans hat folgende neue Ergebnisse gebracht. Besonders auffallend ist, dass die ersten 9 Lieblingsfilme der Genre-Fans den drei Sergios (Leone, Corbucci, Sollima) zuzuschreiben sind. Auffallend ist auch, dass der Großteil der Filme in der Blütezeit der Italo-Western, nämlich zwischen 1966 und 1968 entstanden, darunter auch die absoluten Meisterwerke »Zwei Glorreiche Halunken«, »Leichen pflastern seinen Weg« und »Spiel mir das Lied vom Tod«.

1. »Per qualche dollaro in più« (»**Für ein paar Dollar mehr**«) – Sergio Leone 1965
2. »Il buono, il brutto, il cattivo« (»**Zwei glorreiche Halunken**«) – Sergio Leone 1966
3. »C'era una volta il West« (»**Spiel mir das Lied vom Tod**«) – Sergio Leone 1968
4. Per un pugno di dollari« (»**Für eine Handvoll Dollar**«) – Sergio Leone 1964
5. »Il grande silenzio« (»**Leichen pflastern seinen Weg**«) – Sergio Corbucci 1968
6. »La resa dei conti« (»**Der Gehetzte der Sierra Madre**«) – Sergio Sollima 1966
7. »Django« (»**Django**«) – Sergio Corbucci 1966
8. »Faccia a faccia« (»**Von Angesicht zu Angesicht**«) – Sergio Sollima – 1967
9. »Vamos a matar, compañeros« (»**Laßt uns töten, Compañeros**«) – Sergio Corbucci – 1970
10. »Da uomo a uomo« (»**Von Mann zu Mann**«) – Giulio Petroni – 1967
11. »Quien sabe?« (»**Töte Amigo**«) – Damiano Damiani – 1966
12. »Giù la testa« (»**Todesmelodie**«) – Sergio Leone – 1971
13. »Keoma« (»**Keoma**«) – Enzo Girolami – 1976
14. »Il mercenario« (»**Mercenario – der Gefürchtete**«) – Sergio Corbucci – 1968
15. »I giorni dell'ira« (»**Der Tod ritt Dienstags**«) – Tonino Valerii – 1967
16. »Se sei vivo spara« (»**Töte, Django**«) – Giulio Questi – 1967
17. »Il ritorno di Ringo« (»**Ringo kommt zurück**«) – Duccio Tessari – 1965
18. »Ehi amico! C'è Sabata, hai chiuso!« (»**Sabata**«) – Gianfranco Parolini – 1969
19. »Il mio nome è Nessuno« (»**Mein Name ist Nobody**«) – Tonino Valerii – 1973
20. »Une corde, un Colt« (»**Friedhof ohne Kreuze**«) – Robert Hossein – 1968
21. »Corri uomo corri« (»**Lauf um dein Leben**«) – Sergio Sollima – 1968
22. »… se incontri Sartana prega per la tua morte« (»**Sartana – bete um deinen Tod**«) – Gianfranco Parolini – 1968
23. »Blindman« (»**Blindman, der Vollstrecker**«) – Ferdinando Baldi – 1971
24. »I crudeli« (»**Die Grausamen**«) – Sergio Corbucci – 1966
25. »The bounty killer« (»**Ohne Dollar keinen Sarg**«) – Eugenio Martín – 1966

»Keoma« – Enzo Girolami 1976

»Il grande silenzio« – Sergio Corbucci 1968

SIE SPIELTEN UM IHR LEBEN

Die 20 beliebtesten Italo-Western-Soundtracks aller Zeiten

Aus einer Umfrage des Italo-Western Message Board wurden vor kurzem die beliebtesten 20 Italo-Western-Soundtracks aller Zeiten ermittelt.

1. »La resa dei conti« (»**Der Gehetzte der Sierra Madre**«) – Ennio Morricone 1966
2. »Il buono, il brutto, il cattivo« (»**Zwei glorreiche Halunken**«) – Ennio Morricone 1966
3. »Indio Black, sai che ti dico: sei un gran figlio di ...« (»**Adios Sabata**«) – Bruno Nicolai 1970
4. »Per qualche dollaro in più« (»**Für ein paar Dollar mehr**«) – Ennio Morricone 1965
5. »C'era una volta il West« (»**Spiel mir das Lied vom Tod**«) – Ennio Morricone 1968
6. »**Navajo Joe**« – Ennio Morricone 1966
7. »Buon funerale amigos! ... paga Sartana« (»**Sartana – noch warm und schon Sand drauf**«) – Bruno Nicolai 1970
8. »Corri uomo corri« (»**Lauf um dein Leben**«) – Bruno Nicolai 1968
9. »**Django**« – Luis Enriquez Bacalov 1966
10. »Ehi amico! C'è Sabata, hai chiuso!« (»**Sabata**«) – Marcello Giombini 1969
11. »Il grande silenzio« (»**Leichen pflastern seinen Weg**«) – Ennio Morricone 1968
12. »Il mercenario« (»**Mercenario – der Gefürchtete**«) – Ennio Morricone 1968
13. »Il mio nome è Shangai Joe« (»**Der Mann mit der Kugelpeitsche**«) – Bruno Nicolai 1973
14. »I lunghi giorni della vendetta« (»**Der lange Tag der Rache**«) – Armando Trovajoli 1966
15. »Un uomo, un cavallo, una pistola« (»**Western Jack**«) – Stelvio Cipriani 1967
16. »I giorno dell'ira« (»**Der Tod ritt dienstags**«) – Riz Ortolani 1967
17. »Vamos a matar compañeros« (»**Laßt uns töten, Companeros**«) – Ennio Morricone 1970
18. »Il pistolero dell'Ave Maria« (»**Seine Kugeln pfeifen das Todeslied**«) – Roberto Pregadio 1969
19. »Anda muchacho, spara!« (»**Knie nieder und friß Staub**«) – Bruno Nicolai 1971
20. »Il ritorno di Ringo« (»**Ringo kommt zurück**«) – Ennio Morricone 1965

Diesen ausgewählten Top 20 folgten dicht gedrängt diese weiteren Soundtracks:

- »Faccia a faccia« (»**Von Angesicht zu Angesicht**«) – Ennio Morricone 1967
- »Gli fumavano le Colt ... lo chiamavano Camposanto« (»**Ein Halleluja für Camposanto**«) – Bruno Nicolai 1971
- »**Tepepa**« – Ennio Morricone 1968
- »**Johnny Yuma**« – Nora Orlandi 1966
- »Ammazzali tutti e torna solo« (»**Töte alle und kehr allein zurück**«) – Francesco De Masi 1968
- »Per il gusto di uccidere« (»**Lanky Fellow – der einsame Rächer**«) – Nico Fidenco 1966
- »Blindman« (»**Blindman, der Vollstrecker**«) – Stelvio Cipriani 1971

704

DIE PSEUDONYME

1. Die Darsteller

Pseudonym	Bürgerlicher Name	Pseudonym	Bürgerlicher Name
ABBOTT, Alan	Ezio MARANO	CALVO, Pepe	Jose Calvo SELGADO
ALBERT, Charles	Karl Otto ALBERTY	CAMASO, Claudio	Claudio VOLONTÉ
ALSTON, Sam	Simon ANDREU	CAMERON, Jeff	Giovanni SCARCIOFOLO
ALTMAYER, Tor	Tullio ALTAMURA	CAMERON, Rod	Nathan Roderick COX
AMBER, Audrey	Adriana AMBESI	CARR, Patricia	Rosella BERGAMONTI
ANDERSON, Nick	Nazzareno ZAMPERLA	CARSON, Stet	Fabio TESTI
ANDREWS, Ivan	Ivan G. SCRATUGLIA	CARTER, Fred	Ettore MANNI
ANGEL, Charles	Carlo D'ANGELO	CARTER, Peter	Piero LULLI
ANGELS, Fernand	Ferdinando ANGELINI	CARTER, Red	Giovanni PAZZAFINI
ANTHONY, Mike	Adriano MICANTONI	CARTER, Ted	Giovanni PAZZAFINI
ANTHONY, Robert	Espartaco SANTONI	CASSEL, Louis	Luigi CASELLATO
ANTHONY, Tony	Roger Anthony PETITTO	CASTEL, Lou	Ulz Quarzel
ARDEN, Elio	Livio LORENZON	CEYLON, Guy W.	Guido CELANO
ARDEN, Hugo	Ugo SASSO	CLARK, Anthony	Angel DEL POZO
ARDISSON, George	Giorgio ARDISSON	CLARK, Anthony	Luis DAVILA
ARLEN, Ghia	Dana GHIA	CLARK, John	Hugo BLANCO
BAARDS, Pauline	Paola BARBARA	CLARK, Montgomery	Dante POSANI
BALDWIN, Ralph	Raffaële BALDASSARRE	CLAY, Jim	Aldo CECCONI
BALDWYN, Ralph	Raffaële BALDASSARRE	CLAY, Thomas	Ferrucio VIOTTI
BAKON, Chet	Giovanni GARKOVICH	CLIVER, Al	Pier Luigi CONTI
BALDWYN, Ryan	Renato BALDINI	COBB, Jerry	German COBOS
BANNER, Buxx	Beuliss BANNER	COBY, Michael	Antonio CANTAFORA
BARPER, Luis	Luigi BARBIERI	COLLINS, Alan	Luciano PIGOZZI
BARRACUDA, John	Massimo SERATO	COLT, Dennis	Benito PACIFICO
BARRETT, Liz	Luisa BARATTO	CONVERY, Sean	Spartaco CONVERSI
BARRETT, Roman	Romano PUPPO	CONVERY, Spean	Spartaco CONVERSI
BARRY, Dan	Joaquin GOMEZ	COOPER, Gis	Gisleno PROCACCINI
BARTHA, John	János BARTA	COOPER, Stan	Stelvio ROSI
BATTAGLIA, Rik	Caterino BERTAGLIA	CORMAN, Chip	Andrea GIORDANA
BAY, Milly (Mili)	Emilia BAYONA	COURSY, Frankie	Franco CORSO
BAY, Phyllis (Pili)	Pilar BAYONA	CRAIG, Mimmo	Mimmo CRAO
BENNETT, Lucky	Luciano BENETTI	CRAIN, Paul	Enzo PULCRANO
BERKOFF, Nerik	Nerio BERNARDI	CRISTAL, Pearl	Perla CRISTAL
BERTHIER, Jack	Jacques BERTHIER	CROSS, Peter	Pierre CRESSOY
BLANC, Erica	Enrica BIANCHI COLOMBATTO	DAMON, Mark	Allen HERSKOVITZ
BLONDELL, Simone	Simonetta VITELLI	DANISH, Robert	Roberto DANI
BODIO, Pat	José ESPIETA	DAVIS, Chet	Victoriano GAZZARA
BOGART, William	Guglielmo SPOLETINI	DAWSON, Louis	Luis DAVILA
BOYD, Rick	Federico BOIDO	DE LUCA, Pupo	Giovanni DE LUCA
BRAÑA, Frank	Francisco BRAÑA	DE SAINT, Dyna	Dino DE SANTIS
BRANK, Michael	Michele BRANCA	DEL RIO, Rosa	Chiarito DEL RIO
BRAVO, Charlie	Carlos BRAVO	DEAN, Max	Massimo RIGHI
BRICE, Pierre	Pierre Louis DE BRIS	DI LAMAR, Dalila	Dalila DI LAZZARO
BRONSON, Charles	Charles BUCHINSKY	DORIA, Enzo	Enzo PASSADORE
BROWN, Caroll	Bruno CAROTENUTO	DOUGLAS, Jimmy	Gino PERNICE
BROWN, Carrol	Carlo CALÒ	DOVAN, Martha	Marta PADOVAN
BRYNNER, Yul	Taidje KHAN	EARTHPICK, Ryan	Renato TERRACAIZZI
BURKE, William	Attilio DOTTESIO	EASTMAN, George	Luigi MONTEFIORE
BURTON, Lee	Guido LOLLOBRIGIDA	FARLEY, Albert	Alberto FARNESE

Pseudonym	Bürgerlicher Name	Pseudonym	Bürgerlicher Name
FARRELL, Frank	Francisco FANTASIA	LANG, Charles	Karl LANGE
FELT, Monica	Monica VENTURINI	LARAMY, Grant	Germano LONGO
FLORENCE, Fiona	Teresa ALCINI	LARSEN, Lola	Fulvia FRANCO
FORD, Montgomery	Brett HALSEY	LAWRENCE, Charlie	Livio LORENZON
FOX, Paddy	Milan SRDOC	LAWRENCE, Peter Lee	Karl-Otto HIRENBACH
FRANCE, Marie	Paca GABALDON	LENOIR, Leon	Leonardo SCAVINO
FREEMAN, Anthony	Mario NOVELLI	LISTON, Frank	Franco LANTIERI
FRONTATI, Pino	Giuseppe FRONTATI	LITTLEWORDS, Francis	Gianfranco PAROLINI
FURY, Men	Furio MENICONI	LORCAS, Luciano	Luciano CATENACCI
GAIL, Custer	Amerigo LEONI	LOY, Barbara	Maria Teresa GENTILINI
GALLWAY, Gary	Renato CHIANTONI	LYON, Licia Lee	Liciana LENTINI
GARCY, Bob	Sancho GARCIA	MAC QUEEN, King	Renato BALDINI
GARDENER, Joe	José GUARDIOLA	MADISON, Guy	Robert MOSELEY
GARKO, Gianni/Johnn(y)	Giovanni GARKOVICH	MANES, Mary Grace	Maria Grazia MARESCALCHI
GARNER, Clyde	Spiros FOCAS	MANN, Leonard	Leonardo MANZELLA
GARRETT, Richard/Rick	Riccardo GARRONE	MANN, Louis	Ermanno DONATI
GHIDRA, Anthony	Dragomir Gidre BOJANIC	MARETTA	Maretta PROCACCINI
GILLI, Lucy	Luciana GILLI	MARK, Robert	Roger FRANCKE
GRADWELL, Anthony	Antonio GRADOLI	MARTELL, Peter	Pietro MARTELLANZA
GRANT, Arthur	Karl-Otto HIRENBACH	MARTIN, George	Francisco Martin CELEIRO
GRAVES, Peter	Peter AURNESS	MARTIN, George	Jorge MARTIN
GRAYSON, Margaret	Maite BLASCO	MARTIN, Jean	Gino MARTURANO
GREEN, Fidel	Fedele GENTILE	MARTIN, Michael	Miguel DE LA RIVA
GREEN, Pamela	Pamela TUDOR	MATTHEWS, Joseph	Giuseppe MATTEI
GREENHILL, Pat	Germana MONTEVERDI	MAY, Benjamin	Beniamino MAGGIO
GREENWOOD, George	Giorgio CERIONI	MAY, Dan	Dante MAGGIO
GREENWOOD, Monty	Maurice POLLI	MAY, Leontine	Leontina MARIOTTI
GRIFFITH, Tom	Mariano Vidal MALINA	MC CRAIN, Paul	Enzo PULCRANO
GULAS, Frank	Franco GULÀ	MC CREEN, Paul	Enzo PULCRANO
GUSTAVSON, Rex	Gustavo ROJO	MC CREN, Paul	Enzo PULCRANO
HAMILTON, John	Gianni MEDICI	MC DOUGLAS, John	Giuseppe ADDOBBATI
HAMMOND, Hally	Lorella DE LUCA	MC HONIZ, Marcel	Marcello MENICONI
HARDY, Joel	Pinuccio ARDIA	MC JULIAN, Louis	Luigi GIULIANI
HARRISON, Fred	Fernando BILBAO	MC MURRAY, Lucky	Luciano CONTI
HESTON, John	Ivano STACCIOLI	MESSENGER, Bob	Roberto MESSINA
HILL, James	Giulio MARCHETTI	MILIAN, Tomás	Tomás Quintin RODRIGUEZ
HILL, Terence	Mario GIROTTI	MILLAND, Gloria	Maria FIE
HILTON, George	Jorge HILL	MOORE, Mike	Amedeo TRILLI
HUDSON, Barbara	Brunella BOVO	MOORE, Thomas	Enio GIROLAMI
HUDSON, Gary	Giovanni GARKOVICH	MORGAN, Sheryll	Hélène CHANEL
HUNDAR, Robert	Claudio UNDARI	MORRIS, Kirk	Adriano BELLINI
HUNTER, Bob	Claudio UNDARI	MORTON, Mike	Miguel MUNIESA
IRAVENAC, C.	Cesare CANEVARI	MULLIGAN, Marina	Marisa MALFATTI
JACKSON, Bill	Gino BUZZANCA	MUNROE, Frank	Fabrizio MORONI
JEFFRIES, Lang	William LAPPIN	NERO, Franco	Francesco SPARANERO
JONES, Ted	Lino CALUERO	NIGRO, Pat	Pasquale BASALE
JORDAN, Nick	Aldo CANTI	NORTON, Al	Alfio CALTABIANO
KAMANTE, Lu	Luciano ROSSI	O'CONNOR, Ray	Remo CAPITANI
KARIS, Vassili	Vassili KARAMESINIS	O'HARA, Kareen	Stefania CAREDDU
KENDALL, Tony	Luciano STELLA	OAK, Jeanne	Gina ROVERE
KENT, Arthur	Arturo DOMINICI	OLIVERAS, Frank	Franco PESCE
KENT, Stanley	Stelio CANDELLI	OTTER, Charles	Carlos OTERO
KINSKI, Klaus	Nikolaus Günther NAKSZYNSKI	PAJARITO	Murriz BRANDARIZ
KITOSCH, Cole	Alberto DELL'ACQUA	PALANCE, Jack	Vladimir PALANUIK
KRISTANELL, Doris	Krista NELL	PALMER, Dick	Mimmo PALMARA

Pseudonym	Bürgerlicher Name	Pseudonym	Bürgerlicher Name
PALMER, Lawrence	Renzo PALMER	THERENS, Evelin	Susana CAMPOS
PAPAS, Xiros	Ciro PAPA	THORYS, Peter	Pietro TORRISI
PARKER, Helen	Eleanora VERONESE	TODD, Sean	Ivan RASSIMOV
PARKER, James	Erno CRISA	TORRES, John	José TORRES
PARKER, Kathleen	Caterina TRENTINI	TURNER, Therry	Teresa LEOPARDI
PAZZAFINI, Nello	Giovanni PAZZAFINI	UNGER, Freddy	Goffredo UNGARO
PIX, Anthony	Antonio PICAS	VARGAS, Dan	Daniele VARGAS
POWERS, Hunt	Jack BETTS	VIDAL, Marc	Vidal MOLINA
PUNTER, Joe	Jesus PUENTE	WART, Helen	Anna MISEROCCHI
QUINN, Anthony	Antonio Rudolfo QUINN	WATERMAN, Al/Albert	Alberto DELL'ACQUA
RAFFERTY, Julian	Giuliano RAFFAELLI	WELLS, John	Gian Maria VOLONTÈ
RAHO, Umy	Umberto RAHO	WHITE, Erika	Erika BLANC
RAY, Andrew	Andrea AURELI	WHITE, Peter	Franco COBIANCHI
REESE, Dean	Attilio DOTTESIO	WIDMARK, Robert	Alberto DELL'ACQUA
REEVES, Benny	Benito STEFANELLI	WILSON, Jerry	Roberto MIALI
REGAN, Dick	Riccardo GARRONE	WYLER, John	Sergio CIANI
RENO, Teddy	Ferruccio RICORDI	WOOD, Ken	Giovanni CIANFRIGLIA
RIGAUD, George	Pedro Jorge RIGATO DELISSETCHE	WOOD, Montgomery	Giuliano GEMMA
		YEH, Keren	Yeh Ling CHIH
RISE, Robert	Roberto RISSO	ZARZO, Manny	Manolo ZARZO
RIVA, Mike	Miguel DE LA RIVA		
RIVERS, Michael	Miguel DE LA RIVA		
ROBBINS, Judy	Giulia RUBINI		
ROCKS, Jack	Moises A. ROICHA		
ROGERS, Clyde	Rick VAN NUTTER		
ROGERS, Roy	Rosario ROYO		
ROSAT, Luc	Lucio ROSATO		
ROSS, Edward G.	Luciano ROSSI		
ROSS, Howard	Renato ROSSINI		
ROSS, Jerry	Gerardo ROSSI		
SAMBRELL, Aldo	Alfredo Sanchez BRELL		
SANCHEZ, Pedro	Ignazio SPALLA		
SAXSON, Glenn	Roel BOS		
SCOTT, Andrew	Andrea SCOTTI		
SCOTT, Ray	Nino FUSCAGNI		
SCOTT, Susan	Nieves NAVARRO		
SCOTT, Tom	Alberto TERRACINA		
SCRAT, Ivan G.	Ivan G. SCRATUGLIA		
SCROBOGNA, Joseph	Giuseppe SCROBOGNA		
SOOTY, Graham	Franco PESCE		
SPENCER, Bud	Carlo PEDERSOLI		
SPOLLETIN, William	Guglielmo SPOLETINI		
STARK, Richard	Glauco ONORATO		
STEEL, Alan	Sergio CIANI		
STEFFEN, Anthony	Antonio DE TEFFÉ		
STEVENS, Mark	Pasquale SIMEOLI		
STEVENS, Paul	Paolo GOZLINO		
STEVENSON, Robert	Valentino MACCHI		
STEWART, Evelyn	Ida GALLI		
STEWART, Jack	Giacomo ROSSI		
STRATFORD, Dean	Dino STRANO		
STUART, Jack	Giacomo ROSSI		
STUYVESANT, Richard	Mario BREGA		
SULLIVAN, Mary	Mirella PANFILI		
TABER, Anthony P.	Julio Perez TABERNERO		

Bürgerlicher Name	Pseudonym	Bürgerlicher Name	Pseudonym
ADDOBBATI, Giuseppe	John Mc DOUGLAS	CANTAFORA, Antonio	Michael COBY
ALBERTY, Karl Otto	Charles ALBERT	CANTI, Aldo	Nick JORDAN
ALCINI, Teresa	Fiona FLORENCE	CAPITANI, Remo	Ray O'CONNOR
ALTAMURA, Tullio	Tor ALTMAYER	CAREDDU, Stefania	Kareen O'HARA
AMBESI, Adriana	Audrey AMBER	CAROTENUTO, Bruno	Caroll BROWN
ANDREU, Simon	Sam ALSTON	CASELLATO, Luigi	Louis CASSEL
ANGELINI, Ferdinando	Fernand ANGELS	CATENACCI, Luciano	Luciano LORCAS
ARDIA, Pinuccio	Joel HARDY	CECCONI, Aldo	Jim CLAY
ARDISSON, Giorgio	George ARDISSON	CELANO, Guido	Guy W. CEYLON
AURELI, Andrea	Andrew RAY	CELEIRO, Francisco Martinez	George MARTIN
AURNESS, Peter	Peter GRAVES	CERIONI, Giorgio	George GREENWOOD
BALDASSARRE, Raffaële	Ralph BALDWIN	CHANEL, Hélène	Sheryll MORGAN
	Ralph BALDWYN	CHIANTONI, Renato	Gary GALLWAY
BALDINI, Renato	Ryan BALDWYN	CHIN, Yeh Ling	Keren YEH
	King MAC QUEEN	CIANFRIGLIA, Giovanni	Ken WOOD
BANNER, Beuliss	Buxx BANNER	CIANI, Sergio	Alan STEEL
BARATTO, Luisa	Liz BARRETT		John WYLER
	Louise BARRETT	COBIANCHI, Franco	Peter WHITE
BARBARA, Paola	Pauline BAARDS	COBOS, German	Jerry COBB
BARBIERI, Luigi	Luis BARPER	CONTI, Luciano	Lucky MC MURRAY
BARTA, János	John BARTHA	CONTI, Pier Luigi	Al CLIVER
BASALE, Pasquale	Pat NIGRO	CONVERSI, Spartaco	Sean CONVERY
BAYONA, Emilia	Milly (Mili) BAY		Spean CONVERY
BAYONA, Pilar	Phyllis (Pili) BAY	CORSO, Franco	Frankie COURSY
BELLINI, Alfredo	Kirk MORRIS	COX, Nathan Roderick	Rod CAMERON
BENETTI, Luciano	Lucky BENNETT	CRAO, Mimmo	Mimmo CRAIG
BERGAMONTI, Rosella	Patricia CARR	CRESSOY, Pierre	Peter CROSS
BERNARDI, Nerio	Nerik BERKOFF	CRISA, Erno	James PARKER
BERTAGLIA, Caterino	Rik BATTAGLIA	CRISTAL, Perla	Pearl CRISTAL
BERTHIER, Jacques	Jack BERTHIER	D'ANGELO, Carlo	Charles ANGEL
BETTS, Jack	Hunt POWERS	DANI, Roberto	Robert DANISH
BIANCHI COLOMBATTO, Enrica	Erica BLANC	DAVILA, Luis	Louis DAWSON
			Anthony CLARK
BILBAO, Fernando	Fred HARRISON	DE BRIS, Pierre Louis	Pierre BRICE
BLANC, Erika	Erika WHITE	DE LA RIVA, Miguel	Michael MARTIN
BLANCO, Hugo	John CLARK		Michael RIVA
BLASCO, Maite	Margaret GRAYSON		Mike RIVERS
BOIDO, Federico	Rick BOYD	DE LUCA, Giovanni	Pupo DE LUCA
BOJANIC, Dragomir Gidre	Anthony GHIDRA	DE LUCA, Lorella	Hally HAMMOND
BOS, Roel	Glen SAXSON	DE SANTIS, Dina	Dyna DE SAINT
BOVO, Brunella	Barbara HUDSON	DE TEFFÉ, Antonio	Anthony STEFFEN
BRAÑA, Francisco	Frank BRAÑA	DEL POZO, Angel	Anthony CLARK
BRANCA, Michele	Michael BRANK	DEL RIO, Chiarito	Rosa DEL RIO
BRANDARIZ, Murriz	PAJARITO	DELL'ACQUA, Alberto	Cole KITOSCH
BRAVO, Carlos	Charlie BRAVO		Al/Albert WATER, MAN
BREGA, Mario	Richard STUYVESANT		Robert WIDMARK
BRELL, Alfredo Sanchez	Aldo SAMBRELL	DI LAZZARO, Dalila	Dalila DI LAMAR
BUCHINSKY, Charles	Charles BRONSON	DOMINICI, Arturo	Arthur KENT
BUZZANCA, Gino	Bill JACKSON	DONATI, Ermanno	Louis MANN
CALÒ, Carlo	Carrol BROWN	DOTTESIO, Attilio	William BURKE
CALTABIANO, Alfio	Al NORTON		Dean REESE
CALUERO, Lino	Ted JONES	ESPIETA, José	Pat BODIO
CAMPOS, Susana	Evelin THERENS	FANTASIA, Francisco	Frank FARRELL
CANDELLI, Stelio	Stanley KENT	FARNESE, Alberto	Albert FARLEY
CANEVARI, Cesare	C. IRAVENAC	FIE, Maria	Gloria MILLAND

Bürgerlicher Name	Pseudonym	Bürgerlicher Name	Pseudonym
FOCAS, Spiros	Clyde GARNER	MARANO, Ezio	Alan ABBOTT
FRANCKE, Roger	Robert MARK	MARCHETTI, Giulio	James HILL
FRANCO, Fulvia	Lola LARSEN	MARESCALCHI, Maria Grazia	Mary Grace MANES
FRONTATI, Giuseppe	Pino FRONTATI	MARIOTTI, Leontina	Leontine MAY
FUSCAGNI, Nino	Ray SCOTT	MARTELLANZA, Pietro	Peter MARTELL
GABALDON, Paca	Marie FRANCE	MARTIN, Jorge	George MARTIN
GALLI, Ida	Evelyn STEWART	MARTURANO, Gino	Jean MARTIN
GARCIA, Sancho	Bob GARCY	MATTEI, Giuseppe	Joseph MATTHEWS
GARKOVICH, Giovanni	Gianni/John/	MEDICI, Gianni	John HAMILTON
	Johnny GARKO	MENICONI, Furio	Men FURY
	Gary HUDSON	MENICONI, Marcello	Marcel MC HONIZ
GARRONE, Riccardo	Chet BAKON	MESSINA, Roberto	Bob MESSENGER
	Richard GARRETT	MIALI, Roberto	Jerry WILSON
	Rick GARRETT	MICANTONI, Adriano	Mike ANTHONY
	Dick REGAN	MISEROCCHI, Anna	Helen WART
GAZZARA, Victoriano	Chet DAVIS	MOLINA, Vidal	Marc VIDAL
GEMMA, Giuliano	Montgomery WOOD	MONTEFIORE, Luigi	George EASTMAN
GENTILE, Fedele	Fidel GREEN	MONTEVERDI, Germana	Pat GREENHILL
GENTILINI, Maria Teresa	Barbara LOY	MORONI, Fabrizio	Frank MUNROE
GHIA, Dana	Ghia ARLEN	MOSELEY, Robert	Guy MADISON
GILLI, Luciana	Lucy GILLY	MUNIESA, Miguel	Mike MORTON
GIORDANA, Andrea	Chip CORMAN	NAKSZYNSKI, Nikolaus Günther	Klaus KINSKI
GIROLAMI, Enio	Thomas MOORE	NAVARRO, Nieves	Susan SCOTT
GIROTTI, Mario	Terence HILL	NELL, Krista	Doris KRISTANELL
GIULIANI, Luigi	Louis MC JULIAN	NOVELLI, Mario	Anthony FREEMAN
GOMEZ, Joaquin	Dan BARRY	ONORATO, Glauco	Richard STARK
GOZLINO, Paolo	Paul STEVENS	OTERO, Carlos	Charles OTTER
GRADOLI, Antonio	Anthony GRADWELL	PACIFICO, Benito	Dennis COLT
GUARDIOLA, José	Joe GARDENER	PADOVAN, Marta	Martha DOVAN
GULÀ, Franco	Frank GULAS	PALANUIK, Vladimir	Jack PALANCE
HALSEY, Brett	Montgomery FORD	PALMARA, Mimmo	Dick PALMER
HERSKOVITZ, Allen	Mark DAMON	PALMER, Renzo	Lawrence PALMER
HILL, Jorge	George HILTON	PANFILI, Mirella	Mary SULLIVAN
HIRENBACH, Karl-Otto	Arthur GRANT	PAPA, Ciro	Xiros PAPAS
	Peter Lee LAWRENCE	PAROLINI, Gianfranco	Francis LITTLEWORDS
KARAMESINIS, Vassilii	Vassili KARIS	PASSADORE, Enzo	Enzo DORIA
KHAN, Taidje	Yul BRYNNER	PAZZAFINI, Giovanni	Red CARTER
LANGE, Karl	Charles LANG		Ted CARTER
LANTIERI, Franco	Frank LISTON		Nello PAZZAFINI
LAPPIN, William	Lang JEFFRIES	PEDERSOLI, Carlo	Bud SPENCER
LENTINI, Liciana	Licia Lee LYON	PENDLETON, Charle	Gordon MITCHELL
LEONI, Amerigo	Custer GAIL	PERNICE, Gino	Jimmy DOUGLAS
LEOPARDI, Teresa	Therry TURNER	PESCE, Franco	Frank OLIVERAS
LOLLOBRIGIDA, Guido	Lee BURTON		Graham SOOTY
LONGO, Germano	Grant LARAMY	PETITTO, Roger Anthony	Tony ANTHONY
LORENZON, Livio	Elio ARDEN, Charles	PICAS, Antonio	Anthony PIX
	K. LAWRENCE	PIGOZZI, Luciano	Alan COLLINS
LULLI, Piero	Peter CARTER	POLLI, Maurice	Monty GREENWOOD
MACCHI, Valentino	Robert STEVENSON	POSANI, Dante	Montgomery CLARK
MAGGIO, Beniamino	Benjamin MAY	PROCACCINI, Gisleno	Gis COOPER
MAGGIO, Dante	Dan MAY	PROCACCINI, Maretta	MARETTA
MALFATTI, Marina	Marina MULLIGAN	PUENTE, Jesus	Joe PUNTER
MALINA, Mariano Vidal	Tom GRIFFITH	PULCRANO, Enzo	Paul CRAIN
MANNI, Ettore	Fred CARTER		Paul MC CRAIN
MANZELLA, Leonardo	Leonard MANN		Paul MC CREEN

Bürgerlicher Name	Pseudonym	Bürgerlicher Name	Pseudonym
	Paul MC CREN	TUDOR, Pamela	Pamela GREEN
PUPPO, Romano	Roman BARRETT	UNDARI, Claudio	Robert HUNDAR
QUARZELL, Ulz	Lou CASTEL		Bob HUNTER
QUINN, Rudolfo	Anthony QUINN	UNGARO, Goffredo	Freddy UNGER
RAFFAELLI, Giuliano	Julian RAFFERTY	VAN NUTTER, Rick	Clyde ROGERS
RAHO, Umberto	Umy RAHO	VARGAS, Daniele	Dan VARGAS
RASSIMOV, Ivan	Sean TODD	VENTURINI, Monica	Monica FELT
RICORDI, Ferruccio	Teddy RENO	VERONESE, Eleanora	Helen PARKER
RIGHI, Massimo	Max DEAN	VIOTTI, Ferrucio	Thomas CLAY
RIGATO DELISSETCHE,		VITELLI, Simonetta	Simone BLONDELL
Pedro Jorge, Pedro Jorge	George RIGAUD	VOLONTÉ, Claudio	Claudio CAMASO
RISSO, Roberto	Robert RISE	VOLONTÉ, Gian Maria	John WELLS
RODRIGUEZ, Tomás Quintin	Thomás MILIAN	ZAMPERLA, Nazzareno	Nick ANDERSON
ROICHA, Moises A.	Jack ROCKS	ZARZO, Manolo	Manny ZARZO
ROJO, Gustavo	Rex GUSTAVSON		
ROSATO, Lucio	Luc ROSAT		
ROSI, Stelvio	Stan COOPER		
ROSSI, Gerardo	Jerry ROSS		
ROSSI , Giacomo	Jack STEWART		
	Jack Rossi STUART		
ROSSI, Luciano	Edward G. ROSS		
	Lu KAMANTE		
ROSSINI, Renato	Howard ROSS		
ROVERE, Gina	Jeanne OAK		
ROYO, Rosario	Roy ROGERS		
RUBINI, Giulia	Judy ROBBINS		
SANTONI, Espartaco	Robert ANTHONY		
SASSO, Ugo	Hugo ARDEN		
SCARCIOFOLO, Giovanni	Jeff CAMERON		
SCAVINO, Leonardo	Leon LENOIR		
SCOTTI, Andrea	Andrei SCOTT		
	Andrew SCOTT		
SCRATUGLIA, Ivan G.	Ivan ANDREWS		
	Ivan G. SCRAT		
SCROBOGNA, Giuseppe	Joseph SCROBOGNA		
SELGADO, José Calvo	Pepe CALVO		
SERATO, Massimo	John BARRACUDA		
SIMEOLI, Pasquala	Mark STEVENS		
SPALLA, Ignazio	Pedro SANCHEZ		
SPARANERO, Francesco	Franco NERO		
SPOLETINI, Guglielmo	William Bogard		
	William SPOLLETIN		
SRDOC, Milan	Paddy FOX		
STACCIOLI, Ivano	John HESTON		
STEFANELLI, Benito	Benny REEVES		
STELLA, Luciano	Tony KENDALL		
STRANO, Dino	Dean STRATFORD		
TABERNERO, Julio Perez	Anthony P. TABER		
TERRACAIZZI, Renato	Ryan EARTHPICK		
TERRACINA, Alberto	Tom SCOTT		
TESTI, Fabio	Stet CARSON		
TORRES, José	John TORRES		
TORRISI, Pietro	Peter THORYS		
TRENTINI, Caterina	Kathleen PARKER		
TRILLI, Amedeo	Mike MOORE		

2. Regisseure, Drehbuchautoren & Komponisten

Pseudonym	Bürgerlicher Name	Pseudonym	Bürgerlicher Name
AGE	Agenore INCORCCI	CRAIG, Dean	Piero REGNOLI
ALBERT, Al	Adalberto ALBERTINI	D'AMATO, Joe	Aristide MASSACCESI
ALBERTINI, Bitto	Adalberto ALBERTINI	D'ENZA, Auro	Angio ZANE
ALEXANDER, Gilbert	Gilbert A. RALSTON	DAISIES, Anthony	Antonio MARGHERITI
ANDREW, Mark	Marcello ANDREI	DALMAS, Jack	Massimo DALLAMANO
ANDREWS, Stephen M.	Enzo GIROLAMI	DANI, Danilo	Demofilo FIDANI
ANTON, Amerigo	Tanio BOCCIA	DAVIS, Glen Vincent	Vincenzo MUSOLINO
ARCHER, Ted	Nello ROSSATI	DAWN, Vincent	Bruno MATTEI
ASCOTT, Anthony	Giuliano CARNIMEO	DAWSON, Anthony	Antonio MARGHERITI
ASH, Dan	Giorgio GENTILI	DE LACY, Joseph	José Maria ELORRIETA
BAGRAN, Al	Alfonso BALCÁZAR	DE MANS, Oscar	Oscar DI MARTINO MANSI
BALDWYN, Ferdy	Ferdinando BALDI	DE STEPHEN, Felix	Felice DI STEFANO
BALDWYN, Free	Ferdinando BALDI	DEEM, Miles	Demofilo FIDANI
BAND, Albert	Alfredo ANTONINI	DELLI, Azzeri Luca	Mario SICILIANO
BARD, John	Duilio COLETTI	DEMOS, Alex	Demofilo FIDANI
BEAVER, Lee W.	Carlo LIZZANI	DEMOS, Philos	Demofilo FIDANI
BENSON, Steve	Aristide MASSACCESI	DICKINSON, Lucky	Demofilo FIDANI
BERG, Alex	Herbert REINECKER	DILLMAN, Max	Massimo DALLAMANO
BERGON, Serge	Sergio BERGONZELLI	DOLMAN, Martin	Sergio MARTINO
BLASK, Richard	Ricardo BLASCO	DOMINICI, Paolo	Domenico PAOLELLA
BLEM, Silver	Emo BISTOLFI	DONATI, Dario	Aristide MASSACCESI
BORAW, J.L.	José Luis BORAU	DOUGLAS, J.	José Maria ELORRIETA
BORSKY, Alexander	Aristide MASSACCESI	DRY, Tony	Antonio SECCHI
BRADLEY, Hal	Alfonso BRESCIA	EAGLE, Vincent	Vincenzo DELL'AQUILA
BRADY, Al	Emilio MIRAGLIA	EASTMAN, Glen	Osvaldo CIVIRANI
BRIGHT, Maurice A.	Maurizio LUCIDI	EASTWOOD, John	Gianfranco PAROLINI
BRISBANE, Jane	Livia CONTARDI	ENSESCALLE, Bob	Roberto INFASCELLI
BROCKS, Lino	Lino BROCKA	FARADINE, Oscar	Aristide MASSACCESI
BRONSTON, Frank	Mario BIANCHI	FERGUSON, Roy	Luigi VANZI
BROWN, Clifford	Jesús FRANCO	FERNÁNDEZ, Joaquin R.	Joaquin Luis R. MARCHENT
BROWN, George H.	Lina WERTMÜLLER	FERRARESE, Nello	Nello ROSSATI
BROWNSON, D.	Cesare CANEVARI	FINLEY, George	Giorgio Casorati STEGANI
BUNKER, Max	Luciano SECCHI	FIRST, William	Guido CELANO
BURKS, Alex	Camillo BAZZONI	FITZGERALD, Mike	Ettore M. FIZZAROTTI
BYRD, John	Paolo MOFFA	FLEMING, Paul	Domenico PAOLELLA
CALLOWAY, Ray	Mario COLUCCI	FOAM, John	Mario BAVA
CANO, Matthew	Mateo CANO	FORD, Dennis	Demofilo FIDANI
CARDIFF, Albert	Alberto CARDONE	FORDSON, John W.	Mario COSTA
CARROL, Frank G.	Gianfranco BALDANELLO	FOSTER, Charlie	Carlo VEO
CASHINO, Vincent	Vincenzo CASCINO	FRANK, Jess	Jesus FRANCO
CASTELLANO	Franco CASTELLANO	FREEMAN, Harry	Josè Maria ZABALZA
CASTELLARI, Enzo G.	Enzo GIROLAMI	FREEMAN, Kenneth	Sergio GARRONE
CASTLE, Lee	Mario SICILIANO	GARDNER, Fred	Franco ROSSETTI
CHRISTIAN-JAQUE	Christian MAUDET	GARFIELD, Frank	Franco GIRALDI
CLARKE, Oliver J.	Aristide MASSACCESI	GARRETT, Roy	Mario GARIAZZO
CLUCHER, E.B.	Enzo BARBONI	GARRONI, William	Guglielmo GARRONE
COLMAN, Leo	Leopoldo SAVONA	GICCA, Enzo	Lorenzo Gicca PALLI
COLNIGEE, Ignatius	Ignazio COLNAGHI	GIDEON, Ralph	Sheldon REYNOLDS
COOLS, Alan W.	Mario BIANCHI	GILBERT, Rod	Romolo GIROLAMI
CORBETT, Stanley	Sergio CORBUCCI	GOOD, Tony	Roberto AMOROSO
CORLISH, Frank B.	Bruno CORBUCCI	GORI, Lallo	Coriolano GORI

Pseudonym	Bürgerlicher Name	Pseudonym	Bürgerlicher Name
GREEN, Anthony	Mario SABATINI	MANERA, Franco	Jesus FRANCO
GREEPY, Anthony	Primo ZEGLIO	MANG, Jone	Giuseppe MANGIONE
GRIMALDI, Gianni	Giovanni GRIMALDI	MANY, Jose	Giuseppe MANGIONE
GROOPER, Cehett	Gianfranco PAROLINI	MARCHENTI, Paul	Joaquin Luis R. MARCHENT
GRUNEWALD, Allan	Mario CAIANO	MARKSON, Sean	Siro MARCELLINI
GUERRIERI, Romolo	Romolo GIROLAMI	MARSHALL, John	Ignacio F. IQUINO
HAMILTON, John	Sergio MARTINO	MARTIN, Frank	Marino GIROLAMI
HAMPTON, Robert	Riccardo FREDA	MARTIN, Gene	Eugenio MARTIN
HAMUS, Paul	Luigi BATZELLA	MARTIN, Herbert	Alberto DE MARTINO
HARRIS, James	Marcello CIORCIOLINI	MARTIN, Robert	Mario BIANCHI
HARRISON, Jules	Giuliano CARNIMEO	MARTINELLI, Franco	Marino GIROLAMI
HATHAWAY, Terence	Sergio GRIECO	MARVIN, Joseph	José Luis MERINO
HAWKINS, William	Mario CAIANO	MASCOT, Marcel	Marcello MASCIOCCHI
HERNÁNDEZ, Joaquin R.	Joaquin Luis R. MARCHENT	MASON, Frank	Francesco DE MASI
HILL, Terence	Mario GIROTTI	MATHEUS, Jimmy	Bruno MATTEI
HILLS, David	Aristide MASSACCESI	MATTHEWS, Jordan B.	Bruno MATTEI
HOLLMAN, Frank	Jesus FRANCO	MAXWELL, Paul	Paolo BIANCHINI
HOLLOWAY, George	Giorgio CAPITANI	MC COY, Steve	Ignacio F. IQUINO
HOPKINS, Omar	Siro MARCELLINI	MC DONALD, Mathias	Tito CARPI
HOWARD, Nick	Nick NOSTRO	MENZEL, William	William AZZELLA
HUMBERT, Humphrey	Umberto LENZI	MEYER, Marc	Luigi BAZZONI
HUNTER, Max	Massimo PUPILLO	MITCHELL, Stanley	Adalberto ALBERTINI
JACOBS, Irving	Mario AMENDOLA	MOLTEN, George	Palmambrogio MOLTENI
JOHNSON, Robert	Roberto MAURI	MONTY, François	Francesco MONTEMURRO
JONES, Dean	Luigi BATZELLA	MOOCK, Daniel	Giuseppe MOCCIA
JONES, Z.X.	Burt KENNEDY	MOORE, Albert	Guido ZURLI
KAPLAN, Ted	Ferdinando BALDI	MOORE, Lucky	Carlo CROCCOLO
KARTER, T.F.	Fabrizio Trifone TRECCA	MOORE, Robert	Mario BIANCHI
KATHANSKY, Ivan	Luigi BATZELLA	MORRIS, Fred Lyon	Ferdinando MERIGHI
KAY, Gilbert	José Mendez BRIZ	MORRIS, Robert	Roberto MAURI
KEAN, Richard	Osvaldo CIVIRANI	MULLER, Edward G.	Edoardo MULARGIA
KEATON, Robert	Arpad DE RISO	MULLIGAN, Jeff	Gianni PUCCINI
KELLY, Jackie	Juliana DE LA FUENTE	MULLIGAN, Ted	Antonio MOLLICA
KING, Lewis	Luigi CAPUANO	NEWTON, Peter	Aristide MASSACCESI
KNOX, Werner	Bruno MATTEI	NICHOLS, Leo	Ennio MORRICONE
KRAMER, Frank	Gianfranco PAROLINI	O'NEIL, Sean	Demofilo FIDANI
LA FIDA, Nedo	Demofilo FIDANI	O'NEIL, Simon	Giovanni SIMONELLI
LACY, Joe	José Maria ELORRIETA	OBLOWSKY, Stephan	Bruno MATTEI
LEAN, Sidney	Giovanni FAGO	OLD, John M.	Mario BAVA
LEGRAND, François	Franz ANTEL	ORIETTA, E.L.	José Maria ELORIETTA
LELLI, Luciano	Stanley PRAGER	OWENS, Richard	Federico CHENTRENS
LENNOX, Gerard B.	Angelo PANNACCIÒ	PADGET, Calvin Jackson	Giorgio FERRONI
LEONE, Carlo	Mario SICILIANO	PAGET, Kelvin J.	Giorgio FERRONI
LEVIATHAN, Aaron	Giuseppe ROSATI	PAGET, Robert	Mario GARIAZZO
LINCOLN, George	Riccardo FREDA	PANN, Angelo A.	Angelo PANNACCIÒ
LINE, Marc	Marcello MASCIOCCHI	PANNACCIÒ, Elo	Angelo PANNACCIÒ
LION, Fernando	Fernando DI LEO	PAPI, George	Giorgio PAPI
LIVINGSTON, Sam	Ferdinando BALDI	PARETO, Willy	Riccardo FREDA
LONDON, James	Richard HARRISON	PARK, Lady	Gianni FERRIO
LOVER, Robert	Roberto AMOROSO	PARKER, Frank	Guido ZURLI
LURET, Jean	Guido ZURLI	PARKER, Stan	Pedro Luis RAMÍREZ
MAC COHY, Steve	Ignacio F. IQUINO	PERKINS, Mike	Mario CAIANO
MAC ROOTS, George	Giorgio MARIUZZO	PIÑA, Angel Oliver	Carlo RUSTICHELLI
MALAKIAN, Achod	Henri VERNEUIL	PIPOLO	Giuseppe MOCCIA
MANCUSO, Kevin	Aristide MASSACCESI	PISANI, Al/Walter	Giuseppe VARI

Pseudonym	Bürgerlicher Name	Pseudonym	Bürgerlicher Name
PLUMMER, Christian	Sergio MARTINO	TRENKER, Floriano	Luciano TRASATTI
PRESTLAND, Frank	Franco GIRALDI	VALERY, Angel	Angelo PANNACCIÒ
PRESTON, Leonide	Renato POLSELLI	VAN DYKE, A.	Amasi DAMIANI
PRICE, Charles	Franco PROSPERI	VANCE, Lewis	Luigi VANZI
RE, Edoardo	Mario CAIANO	VANCE, Stan	Florestano VANCINI
RED. Frank	Marcello CIORCIOLINI	VINCENZO, Mano	Romano VINCENZO
REDFORD, William	Pasquale SQUITIERI	VITELLI, Mila	Maria Rosa VALENZA
REED, James	Guido MALATESTA	WALKER, Albert J.	Adalberto ALBERTINI
REGAN, Willy S.	Sergio GARRONE	WARNER, George	Giorgio CRISTALLINI
REINGOOLD, Fred	Alfredo MEDORI	WARREN, Jack/John/Joseph	Giuseppe VARI
REYNOLDS, Don	Giancarlo ROMITELLI	WHITE, Andrew	Andrea BIANCHI
RICHMOND, Anthony	Tonino RICCI	WHITE, Robert M.	Roberto Bianchi MONTERO
RINGOLD, Fred	Fernando CERCHIO	WICH, Nathan	Lina WERTMÜLLER
RIVER, Diego	Diego FIUME	WIELAND, Franz	Franco CASTELLANO
ROBERTS, Bob	Fulvio TESTI	WILEYS, Anthony	Mario SEQUI
ROBERTSON, Bob	Sergio LEONE	WILLIAMS, Mike	Romano FERRARA
ROCKFELLER, Roger	Ruggero DEODATO	WILSON, Fred	Marino GIROLAMI
ROLI, Mino	Erminio PONTIROLI	WILSON, Gordon Jr.	Sergio CORBUCCI
ROMAN, Anthony	Antonio ROMAN	WILSON, Henry	Nino SCOLARO
ROSENTHAL, Julian	Giuseppe LA TORRE	WOOD, John	Juan BOSCH
ROSSI, Bernardo	Marino GIROLAMI	WORD, Al	José Alvaro MANCORI
ROSTEL, Newman	Stelvio MASSI	WORLD, Al	José Alvaro MANCORI
ROWLAND, E.G.	Enzo GIROLAMI	WOTRUBA, Michael	Aristide MASSACCESI
RUBIN, Serghej	Sergio RUBINI	WYLER, John	Silvio BATTISTINI
RUSH, Peter	Filippo Maria RATTI	XIOL, Juan	Juan Xiol MARCHEL
RUSSEL, William	Gilbert ROUSSEL	ZUCKER, Ralph	Massimo PUPILLO
SALTER, Mark	Adriano BOLZONI		
SANTANIELLO, Oscar	Aristide MASSACCESI		
SAVIO, Dan	Ennio MORRICONE		
SCARNICCI	Giulio SCARNICCI		
SCARPELLI	Furio SCARPELLI		
SEEMONELL, J.	Giorgio SIMONELLI		
SEGRI	Sergio GRIECO		
SHANNON, Frank	Franco PROSPERI		
SILVER, Richard Ira	Sante M. ROMITELLI		
SILVESTRI, Dario	Marino GIROLAMI		
SIRKO, Marlon	Mario SICILIANO		
SOLVAY, Paolo	Luigi BATZELLA		
SOTHE, Henry	Enrique ESCOBAR		
SPAZIANI, Renzo	Mario BIANCHI		
SPITFIRE, Dick	Demofilo FIDANI		
STANLEY, Peter E.	Piero PIEROTTI		
STEEL, Max	Stelvio MASSI		
STENO	Stefano VANZINA		
STERLING, Simon	Sergio SOLLIMA		
TARABUSI	Renzo TARABUSI		
THIRD, Bud	Ubaldo TERZANO		
THOMAS, Albert	Adalberto ALBERTINI		
THOMAS, Charles	José Maria ZABALZA		
THOMAS, Vincent	Lorenzo Gicca PALLI		
TORRAD, Raymond	Ramon TORRADO		
TOWER, Joseph L.	Giuseppe LA TORRE		
TOWN, Frank	Franco VILLA		
TRADER, Joseph	Pino MERCANTI		
TRAIL, Amid	Amedeo TRILLI		

Bürgerlicher Name	Pseudonym	Bürgerlicher Name	Pseudonym
ALBERTINI, Adalberto	Al ALBERT		Jules
	Bitto ALBERTINI	HARRISON	
	Stanley MITCHELL	CARPI, Tito	Mathias MC DONALD
	Albert THOMAS	CASCINO, Vincenzo	Vincent CASHINO
	Albert J. WALKER	CASTELLANO, Franco	CASTELLANO
AMENDOLA, Mario	Irving JACOBS		Franz WIELAND
AMOROSO, Roberto	Tony GOOD	CELANO, Guido	William FIRST
	Robert LOVER	CERCHIO, Fernando	Fred RINGOLD
ANDREI, Marcello	Mark ANDREW	CHENTRENS, Federico	Richard OWENS
ANTEL, Franz	François LEGRAND	CIORCIOLINI, Marcello	James HARRIS
ANTONINI, Alfredo	Albert BAND		Frank RED
AZZELLA, William	William MENZEL	CIVIRANI, Osvaldo	Glen EASTMAN
BALCÁZAR, Alfonso	Al BAGRAN		Richard KEAN
BALDANELLO, Gianfranco	Frank G. CARROL	COLETTI, Duilio	John BARD
BALDI, Ferdinando	Ferdy BALDWYN	COLNAGHI, Ignazio	Ignatius COLNIGEE
	Free BALDWYN	COLUCCI, Mario	Ray CALLOWAY
	Ted KAPLAN	CONTARDI, Livia	Jane BRISBANE
	Sam LIVINGSTON	CORBUCCI, Bruno	Frank B. CORLISH
BARBONI, Enzo	E.B.CLUCHER	CORBUCCI, Sergio	Stanley CORBETT
BATTISTINI, Silvio	John WYLER		Gordon WILSON Jr.
BATZELLA, Luigi	Paul HAMUS	COSTA, Mario	John W. FORDSON
	Dean JONES	CRISTALLINI, Giorgio	George WARNER
	Ivan KATHANSKY	CROCCOLO, Carlo	Lucky MOORE
	Paolo SOLVAY	DALLAMANO, Massimo	Jack DALMAS
BAVA, Mario	John FOAM		Max DILLMAN
	John M. OLD	DAMIANI, Amasi	A. VAN DYKE
BAZZONI, Camillo	Alex BURKS	DE LA FUENTE, Juliana	Jackie KELLY
BAZZONI, Luigi	Marc MEYER	DE MARTINO, Alberto	Herbert MARTIN
BERGONZELLI, Sergio	Serge BERGON	DE MASI, Francesco	Frank MASON
BIANCHI, Andrea	Andrew WHITE	DE RISO, Arpad	Robert KEATON
BIANCHI, Mario	Frank BRONSTON	DELL'AQUILA, Vincenzo	Vincent EAGLE
	Alan W. COOLS	DEODATO, Ruggero	Roger ROCKFELLER
	Robert MARTIN	DI LEO, Fernando	Fernando LION
	Robert MOORE	DI MARTINO MANSI, Oscar	Oscar DE MANS
	Renzo SPAZIANI	DI STEFANO, Felice	Felix DE STEPHEN
BIANCHINI, Paolo	Paul MAXWELL	ELORRIETA, José Maria	Joseph DE LACY
BISTOLFI, Emo	Silver BLEM		J. DOUGLAS
BLASCO, Ricardo	Richard BLASK		Joe LACY
BOCCIA, Tanio	Amerigo ANTON	ESCOBAR, Enrique	Henry SOTHE
BOLZONI, Adriano	Mark SALTER	FAGO, Giovanni	Sidney LEAN
BORAU, Jose Luis	J.L. BORAW	FERRARA, Romano	Mike WILLIAMS
BOSCH, Juan	John WOOD	FERRIO, Gianni	Lady PARK
BRESCIA, Alfonso	Hal BRADLEY	FERRONI, Giorgio	Calvin Jackson PADGET
BRIZ, José Mendez	Gilbert KAY		Kelvin J. PAGET
BROCKA, Lino	Lino BROCKS	FIDANI, Demofilo	Danilo DANI
CAIANO, Mario	Allan GRUNEWALD		Miles DEEM
	William HAWKINS		Alex DEMOS
	Mike PERKINS		Philos DEMOS
	Edoardo RE		Lucky DICKINSON
CANEVARI, Cesare	D. BROWNSON		Dennis FORD
CANO, Mateo	Matthew CANO		Nedo LA FIDA
CAPITANI, Giorgio	George HOLLOWAY		Sean O'NEIL
CAPUANO, Luigi	Lewis KING		Dick SPITFIRE
CARDONE, Alberto	Albert CARDIFF	FIUME, Diego	Diego RIVER
CARNIMEO, Giuliano	Anthony SCOTT	FIZZAROTTI, Ettore Maria	Mike FITZGERALD

Bürgerlicher Name	Pseudonym	Bürgerlicher Name	Pseudonym
FRANCO, Jesús	Clifford BROWN	MARTINO, Sergio	Martin DOLMAN
	Jess FRANK		John HAMILTON
	Frank HOLLMAN		Christian PLUMMER
	Franco MANERA	MASCIOCCHI, Marcello	Marc LINE
FREDA, Riccardo	Robert HAMPTON		Marcel MASCOT
	George LINCOLN	MASSACCESI, Aristide	Steve BENSON
	Willy PARETO		Alexander BORSKY
GARIAZZO, Mario	Roy GARRETT		Oliver J. CLARKE
	Robert PAGET		Joe D'AMATO
GARRONE, Guglielmo	William GARRONI		Dario DONATI
GARRONE, Sergio	Kenneth FREEMAN		Oscar FARADINE
	Willy S. REGAN		David HILLS
GENTILI, Giorgio	Dan ASH		Kevin MANCUSO
GIRALDI, Franco	Frank GARFIELD		Peter NEWTON
	Frank PRESTLAND		Oscar SANTANIELLO
GIROLAMI, Enzo	Stephen A. ANDREWS		Michael WOTRUBA
	Enzo G. CASTELLARI	MASSI, Stelvio	Newman ROSTEL
	E.G. ROWLAND		Max STEEL
GIROLAMI, Marino	Frank MARTIN	MATTEI, Bruno	Vincent DAWN
	Franco MARTINELLI		Werner KNOX
	Bernardo ROSSI		Jimmy MATHEUS
	Dario SILVESTRI		Jordan B. MATTHEWS
	Fred WILSON		Stephan OBLOWSKY
GIROLAMI, Romolo	Romolo GUERRIERI	MAUDET, Christian	Christian-JAQUE
GIROTTI, Mario	Terence HILL	MAURI, Roberto	Robert JOHNSON
GORI, Coriolano	Lallo GORI		Robert MORRIS
GRIECO, Sergio	Terence HATHAWAY	MEDORI, Alfredo	Fred REINGOOLD
	SEGRI	MERCANTI, Pino	Joseph TRADER
GRIMALDI, Giovanni	Gianni GRIMALDI	MERIGHI, Ferdinando	Fred Lyon MORRIS
HARRISON, Richard	James LONDON	MERINO, Jose Luis	Joseph MARVIN
INCROCCI, Agenore	AGE	MIRAGLIA, Emilio	Al BRADY
INFASCELLI, Roberto	Bob ENSESCALLE	MOCCIA, Giuseppe	Daniel MOOCK
IQUINO, Ignacio F.	Steve McCOY		PIPOLO
	Steve MAC COHY	MOFFA, Paolo	John BYRD
	John MARSHALL	MOLLICA, Antonio	Ted MULLIGAN
KENNEDY, Burt	Z.X. JONES	MOLTENI, Palmamborgio	George MOLTEN
LA TORRE, Giuseppe	Julian ROSENTHAL	MONTEMURRO, Francesco	François MONTY
LENZI, Umberto	Humphrey HUMBERT	MONTERO, Roberto Bianchi	Robert M. WHITE
LEONE, Sergio	Bob ROBERTSON	MORRICONE, Ennio	Leo NICHOLS
LIZZANI, Carlo	Lee W. BEAVER		Dan SAVIO
LUCIDI, Maurizio	Maurice A. BRIGHT	MULARGIA, Edoardo	Edward G. MULLER
MALATESTA, Guido	James REED	MUSOLINO, Vincenzo	Vincent Glenn DAVIS
MANCORI, Alvaro	Al WORD	NOSTRO, Nick	Nick HOWARD
	Al WORLD	PALLI, Lorenzo Gicca	Enzo GICCA
MANGIONE, Giuseppe	Jone MANG		Vincent THOMAS
	José MANY	PANNACCIÒ, Angelo	Gerard B. LENNOX
MARCELLINI, Siro	Omar HOPKINS		Angelo A. PANN
	Sean MARKSON		Angel VALERY
MARCHEL, Juan Xiol	Juan XIOL	PAOLELLA, Domenico	Paolo DOMINICI
MARCHENT, Joaquin Luis. R.	Joaquin R. FERNÁNDEZ		Paul FLEMING
	Joaquin R. HERNÁNDEZ	PAPI, Giorgio	George PAPI
	Paul MARCHENTI	PAROLINI, Gianfranco	John EASTWOOD
MARGHERITI, Antonio	Anthony DAWSON		Cehett GROOPER
MARIUZZO, Giorgio	George MAC ROOTS		Frank KRAMER
MARTIN, Eugenio	Gene MARTIN	PIEROTTI, Piero	Peter E. STANLEY

Bürgerlicher Name	Pseudonym	Bürgerlicher Name	Pseudonym
POLSELLI, Renato	Leonide PRESTON	VINCENZO, Romano	Mano VINCENZO
PONTIROLI, Erminio	Mino ROLI	WERTMÜLLER, Lina	George H. BROWN
PRAGER, Stanley	Luciano LELLI		Nathan WICH
PROSPERI, Franco	Frank SHANNON	ZABALZA, José Maria	Harry FREEMAN
	Charles PRICE		Charles THOMAS
PUCCINI, Gianni	Jeff MULLIGAN	ZANE, Angio	Auro D'ENZA
PUPILLO, Massimo	Max HUNTER	ZEGLIO, Primo	Anthony GREEPY
	Ralph ZUCKER	ZURLI, Guido	Jean LURET
RALSTON, Gilbert A.	Gilbert ALEXANDER		Albert MOORE
RAMÍREZ, Pedro Luis	Stan PARKER		Frank PARKER
RATTI, Filippo Maria	Peter RUSH		
REGNOLI, Piero	Dean CRAIG		
REINECKER, Herbert	Alex BERG		
REYNOLDS, Sheldon	Ralph GIDEON		
RICCI, Tonino	Anthony RICHMOND		
ROMITELLI, Giancarlo	Don REYNOLDS		
ROMITELLI, Sante M.	Richard Ira SILVER		
ROSATI, Giuseppe	Aaron LEVIATHAN		
ROSSATI, Nello	Ted ARCHER		
	Nello FERRARESE		
ROSSETTI, Franco	Fred GARDNER		
ROUSSEL, Gilbert	William RUSSELL		
RUBINI, Sergio	Serghej RUBIN		
RUSTICHELLI, Carlo	Angel Oliver PIÑA		
SABATINI, Mario	Anthony GREEN		
SAVONA, Leopoldo	Leo COLMAN		
SCARPELLI, Furio	SCARPELLI		
SCOLARO, Nino	Henry WILSON		
SECCHI, Antonio	Tony DRY		
SECCHI, Luciano	Max BUNKER		
SEQUI, Mario	Anthony WILEYS		
SICILIANO, Mario	Lee CASTLE		
	Azzeri Luca DELLI		
	Carlo LEONE		
	Marlon SIRKO		
SIMONELLI, Giovanni	Simon O'NEIL		
SOLLIMA, Sergio	Simon STERLING		
SQUITIERI, Pasquale	William REDFORD		
STEGANI, Giorgio Casorati	George FINLEY		
TERZANO, Ubaldo	Bud THIRD		
TESTI, Fulvio	Bob ROBERTS		
TORRADO, Ramon	Raymond TORRAD		
TRASATTI, Luciano	Floriano TRENKER		
TRECCA, Fabrizio Trifone	T.F. KARTER		
TRILLI, Amedeo	Amid TRAIL		
VALENZA, Maria Rosa	Mila VITELLI		
VANCINI, Florestano	Stan VANCE		
VANZI, Luigi	Roy FERGUSON		
	Lewis VANCE		
VANZINA, Stefano	STENO		
VARI, Giuseppe	Al/Walter PISANI		
	Jack/John/Joseph WARREN		
VEO, Carlo	Charlie FOSTER		
VERNEUIL, Henri	Achod MALAKIAN		
VILLA, Franco	Frank TOWN		

SONGTEXTE

LONESOME BILLY
Aus dem Film »Le pistole non discutono«
(»Die letzten Zwei vom Rio Bravo«)

Musik von Ennio Morricone
Gesungen von Peter Tevis

Always lonely
Always looking
To get even with the men,
Who did him wrong.
That was Billy
Lonesome Billy
Who was quick to think
A gun could make him strong.
No one tougher or more daring.
Only he and his gun sharing
The great fight to live
And his great love to fight.
A rough man who played with danger,
To whom trouble was no stranger,
Until one day he lay dying.
He'd filled his date with destiny.
Never friendly
Never trusting
Always kept one ready hand near his gun.
That was Billy
Lonesome Billy
The rough man
Who would rather kill than run.
The rough man
Who would rather kill than run.

THE STORY OF A SOLDIER
Aus dem Film »Il buono, il brutto, il cattivo«
(»Zwei glorreiche Halunken«)

Musik von Ennio Morricone
Text von Tommy Connor
Gesungen von Il Cantori Moderni

Bugles are calling
from prairie to shore,
»Sign up« and »Fall in«
and march off to war.
Drums beating loudly,
Hearts beating proudly
Match Blue and Grey
And smile as you say Goodbye.
Smoke hides the valleys
And fire paints the plains.
Loud roar the cannons
'Til ruin remains:
Blue grass and cotton
Burnt and forgotten
All hope seems gone
So soldier march on to die.
There in the distance
A flag I can see,
Scorched and in ribbons
But whose can it be;
How ends the story,
Whose is the glory,
Ask if we dare
Our comrades out there who sleep.

717

A GRINGO LIKE ME
Aus dem Film »Gringo«
(»Drei gegen Sacramento«)

Musik von Ennio Morricone
Gesungen von Peter Tevis

Keep your hand on your gun
Don't you trust anyone
There's just one kind of man
That you can trust
That's a dead man ...
Or a gringo like me.
Be the first one to fire
Every man is a liar
There's just one kind of man
Who tells the truth
That's a dead man ...
Or a gringo like me.
Don't be a fool for a smile
Or a kiss
Or your a bullet might miss.
Keep your eye on your goal.
There's just one rule
That can save you your life,
It's a hand on your knife
And the Devil in your soul!
Keep your hand on your gun
Don't you trust anyone
There's just one kind of man
That you can trust
That's a dead man ...
Or a gringo like me.
Keep your hand on your gun
Don't you trust anyone
There's just one kind of man

That you can trust
That's a dead man ...
Or a gringo like me ...
Or a gringo like me ...

RETURN OF RINGO
Aus dem Film »Il ritorno di Ringo«
(»Ringo kommt zurück«)

Musik von Ennio Morricone
Gesungen von Maurizio Graf

I kiss at last the beloved ground of my land,
That I left one day with my hard heart full of pain.
I have looked in the faces of my old friends,
But nobody looked at me as my old friend.
And now what happens you must, you must tell me.
You must remember who I am.
If you see a man with downcast eyes and ragged clothes,
Walking through your village, don't shun him but go
  beside.
I'm that man and now I beg you, help me, I need you.
I need you.
The liar who told my sweetheart that I was dead,
To take my place, he shall pay for this base lie.
Those who saw me as a rundown man,
Those who tried to destroy all our world,
Shall leave forever our beloved land,
Because we are fearless men.
Because we are fearless men.
Because we are fearless men.

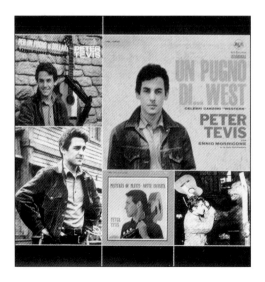

RUN, MAN RUN
Aus dem Film »La resa dei conti«
(»Der Gehetzte der Sierra Madre«)

Musik von Ennio Morricone
Text von Audrey Nohra
Gesungen von Christy

Somewhere there is a land where men
   do not kill each other.
Somewhere there is a land where men
   call a man a brother.
Somewhere you will find a place where men
   live without fear.
Somewhere, if you keep on running,
   someday you'll be free.

Chorus: Never, no never no they'll never lock you in.
No never, no never, no never let them win.
Go ahead young man, face towards the sun,
Run man, run while you can,
Run, man, run, man, run.

Running like a hare, like deer, like rabbit,
Danger in the air, coming near, you can feel it,
And you're panting like hare, like deer like a rabbit,
Running from the snare until fear is a habit.
Hurry on and on and on.
Hurry on and on, hurry on and on
Run and run and run until you know you're free,
Run to the end of the world 'til you find a place

WALK BY MY SIDE
Aus dem Film »Il momento di uccidere«
(»Django – ein Sarg voll Blut«)

Musik von Francesco De Masi
Gesungen von Raoul

Walk by my side, you'll find,
You'll find the peace of your soul.
Don't look no more, you will not be saved,
'Cause you don't know yet what there is.
Walk by my side, you'll hear,
You'll hear the voice of truth.
Someone will come and guide your stance,
You won't have this dance with me.

If you believe me you'll learn to love me.
You will be free as the wind.
If you believe me you'll know what is right,
   And what is wrong.

Walk by my side you'll see,
you'll see the sun that shines,
Up on the hills and in the sky,
If you will walk by my side.

A MAN ALONE
Aus dem Film »Le colt cantarono la
morte e fu ... tempo di massacro«
(»Django, nur der Colt war sein Freund«)

Musik von Lallo Gori
Gesungen von Sergio Endrigo

You left to find a pot of gold
A thousand miles you rode alone
All alone
The long and lonely way
That won't lead you anywhere

You'll come back home, someday
You'll come back home, someday
The wind will steal your pot of gold
And fill your eyes with burnin' sand
Bitter sand
No star will show the way
And no one will hear your prayer
You'll come back home, someday
You'll come back home, someday

You went away for ever
You went away alone.
But someone's always waitin'
For you at home, today.

ARIZONA COLT
Aus dem Film »Arizona Colt«

Musik von Francesco De Masi
Gesungen von Raoul

He came out of nowhere
With no one beside him,
He rode out of the sunrise
All alone.

A man out of nowhere
With no one to love him,
His one faithful companion
Was his gun.

No one could say
Just where he came from,
No one could say
Where he was going.

Was he a man
Without a love?
A man with a heart
Made of stone.

The moon on the mountains
A sky full of star lights,
And some wary young stranger
On his way.

No one could say
Just where he came from,
No one could say
Where he was going.

As he had come
He rode away,
A man with a gun
All alone ...

BLINDMAN
Aus dem Film »Blindman« (»Blindman –
der Vollstrecker«, im Film nicht zu hören)

Musik von Stelvio Cipriani
Gesungen von Ringo Starr

Blindman with your piece of paper whatcha gonna do?
Blindman with your paper can you see it through?
Your name on that paper means so much to you.
You made a promise you would get them through.
The girls to the miners you would take them to.
They've been taken, you've lost them all
    and the money, too.
Chorus:

Come on, Blue, whatcha gonna do now?
Come on, Blue, whatcha gonna do now?

Mexico, you gotta go, ya know it just ain't fair.
To get your women back, now hurry,
   you've gotta go there.
You're all alone, but you'll make it all right.
You'll find your women there,
   but when you get them you'll have to fight.
(Chorus)

LAST GAME
Aus »Sentenza di morte«
(»Django – unbarmherzig wie die Sonne«)

Musik von Gianni Ferrio
Gesungen von Neville Cameron

Start praying, 'cause this game's for real.
The stakes are high, it's my turn to deal.
I wish you luck, it's the last round to go.
Sure's tough to lose, guess you're to know.

I play this game to win,
So you'd better pray for help somehow.
The tricks you've been using,
Won't stop you from losing,
'Cause I'm the winner now.

All your chips are down and mine are sky high.
So losers die.

Put your gun away, it's my lucky day.
Now your turn to pay
And better luck next time,

Except there'll never be another time,
For you.

THE DESPERADO
Aus dem Film »El desperado« (»Escondido«)

Musik von Gianni Ferrio
Gesungen von John Balfour

I ride across the plain,
Wherever danger calls.
My gun's for hire,
If you should need me.
I can go,
Where danger leads me,
For I'm the man,
The one they call,
Desperado.
Desperado.
And there's no one alive I fear.

But when you've got nothing to lose,
It don't matter how hard you fall.
Your fate you can pick and choose,
'Cause you're ready to risk your all.

I ride across the plain,
Alone with just a gun,
But no one goes,
Wherever I go.
Trouble goes,
Wherever I go,
For I'm the man,
The one they call Desperado,
And there's no one alive I fear.

No, there's nothing that I've got to lose.
And if I die, then it's destiny.
For the man who's a real desperado,
That's the way it's gotta be.

THE WIND IN MY FACE
Aus dem Film
»Campa carogna ... la taglia cresce«
(»Vier Teufelskerle«)

Musik von Nico Fidenco
Gesungen von Stephen Boyd

Ridin' with the wind in my face,
Searchin' for the human race.
Out on the road again,
Fightin' for the rights of men.

Come off your mountain proud,
Shout it to the world aloud!
With someone here to share my hand,
I'd never, ever leave this land.

Woman, you're not a friend.
Every time I come to you,
I find that you're changin' your mind.
Always when the chips are down,
I find I can't be trusting your kind.

Making my way through the dust,
As certain people say I must.
Askin' only just to know,
and beggin' for the wind to blow.

Woman, you're not a friend ...

SON OF DJANGO
Aus dem Film »Il figlio di Django«
(»Der Sohn des Django«)

Musik von Piero Umiliani
Gesungen von John Balfour

They called him Django,
A man of high degree,
A man of honor.
He was a friend to me.
They called him Django.
A coward gunned him down.
I won't rest easy,
until that coward is found.

Every town and country I'll search,
Until I find a trace.
Soon there'll be nowhere left,
That he can show his face.
Then, revenge will be mine,
When I have found his trail.
That coward won't even be safe,
Behind those bars in jail.

I'll kill for Django,
And for his memory.
He was my father,
A man of high degree.

MAYBE ONE, MAYBE NINE
Aus dem Film »Uno dopo l'altro«
(»Von Django – mit den besten Empfehlungen)

Musik von Nico Fidenco
Gesungen von Fred Bongusto

When the light of the rainbow is gleaming down,
There's a man who is waiting for a man.
The reason you don't know,
He wants to kill a man.

Maybe one, maybe two, or maybe three.
Maybe four, maybe five, or maybe seven.
Maybe seven, maybe nine,
He wants to kill a man.

Maybe, he wants to kill a man.
Maybe, he wants to kill a man.
He wants to kill a man.
He wants to kill a man.
Maybe, he wants to kill a man.

SEVEN MEN
Aus dem Film
»7 winchester per un massacro«
(»Die Satansbrut des Colonel Blake«)

Musik von Francesco DeMasi
Gesungen von Raoul

When seven daring young men,
When seven creeping shadows go riding,
And looking for trouble,
Trouble comes.

When seven lawless young men,
Have found a trail to follow.
And when seven shadows go a galloping,
Somewhere tomorrow will be sorrowing.
So beware of those seven men.
All they care for and all they want is gold,
Nothing but gold.

And one day seven gunmen,
Will just be seven shadows.
When seven dead men look for trouble,
Trouble will come.

TRINITY STAND TALL
Aus dem Film »Continuavano a chiamarlo Trinità«
(»Vier Fäuste für ein Halleluja«)

Musik von Guido & Maurizio De Angelis
Gesungen von Guido & Maurizio De Angelis

Again we must travel on to nowhere
even when we were kids we stayed alone
all the things that we tried just never mattered
they all shattered, so we packed up and we've gone
Turn the tables around
then good luck can be found
you've got to be Trinity
Trinity stand tall
Turn the tables around
then good luck can be found
you've got to be Trinity
Trinity stand tall
The sun in the morning warms the cold night
what makes you go on to change your mind
how far down that road you've gone a long way

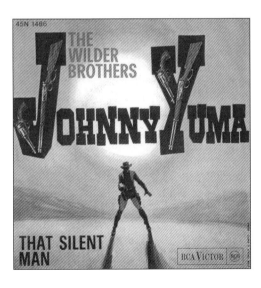

from the first stay when you've picked up and gone
Turn the tables around
then good luck can be found
you've got to be Trinity
Trinity stand tall
Turn the tables around
then good luck can be found
you've got to be Trinity
Trinity stand tall
Trinity, Trinity stand tall.

DA UOMO A UOMO
Aus dem Film »Da uomo a uomo«
(»Von Mann zu Mann«)

Musik von Ennio Morricone
Gesungen von Raoul

Imminent trouble (chorus by Cantori Moderni)
A million Dollars (chorus by Cantori Moderni)
Hombre / Coming / Temper / Mountains / Hell be! /
Coming / Temper / Mountains / Hell be! /
Drawing / Always / Entrail / Hell be! / Driving /
Always / Entrail / Who'll be the first to take his gun? /
Who'll be the last to see the ground?
(three times)

DJANGO
Aus dem Film »Django«

Musik von Luis Enrique Bacalov
Gesungen von Berto Fia

Have you always been alone
Django
Have you never loved again
Love will live on

Life must go on
For you cannot spend your life regretting

Django
You must face another day
Django
Now your love has gone away
Once you loved her
Now you've lost her
But you've lost her forever, Django

When there are clouds in the skies
And they are grey
You may be sad, but remember
They'll all soon pass away
Django
After the showers, the sun will be shining

JOHNNY YUMA
Aus dem Film »Johnny Yuma«

Musik von Nora Orlandi
Gesungen von The Wilder Brothers

Wherever there's a road he rides,
wherever with his horse he rides
a blue sky or a starry night
are better than a warming home.

Johnny Yuma don't go,
Johnny Yuma stay here
what do you think you'll find
beyond the mountains.

But Johnny is a reinless horse
tomorrow he'll be far away
wherever there's a road he rides
let him ride maybe he'll return.

FILMTITEL-REGISTER

FILM & FERNSEHEN:
DIE BILDBÄNDE UND SACHBÜCHER

Für ein paar Leichen mehr

Der Italo-Western von seinen Anfängen bis heute

Von Ulrich P. Bruckner

JUDE LAW

KEIRA KNIGHTLEY

Audrey Hepburn

Die Legende – Bilder und Erinnerungen

DRESSING
DIE STAR WARS KOSTÜME
A GALAXY

Romy Schneider
DAS GROSSE ALBUM
FOTOGRAFIEN VON 1952 BIS 1959

PETER BASCH
STARS!

FOTOGRAFIEN AUS DEN
FÜNFZIGER UND SECHZIGER JAHREN

HERAUSGEGEBEN VON MICHAEL PETZEL

Hildegard Knef

ROLF GIESEN / MANFRED HOBSCH

HITLERJUNGE QUEX,
JUD SÜSS UND KOLBERG

DIE PROPAGANDAFILME DES DRITTEN REICHES

HEINZ ERHARDT
MOPSFIDEL IM WIRTSCHAFTSWUNDERLAND

Lindenstraße

1000 FOLGEN IN TEXT UND BILD

Das Erste

SEX AND THE CITY
KISS AND TELL

Georg Preuße
MARY
Mein Leben in ihrem Schatten

Dieter Hallervorden
Wer immer
schmunzelnd
sich bemüht . . .

Ein autobiographischer Blick zurück nach vorn

Mamela Bialek
Karsten Weyershausen

Das
Astrid
Lindgren
Lexikon

Alles über die beliebteste
Kinderbuchautorin
der Welt

THOMAS HRUSKA & JÖRN EVERSMANN
DER NEUE
SERIEN
GUIDE

DAS LEXIKON ALLER SERIEN
IM DEUTSCHEN FERNSEHEN
VON DEN ANFÄNGEN BIS HEUTE

BAND 1: A-F

Schwarzkopf & Schwarzkopf

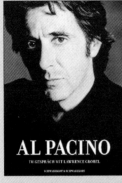

DIE LEGENDÄREN ITALO-WESTERN VON KOCH MEDIA

Alle DVD-Veröffentlichungen wurden exklusiv produziert von *Für ein paar Leichen mehr*-Autor Ulrich P. Bruckner!

„Die Firma Koch Media hat die Filme nun in einer Box veröffentlicht – die einer editorischen Meisterleistung gleichkommt" epd Film 7/2005

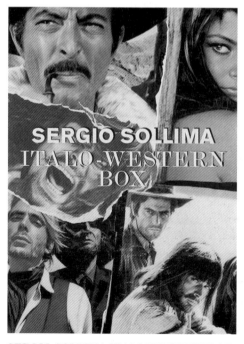

SERGIO SOLLIMA ITALO-WESTERN-BOX

- Der Gehetzte der Sierra Madre
- Von Angesicht zu Angesicht
- Lauf um Dein Leben

Mit exklusiv produziertem Lexikon des Italo-Western von *Für ein paar Leichen mehr*-Autor Ulrich P. Bruckner!

DER AUTOR Ulrich P. Bruckner, Jahrgang 1962, beschäftigt sich seit seiner frühen Kindheit mit dem Medium Film in all seinen Variationen. Seit dem Abschluss seiner Wirtschaftsstudien in Innsbruck und New Orleans ist er in verschiedenen Bereichen des Entertainment Geschäftes in den USA und Europa beschäftigt. Nach Tätigkeiten bei einigen namhaften Medienfirmen wie z.B. Warner Bros. rief Ulrich P. Bruckner Anfang 2003 die Home Entertainment Abteilung der Firma Koch Media GmbH ins Leben, deren bisher erschienene DVDs zum Teil zu den erfolgreichsten Veröffentlichungen im deutschsprachigen Raum gehören. Neben den Veröffentlichungen von vielen äußerst erfolgreichen TV-Serien und Genrefilmen ist es Ulrich P. Bruckner auch gelungen, den Genre-Fans unzählige rare Italo-Western-Klassiker wie DER GEHETZTE DER SIERRA MADRE, VON ANGESICHT ZU ANGESICHT, BLINDMAN oder DJANGO – DIE TOTENGRÄBER WARTEN SCHON zugänglich zu machen. Viele dieser Filme sind zum ersten Mal komplett restauriert und ungekürzt auf dem deutschsprachigen Markt erhältlich.

DANKESCHÖN Für Daten und Fakten, seltene Fotos, Videofilme, DVDs, Fotomaterial und andere Informationen oder Anregungen möchte ich mich vor allem bei folgenden Personen und Institutionen bedanken (in alphabetischer Reihenfolge): Carlos Aguilar, Ulrich Angersbach, Tom Betts, Helmut Biber, Julian Braithwaite, Donald S. Bruce, Antonio Bruschini, Chris Casey, William Connelly, Michele De Angelis, Peter J. Hanley, Peter Heinrich, Michael Hochhaus, Christian Keller, Henry Kettler, Joachim Kramp, Ally Lamaj, Lauri Lehtinen, Stephan Lenzen, Wolfgang Luley, Eric Maché, Daniel Maier, John Mansell, Nils Markvardsen, Mario Marsili, Günter Marzi, Alison Mcinnes, Isao Mitsui, John Nudge, Patrick O'Brien, Jörg Ostermann, Moritz Peters, Timo Raita, Peter Scholtka, Eckhard Schleifer, Inga Seyric, Michael Siegel, Jason Slater, Tibor Robert Szücs, Yoshifumi Yasuda, Udo Zimmermann.

Nicht zuletzt danke ich auch den folgenden Darstellern und Regisseuren, die mir sehr kurzfristig und ohne lange Wartezeit für Interviews zur Verfügung standen (in alphabetischer Reihenfolge): Enzo G. Castellari, Gianni Garko, Giuliano Gemma, George Hilton, Franco Nero, Giulio Petroni, Sergio Sollima und Tonino Valerii.

Ganz besonders danke ich meiner Frau Anita, die mir in monatelanger Arbeit mit Recherchen und Korrekturen von Stab-, Besetzungs- und Pseudonym-Listen zur Seite stand und ohne die auch die zahlreichen in italienischer Sprache durchgeführten Interviews nicht möglich gewesen wären.

ABBILDUNGEN Filmarchiv Helmut Biber, Giuliano Carnimeo, Enzo G. Castellari Collection, Spaghetti Western Collection Ally Lamaj, Isao Mitsui, Patrick O'Brian, Jörg Ostermann, Giulio Petroni, Timo Raita, Inga Seyric, Michael Siegel, Jason Slater, Sergio Sollima, Yoshifumi Yasuda, Ulrich P. Bruckner

ITALO-WESTERN WEBLINKS ALLGEMEIN: Tre ragazzi d'oro: http://userwww.aimnet.ne.jp/user/django-kill • www.spaghetti-western.net • http://www.splashmovies.de/php/specials/287 • Eurowestern: http://www.fatmandan.de • A Fistful of Westerns: http://www.fistfulofwesterns.com • Euro Western: http://membres.lycos.fr/eurowestern • Shobary's Western Page: http://spaghettiwesterns.1g.fi • www.una-bara-per-django.de/ • www.imagesjournal.com/issue06 • www.sartana.homestead.com/map.html • www.diabolik.demon.co.uk/westerns • www.dvdtalk.com/dvdsavant/s116spaghetti.html • www.adiosgringo.com • www.imagesjournal.com/issue06/infocus/spaghetti.

htm • ITALO-WESTERN WEB-BOARD: http://disc.server.com/Indices/160642.html • DREHORTE: Garringo Locations: http://garringo.cool.ne.jp • Sergio Leone SW locations: http://www.ramon.btinternet.co.uk/sw/index.html • Valle del Tabladillo: http://www.valledeltabladillo.com • Tuco Tours: http://www.tucotours.co.uk • Tucumcari Web Connection: http://groups.msn.com/TheTucumcariwebconnection/shoebox.msnw • Western-Locations-Spain: http://www.western-locations-spain.com • Mini-Hollywood: http://www.hvsl.es/lei/hojas/leio0002.htm • Texas Hollywood: http://www.texashollywood.com • SOUNDTRACKS: Japanese Soundtrack Page: http://homepage1.nifty.com/macaroni • A Fistful of Soundtracks: http://www.h4.dion.ne.jp/~sonoro/index_j.html • GENRE-MAGAZINE: www.schnitt.de, www.splatting-image.de • www.bbl-steadycam.de • SERGIO LEONE: www.sergioleone.net • www.sergioleone.com • GIULIO PETRONI: www.giuliopetroni.com • CLINT EASTWOOD: www.clinteastwood.net • FRANCO NERO: www.franconero.it • GIULIANO GEMMA: www.giulianogemma.it • TOMÁS MILIAN: www.algonet.se/~krig/milian.html • ENZO G. CASTELLARI: http://www.enzogcastellari.com • CHARLES BRONSON: www.charles-bronson.com • KLAUS KINSKI: www.klaus-kinski.de • ELI WALLACH: www.imagesjournal.com/issue06/features/eliwallach.htm • BUD SPENCER & TERENCE HILL: www.bud-spencer.de • www.terencehill.de • ENNIO MORRICONE: www.morricone.de • www.enniomorricone.com • BRUNO NICOLAI: http://brunonicolai.homestead.com/nicolai.html • ITALO-WESTERN DVDs: www.wildeast.net • www.kochmedia-dvd.com • ITALO-WESTERN CDs: www.intermezzomedia.com • www.camoriginalsoundtracks.com • LEE VAN CLEEF: www.leevancleef.com

Ulrich P. Bruckner:
FÜR EIN PAAR LEICHEN MEHR
Der Italo-Western von seinen Anfängen bis heute

Stark erweiterte und aktualisierte Neuausgabe des Standardwerkes

ISBN-10: 3-89602-705-0
ISBN-13: 978-3-89602-705-4

© der Abbildungen bei den jeweiligen Rechteinhabern
© dieser Ausgabe bei Schwarzkopf & Schwarzkopf
   Verlag GmbH, Berlin 2006.

KATALOG
Wir senden Ihnen gern kostenlos unseren Katalog.
Schwarzkopf & Schwarzkopf Verlag
Kastanienallee 32, 10435 Berlin
Telefon: 030 – 44 33 63 00
Fax: 030 – 44 33 63 044

INTERNET & E-MAIL
www.schwarzkopf-schwarzkopf.de
info@schwarzkopf-schwarzkopf.de